ESPAÑA
& PORTUGAL

ATLAS DE CARRETERAS y TURÍSTICO
ATLAS RODOVIÁRIO E TURÍSTICO
ATLAS ROUTIER et TOURISTIQUE
TOURIST and MOTORING ATLAS
STRASSEN- und REISEATLAS
TOERISTISCHE WEGENATLAS

Sumario / Sumário / Sommaire / Contents / Inhaltsübersicht / Inhoud

Portada interior: Mapa índice
Verso da capa: Quadro de articulação
Intérieur de couverture : Tableau d'assemblage
Inside front cover: Key to map pages
Umschlaginnenseite: Übersicht
Binnenzijde van het omslag: Overzichtskaart

D - E

Grandes itinerarios
Grandes itinerários
Grands itinéraires
Route planning
Reiseplanung
Grote verbindingswegen

F - G

Cuadro de distancias
Quadro das distâncias
Tableau des distances
Distances
Entfernungstabelle
Afstandstabel

2 - 103

España - Portugal: 1: 400 000
Espanha - Portugal: 1: 400 000
Espagne - Portugal : 1 / 400 000
Spain - Portugal: 1: 400 000
Spanien - Portugal: 1 : 400 000
Spanje - Portugal: 1: 400 000

87   104 - 106

Islas Baleares
Baleares
Iles Baléares
Balearic islands
Balearen

88

Madeira
Madère

Sumario / Sumário / Sommaire
Contents / Inhaltsübersicht / Inhoud

C

107

Islas Azores / Açores
Iles Açores / Azores islands
die Azoren / Azoren

108 - 132

Islas Canarias / Canárias
Iles Canaries / Canary islands
Kanarische Inseln / Canarische Eilanden

133 - 204

Índice Andorra - España / Índice Andorra - Espanha
Index Andorre - Espagne / Index Andorra - Spain
Register Andorra - Spanien / Register Andorra - Spanje

205 - 217

Índice Portugal
Index Portugal / Register Portugal

218

Climatología / Clima
Régimes climatiques / Temperatures
Temperaturen

219 - 224

Signos convencionales / Legenda
Légende / Key
Zeichenerklärung / Verklaring van de tekens

Planos de ciudades / Plantas das cidades / Plans de ville / Town plans / Stadtpläne / Stadsplattegronden

ESPAÑA

134	Albacete
136	Alacant / Alicante
137	Almería
138	Ávila
139	Badajoz
140	Barcelona (alrededores)
141	Barcelona (centro)
142	Bilbao
144	Burgos
145	Cáceres
146	Cádiz
147	Cartagena
148	Castelló de la Plana / Castellón de la Plana
150	Ciudad Real
151	Córdoba
152	A Coruña
153	Cuenca

154	Donostia- San Sebastián
155	Elche
157	Gijón
158	Girona
159	Granada
160	Guadalajara
161	Huelva
162	Jaén
163	Jerez de la Frontera
163	León
164	Lleida
165	Logroño
165	Lugo
166	Madrid (alrededores)
167	Madrid (centro)
170	Málaga
171	Mérida
172	Murcia
173	Oviedo

174	Palencia
176	Palma de Mallorca
177	Las Palmas de Gran Canaria
178	Pamplona
179	Pontevedra
183	Salamanca
185	Santa Cruz de Tenerife
186	Santander
186	Santiago de Compostela
187	Segovia
188	Sevilla (alrededores)
189	Sevilla (centro)
191	Soria
192	Tarragona
192	Teruel
194	Toledo
196	València (alrededores)

197	València (centro)
198	Valladolid
199	Vigo
200	Vitoria-Gasteiz
201	Zamora
202	Zaragoza

PORTUGAL

203	Aveiro
205	Braga
206	Coimbra
207	Évora
208	Funchal
209	Lisboa (arredores)
210	Lisboa (centro)
212	Porto (arredores)
213	Porto (centro)
215	Santarém
216	Setúbal

D

Grandes itinerarios / Grandes itinerários
Grands itinéraires / Route planning
Reiseplanung / Grote verbindingswegen

Grandes itinerarios / Grandes itinerários
Grands itinéraires / Route planning
Reiseplanung / Grote verbindingswegen

E

España : Comunidades autónomas & Provincias

Andalucía
AL..............................Almería
CA......................................Cádiz
CO...................................Córdoba
GR...................................Granada
H..Huelva
J..Jaén
MA...................................Málaga
SE.......................................Sevilla
Aragón
HU.....................................Huesca
TE..Teruel
Z.....................................Zaragoza
Canarias
GC.............................Las Palmas
TF......Santa Cruz de Tenerife
Cantabria
S ....Cantabria (Santander)
Castilla y León
AV...Ávila
BU ....Burgos
LE..León
P..Palencia
SA ....Salamanca
SG ....Segovia
SO ....Soria
VA ....Valladolid
ZA ....Zamora
Castilla-La Mancha
AB ....Albacete
CR...............................Ciudad Real
CU....................................Cuenca
GU...........................Guadalajara
TO...Toledo
Cataluña
B ....Barcelona
GE...................................Girona
L..Lleida
T................................Tarragona
Comunidad Foral de Navarra
NA...........Navarra (Pamplona)
Comunidad Valenciana
A ....Alacant/Alicante
CS................Castelló/ Castellón
V ....Valencia/ València

Comunidad de Madrid
M..................................Madrid
Extremadura
BA ....Badajoz
CC ....Cáceres
Galicia
C ....A Coruña
LU ....Lugo
OR ....Ourense
PO ....Pontevedra
Illes Balears
PM...............Balears (Palma de Mallorca)
La Rioja
LO................La Rioja (Logroño)
País Vasco
SS ....Guipúzcoa (Donostia-San Sebastián)
BI ....Vizcaya (Bilbao)
VI ....Álava (Vitoria-Gasteiz)
Principado de Asturias
O ....Asturias (Oviedo)
Región de Murcia
MU ....Murcia
Ceuta
Melilla

Portugal : Distritos
01 ....Aveiro
02 ....Beja
03 ....Braga
04 ....Bragança
05 ....Castelo
06 ....Coimbra
07 ....Évora
08 ....Faro
09 ....Guarda
10..Leiria
11..Lisboa
12 ....Portalegre
13..Porto
14 ....Santarém
15 ....Setúbal
16 ....Viana do Castelo
17 ....Vila Real
18..Viseu
(20) ....Açores
31 ....Ilha da Madeira
32 ....Ilha de Porto Santo

AÇORES
`107`
ISLAS CANARIAS
`108 - 132`

Distance table between cities (km). Diagonal city labels (columns, left to right):

1. Alacant / Alicante
2. Albacete
3. Algeciras
4. Almería
5. Andorra la Vella
6. Aveiro
7. Ávila
8. Badajoz
9. Barcelona
10. Beja
11. Bilbao
12. Braga
13. Bragança
14. Burgos
15. Cáceres
16. Cádiz
17. Castellón de la Plana / Castelló de la Plana
18. Castelo Branco
19. Ciudad Real
20. Coimbra
21. Córdoba
22. A Coruña
23. Cuenca
24. Donostia-San Sebastián
25. Évora
26. Faro
27. Girona
28. Granada
29. Guadalajara
30. Guarda
31. Huelva
32. Huesca
33. Jaén
34. Jerez de la Frontera
35. Leiria
36. León
37. Lisboa

```
170
608  610
302  366  343
683  692 1270  965
947  782  832 1051 1134
541  376  743  667  728  412
808  643  426  645 1013  405  430
539  548 1127  821  198 1147  740 1024
816  698  403  621 1194  396  611  181 1206
807  642 1043  945  600  704  419  730  611  911
1001 836  935 1127 1139  127  504  509 1150  499  685
781  616  818  907  933  285  283  505  945  660  480  226
654  489  891  794  596  551  266  577  608  759  160  534  328
678  513  447  665  910  401  310  133  922  315  610  506  385  457
718  605  127  457 1258  770  682  364 1152  339  982  875  757  829  385
263  272  839  533  426  954  547  820  281 1002  674 1009  789  657  719  875
886  721  603  821 1074  252  352  176 1085  278  644  345  287  490  214  542  886
385  220  526  413  808  724  317  304  695  486  598  779  559  445  311  451  420  478
940  775  777  996 1127   65  405  350 1139  341  697  171  328  544  346  716  939  226  718
550  347  292  355 1000  787  509  381  895  356  789  892  751  636  402  264  620  555  192  732
1019 854 1103 1145 1095  373  522  755 1107  745  548  260  361  489  669 1042 1018  592  797  416  989
329  164  729  526  621  698  291  564  542  746  554  754  533  401  463  717  267  639  268  691  460  771
800  697 1099 1026  526  759  474  785  571  967  100  742  535  215  664 1038  635  700  654  752  845  643  608
911  746  529  748 1116  352  533  103 1128   81  834  457  479  681  236  469  925  197  408  297  484  701  669  889
802  683  382  608 1334  496  750  381 1230  147 1051  602  759  898  454  321  955  462  527  441  341  846  796 1106  287
632  641 1220  914  271 1225  818 1102  104 1284  691 1231 1024  688 1001 1244  374 1166  789 1218  987 1187  636  637 1205 1322
364  366  261  167 1026  906  534  500  884  475  815  997  776  662  521  371  596  674  281  851  204 1014  486  870  603  455  977
449  284  717  604  555  581  174  459  567  640  421  637  416  268  357  705  452  522  256  574  448  654  135  476  561  780  646  473
801  635  733  927  988  159  266  307 1000  367  558  252  194  404  302  672  800   98  579  152  687  497  544  613  288  553 1079  796  432
696  577  275  501 1227  605  644  327 1124  177  945  710  719  792  348  214  849  500  421  550  235  955  689 1000  257  123 1217  396  432  635
578  587 1049  860  261  914  507  792  272  973  323  920  713  377  690 1037  413  855  588  907  780  876  399  249  894 1113  353  805  336  768 1010
409  281  338  225  941  856  449  525  806  500  730  912  691  577  546  408  531  698  196  849  151  929  401  785  627  486  899   95  387  710  383  718
653  573  101  431 1225  738  650  332 1120  307  950  843  725  797  353   35  845  506  417  683  231 1010  686 1005  435  287 1213  307  671  640  185 1003  377
1000 835  718  937 1236  124  514  291 1248  282  806  236  393  653  287  657 1014  167  596   75  672  480  792  861  237  383 1327  785  680  259  481 1014  818  625
766  600  850  891  797  471  269  536  791  718  343  376  193  190  416  789  765  451  544  515  736  321  509  398  639  857  870  761  397  365  755  557  676  757  578
1035 870  646  872 1241  275  574  227 1252  178  866  367  524  712  361  585 1049  227  532  206  530  611  793  921  134  279 1331  720  686  319  377 1018  676  553  147  681
535  544 1120  817  151  985  578  863  178 1044  451  991  784  453  760 1109  277  925  660  978  851  947  471  411  965 1184  257  876  407  839 1078  112  792 1076 1086  641 1090
673  616 1018  955  472  679  393  705  484  886  138  662  455  135  584  957  508  619  574  672  764  617  378  166  807 1026  563  789  278  533  923  250  704  925  780  327  840
925  760 1010 1051 1002  431  429  696 1013  804  512  319  285  395  575  949  925  516  703  475  895   98  668  603  759  905 1092  920  557  422  914  779  835  916  538  226  670
421  255  667  554  615  521  114  405  627  587  403  577  356  250  304  658  423  462  206  514  398  594  167  458  508  726  706  423   61  375  624  393  339  626  622  350  634
480  482  139  203 1142  867  650  461  999  436  931  972  854  778  482  254  712  635  397  812  168 1130  602  986  564  417 1093  134  588  769  314  919  210  229  753  886  682
747  555  372  591  953  424  373   61  965  242  673  529  448  521   76  312  761  234  244  369  327  733  505  729  163  380 1043  440  399  326  274  731  472  279  309  489  288
 85  149  536  230  737  926  519  786  592  750  787  982  761  634  658  647  317  867  364  919  479  999  309  812  889  731  685  293  427  780  628  629  338  583  978  755  996
928  763  970 1054 1065  284  432  632 1077  656  612  171  192  459  536  909  927  423  706  327  898  174  671  667  611  757 1156  923  560  328  855  843  838  877  391  309  522
873  707  957  999  880  578  376  643  892  825  286  483  300  297  523  896  872  558  651  622  843  290  616  380  746  965  971  868  504  472  862  602  783  864  685  129  779
686  521  815  812  683  475  190  501  695  683  247  472  251   94  380  754  686  416  464  468  656  471  429  302  604  822  774  681  318  329  719  461  597  721  576  181  636
676  685 1095  958  475  756  470  782  487  963  157  739  532  212  661 1034  511  696  651  749  841  694  497   82  884 1103  566  866  428  610 1000  164  781 1002  856  404  917
690  699 1278  972  191 1283  876 1160  162 1342  672 1289 1082  746 1059 1302  432 1224  846 1276 1045 1245  694  576 1263 1380   65 1035  704 1137 1278  410  957 1270 1384  955 1389
1041 876 1051 1167 1179  242  545  624 1190  615  644  130  305  572  620  990 1041  462  820  286 1011  134  785  739  570  716 1269 1037  673  367  814  956  952  958  349  416  481
842  650  505  723 1047  286  444   78 1059  180  735  391  379  582  129  444  856   96  383  231  459  636  600  790  101  381 1138  572  493  188  410  825  605  411  171  551  227
990  825  887 1105 1165   78  455  460 1177  450  712   57  214  559  456  826  989  297  768  121  841  302  733  767  406  551 1256  954  622  202  650  943  900  793  185  409  316
640  475  643  766  827  312  105  329  839  511  397  405  175  243  208  582  639  252  418  305  597  461  383  452  432  650  918  635  272  166  548  605  550  549  412  217  473
841  676 1010  980  698  670  385  696  709  878  103  620  437  182  575  949  772  611  634  663  851  458  587  197  799 1017  788  849  454  525  915  420  764  917  771  285  831
1041 876  673  899 1229  194  507  254 1240  205  798  299  457  645  280  612 1041  159  559  139  558  544  784  853  161  306 1319  748  673  251  405 1006  703  580   79  614   83
1028 863 1110 1154 1133  301  531  683 1145  673  586  188  291  527  678 1049 1041  520  806  344  998   76  771  681  629  774 1224 1023  659  425  873  911  938 1016  408  358  539
519  353  757  644  706  477   88  474  718  655  355  533  330  201  373  726  518  418  297  470  489  550  262  410  576  795  797  514  150  332  692  484  429  694  578  323  638
1001 836  612  838 1206  296  608  193 1218  144  900  400  558  746  327  551 1015  261  498  240  496  645  759  955   99  245 1297  686  652  353  343  984  642  519  181  715   50
608  492  187  413 1143  648  560  242 1040  217  861  753  635  707  263  126  765  416  336  593  151  920  605  916  345  198 1133  262  589  550   95  921  297   94  534  676  463
556  464  885  798  452  634  343  627  464  808  237  667  411  144  525  874  391  690  425  677  616  623  271  258  729  948  543  642  172  489  842  230  557  841  851  333  854
446  455 1034  727  271 1069  662  947  101 1128  535 1075  868  532  845 1057  188 1010  602 1062  800 1031  449  495 1049 1136  194  790  491  923 1033  227  713 1025 1170  725 1175
333  342  908  602  473  825  418  702  443  884  475  881  661  472  601  945  168  766  391  818  561  970  148  434  805  897  536  665  247  680  794  251  502  913  926  680  931
423  258  616  503  684  595  188  366  696  547  489  651  431  336  265  604  458  482  119  588  347  668  190  544  468  687  775  372  130  450  584  462  287  572  557  424  594
180  188  755  449  497  887  480  753  352  935  652  942  722  590  652  791   77  828  353  880  523  960  200  572  856  869  445  511  383  741  767  389  464  759  945  716  983
637  472  766  763  718  426  141  452  729  634  281  423  203  128  331  705  637  367  416  607  440  381  336  555  773  808  633  269  281  671  495  548  673  527  196  587
1055 890  957 1181 1193  148  525  530 1204  520  739   62  280  586  526  896 1055  367  834  191  911  237  799  794  476  621 1283 1051  687  272  720  970  966  863  255  437  386
1023 858 1032 1149 1160  224  526  606 1172  596  670  112  286  553  601  971 1022  443  801  267  993  160  766  762  551  697 1251 1018  654  348  795  938  933  939  331  404  462
945  780  913 1071 1083  168  435  486 1094  540  629  109  120  476  482  852  945  277  724  211  867  330  689  684  467  641 1173  941  577  182  739  860  856  819  275  327  406
870  705  813  996 1057   86  335  386 1069  461  627  179  205  474  627  752  869  177  648  132  767  414  613  682  367  562 1148  865  502   82  661  835  780  720  196  410  327
760  602 1004  932  559  665  379  691  571  872   65  648  441  121  570  943  595  606  560  658  750  604  514  101  793 1012  650  775  380  519  909  264  690  911  766  314  826
680  515  710  806  832  371  175  397  843  578  378  339  104  225  276  649  679  312  458  364  650  398  423  433  499  718  922  675  311  225  615  609  590  617  472  154  532
509  518  975  791  301  840  433  717  312  898  306  830  623  303  615  963  344  780  514  833  706  786  331  265  819 1038  391  731  261  694  935   74  646  931  941  496  945
```

Las distancias están calculadas desde el centro de la ciudad y por la carretera más práctica para el automovilista, es decir, la que ofrece mejores condiciones de circulación, que no tiene por qué ser la más corta.

As distâncias são calculadas desde o centro da cidade e pela estrada mais prática para o automobilista mas que não é necessariamente a mais curta.

Les distances sont comptées à partir du centre-ville et par la route la plus pratique, c'est à dire celle qui offre les meilleures conditions de roulage, mais qui n'est pas nécessairement la plus courte.

Distances are shown in kilometres and are calculated from town/city centres along the most practicable roads, although not necessarily taking the shortest route.

Die Entfernungen gelten ab Stadtmitte unter Berücksichtigung der günstigsten, jedoch nicht immer kürzesten Strecke.

De afstanden zijn in km berekend van centrum tot centrum langs de geschickste, dus niet noodzakelijkerwijze de hortste route.

568 km

City	Lleida	Logroño	Lugo	Madrid	Málaga	Mérida	Murcia	Ourense	Oviedo	Palencia	Pamplona	Le Perthus	Pontevedra	Portalegre	Porto	Salamanca	Santander	Santarém	Santiago de Compostela	Segovia	Setúbal	Sevilla	Soria	Tarragona	Teruel	Toledo	València	Valladolid	Viana do Castelo	Vigo	Vila Real	Viseu	Vitoria-Gasteiz	Zamora
Logroño	322																																	
Lugo	852	522																																
Madrid	462	376	505																															
Málaga	991	904	1041	538																														
Mérida	803	647	640	343	400																													
Murcia	587	725	910	400	408	727																												
Ourense	916	585	95	502	1038	642	907																											
Oviedo	730	417	253	447	983	587	851	409																										
Palencia	533	220	382	261	796	444	665	398	279																									
Pamplona	325	86	606	450	981	725	727	665	437	300																								
Le Perthus	315	622	1156	761	1149	1101	741	1215	952	834	624																							
Pontevedra	1029	699	195	616	1079	645	1020	119	386	511	777	1327																						
Portalegre	897	709	606	438	532	140	821	514	649	507	787	1196	505																					
Porto	1015	685	363	564	914	481	969	214	508	498	764	1314	171	341																				
Salamanca	677	370	372	214	670	272	619	328	315	168	449	976	441	342	356																			
Santander	548	234	421	433	991	639	820	546	195	201	253	772	552	701	644	363																		
Santarém	1079	772	605	615	708	316	1022	456	712	570	850	1377	413	165	250	406	765																	
Santiago de Compostela	983	653	137	602	1138	704	1006	105	328	498	732	1282	63	564	229	427	495	471																
Segovia	555	328	461	93	628	414	497	459	405	173	406	855	572	508	522	188	368	571	558															
Setúbal	1057	873	706	597	647	255	960	557	814	671	952	1355	515	195	352	507	866	118	573	667														
Sevilla	993	834	831	533	222	189	536	788	774	632	913	1191	868	324	705	459	827	491	928	604	428													
Soria	302	107	529	228	756	568	608	593	431	228	174	601	706	662	691	327	334	843	659	191	821	757												
Tarragona	101	408	942	547	905	887	496	1001	815	620	411	252	1114	981	1100	763	632	1162	1069	642	1140	945	387											
Teruel	323	347	882	303	780	642	384	807	757	560	350	594	920	737	870	519	572	919	906	398	896	706	231	350										
Toledo	533	462	580	90	487	305	402	577	523	336	541	833	690	400	640	289	531	550	676	168	559	496	299	641	379									
València	347	485	871	356	626	693	230	869	814	628	488	503	981	788	931	580	750	980	967	460	947	678	369	259	142	391								
Valladolid	568	254	352	212	747	395	616	349	295	52	333	866	462	457	447	119	247	520	448	117	622	582	212	653	520	287	570							
Viana do Castelo	1043	713	298	630	984	550	1034	162	489	525	791	1341	107	411	78	425	672	318	177	588	421	804	723	1128	938	705	988	477						
Vigo	1010	680	221	597	1060	626	1002	100	412	493	759	1309	29	487	153	422	579	394	88	556	497	880	690	1096	905	673	955	445	91					
Vila Real	933	603	254	520	940	506	924	162	425	415	681	1231	227	367	96	335	562	338	261	479	441	729	612	1018	828	595	878	367	163	209				
Viseu	907	600	338	444	840	406	849	246	509	398	679	1206	294	267	130	235	593	259	344	404	362	629	560	993	752	520	802	351	200	275	99			
Vitoria-Gasteiz	409	96	515	359	890	634	746	574	345	209	98	675	687	696	672	358	163	758	641	315	860	820	195	495	437	449	573	242	702	668	591	588		
Zamora	682	352	309	254	738	340	658	265	252	150	430	980	378	402	363	68	345	464	364	229	566	526	311	767	562	330	612	102	393	360	282	294	335	
Zaragoza	151	178	697	317	846	657	560	756	586	391	181	449	869	751	854	533	403	933	824	412	910	847	157	236	186	390	322	424	884	851	773	763	263	522

Vous CONNAISSEZ
les atlas MICHELIN

You KNOW
MICHELIN atlases

...CONNAISSEZ-VOUS
VRAIMENT
MICHELIN ?

...*DO YOU REALLY*
KNOW
MICHELIN?

N°1 mondial des pneumatiques avec 16,3 % du marché

The world No.1 in tires with 16.3% of the market

Une présence commerciale dans plus de 170 pays

A business presence in over 170 countries

Une implantation industrielle au cœur des marchés

72 sites industriels dans 19 pays ont produit en 2009 :
- **150** millions de pneus
- **10** millions de cartes et guides

A manufacturing footprint at the heart of markets

In 2009, **72** industrial sites in **19** countries produced:
- **150** million tires
- **10** million maps and guides

Des équipes très internationales

Plus de **109 200** employés* de toutes cultures sur tous les continents dont **6 000** personnes employées dans les centres de R&D en Europe, aux États-Unis, en Asie.

*102 692 en équivalent temps plein

Highly international teams

Over **109 200** employees* from all cultures on all continents including **6 000** people employed in R&D centers in Europe, the US and Asia.

*102 692 full-time equivalent staff

Le groupe Michelin en un coup d'œil
The Michelin Group at a glance

Michelin présent en compétition

A fin 2009

- **24h du Mans**
  12 années de victoires consécutives
- **Endurance 2008**
  • 6 victoires sur 6 épreuves en Le Mans Series
  • 12 victoires sur 12 épreuves en American Le Mans Series
- **Paris-Dakar**
  Depuis le début de l'épreuve, le groupe Michelin remporte toutes les catégories (auto, moto, camion)

- **Endurance moto**
  Champion du monde 2009
- **Trial**
  Tous les titres de champion du monde depuis 1981 (sauf 1992)

Michelin competes

At the end of 2009

- **Le Mans 24-hour race**
  12 consecutive years of victories
- **Endurance 2008**
  • 6 victories on 6 stages in Le Mans Series
  • 12 victories on 12 stages in American Le Mans Series

- **Paris-Dakar**
  Since the beginning of the event, the Michelin group has won in all categories
- **Moto endurance**
  2009 World Champion in the premier category
- **Trial**
  Every World Champion title since 1981 (except 1992)

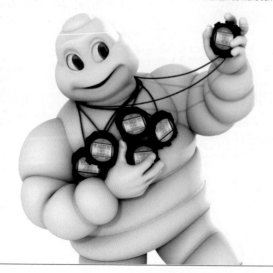

• Données au 31/12/2009 / Data 31/12/2009

Michelin, implanté près de ses clients

● Un centre de technologies réparti sur 3 continents
- Amérique du Nord
- Asie
- Europe

● Production de caoutchouc naturel
- Brésil

○ 72 sites de production dans 19 pays
- Algérie
- Allemagne
- Brésil
- Canada
- Chine
- Colombie
- Espagne
- Etats-Unis
- France
- Hongrie
- Italie
- Japon
- Mexique
- Pologne
- Roumanie
- Royaume-Uni
- Russie
- Serbie
- Thaïlande

Michelin, established close to its customers

● A Technology Center spread over 3 continents
- Asia
- Europe
- North America

● Natural rubber plantations
- Brazil

○ 672 plants in 19 countries
- Algeria
- Brazil
- Canada
- China
- Colombia
- France
- Germany
- Hungary
- Italy
- Japan
- Mexico
- Poland
- Romania
- Russia
- Serbia
- Spain
- Thailand
- UK
- USA

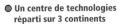

Notre mission

Contribuer, de manière durable, au progrès de la mobilité des personnes et des biens en facilitant la liberté, la sécurité, l'efficacité et aussi le plaisir de se déplacer.

Our mission

To make a sustainable contribution to progress in the mobility of goods and people by enhancing freedom of mouvement, safety, efficiency and the pleasure of travelling.

Michelin s'engage pour l'environnement

Michelin, 1er producteur mondial de pneus à basse résistance au roulement, contribue à la diminution de la consommation de carburant et des émissions de gaz par les véhicules.

Michelin développe, pour ses produits, les technologies les plus avancées afin de :

• diminuer la consommation de carburant, tout en améliorant les autres performances du pneumatique ;
• allonger la durée de vie pour réduire le nombre de pneus à traiter en fin de vie ;
• privilégier les matières premières à faible impact sur l'environnement.

Par ailleurs, à fin 2008, 99,5 % de la production de pneumatiques en tonnage est réalisé dans des usines certifiées ISO 14001*.

Michelin est engagé dans la mise en œuvre de filières de valorisation des pneus en fin de vie.

*certification environnementale

Michelin committed to environmental-friendliness

Michelin, world leader in low rolling resistance tires, actively reduces fuel consumption and vehicle gas emission.

For its products, Michelin develops state-of-the-art technologies in order to:

• Reduce fuel consumption, while improving overall tire performance.
• Increase life cycle to reduce the number of tires to be processed at the end of their useful lives;
• Use raw materials which have a low impact on the environment.

Furthermore, at the end of 2008, 99.5% of tire production in volume was carried out in ISO 14001* certified plants.

Michelin is committed to implementing recycling channels for end-of-life tires.

*environmental certification

Tourisme camionnette
Passenger Car Light Truck

Poids lourd
Truck

Michelin au service de la mobilité
Michelin a key mobility enabler

Génie civil
Earthmover

Avion
Aircraft

Agricole
Agricultural

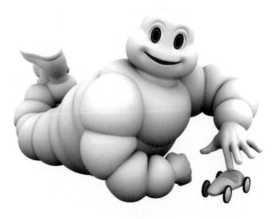

Deux roues
Two-wheel

Distribution

Partenaire des constructeurs, à l'écoute des utilisateurs, présent en compétition et dans tous les circuits de distribution, Michelin ne cesse d'innover pour servir la mobilité d'aujourd'hui et inventer celle de demain.

Partnered with vehicle manufacturers, in tune with users, active in competition and in all the distribution channels, Michelin is continually innovating to promote mobility today and to invent that of tomorrow.

Cartes et Guides
Maps and Guides

ViaMichelin
des services d'aide au voyage / travel assistance services

Michelin Lifestyle
des accessoires pour vos déplacements / for your travel accessories

MICHELIN
joue l'équilibre des performances / *plays on balanced performance*

- ● **Longévité des pneumatiques**
- ● **Économies de carburant**
- ○ **Sécurité sur la route**

... les pneus MICHELIN vous offrent les meilleures performances, sans en sacrifier aucune.

- ● *Long tire life*
- ● *Fuel savings*
- ○ *Safety on the road*

... *MICHELIN tires provide you with the best performance, without making a single sacrifice.*

Le pneu MICHELIN, un concentré de technologie
The MICHELIN tire, pure technology

❶ Bande de roulement
Une épaisse couche de gomme assure le contact avec le sol. Elle doit évacuer l'eau et durer très longtemps.

Tread
A thick layer of rubber provides contact with the ground. It has to channel water away and last as long as possible.

❷ Armature de sommet
Cette double ou triple ceinture armée est à la fois souple verticalement et très rigide transversalement. Elle procure la puissance de guidage.

Crown plies
This double or triple reinforced belt has both vertical flexibility and high lateral rigidity. It provides the steering capacity.

❸ Flancs
Ils recouvrent et protègent la carcasse textile dont le rôle est de relier la bande de roulement du pneu à la jante.

Sidewalls
These cover and protect the textile casing whose role is to attach the tire tread to the wheel rim.

❹ Talons d'accrochage à la jante
Grâce aux tringles internes, ils serrent solidement le pneu à la jante pour les rendre solidaires.

Bead area for attachment to the rim
Its internal bead wire clamps the tire firmly against the wheel rim.

❺ Gomme intérieure d'étanchéité
Elle procure au pneu l'étanchéité qui maintient le gonflage à la bonne pression.

Inner liner
This makes the tire almost totally impermeable and maintains the correct inflation pressure.

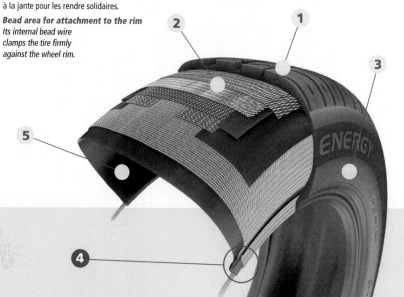

Suivez les conseils du bonhomme MICHELIN
Heed the MICHELIN Man's advice

Pour gagner en sécurité :
- Je roule avec une pression adaptée.
- Je vérifie ma pression tous les mois.
- Je fais contrôler régulièrement mon véhicule.
- Je contrôle régulièrement l'aspect.
- de mes pneus (usure, déformations).
- J'adopte une conduite souple.
- J'adapte mes pneus à la saison.

To improve safety:
- I drive with the correct tire pressure
- I check the tire pressure every month
- I have my car regularly serviced
- I regularly check the appearance
- of my tires (wear, deformation)
- I am responsive behind the wheel
- I change my tires according to the season

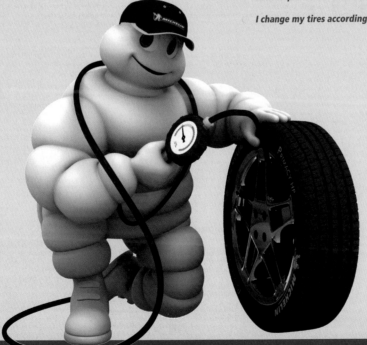

www.michelin.com
www.michelin. (votre extension pays - ex : fr pour France / *your country extension – e.g. : fr for France*)

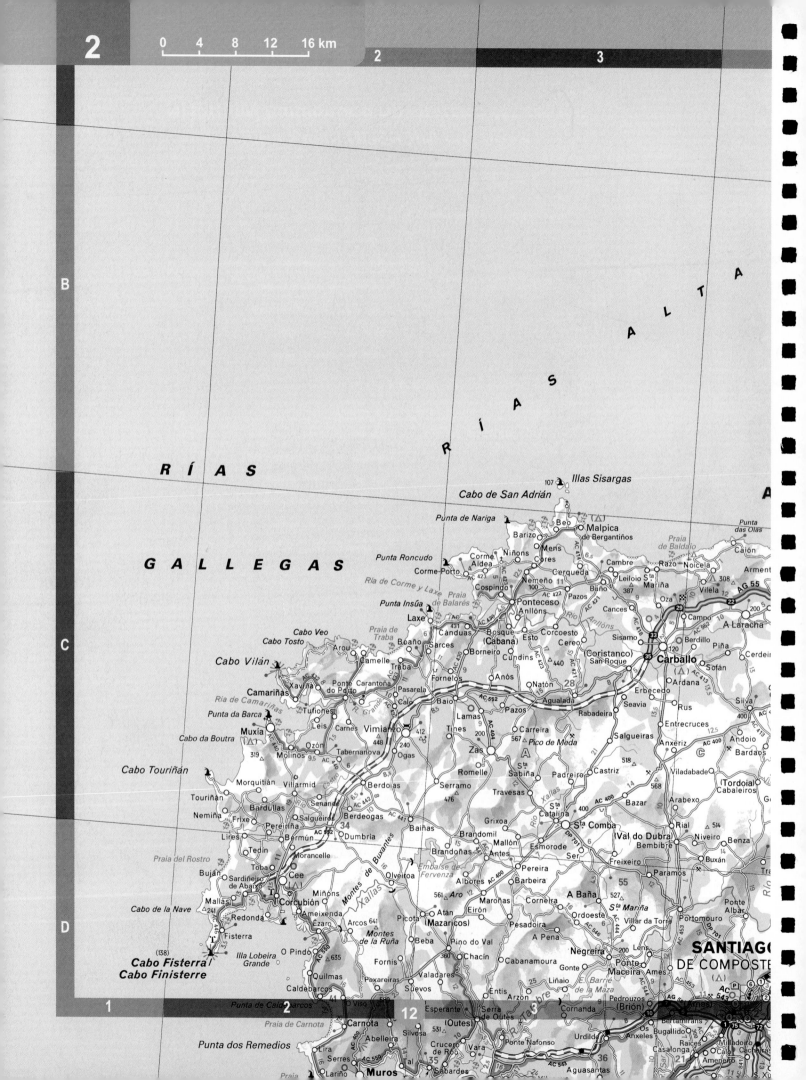

0 4 8 12 16 km

B

R Í A S   A L T A

R Í A S

GALLEGAS

107 Illas Sisargas
Cabo de San Adrián
Punta de Nariga
Beo
Barizo Malpica
de Bergantiños
Mens Praia
de Baldaio
Punta Roncudo Niñons Cores Caión
Corme Cerqueda AC 414 6,5 Cambre
Aldea Razo Noicela Arment
Corme-Porto Nemeño 11 Leiloio Sta 308
Ria de Corme y Laxe AC 423 Cospindo 100 Buño Mariña Vilela 12 22
Praia Ponteceso AC 422 Pazos 387 9 Oza AG 55
Punta Insúa de Balarés Anllóns Cances Campo 200
Laxe AC 400 Río Anllóns AC 421 A Laracha 10
Cabo Veo Cánduas 431 Bosque Corcoesto AC 418 33 Berdillo Piña
Cabo Tosto Praia de Boaño Sarces (Cabana) Esto Cereo 35 Carballo Cerdeir
Traba 840 Borneiro Sisamo 120 AC 413 13,5 Sofán
Cabo Vilán Arou (Coristanco) 440 Ardana
Camelle Traba Cundins AC 423 San Roque Erbecedo Silva
Camariñas Xaviña Ponte Carantoña Fornelos Anós Natón 28 Rabadeira Seavia Rus 400 AC
Ria de Camariñas do Porto Pasarela Calo Baio AC 552 Agualada Entrecruces 12,5 Andoio
Punta da Barca Tufiones Leis Carnes Vimianzo 412 Lamas Pazos Carreira Salgueiras Anxeriz AC 400 Bardaos
Muxia Ozón 240 Tines 200 AC 404 567 Pico de Meda 518
Cabo da Boutra 448 Tabernanova Ogas Zas Castriz Viladabade
319 Molinos 9,5 AC Sta Padreiro 568 (Tordoia)
Cabo Touriñán Romelle Sabiña Cabaleiros
Morquitián Villarmid Berdoias Serramo Travesas Xallas Arabexo
Touriñán Senande 476 Sta 400 AC 400 Bazar
Nemiña Frixe Salgueiros Berdeogas Baíñas Grixoa Catalina Sta Comba Rial 514
Pereiriña AC 442 Brandomil Esmorode Benza
Lires Bermún Dumbría Mallón Ser Freixeiro Buxán 14
Tedín Brandoñas Antes Pereira 55 Páramos
Praia del Rostro Morancelle Olveiroa Albores Barbeira A Baña 527 Ponte
Toba Embalse de AC 400 Sta Mariña Albar
Buján Cee Fervenza Pesadoira Ordoeste Villar da Torre Portomouro
Sardiñeiro Miñóns 561 Aro Maroñas A Pena AC 546 SANTIAGO
de Abaixo Corcubión Ameixenda Atán Eirón Corneira DE COMPOSTE
Cabo de la Nave Mallás 241 Ezaro Arcos 641 Picota (Mazaricos) Negreira 200 Lens
Redonda Montes Beba Pino do Val Cabanamoura Gonte Ponte AC
Fisterra de la Ruña Maceira Ames
(138) O Pindo 360 Chacín Liñaio AG
Cabo Fisterra / Illa Lobeira 635 Fornis E Barrié Pedrouzos
Cabo Finisterre Grande de la Maza (Brión) P
Quilmas Valadares Arzón Bertamiráns
Caldebarcos Paxareiras Suevos Entís Cornanda Urdilde Os Bugallido
Punta de Caldebarcos Viso Esperante Serra Anxeles Raíces Casalonga
Praia de Carnota Carnota 12 (Outes) de Outes Ponte Nafonso Vara AC 543 36 Amenario
Silvosa 531 Crucero 21
Punta dos Remedios Abelleira de Roo Aguasantas
Lira AC 550 Tal 35 Sabardes
Serres Lariño Muros

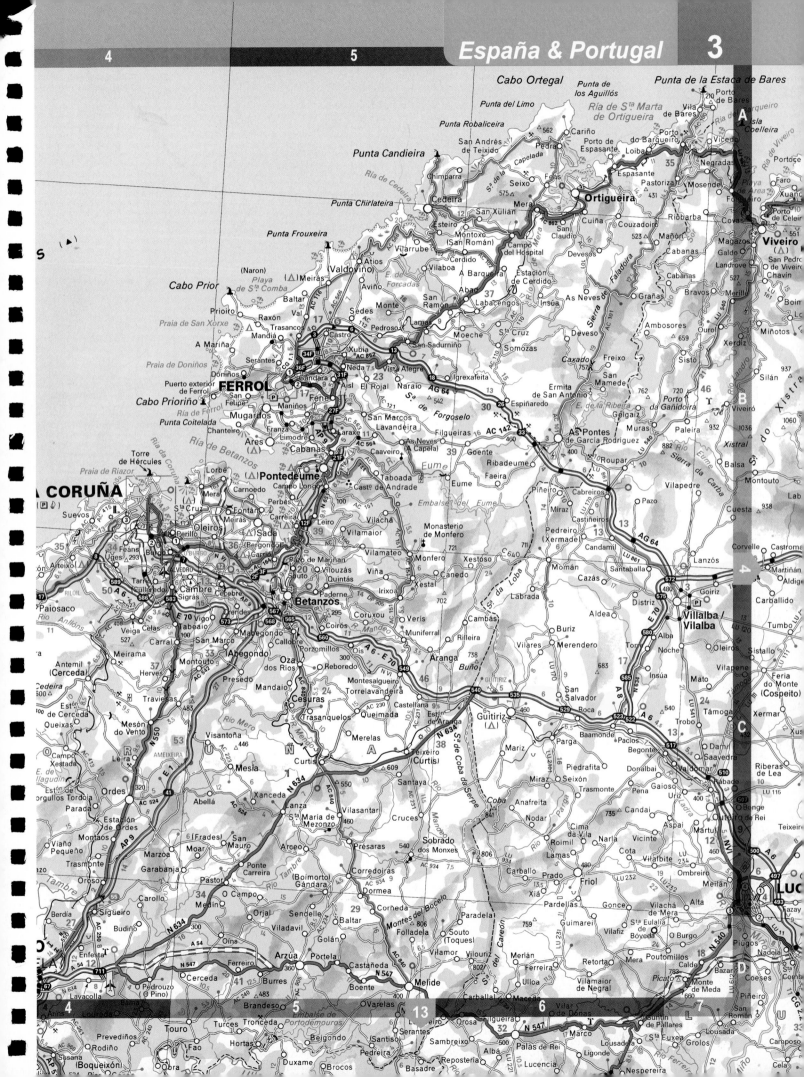

A

B

C

D

Cabo Ortegal
Punta de la Estaca de Bares
Punta de los Aguillós
Punta del Limo
Ría de Sta Marta de Ortigueira
Punta Robaliceira
Punta Candieira
Punta Chirlateira
Punta Frouxeira

Cabo Prior
Cabo Priorño
Cabo Prioriño
Punta Coitelada

Torre de Hércules
Praia de Riazor

A CORUÑA

FERROL

Ortigueira

Viveiro

Pontedeume

Betanzos

Villalba / Vilalba

LUGO

0 4 8 12 16 km

8 9

nta de la Estaca de Bares

Porto de Bares
Vila de Bares
de Bares

A

Isla Coelleira

Vicedo
Negradas
Mosende
Folgueiro

Punta Roncadoira

Portocelo
Morás
Faro
Sumoas
Lago
Xuances

Punta de Morás

Isla Os Farallóns

Cabo de San Ciprián
San Ciprián
Cuiña
Cervo

Riobarba

Ría de Viveiro

B
3

Magazos
Viveiro
Galdo
Landrove
Cabanas
Cabanas
Bravos
Merille

San Pedro de Viveiro
Chavín
Monte
Rigueira
Belén
Rúa
Cordido

Riocobo
Castelo
Sargadelos
Burela

Cabo Burela

Vilaestrofe
Cangas
Nois

Golfo de la Masma

Xerdiz
Boimente
Lobeiras
Miñotos
Vilacampa

Moucide
Fazouro

Praia de Llas
Praia de Rapadoira

Ría de Ribadeo

B
46

Silán
Viveiró
Cuadramón
Oirás
Corboeira

Ferreira (Valadouro)
Budián
Recaré
Castro de Ouro (Alfoz)
Mor
Adelán

San Martín de Mondoñedo
Bacoi
Frexulfe
Oirán

Foz
Benquerencia

Praia del Castro
Punta Corbeira

Rinlo
Vilaframil

Ribadeo
Serantes
Figueras
Casariego

Tapia de Casariego
Campos y Salave
Viavélez
Valdepares

El Franco
La Caridad

Ortiguera

Aspra

Navia

Balsa
Xistral
Montouto
Labrada
Romariz
Argomoso
Mayor

Masma
Vilanova (Lourenzá)
Sto. Tomé
San Adrián
Lindín
Vilaformán

Sta Cosme Reinante (Barreiros)
Devesa

Oves
Vilela

A 8
23 E 70

Castropol

Villadevelle
Seares
Porzún

Castrovaselle
Lagar

La Braña

Villacondide

Arbón

Mondoñedo

Pto da Xesta
Sasdónigas
Gontán
Abadín
Frayás

E 70
Cruz de Cancela
Meilán

Vilaformán

Vegadeo
Ría de Abres

Meredo
Añides
Folgueiras

Balmonte

Rozadas
Boal

Penouta
Serandinas
Miñagón
Villanueva

Merou
Ponticiella
Valdedo

Corvelle
Castromaior
Lanzós
Martiñán
Aldige
Carballido
Corvite

Cadabedo
Bretoña
Rodrigas (Riotorto)
Vilameá

A Pontenova
Conforto
Taramundi

El Llano (San Tirso de Abres)
Guiar
Ouria
Mousende
Bres

Doiras
Cedemonio
Silvón

Bobia

Pto. de la Garganta

Gío
E. de Doiras

35 18
N 634
Villalba / Vilalba

Pastoriza
Reigosa
Monceלos
Tumbo
Muimenta
Pacios
Piñeiro

Ferreiravella
Vilaboa
Vilarmide

Illano

Alto de Bustantigo
Busta

Oleiros
Mato
Vilapene
Sistallo
Casablanca
Otero
Baltar

Puerto Marco de Alvare
Meira

Eo de San Pedro

Villanueva de Oscos
San Esteban de los Buitres

Sarzol

Bendón

Feria do Monte (Cospeito)
Momán
Bazar
Quintela
Xermar
Xustás

Sierra de Meira

San Xurxo

Sta Eulalia de Oscos
Ventoso
San Martín de Oscos

San Emiliano
Lago

24
13
Daru
Saavedra

Castro de Rei
Ramil
Balmonte

Vilar de Mouros
Villadonga

A Veiga de Logares
La Trapa
Villardíaz
Vilarchao

Grandas de Salime
Berducedo

617

Valdomar
Abade
Uriz
Bonge
Outeiro de Rei

Reguntille
Riberas de Lea
Castro
Mosteiro
(Pol)
Pol
Rioxuán
Crende

Barbeitos

Castro
Villarpedre
Nogueirón
Cornollo

Valledor

12
9

Martul
Aspai

Ludrio
Mondriz
Lea
Cirio
Luaces

Caraño
Martín
Neiro

Peñafuente
Fonfría
Alto de Acebo

E. de Grandas de Salime
Negueira de Muñiz

Vallador

Cervero

500
A 6
497

Teixeiro
Rubiás
Meda

Montecubeiro
Muiña
A Fonsagrada
Hospital
O Padrón
Suarna

Quvián

Marentes
Valvaler

Pozo de las Mujeres Muertas

Monasterio del Coto

Outeiro Mayor

Bolaño
Castroverde
Vilabade
Vilalle

Paradavella
Fonteo
A Lastra

Alto de Cerredo

Lamas de Moreira

S. Antolín de Ibias (Ibias)

LUGO

Fazay
Carballido
Romeán
San Payo
Frairía

Gondar

Fontaneira
Seoane

Cecos
Centenales

Coto Nacional de Muniellos

O Burgo
Piúgos
Coeo
Aday

Miranda
Agustín

O Cádabo (Baleira)

Queizán
Paradela

Envernallas
Dangoleo

Boiro
Candanosa

Nadela
Laxosa
S. Cristóbal de Chamoso

Pedrafita Camporredondo

Navia de Suarna

Muñis
Rao

Busante

Corralín

O Meda
Coeses
Sta Comba
Piñeiro
Corgo

Folgosa
Penarrubia
Penamil
Larentes

Torga Ibias
Tormaleo

Llanelo

Lousada
San Román
Manán
Gomeán
Marey

Sobrado

A 6
14

Grolos
Euxea
Camposo
Maceda
Moscán
Vilaleo
Cela

Villartelín
Ferreiros
Baralla
Riba de Neira
Aranza

Porto de Campo da Arbore
Oselle

Son
A Ribeira

Liber
San

Vilachá

A

Baralouta

Sta de Cienfuegos
Guimara

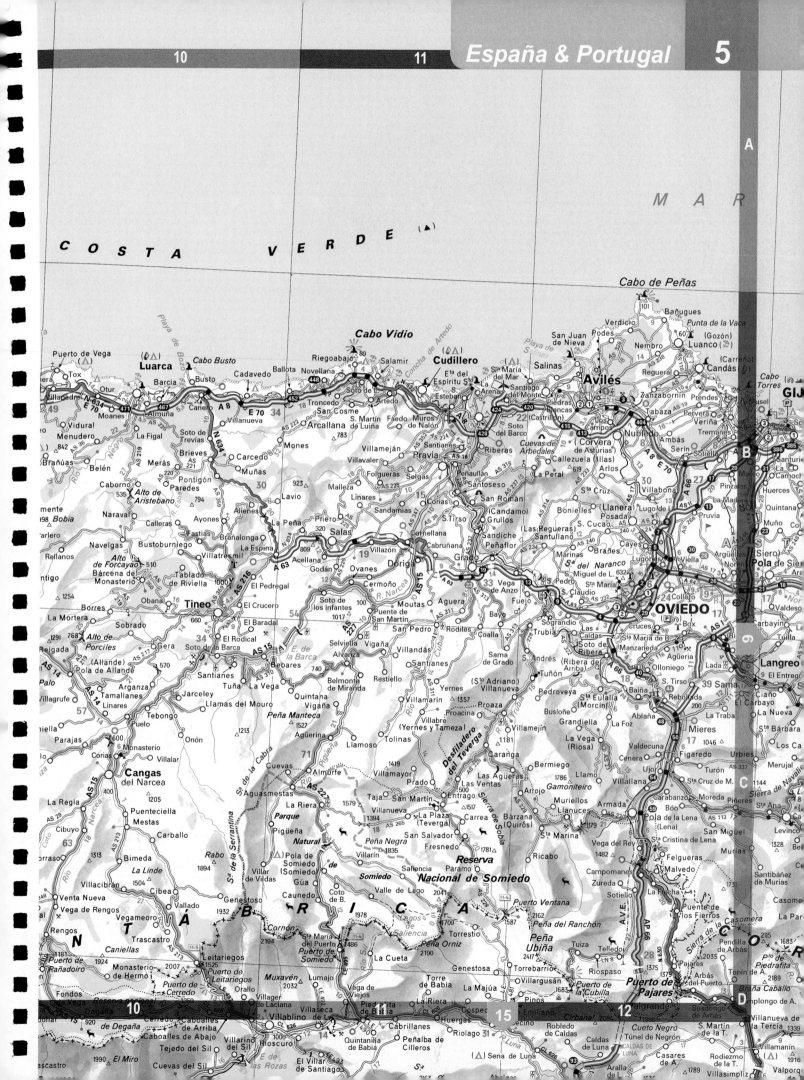

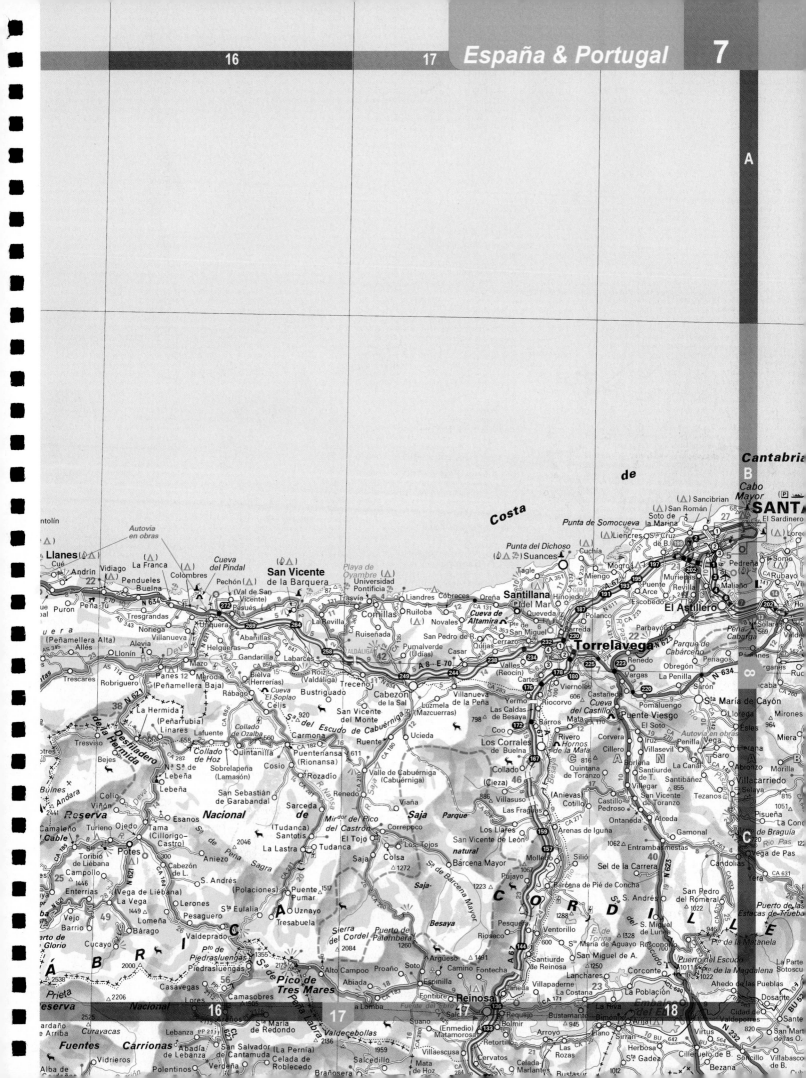

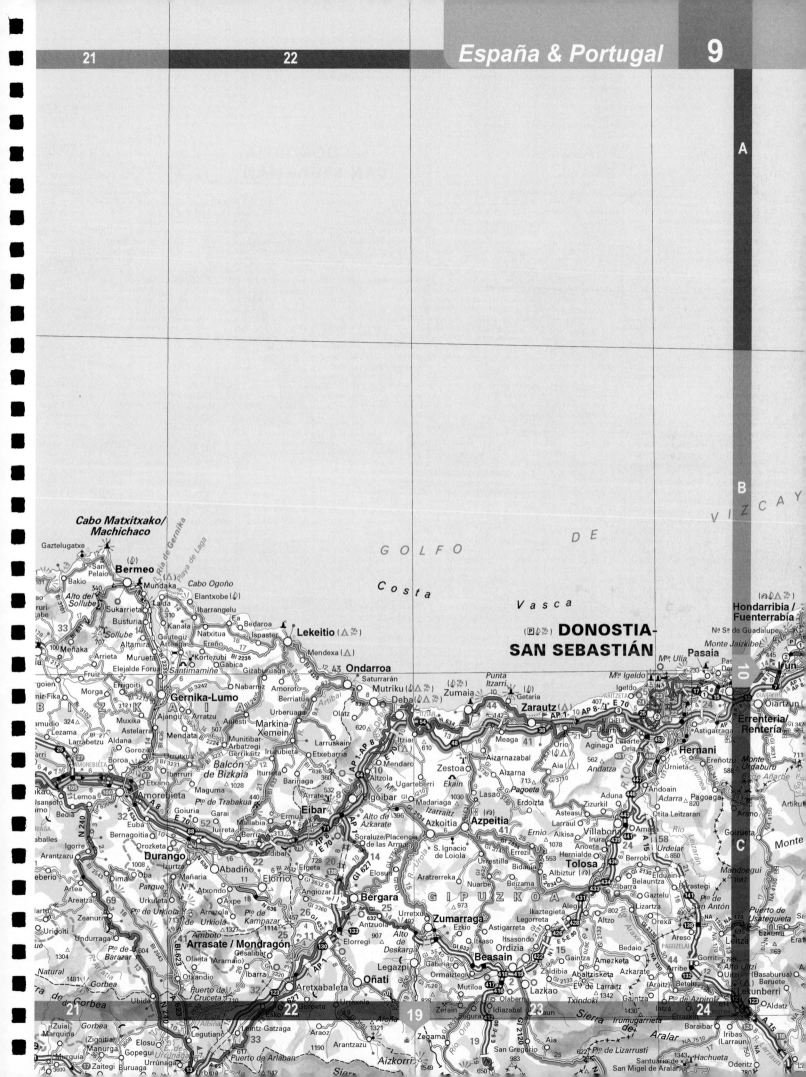

21 22

A

B

VIZCAY

C

Cabo Matxitxako/Machichaco

Gaztelugatxe

San Pelaio
Bermeo
Bakio
Mundaka
Alto del Sollube
340
Sukarrieta
Busturia
Laida
Kanala
Elantxobe
Ibarrangelu
Ea
Bedaroa
Ispaster
Natxitua
Ereño
Lekeitio
Mendexa

GOLFO DE

Costa Vasca

(P) **DONOSTIA-SAN SEBASTIÁN**

Hondarribia/Fuenterrabía

Nª Sª de Guadalupe

Monte Jaizkibel

Pasaia

Mte Ulía

33
100 Meñaka
Arrieta
Murueta
Altamira
Solube
707
Gautegiz-Arteaga
Kortezubi
Gabica
Gizaburuaga
43 Ondarroa
Saturrarán
Mutriku
Deba
Zumaia
Getaria
44
Zarautz
E 70
AP 8
Igeldo
Mte Igeldo
Igeldo

Irun

Errenteria/Rentería

Fruiz
Errigoiti
Gernika-Lumo
Nabarniz
Amoroto
Berriatua
Artibai
Punta Itzarri
Orio
Aginaga
Usurbil
Lasarte
Oria
Astigarraga

Hernani

Muxika
Ajangiz
Aulesti
Urberuaga
Olatz
Iziar
Aia
Andatza
Urnieta
Andoain
Adarra

Mendata
Munitibar-Arbatzegi
Gerrikaitz
Markina-Xemein
Larruskain
Iruzubieta
Etxebarria
Mendaro
Zestoa
Ekain
Aizarna
Pagoeta
Lasao
Zizurkil
Aduna
Asteasu
Larraul
Villabona
Amasa

Balcón de Bizkaia
Iturreta
Barinaga
Arrate
Elgoibar
Altzola
Ugarteberri
Madariaga
Izarraitz
Pagoeta
Erdoizta
Irura
Anoeta

Amorebieta
Lemoa
Maguma
Goiuria
Garai
Mallabia
Ermua
Eibar
Soraluze/Placencia de las Armas
Alto de Azkarate
Azkoitia
Azpeitia
S. Ignacio de Loiola
Ernio
Alkisa
Hernialde
Urrestilla
Bidania
Leitzaran

Durango
Abadino
Elorrio
Berriz
Zaldibar
AP 8
E 70
Elgeta
Bergara
Urretxu
Zumarraga
Zestoa
Aratzerreka
Nuarbe
Beizama
Albiztur
Tolosa
Belauntza
Gaztelu

Oba
Mañaria
Atxondo
Axpe
Angiozar
GIPUZKOA
Alegia
Lizartza

Arrasate/Mondragón
Gesalibar
Aramaio
Olaeta
Elorregi
Alto de Deskarga
Ormaiztegi
Itsasondo
Gabiria
Legazpi
Oñati
Aretxabaleta
Lazkao
Beasain
Ordizia
Zaldibia
Abaltzisketa
Amezketa
Txindoki

19 23 24

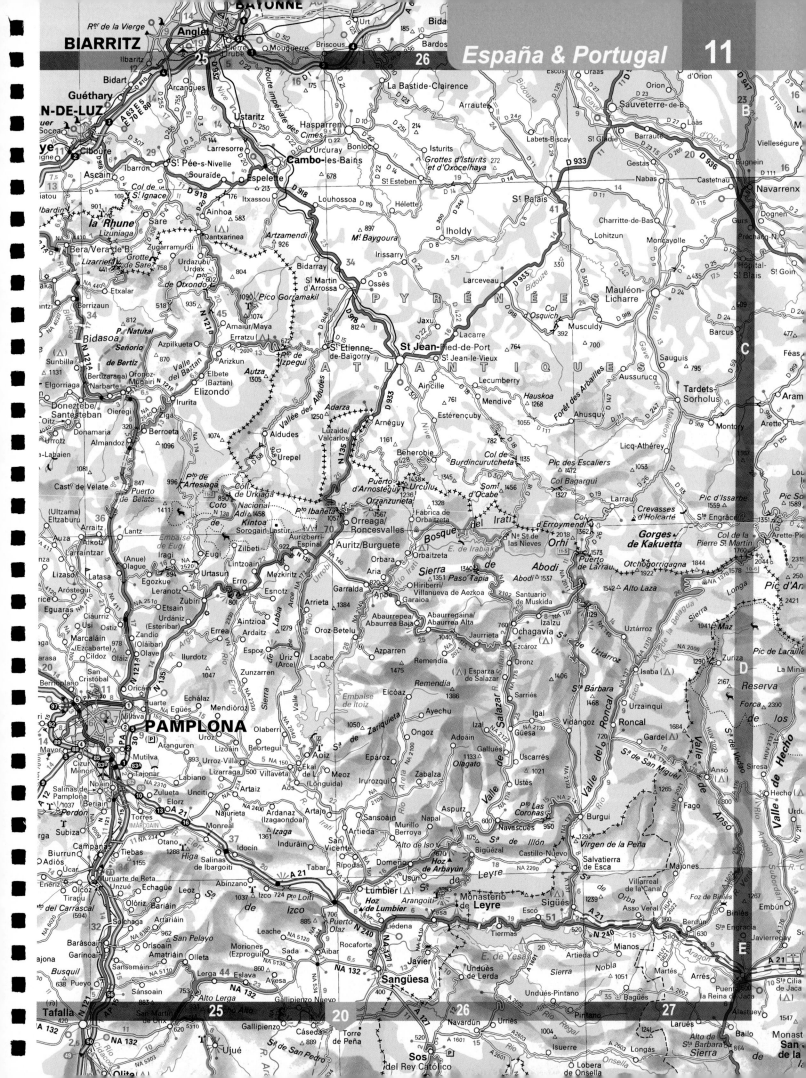

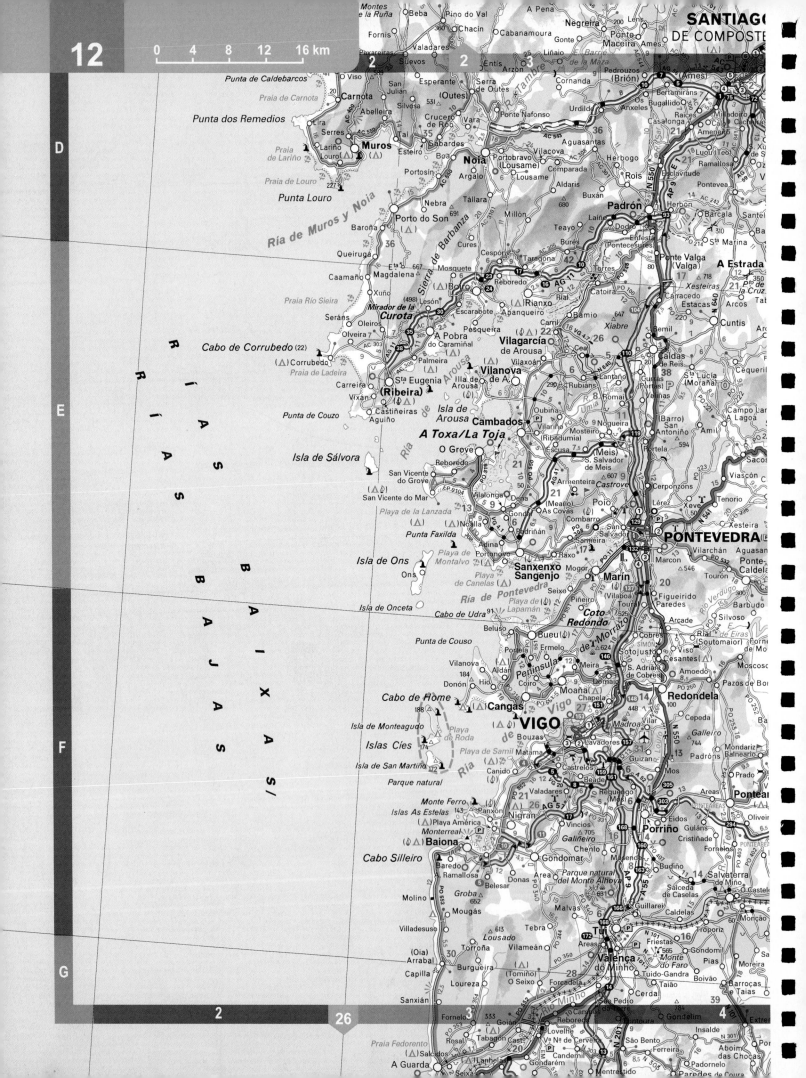

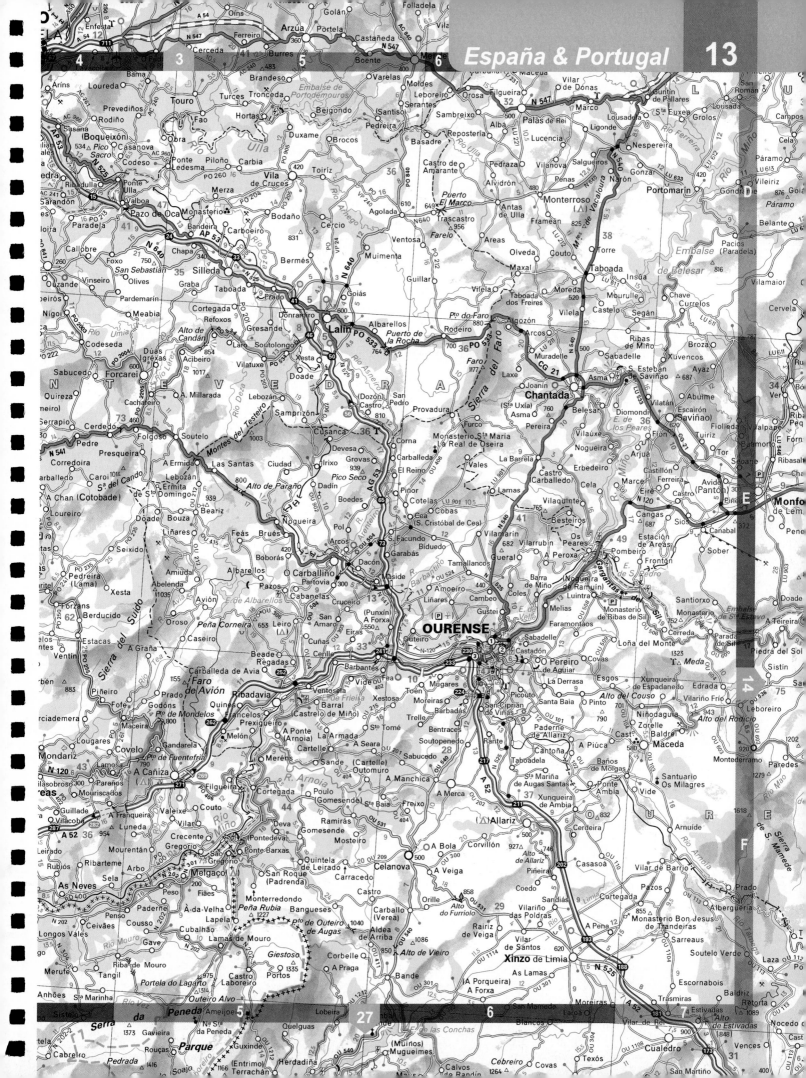

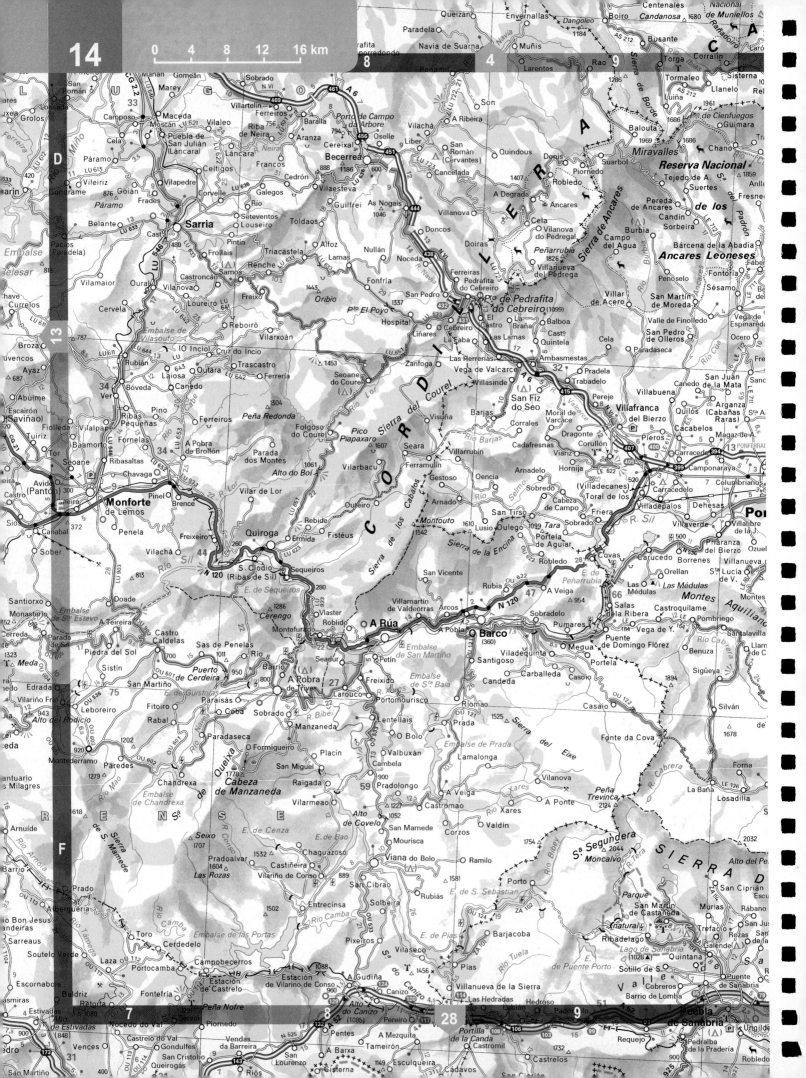

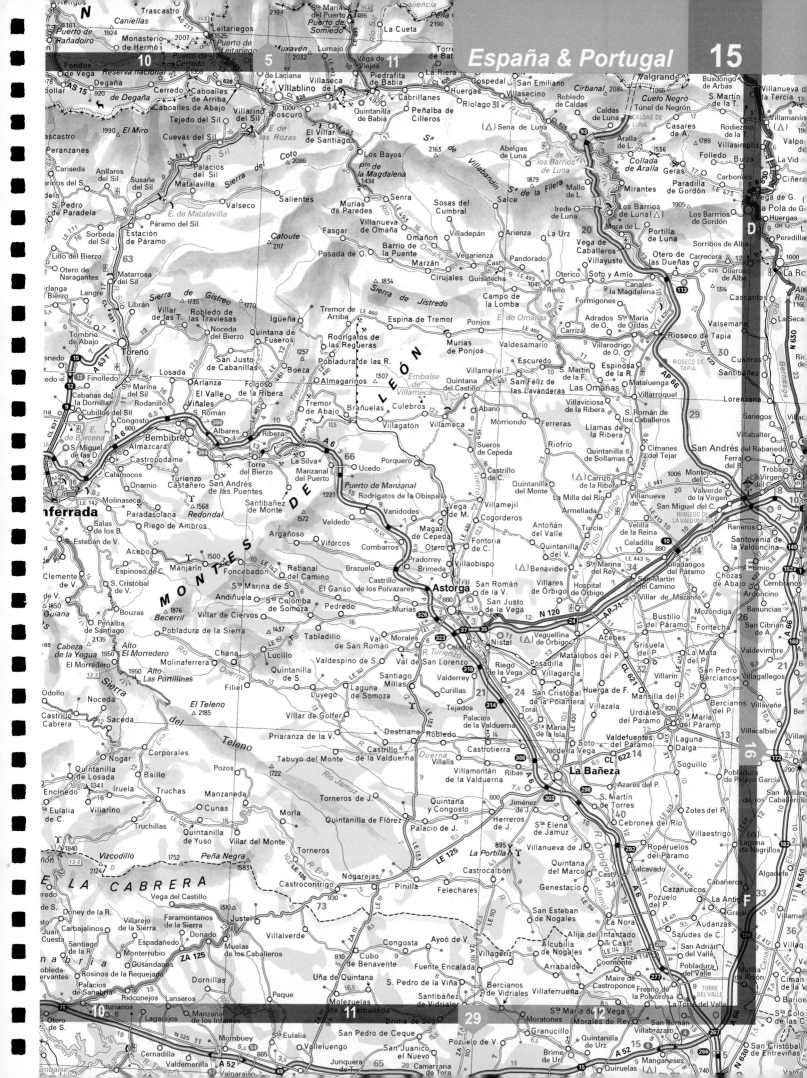

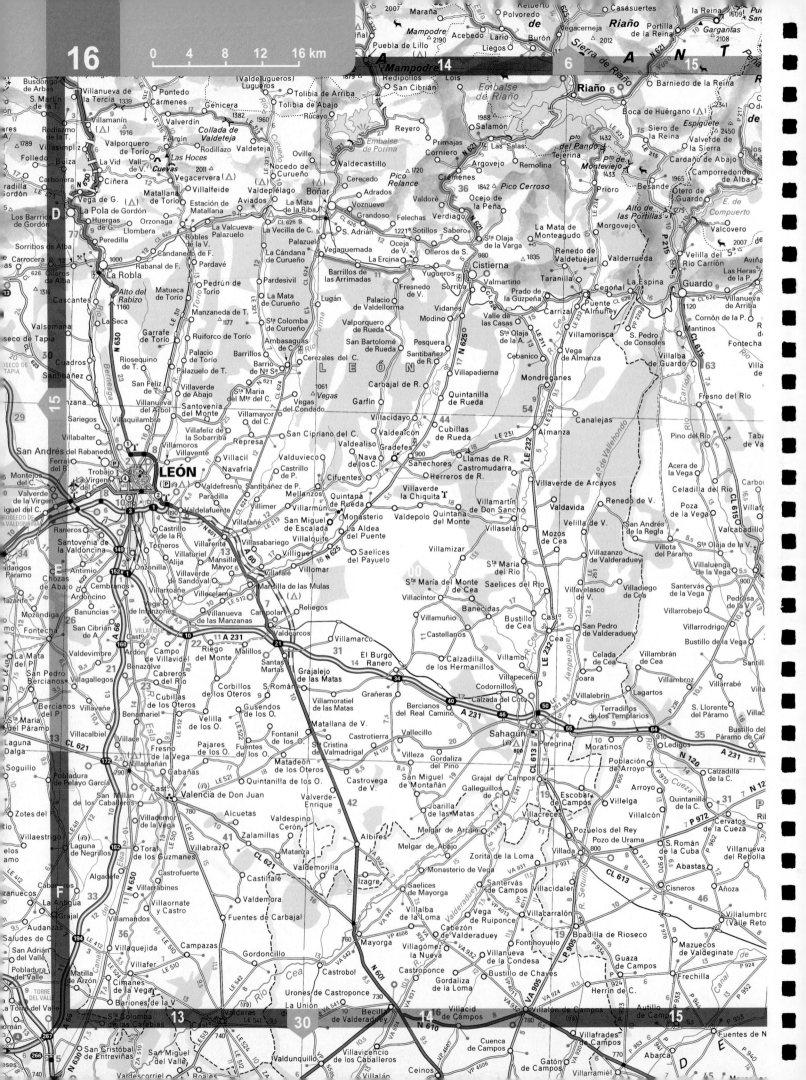

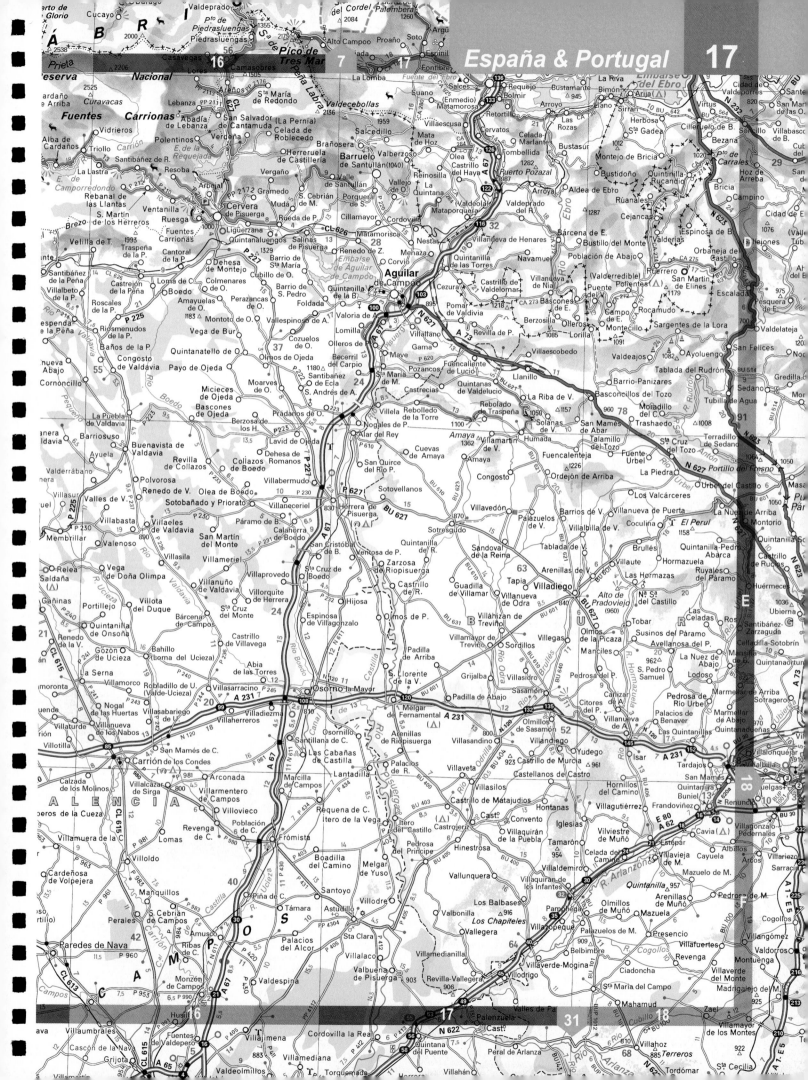

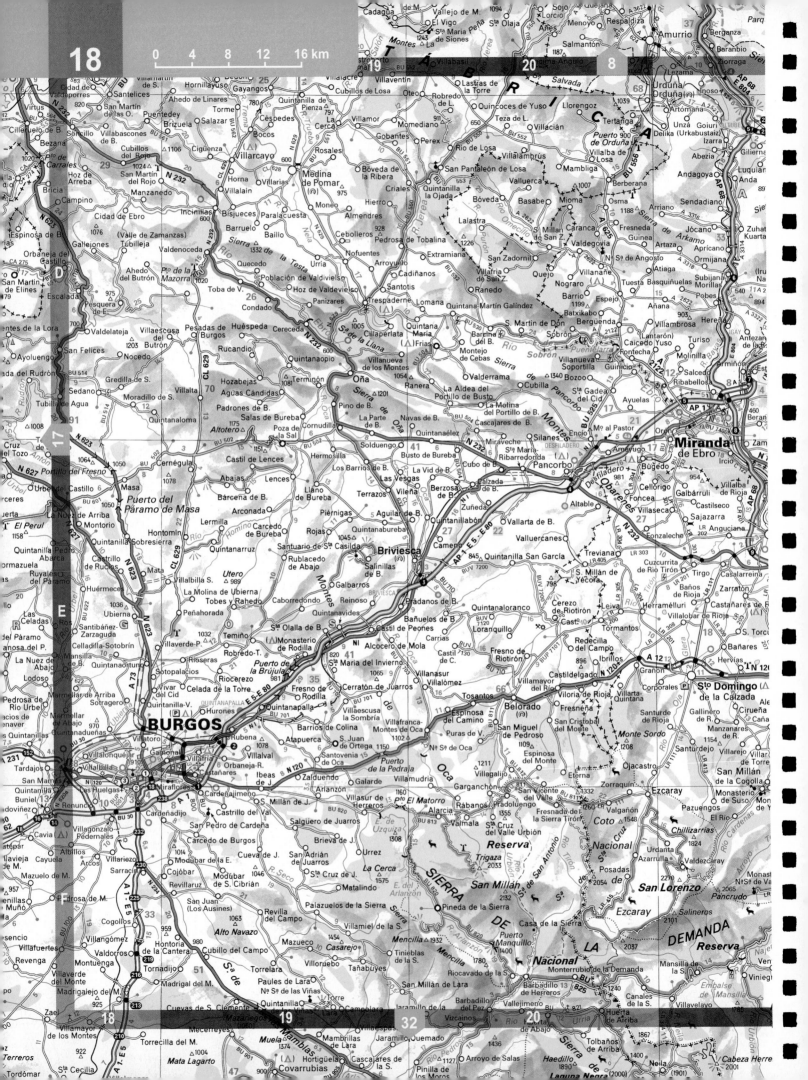

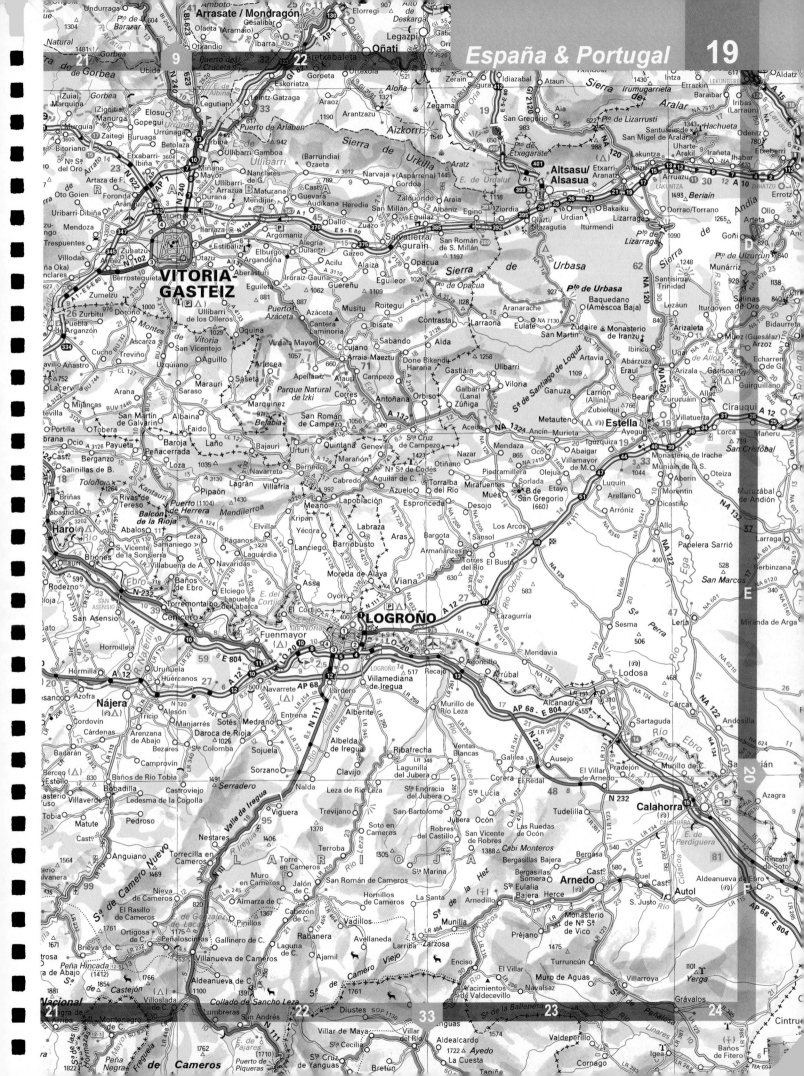

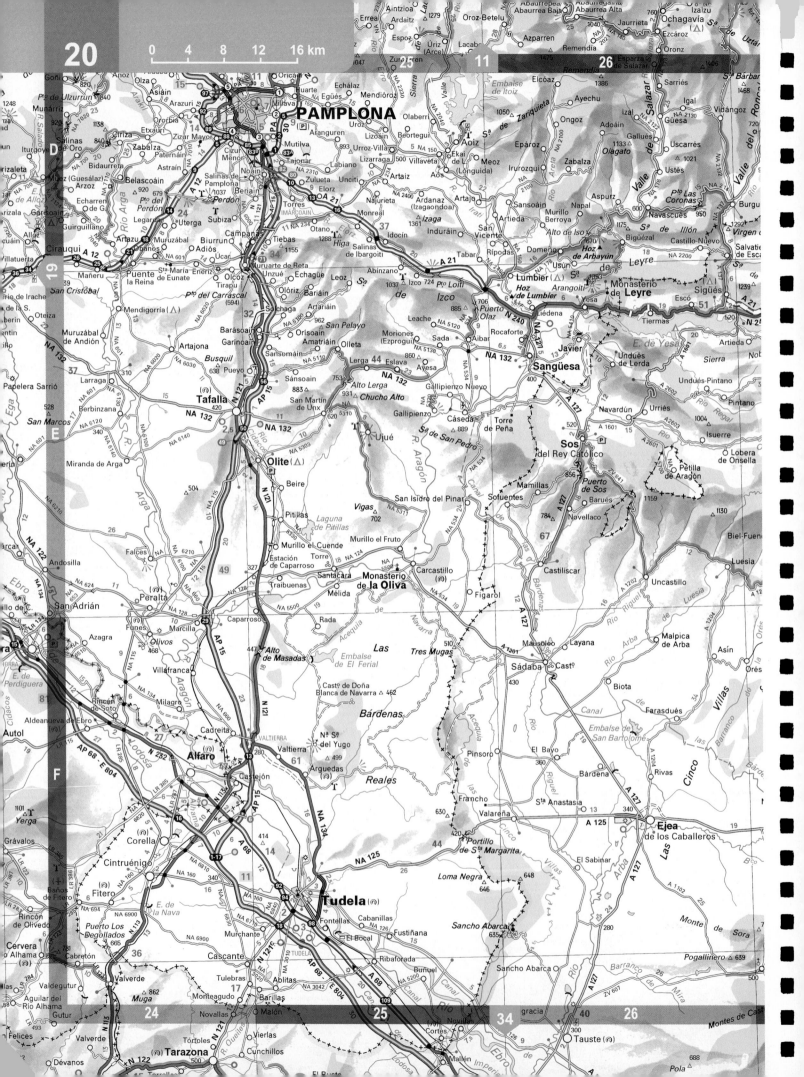

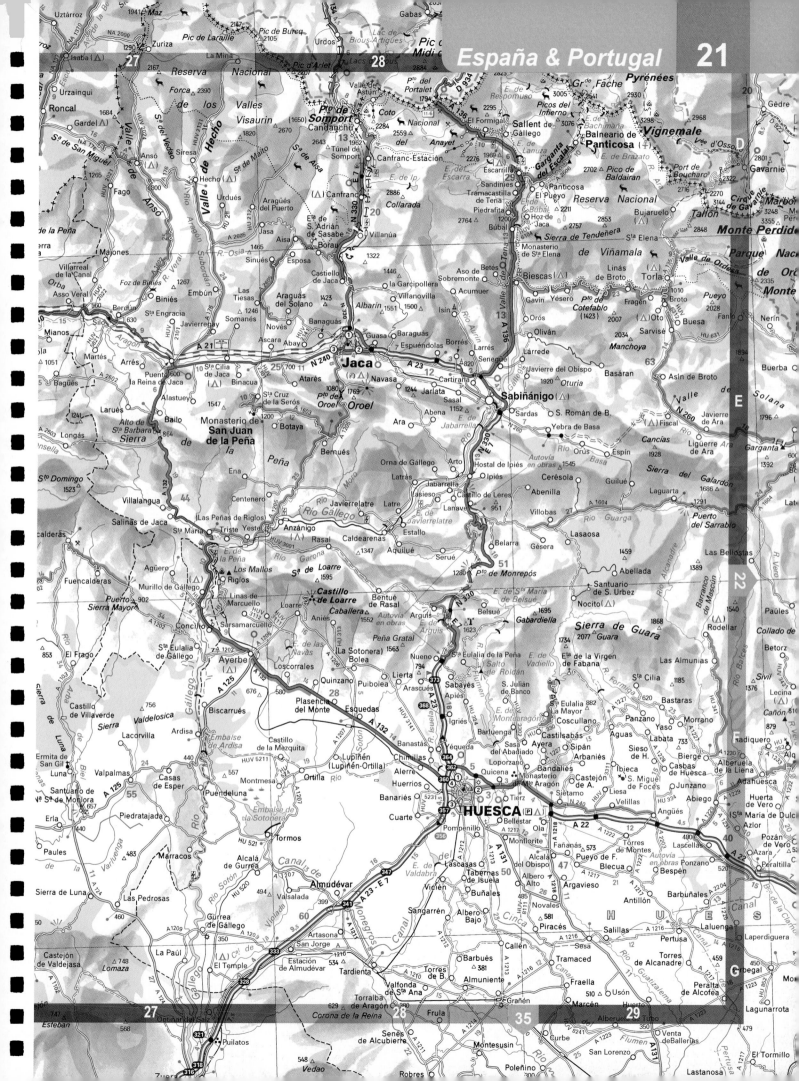

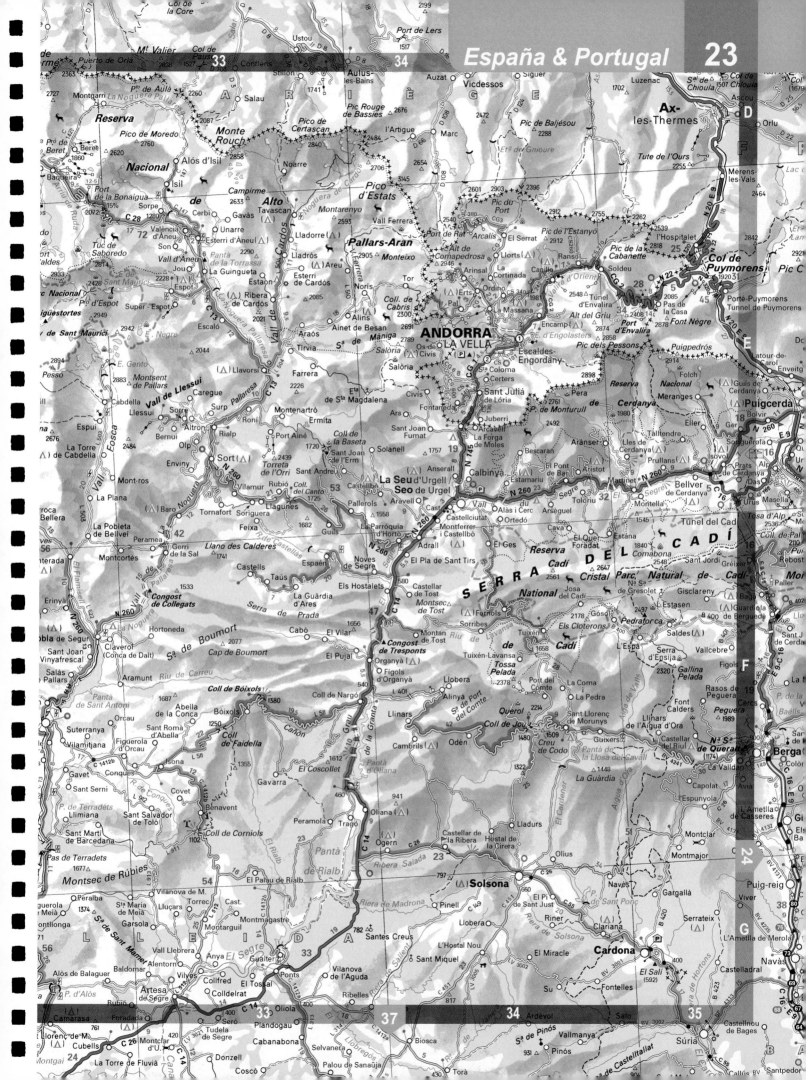

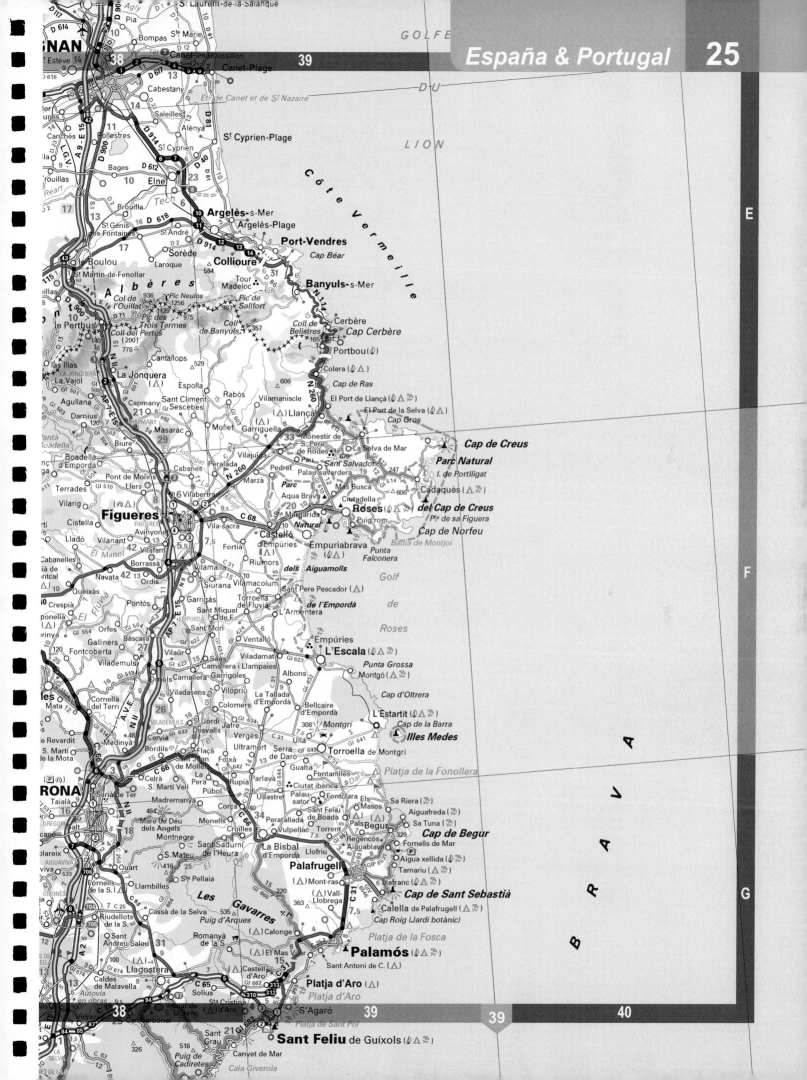

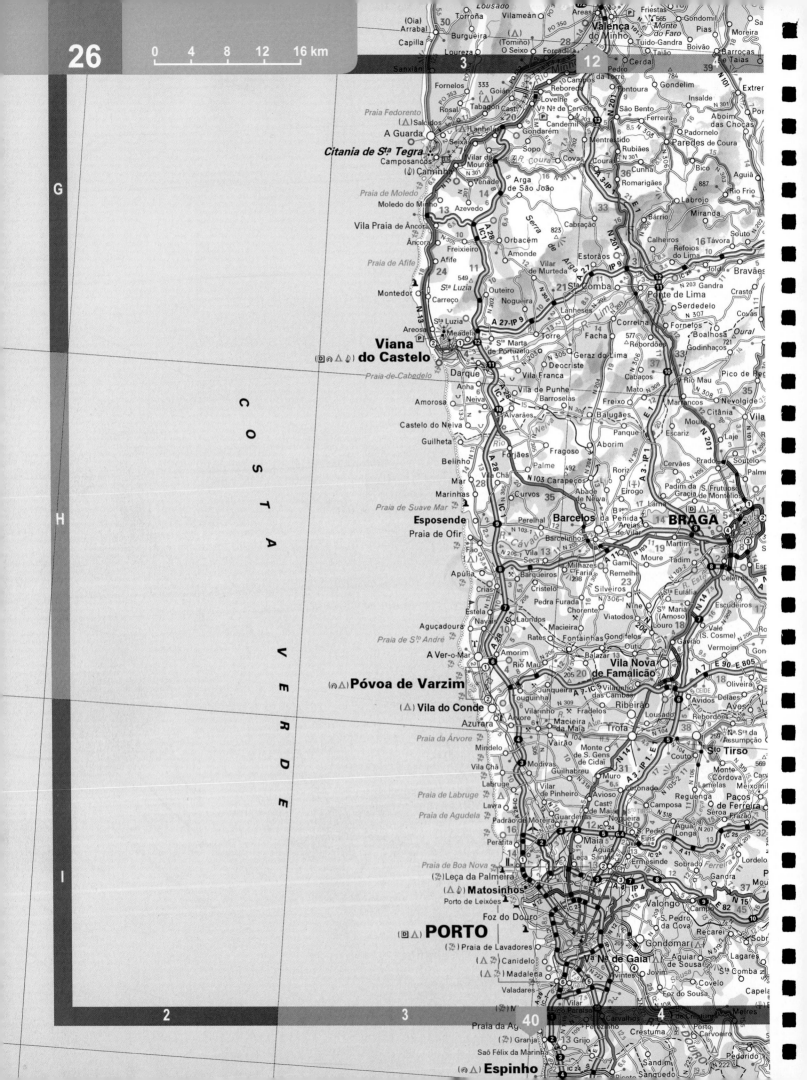

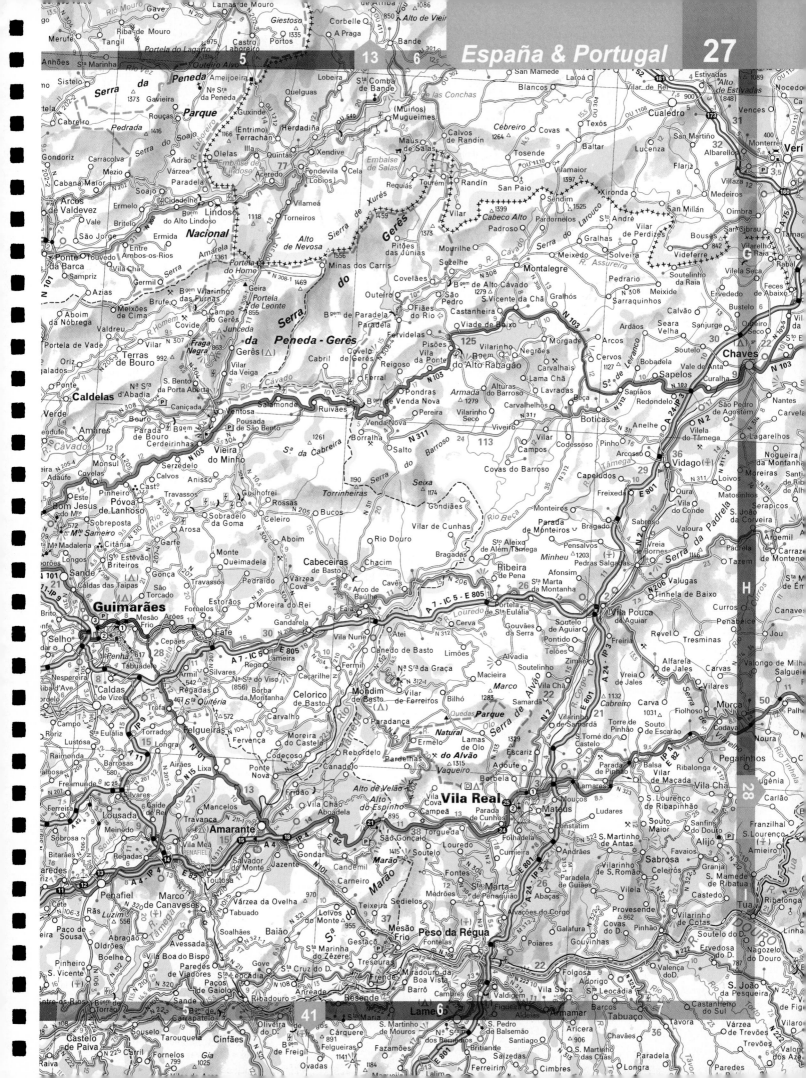

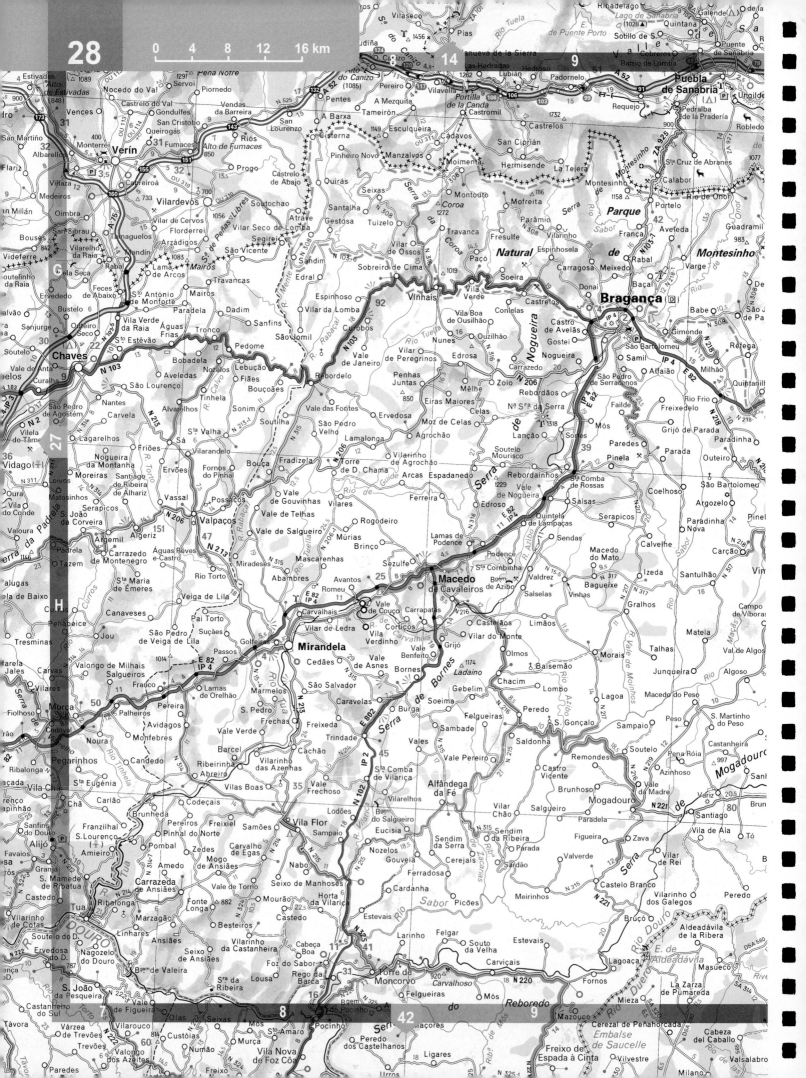

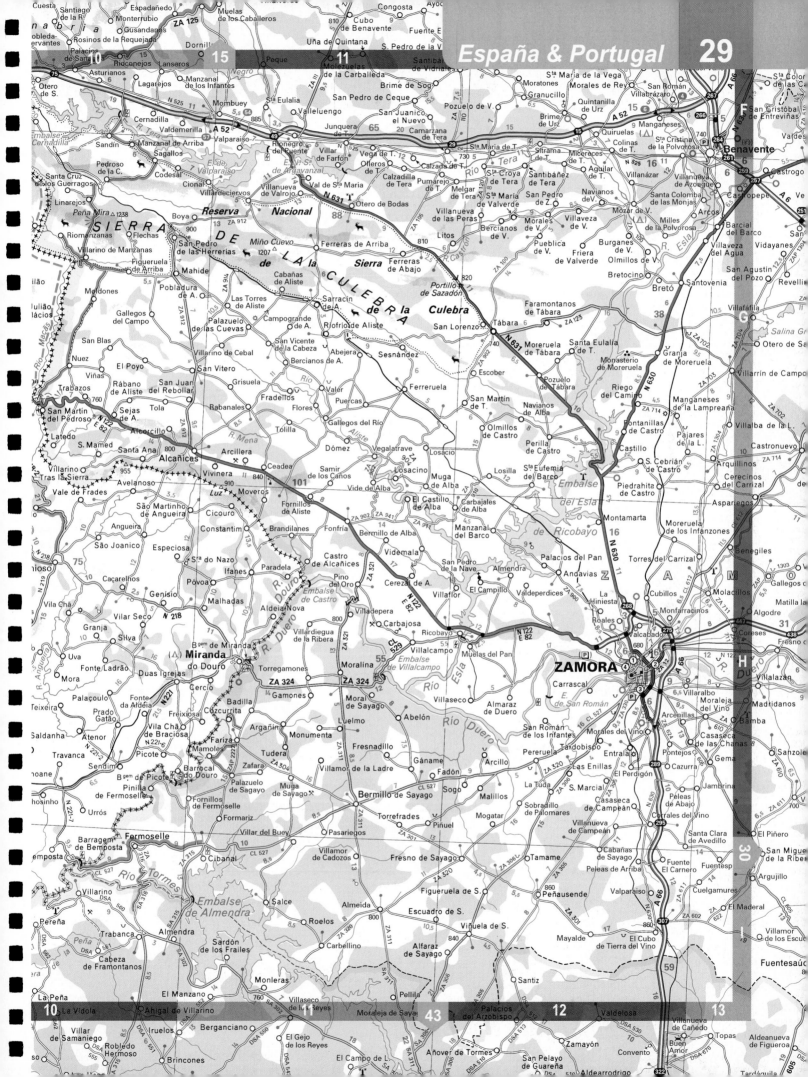

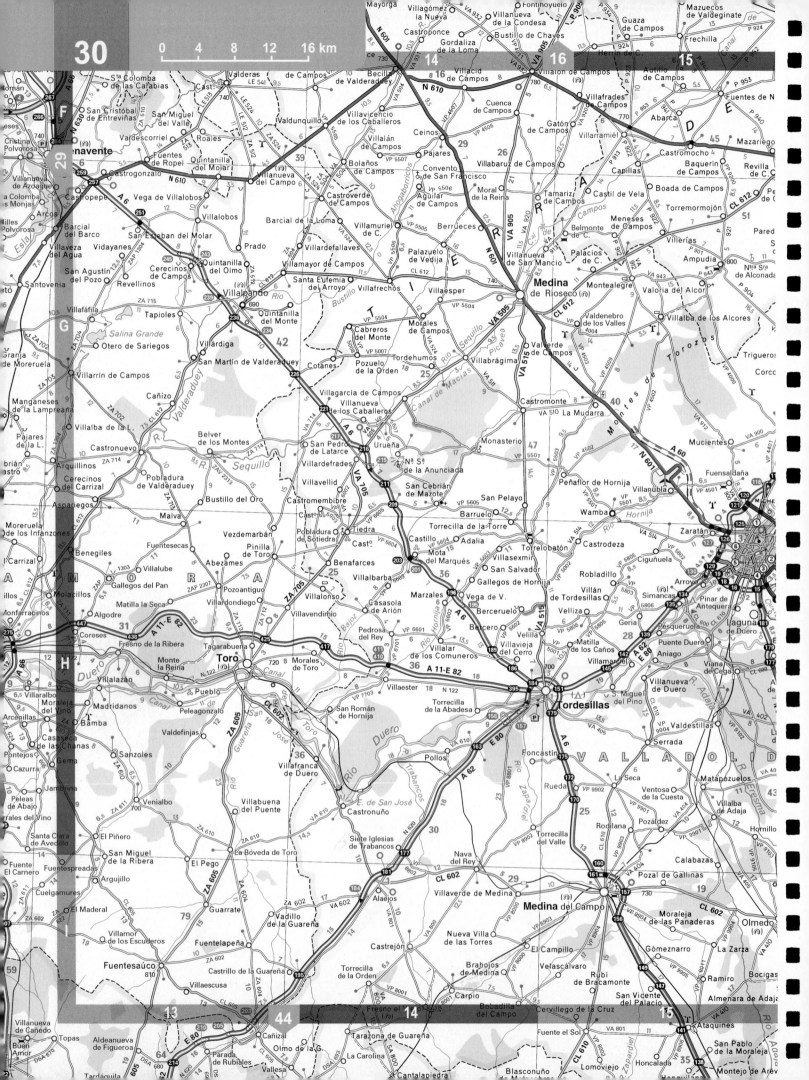

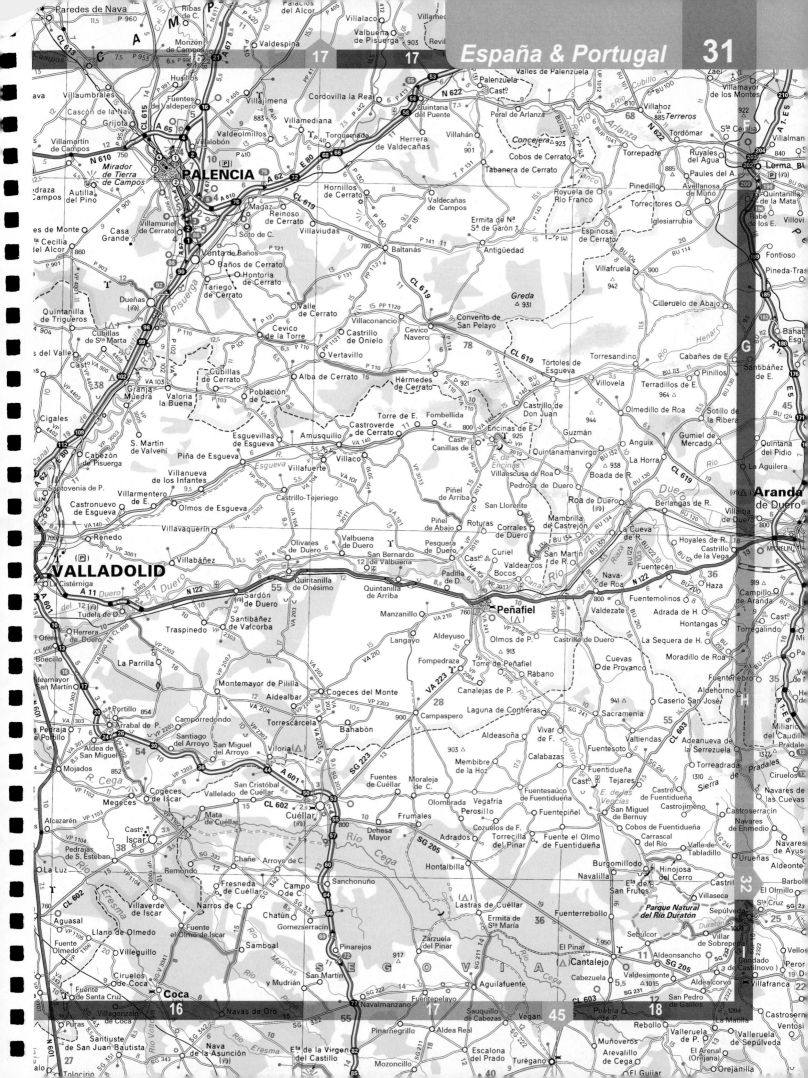

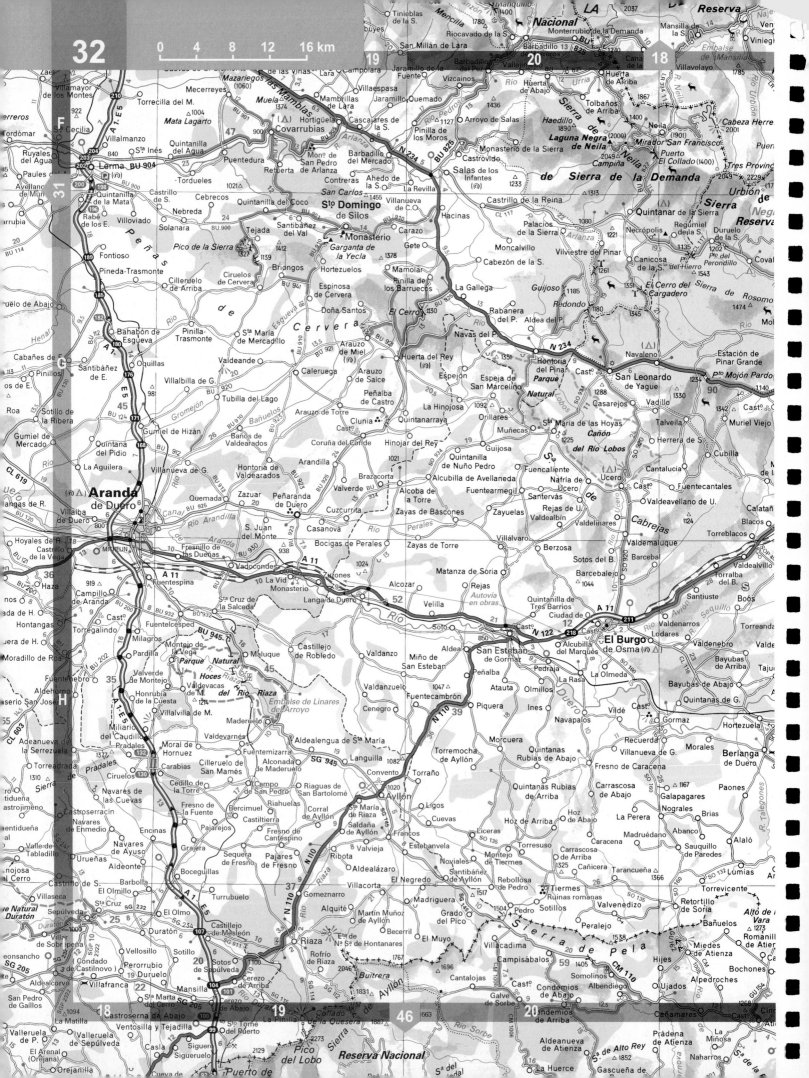

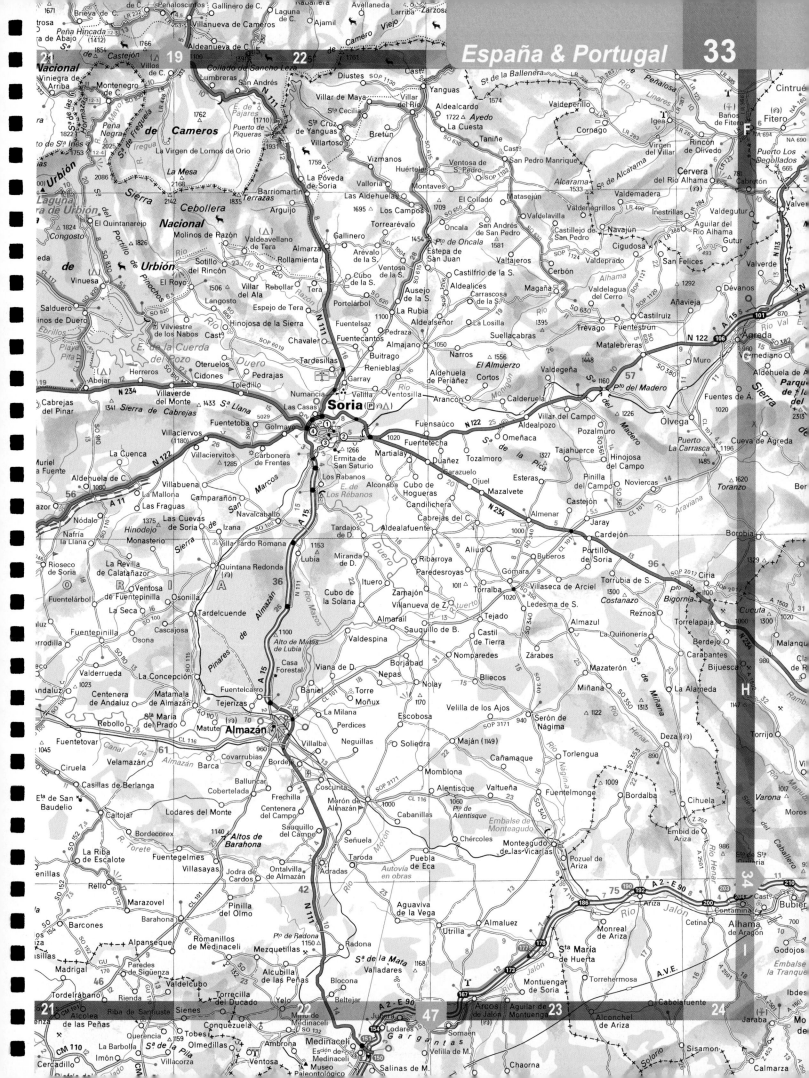

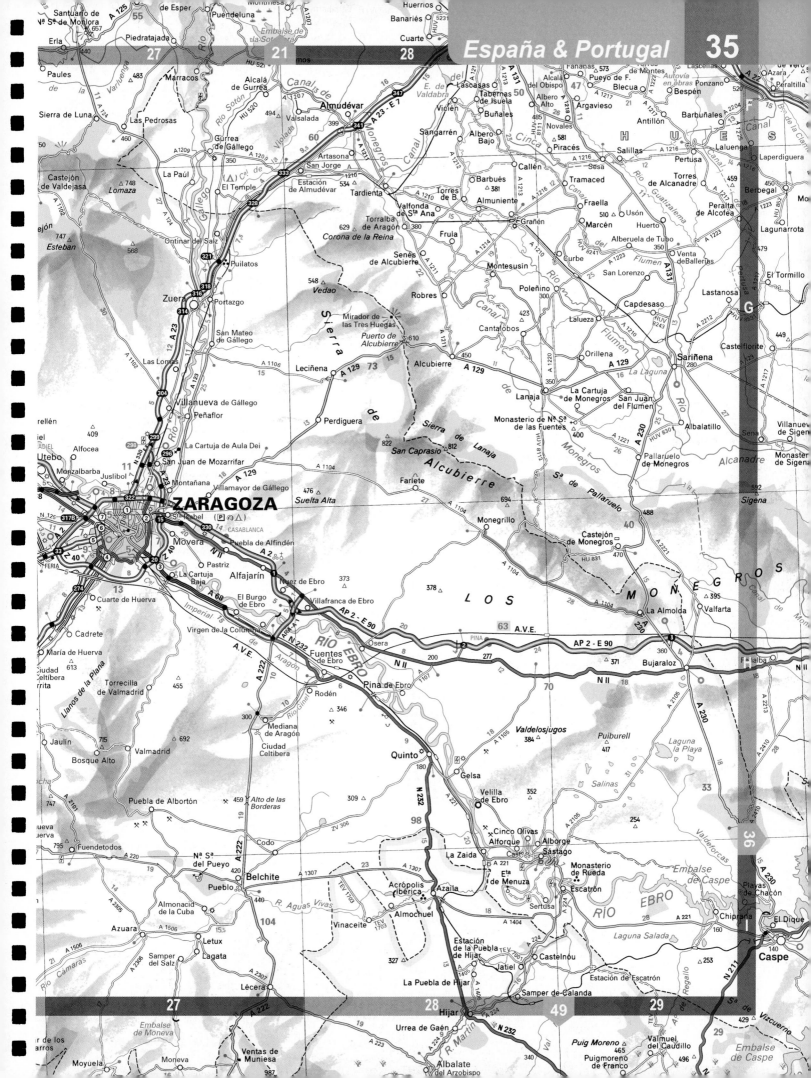

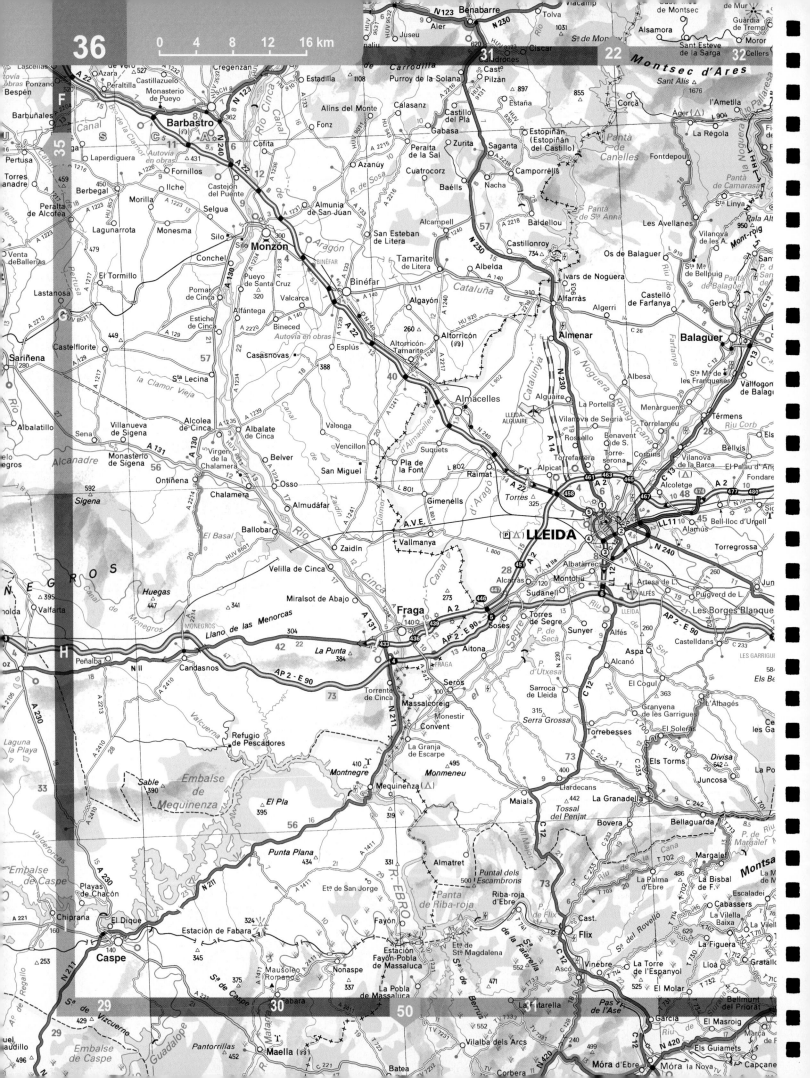

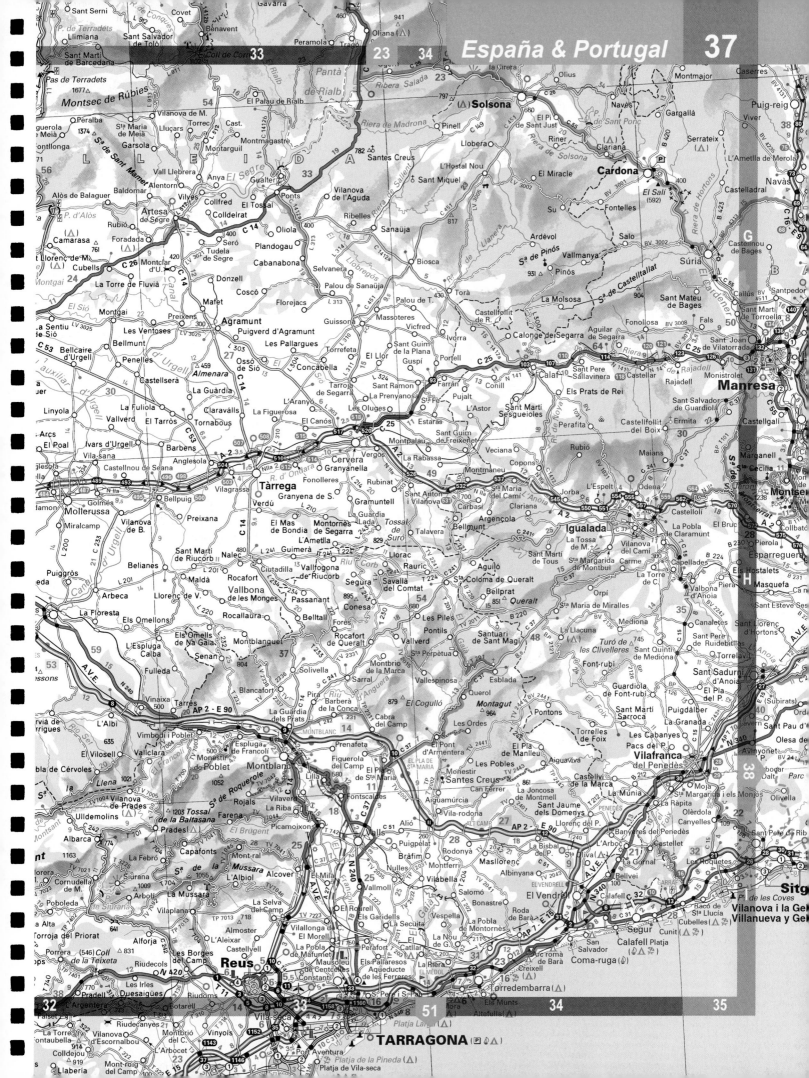

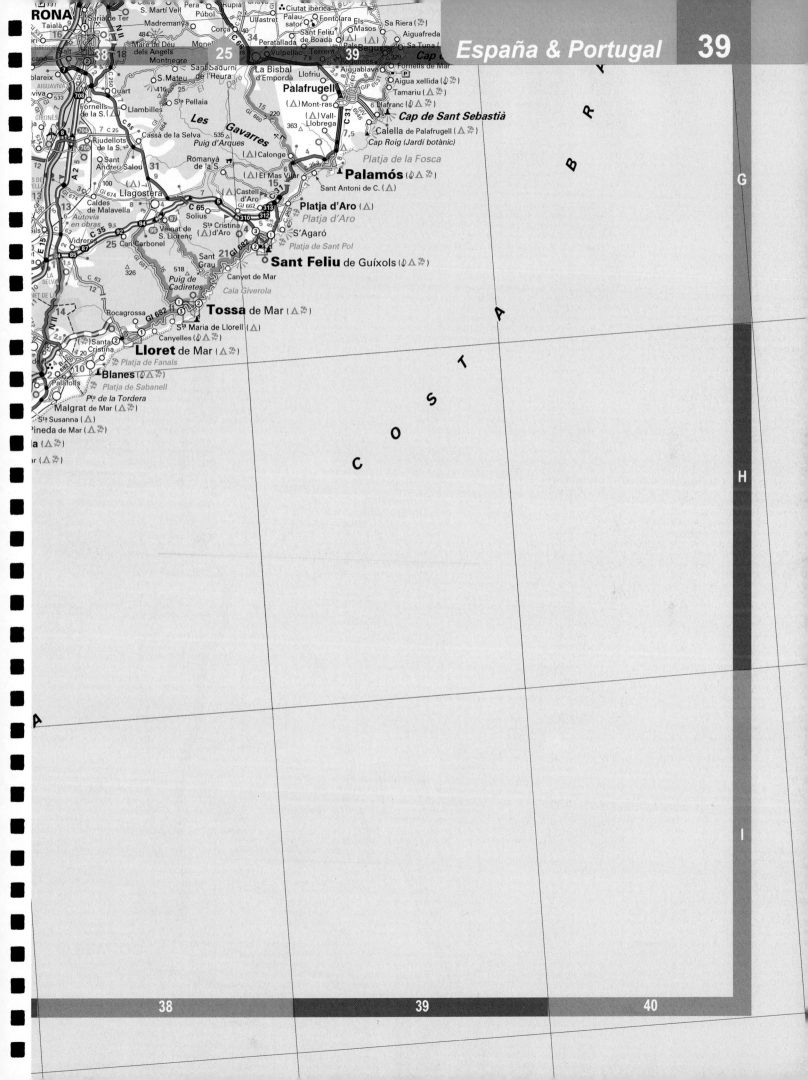

RONA
Taialà
S. Martí Vell
Pera
Púbol
Rupia
Ciutat ibèrica
Fontclara
Els
Masos
Sa Riera
S. Martí Vell
Madremanya
Corçà
Ullastret
Palau-sator
Aiguafreda
484
Madre de Déu
dels Àngels
Montnegre
S. Mateu
Sant Sadurní
de l'Heura
La Bisbal
d'Empordà
Peratallada
Vulpellac
Torrent
Pals
Begur
Sa Tuna
25
39
Cap de Sant Sebastià
blareix
AIGUAVIVA
533
Quart
416
Llofriu
Aigua xellida
Fornells de la S.
Llambilles
Les
Gavarres
Mont-ras
Tamariu
Riudellots de la S.
Cassà de la Selva
535
Puig d'Arques
Vall-Llobrega
Calella de Palafrugell
Sant Andreu Salou
Romanyà de la S
Calonge
Cap Roig (Jardí botànic)
Llagostera
El Mas Vilar
Platja de la Fosca
Caldes de Malavella
Castell d'Aro
Sant Antoni de C.
Palamós
Autovia en obras
Solius
Platja d'Aro
Veïnat de S. Llorenç
Sta Cristina d'Aro
Platja d'Aro
Vidreres
Can Carbonel
S'Agaró
Platja de Sant Pol
Sant Grau
Sant Feliu de Guíxols
Puig de Cadiretes
Canyet de Mar
Cala Giverola
Rocagrossa
Tossa de Mar
Santa Cristina
Sta Maria de Llorell
Canyelles
Lloret de Mar
Platja de Fanals
Palafolls
Blanes
Platja de Sabanell
Pta de la Tordera
Malgrat de Mar
Sta Susanna
Pineda de Mar

COSTA BRAVA

G

H

A

I

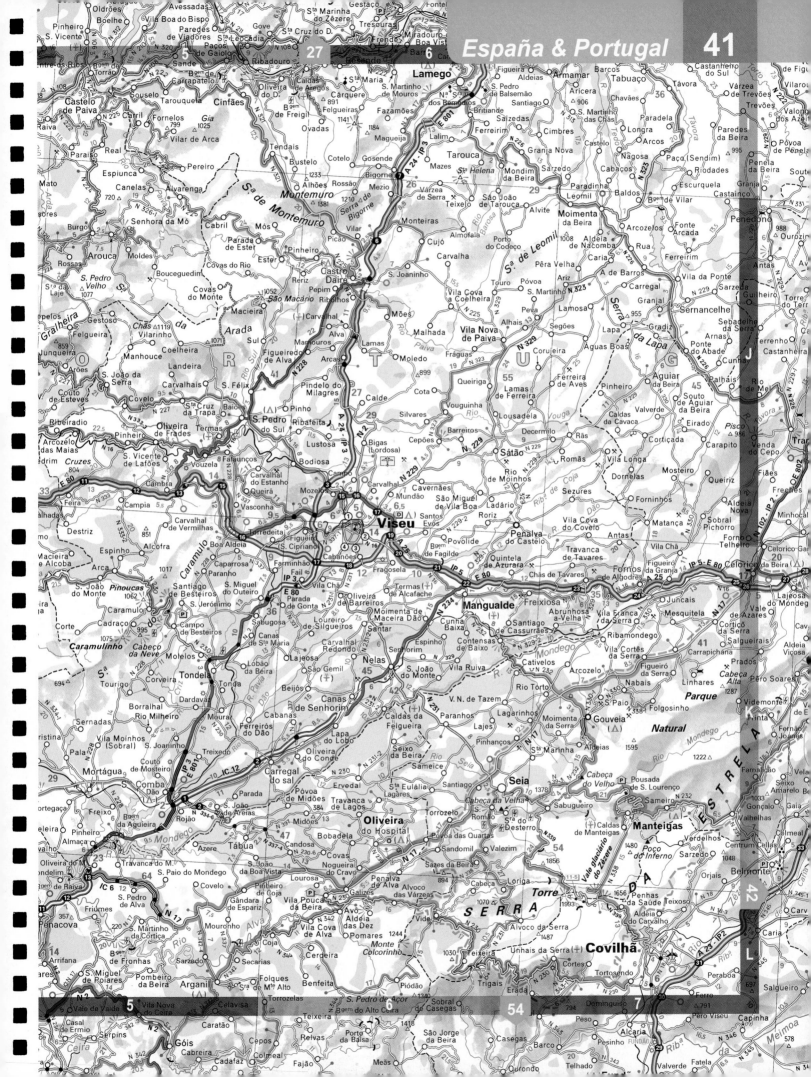

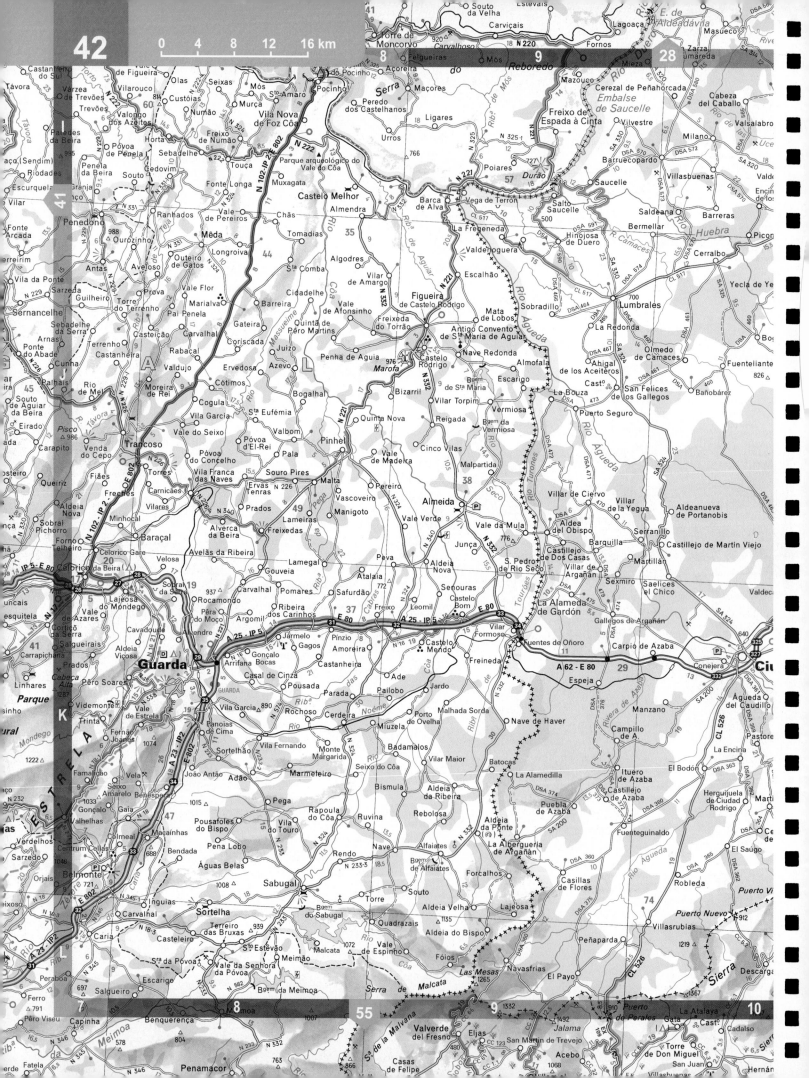

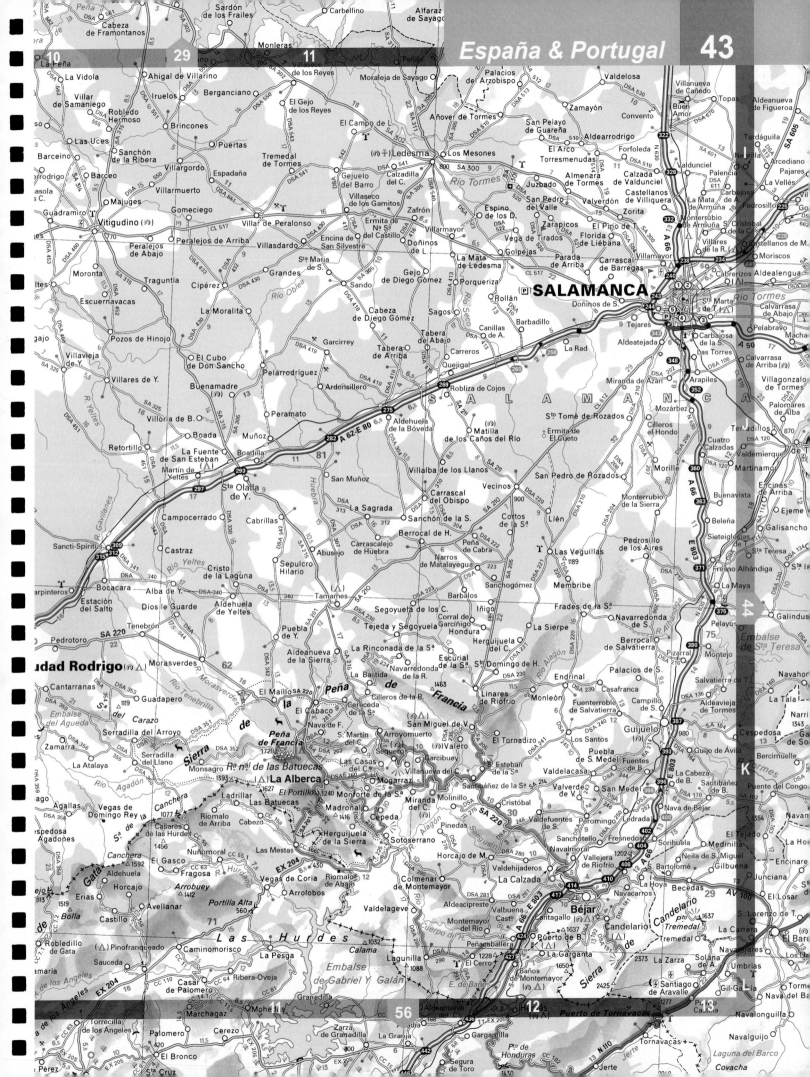

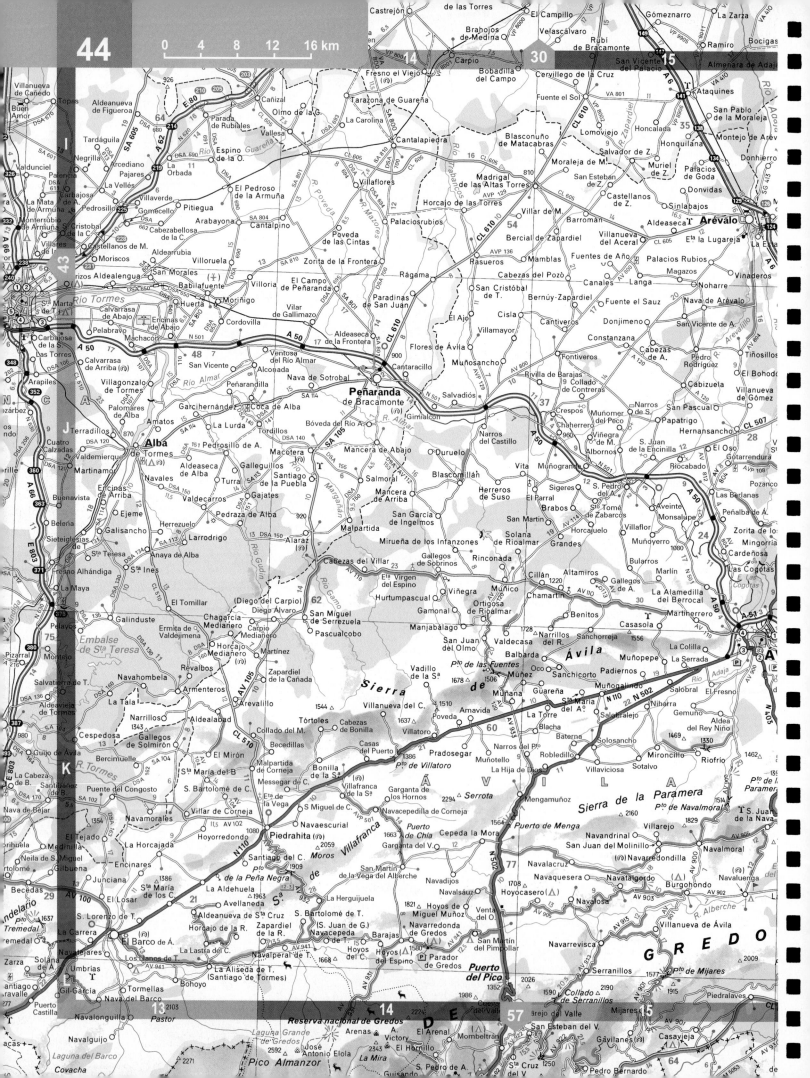

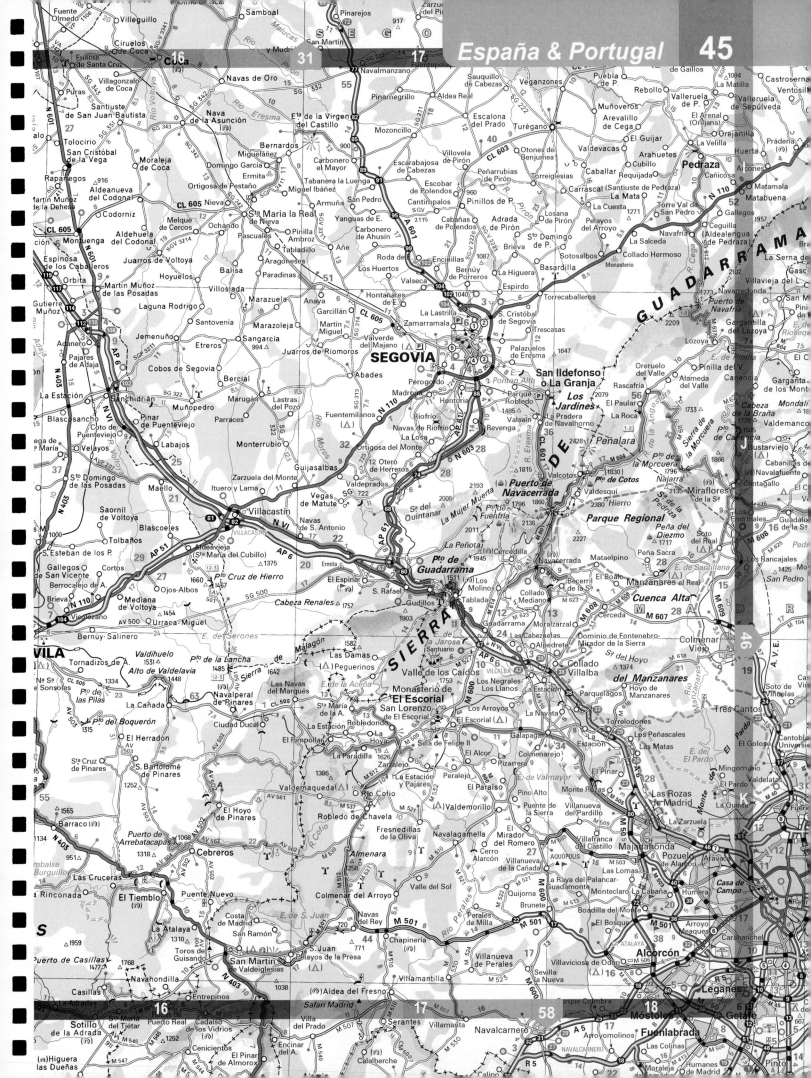

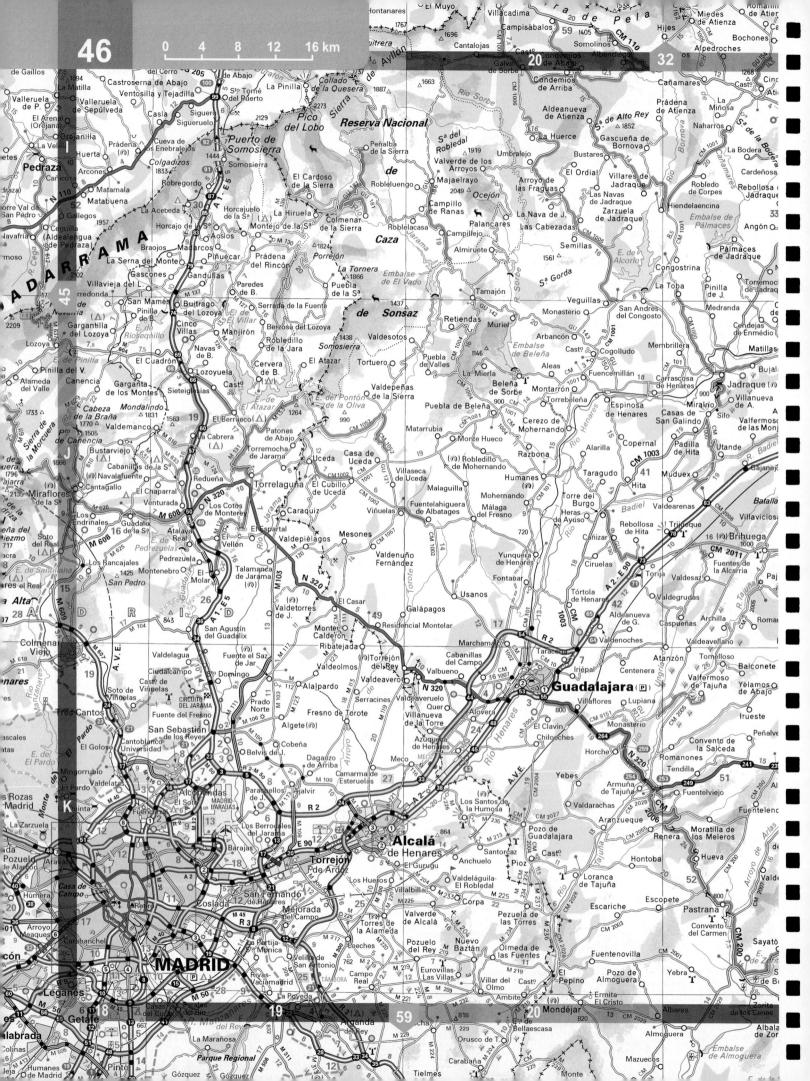

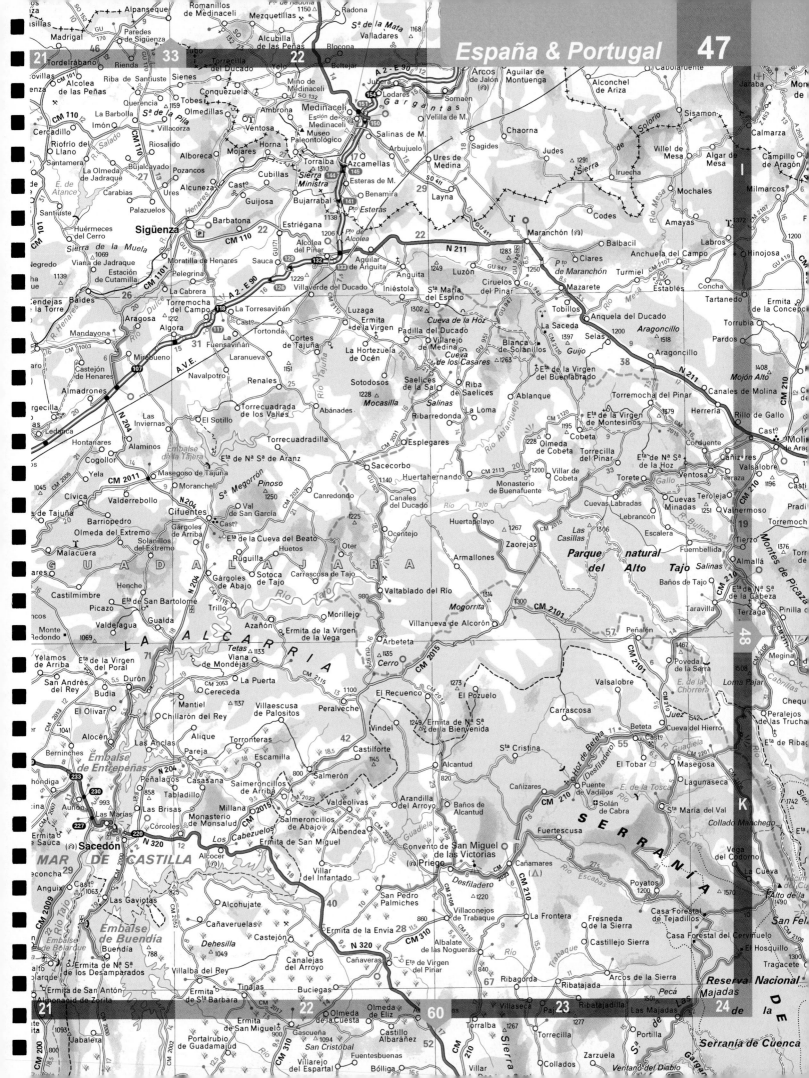

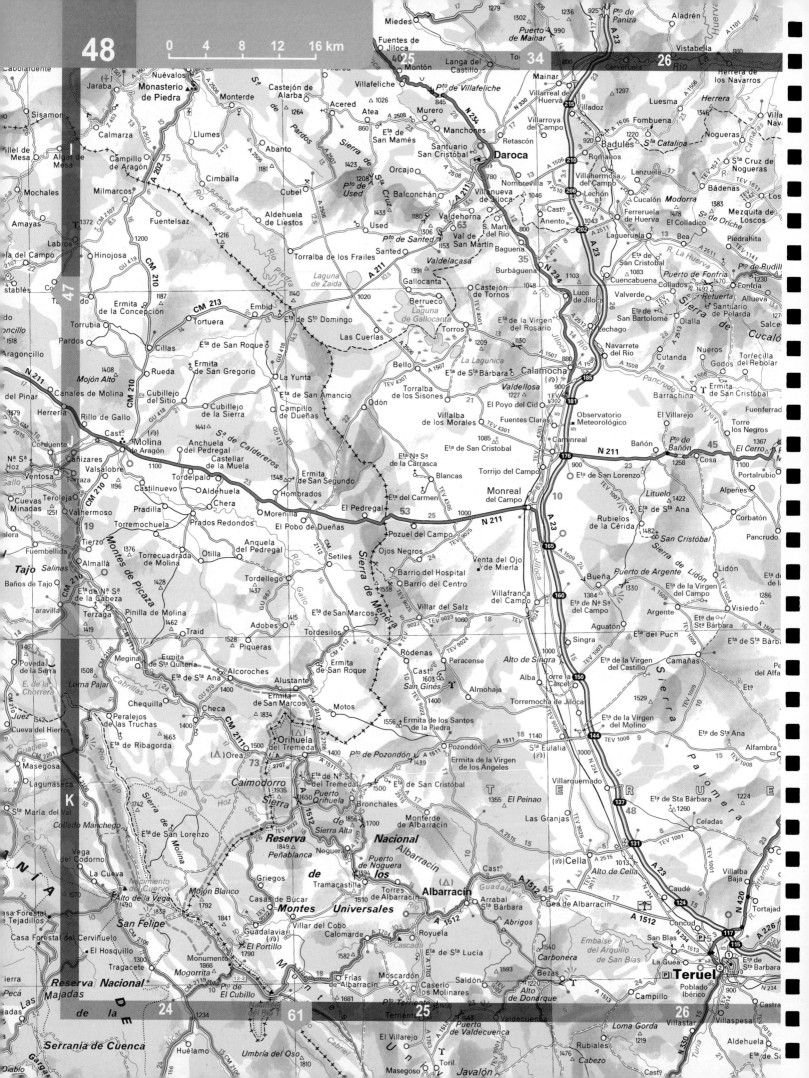

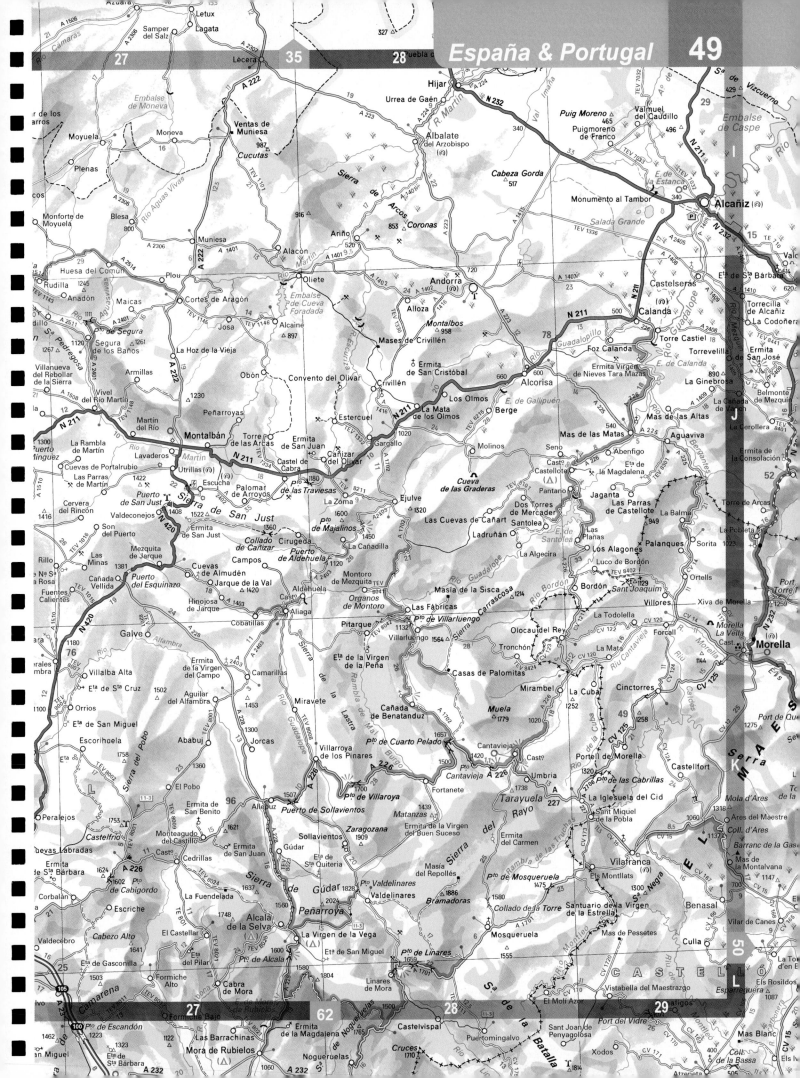

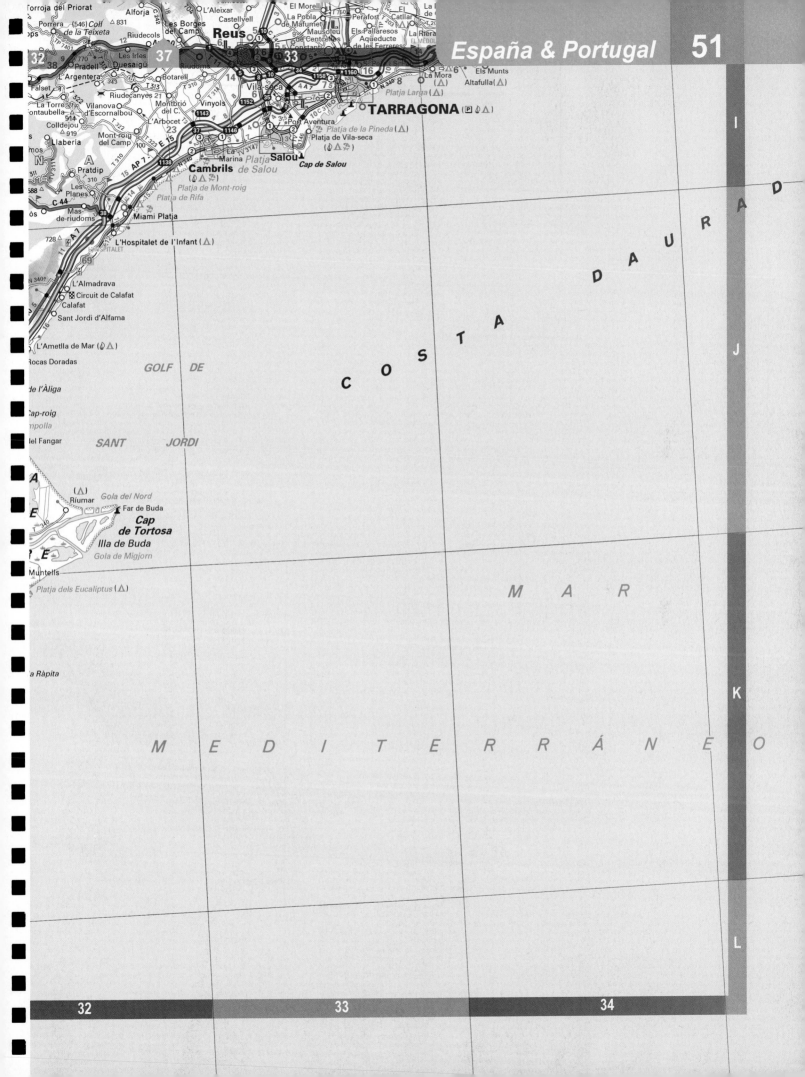

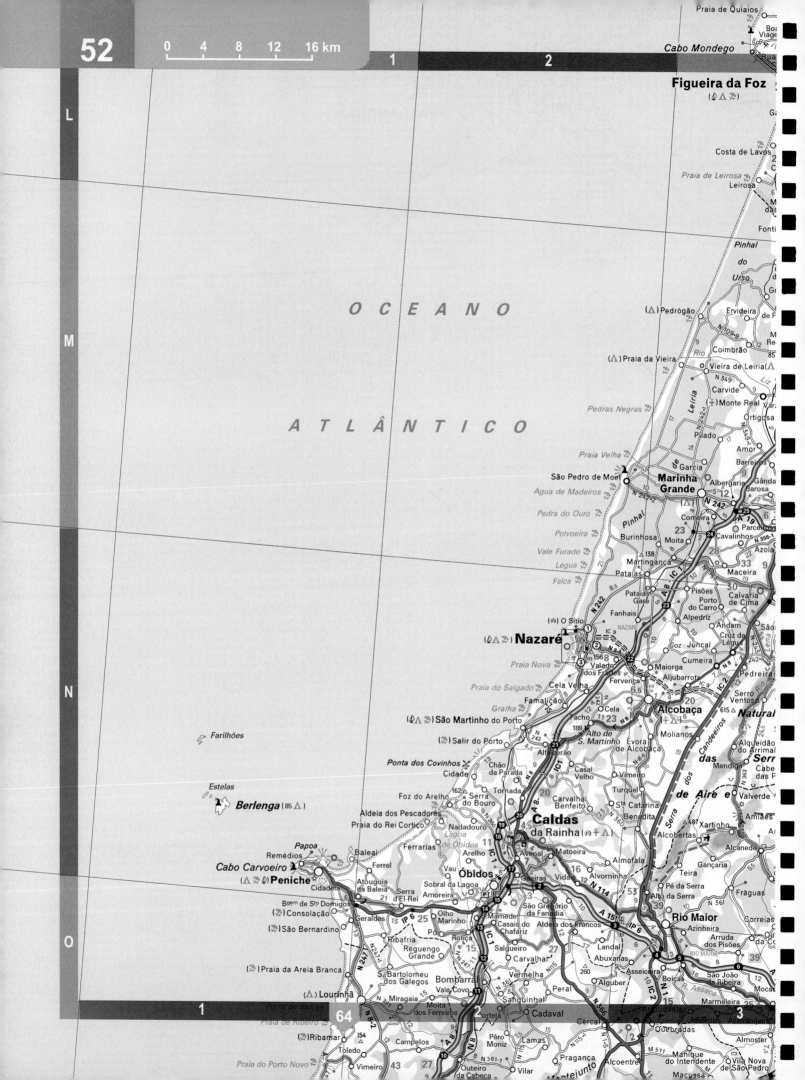

Praia de Quiaios

Cabo Mondego

Boa Viage

Bua

Figueira da Foz

Ga

Costa de Lavos

Praia de Leirosa
Leirosa

M
das

Fonti

*Pinhal
do
Urso*

Gr

(△) Pedrógão

Ervideira de F

N 109-9

M
Re

Coimbrão
85

O C E A N O

(△) Praia da Vieira

Rio

Vieira de Leiria(△)

Liz

Leiria

N 349

Carvide

Pedras Negras ✹

Monte Real

Ortigosa

A T L Â N T I C O

N 349-1

Praia Velha ✹

de Garcia

Pilado

Amor

Barreiros

São Pedro de Moel

**Marinha
Grande**

Albergaria

Gânda
Barosa

Água de Madeiros ✹

N 242

5-12

Comeira

A 19

Pedra do Ouro ✹

Pinhal

23

Parceiros

Burinhosa

Moita

24

Cavalinhos

N 356-1

Polvoeira ✹

28

Azoia

△ 138

33

Maceira

9

Martinganca

30

Calvaria
de Cima

Vale Furado ✹

Pataias

Légua ✹

Pisões

Porto
do Carro

Alpedriz

Falca ✹

Pataias
Garé

23

Andam

Cruz da
Légua

São

(⊚) O Sítio

Fanhais

Coz

Juncal

Praia Nova ✹

Valado
dos Frades

156

8

22

Maiorga

Cumeira

N 8

Pedreiras

(⌂△☺) **Nazaré**

NAZARÉ

IC 9

Aljubarrota

IC 2

Praia do Salgado ✹

Cela Velha

Fervença

6,5

Praia do Salgado ✹

Famalicão

Cela

Serro
Ventoso

Gralha ✹

Facho

Alcobaça

Natural

(⌂△☺) São Martinho do Porto

1123

N 8

615 △

Farilhões

Alto de
S. Martinho

Molianos

Candeeiros

(☺) Salir do Porto

189

Évora
de Alcobaça

das

Serr

N 242

4,5

21

Alfeizerão

Mendiga

N 362

Cabe
das A

Estelas

Ponta dos Covinhos ✹

Casal
Velho

Vimeiro

Serra

de Aire e

Valverde

Berlenga (85 △)

Chão
da Parada

IC 1

Cidade

162

Serra
do Bouro

Tornada

Turquel

Sta Catarina

Amiães

487 △

Ar

Foz do Arelho

20

Carvalhal
Benfeito

Benedita

Xartinho

Aldeia dos Pescadores

N 8

20

Caldas
da Rainha (⊚✝△)

Alcobertas

Alcâneda

Praia do Rei Cortiço

19

Gançaria

Papoa

Nadadouro

18

*Lagoa
de Óbidos*

11

Almofala

Teira

Remédios

Baleal

Ferrarias

Avenal

Matoeira

Pé de Serra

Fráguas

Cabo Carvoeiro ✹

Ferrel

Arelho

16

Vidais

Alvorninha

Alto da Serra

N 361

Vau

Gaeiras

53

39

(△☺⌂) **Peniche**

Cidadela

Atouguia
da Baleia

Serra
d'El-Rei

Amoreira

Sobral da Lagoa

Óbidos

3

A 15

Rio Maior

Correias

Bgem de Sto Domingos

21

Olho
Marinho

São Gregório
da Fanadia

Mamede

2

IP 6

Azinheira

Arruda
dos Pisões

da

(☺) Consolação

Geraldes

IP 6

25

Casais do
Chafariz

Aldeia dos Francos

3

São João
da Ribeira

39

(☺) São Bernardino

13

Po

Rolica

15

Salgueiro

Landal

N 1

Boiças

IC 2

Moca

(☺) Praia da Areia Branca

Ribafria

Reguengo
Grande

N 247-1

15

12

Carvalhal

27

N115

Abuxanas

260

Asseiceira

16

4

12

6

39

(△) **Lourinhã**

N 361

Bartolomeu
dos Galegos

Vale Covo

11

Vermelha

Peral

Alguber

Marmeleira

25

Miragaia

Moita
dos Ferreiros

2

Sanguinhal

N 366

Albuquelas

3

Praia de Ribeiro

Portela

Cadaval

Cercal

Assentiz

Azambujeir

(☺)Ribamar

154

Campelos

Pêro
Moniz

Lamas

N115-1

Quebradas

Almoster

Toledo

Vimeiro

43

27

A 8

N 8

N 361-1

Outeiro
da Cabeça

Vilar

Pragança

Alcoentre

Manique
do Intendente

Vila Nova
de São Pedro

Praia do Porto Novo ✹

Monteiunto

Macussa

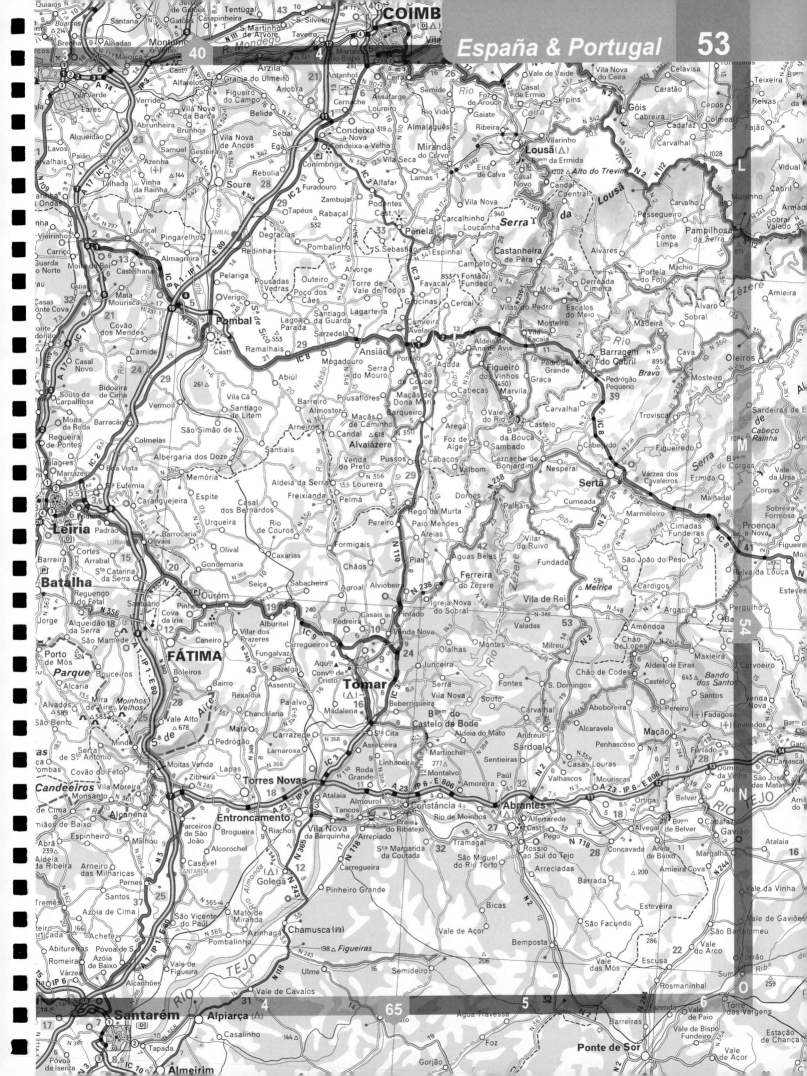

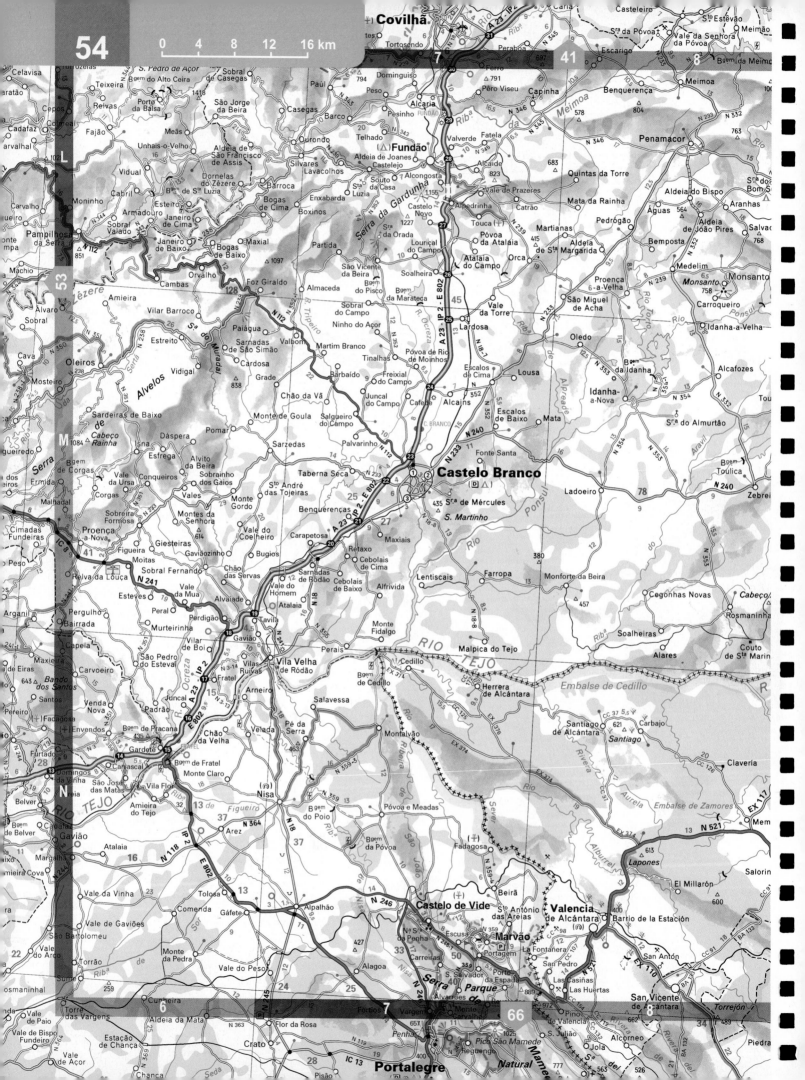

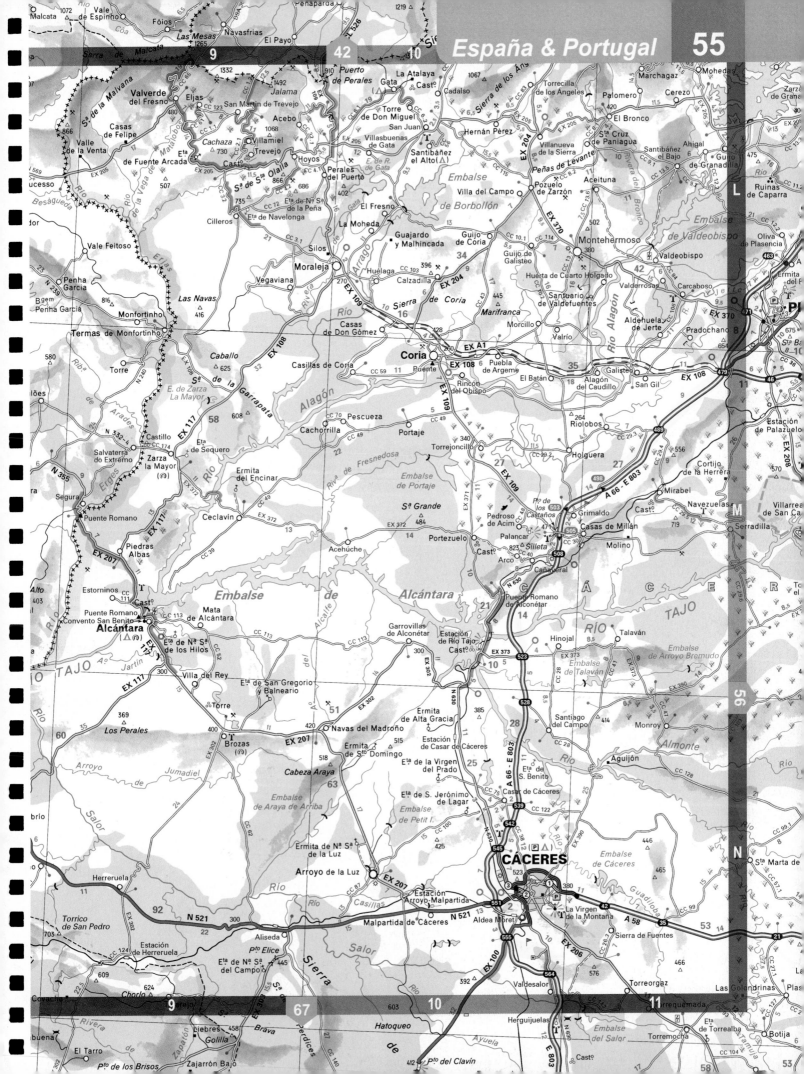

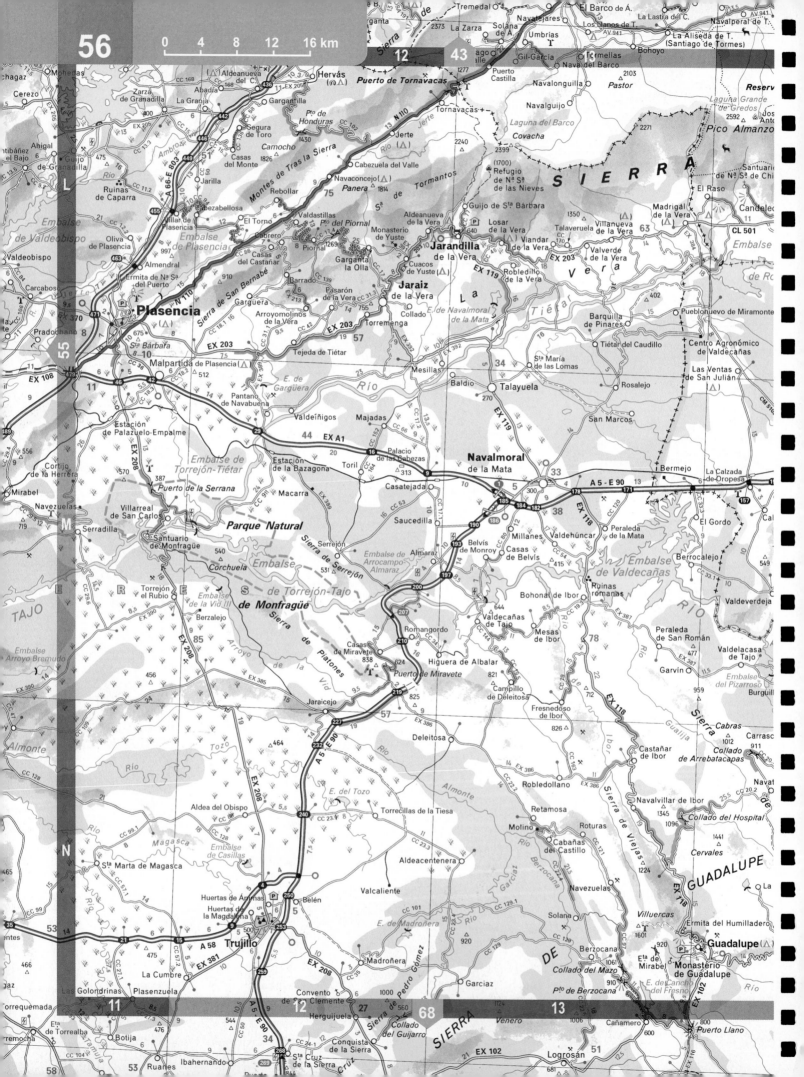

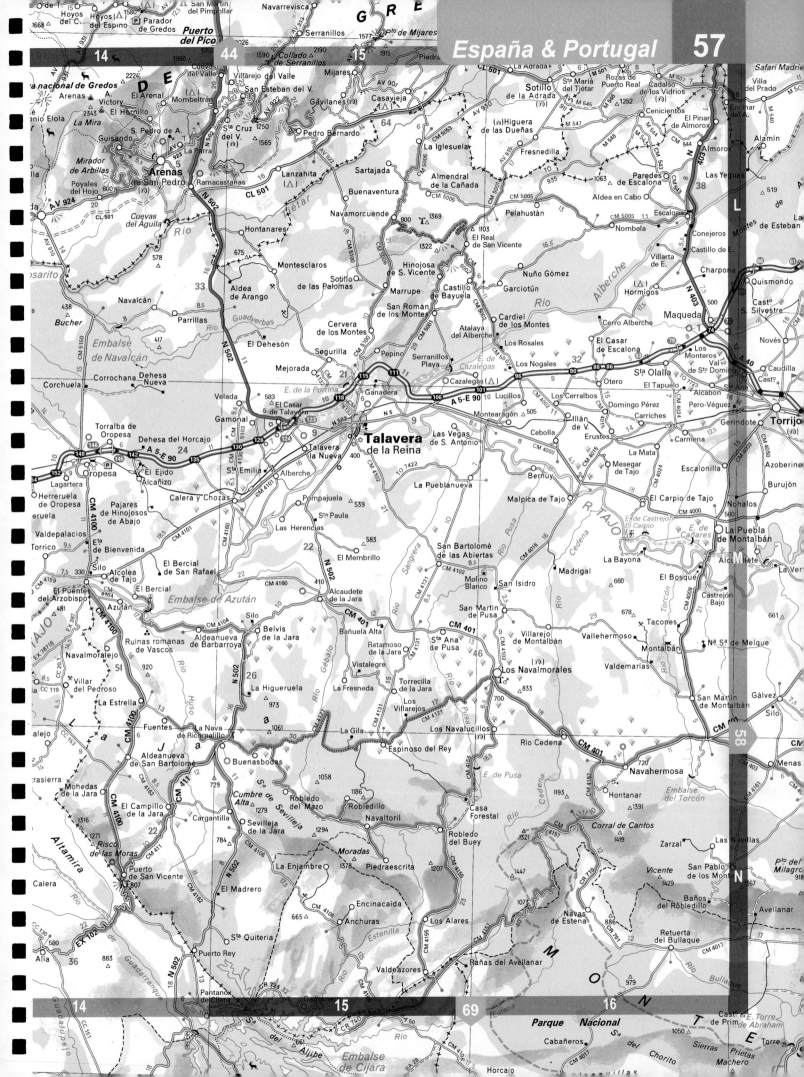

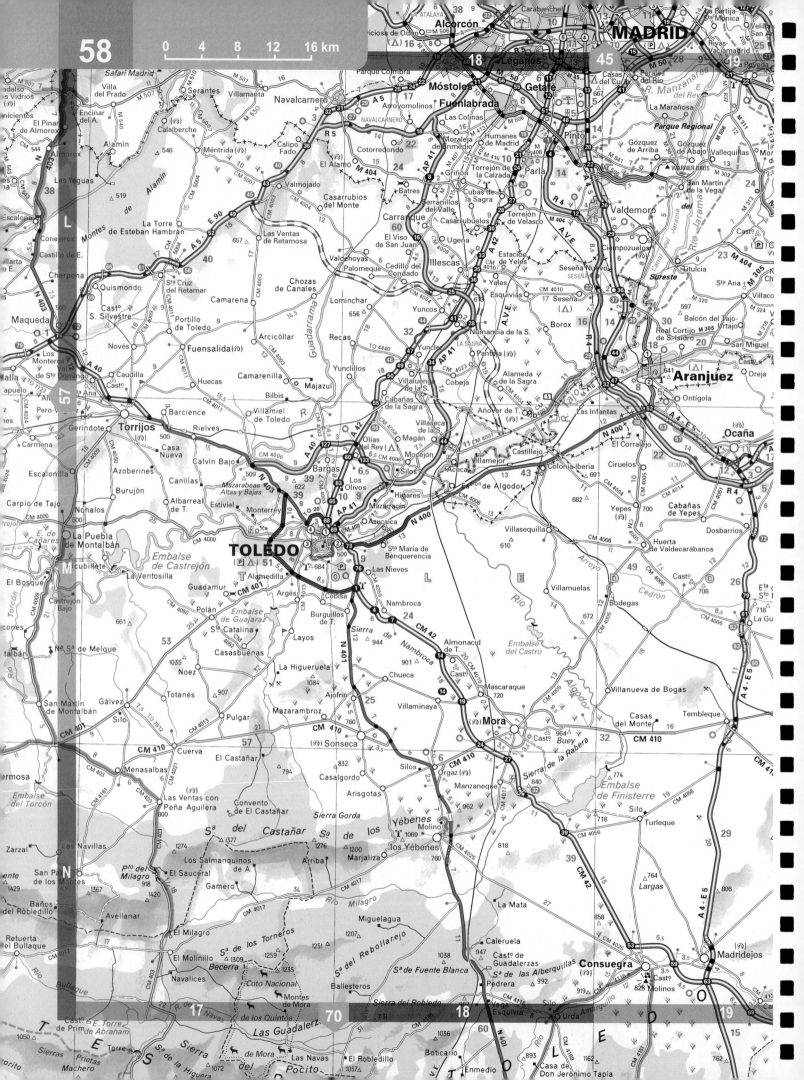

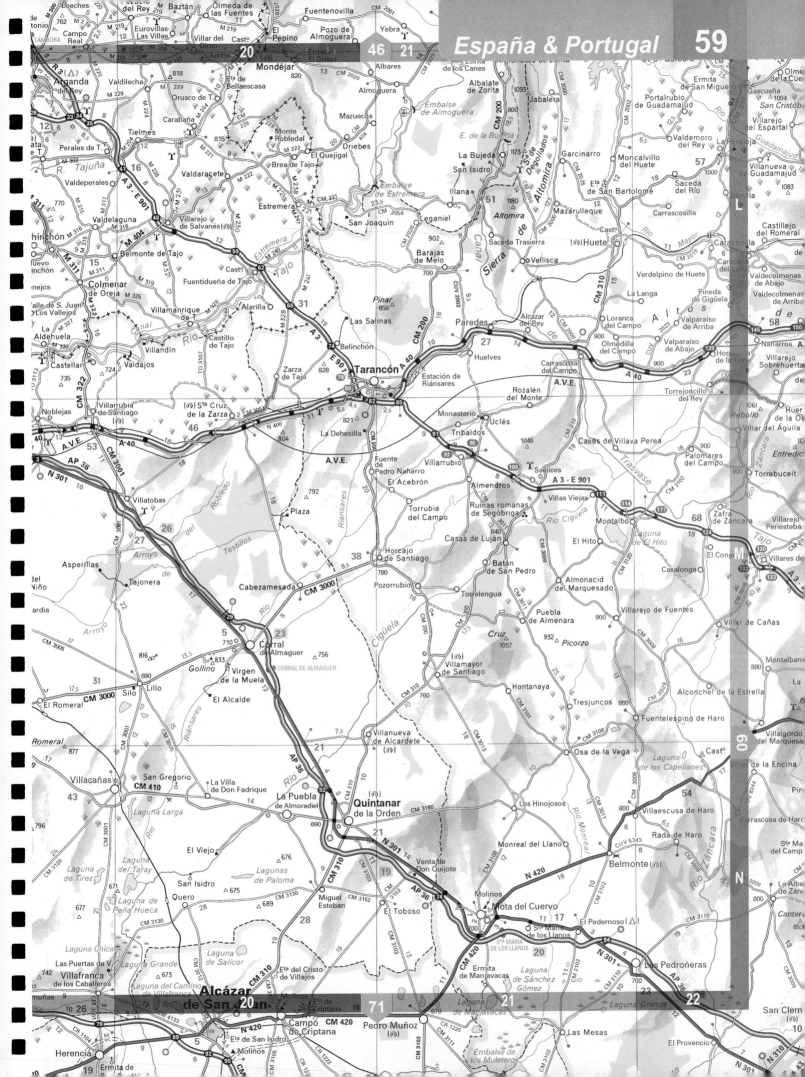

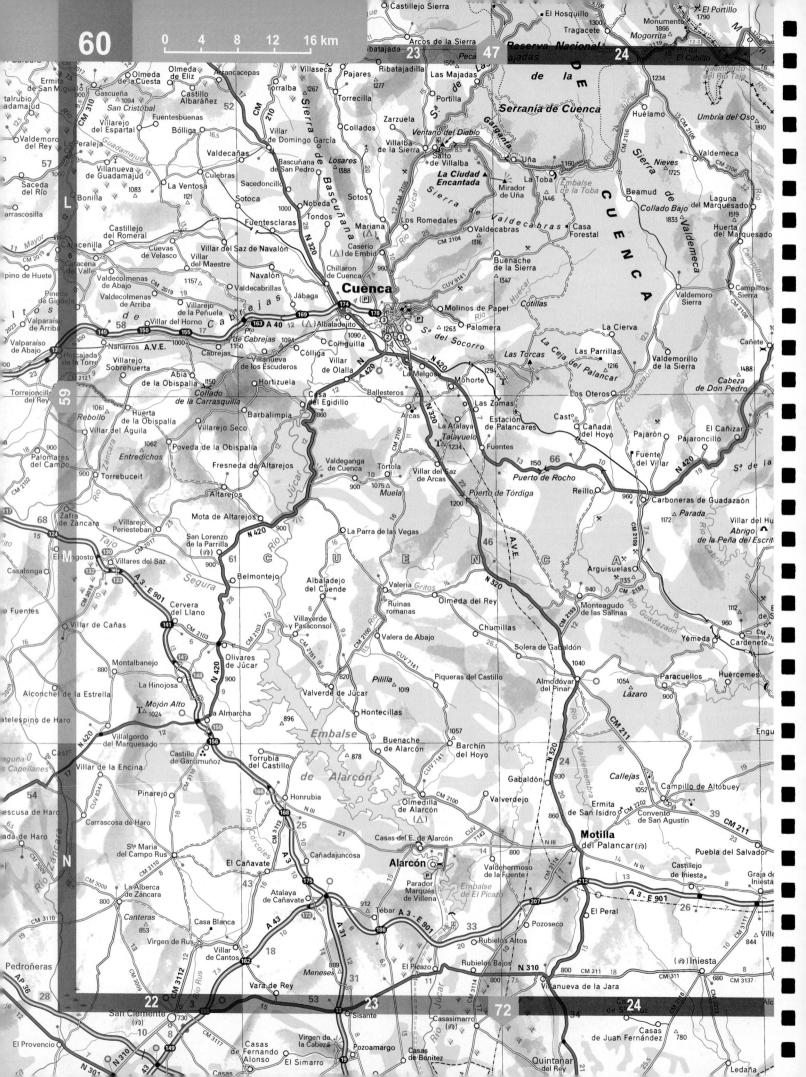

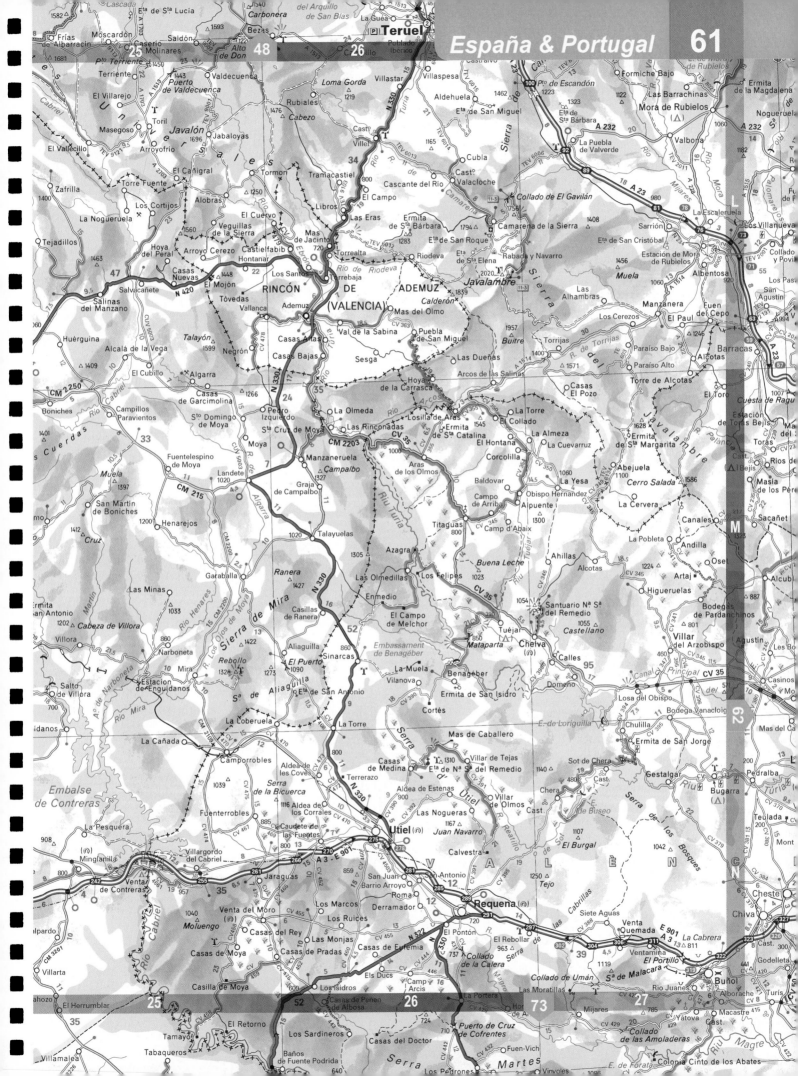

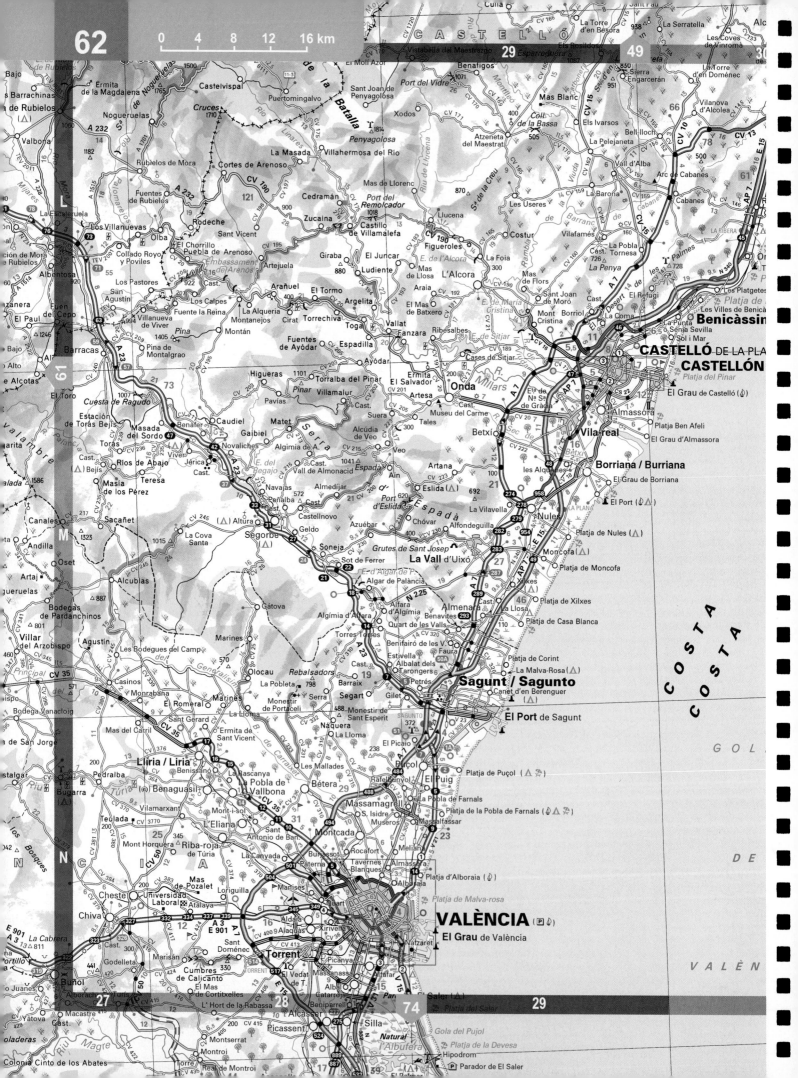

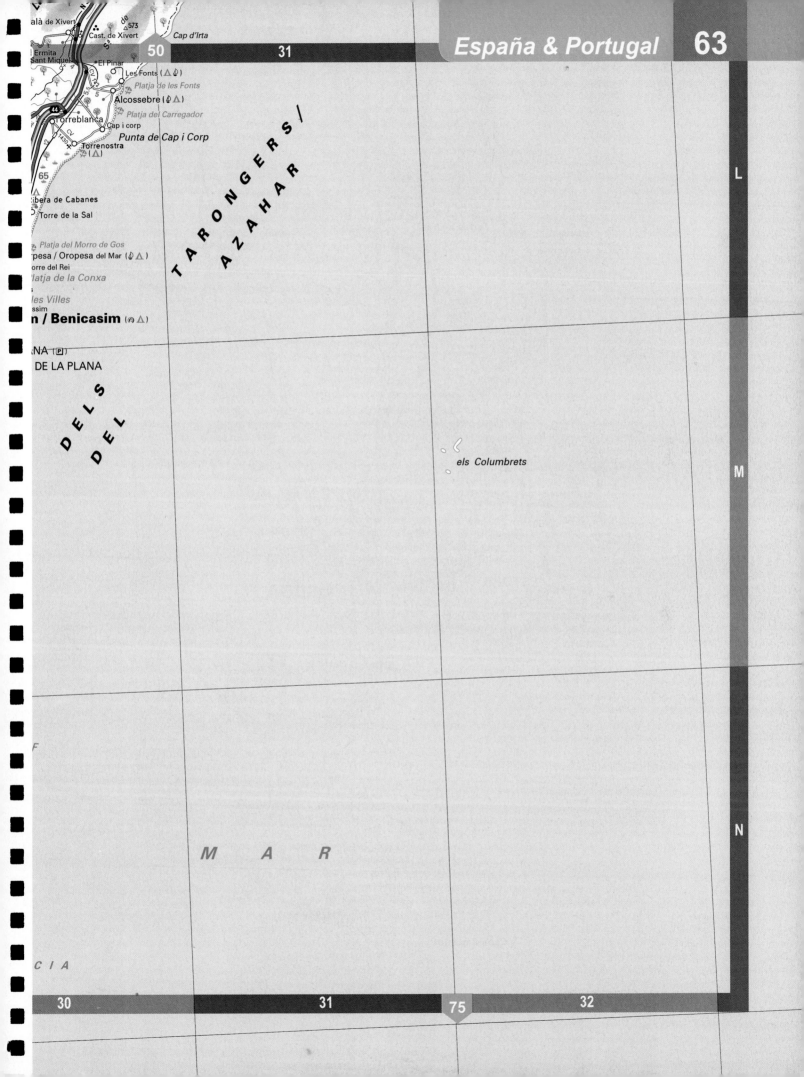

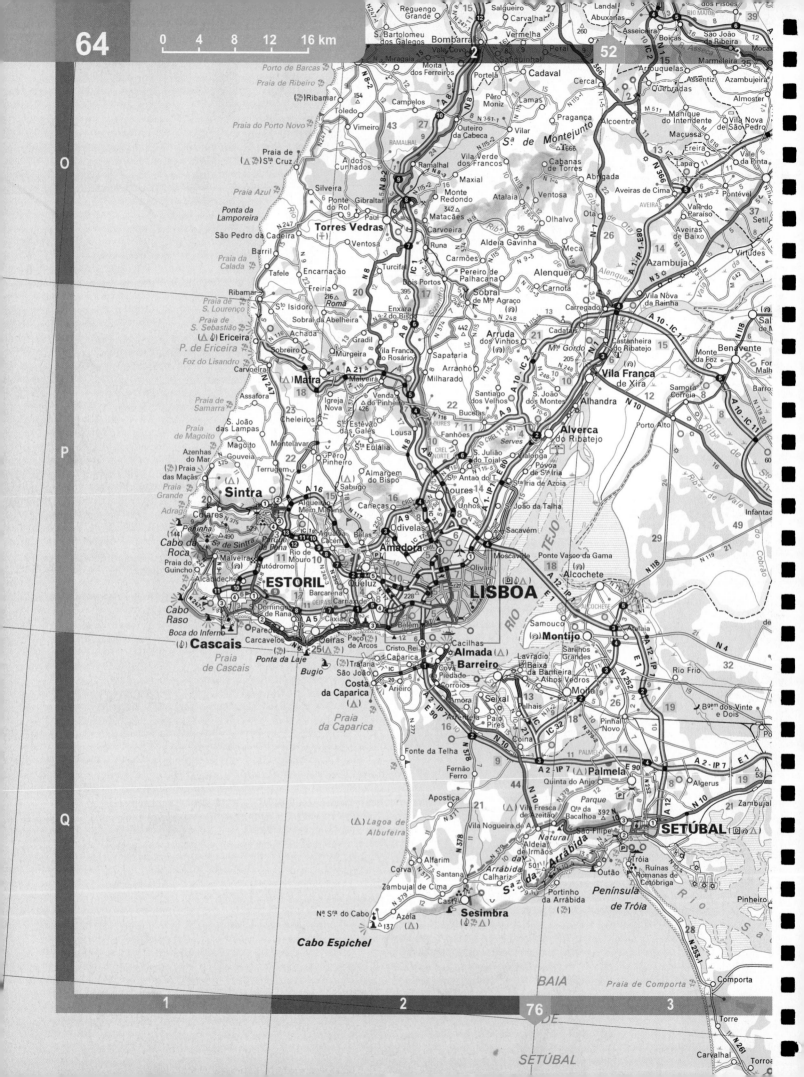

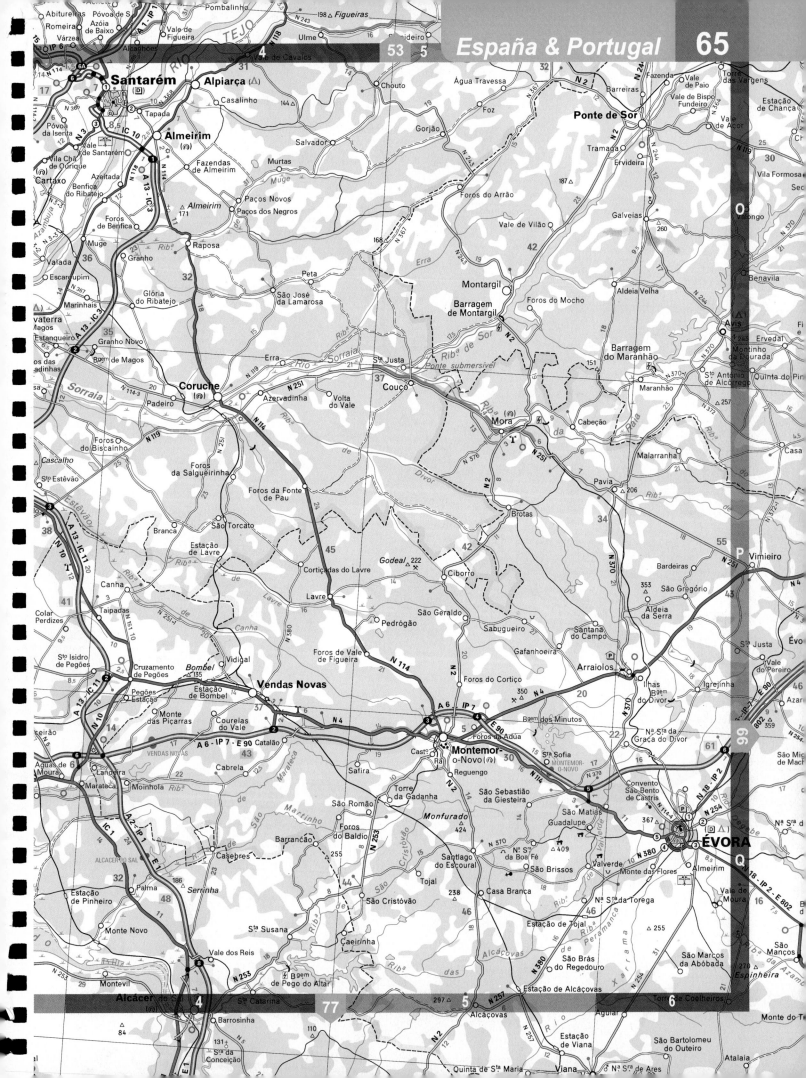

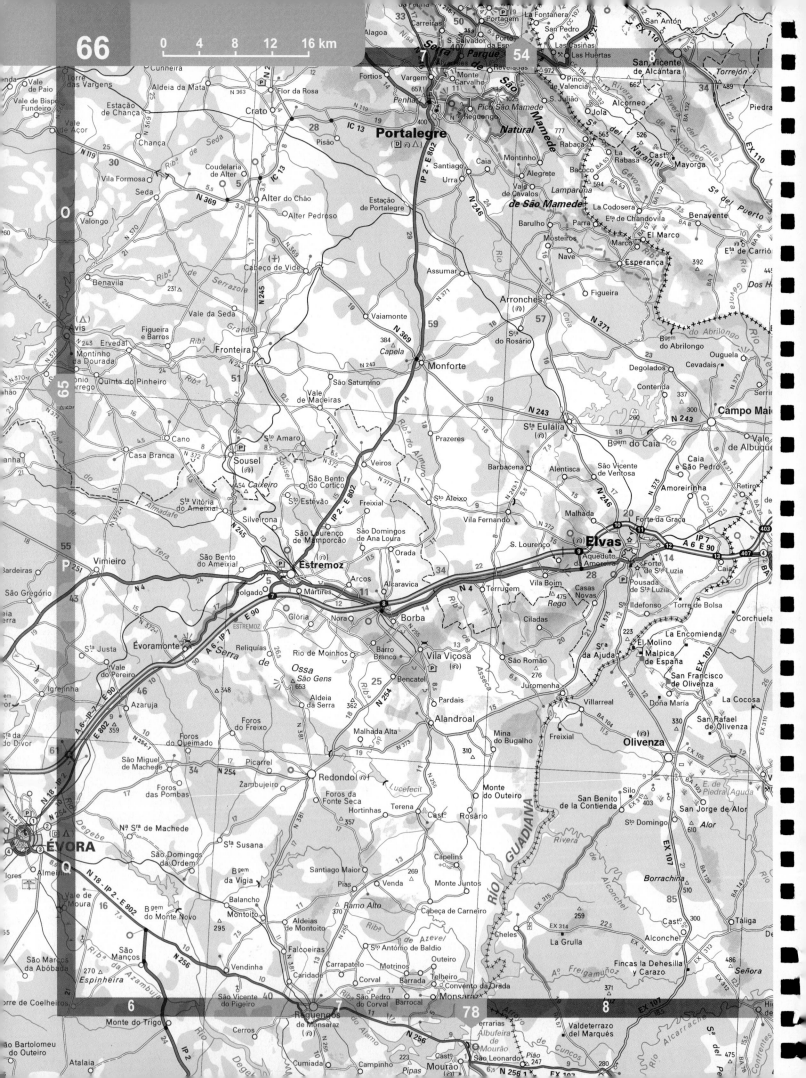

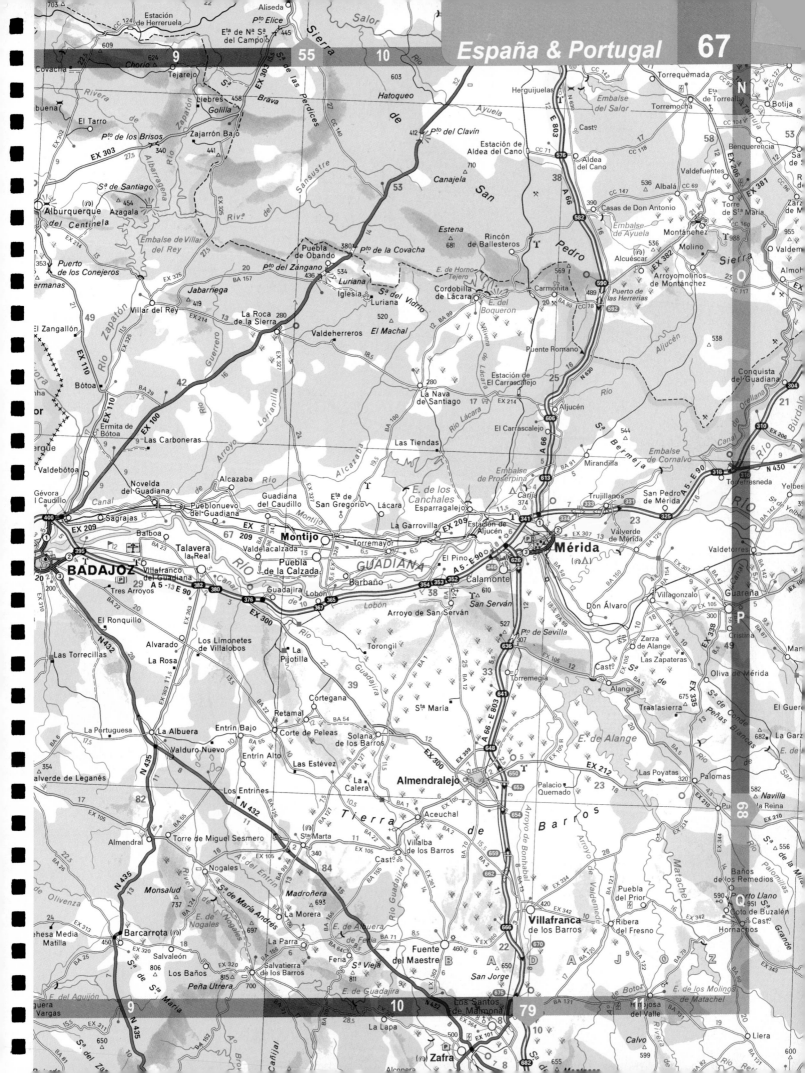

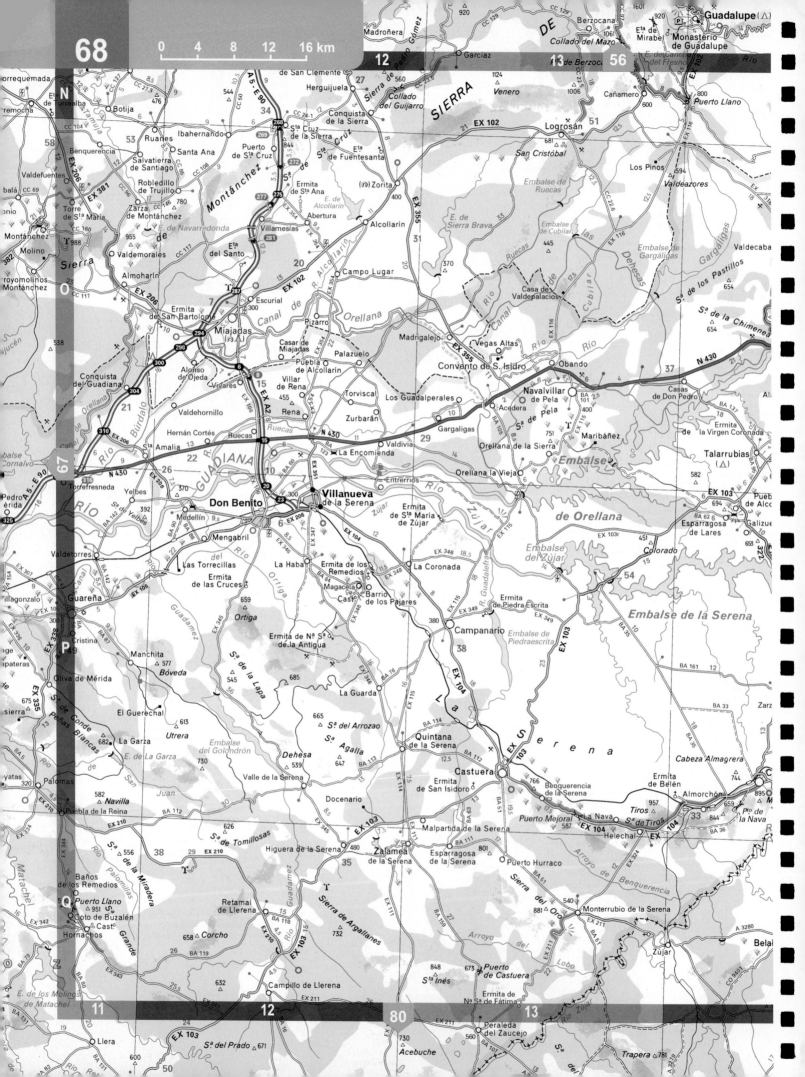

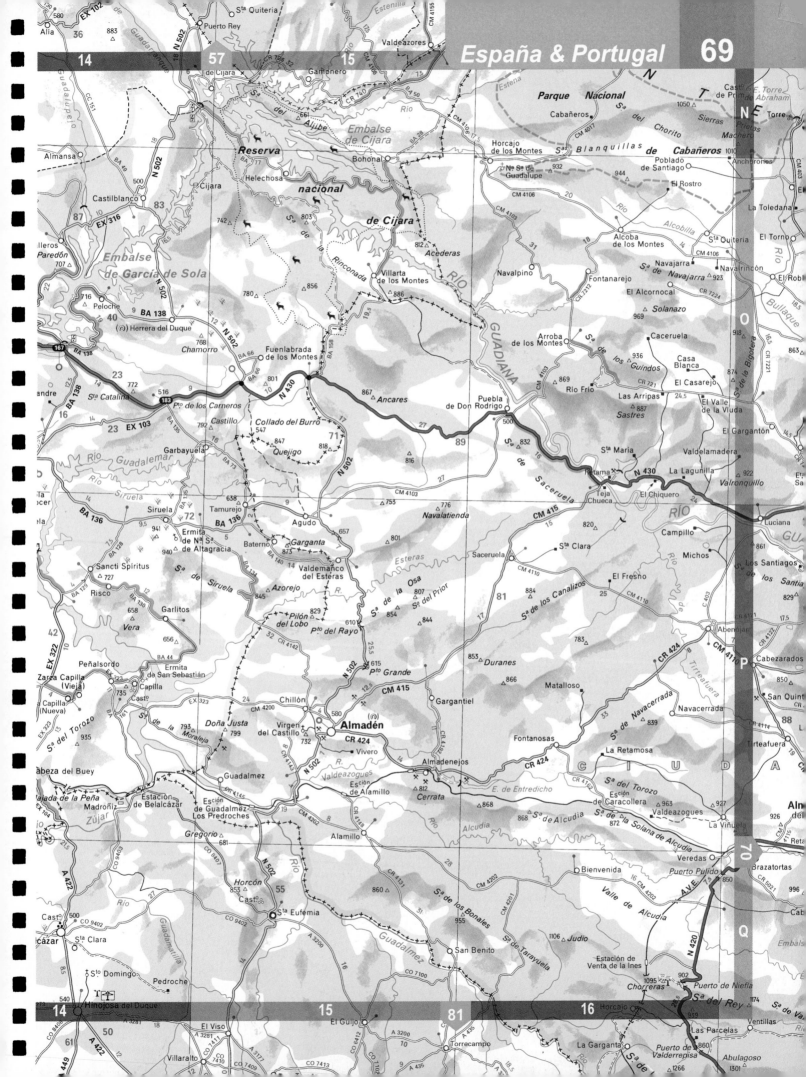

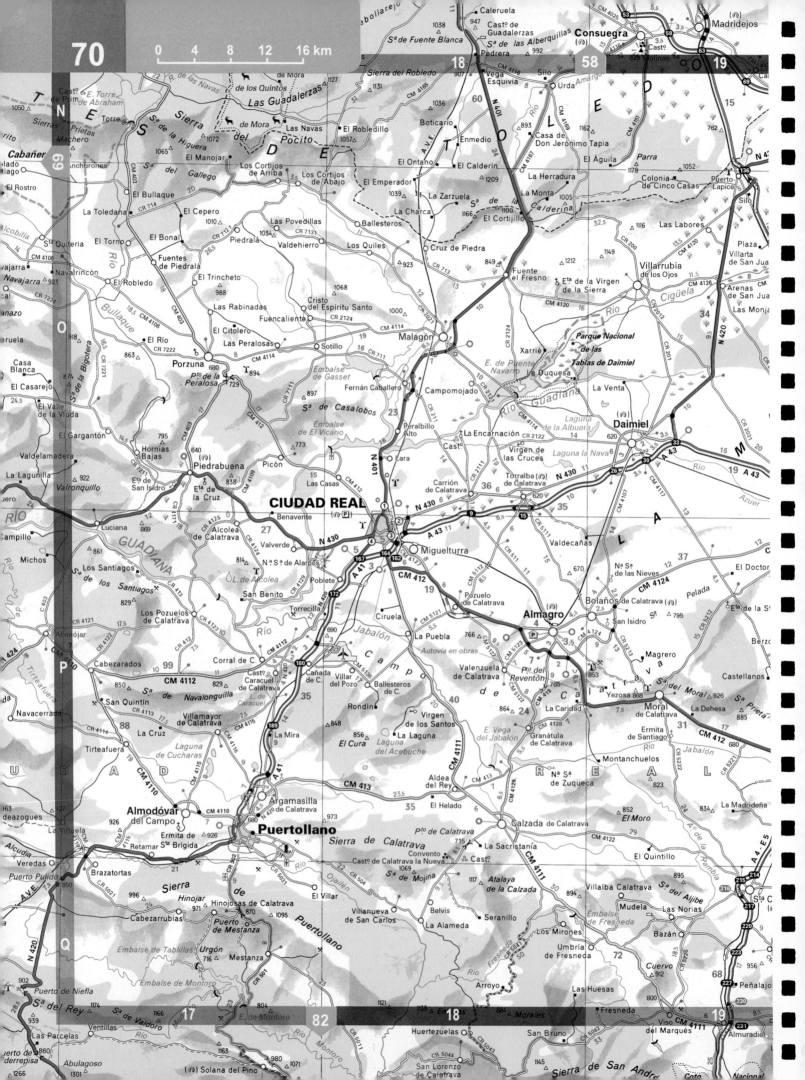

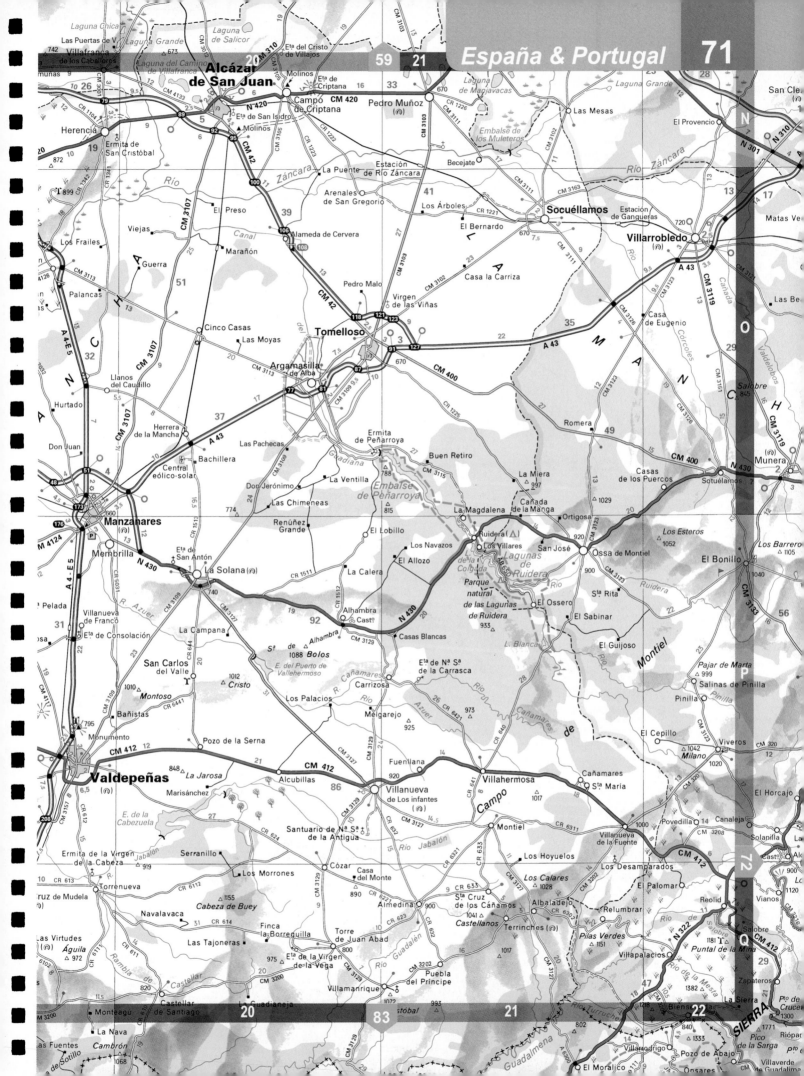

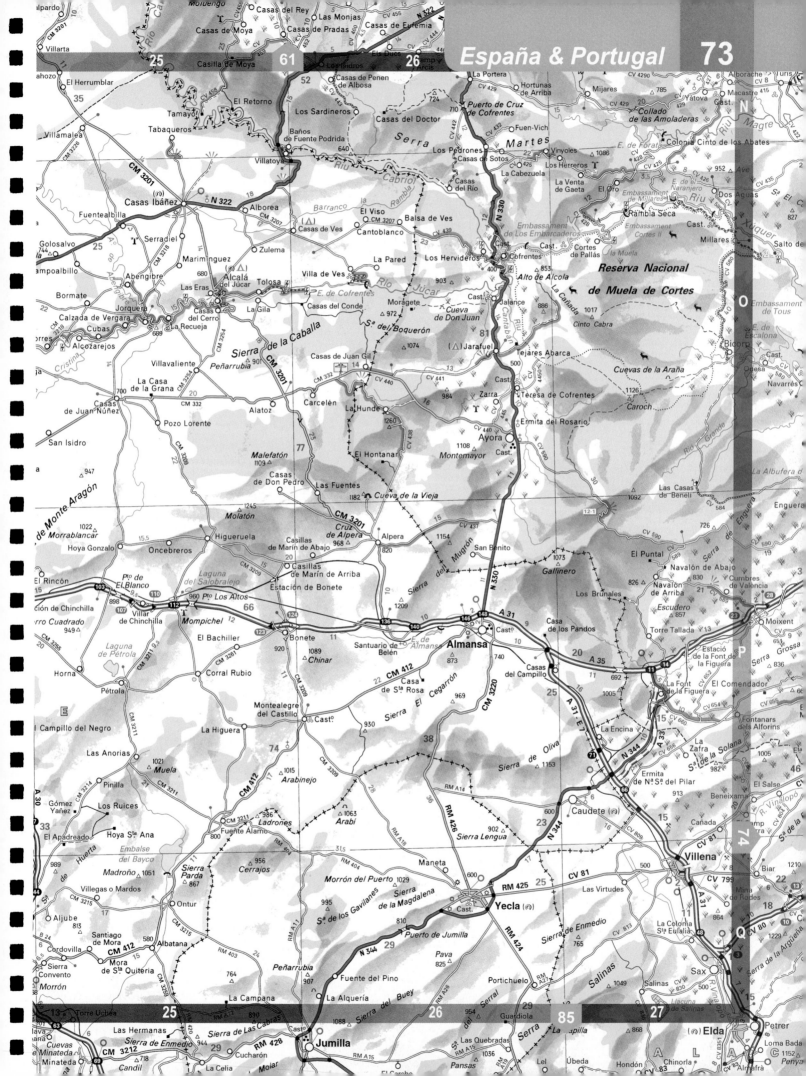

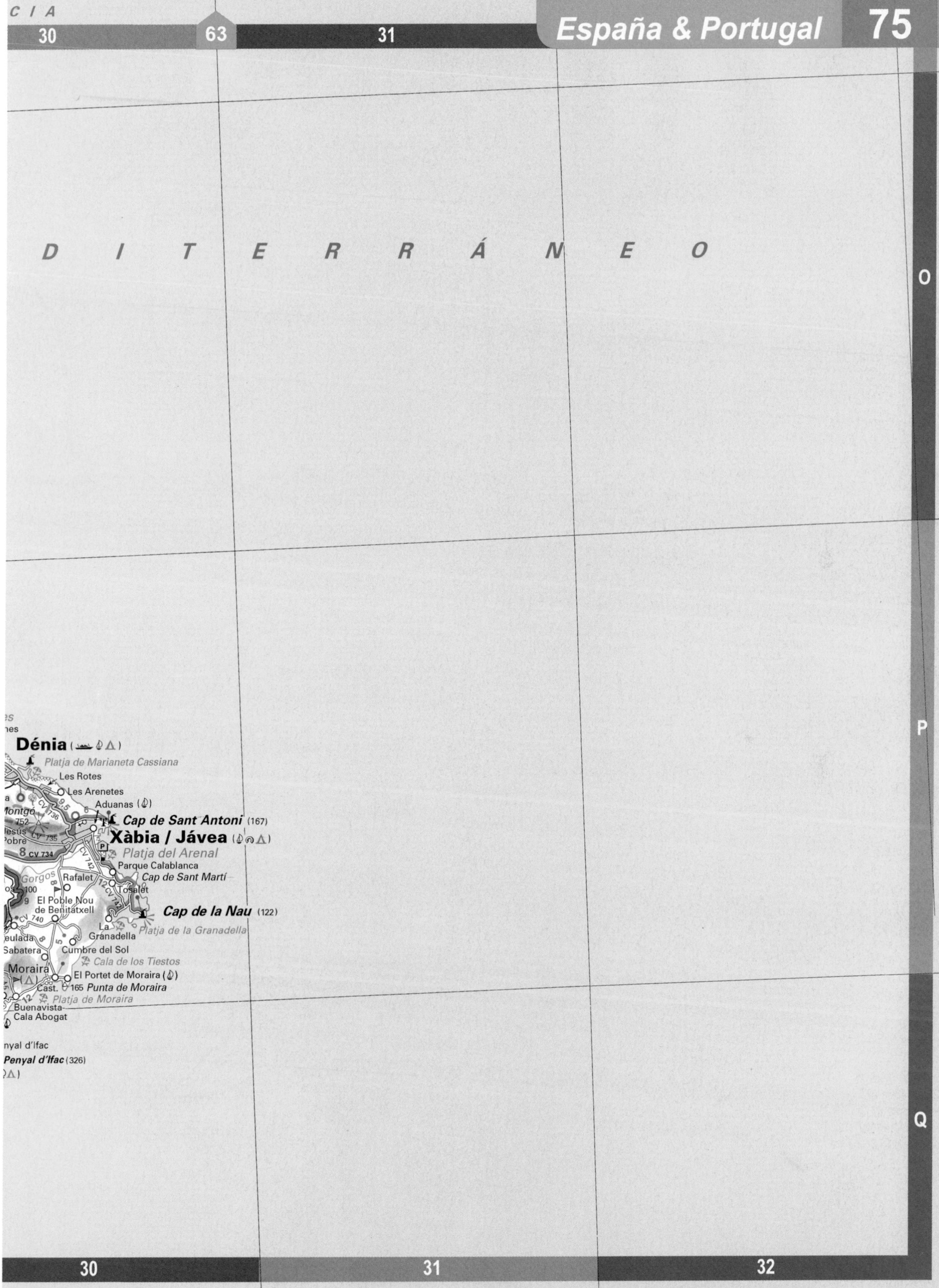

O

M E D I T E R R Á N E O

P

Dénia (⚓ ♨ ⛺)

Platja de Marianeta Cassiana

Les Rotes

Les Arenetes

Aduanas (♨)

Montgó

752

CV 736

Jesús

Pobre

CV 735

Cap de Sant Antoni (167)

Xàbia / Jávea (♨ ⚓ ⛺)

8 CV 734

Platja del Arenal

Parque Calablanca

Gorgos

Rafalet

Cap de Sant Martí

100

Tosalet

740

El Poble Nou
de Benitàtxell

Cap de la Nau (122)

La
Granadella

Platja de la Granadella

Cumbre del Sol

Sabatera

⚘ *Cala de los Tiestos*

Moraira

⛺ (△)

El Portet de Moraira (♨)

Cast. 165 *Punta de Moraira*

⚘ *Platja de Moraira*

Buenavista

Cala Abogat

nyal d'Ifac

Penyal d'Ifac (326)

♨ △)

Q

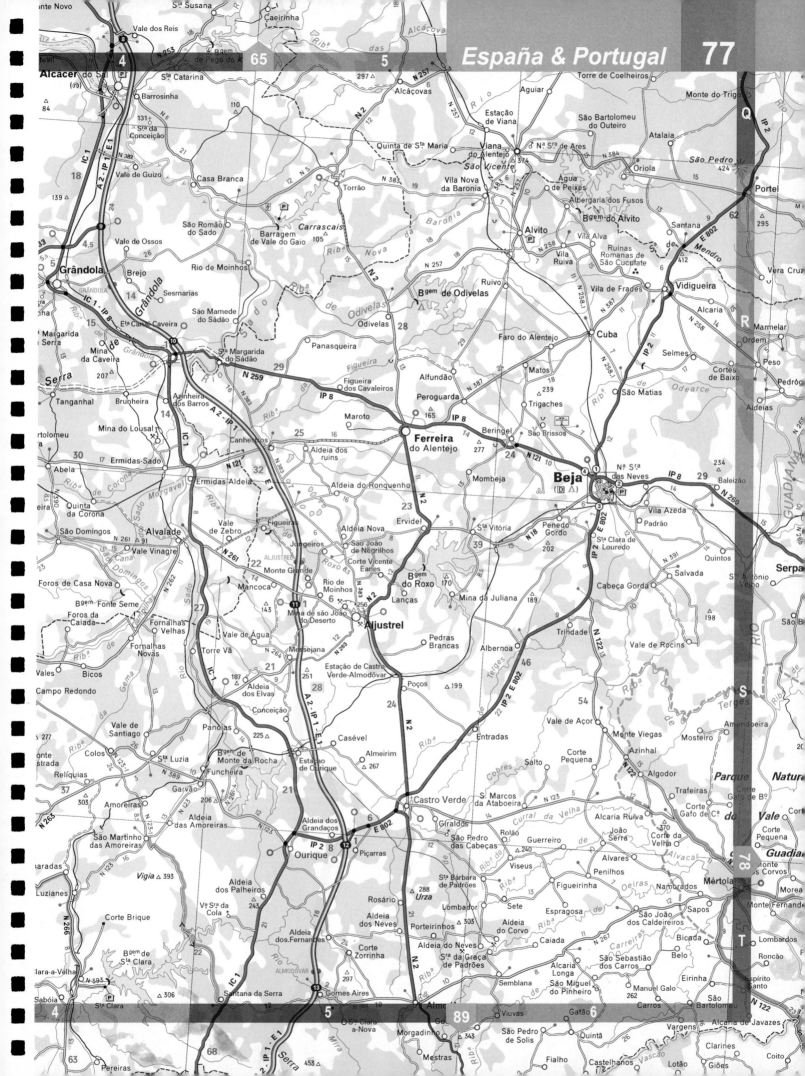

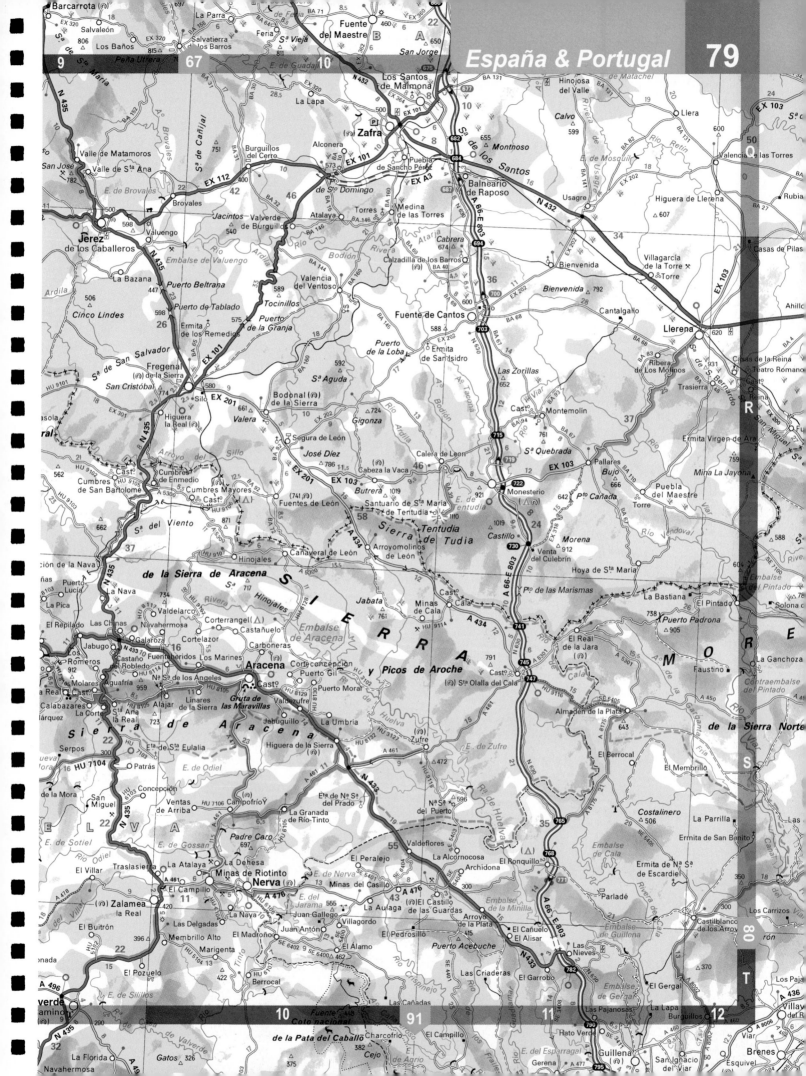

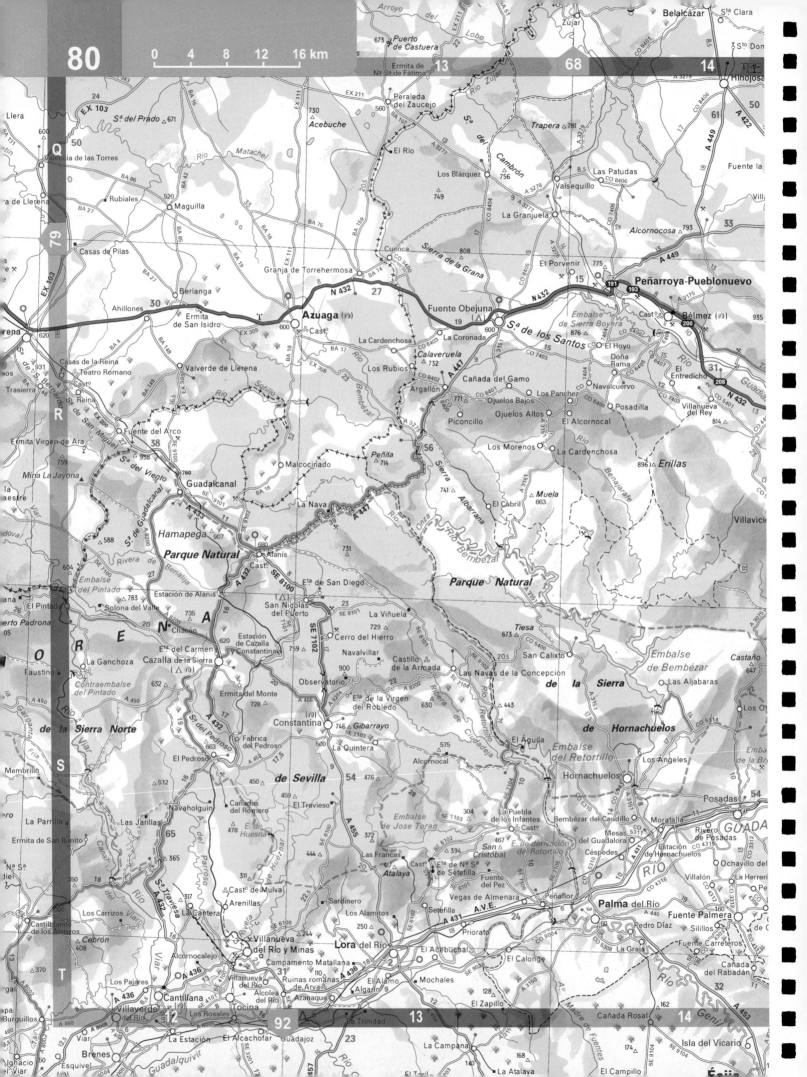

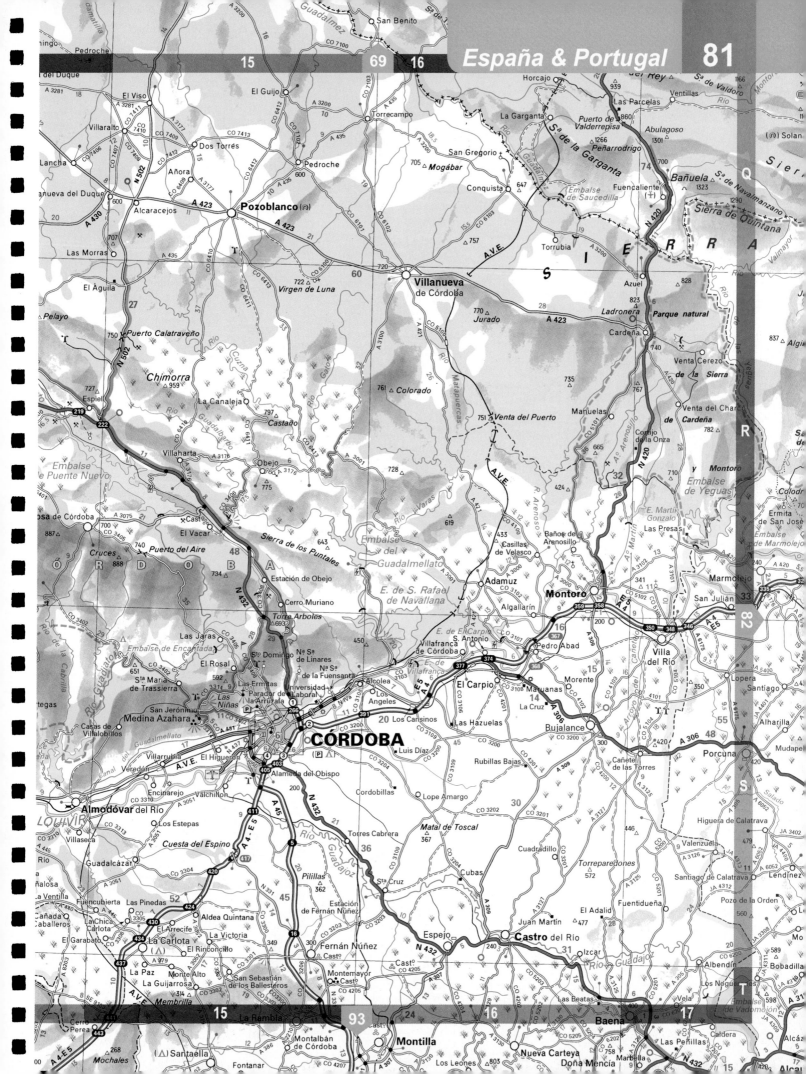

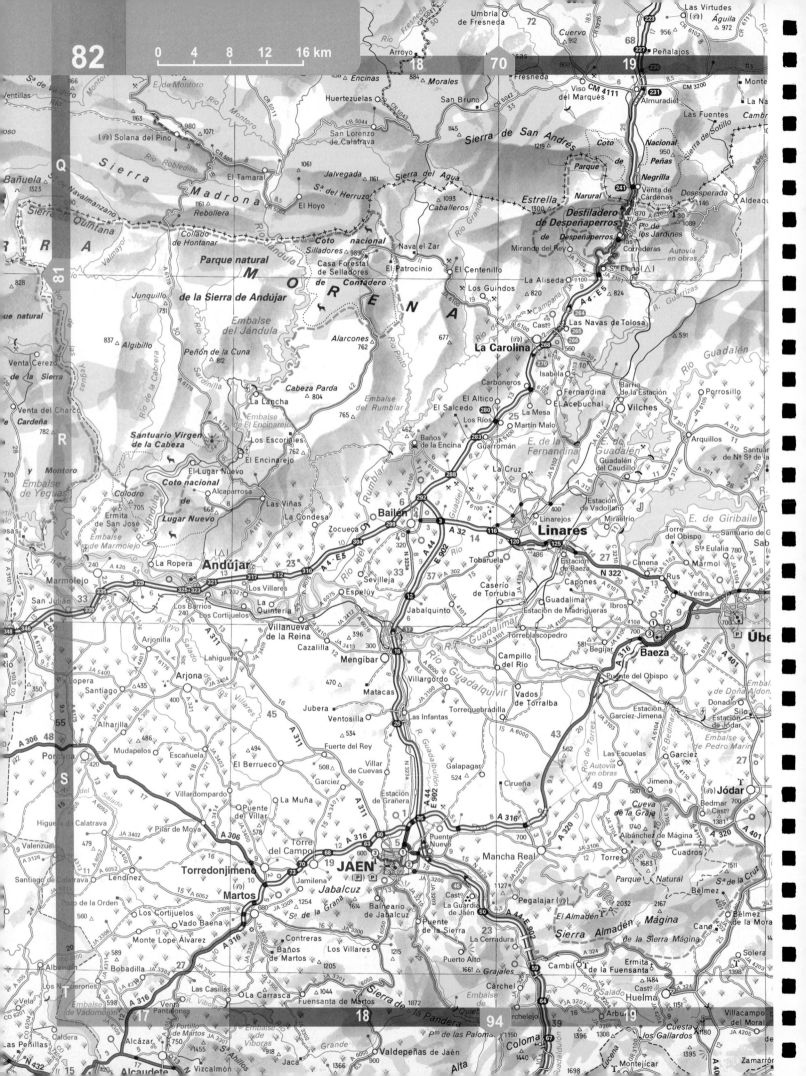

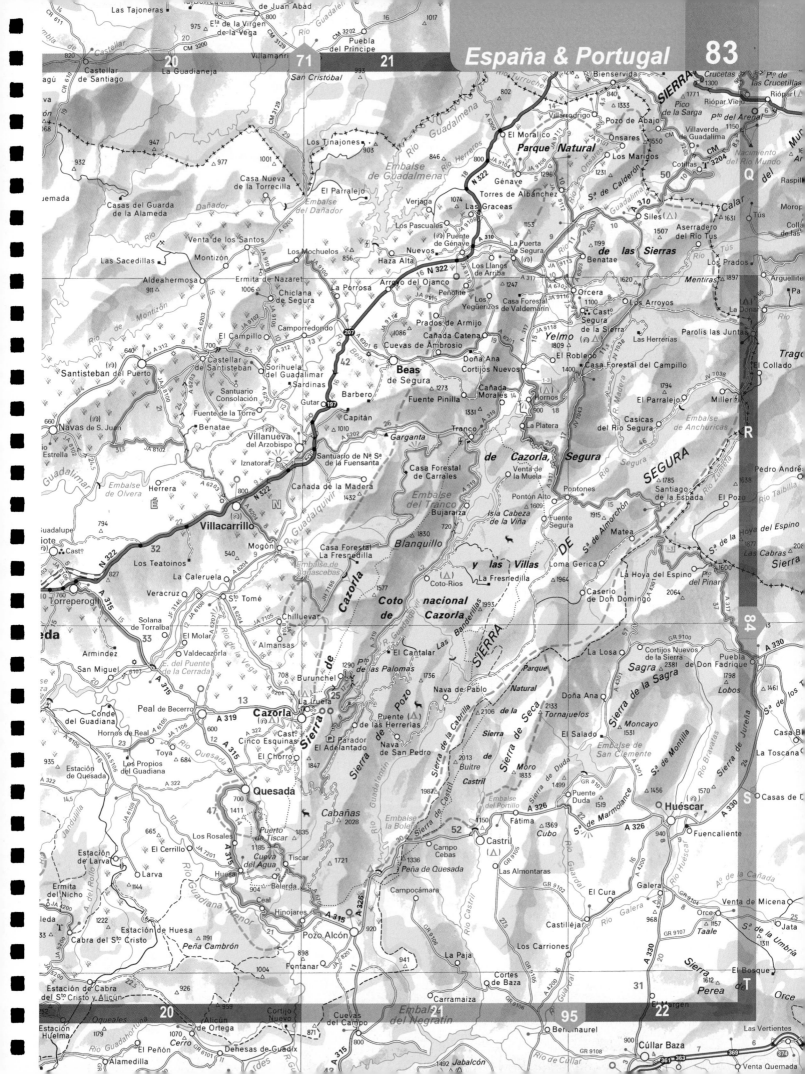

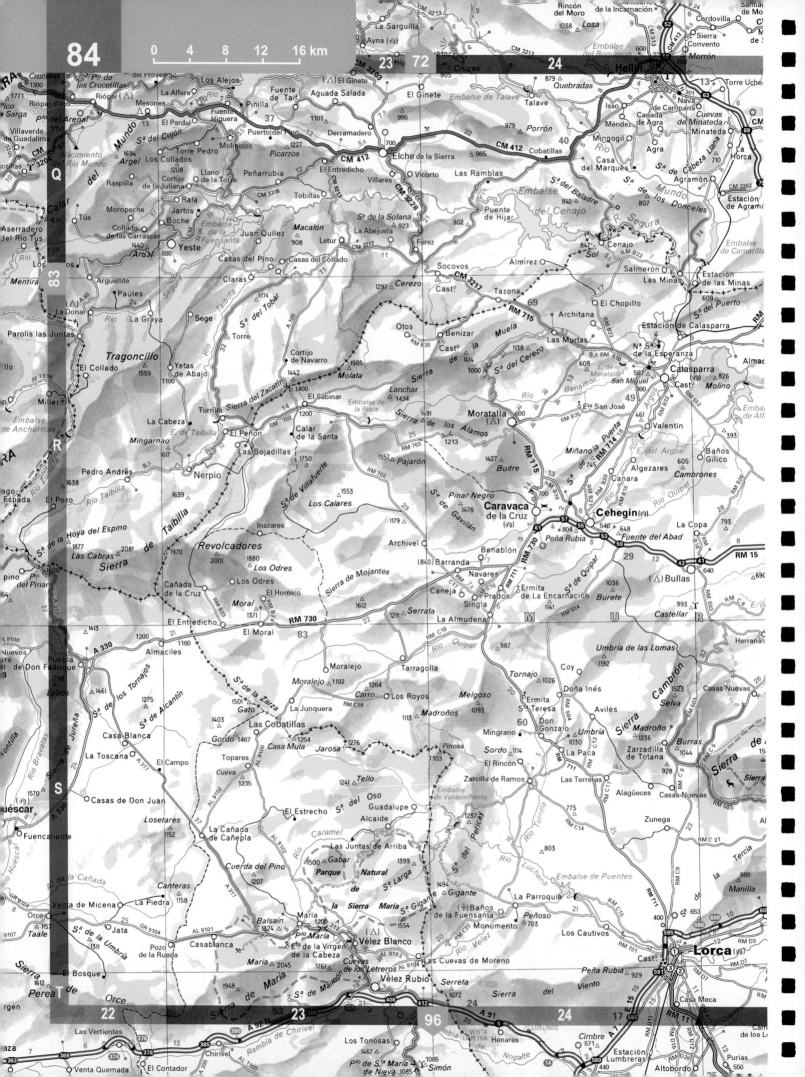

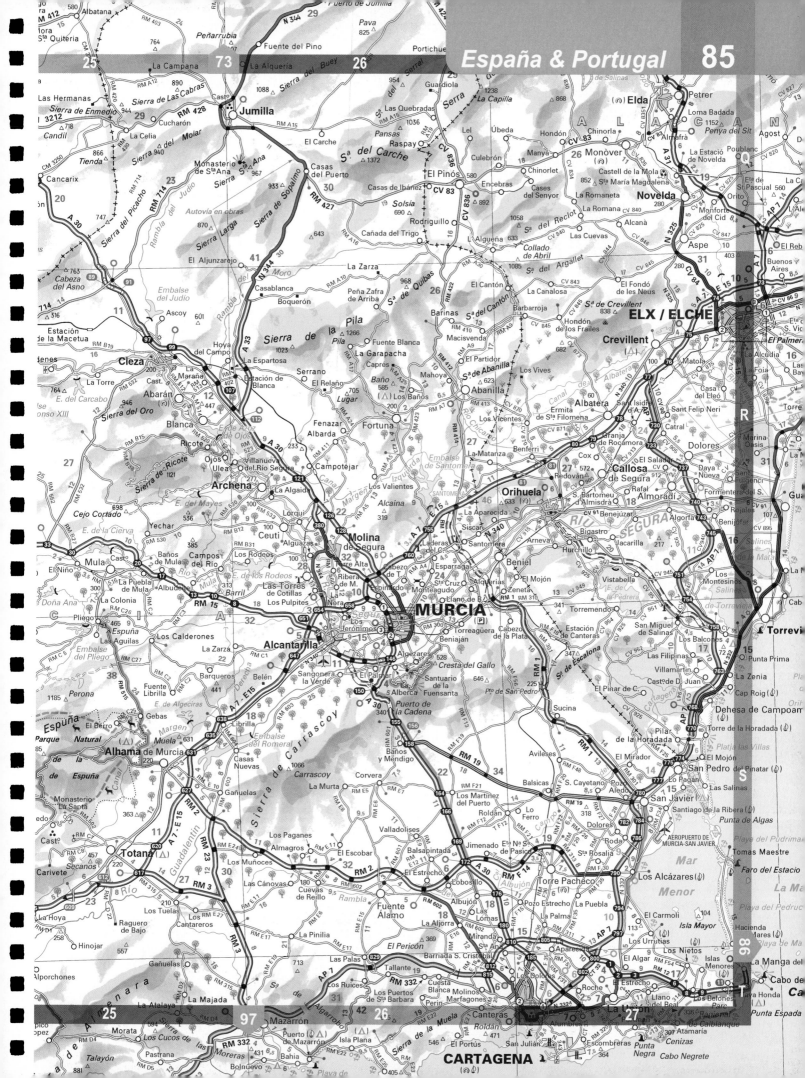

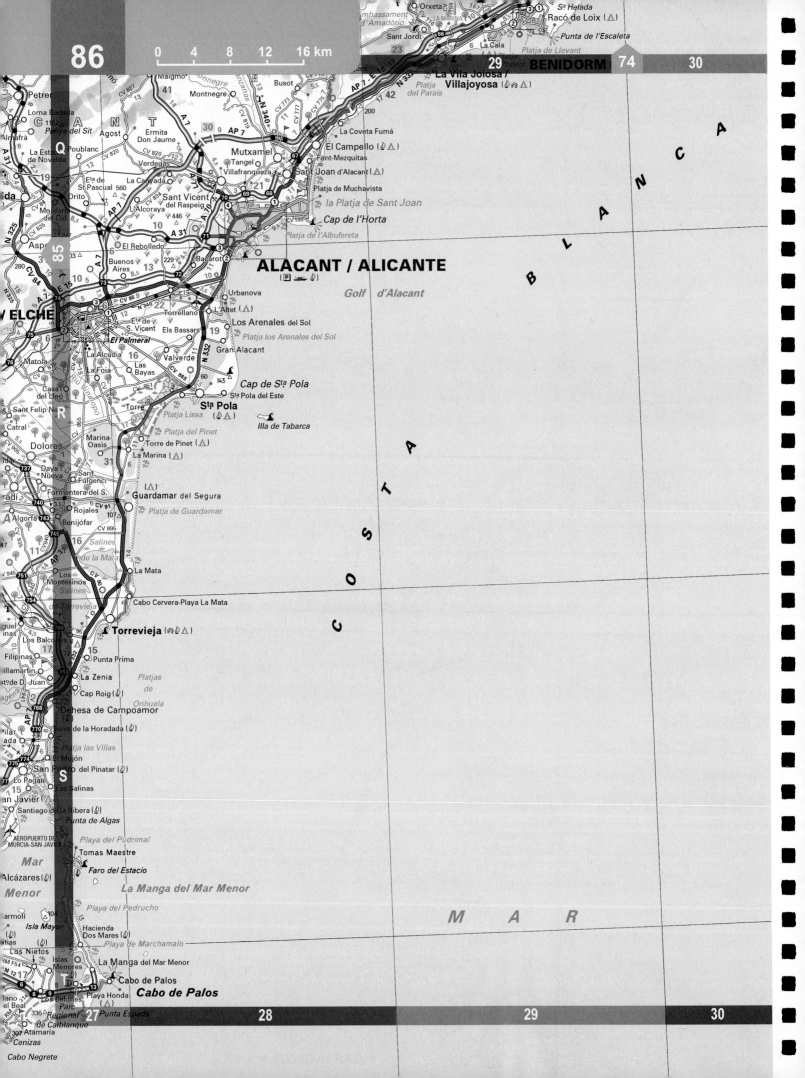

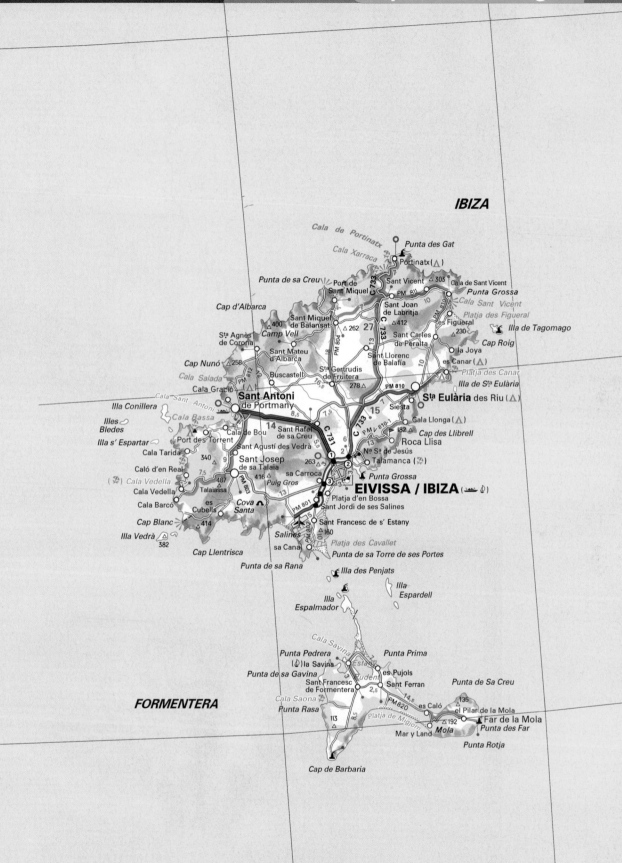

O

IBIZA

Cala de Portinatx
Cala Xarraca
Punta des Gat
Portinatx (△)
Punta de sa Creu
Sant Vicent △ 303 Cala de Sant Vicent
Port de
Sant Miquel
C 733
Cap d'Albarca
PM 811
Sant Joan
de Labritja
10
Punta Grossa
Cala Sant Vicent
es Figueral
Platja des Figueral
Sant Miquel
de Balansat
△ 400
△ 262
27
△ 412
Illa de Tagomago
Sta Agnès
de Corona
Camp Vell
Sant Carles
de Peralta
△ 230
Cap Roig
Sant Mateu
d'Albarca
Sant Llorenç
de Balafia
la Joya
Cap Nunó △ 258
Sta Gertrudis
de Fruitera
PM 810
es Canar (△)
Cala Salada
Buscastell
278 △
Illa de Sta Eulària
Cala Gració
16,5
Platja des Canar
Sant Antoni
de Portmany
Sta Eulària des Riu (△)
Illa Conillera
8,5
7,5
Siesta
15
Illes
Bledes
Cala Bassa
14
Sant Rafel
de sa Creu
C 733
Cala Llonga (△)
Illa s'Espartar
Cala de Bou
Port des Torrent
PM 810.1
182
Cap des Llibrell
Sant Agustí des Vedrà
6
13
Roca Llisa
Cala Tarida
340
9
Sant Josep
de sa Talaia
263
1
Nª Sª de Jesús
Caló d'en Real
7,5
416 △
2
Talamanca (⚓)
(⚓) Cala Vedella
487
sa Carroca
3
Punta Grossa
Cala Vedella
Talaiassa
PM 800
Puig Gros
EIVISSA / IBIZA (⚓ ⚓)
Cala Barcó
△ 414
13
es
Cubells
Cova
Santa
PM 801
Platja d'en Bossa
Sant Jordi de ses Salines
Cap Blanc
Illa Vedrà
382
Sant Francesc de s'Estany
△ 160
Cap Llentrisca
Salines
Platja des Cavallet
sa Canal
Punta de sa Torre de ses Portes
Punta de sa Rana

P

Punta de sa Rana
Illa des Penjats
Illa
Espardell
Illa
Espalmador

FORMENTERA

Cala Savina
Punta Pedrera
(⚓) la Savina
Punta Prima
Estany
Punta de sa Gavina
es Pujols
Sant Francesc
de Formentera
Sant Ferran
Punta de Sa Creu
2,5
Cala Saona
PM 820
14,8
es Caló
135
Punta Rasa
8,5
Platja de Migjorn
el Pilar de la Mola
Far de la Mola
113
△ 192
Punta des Far
Mola
Mar y Land
Punta Rotja
Cap de Barbaria

Q

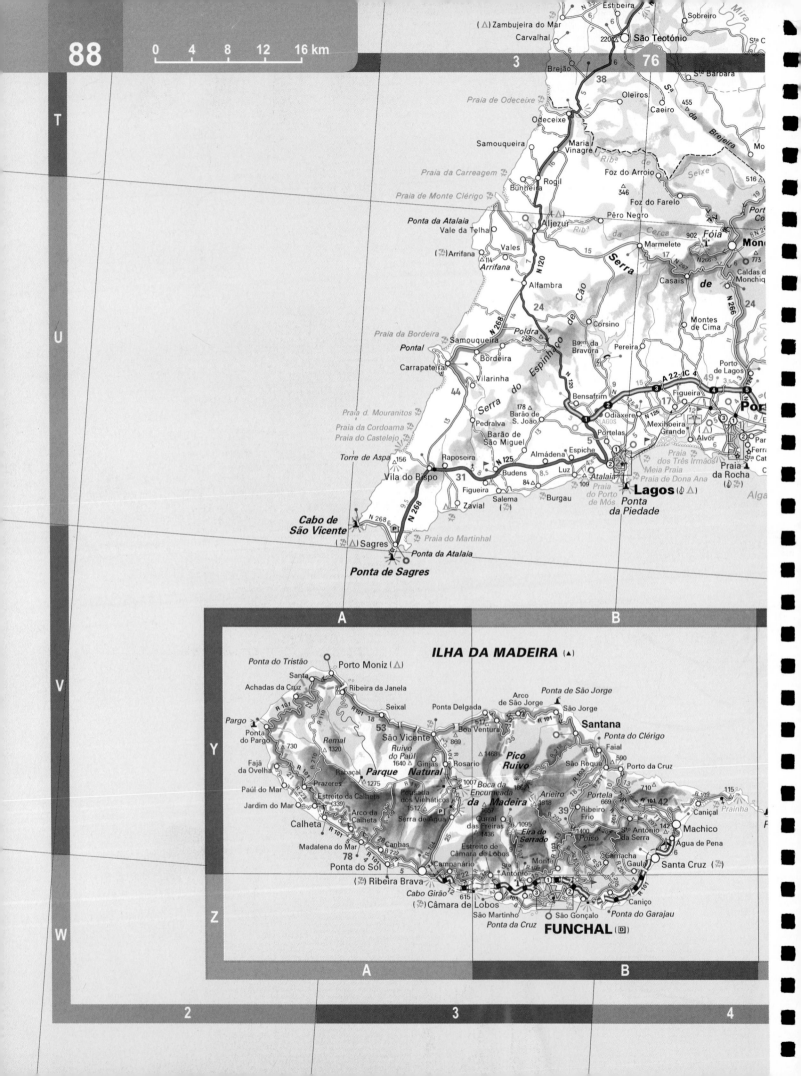

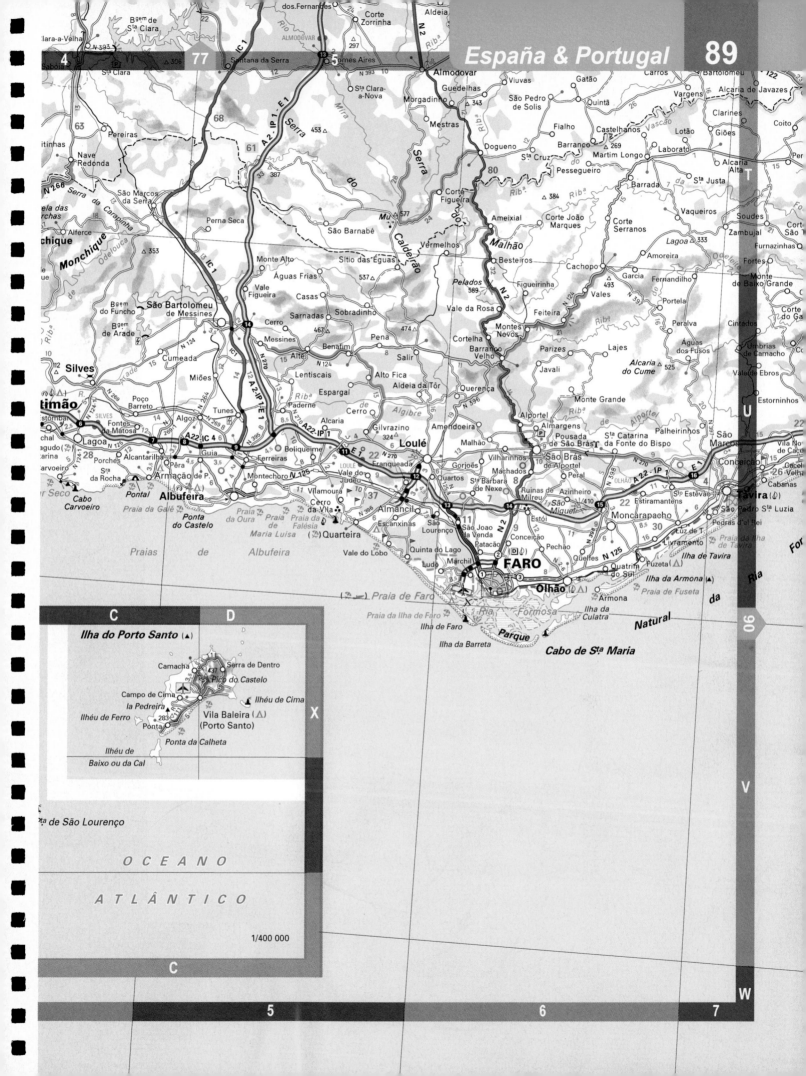

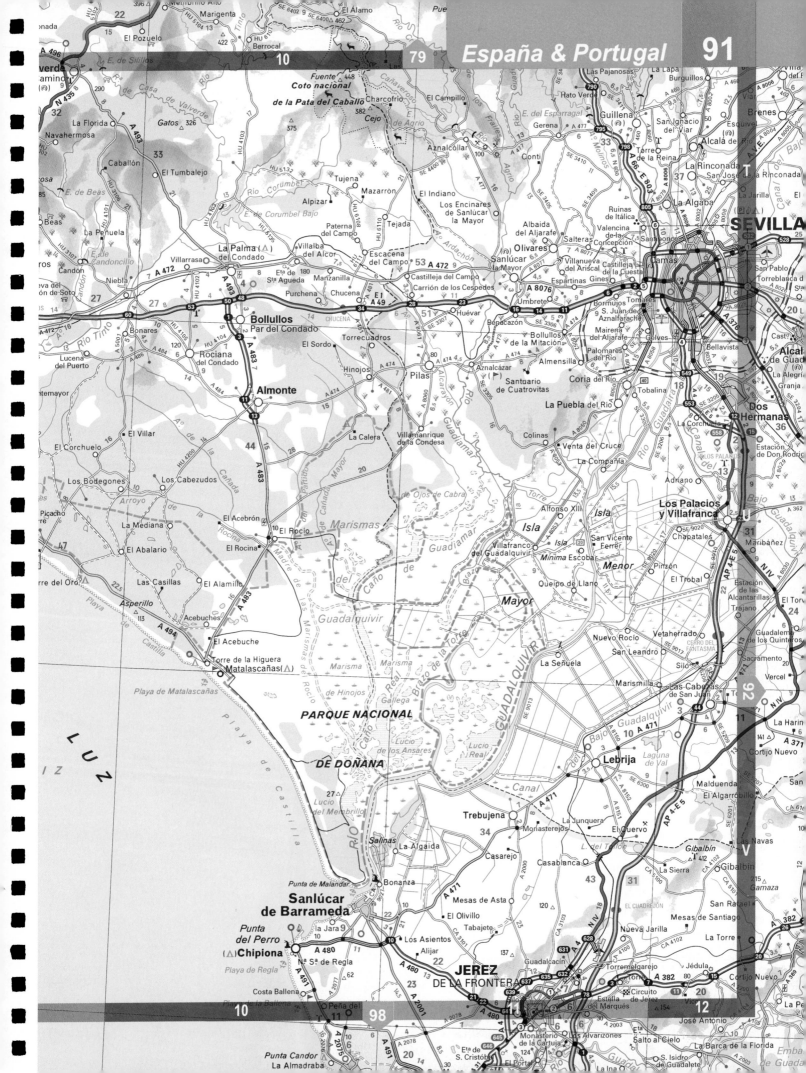

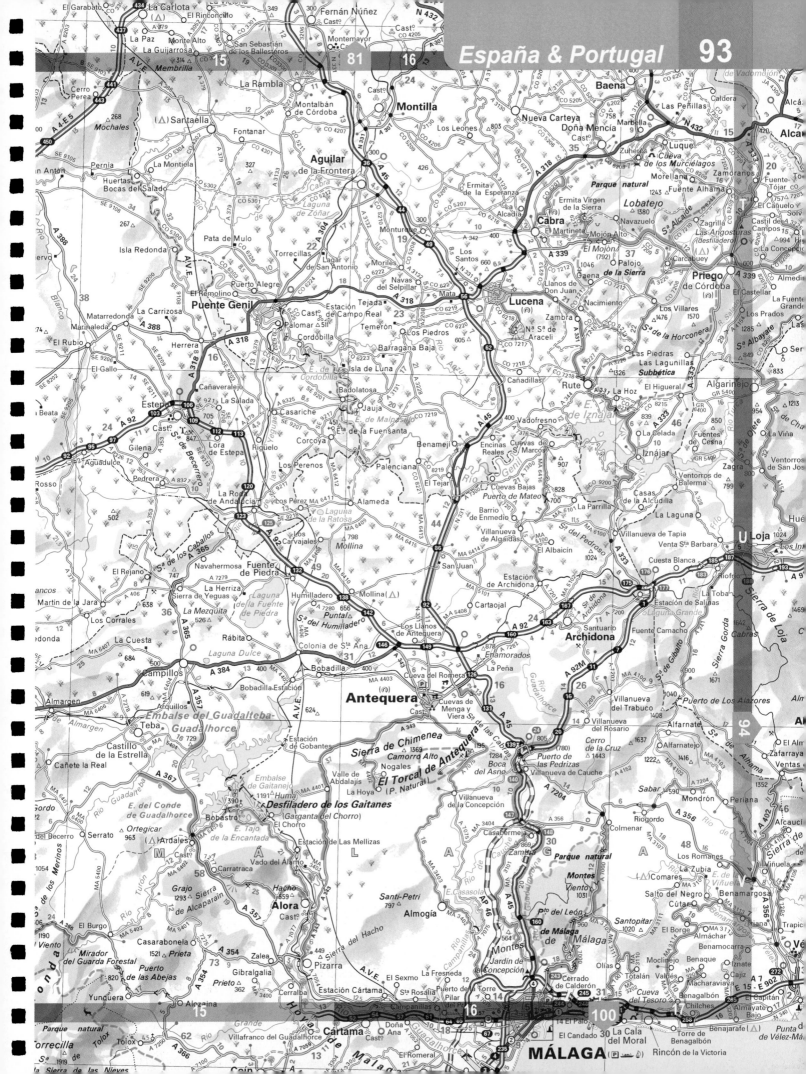

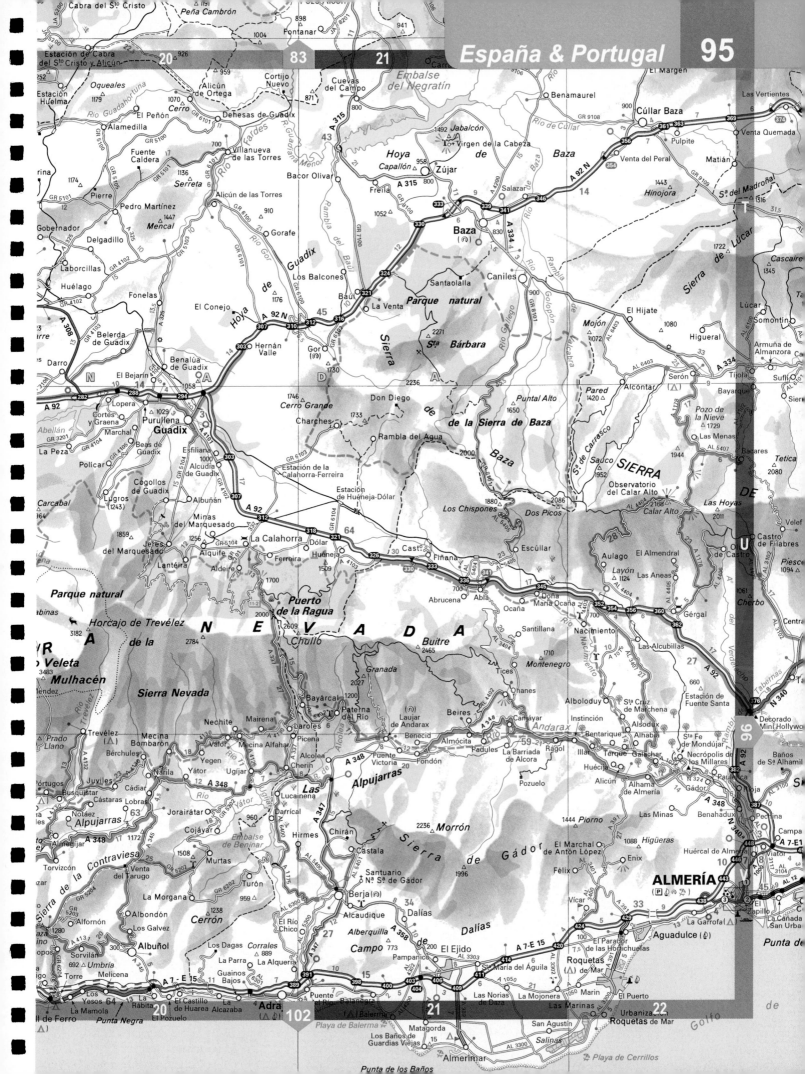

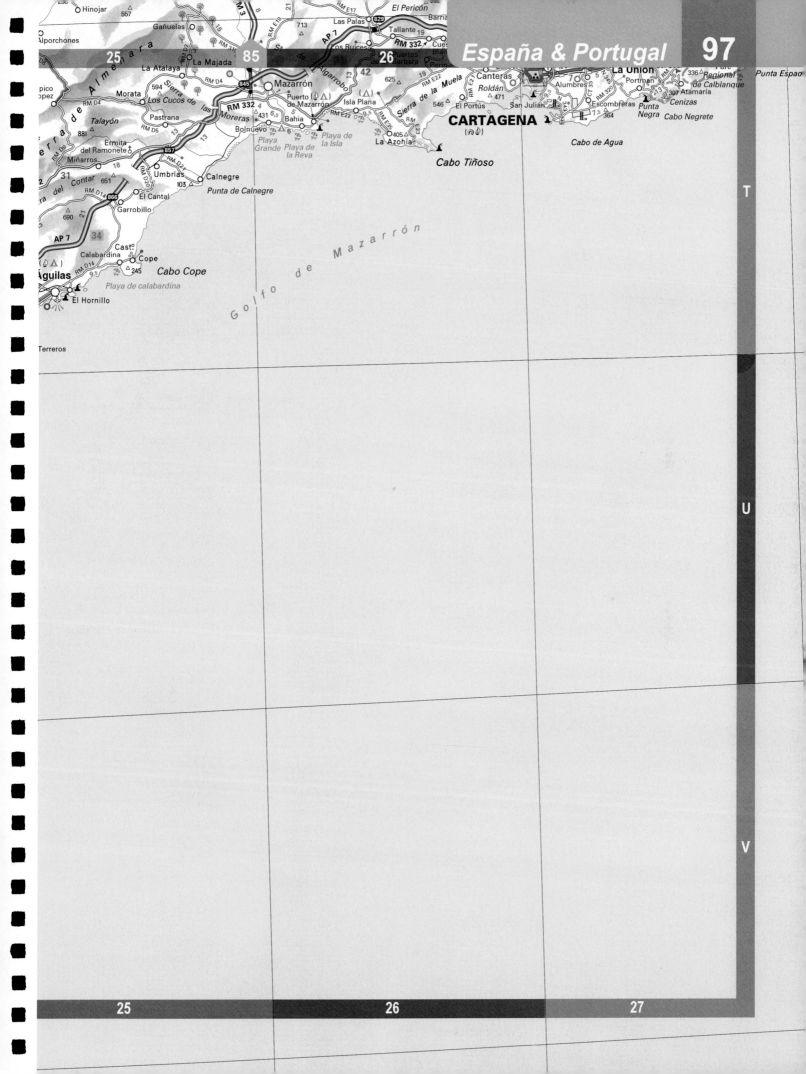

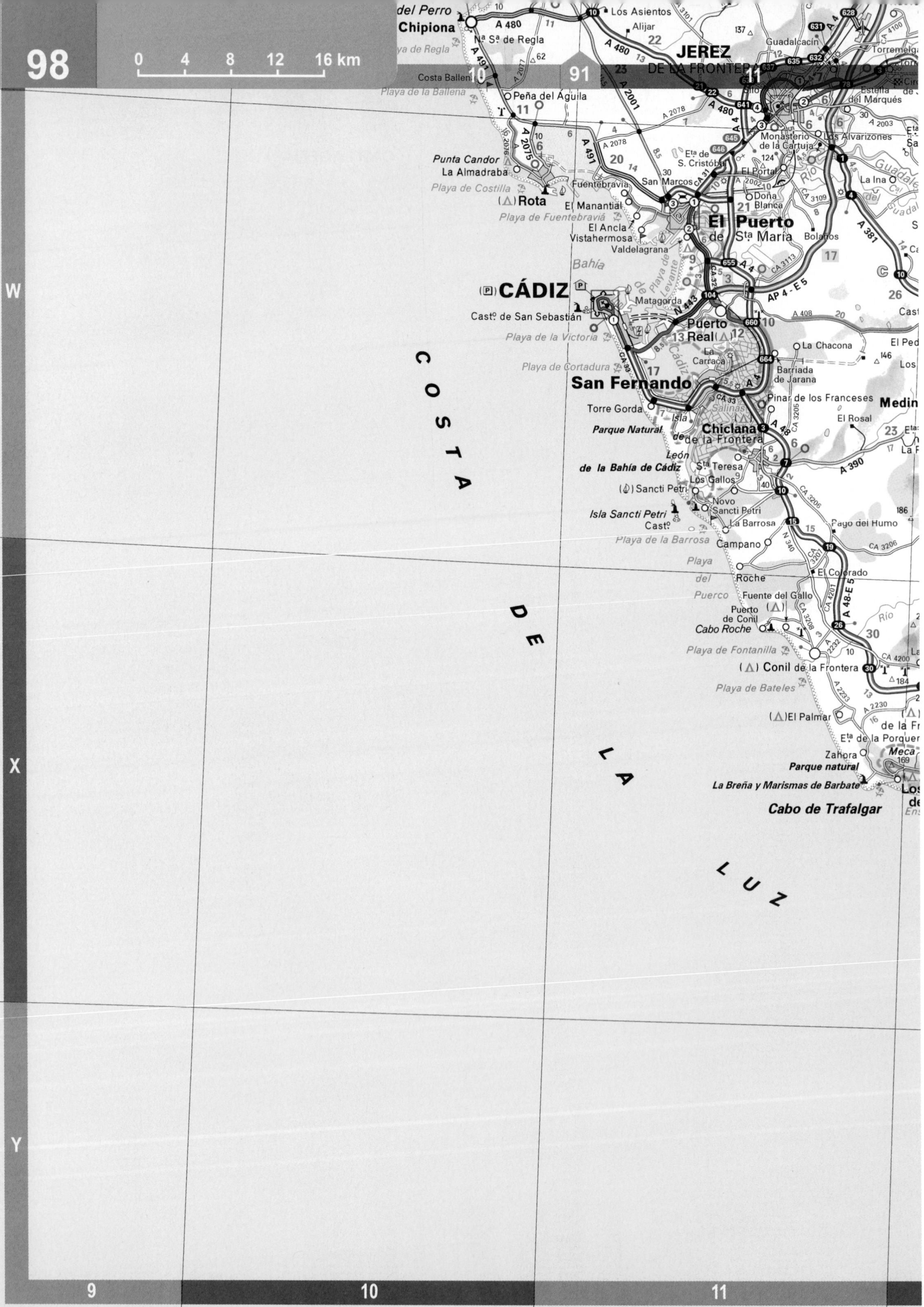

0 4 8 12 16 km

W

X

Y

del Perro
Chipiona
A 480
Los Asientos
Alijar
Guadalcacin
137
628
631
Na Sa de Regla
11
A 480
22
JEREZ
DE LA FRONTERA
635
632
Torremelg
A 480
23
11
Playa de Regla
A 480
Costa Ballen
10
Costa Ballen
641
2
6
Estella
del Marqués
Playa de la Ballena
A 2001
A 2078
A 4
Peña del Águila
A 2078
7
A 480
645
Monasterio
de la Cartuja
Los Alvarizones
30
2003
Punta Candor
La Almadraba
11
10
6
A 2015
Eta de
S. Cristóbal
646
124
El Portal
1
La Ina
Playa de Costilla
20
14
8,5
San Marcos
A 2002
Doña
Blanca
A 3109
(△)Rota
El Manantial
3
El Puerto
de Sta María
21
Bolaños
A 387
El Ancla
2
655
A 4
CA 3113
17
10
Vistahermosa
Valdelagrana
9
AP 4 - E 5
26
Bahía
P
CÁDIZ
Matagorda
104
N 443
A 408
20
Cast? de San Sebastián
1
660
10
Puerto
13 **Real** (△) 12
La Chacona
146
Playa de la Victoria
664
Barriada
de Jarana
El Ped
Los
Playa de Cortadura
17
A
San Fernando
Pinar de los Franceses
Medin
Torre Gorda
CA 33
Salinas
El Rosal
23
Isla
Chiclana
3
CA 48
6
Parque Natural
de la Frontera
7
León
2
A 390
Sta Teresa
de la Bahía de Cádiz
Los Gallos
40
(♨) Sancti Petri
10
CA 3206
186
Novo
Sancti Petri
Pago del Humo
Isla Sancti Petri
La Barrosa
15
15
CA 3206
Cast?
Campano
15
Playa de la Barrosa
N 340
El Colorado
Playa
del
Roche
Puerco
Fuente del Gallo
Puerto
de Conil
(△)
Cabo Roche
26
30
Playa de Fontanilla
10
CA 4200
(△) **Conil** de la Frontera
30
184
Playa de Bateles
A 2230
(△)El Palmar
(△)
de la Fr
Eta de la Porquer
Zahora
169
Meca
Los
Parque natural
de
La Breña y Marismas de Barbate
Cabo de Trafalgar
Ens

C
O
S
T
A

D
E

L
A

L
U
Z

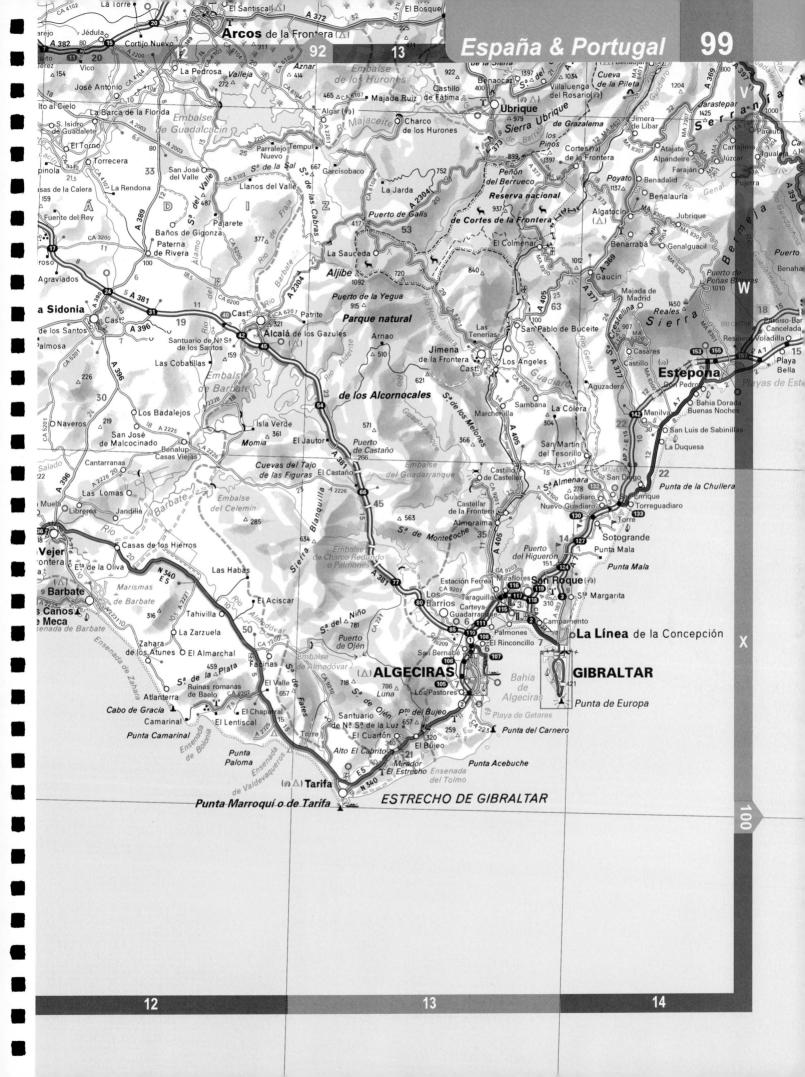

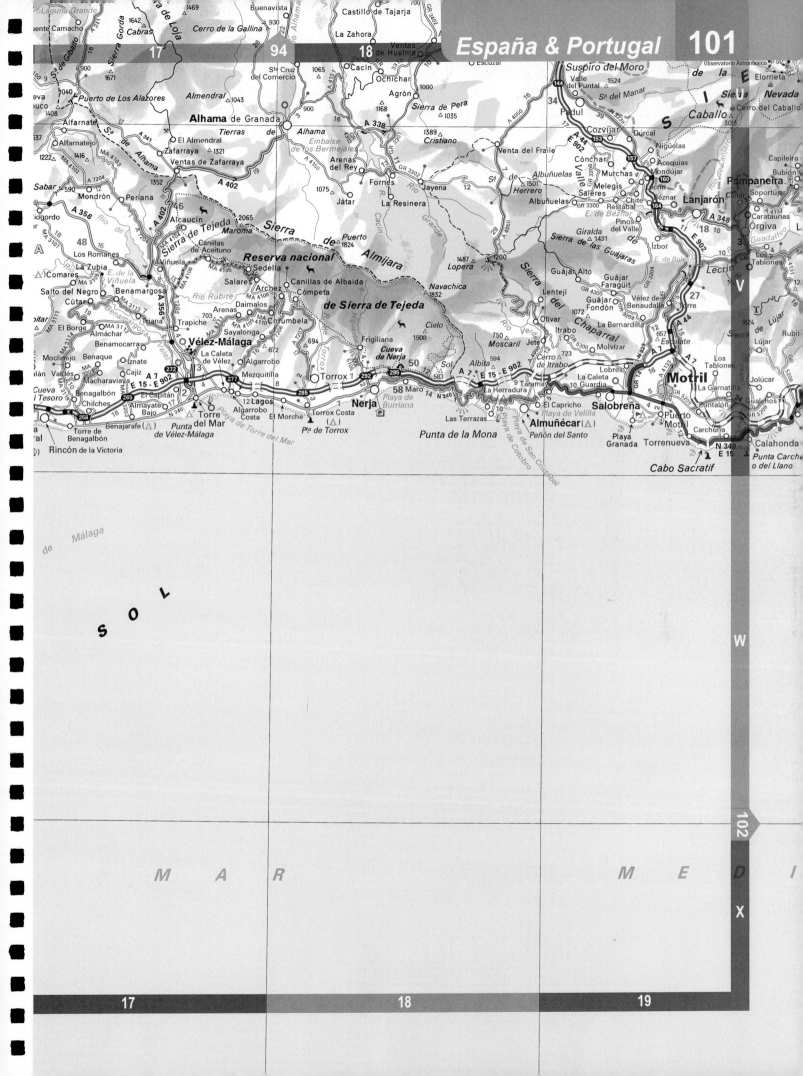

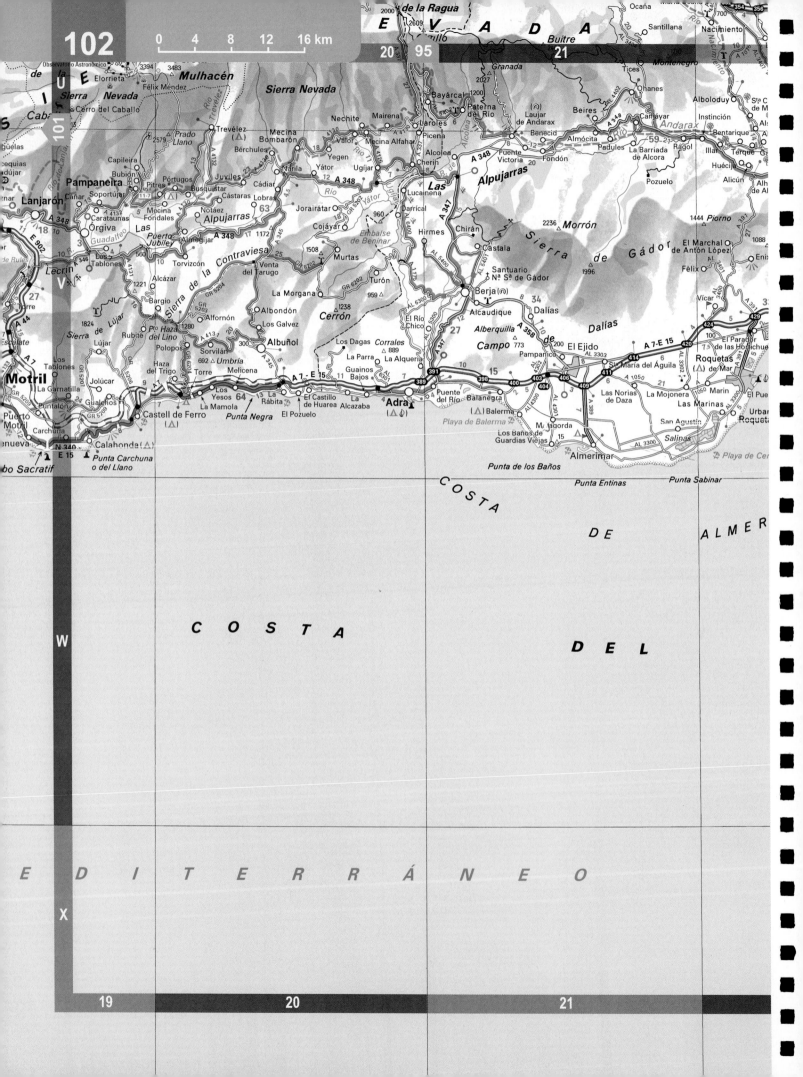

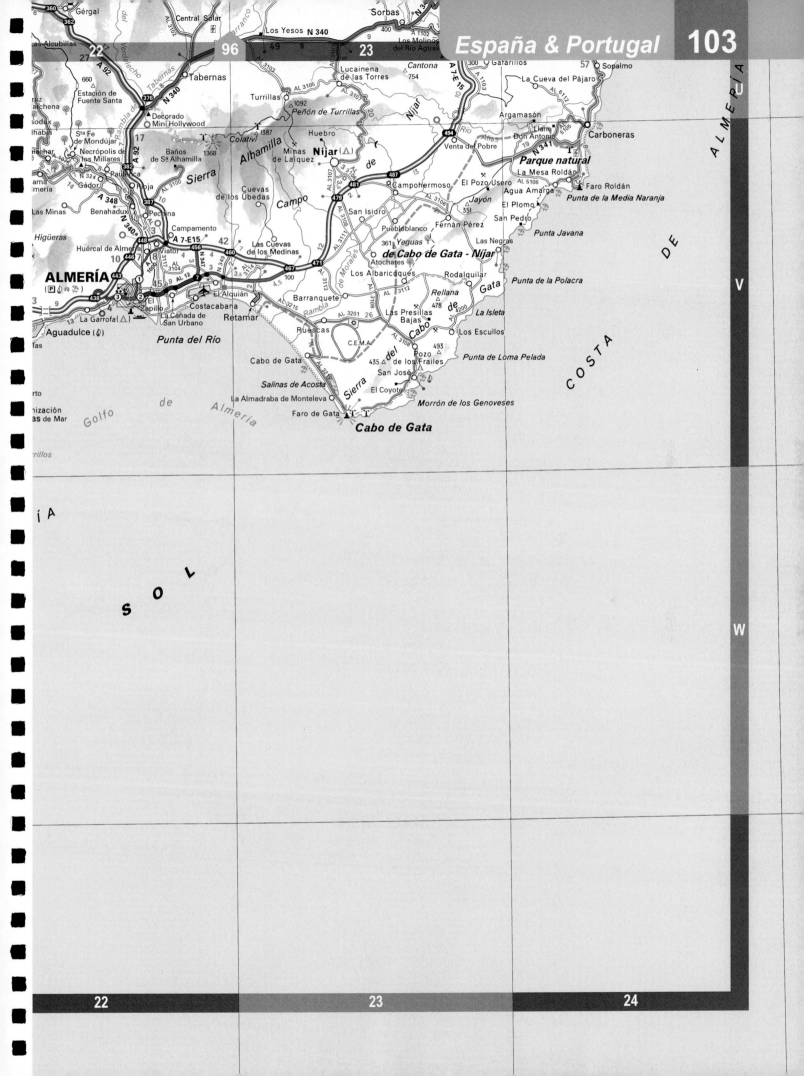

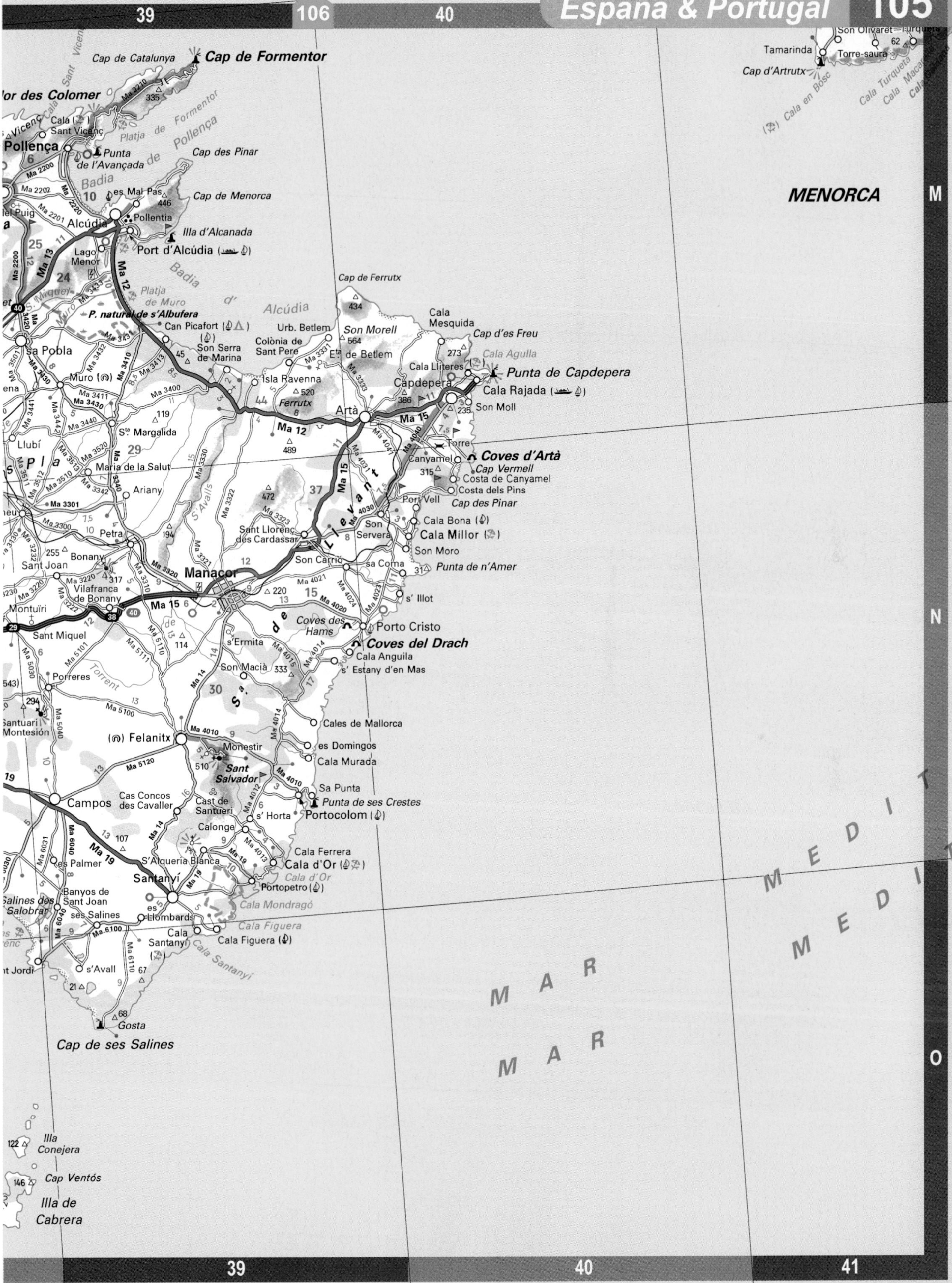

Cap de Catalunya · **Cap de Formentor**
...or des Colomer
Cala (✠)
Sant Vicenç
Platja de Formentor
Ma 2210
335

Pollença
6
Ma 2200
Punta de l'Avançada
Cap des Pinar
Badia
es Mal Pas
Cap de Menorca
446
10
Ma 2202
Ma 2220
...el Puig
Ma 2201
Alcúdia
Pollentia
Illa d'Alcanada
25
Ma 13 11
Port d'Alcúdia (⚓)
Lago Menor
24
Ma 12

Badia
Cap de Ferrutx
d'
Platja de Muro
Alcúdia
434
P. natural de s'Albufera
Can Picafort (⚓△)
Urb. Betlem
Son Morell
Cala Mesquida
564
Cap d'es Freu
Sa Pobla
Son Serra de Marina
Colònia de Sant Pere
E... de Betlem
Cala Agulla
273
Cala Llleres
Punta de Capdepera
45
Ma 3413
Ma 3431
Capdepera
Cala Rajada (⚓)
Muro (⚑)
Ma 3411
Ma 3415
386
11
Son Moll
Ma 3410
44
Ferrutx
8
235
119
Ma 3400
Artà
Ma 15
7.5
Llubí
Sta. Margalida
489
Ma 12
Torre
29
472
Coves d'Artà
Maria de la Salut
315
Cap Vermell
37
Costa de Canyamel
Ariany
Ma 3322
Ma 15
Canyamel
Costa dels Pins
Ma 3301
Ma 3323
Ma 4030
Port Vell
Cap des Pinar
Petra
194
Sant Llorenç des Cardassar
Son...
Cala Bona (⚓)
255
Bonany
317
Son Servera
Cala Millor (⚓)
Sant Joan
Ma 3220
Son Carrió
Son Moro
Vilafranca de Bonany
Ma 3310
12
220
31
Punta de n'Amer
Montuïri
Ma 15
6
2
15
Ma 4021
s' Illot
Ma 4020
Ma 4024
Coves des Hams
Sant Miquel
de
114
Ma 4014
Porto Cristo
Porreres
Ma 5101
Ma 5111
s'Ermita
Coves del Drach
Cala Anguila
543)
294
Son Macià 333
s' Estany d'en Mas
Ma 5040
30
Santuari de Montesión
Ma 5100
Cales de Mallorca
Felanitx (⚑)
Monestir
es Domingos
Cala Murada
510
Sant Salvador
Campos
Cas Concos des Cavaller
Cast de Santueri
Sa Punta
Ma 4010
Punta de ses Crestes
s' Horta
Portocolom (⚓)
Calonge
Ma 4013
Cala Ferrera
Ma 6031
es Palmer
107
S'Alqueria Blanca
Cala d'Or (⚓)
Ma 6040
Ma 19
Cala d'Or
Santanyí
Portopetro (⚓)
Banyos de Sant Joan
Cala Mondragó
Salines des Salobrar
ses Salines
Llombards
Cala Figuera
...t Jordi
s'Avall
Cala Santanyí (⚓)
Cala Figuera (⚓)
Cala Santanyí
67
21
68 *Gosta*
Cap de ses Salines

122 Illa Conejera
146 Cap Ventós
Illa de Cabrera

MENORCA   M

Son Olivaret—...
Cala Gald...
Tamarinda
Torre-saura
62
Cala Turqueta
Platja de Sant Tor...
Cap d'Artrutx
Cala en Bosc

N

MEDITER
MEDITE
MAR
MAR
MEDITE
O

0 4 8 12 16 km

L

Cap de
Cavalleria

Illa
dels Porros

Cala Pregonda

Cala de Algaiaréns

Illes Bledes

Platja de Tirant

Badia de Fornells

Punta Pantinat

(☼) Cala Morell

206 △

Falconera

Platjes
de Fornells

△ 123

Fornells (⚓)

Punta Codolar

Punta Nati

Sta Agueda

Arenal
d'en Castell

Urb. Coves Noves
na Macaret (☼)

Cap Menorca
o Bajoli

Ciutadella
de Menorca (⚓)

268

15

es
Mercadal

Monte Toro

Addaia

Cap de Favàritx

△ 80

Me 7

△ 82

Cala en Blanes

Me 1 △ 131

Ferreries

8

△ 358

Binifabini

Illa Colom

Cap Menorca

Naveta
des Tudons

Me 1

Santuari

Cr 1

22.5

es Grau

(☼) Cala Santandria

Santandria

Barranc
d' Algendar

Me 2.0

Me 18

Me 16

45

S'Albufera

Shangri-Lá

Punta de sa Galera

(☼) Cala Blanca

Me 24

9

Cala'n
Turqueta

10.5

es Migjorn Gran

Alaior

Me 1

155

sa Mesquida

Cala Mesquida
Cala Fonduco

Son Olivaret

62

Cala Galdana

es

Tamarinda

Torre-saura

Cala Turqueta

Cala Macarella

Cala Galdana

Sant Tomàs

7.5

Talatí
de Dalt

13 (⚓)

Maó

Cap Negre

Cap d'Artrutx

Platja de
Sant Tomàs

Torre-solí Nou

Son Bou

△ 75

Me 12

Sant Climent

13

Castell

Punta de s'Esperó

Fort la Mola

(☼) Cala en Bosc

Platja de Son Bou

Cala en Porter

Coves
d'en Xoroi

S'Ullastrar

Me 14

Me 6

Sant Lluís

Me 8

s'Algar (☼)

MENORCA

Binidalí

Cap d'en Font

Binibèquer

△ 73

Alcalfar

Punta Prima

Cala en Porter

Cala Binibeca

Illa de l'Aire

M

eu

lla

nta de Capdepera

ada (⚓)

d'Artà
ell
vamel

N

Ilhas Açores

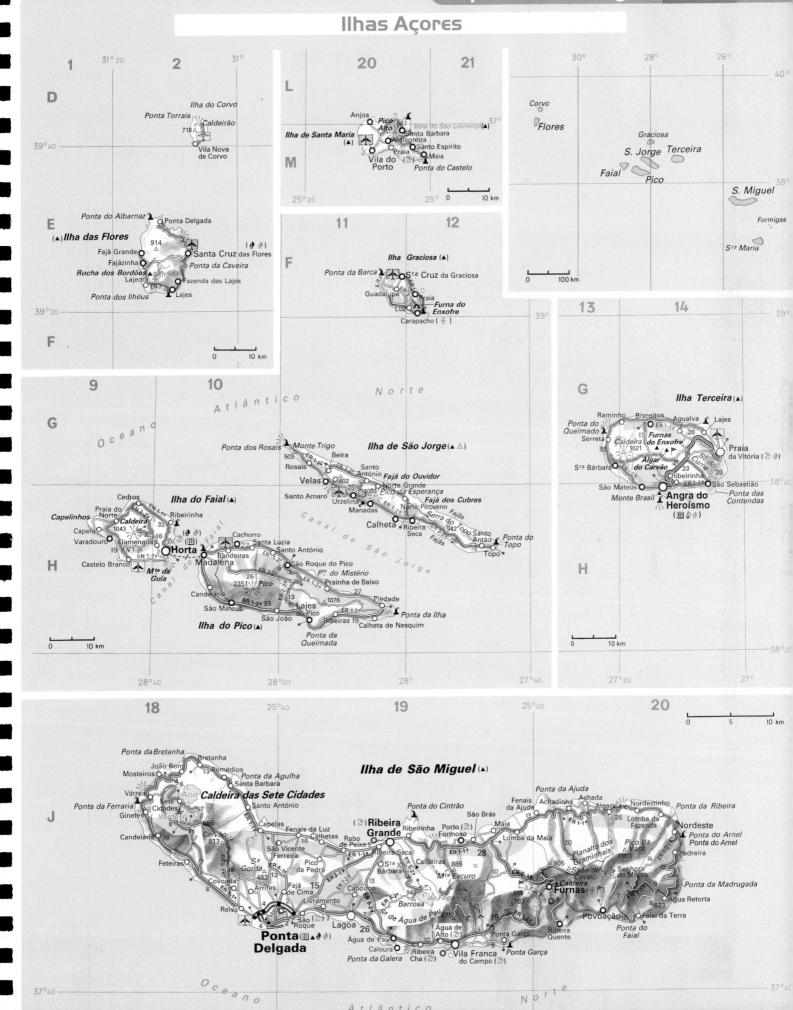

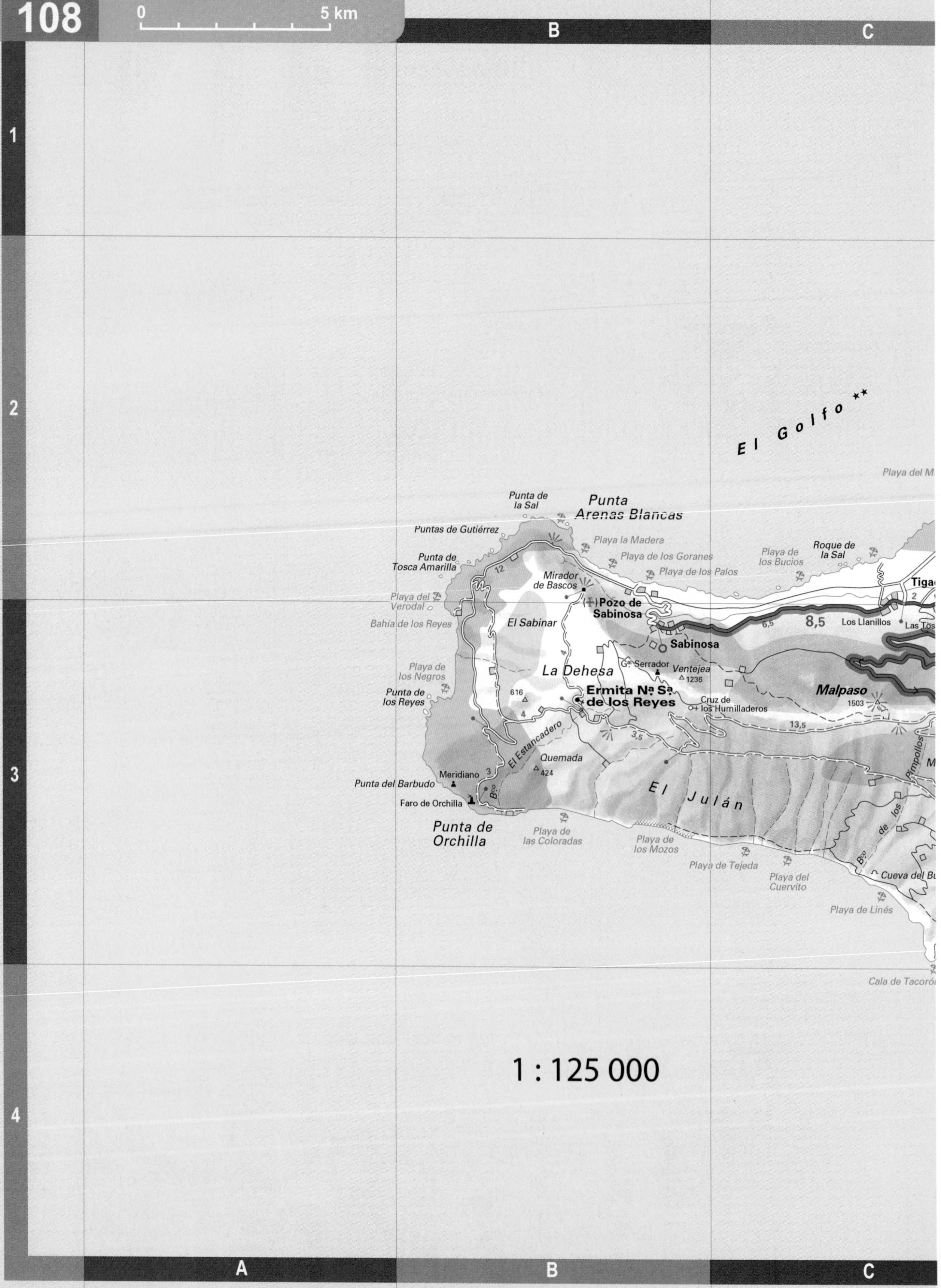

0 ━━━━━━━━━━ 5 km

A   B   C

El Golfo ★★

Playa del M

Punta de
la Sal

**Punta
Arenas Blancas**

Puntas de Gutiérrez

Playa la Madera

Playa de los Goranes

Playa de
los Bucios

**Roque de
la Sal**

Punta de
Tosca Amarilla

12

Playa de los Palos

Tiga

Playa del
Verodal

Mirador
de Bascos

El Sabinar

(†) **Pozo de
Sabinosa**

6,5   **8,5**   Los Llanillos   Las Tos

Bahía de los Reyes

Sabinosa

Playa de
los Negros

La Dehesa

Gᵃ Serrador

Ventejea
△ 1236

Punta de
los Reyes

616
△

**Ermita Nª Sª
de los Reyes**

Cruz de
⊕ los Humilladeros

Malpaso
1503 ⚹

4

3,5

13,5

El Estancadero

Quemada

El Julán

Meridiano ▲

3

△ 424

Bᵃ

Punta del Barbudo

Faro de Orchilla

Bᵃ
de
los

Rimpollos
M

**Punta de
Orchilla**

Playa de
las Coloradas

Playa de
los Mozos

⌒ Cueva del Bu

Playa de Tejeda

Playa del
Cuervito

Playa de Linés

1 : 125 000

Cala de Tacoró

D　　　　　E

Punta del Guanche
Punta Norte
Bahía de las Calcosas
Punta de Amacas
4　Echedo
Playa de Adentro
Pozo de las Calcosas
Playa del Salto
346
Punta de Agache
Mocanal
Ermita de San Pedro
Tamaduste
Roque Salmor
Ermita de San Lázaro
Playa del Piloto
3
Guarazoca
Hoyo del Barrio
761
Santiago
HI 3
Playas Largas
Betenama
9
** *Mirador de la Peña*
642
Érese
Valverde
HI 2
Playa del Catadal
Jarales
Pedraje 1025
5
Caleta
Embarcadero de Punta Grande
Las Montañetas
10
8
Punta de la Caleta
Las Puntas
1041
Ventejís 1139
4
Ermita de San Telmo
Tiñor
3
541
HI 2
1.5
Puerto de la Estaca
5
4.5
La Gomera
5,5
HI 1
1,5
Tenerife
Izique 1234
San Andrés
1,5
Playa de Tijeretas
Guinea
3
Temijiraque
Bahía Temijiraque
6
Los Mocanes
La Cuesta
Punta de Temijiraque
Mirador de Jinama (1180)
Las Rosas
day
1327
Los Llanos
12
Frontera
La Torre
HI 1
4
2,5
1330
Alto de Fileba
Isora
24　HI 1
1118
Mirador de Isora (800)
Punta de Ajones
17
3,5
Roque de la Bonanza
5
El Pinar *
Mirador de las Playas
Las Playas
ercade 1253
Hoya del Morcillo
3,5
Las Casas
P　Parador de El Hierro
12,5
3,5
El Pinar
Playa de los Cardones
Taibique
1002
Playa de Miguel
774
Tembargena
carón
25
Playa Brava
Roques de Los Joraditos
14
Playa del Pozo
Playa de Manchas Blancas
Los Lajiales
Playa del Cantadal
Restinga 197
La Restinga
Bahía de Naos
Punta de los Saltos
Punta de la Restinga

D　　　　　E　　　　　F

1

2

3

4

0   5 km

1

2

Punta

Play

Playa de la

Playa de Jar

Punta del Salvaje

Los Molinos

O C É A N O

Punta de Fuente Blanca   Sali

Playa de los Mozos   Bº de los M

Playa del Valle

Aguas Verdes

Punta de los Caletones

A T L Á N T I C O

Punta del Junquillo   Morro Alto
                                          417

Punta Gorda   Morro de la C
                                          676

Punta de la Herradura

Morro Negro   Mirador de
480   Morro Velosa

1 : 175 000   de   la   Peña

3   ★ **Betancuria**

Barranco   de   724   Betancuria

Ajuy   Bº   de   **29**

Puerto de la Peña   Bº   Vega de Río
                                          Palmas

Playa de los Muertos   FV 621   Eta de Nª Sª   FV 323   Peñitas

Punta de la Nao   9   de la Peña

Mézquez   FV 627

Gran

10

Playa de la Solapa

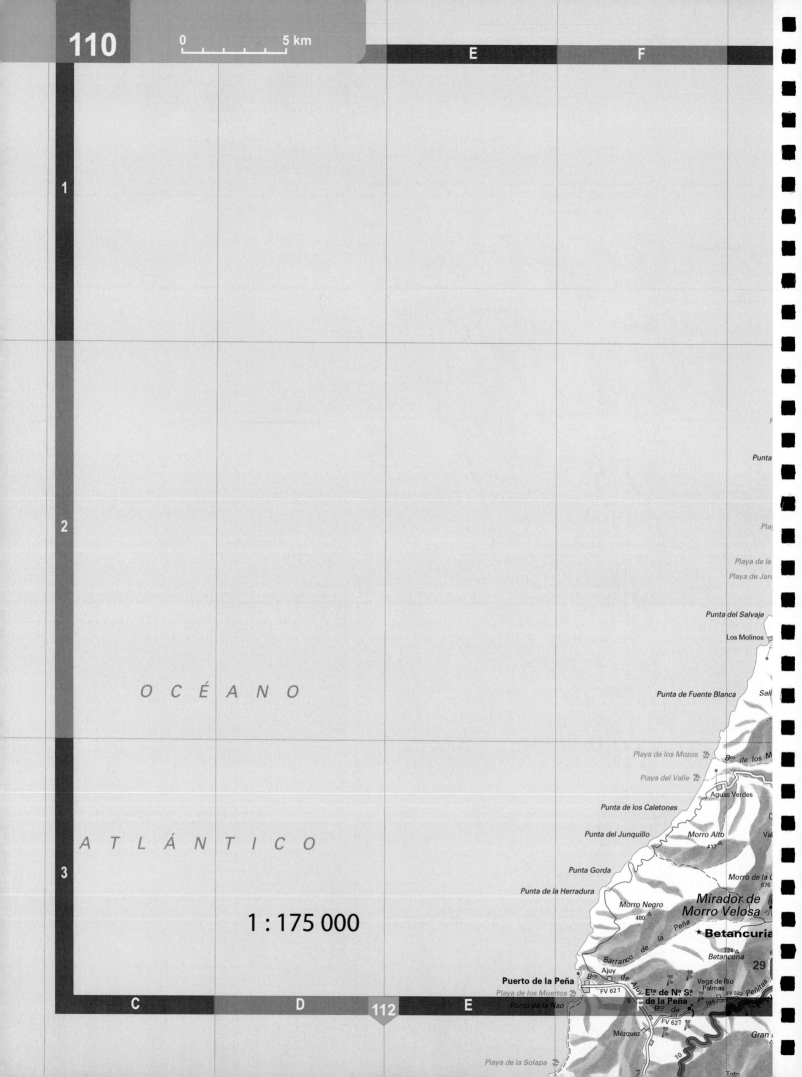

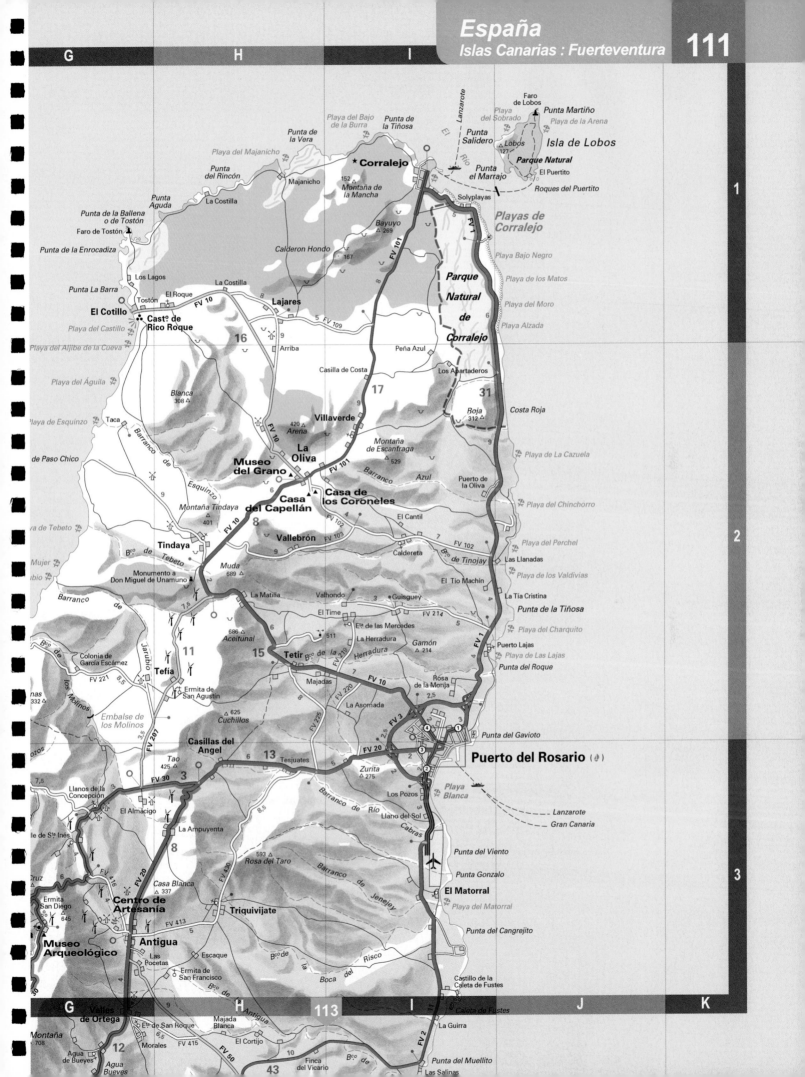

C

110

D

E

3

4

5

A

B

C

D

E

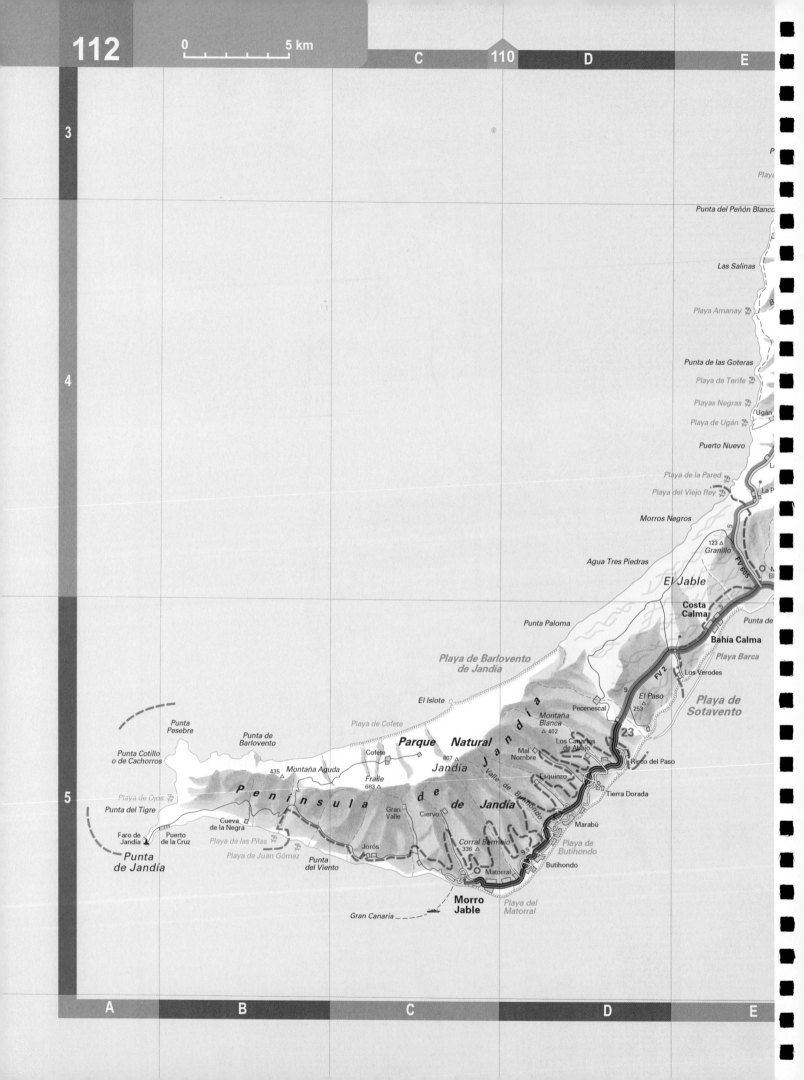

Punta del Peñón Blanco

Las Salinas

Playa Amanay 🏊

Punta de las Goteras

Playa de Terife 🏊

Playas Negras 🏊

Ugán

Playa de Ugán 🏊

Puerto Nuevo

Playa de la Pared 🏊

Playa del Viejo Rey 🏊

La P

Morros Negros

123 △
Granillo

FV 605

Agua Tres Piedras

El Jable

Costa Calma

Punta Paloma

Punta de

Bahía Calma

Playa Barca

Playa de Barlovento
de Jandía

FV 2

Los Verodes

9

El Paso
253

**Playa de
Sotavento**

El Islote

Pecenescal

Montaña
Blanca
△ 402

Parque Natural

807 △

Los Camaños
de Abajo

23

Cofete

Jandía

Mal
Nombre

Punta
Pesebre

Punta de
Barlovento

Playa de Cofete

Risco del Paso

Punta Cotillo
o de Cachorros

435 △ Montaña Aguda

Fralle
683 △

P e n í n s u l a

Esquinzo

Tierra Dorada

Playa de Ojos 🏊

d e

Gran
Valle

Ciervo

de Jandía

Punta del Tigre

Cueva
de la Negra

Marabú

Faro de
Jandía

Puerto
de la Cruz

Playa de las Pilas 🏊

Jorós

Corral Bermejo
336 △

9.5

Playa de
Butihondo

**Punta
de Jandía**

Playa de Juan Gómez 🏊

Punta
del Viento

Matorral

Butihondo

**Morro
Jable**

Gran Canaria ---

Playa del
Matorral

Museo Arqueológico

724 △ Betancuria

Puerto de la Peña

Playa de los Muertos

Punta de la Nao

F Ea de Na Sa de la Peña **111**

Vega de

Peñitas

FV 621

Bco de

FV 621

Bco de

FV 30

29

Valles de Ortega

Antigua

Majada Blanca

Ea de San Roque

6,5

Morales

El Cortijo

FV 415

FV 50

Caleta de Fustes

La Guirra

FV 2

Punta del Muellito

Las Salinas

Puerto de la Torre

Mézquez

Gran Montaña
708 △

12

Agua de Bueyes

Agua Bueyes

356

Caldera de Gairía

43

Finca del Vicario

494 △ Agudo

Bco de

Torre

la

Playa de la Solapa

Punta de Don Blas

Mézquez
414 △

Toto

Bárgeda

Tiscamanita

Centro de Interpretación de los Molinos

FV 621

FV 13

Pájara

9

FV 30

FV 605

606 △ Carbón

Tuineje

FV 20

Bco de Vigocho

de Garcey

Y Las Salinas

Vigocho
382 △

El Alto

Las Casitas

La Florida

354 △

Montañeta de Tamacite

Caldera de la Laguna

300

Malpaís Grande

Bco de la Boca

4,5 FV 420

de Pozo Negro

Playa de Lemulo

Pozo Negro

Playa de Pozo Negro

Playa de los Chopos

El Saladillo

439 △

Playa de los Vallichuelos

Amanay

Fayagua

Barranco

9

Casilla Blanca

10

FV 20

Barranco del Pozo

Tonicosquey

Ezquen

FV 2

Bco Valle de la Cueva

Caldera de Jacomar
435 △

Punta Gorda

Jacomar

Punta de las Borriquillas

28

Tesejerague

4,5

FV 618

Vegueta

Montoña Hendida

Montaña Tirba

345 △

Diego Alonso

5,5

Corrales

La Cañada de Teguital

Teguital

13

Barranco de Gran Valle

Vigán
462 △

Punta de Gran Valle

4

Cardón
691 △

Chilegua

Cardón

6

Bco de los

FV 511

3

Violante

6

FV 520

4

FV 512

5,5

Las Playitas

185 △

La Entallada

Peñón del Roque

Playa de los James

10

FV 611

△ 343

315

24

Tamaretilla

FV 56

9

Caracol
464 △

Pablo Sánchez

FV 525

Río Gran Tarajal

Gran Tarajal

292 △ Lapa

FV 4

Playa del Pajarito

Playa de los Pobres

as Hermosas

ared

6,5

FV 2

8,5

Tarajalejo

Giniginámar

Playa de Giniginámar

Punta del Aceituno

La Lajita

Punta del Caracol

Playa de Tarajalejo

Matas lancas

Playa de Matas Blancas

os Molinillos

Playa La Lajita

Playa de La Jaqueta

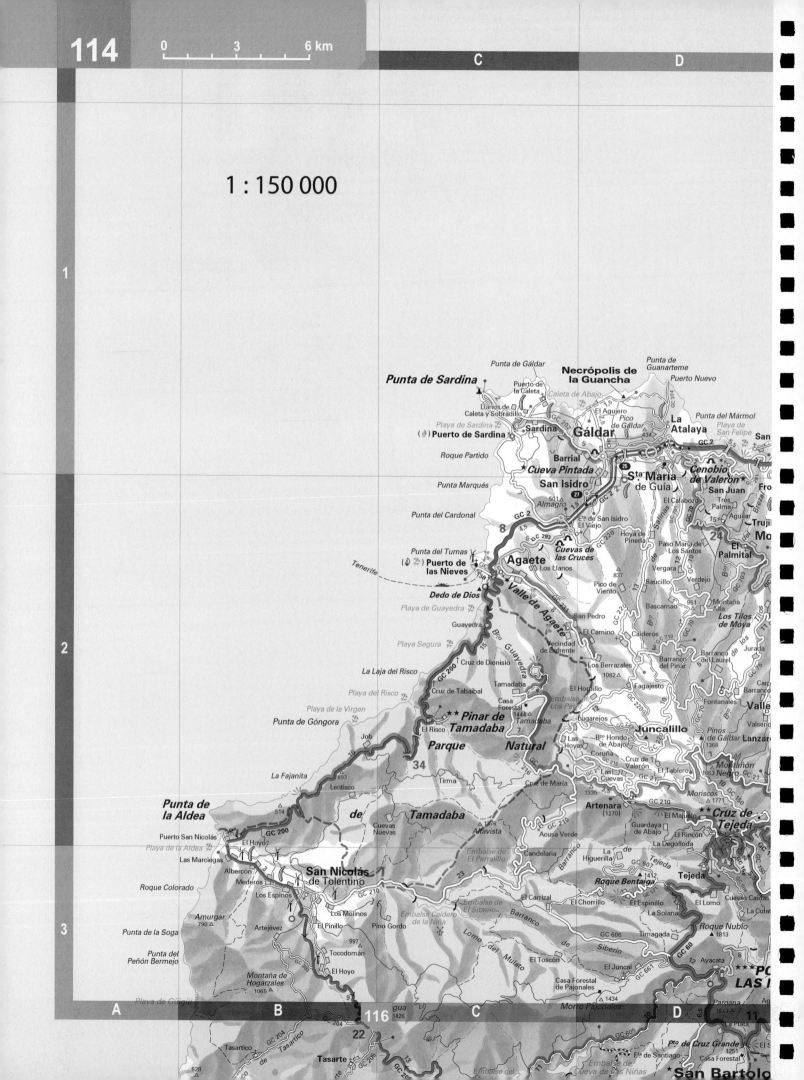

E F

Los Albarderos

239

Roque Negro

Las Coloradas
Montaña
del Vigía
212

La Isleta

Punta del Confital

Isleta

La Costa
Felipe
San
Andrés

Punta de
las Coloradas

Punta del Camello

15 GC 2

Bañaderos

Punta
de Arucas

★ *Playa de
las Canteras*

Sta Catalina

Puerto de la Luz

Tenerife

Cabo Verde
Casablanca

Cruz de Pineda

Lomo Quintanilla

Cardonal

Trasmontaña

Costa Ayala

Bahía del
Confital

Playa de las Alcaravaneras

Fuerteventura

GC 330

Trapiche
Cambalud

Cardones

Lanzarote

Buenlugar

253

Mña de
Arucas ★

6

GC 2

Ayala

Los
Giles

Juan XXIII

289

GC 340

GC 1

Los
Rosales
Padilla

Arucas

Tenoya

10

Triana

Lance

La
Caldera

Santidad
Visvique

10

Tamaraceite

GC 23

★ **LAS PALMAS**
DE GRAN CANARIA

Firgas

Las Mesas

Las
Torres

Vegueta

(P)

Carretería

Los Portales
Los Castillos

15

El
Toscón

La
Suerte

GC 3

Lomo
Blanco

San
Fernando

Almatriche

San Cristóbal

Balneario
de Azuaje

Huertas
del Palmar

16

GC 30

441

Eª de Las
Nieves

303

GC 21

San
Lorenzo

17

Tafira
Baja

El Secadero

Punta Casa Blanca

Las Madres

968

Guanchía

GC 308

GC 308

16

Playa de la Laja

Zumacal

12

El
Tablero

San José
del Alamo

Dragonal

★ *Jardín Canario*

La Calzada

El Fondillo

GC 800

Teror

Caserón
Mónagas

Miraflor

Siete
Puertas

Tafira
Alta

San Francisco
de Paula

Punta del Palo

*Mirador de
Zamora* ★

El Alamo

La
Milagrosa

La Angostura

GC 4

GC 3

Trojanas
Zamora

978

Espartero

Las Meleguinas

Arbejales

Eª del Corazón
de Jesús

Los Hoyos

5

Ojero

945

15

Sagrado
Corazón

Sta Brígida

Monte
Lentiscal

San
José

★★ *Pico de
Bandama*
974

Jinámar

17

POLÍGONO
DE JINÁMAR 6

Madrelagua

214

San Isidro

Pino Santo

GC 42

*Caldera de
Bandama*

Vega de
Enmedio

La
Atalaya

Las Goteras

Cruz de
la Gallina

La
Majadilla

GC 1

Punta de Jinámar

La Pardilla

Playa de Malpaso

Utiaca

El Madroñal

Hoya del
Gamonal

La Gavia

El Palmital

San
Antonio

La Estrella

Vega de
San Mateo

850

Valle de Casares
y Solana

GC 810

La Solana

La Higuera
Canaria

GC 10

La Garita

Ariñez

GC 15

La Bodeguilla

GC 80

Los Caserones

Marpequeña

30

La Lechuza

El
Helechal

Lomito
de Correa

Valle de
S. Roque

Montaña de
las Palmas

Tara

San
José de
las Longueras

El
Calero

Playa del Hombre

Melenara

Las
Casillas

La Barrera

22

GC 41

Los
Llanetes

Valle de
los Nueve

Lomo de
la Herradura

TELDE

El
Caracol

10

Playa de Melenara

Punta de la Cueva

Cueva
Grande

La Lechucilla

Valsequillo
de Gran Canaria

11

Playa de Salinetas

Tenteñiguada

Las Vegas

El Lomo del
Frenegal

Lomo
Magullo

Lomo
Sala

Las
Huesas

12

Playa de la Hullera

Hoya del
Gamonal

Llano de
los Frailes de Mota

1800

El
Rincón

Los Mocanes

713

La Colomba

Las
Medianías

El
Goro

13

Playa de Tufia

1949

1919

Caldera de
los Marteles

La Breña

33

GC 130

Bco de Silva

GC 140

7

Playa Ojo de Garza

POZO DE
NIEVES

Roque
Redondo

La Culata

Pichón

565

Cuatro Puertas

319

Cuatro
Puertas ★

15

Punta de Ámbar

igualatente

Risco Blan

GC 120

Roque

Bco del
Draguillo

Piletillas

15

s de Garza

Lazareto de Gando

Triana

Roque de Gando

E F **117** G H

Hoya
García

Lomito
de Taidia

de

Guayadeque

Aguatona

Benítez

Bahía
de Gando

104

Punta de Gando

sequero

Perera

Táidia

Guayadeque

Ingenio

GC 100

AEROPUERTO DE
GRAN CANARIA

Playa de San Agustín

El Morisco

Hoya de
Tunte

249

18

Carrizal

1 2 3

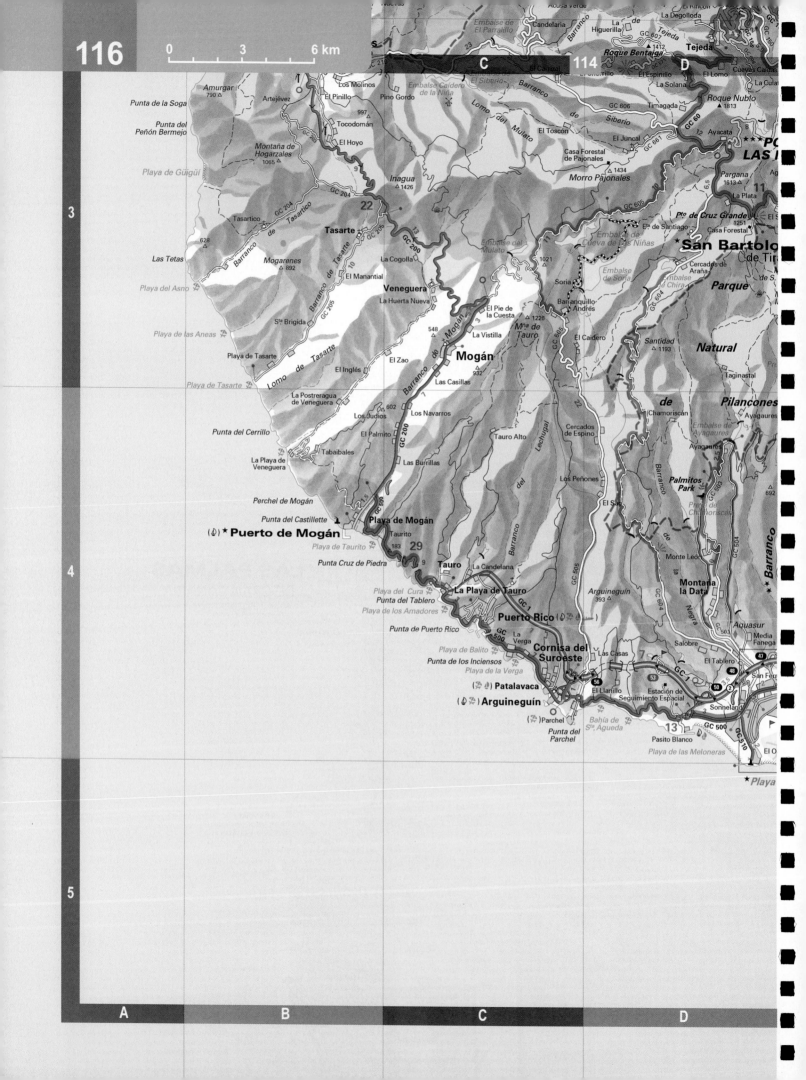

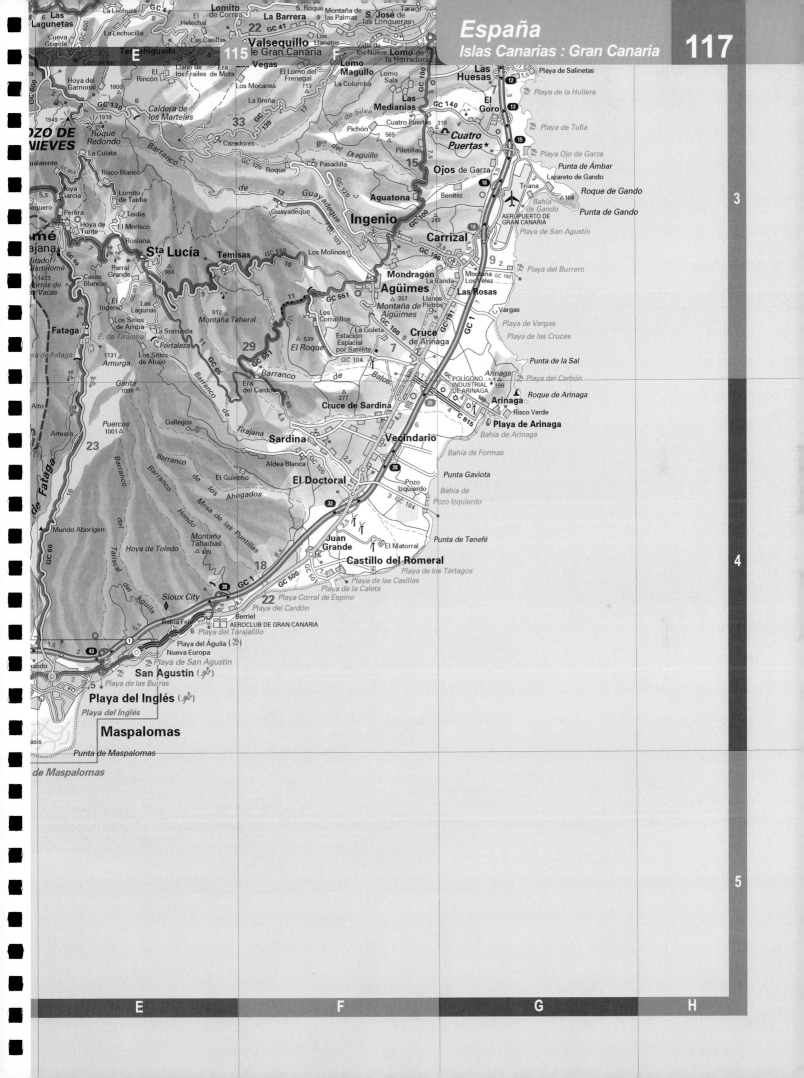

0   5 km

A   B

1

El Roquillo   Los Órganos ▲

Playa de Arguamul

Playa de Santa Catalina

Cumbre de Chiguereé

Chigueré

La Playa

Playa de Vallehermoso

Punta del Peligro

Arguamul

Eta de Sta Clara

TF 112

Valle Abajo

14   Ermita

△ 876

Teselinde

TF 711

9   Tamargada

Ermita de Sta Lucía

Tazo

Vallehermoso

650

Roque Cano

Las Rosas

Cubaba

9

La Quilla

Macayo

Rosa de las Piedras

3

Playa del Trigo

Epina

5

6,5

△ 499

Roque Blanco

Embalse La Encantadora

Meriga

Playa de Alojera

4

2,5

TF 713

4,5

El Carmen

Los Ace

Alojera

6

Punta del Viento

Banda de las Rosas

TF 713

Punta Talisca Negra

Acardece

Parque   Nacional

Taguluche

6

de   Garajonay ★★

Arure

Eta Na Sa de Lourdes

Mirador del Santo

Las Hayas

4

17

Zarcita

Mirador del Palmarejo

700   Lomo del Balo

El Cercado

2

La Mérica

15

La Vizcaína

3

Garajonay

TF 713

Roque de A

△ 857

Los Granados

Chipude

1487 △

1,5

Baja de Juan Amaro

El Hornillo

La Dehesa

Pavón

Iguálero

Loma de Eretos

El Guro

Jagüe

△ 1243

1355

Playa del Inglés

Montaña Fortaleza

Bench

La Calera

Ermita de San Juan

Ermita de

Playa de la Calera

Bco Valle Gran Rey ★★

Gerián

7

Lo del Ga

Imada

Valle Gran Rey

Topogache

Ermita de San Lorenzo

Ermita de Las

Vueltas

San Sebastián

El Drago

Ermita de Guarimiar

Playa de Vueltas

Barranco de Santiago

Playa de las Arenas

6

Targa

de   la   Negra

Alajeró

Roque de Iguala

Bco de la Rajita

Arguayoda

5

Bco

△ 808

Calvario

La Dama

La Rajita

Almácigos

Quise

Antoncojo

Playa de la Negra

La Cantera

10

Punta de la Nariz

Cala Cantera

Caldera △ 291

Playa de Ereses

3

Punta Falcones

Punta del Becerro

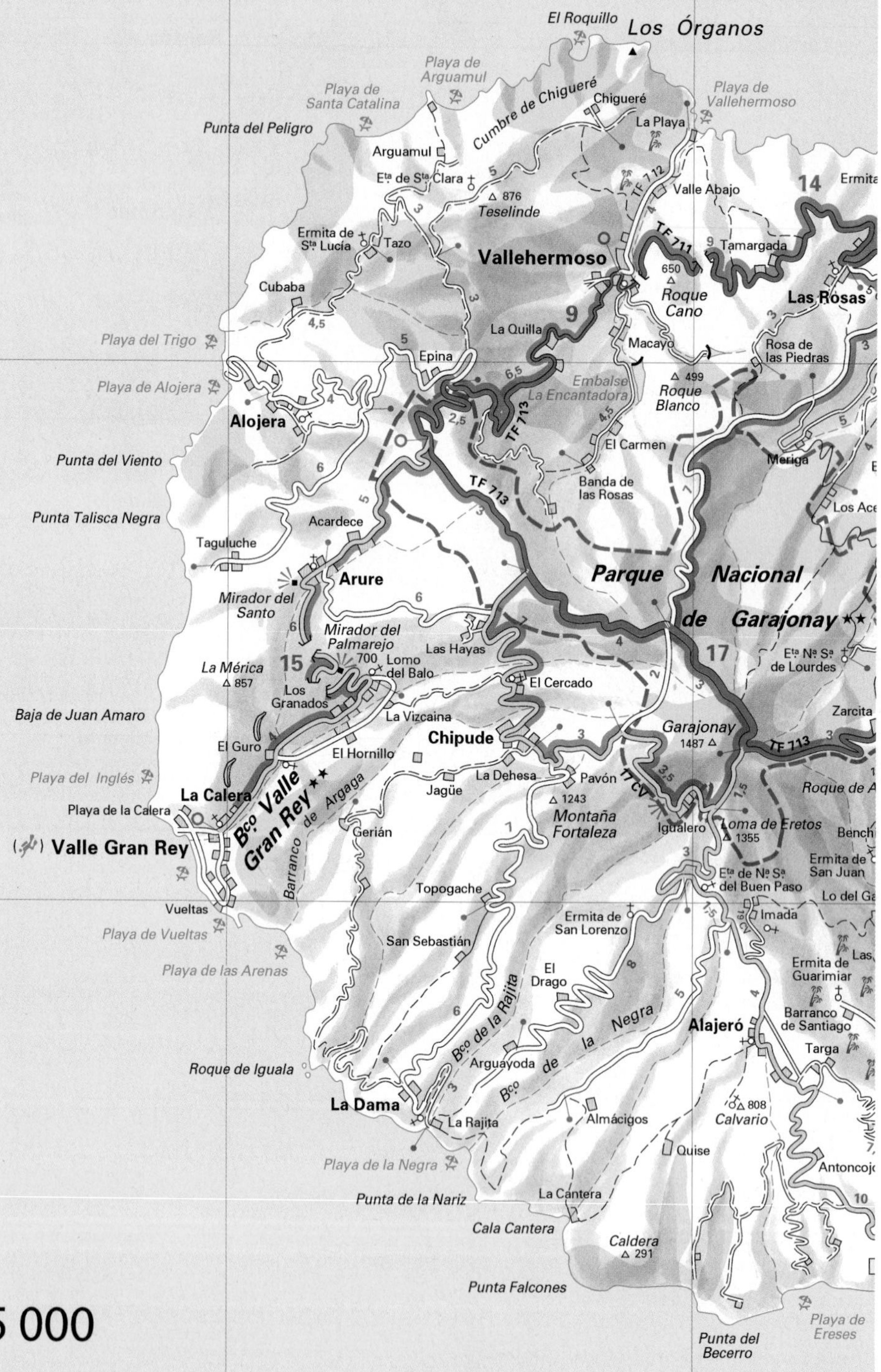

1 : 125 000

A   B

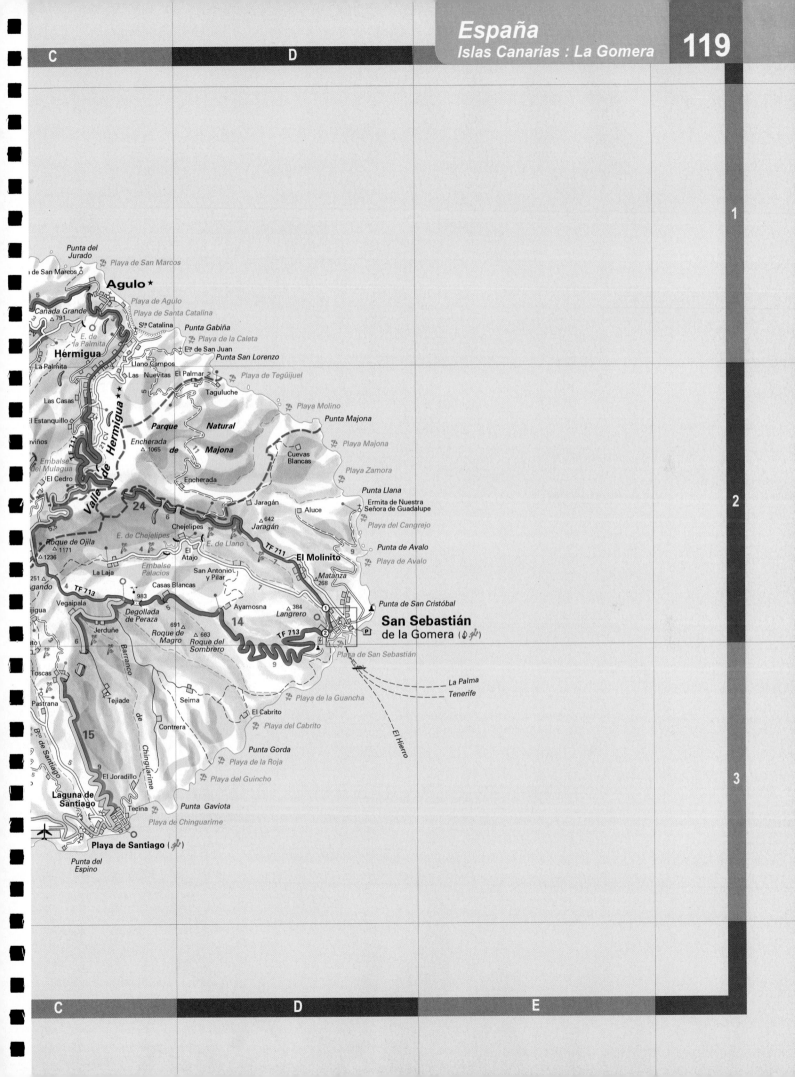

C   D   E

Punta del
Jurado
n de San Marcos   *Playa de San Marcos*
              Agulo ★
Cañada Grande   *Playa de Agulo*
△ 791   *Playa de Santa Catalina*
                     Stª Catalina
   E. de   *Punta Gabiña*
la Palmita   *Playa de la Caleta*
Hérmigua   Eª de San Juan
  La Palmita   *Punta San Lorenzo*
               Llano Campos
Las Nuevitas El Palmar 2   *Playa de Tegüijuel*
Las Casas   Taguluche
El Estanquillo   *Playa Molino*
             Parque   Natural   *Punta Majona*
eviños   *Encherada de Majona*
Embalse   △ 1065   *Playa Majona*
del Mulagua   Cuevas
El Cedro   Encherada   Blancas
                                   Playa Zamora
          24   Jaragán   *Punta Llana*
         6   Ermita de Nuestra
Roque de Ojila Chejelipes   △ 642 Señora de Guadalupe
△ 1171   E. de Chejelipes Jaragán   *Playa del Cangrejo*
△ 1236   E. de Llano TF 711 Aluce
         El El Atajo   **El Molinito**   *Punta de Avalo*
La Laja Embalse San Antonio   9   *Playa de Avalo*
251 △   Palacios y Pilar   Matanza
   TF 713 Casas Blancas   △ 268
Vegaipala 983   Ayamosna △ 384   Punta de San Cristóbal
4   14   Langrero ①
Degollada   **San Sebastián**
Jerduñe de Peraza 691 △ △ 663 TF 713 ② de la Gomera (⚓)
  Roque de Roque del   *Playa de San Sebastián*
Toscas Magro Sombrero 9
Pastrana   La Palma
Tejiade   Seima   *Playa de la Guancha* Tenerife
      Contrera   El Cabrito
15   *Playa del Cabríto*
                Punta Gorda   El Hierro
El Joradillo   *Playa de la Roja*
           Playa del Guincho
**Laguna de
Santiago** Tecina Punta Gaviota
              Playa de Chinguarime
✈
Playa de Santiago ( )
Punta del
Espino

C   D   E

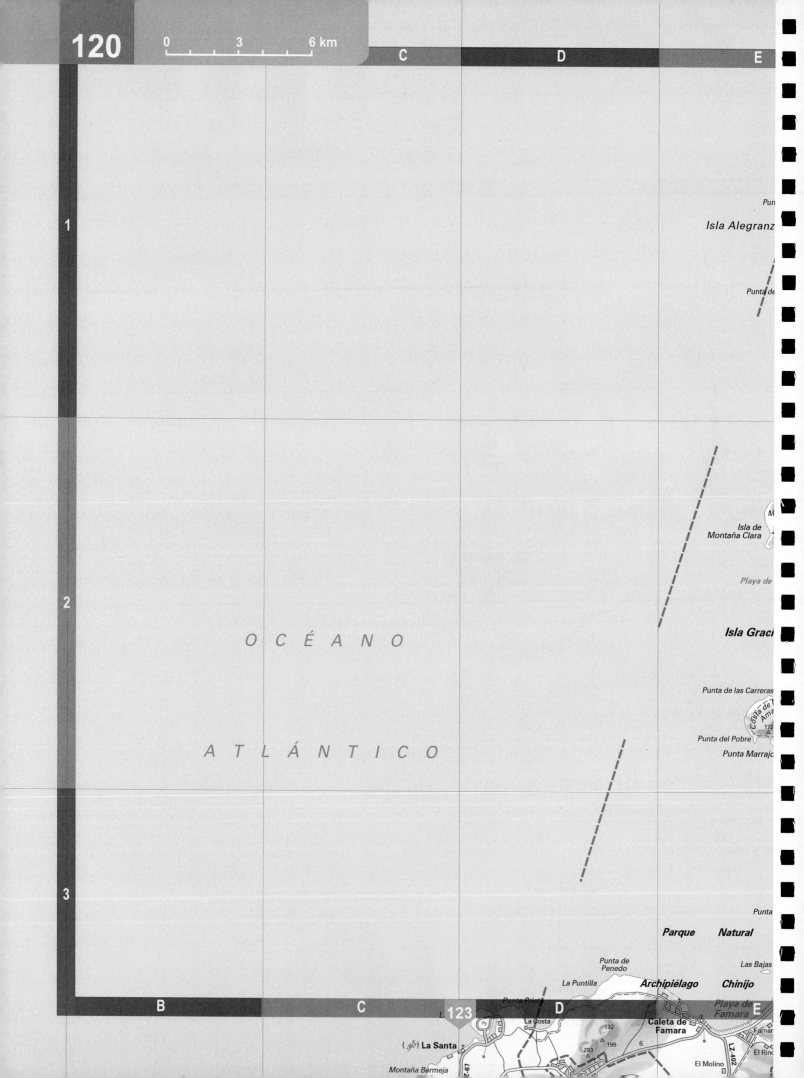

0   3   6 km

C   D   E

1

2

O C É A N O

A T L Á N T I C O

3

Punta

Isla Alegranz

Punta de

Isla de Montaña Clara

M

Playa de

Isla Graci

Punta de las Carreras

Co sta de Am 172

Punta del Pobre

Punta Marrajo

Punta

Parque   Natural

Las Bajas

Punta de Penedo

La Puntilla   **Archipiélago   Chinijo**

Punta Prieta

B   C   **123**   D   E

Playa de Famara

L

La Costa

Caleta de Famara

Fam

(🐟) **La Santa** ✝

132

293   199   6

LZ-402

El Molino

LZ-67

Montaña Bermeja

El Rin

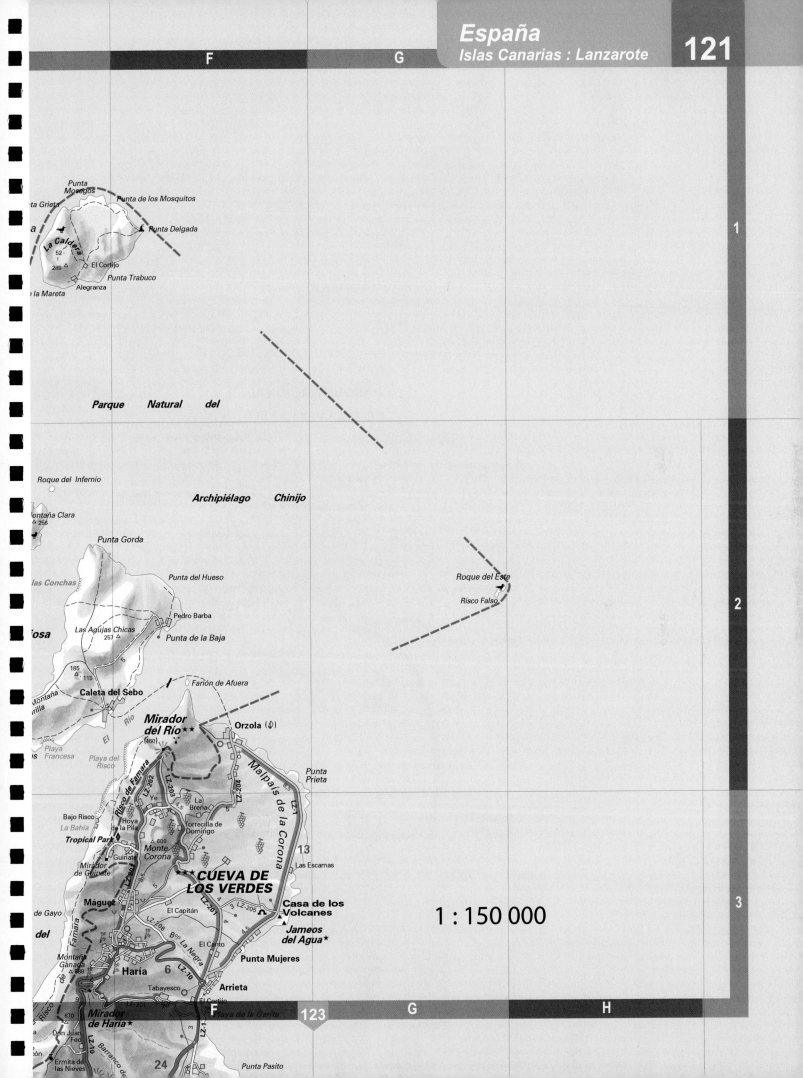

F

G

1

Punta
Moseyos
ta Grieta
Punta de los Mosquitos

Punta Delgada

La Caldera

52 ·
289 △
El Cortijo

Punta Trabuco

e la Mareta
Alegranza

Parque   Natural   del

Roque del Infernio

Archipiélago   Chinijo

ontaña Clara
△ 256

Punta Gorda

Punta del Hueso

Roque del Este

las Conchas

Risco Falso

2

Pedro Barba

Las Agújas Chicas
257 △

iosa
Punta de la Baja

185
△ 115

Montaña
arilla
Caleta del Sebo

Farión de Afuera

El Río

*Mirador
del Río* ★★

Orzola (⚓)

Playa
Francesa

(460)

Playa del
Risco

Punta
Prieta

os

LZ-202

Risco de Famara

Ye

LZ-203

La Breña

4.5

Malpaís de la Corona

5

Bajo Risco
La Bahía

Hoya
de la Pila

Torrecilla de
Domingo

LZ-1

Tropical Park

609
△

*Monte
Coroña*

Mirador
de Guinate

Guinate

13

Las Escamas

★★★ **CUEVA DE
LOS VERDES**

Máguez

El Capitán

**Casa de los
Volcanes**

LZ-205

3

e de Gayo

LZ-201

*Jameos
del Agua* ★

1 : 150 000

LZ-206

Bco La Negra

El Canto

Punta Mujeres

del

Montaña
Gánaga
△ 588

Haría

6

LZ-10

Tabayesco

Arrieta

El Cortijo

Risco

670
△

*Mirador
de Haría* ★

Playa de la Garita

Don Juan
Feo

24

Punta Pasito

Ermita de
las Nieves

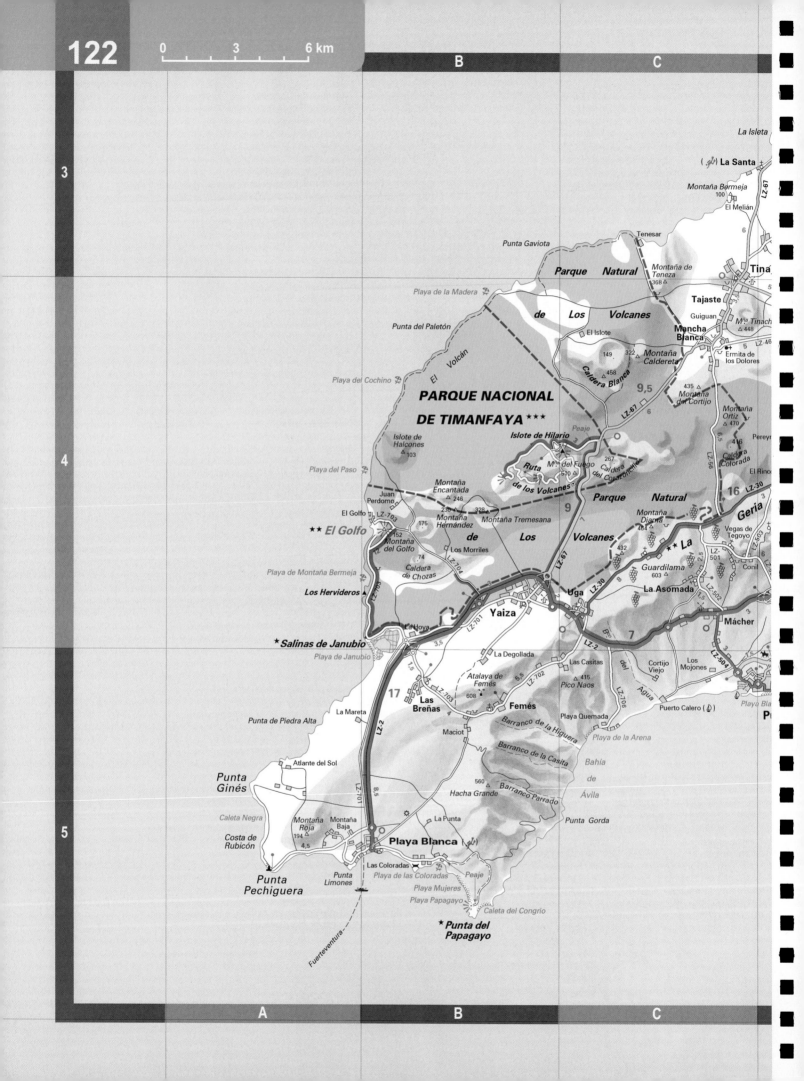

0   3   6 km

3

La Isleta

( ) **La Santa**

Montaña Bermeja
100 △
El Melián

6

LZ-67

Punta Gaviota

Tenesar

Tináj

Parque   Natural

Montaña de
Teneza
368 △

Tajaste

Guiguan

Mⁿᵃ Tinach
△ 448

Playa de la Madera ⚓

Punta del Paletón

de   Los   Volcanes

El Islote

**Mancha
Blanca**

LZ-46

Ermita de
los Dolores

Playa del Cochino ⚓

El Volcán

149

322

Montaña
Caldereta

5

**PARQUE NACIONAL
DE TIMANFAYA** ★★★

458
Caldera Blanca

9,5

435 △
Montaña
del Cortijo

LZ-67

6

Montaña
Ortiz
△ 470

Pereyr

Islote de
Halcones
△ 103

Playa del Paso

Islote de Hilario

Peaje
3

267

Caldera
del Corazoncillo

6,5

416

Caldera
Colorada

El Rincó

4

Ruta

Mⁿᵃ del Fuego
510 △

de los Volcanes

LZ-56

LZ-30

16

Montaña
Encantada
△ 246

9

Parque   Natural

Montaña
Diama
484 △

Geria

Juan
Perdomo

230 △

328 △

LZ-703

Montaña
Hernández

Montaña Tremesana

Volcanes

LZ-67

LZ-30

432

Vegas de
Tegoyo

LZ-501

El Golfo

175

★★ **El Golfo**

152

Montaña
del Golfo

de   Los

Guardilama
603 △

8

Conil

LZ-503

74

Los Morriles

LZ-704

La Asomada

LZ-502

Playa de Montaña Bermeja

Caldera
de Chozas

Uga

LZ-30

La

LZ-504

Los Hervideros ▲

LZ-705

LZ-67

Mácher

La Hoya

LZ-701

Yaiza

LZ-2

7

★ **Salinas de Janubio**

3,5

LZ-2

La Degollada

Las Casitas

LZ-702

Cortijo
Viejo

Los
Mojones

Playa de Janubio

1,5

Atalaya de
Femés

5,5

415
Pico Naos

Puerto Calero (⚓)

Playa Bla

17

LZ-703

608 △

Femés

Agua

LZ-706

P

**Las
Breñas**

4

Playa Quemada

Playa de la Arena

La Mareta

Maciot

Barranco de la Higuera

Bahía

Punta de Piedra Alta

Barranco de la Casita

de

LZ-701

8,5

Atlante del Sol

560

Barranco Parrado

Ávila

**Punta
Ginés**

Hacha Grande

Punta Gorda

Caleta Negra

Montaña
Roja
194

Montaña
Baja

La Punta

5

Costa de
Rubicón

4,5

Playa Blanca (⚓)

Punta
Limones

Las Coloradas

Peaje

**Punta
Pechiguera**

Playa de las Coloradas

Playa Mujeres

Playa Papagayo

Caleta del Congrio

Fuerteventura

★ **Punta del
Papagayo**

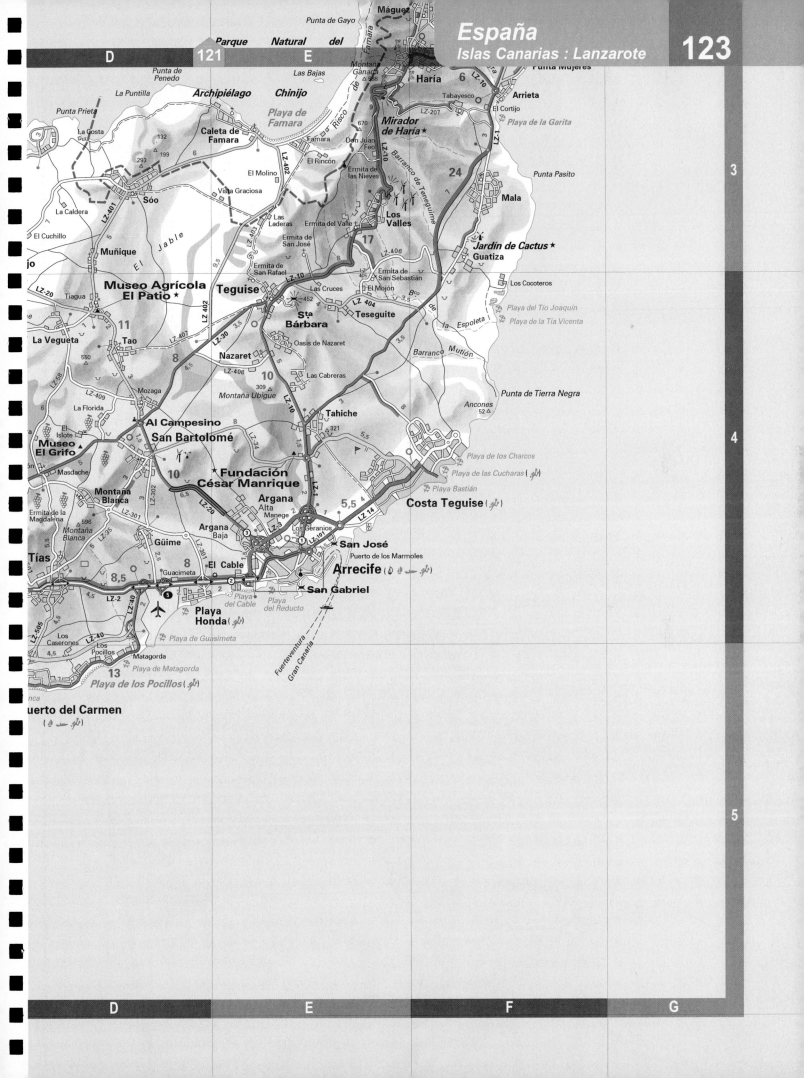

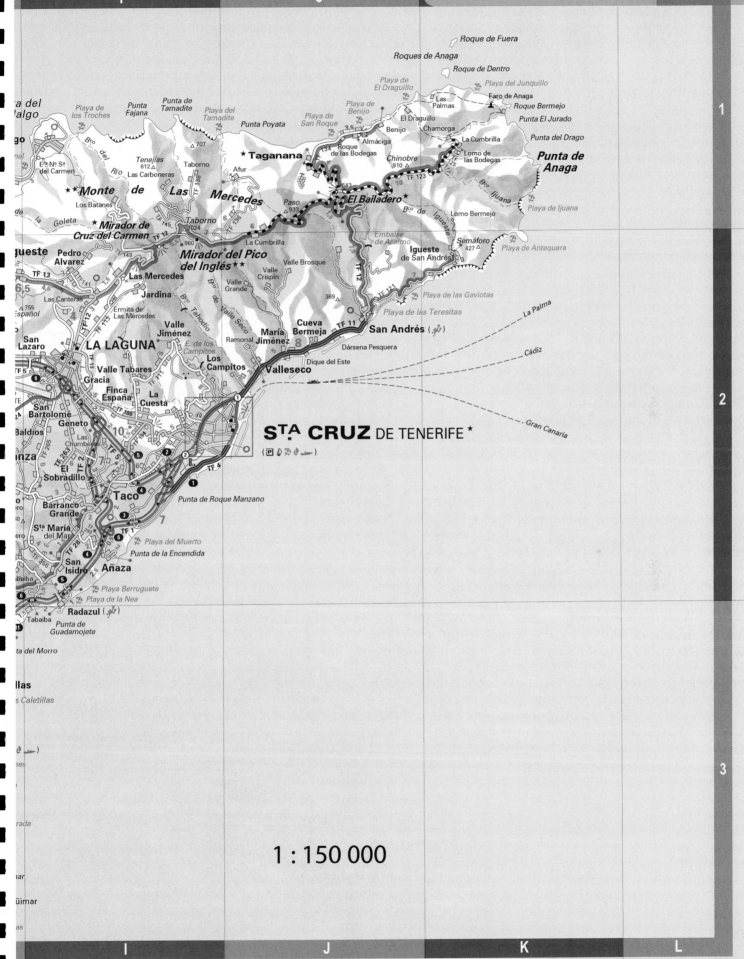

Roque de Fuera
Roques de Anaga
Roque de Dentro
Playa del Junquillo
Playa de El Draguillo
Faro de Anaga
Las Palmas
Roque Bermejo
Punta El Jurado
Benijo
El Draguillo
Chamorga
Punta del Drago
Almáciga
La Cumbrilla
Lomo de las Bodegas
Punta de Anaga
Playa de Benijo
Playa de San Roque
Roque de las Bodegas
Chinobre 910 △
TF 123
Bco Ijuana
Punta Poyata
★ Taganana
134
1643
El Bailadero ★
Playa de Ijuana
Lomo Bermejo
Paso 933
Bco de Igueste
Playa de los Troches
Punta Fajana
Punta de Tamadite
Playa del Tamadite
Afur
Taborno
Embalse de Acaimo
Semáforo 427 △
Playa de Antequera
ra del algo
go
Ea Nª Sª del Carmen
707
Tenejías 812 △
Las Carboneras
★★ Monte de Las Mercedes
La Cumbrilla
Taborno 1024
960
Igueste de San Andrés
Bco del Río
Goleta
Mirador de Cruz del Carmen
TF 145
TF 12
Mirador del Pico del Inglés ★★
Valle Brosque
Valle Crispín
TF 12
369
7
TF 121
Playa de las Gaviotas
gueste
Pedro Alvarez
TF 143
Las Mercedes
Valle Grande
E. de los Campitos
Playa de las Teresitas
La Palma
6,5
4,5
TF 13
TF 141
Las Canteras
Jardina
Bco de Valle Seco
Tahodio
Cueva Bermeja
TF 11
San Andrés (⚓)
755
Español
4
TF12
Ermita de Las Mercedes
TF 115
Valle Jiménez
Ramonal
María Jiménez
8
Cádiz
San Lazaro
LA LAGUNA
Los Campitos
Dársena Pesquera
Gran Canaria
TF 13
Valle Tabares
Gracia
Dique del Este
TF 5
Finca España
La Cuesta
Valleseco
San Bartolomé
Geneto
TF 180
10
S^TA **CRUZ** DE TENERIFE ★
Baldíos
Las Chumberas
5
2
2
(P ⚓ 🏖 🏊 ⛴)
nza
TF 263
TF 2
El Sobradillo
TF 5
1
TF 4
o
TF 265
Taco
4
Punta de Roque Manzano
Barranco Grande
3
7
Sta María del Mar
6
TF 1
Tabaiba
TF 28
Playa del Muerto
4
Punta de la Encendida
San Isidro
Añaza
5
Playa Berruguete
Playa de la Nea
6
Radazul (⚓)
Tabaiba
Punta de Guadamojete
ta del Morro
llas
s Caletillas
⚓ ⛴)
nes
rada
mar
üimar
as

1 : 150 000

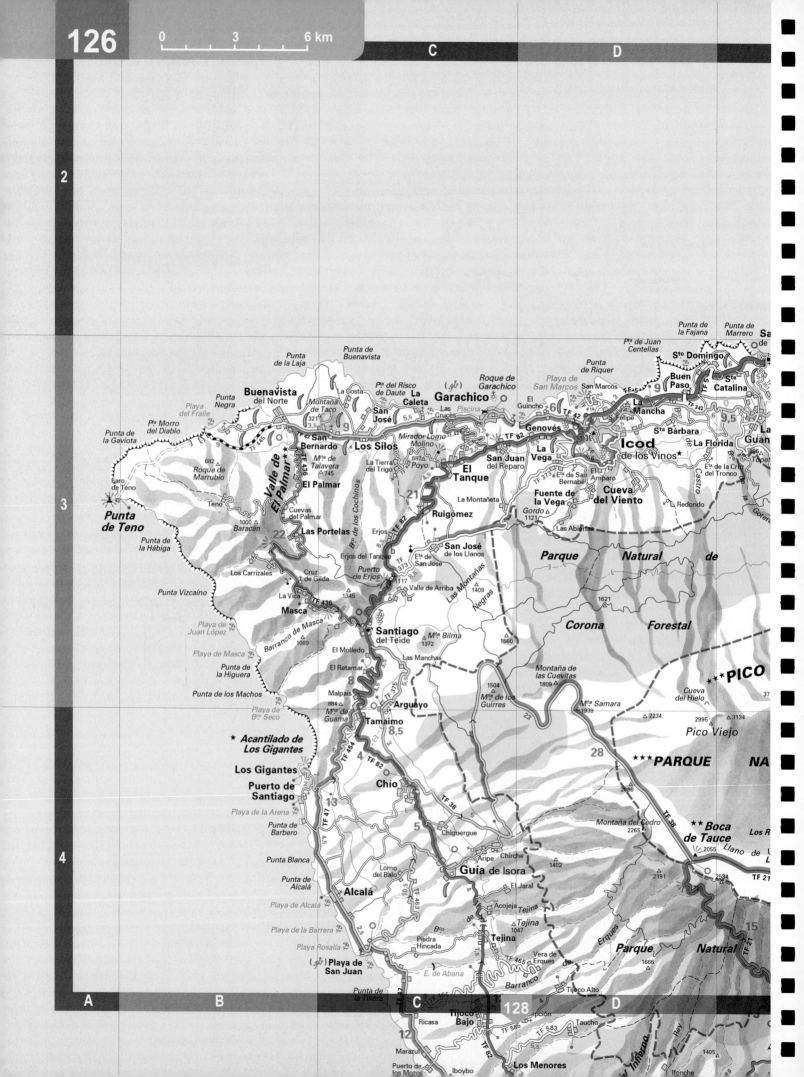

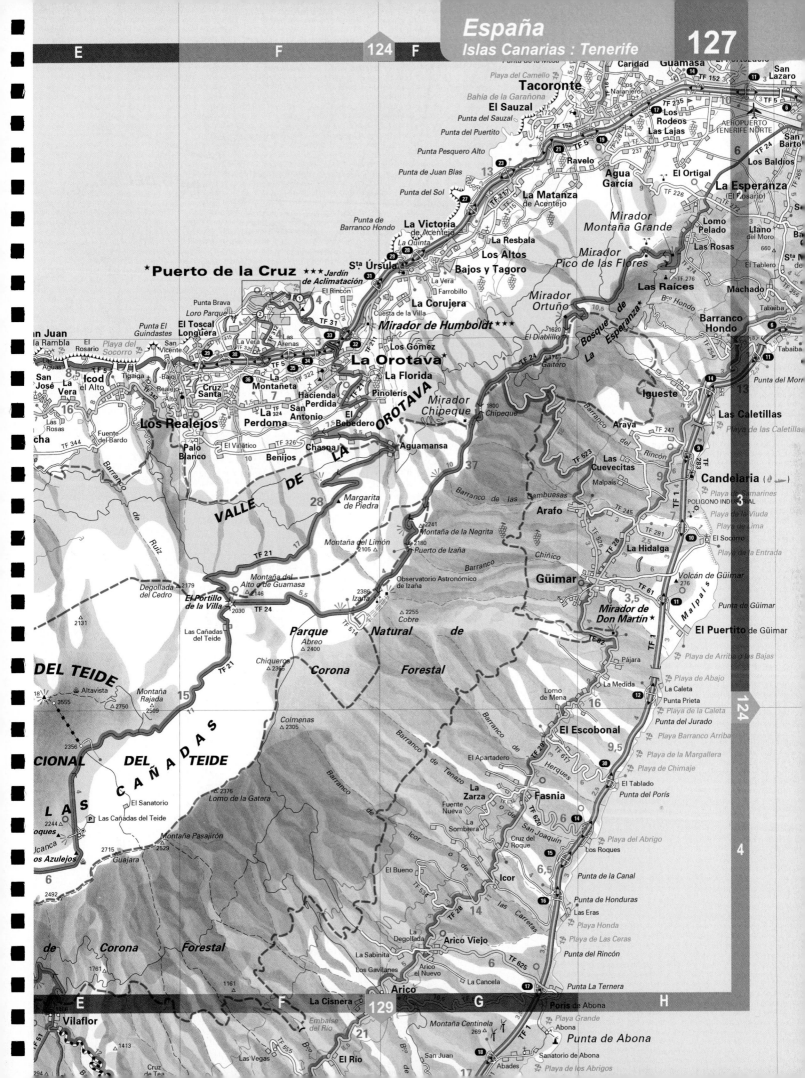

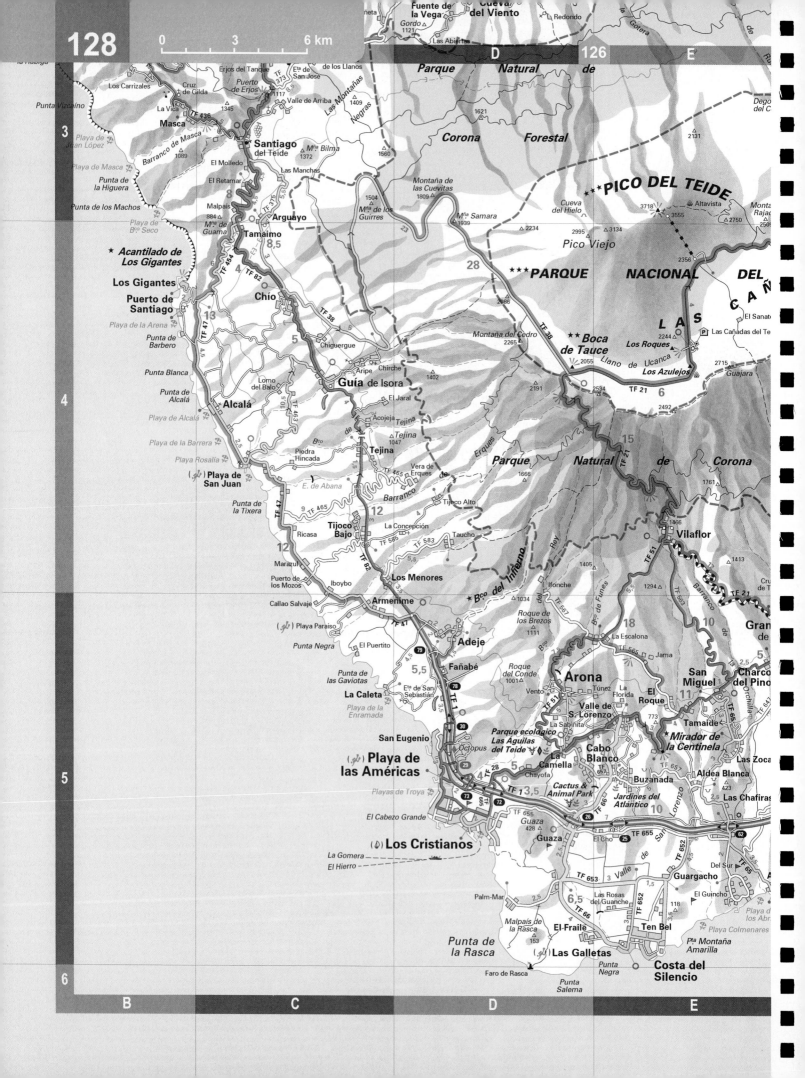

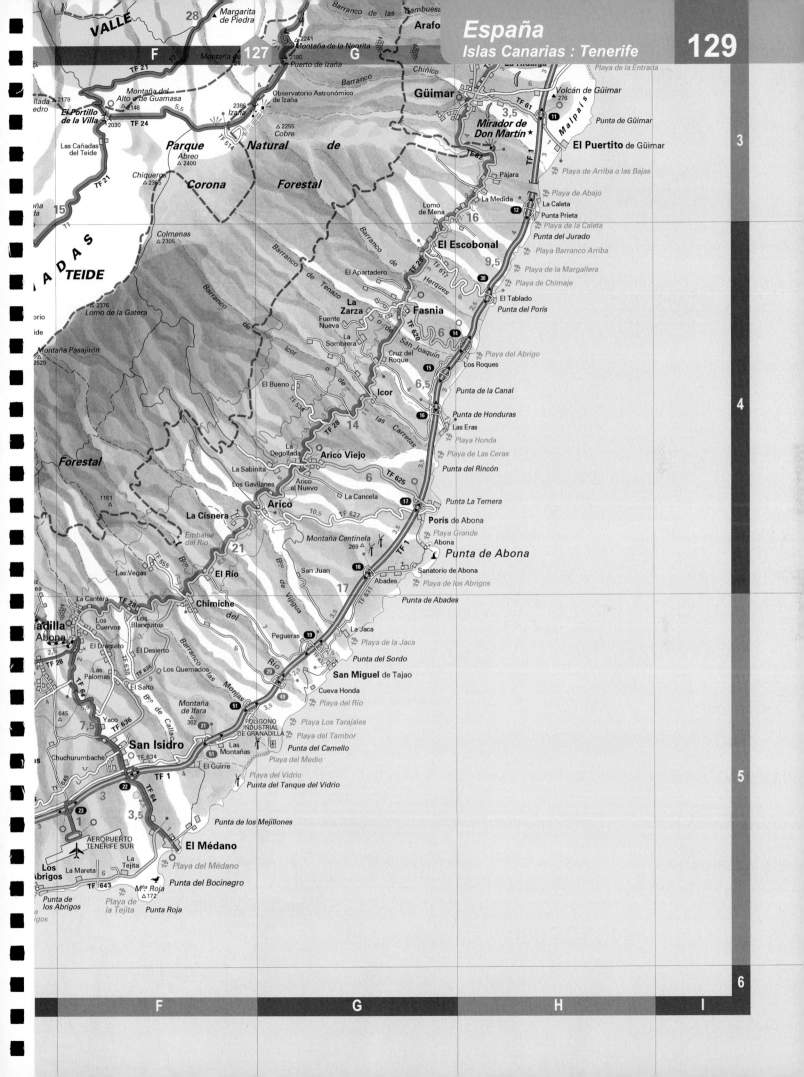

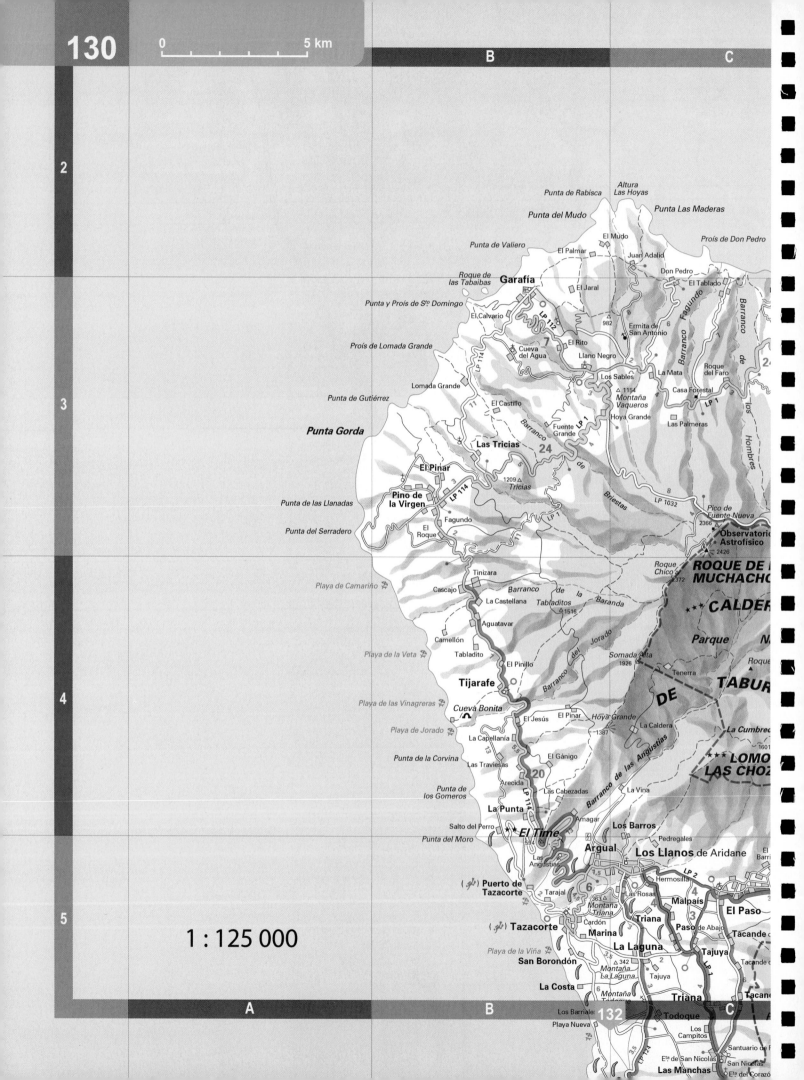

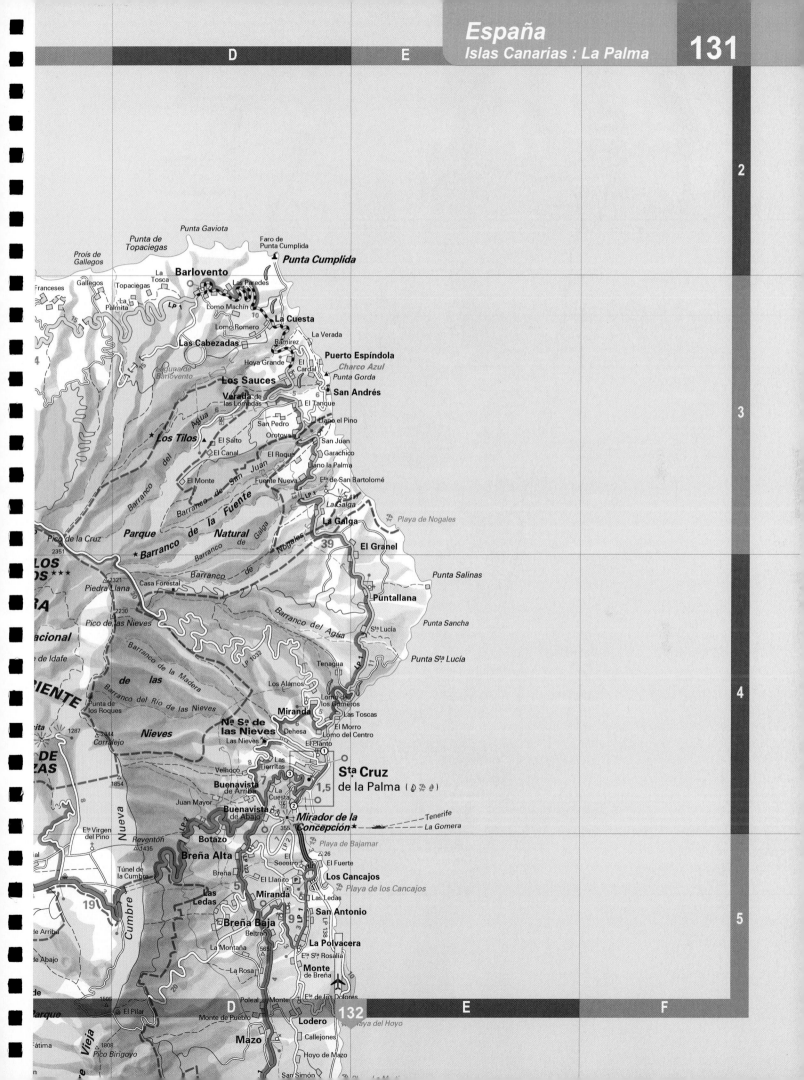

2

Punta Gaviota

Punta de
Topaciegas

Proís de
Gallegos

Faro de
Punta Cumplida

Punta Cumplida

La
Tosca

Barlovento

Franceses   Gallegos   Topaciegas

La
Palmita

LP 1

Las Paredes

Lomo Machín

10

La Cuesta

Lomo Romero

Las Cabezadas

Ramírez

La Verada

Hoya Grande   El
Cardal

Puerto Espíndola

Laguna de
Barlovento

Los Sauces

Charco Azul

Punta Gorda

San Andrés

Verada   de
de las Lomadas

5   **6**

El Tanque

3

Agua

6

San Pedro

Orotova

Llano el Pino

★ *Los Tilos*

El Salto

San Juan

El Canal

El Roque

Garachico

Llano la Palma

El Monte

Fuente Nueva

Ermita de San Bartolomé

LP 1

La Galga

437

La Galga

Playa de Nogales

Parque

de la

Natural

39

El Granel

★ **Barranco**

Barranco   de   Galga

de

Nogales

Pico de la Cruz
2351

Barranco   de   la   Fuente

Barranco

de

Punta Salinas

LOS
OS ★★★

2321

Piedra Llana

Casa Forestal

2230

Pico de las Nieves

LP 1032

Puntallana

Barranco   del   Agua

Stª Lucía

Punta Sancha

Punta Stª Lucía

RA

acional

e de Idafe

Barranco   de   la   Madera

Barranco   del   Río   de   las   Nieves

LP 1

Tenagua

Punta Stª Lucía

4

Los Álamos

1287

PIENTE

Punta de
los Roques

2044

Nieves

de

las

Lomo de
los Gomeros

Miranda

5

Las Toscas

Corralejo

Nª Sª de
las Nieves

6

Dehesa

El Morro

Lomo del Centro

Las Nieves

El Planto

D
DE
ZAS

1854

Velhoco

8

Las Tierritas

3

El Planto

①

Stª Cruz
de la Palma (⚓)

7

Buenavista
de Arriba

Juan Mayor

La
Cuesta

②

1,5

Buenavista
de Abajo

Mirador de la
Concepción ★

Tenerife

La Gomera

Nueva

Ermita Virgen
del Vino

Reventón

Botazo

1435

7

355

Playa de Bajamar

LP 2

Breña Alta

Breña

26

El Fuerte

Túnel de
la Cumbre

5

El Socorro

El Llanito

P

Los Cancajos

19

Cumbre

1

Las
Ledas

Miranda

Las Ledas

Playa de los Cancajos

9 LP 1

San Antonio

de Arriba

Breña Baja

Beltrán

LP 138

La Polvacera

de Abajo

La Montaña

565

Ermita Stª Rosalía

Monte
de Breña

10

de

1505

Parque

El Pilar

Monte de Pueblo

Poleal Monte

Ermita de los Dolores

D   **132**   E

Playa del Hoyo

Lodero

Callejones

Fátima

1808

Pico Birigoyo

Mazo

Hoyo de Mazo

Vieja

San Simón

F

5

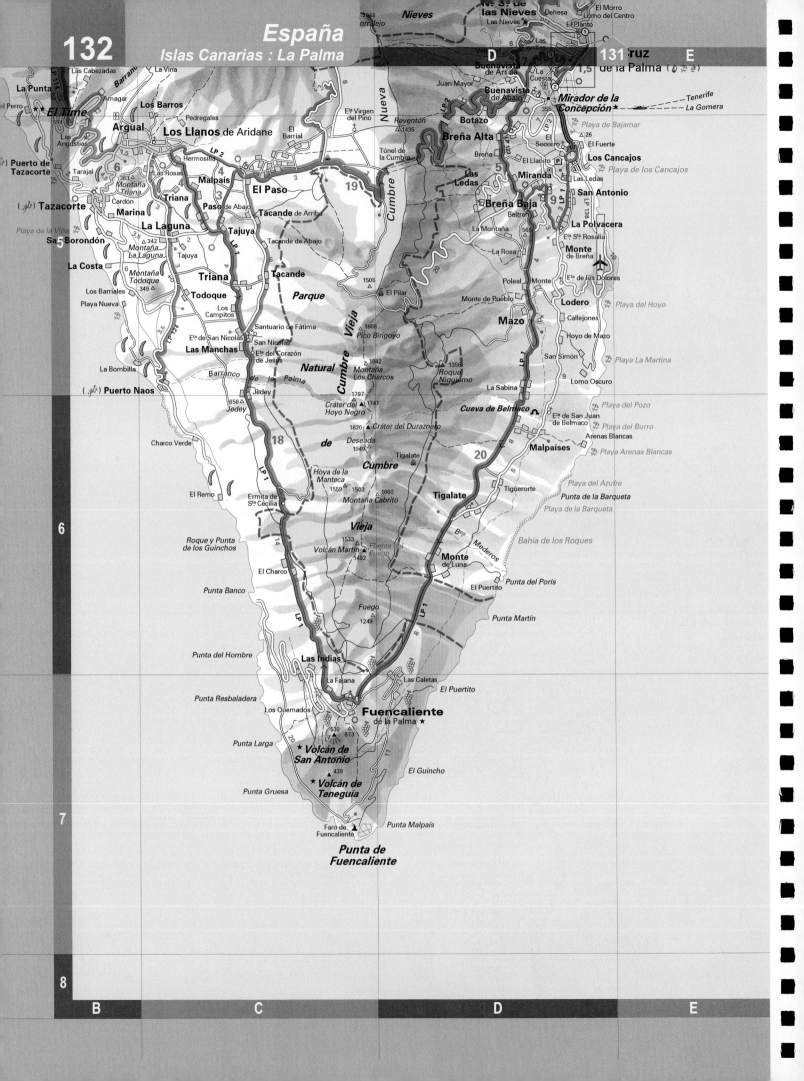

A B C D E F G H I J K L M N O P Q R S T U V W X Y Z

Número de página / Numéro de page / Page number
Seitenzahl / Paginanummer / Numero di pagina

Localidad / Localité / Place
Ort / Plaatsen / Località → Abelgas *LE*.................... 15 D 12 ←

Coordenadas en los mapas / Coordonnées de
carroyage / Grid coordinates
Koordinatenangabe / Verwijstekens ruitsysteem
Coordinate riferite alla quadrettatura

Provincias / Distritos

España : Comunidades autónomas & Provincias

Andalucía
AL...Almería
CA...Cádiz
CO ....Córdoba
GR ....Granada
H...Huelva
J...Jaén
MA...Málaga
SE..Sevilla

Aragón
HU..Huesca
TE..Teruel
Z..Zaragoza

Canarias
GC ....Las Palmas
TF.................Santa Cruz de Tenerife

Cantabria
S......................Cantabria (Santander)

Castilla y León
AV..Ávila
BU...Burgos

LE..León
P..Palencia
SA...Salamanca
SG...Segovia
SO..Soria
VA...Valladolid
ZA..Zamora

Castilla-La Mancha
AB..Albacete
CR..Ciudad Real
CU...Cuenca
GU..Guadalajara
TO..Toledo

Cataluña
B...Barcelona
GE...Girona
L..Lleida
T..Tarragona

Comunidad Foral de Navarra
NA.........................Navarra (Pamplona)

Comunidad Valenciana
A...........................Alacant / Alicante
CS......................Castelló / Castellón
V..............................Valencia / València

Comunidad de Madrid
M...Madrid

Extremadura
BA...Badajoz
CC..Cáceres

Galicia
C..A Coruña
LU..Lugo
OR..Ourense
PO...Pontevedra

Illes Balears
PM ....Balears (Palma de Mallorca)

La Rioja
LO.........................La Rioja (Logroño)

País Vasco
SS ....Guipúzcoa
(Donostía-San Sebastián)
BI..................... Vizcaya (Bilbao)
VI .... Álava (Vitoria-Gasteiz)

Principado de Asturias
O..........................Asturias (Oviedo)

Región de Murcia
MU..Murcia

Ceuta

Melilla

Portugal : Distritos
01 ....Aveiro
02 ....Beja
03 ....Braga
04 ....Bragança
05 ....Castelo
06 ....Coimbra
07 ....Évora
08 ....Faro
09 ....Guarda
10..Leiria
11 ....Lisboa
12...Portalegre
13...Porto
14...Santarém
15 ....Setúbal
16....................................Viana do Castelo
17 ....Vila Real
18...Viseu
(20) ....Açores
31...Ilha da Madeira
32 ....Ilha de Porto Santo

ANDORRA

Andorra la Vella *AND* .... 23 E 34
Arinsal *AND*.................. 23 E 34
Cabanette
(Pic de la) *AND*.............. 23 E 35
Cabris (Collado de) *AND*... 23 E 34
Canillo *AND*................... 23 E 34
Certers *AND*................... 23 E 34
Comapedrosa
(Alt de) *AND* .... 23 E 34
Cortinada (La) *AND*......... 23 E 34
Encamp *AND* .... 23 E 34
Envalira (Port d') *AND*...... 23 E 35
Erts *AND* .... 23 E 34
Escaldes
Engordany *AND*............. 23 E 34
Estanyó (Pic de l') *AND*.... 23 E 34
Fontaneda *AND*.............. 23 E 34
Griu (Alt del) *AND* .... 23 E 34
Juberri *AND*................... 23 E 34
Llorts *AND*.................... 23 E 34
Massana (La) *AND*.......... 23 E 34
Monturull (Pic de) *AND*.... 23 E 34
Ordino *AND*................... 23 E 34
Pal *AND* .... 23 E 34
Pas de la Casa *AND*......... 23 E 35
Pessons (Pic dels) *AND*.... 23 E 34
Port (Pic du) *AND*........... 23 E 34
Ransol *AND* .... 23 E 34
Rat (Port de) *AND*........... 23 E 34
Sant Julià de Lória *AND*... 23 E 34
Santa Coloma *AND*......... 23 E 34
Serrat (El) *AND* .... 23 E 34
Soldeu *AND* .... 23 E 35
Valira d'Orient *AND* .... 23 E 34

ESPAÑA

A

Ababuj *TE*.................. 49 K 27
Abad *C*........................ 3 B 6
Abades *SG*................. 45 J 17

Abadía *CC*.................... 56 L 12
Abadía de Lebanza *P*....... 17 D 16
Abadín *LU*..................... 4 B 7
Abadiño *BI*.................... 10 C 22
Abaigar *NA*................... 19 E 23
Abajas *BU*.................... 18 E 19
Abalario (El) *H*............... 91 U 9
Abalos *LO*.................... 19 E 21
Abaltzisketa *SS*............. 10 C 23
Abánades *GU*................ 47 J 22
Abanco *SO*................... 32 H 21
Abaniella *O*.................... 5 C 10
Abanilla *MU*.................. 85 R 26
Abanillas *S*.................... 7 B 16
Abano *LE*..................... 15 E 11
Abanqueiro *C*................ 12 E 3
Abanto *Z*...................... 48 I 24
Abarca *P*...................... 30 F 15
Abárzuza *NA*................. 19 D 23
Abastas *P*..................... 16 F 15
Abaurrea Alta /
Abaurregaina *NA*...... 11 D 26
Abaurrea Baja /
Abaurrepea *NA*......... 11 D 26
Abaurregaina /
Abaurrea Alta *NA*...... 11 D 26
Abaurrepea /
Abaurrea Baja *NA*...... 11 D 26
Abay *HU*...................... 21 E 28
Abdet (L') *A*.................. 74 P 29
Abegondo *C*................... 3 C 5
Abejar *SO*..................... 33 G 21
Abejas
(Puerto de las) *MA*... 100 V 15
Abejera *ZA*................... 29 G 11
Abejuela *TE*.................. 61 M 27
Abejuela *AL*.................. 96 T 24
Abejuela (La) *AB*........... 84 Q 23
Abelgas *LE*................... 15 D 12
Abella *HU*..................... 22 E 31
Abellá *C*........................ 3 C 5
Abella de la Conca *L*....... 23 F 33

Abellada *HU*................. 21 E 29
Abelleira *C*................... 12 D 2
Abelón *ZA*.................... 29 H 11
Abena *HU*.................... 21 E 28
Abenfigo *TE*.................. 49 J 29
Abengibre *AB*................ 73 O 25
Abenilla *HU*.................. 21 E 29
Abenójar *CR*................. 69 P 16
Abenuz *AB*................... 72 Q 24
Aberásturi *VI*................ 19 D 22
Abertura *CC*................. 68 O 12
Abezames *ZA*............... 30 H 13
Abezia *VI*..................... 18 D 21
Abia de la Obispalía *CU*... 60 L 22
Abia de las Torres *P*....... 17 E 16
Abiada *S*........................ 7 C 17
Abiego *HU*.................... 21 F 29
Abiertas (Las)
Tenerife *TF*............. 126 D 3
Abínzano *NA*................ 20 E 25
Abionzo *S*...................... 7 C 18
Abizanda *HU*................ 22 F 30
Abla *AL*....................... 95 U 21
Ablanque *GU*................ 47 J 23
Ablaña *O*....................... 5 C 12
Ablitas *NA*.................... 34 G 25
Abona (Punta de)
Tenerife *TF*............. 129 G 4
Abreo Tenerife *TF*.......... 127 F 3
Abrera *B*...................... 38 H 35
Abrigos *TE*................... 48 K 25
Abrigos (Los)
Tenerife *TF*............. 129 E 5
Abril (Collado de) *A*....... 85 Q 27
Abrucena *AL*................. 95 U 21
Abuime *LU*................... 13 E 7
Abulagoso *CR*............... 81 Q 17
Abusejo *SA*.................. 43 J 11
Abuzaderas *AB*............. 72 P 24
Acaderas *BA*................. 69 O 15
Acebeda (La) *M*............. 46 I 19
Acebedo *LE*.................... 6 C 14
Acebes *LE*.................... 15 E 12

Acebo *LE*.................... 15 E 10
Acebo *CC*.................... 55 L 9
Acebo (Alto de) *O*............ 4 C 9
Acebrón (El) *CU*............. 59 M 21
Acebrón (El) *H*............... 91 U 10
Acebuchal (El) *J*............ 82 R 19
Acebuchal (El) *SE*.......... 80 T 13
Acebuche *BA*................ 80 Q 13
Acebuche *H*.................. 91 U 10
Acebuche (El) *H*............ 91 U 10
Acebuche (El) *SE*.......... 92 U 14
Acebuche (Puerto) *SE*.... 79 T 11
Acebuche (Punta) *CA*..... 99 X 13
Aceca *TO*..................... 58 M 18
Acedera *BA*.................. 68 O 13
Acedo *NA*..................... 19 D 23
Acehúche *CC*................ 55 M 10
Aceituna *CC*................. 55 L 11
Acequias *GR*................ 101 V 19
Acera de la Vega *P*......... 16 E 15
Acered *Z*...................... 48 I 25
Aceredo *OR*.................. 27 G 5
Aceuchal *BA*................. 67 Q 10
Aceña *SS*..................... 10 C 23
Acibeiro *PO*.................. 13 E 5
Acilu *VI*........................ 19 D 22
Acosta
(Salinas de) *AL*........ 103 V 23
Ácula *GR*...................... 94 U 18
Achada Tenerife *TF*........ 126 F 2
Achadas *AL*.................. 43 K 10
Adahuesca *HU*.............. 22 F 29
Adaja *AV*...................... 44 K 15
Adal Treto *S*.................... 8 B 19
Adalia *VA*..................... 30 H 14
Adalid (El) *CO*............... 81 S 16
Adamuz *CO*.................. 81 R 16
Adanero *AV*.................. 45 J 16
Adarra *SS*.................... 10 C 24
Aday *LU*......................... 4 D 7
Addaia *PM*.................. 106 L 42
Adeanueva
de la Serrezuela *SG*... 32 H 18
Adeje
Tenerife *TF*.............. 128 D 5

Adelán *LU* .... 4 B 7
Adelantado
(Parador El) *J* .... 83 S 21
Ademuz *V*.................... 61 L 26
Adi *NA*....................... 11 C 25
Adina *PO*..................... 12 E 3
Adino *S*......................... 8 B 19
Adiós *NA*..................... 11 D 24
Adobes *GU*................... 48 J 24
Adra *AL*....................... 102 V 20
Adrada (La) *AV*............. 57 L 16
Adrada de Haza *BU*........ 31 H 18
Adrada de Pirón *SG*....... 45 I 17
Adradas *SO*.................. 33 H 22
Adrados *SG*.................. 31 H 17
Adrados *LE*................... 16 D 14
Adrados de Ordás *LE*...... 15 D 12
Adrall *L*........................ 23 F 34
Adriano *SE*................... 91 U 12
Adsubia *A*.................... 74 P 29
Aduanas *A*................... 75 P 30
Aduna *SS*..................... 10 C 23
Agaete
Gran Canaria GC...... 114 C 2
Agalla (Valle de)
Gran Canaria GC...... 114 C 2
Agalla (Sierra) *BA*.......... 68 P 12
Agallas *SA*.................... 43 K 10
Agaró (S') *GI*................. 39 G 39
Åger *L*......................... 22 F 32
Aginaga *SS*................... 10 C 23
Agoitz / Aoiz *NA*............ 11 D 25
Agolada *PO*................... 13 D 5
Agón *Z*......................... 34 G 25
Agoncillo *LO*................. 19 E 23
Agost *A*........................ 86 Q 28
Agra *AB*....................... 84 Q 24
Agramaderos (Los) *J*...... 94 T 18
Agramón *AB*.................. 84 Q 25
Agramunt *L*................... 37 G 33
Agraviados (Los) *CA*....... 99 W 12
Ágreda *SO*................... 34 G 24

Agres *A*....................... 74 P 28
Agrio *SE*...................... 91 T 11
Agrio (Embalse de) *SE*.... 91 T 11
Agrón *GR*..................... 94 U 18
Agua (Cabo de) *MU*....... 97 T 27
Agua (Cueva de) *J*......... 83 S 20
Agua Amarga *AL*........... 103 V 24
Agua García Tenerife *TF*. 124 H 2
Aguacil (Puerto del) *CA*... 99 V 13
Aguada Salada *AB*......... 84 Q 23
Aguadulce *AL*................ 103 V 22
Aguadulce *SE*................ 93 U 15
Aguafría *H*..................... 79 S 9
Aguagla *C*..................... 2 C 3
Aguamansa Tenerife *TF*. 127 G 3
Aguarón *Z*.................... 34 H 26
Aguarón (Puerto de) *Z*.... 34 I 25
Aguas *HU*.................... 21 F 29
Aguas (Las) Tenerife *TF*. 127 E 3
Aguas Cándidas *BU*....... 18 D 19
Aguas Vivas (Río) *Z*....... 49 I 27
Aguasal *VA*................... 31 I 16
Aguasantas cerca
de Ponte-Caldelas *PO*.. 13 E 4
Aguasantas
cerca de Rois *C*....... 12 D 3
Aguasmestas *O*.............. 5 C 11
Aguasnuevas *AB*........... 72 P 24
Aguaviva *TE*.................. 49 J 29
Aguaviva de la Vega *SO*.. 33 I 22
Aguda (Sierra) *BA*.......... 79 R 10
Agudo *CR*.................... 69 P 15
Agudo
Fuerteventura GC...... 113 H 3
Águeda
del Caudillo *SA*......... 42 K 10
Agüera *BU*..................... 8 C 19
Agüera *S*........................ 8 C 20
Aguera *O*....................... 5 B 11
Agüeras (Las) *O*.............. 5 C 11
Agüerina *O*..................... 5 C 11
Agüero *HU*................... 21 E 27

A B C D E F G H I J K L M N O P Q R S T U V W X Y Z

Aguijón (Embalse del) *BA*.. 67 Q 9
Águila *CR* .... 71 Q 19
Águila (Cuevas del) *AV* .. 57 L 14
Águila (El) *TO* .... 70 N 19
Águila (El) *CO* .... 81 R 15
Águila (Punta del) *S* ....8 B 19
Aguilafuente *SG* .... 31 I 17
Aguilar de Anguita *GU* .. 47 I 22
Aguilar de Bureba *BU* .. 18 E 20
Aguilar de Campóo *P* .. 17 D 17
Aguilar de Campóo
  (Embalse de) *P* .. 17 D 16
Aguilar de Campos *VA* .. 30 G 14
Aguilar
  de la Frontera *CO* .. 93 T 16
Aguilar
  de Montuenga *SO* .. 47 I 23
Aguilar de Segarra *B* .. 37 G 34
Aguilar de Tera *ZA* .. 29 G 12
Aguilar del Alfambra *TE* .. 49 K 27
Aguilar
  del Río Alhama *LO* .. 33 G 24
Águilas *MU* .... 97 T 25
Águilas (Las) *MU* .. 85 S 25
Aguilera (La) *BU* .. 32 G 18
Aguillo *BU* .... 19 D 22
Aguiló *T* .... 37 H 34
Aguilón *Z* .... 34 I 26
Agüimes
  Gran Canaria GC .. 117 F 3
Aguinaliu *HU* .. 22 F 31
Aguiño *C* .... 12 E 2
Agullana *GI* .. 25 E 38
Agullent *V* .... 74 P 28
Agulo *La Gomera TF* .. 119 C 1
Agurain / Salvatierra *VI* .. 19 D 22
Agustín *LU* .... 4 D 8
Agustín *V* .... 62 M 27
Aguzadera *MA* .. 99 W 14
Aguzadera (Castillo) *SE* .. 92 U 13
Ahedo de la Sierra *BU* .. 32 F 19
Ahedo de las Pueblas *BU* .. 7 C 18
Ahedo de Linares *BU* .. 18 C 19
Ahedo del Butrón *BU* .. 18 D 18
Ahigal *CC* .... 55 L 11
Ahigal
  de los Aceiteros *SA* .. 42 J 9
Ahigal de Villarino *SA* .. 43 I 10
Ahillas *V* .... 61 M 27
Ahillones *BA* .. 80 R 12
Aia *SS* .... 19 D 23
Aia *SS* .... 10 C 23
Aibar / Oibar *NA* .. 20 E 25
Aielo de Malferit *V* .. 74 P 28
Aiguablava *GI* .. 39 G 39
Aiguablava *GI* .. 25 G 39
Aiguafreda *B* .. 38 G 36
Aiguafreda *GI* .. 25 G 39
Aiguamolls de l'Empordà
  (Parc natural dels) *GI* .. 25 F 39
Aiguamúrcia *T* .. 37 I 34
Aiguaviva *GI* .. 25 G 38
Aiguaviva *T* .. 37 H 34
Aigües de Busot *A* .. 74 Q 28
Aigües Vives
  (Santa María d') *V* .. 74 O 28
Aigüestortes i Estany de Sant Maurici
  (Parc nacional d') *L* .. 23 E 32
Aín *CS* .... 62 M 28
Ainet de Besan *L* .. 23 E 33
Ainsa *HU* .... 22 E 30
Aintzioa *NA* .... 11 D 25
Ainzón *Z* .... 34 G 25
Aire (Puerto del) *CO* .. 81 R 15
Aisa *HU* .... 21 D 28
Aisa (Sierra de) *HU* .. 21 D 28
Aisl *C* .... B 5
Aitona *L* .... 36 H 31
Aizarna *SS* .... 10 C 23
Aizarnazabal *SS* .. 10 C 23
Aja *S* .... 8 C 19
Ajalvir *M* .. 46 K 19
Ajamil *LO* .. 19 F 22
Ajangiz *BI* .... 10 C 22
Ajo *S* .... 8 B 19
Ajo (Cabo de) *S* .. 8 B 19
Ajo (El) *AV* .. 44 J 14
Ajofrín *TO* .. 58 M 18
Ajuy *Fuerteventura GC* .. 110 F 3
Alacant / Alicante *A* .. 86 Q 28
Alacón *Z* .... 48 I 27
Aladrén *Z* .... 34 I 26
Alaejos *VA* .. 30 I 14
Alagón *Z* .... 34 G 26
Alagón del Caudillo *CC* .. 55 M 11
Alagones (Los) *TE* .. 49 J 29
Alagüeces *MU* .. 84 S 24

Alaior *PM* .... 106 M 42
Alaiza *VI* .... 19 D 22
Alájar *H* .... 79 S 10
Alajeró *La Gomera TF* .. 118 D 3
Alaló *SO* .... 32 H 21
Alalpardo *M* .. 46 K 19
Alameda (La) *SO* .. 33 H 23
Alameda (La) *CR* .. 70 Q 18
Alameda de Cervera *CR* .. 71 O 20
Alameda
  de Gardón (La) *SA* .. 42 K 9
Alameda de la Sagra *TO* .. 58 L 18
Alameda del Obispo *CO* .. 81 S 15
Alameda del Valle *M* .. 45 J 18
Alamedilla *GR* .. 95 T 20
Alamedilla *TO* .. 58 M 17
Alamedilla (La) *SA* .. 42 K 9
Alamedilla
  del Berrocal (La) *AV* .. 44 J 15
Alamillo *CR* .. 69 P 15
Alamillo (El) *H* .. 91 U 10
Alamillo
  (Estación de) *CR* .. 69 P 15
Alamín *M* .. 58 L 17
Alaminos *GU* .. 47 J 21
Alamitos (Los) *SE* .. 80 S 13
Álamo *CA* .. 99 W 12
Álamo (El) *M* .. 58 L 18
Álamo (El)
  cerca de El Madroño *SE* .. 79 T 10
Álamo (El) cerca de Lora
  del Río *SE* .. 80 T 13
Álamos (Los) *AL* .. 96 T 23
Alamús (Els) *L* .. 36 H 32
Alandre *BA* .. 69 O 14
Alange *BA* .. 67 P 11
Alanís *SE* .. 80 R 12
Alanís (Estación de) *SE* .. 80 S 12
Alaquàs *V* .. 62 N 28
Alar del Rey *P* .. 17 E 17
Alaraz *SA* .. 44 J 14
Alarba *Z* .. 48 I 25
Alarcia *BU* .. 18 F 20
Alarcón *CU* .. 60 N 23
Alarcón
  (Embalse de) *CU* .. 60 N 23
Alarcones *J* .. 82 R 18
Alares (Los) *TO* .. 57 N 15
Alarilla *GU* .. 46 J 20
Alarilla *M* .. 59 L 20
Alaró *PM* .. 104 M 38
Alàs i Cerc *L* .. 23 E 34
Alastuey *HU* .. 20 E 26
Álava *Provincia O* .. 19 D 21
Alazores
  (Puerto de los) *GR* .. 93 U 17
Alba *TE* .. 48 K 25
Albà *cerca de Palas
  de Rei LU* .. 13 D 6
Albà *cerca de Villalba LU* ..3 C 6
Alba de Cerrato *P* .. 31 G 16
Alba de los Cardaños *P* .. 17 D 15
Alba de Tormes *SA* .. 44 J 13
Alba de Yeltes *SA* .. 43 J 11
Albacete *AB* .. 72 P 24
Albagés (L') *L* .. 36 H 32
Albaicín *MA* .. 93 U 16
Albaida *V* .. 74 P 28
Albaida (Port d') *A* .. 74 P 28
Albaida del Aljarafe *SE* .. 91 T 11
Albaina *BU* .. 19 D 22
Albalá *CC* .. 67 O 11
Albaladejito *CU* .. 60 L 23
Albaladejo *CR* .. 71 Q 21
Albaladejo del Cuende *CU* .. 60 M 23
Albalat de la Ribera *V* .. 74 O 28
Albalate de Cinca *HU* .. 36 G 30
Albalate
  de las Nogueras *CU* .. 47 K 23
Albalate de Zorita *GU* .. 59 L 21
Albalate
  del Arzobispo *TE* .. 49 I 28
Albalatillo *HU* .. 35 G 29
Albánchez *CR* .. 71 Q 21
Albánchez de Mágina *J* .. 82 S 19
Albanyà *GI* .. 24 F 38
Albarda *AB* .. 72 Q 23
Albarda *MU* .. 85 R 26
Albarderos
  (Los) *Gran Canaria GC* .. 115 F 1
Albarellos *PO* .. 13 E 5
Albarellos
  cerca de Beariz *OR* .. 13 E 5

ALBACETE

0 300 m

Arcángel San Gabriel .... BZ 3
Arquitecto Julio Carrilero
  (Áv. del) .... AY 4
Blasco Ibáñez .... AYZ 6
La Caba .... BZ 7
Calderón de la Barca .... BZ 9
Carmen .... BY 13
Carretas (Pl. de las) .... BZ 14
Casas Ibañez .... AY 16
Comandante Molina .... ABY 17
Comandante Padilla .... BZ 18
La Concepción .... BYZ 20
Diego de Velázquez .... BZ 22
Doctor García Reyes .... BZ 23
Francisco Fontecha .... BZ 26
Gabriel Ciscar .... AY 28
Gabriel Lodares (Pl. de) ...... BZ 29

Isabel la Católica (Av.) ...... ABY 32
Juan de Toledo .... AY 33
Juan Sebastián Elcano ...... AY 34
Libertad (Pas. de la) .... BY 38
Lodares (Pje de) .... BZ 41
Luis Herreros .... AZ 42
Mancha (Pl. de la) .... AY 45
Marqués de Molins .... BYZ 46
Martínez Villena .... BZ 49
Mayor .... BYZ 50
Mayor (Pl.) .... BY 51
Murcia (Puerta de) .... BZ 54
Pablo Medina .... BY 56
Padre Romano .... BY 57
Pedro Martínez Gutiérrez ...... AY 60
Pedro Simón Abril
  (Pas. de) .... BZ 61

Rosario .... ABYZ 64
Santa Quiteria .... BZ 74
Santisima Virgen
  (Camino de la) .... AY 75
San Agustín .... BYZ 66
San Antonio .... BY 67
San Julián .... BY 70
San Sebastián .... AY 71
Teodoro Camino .... BZ 78
Tesifonte Gallego .... BZ 79
Tinte .... BZ 82
Valencia (Carretera de) .... BZ 84
Valencia (Puerta de) ...... BZ 85
Vasco Núñez
  de Balboa .... BY 88
Virgen de las Maravillas ... AY 89
Zapateros .... BY 92

Museo (Muñecas romanas articuladas) .... BZ M¹

Albarellos
  cerca de Verín *OR* .. 28 G 7
Albarellos
  (Embalse de) *OR* .. 13 E 5
Albaricoques (Los) *AL* .. 103 V 23
Albarín *HU* .. 21 E 28
Albariño (Parador del)
  Cambados PO .. 12 E 3
Albarracín *TE* .. 48 K 25
Albarracín
  (Sierra de) *TE* .. 48 K 25
Albarrana (Sierra) *CO* .. 80 R 13
Albarreal de Tajo *TO* .. 58 M 17
Albatàrrec *L* .. 36 H 31
Albatana *AB* .. 85 R 27
Albatera *A* .. 85 R 27
Albayate (Sierra) *CO* .. 94 T 17
Albelda *HU* .. 36 G 31
Albelda de Iregua *LO* .. 19 E 22
Albendea *CU* .. 47 K 22
Albendiego *GU* .. 32 I 20

Albendín *CO* .. 81 S 17
Albéniz *VI* .. 19 D 23
Albentosa *TE* .. 61 L 27
Alberca (La) *SA* .. 43 K 11
Alberca (La) *MU* .. 85 S 26
Alberca
  de Záncara (La) *CU* .. 60 N 22
Alberche *TO* .. 57 M 15
Alberguería *OR* .. 13 F 7
Alberguería
  de Argañán (La) *SA* .. 42 K 9
Alberic *V* .. 74 O 28
Alberite *LO* .. 19 E 22
Alberite de San Juan *Z* .. 34 G 25
Albero Alto *HU* .. 21 F 28
Albero Bajo *HU* .. 21 F 28
Alberuela de Tubo *HU* .. 35 G 29
Alberuela
  de la Liena *HU* .. 22 F 29
Albesa *L* .. 36 G 31
Albeta *Z* .. 34 G 25
Albi (L') *L* .. 37 H 32
Albilla (Fuente) *AB* .. 72 Q 24
Albillos *BU* .. 18 F 18

Albinyana *T* .. 37 I 34
Albiol (L') *T* .. 37 I 33
Albir *A* .. 74 Q 29
Albires *LE* .. 16 F 14
Albiztur *SS* .. 10 C 23
Albocàsser *CS* .. 50 K 30
Alboloduy *AL* .. 95 U 22
Albolote *GR* .. 94 U 19
Albondón *GR* .. 102 V 20
Albons *GI* .. 25 F 39
Alborache *V* .. 73 N 27
Alboraya *V* .. 62 N 28
Alborea *AB* .. 73 O 25
Alboreca *GU* .. 47 I 22
Alborge *Z* .. 35 H 28
Albornos *AV* .. 44 J 15
Albox *AL* .. 96 T 23
Albudeite *MU* .. 85 R 25
Albuera (La) *BA* .. 67 P 9
Albufera (L') *V* .. 74 O 28
Albufera de Anna (La) *V* .. 74 O 28
Albujón *MU* .. 85 S 26
Albujón (Rambla de) *MU* .. 85 S 26
Albuñán *GR* .. 95 U 20

Albuñol *GR* .. 102 V 20
Albuñuelas *GR* .. 101 V 19
Alburquerque *BA* .. 67 O 9
Alcabala Alta *SE* .. 92 U 13
Alcabón *TO* .. 57 L 16
Alcachofar (El) *SE* .. 92 T 12
Alcadozo *AB* .. 72 Q 24
Alcahozo *CU* .. 73 N 25
Alcaide *AL* .. 84 S 23
Alcaidía (La) *CO* .. 93 T 16
Alcaine *TE* .. 49 J 27
Alcalá *Tenerife TF* .. 128 C 4
Alcalá (Puerto de) *TE* .. 49 K 27
Alcalá de Ebro *Z* .. 34 G 26
Alcalá de Guadaira *SE* .. 92 T 12
Alcalá de Gurrea *HU* .. 21 F 27
Alcalá de Henares *M* .. 46 K 19
Alcalá de la Selva *TE* .. 49 K 27
Alcalá de la Vega *CU* .. 61 L 25
Alcalá
  de los Gazules *CA* .. 99 W 12
Alcalà de Moncayo *Z* .. 34 G 24
Alcalà de Xivert *CS* .. 50 L 30
Alcalá del Júcar *AB* .. 73 O 25
Alcalá del Obispo *HU* .. 21 F 29

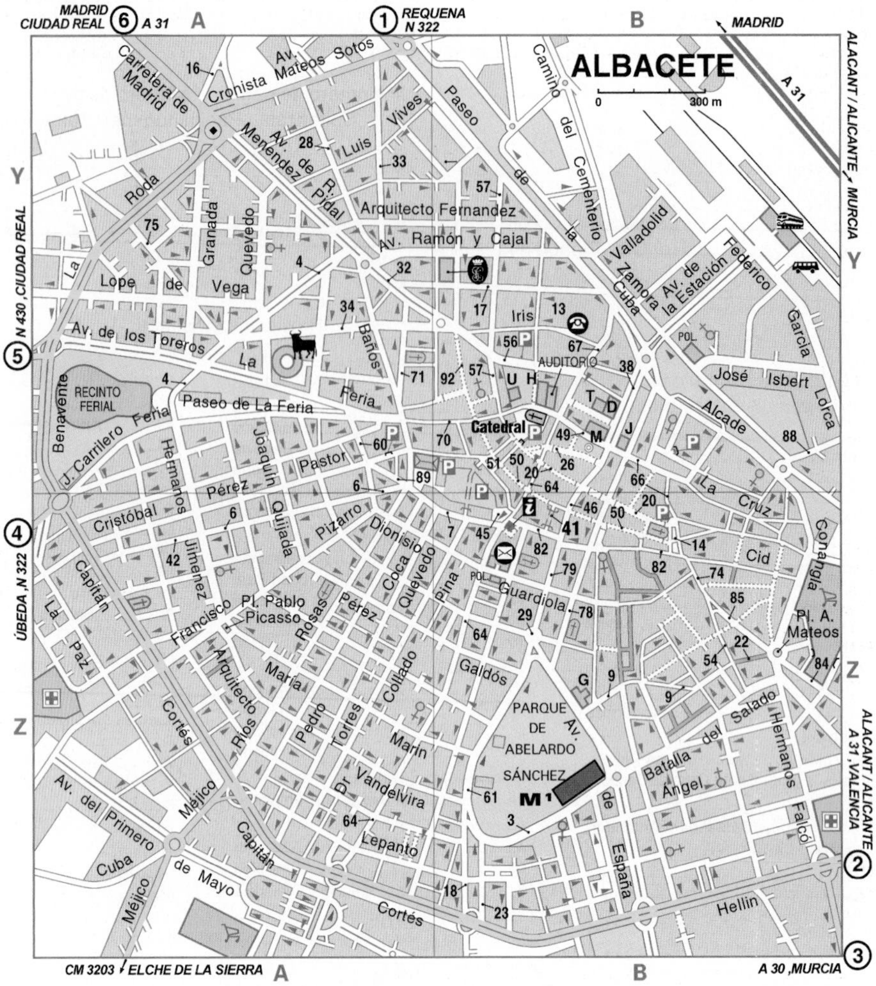

A
B
C
D
E
F
G
H
I
J
K
L
M
N
O
P
Q
R
S
T
U
V
W
X
Y
Z

Alcalá del Río *SE* .... 91 T 12
Alcalá del Valle *CA* .... 92 V 14
Alcalá la Real *J* .... 94 T 18
Alcalali *A* .... 74 P 29
Alcalde (El) *TO* .... 59 M 20
Alcalfar *PM* .... 106 M 42
Alcampel *HU* .... 36 G 31
Alcanà *A* .... 85 Q 27
Alcanadre *LO* .... 19 E 23
Alcanadre (Río) *HU* .... 21 E 29
Alcanar *T* .... 50 K 31
Alcanar Platje *T* .... 50 K 31
Alcanó *L* .... 36 H 31
Alcántara *CC* .... 55 M 9
Alcántara (Embalse de) *CC* .... 55 M 9
Alcantarilla *MU* .... 85 S 26
Alcantarillas (Estación de las) *SE* .... 92 U 12
Alcantud *CU* .... 47 K 23
Alcañices *ZA* .... 29 G 10
Alcañiz *TE* .... 49 I 29
Alcañizo *TO* .... 57 M 14
Alcaparrosa *J* .... 82 R 17
Alcaracejos *CO* .... 81 Q 15
Alcaraz *AB* .... 72 Q 22
Alcarràs *L* .... 36 H 31
Alcarria (La) *GU* .... 47 J 21
Alcàsser *V* .... 74 N 28
Alcaucín *MA* .... 101 V 17
Alcaudete *J* .... 94 T 17
Alcaudete *SE* .... 92 T 12
Alcaudete de la Jara *TO* .... 57 M 15
Alcaudique *AL* .... 102 V 21
Alcazaba *BA* .... 67 P 9
Alcazaba (La) *AL* .... 103 V 22
Alcázar *GR* .... 102 V 19
Alcázar *J* .... 94 T 17
Alcázar de San Juan *CR* .... 71 N 20
Alcázar del Rey *CU* .... 59 L 21
Alcazarén *VA* .... 31 H 15
Alcázares (Los) *MU* .... 85 S 27
Alceda *S* .... 7 C 18
Alcoba de la Torre *SO* .... 32 G 19
Alcoba de los Montes *CR* .... 69 O 16
Alcobendas *M* .... 46 K 19
Alcocer *GU* .... 47 K 22
Alcocero de Mola *BU* .... 18 E 19
Alcohujate *CU* .... 47 K 22
Alcoi / Alcoy *A* .... 74 P 28
Alcola (Alto de) *V* .... 73 O 26
Alcolea *AL* .... 102 V 21
Alcolea *CO* .... 81 S 15
Alcolea de Calatrava *CR* .... 70 P 17
Alcolea de Cinca *HU* .... 36 G 30
Alcolea de las Peñas *GU* .... 47 I 21
Alcolea de Tajo *TO* .... 57 M 14
Alcolea del Pinar *GU* .... 47 I 22
Alcolea del Río *SE* .... 80 T 12
Alcoleja *A* .... 74 P 29
Alcoletge *L* .... 36 H 32
Alcollarín *CC* .... 68 O 12
Alconaba *SO* .... 33 G 22
Alconada *SA* .... 44 J 13
Alconada de Maderuelo *SG* .... 32 H 19
Alconchel *BA* .... 66 Q 8
Alconchel de Ariza *Z* .... 47 I 23
Alconchel de la Estrella *CU* .... 59 M 22
Alconera *BA* .... 79 Q 10
Alcanétar (Puente romano de) *CC* .... 55 M 10
Alcóntar *AL* .... 95 T 22
Alcor *M* .... 90 U 9
Alcor (El) *M* .... 45 K 17
Alcora (L') *CS* .... 62 L 29
Alcoraya (L') *A* .... 86 Q 28
Alcorcillo *ZA* .... 29 G 10
Alcorcón *M* .... 45 K 18
Alcorisa *TE* .... 49 J 28
Alcorlo (Embalse de) *GU* .... 46 I 20
Alcorneo *CC* .... 66 O 8
Alcornocal *SE* .... 80 S 13
Alcornocal (El) *CR* .... 69 O 16
Alcornocal (El) *CO* .... 80 R 14
Alcornocalejo *SE* .... 80 T 12
Alcornocales (Parque natural de los) *CA* .... 99 W 13
Alcornocosa *CO* .... 80 Q 14
Alcornocosa (La) *SE* .... 79 S 11
Alcoroches *GU* .... 48 K 24
Alcossebre *T* .... 63 L 30
Alcotas *TE* .... 61 L 27

Alcotas *V* .... 61 M 27
Alcover *T* .... 37 I 33
Alcoy / Alcoi *A* .... 74 P 28
Alcozar *SO* .... 32 H 20
Alcozarejos *AB* .... 73 O 25
Alcubierre *HU* .... 35 G 28
Alcubierre (Puerto de) *HU* .... 35 G 28
Alcubierre (Sierra de *Z*) .... 35 G 28
Alcubilla de Avellaneda *SO* .... 32 G 20
Alcubilla de las Peñas *SO* .... 33 I 22
Alcubilla de Nogales *ZA* .... 15 F 12
Alcubilla del Marqués *SO* .... 32 H 20
Alcubillas *CR* .... 71 P 20
Alcubillas (Las) *AL* .... 95 U 22
Alcubillete *TO* .... 58 M 17
Alcublas *V* .... 62 M 27
Alcúdia *Mallorca PM* .... 105 M 39
Alcúdia (L') *V* .... 74 O 28
Alcúdia (L') (Ruines d'Illici) *A* .... 86 R 27
Alcúdia de Crespins (L') *V* .... 74 P 28
Alcudia de Guadix *GR* .... 95 U 20
Alcúdia de Monteagud *AL* .... 96 U 23
Alcúdia de Veo *CS* .... 62 M 28
Alcuéscar *CC* .... 67 O 11
Alcuetas *LE* .... 16 F 13
Alcuneza *GU* .... 47 I 22
Alda *VI* .... 19 D 23
Aldaba *NA* .... 10 D 24
Aldaia / Aldaya *V* .... 62 N 28
Aldán *PO* .... 12 F 3
Aldanas *BI* .... 9 C 21
Aldaris *T* .... 12 D 3
Aldatz *NA* .... 10 C 24
Aldea *SO* .... 32 H 20
Aldea *LU* .... 3 C 6
Aldea (L') *T* .... 50 J 31
Aldea (Punta de la) *Gran Canaria GC* .... 114 B 2
Aldea Blanca *GC* .... 117 F 4
Aldea Blanca *Tenerife TF* .... 128 E 5
Aldea de Arango *TO* .... 57 L 15
Aldea de Arriba *OR* .... 13 F 6
Aldea de Ebro *S* .... 17 D 17
Aldea de Estenas *V* .... 61 N 26
Aldea de les Coves *V* .... 61 N 26
Aldea de los Corrales *V* .... 61 N 26
Aldea de Pallarès *BA* .... 79 R 11
Aldea de San Miguel *VA* .... 31 H 16
Aldea de San Nicolás (La) *Gran Canaria GC* .... 114 B 3
Aldea de Trujillo *CC* .... 56 N 12
Aldea del Cano *CC* .... 67 O 11
Aldea del Cano (Estación de) *CC* .... 67 O 10
Aldea del Fresno *M* .... 45 L 17
Aldea del Obispo *SA* .... 42 J 9
Aldea del Pinar *BU* .... 32 G 20
Aldea del Portillo de Busto (La) *BU* .... 18 D 20
Aldea del Puente (La) *LE* .... 16 E 14
Aldea del Rey *CR* .... 70 P 18
Aldea del Rey Niño *AV* .... 44 K 15
Aldea en Cabo *TO* .... 57 L 16
Aldea Moret *CC* .... 55 N 10
Aldea Quintana *CO* .... 81 S 15
Aldea Real *SG* .... 45 I 17
Aldeacentenera *CC* .... 56 N 13
Aldeacipreste *SA* .... 43 K 12
Aldeacueva *BI* .... 8 C 19
Aldeadávila (Embalse de) *SA* .... 28 I 10
Aldeadávila de la Ribera *SA* .... 28 I 10
Aldeahermosa *J* .... 83 R 20
Aldealabad del Mirón *AV* .... 44 K 13
Aldealafuente *SO* .... 33 G 23
Aldealázaro *SG* .... 32 H 19
Aldealbar *VA* .... 31 H 16
Aldealcardo *SO* .... 33 F 23
Aldealcorvo *SG* .... 33 I 18
Aldealengua *SA* .... 44 J 13
Aldealengua de Pedraza *SG* .... 45 I 18
Aldealengua de Santa María *SG* .... 32 H 19
Aldealices *SO* .... 33 G 23
Aldealpozo *SO* .... 33 G 23

Aldealseñor *SO* .... 33 G 23
Aldeamayor de San Martín *VA* .... 31 H 16
Aldeanueva de Atienza *GU* .... 46 I 20
Aldeanueva de Barbarroya *TO* .... 57 M 14
Aldeanueva de Cameros *LO* .... 19 F 22
Aldeanueva de Ebro *LO* .... 20 F 24
Aldeanueva de Figueroa *SA* .... 44 I 13
Aldeanueva de Guadalajara *GU* .... 46 J 20
Aldeanueva de la Sierra *SA* .... 43 K 11
Aldeanueva de la Vera *CC* .... 56 L 12
Aldeanueva de Portanobis *SA* .... 42 J 10
Aldeanueva de San Bartolomé *TO* .... 57 N 14
Aldeanueva de Santa Cruz *AV* .... 44 K 13
Aldeanueva del Camino *CC* .... 56 L 12
Aldeanueva del Codonal *SG* .... 45 I 16
Aldeaquemada *J* .... 82 Q 19
Aldearrodrigo *SA* .... 43 I 12
Aldearrubia *SA* .... 44 I 13
Aldeaseca *AV* .... 44 I 15
Aldeaseca de Alba *SA* .... 44 J 13
Aldeaseca de la Frontera *SA* .... 44 J 14
Aldeasoña *SG* .... 31 H 17
Aldeatejada *SA* .... 43 J 12
Aldeavieja *AV* .... 45 J 16
Aldeavieja de Tormes *SA* .... 43 K 13
Aldehorno *SG* .... 32 H 18
Aldehuela *CC* .... 43 K 10
Aldehuela *cerca de Aliaga TE* .... 49 J 27
Aldehuela *cerca de Teruel TE* .... 61 L 26
Aldehuela (La) *M* .... 59 L 19
Aldehuela (La) *AV* .... 44 K 13
Aldehuela de Ágreda *SO* .... 34 G 24
Aldehuela de Calatañazor *SO* .... 33 G 21
Aldehuela de Jerte *CC* .... 55 L 11
Aldehuela de la Bóveda *SA* .... 43 J 11
Aldehuela de Liestos *Z* .... 48 I 24
Aldehuela de Periáñez *SO* .... 33 G 23
Aldehuela de Yeltes *SA* .... 43 K 11
Aldehuela del Codonal *SG* .... 45 I 16
Aldehuelas (Las) *SO* .... 33 G 22
Aldeire *GR* .... 95 U 20
Aldeonsancho *SG* .... 31 I 18
Aldeonte *SG* .... 32 H 18
Aldeyuso *VA* .... 31 H 17
Aldige *LU* .... 4 C 7
Aldover *T* .... 50 J 31
Alea *O* .... 6 B 14
Aleas *GU* .... 46 J 20
Aledo *MU* .... 85 S 25
Alegia *SS* .... 10 C 23
Aleranza *Lanzarote GC* .... 120 E 1
Aleranza (Isla) *Lanzarote GC* .... 120 E 1
Alegría (La) *SE* .... 92 U 12
Alegría-Dulantzi *VI* .... 19 D 22
Aleixar (L') *T* .... 37 I 33
Alejos (Los) *AB* .... 84 Q 23
Alella *B* .... 38 H 36
Alentisque *SO* .... 33 H 23
Aler *HU* .... 22 F 31
Alerre *HU* .... 21 F 28
Alesanco *LO* .... 19 E 21
Alesón *LO* .... 19 E 21
Alevia *O* .... 7 B 16
Alfacs (Port dels) *T* .... 50 K 31
Alfafar *V* .... 62 N 28
Alfafara *A* .... 74 P 28
Alfaix *AL* .... 96 U 24
Alfajarín *Z* .... 35 H 27
Alfambra *TE* .... 49 K 26
Alfambra (Río) *TE* .... 49 K 26
Alfamén *Z* .... 34 H 26

Alfántega *HU* .... 36 G 30
Alfara d'Algímia *V* .... 62 M 28
Alfara de Carles *T* .... 50 J 31
Alfaraz de Sayago *ZA* .... 29 I 12
Alfarb *V* .... 74 O 28
Alfarnate *MA* .... 101 V 17
Alfarnatejo *MA* .... 101 V 17
Alfaro *LO* .... 20 F 24
Alfarrasí *V* .... 74 P 28
Alfàs del Pi (L') *A* .... 74 Q 29
Alfera (La) *AB* .... 84 Q 23
Alfés *L* .... 36 H 31
Alfocea *Z* .... 35 G 27
Alfondeguilla *CS* .... 62 M 29
Alfonso XIII *SE* .... 91 U 11
Alfoquia (La) *AL* .... 96 T 23
Alforja *T* .... 37 I 32
Alfornón *GR* .... 102 V 20
Alforque *Z* .... 35 I 28
Alfoz *LU* .... 14 D 8
Alfoz *Castro de Ouro LU* .... 4 B 7
Algadefe *LE* .... 16 F 13
Algaida *PM* .... 104 N 38
Algaida (La) *MU* .... 85 R 26
Algaida (La) *SE* .... 91 V 11
Algallarín *CO* .... 81 R 16
Algámitas *SE* .... 92 U 14
Algar *CA* .... 99 W 13
Algar (El) *MU* .... 85 T 27
Algar de Mesa *GU* .... 47 I 24
Algar de Palància *V* .... 62 M 28
Algar de Palància (Embassament d') *V* .... 62 M 28
Algarabejo (El) *SE* .... 92 U 13
Algarín *SE* .... 80 T 13
Algarinejo *GR* .... 94 U 17
Algarra *CU* .... 61 L 25
Algarróbillo (El) *SE* .... 92 V 12
Algarrobo *MA* .... 101 V 17
Algarrobo Costa *MA* .... 101 V 17
Algatocín *MA* .... 99 W 14
Algayón *HU* .... 36 G 31
Algeciras (La) *TE* .... 49 J 28
Algeciras *CA* .... 99 X 13
Algeciras (Bahía de) *CA* .... 99 X 13
Algemesí *V* .... 74 O 28
Algendar (Barranc d') *PM* .... 106 M 41
Algerri *L* .... 36 G 31
Algete *M* .... 46 K 19
Algezares *cerca de Cehegín MU* .... 84 R 24
Algezares *cerca de Murcia MU* .... 85 S 26
Algibillo *J* .... 82 R 17
Algímia d'Alfara *V* .... 62 M 28
Algimia de Almonacid *CS* .... 62 M 28
Alginet *V* .... 74 O 28
Algodonales *CA* .... 92 V 13
Algodor *M* .... 58 M 18
Algodre *ZA* .... 30 H 13
Algora *GU* .... 47 J 22
Algorfa *A* .... 85 R 27
Algorta *BI* .... 8 B 20
Algozón *LU* .... 13 E 6
Alguaire *L* .... 36 G 31
Alguazas *MU* .... 85 R 26
Algueña (L') *A* .... 85 Q 26
Alhabia *AL* .... 102 V 22
Alhama (Tierras de) *GR* .... 101 V 17
Alhama de Almería *AL* .... 103 V 22
Alhama de Aragón *Z* .... 34 I 24
Alhama de Granada *GR* .... 94 U 18
Alhama de Murcia *MU* .... 85 S 26
Alhambra *CR* .... 71 P 20
Alhambra (La) *GR* .... 94 U 19
Alhambras (Las) *TE* .... 61 L 27
Alhanchete (El) *AL* .... 96 U 24
Alharilla *J* .... 82 S 17
Alhaurín de la Torre *MA* .... 100 W 16
Alhaurín el Grande *MA* .... 100 W 15
Alhendín *GR* .... 94 U 19
Alhóndiga *GU* .... 47 K 21
Aliaga *TE* .... 49 J 27
Aliaguilla *CU* .... 61 M 26
Alicante / Alacant *A* .... 86 Q 28
Alicante (Golfo de) *A* .... 86 R 28
Alicún *AL* .... 102 V 22
Alicún de las Torres *GR* .... 95 T 20
Alicún de Ortega *GR* .... 95 T 20

Alienes *O* .... 5 B 10
Alija *LE* .... 16 E 13
Alija del Infantado *LE* .... 15 F 12
Alijar (Puerto de) *MA* .... 100 W 14
Alins *L* .... 23 E 33
Alíns del Monte *HU* .... 22 F 31
Alinyà *L* .... 23 F 34
Alió *T* .... 37 I 33
Alique *GU* .... 47 K 22
Alisal (El) *SE* .... 79 T 11
Alisar (El) *SE* .... 79 T 11
Alisas (Puerto de) *S* .... 8 C 19
Aliseda *CC* .... 55 N 9
Aliseda (La) *J* .... 82 R 19
Aliseda de Tormes (La) *AV* .... 44 L 13
Aliste *ZA* .... 29 G 11
Aliste (Cabañas de) *ZA* .... 29 G 11
Aliud *SO* .... 33 H 23
Aljabaras (Las) *CO* .... 80 S 14
Aljaraque *H* .... 90 U 8
Aljariz *AL* .... 96 U 24
Aljibe (La) *SA* .... 91 T 11
Aljibe (El) *MU* .... 96 T 24
Aljibe (Sierra del) *CR* .... 70 O 19
Aljibe (Sierra del) *BA* .... 69 N 15
Aljorra (La) *MU* .... 85 R 26
Aljube *AB* .... 73 Q 25
Aljucén *BA* .... 67 O 11
Aljunzarejo (El) *MU* .... 85 R 26
Alkotz *NA* .... 11 C 24
Alkiza *SS* .... 10 C 23
Allariz *OR* .... 13 F 6
Allariz (Alto de) *OR* .... 13 F 6
Allepuz *TE* .... 49 K 27
Allés *O* .... 7 B 15
Allín *NA* .... 19 D 23
Allo *NA* .... 19 E 23
Alloz *NA* .... 10 D 24
Alloza *TE* .... 49 J 28
Allozo (El) *CR* .... 71 P 21
Allueva *TE* .... 48 J 26
Almacelles *L* .... 36 G 31
Almáchar *MA* .... 101 V 17
Almaciles *GR* .... 84 S 22
Almadén *CR* .... 69 P 15
Almadén de la Plata *SE* .... 79 S 11
Almadenejos *CR* .... 69 P 15
Almadraba (La) *CA* .... 98 W 10
Almadraba de Monteleva (La) *AL* .... 103 V 23
Almadrava (L') *T* .... 51 J 32
Almadrones *GU* .... 47 J 21
Almagarinos *LE* .... 15 D 11
Almagrera (Cabeza) *BA* .... 68 P 14
Almagrera (Sierra) *AL* .... 96 U 24
Almagro *CR* .... 70 P 18
Almagros *MU* .... 85 S 26
Almajalejo *AL* .... 96 T 24
Almajano *SO* .... 33 G 22
Almallá *GU* .... 48 J 24
Almaluez *SO* .... 33 I 22
Almanfrà *B* .... 85 Q 27
Almandoz *NA* .... 11 C 25
Almansa *AB* .... 73 P 26
Almansa *CC* .... 69 O 14
Almansa (Embalse de) *AB* .... 73 P 26
Almansas *J* .... 83 S 20
Almanza *LE* .... 16 E 14
Almanzor (Pico) *AV* .... 56 L 14
Almanzora *AL* .... 96 T 23
Almarail *SO* .... 33 H 22
Almaraz *TE* .... 48 M 12
Almaraz de Duero *ZA* .... 29 H 12
Almarcha (La) *CU* .... 60 M 22
Almarchal (El) *CA* .... 99 X 12
Almargen *MA* .... 99 V 14
Almarza *SO* .... 33 G 22
Almarza de Cameros *LO* .... 19 F 22
Almàssera *V* .... 62 N 28
Almassora *CS* .... 62 M 29
Almazán *SO* .... 33 H 22
Almázcara *LE* .... 15 E 10
Almazorre *HU* .... 22 F 30
Almazul *SO* .... 33 H 23
Almedíjar *cerca de Segorbe CS* .... 62 M 28
Almedina *CR* .... 71 Q 21
Almedinilla *CO* .... 94 T 17
Almegíjar *GR* .... 102 V 20
Almeida *ZA* .... 29 I 11

Almenar *L* .... 36 G 31
Almenar de Soria *SO* .... 33 G 23
Almenara *L* .... 45 K 17
Almenara *Castelló CS* .... 62 M 28
Almenara de Adaja *VA* .... 31 I 15
Almenara de Tormes *SA* .... 43 I 12
Almenaras *AB* .... 72 Q 23
Almendra *SA* .... 29 H 12
Almendra *ZA* .... 29 H 12
Almendra (Embalse de) *SA* .... 29 I 11
Almendral *GR* .... 94 U 17
Almendral *BA* .... 67 Q 9
Almendral *CC* .... 56 L 11
Almendral (El) *AL* .... 95 U 22
Almendral (El) *GR* .... 101 V 17
Almendral de la Cañada *TO* .... 57 L 13
Almendralejo *BA* .... 67 P 10
Almendres *BU* .... 18 D 19
Almendricos *MU* .... 96 T 24
Almendro (El) *H* .... 90 T 8
Almendros *CU* .... 59 M 21
Almensilla *SE* .... 91 U 11
Almería *AL* .... 103 V 22
Almería (Golfo de) *AL* .... 103 V 22
Almerimar *AL* .... 102 V 21
Almeza (La) *V* .... 61 M 27
Almirez *GR* .... 84 T 22
Almiruete *GU* .... 46 I 20
Almochuel *Z* .... 35 I 28
Almócita *AL* .... 102 V 21
Almodóvar *CA* .... 99 X 12
Almodóvar del Campo *CR* .... 70 P 17
Almodóvar del Pinar *CU* .... 60 M 24
Almodóvar del Río *CO* .... 81 S 14
Almoguera *GU* .... 59 L 21
Almohaja *TE* .... 48 K 25
Almoharín *CC* .... 68 O 11
Almoines *V* .... 74 P 29
Almolda (La) *Z* .... 35 H 29
Almonacid de la Cuba *Z* .... 35 I 27
Almonacid de la Sierra *Z* .... 34 H 26
Almonacid de Toledo *TO* .... 58 M 18
Almonacid de Zorita *GU* .... 47 L 21
Almonacid del Marquesado *CU* .... 59 M 21
Almonaster la Real *H* .... 79 S 9
Almontas (Las) *GR* .... 83 S 21
Almonte *H* .... 91 U 10
Almoradí *A* .... 85 R 27
Almoraima *CA* .... 99 X 13
Almorchón *BA* .... 68 P 14
Almoster *T* .... 37 I 33
Almudáfar *HU* .... 36 H 30
Almudaina *A* .... 74 P 28
Almudena (La) *MU* .... 84 R 24
Almudévar *HU* .... 21 F 28
Almunia de Doña Godina (La) *Z* .... 34 H 25
Almunia de San Juan *HU* .... 36 G 30
Almunias (Las) *HU* .... 21 F 29
Almuniente *HU* .... 35 G 28
Almuña *O* .... 5 B 10
Almuradiel *CR* .... 82 Q 19
Almurfe *O* .... 5 C 11
Almussafes *V* .... 74 O 28
Almuñécar *GR* .... 101 V 18
Alobras *TE* .... 61 L 25
Alocén *GU* .... 47 K 21
Alojera *La Gomera TF* .... 118 B 2
Alomartes *GR* .... 94 U 18
Alonso de Ojeda *CC* .... 68 O 12
Alonsótegi *BI* .... 8 C 21
Alor *BA* .... 66 Q 8
Alora *MA* .... 100 V 15
Alòs de Balaguer *L* .... 37 G 32
Alòs d'Isil *L* .... 23 D 33
Alosno *H* .... 90 T 8
Alovera *GU* .... 46 K 20
Alozaina *MA* .... 100 V 15
Alp *L* .... 24 E 35
Alpandeire *MA* .... 99 W 14
Alpanseque *SO* .... 33 I 21
Alpartir *Z* .... 34 H 25
Alpatró *V* .... 74 P 29
Alpedrete *M* .... 45 K 17
Alpedroches *GU* .... 32 I 20
Alpens *B* .... 24 F 36
Alpeñés *TE* .... 48 J 26
Alpera *AB* .... 73 P 26
Alpicat *L* .... 36 G 31
Alpizar *H* .... 91 T 10

ALACANT/ALICANTE

Adolfo Muñoz Alonso (Av.) . . CY
Aguilera (Av. de) . . . . CZ
Alcoy (Av. de) . . . . DY
Alfonso X el Sabio (Av. de) . . DY
Ayuntamiento (Pl. del) . . . . . EY 8
Bailén . . . . DY
Bazán . . . . DY
Benito Pérez Galdós (Av.) . . . CY
Bono Guarner . . . . CY
Calderón de la Barca . . . . . . DY
Calvo Sotelo (Pl.) . . . . DZ 10
Canalejas . . . . DZ
Capitán Segarra . . . . DY
Castaños . . . . DYZ 14
Catedrático Soler (Av.) . . . . . CZ
Churruca . . . . DY
Condes de Soto Ameno (Av.) CV 20
Constitución (Av. de la) . . . . DY 21
Díaz Moreu . . . . DY
Doctor Gadea (Av. del) . . . . . DZ
Doctor Rico (Av.) . . . . DZ
Elche (Av. de) . . . . CZ
Elche (Portal de) . . . . DZ 28
España (Explanada de) . . . . . DEZ
España (Pl. de) . . . . DY
Estación (Av. de la) . . . . CY
Eusebio Sempere (Av.) . . . . . CZ
Fábrica (Cuesta de la) . . . . . EY
Federico Soto (Av. de) . . . . . DZ
Foglietti . . . . CZ
Gabriel Miró (Pl. de) . . . . . . DZ 31
García Morato . . . . DY
General Marvá (Av. del) . . . . CY
Gerona . . . . DZ
Gomiz (Pas. de) . . . . EY
Hermanos Pascual (Pl.) . . . . DY
Isabel la Católica . . . . CZ
Italia . . . . CZ
Jaime II (Av.) . . . . DEY
Jijona (Av. de) . . . . DY 33
Jorge Juan . . . . EY
Jovellanos (Av. de) . . . . EY 35
Juan Bautista Lafora (Av. de) BY 36
Labradores . . . . DY
López Torregrosa . . . . DY 37
Loring (Av. de) . . . . CZ
Maisonnave (Av. del) . . . . . . CZ
Manero Mollá . . . . DZ 39
Mayor . . . . EY
Méndez Núñez (Rambla) . . . DYZ
Montañeta (Pl. de la) . . . . . . DZ 41
Navas . . . . DYZ
Oliveretes (Pl. de los) . . . . . DY
Oscar Esplá (Av.) . . . . CZ
Pablo Iglesias . . . . DY
Padre Mariana . . . . DY
Pintor Aparicio . . . . CZ
Pintor Gisbert . . . . CY
Pintor Murillo . . . . CY
Poeta Carmelo Calvo (Av.) . . DY 47
Portugal . . . . DZ
Puerta del Mar (Pl.) . . . . EZ 48
Rafael Altamira . . . . EZ 50
Rafael Terol . . . . DZ
Ramiro (Pas.) . . . . EY 51
Ramón y Cajal (Av. de) . . . . DZ
Reyes Católicos . . . . CZ
Salamanca (Av. de) . . . . CY
Santa Teresa (Pl.) . . . . DY
San Carlos . . . . EY
San Fernando . . . . DEZ 53
San Vicente . . . . DY
Teatro Principal . . . . DY 58
Vázquez de Mella (Av.) . . . . . EY

Colección de Arte del s. XX. Museo de La Asegurada . . . . **M¹**

Alporchones *MU* . . . . **85** T 25
Alpuente *V* . . . . **61** M 26
Alpujarras (Las) *GR* . . **102** V 20
Alquería (La) *MU* . . . . **73** Q 26
Alquería (La) *AL* . . . . **102** V 20
Alquería
  Blanca (S') *PM* . . . . **105** N 39
Alquería del Fargue *GR* . **94** U 19
Alquerías *MU* . . . . **85** R 26
Alquézar *HU* . . . . **22** F 30
Alquián (El) *AL* . . . . . **103** V 22
Alquife *GR* . . . . **95** U 20
Alquité *SG* . . . . **32** I 19
Alsamora *L* . . . . **22** F 32
Alsasua / Altsasu *NA* . . **19** D 23
Alsodux *AL* . . . . **95** U 22
Alta *LU* . . . . **3** C 7
Alta Gracia
  (Ermita de) *CC* . . . . **55** N 10
Altable *BU* . . . . **18** E 20
Altafulla *T* . . . . **37** I 34
Altamira *BI* . . . . **9** B 21
Altamira (Cuevas de) *S* . **7** B 17
Altamiros *AV* . . . . **44** J 15
Altarejos *CU* . . . . **60** M 22
Altavista (Refugio)
  Tenerife TF . . . . **127** E 3
Altea *A* . . . . **74** Q 29
Altea la Vella *A* . . . . . . **74** Q 29
Altet (L') *A* . . . . **86** R 28
Altico (El) *J* . . . . **82** R 18
Alto (Puntal) *GR* . . . . . **95** U 21
Alto de la Madera *O* . . . . **6** C 12
Alto de Ter (Vall) *GI* . . . **24** F 37
Alto Iso *NA* . . . . **11** D 26
Alto Tajo
  (Parque natural del) *GU*. **47** J 23
Altobordo *MU* . . . . **96** T 24
Altomira *CU* . . . . **59** L 21
Altorricón *HU* . . . . **36** G 31

Altorricón-Tamarite *HU* . **36** G 31
Altos (Los) *TF* . . . . **18** D 19
Altotero *BU* . . . . **18** D 19
Altron *L* . . . . **23** E 33
Altsasu / Alsasua *NA* . . . **19** D 23
Altzo *SS* . . . . **10** C 23
Altzola *SS* . . . . **10** C 23
Aluenda *Z* . . . . **34** H 25
Alueza *GU* . . . . **48** K 25
Alumbres *MU* . . . . **97** T 27
Alustante *GU* . . . . **48** K 25
Alvarado *BA* . . . . **67** P 9
Alvarizones (Los) *CA* . . **98** W 11
Alvedro
  (Aeropuerto de) *C* . . . . . **3** C 4
Alvidrón *LU* . . . . **13** D 6
Alzira *V* . . . . **74** O 28
Amadòrio
  (Embassament d') *A* . . **74** Q 29
Amandi *O* . . . . **6** B 13
Amasa *SS* . . . . **10** C 23
Amatos *SA* . . . . **44** J 13
Amatriáin *NA* . . . . **20** E 25
Amavida *AV* . . . . **44** K 14
Amaya *BU* . . . . **17** E 17
Amayas *GU* . . . . **47** I 24
Amayuelas *P* . . . . **17** D 16
Ambás *cerca de Avilés O* . . **5** B 12
Ambás
  cerca de Villaviciosa O . . **6** B 13
Ambasaguas *LE* . . . . . . **16** D 13
Ambasmestas *LE* . . . . . **14** E 9
Ambel *Z* . . . . **34** G 25
Ambite *M* . . . . **46** L 20
Amboseres *LU* . . . . **3** B 6
Amboto *BI* . . . . **10** C 22
Ambrona *SO* . . . . **47** I 22

Ameixenda *C* . . . . **2** D 2
Amer *GI* . . . . **24** F 37
Ames *C* . . . . **2** D 4
Ametlers (Els) *CS* . . . . . **50** K 31
Ametlla (L')
  cerca de Àguer L . . . . **22** F 32
Ametlla (L')
  cerca de Tàrrega L . . . **37** H 33
Ametlla de Mar (L') *T* . . . **51** J 32
Ametlla de Merola (L') *B*. **38** G 35
Ametlla del Vallès (L') *B* . **38** G 36
Amieva *O* . . . . **6** C 14
Amil *PO* . . . . **12** D 4
Amiudal *OR* . . . . **13** E 5
Amoedo *PO* . . . . **12** F 4
Amoeiro *OR* . . . . **13** E 6
Amoroto *BI* . . . . **10** C 22
Amorebieta *BI* . . . . **9** C 21
Amparo (El) *Tenerife TF* . **126** D 3
Ampolla (L') *T* . . . . **50** J 32
Amposta *T* . . . . **50** J 31
Ampudia *P* . . . . **30** G 15
Ampuero *S* . . . . **8** B 19
Ampuyenta (La)
  Fuerteventura GC . . . **111** H 3
Amurrio *VI* . . . . **8** C 20
Amusco *P* . . . . **17** F 16
Amusquillo *VA* . . . . **31** G 16
Anadón *TE* . . . . **49** J 27
Anafreita *LU* . . . . **3** C 6
Anaga (Punta de)
  Tenerife TF . . . . **125** K 1
Anaya *SG* . . . . **45** J 17
Anaya de Alba *SA* . . . . . **44** J 13
Anayet
  (Coto nacional del) *HU* . **21** D 28
Ancares *CR* . . . . **69** O 15
Ancares (Refugio de) *LU* . **14** D 9

Ancares Leoneses (Reserva
  nacional de los) *LE* . . . **14** D 9
Anchuela del Campo *GU*. **47** I 23
Anchuela
  del Pedregal *GU* . . . . **48** J 24
Anchuelo *M* . . . . **46** K 20
Anchuras *CR* . . . . **57** N 15
Anciles *HU* . . . . **22** E 31
Ancín *NA* . . . . **19** E 23
Ancla (El) *CA* . . . . **98** W 11
Anclas (Las) *GU* . . . . . . **47** K 21
Anda *VI* . . . . **18** D 21
Andagoya *VI* . . . . **18** D 21
Andaluz *SO* . . . . **33** H 21
Andarax (Río de la) *M* . . **45** J 18
Andatza *SS* . . . . **10** C 23
Andavias *ZA* . . . . **29** H 12
Andilla *V* . . . . **61** M 27
Andiñuela *LE* . . . . **15** E 11
Andoain *SS* . . . . **10** C 23
Andoio *C* . . . . **2** C 4
Andorra *TE* . . . . **49** J 28
Andosilla *NA* . . . . **19** E 24
Andrade (Castillo de) *C* . . . **3** B 5
Andratx *PM* . . . . **104** N 37
Andrés *O* . . . . **4** B 9
Andrín *O* . . . . **7** B 15
Andújar *J* . . . . **82** R 17
Aneas (Las) *AL* . . . . **95** U 22
Anento *Z* . . . . **48** I 25
Anero *S* . . . . **8** B 19
Aneto (Pico de) *HU* . . . . **22** E 31
Àneu (Vall d') *L* . . . . . . **23** E 33
Angel (El) *MA* . . . . **100** W 15
Ángeles (Los) *CA* . . . . . **99** W 13
Ángeles (Los) *CO* . . . . . **81** S 16
Ángeles (Los) /
  Anxeles (Os) *C* . . . . . **12** D 3

Angiozar *SS* . . . . **10** C 22
Anglès *GI* . . . . **24** G 37
Anglesola *L* . . . . **37** H 33
Angón *GU* . . . . **47** I 21
Angostura (Río de la) *M* . **45** J 18
Anguciana *LO* . . . . **18** E 21
Angüés *HU* . . . . **22** F 29
Anguiano *LO* . . . . **19** F 21
Anguijes (Los) *AB* . . . . . **72** P 24
Anguila (Cala) *PM* . . . . **105** N 39
Anguita *GU* . . . . **47** I 22
Anguix *GU* . . . . **31** G 18
Anguix *GU* . . . . **47** K 21
Aniago *VA* . . . . **30** H 15
Aniés *HU* . . . . **21** F 29
Anievas *S* . . . . **7** C 17
Aniñón *Z* . . . . **34** H 24
Anleo *O* . . . . **4** B 9
Anllares *LE* . . . . **15** D 10
Anllares *LE* . . . . **15** D 10
Anllarinos *LE* . . . . **15** D 10
Anllóns *C* . . . . **2** C 3
Anna *V* . . . . **74** O 28
Anoeta *SS* . . . . **10** C 23
Anoia (L') *B* . . . . **37** H 34
Anorias (Las) *AB* . . . . . **73** P 25
Anós *C* . . . . **2** C 3
Anoz *NA* . . . . **10** D 24
Anoz *Z* . . . . **34** G 24
Añora *CO* . . . . **81** Q 15
Añorbe *NA* . . . . **20** E 24
Añover de Tajo *TO* . . . . **58** M 18
Añover de Tormes *SA* . . **43** I 12
Anserall *L* . . . . **23** E 34
Ansó *HU* . . . . **11** D 27
Ansó (Valle de) *HU* . . . . **11** D 27
Anoslos *M* . . . . **46** I 19
Antas *AL* . . . . **96** U 24
Antas de Ulla *LU* . . . . . **13** D 6
Antella *V* . . . . **74** O 28
Antequera *MA* . . . . **93** U 16

Antes *C* . . . . **2** D 3
Antezana *VI* . . . . **18** D 21
Antigua
  Fuerteventura GC . . . **111** G 3
Antigua (La) *LE* . . . . . . **15** F 12
Antigüedad *P* . . . . **31** G 17
Antilla (La) *H* . . . . **90** U 8
Antillón *HU* . . . . **21** F 29
Antimio *LE* . . . . **16** E 13
Antoñán del Valle *LE* . . . **15** E 12
Antoñana *VI* . . . . **19** D 22
Antzuola *SS* . . . . **10** C 22
Anue *BI* . . . . **11** D 25
Anxeles (Os) /
  Ángeles (Los) *C* . . . . . **12** D 3
Anxeriz *C* . . . . **2** C 3
Anya *L* . . . . **37** G 33
Anzánigo *HU* . . . . **21** E 28
Anzur (Río) *CO* . . . . . . **93** T 16
Añana *VI* . . . . **18** D 21
Añastro *BU* . . . . **19** D 21
Añaza *Tenerife TF* . . . . **125** I 2
Añe *SG* . . . . **45** I 17
Añes *VI* . . . . **8** C 20
Añides *O* . . . . **4** B 9
Añisclo (Cañón de) *HU* . **22** E 30
Añón *Z* . . . . **34** G 24
Apadreado (El) *AB* . . . . **73** P 25
Aparecida (La) *A* . . . . . **85** R 26
Aparecida (La) *MU* . . . . **85** S 27
Apellániz *VI* . . . . **19** D 22

A B C D E F G H I J K L M N O P Q R S T U V W X Y Z

ALMERÍA (mapa)

ALCAZABA · CATEDRAL · Hospital Real · Museo Arqueológico de Almería · Puerto Comercial

ALMERÍA — 0 · 200 m

ALMERÍA

Alcade Muñoz	BCY
Las Alfarerías	BY
Alfarero (Rambla de)	BY
Almedina	AZ
Almería (Pas. del)	BYZ
Altamira	CYZ
Amatisteros (Rambla de)	CY
América	CZ
Andalucía	CZ
Antonio Vico	BY
Arapiles	BZ 6
Arquímedes	AY
Artes de Arcos	CZ
Azorín	CZ
Barranco Bolas	AY
Belén (Rambla de)	BCYZ
Cabo de Gata (Av. del)	CZ
Calvario	BY
Cámaras	BY
Caridad (Pas. de la)	BY
Castro	CZ
Catedral (Pl. de la)	BZ 7
Cervantes	BYZ 8
Ceuta	AY
Conde Ofalia	BZ 10
Constitución (Pl. de la)	BY 12
las Cruces	BY
Doctor Carracido	CY
Doctor Gregorio Marañón	CZ
Doctor Paco Pérez	BY 14
Eduardo Pérez	BZ 16
Emilio Pérez (Pl.)	BZ 18
España (Pl.)	CZ
Estación (Av. de la)	CZ
Federico García Lorca (Av.)	BCYZ
Flores (Pl.)	BY 20
Fuentecica (La)	AY
Los Genoveses	AY
Gen. Luque	AZ
Gen. Segura	BZ
Gen. Tamayo	BZ
Gerona	BZ
Granada	BCY
Guadalquivir	CY
Guatemala	CZ
Hermanos Machado	BZC
Hermanos Pinzón	CYZ
Humilladero	CY 25
Javier Sanz	BCZ
José Morales Abad	CZ
Juan Lirola	BCY
Largo Caballero (Camino de)	ABY
María Auxiliadora	CY
Marina	CZ
Marítimo (Paseo)	BCZ
Méndez Núñez	BZ
Mercurio	CY
Murcia	BY
Navarro Rodrigo	BY
Nicolás Salmerón (Parque)	ABZ 28
Níjar-Los Molinos (Carret.)	CY 30
Nuestra Señora de Montserrat (Av. de)	CZ
Obispo Orbera (Rambla)	BCY
Pablo Iglesias (Av. de)	BY
Pablo Ruiz Picasso	CY
Padre Méndez	CY
La Palma	BY
Pedro Jover	AZ
Poeta Paco Aquino	CY 33
Purchena (Puerta de)	BY 35
Ramos	BY
Real	BYZ
Real del Barrio Alto	CY
Reducto	AY
Regocijos	BY
Reina Regente	BY
Restoy	BY
Ronda (Carret. de)	BCZ
Rueda López	BZ
Sagunto	CZ
Santa Isabel (Av. de)	CY
Santos Zárate	CY
San Juan Bosco (Av. de)	CY
San Leonardo	BCY
Séneca	BZ
Silencio	CY
Tenor Iribarne	BY 45
Las Tiendas	BY 47
Trajano	BZ 49
Víchez (Av. de)	BY 52
Zagal	CY

Apiés HU ... 21 F 28
Apricano VI ... 18 D 21
Aqua Brava GI ... 25 F 39
Aquaola GR ... 94 U 19
Aquijón CC ... 55 N 11
Aquilué HU ... 21 E 28
Aquópolis M ... 45 K 18
Ara HU ... 21 E 28
Arabayona SA ... 44 I 13
Arabexo C ... 2 C 4
Arabí MU ... 73 P 26
Arabinejo AB ... 73 P 25
Aracena H ... 79 S 10
Aracena (Embalse de) H ... 79 S 10
Aracena (Sierra de) H ... 79 S 9
Arafo Tenerife TF ... 127 G 3
Aragó i Catalunya (Canal d') HU ... 36 H 31
Aragón (Canal Imperial de) Z ... 34 G 25
Aragón (Río) ESP ... 21 E 27
Aragón y Cataluña (Canal de) HU ... 36 F 30
Aragoncillo GU ... 47 J 23
Aragoncillo (Monte) GU ... 47 J 23
Aragoneses SG ... 45 I 16
Aragosa GU ... 47 J 23
Araguás HU ... 22 E 30
Araguás del Solano HU ... 21 E 28
Araguás del Puerto HU ... 21 D 27
Arahal (El) SE ... 92 U 13
Arahuetes SG ... 45 I 18

Araia CS ... 62 L 29
Araia / Araya VI ... 19 D 23
Araitz NA ... 10 C 23
Arakaldo BI ... 8 C 21
Aralla LE ... 15 D 12
Aralla (Collada de) LE ... 15 D 12
Aramaio BU ... 10 C 22
Aramil O ... 6 B 13
Aramunt L ... 23 F 32
Arán C ... 50 J 30
Aran (Val d') L ... 22 D 32
Arana (Val) L ... 19 D 31
Aranarache NA ... 19 D 23
Arancedo O ... 4 B 9
Arancón SO ... 33 G 23
Aranda MA ... 100 W 15
Aranda de Duero BU ... 32 G 18
Aranda de Moncayo Z ... 34 H 24
Arándiga Z ... 34 H 25
Arandilla BU ... 32 G 18
Arandilla del Arroyo CU ... 47 K 22
Aranga C ... 3 C 5
Aranga (Estación de) C ... 3 C 6
Arangás O ... 6 C 15
Aránguiz VI ... 19 D 23
Aranguren NA ... 11 D 25
Aránquite NA ... 20 E 26
Arano NA ... 10 C 24
Aránster L ... 23 E 34
Arantza NA ... 11 C 24

Arantzazu SS ... 19 D 22
Arantzazu BI ... 9 C 21
Aranyó (L') L ... 37 G 33
Aranza LU ... 14 D 8
Aranzueque GU ... 46 K 20
Araña (Cuevas de la) V ... 73 O 27
Arañuel CS ... 62 L 29
Araós L ... 23 E 33
Araoz SS ... 19 D 22
Arapiles SA ... 43 J 13
Aras NA ... 19 E 23
Aras de los Olmos V ... 61 M 26
Arascués HU ... 21 F 28
Aratzerreka SS ... 10 C 23
Arauzo de Miel BU ... 32 G 19
Arauzo de Salce BU ... 32 G 19
Arauzo de Torre BU ... 32 G 19
Aravaca M ... 45 K 18
Aravell L ... 23 E 34
Araya / Araia VI ... 19 D 23
Araya (Cabeza) CC ... 55 N 10
Araya de Arriba (Embalse de) CC ... 55 N 9

Arbeteta GU ... 47 J 22
Arbillas (Mirador de) AV ... 57 L 14
Arbizu NA ... 19 D 23
Arbo PO ... 13 F 5
Arboç (L') T ... 37 I 34
Arboçar de Dalt (L') B ... 38 I 35
Arbocet (L') T ... 51 I 32
Arboleas AL ... 96 T 23
Arbolí T ... 37 I 32
Árboles (Los) CR ... 71 O 21
Arbón (Embalse de) O ... 4 B 9
Arbúcies GI ... 38 G 37
Arbujuelo SO ... 47 I 22
Arbuniel J ... 94 T 19
Arc de Cabanes CS ... 62 L 30
Arca PO ... 12 E 4
Arcade PO ... 12 E 4
Arcallana O ... 5 B 11
Arcángeles (Los) M ... 46 K 19
Arcas CU ... 60 M 23
Arcavell L ... 23 E 34
Arce NA ... 11 D 25
Arcediano SA ... 44 I 13
Arcellana O ... 5 B 11
Arcenillas ZA ... 29 H 12
Arcentales BI ... 8 C 20
Arceo C ... 2 C 5
Archena MU ... 85 R 26
Archidona MA ... 93 U 16
Archidona SE ... 79 S 11

Archilla GU ... 46 J 21
Architana MU ... 84 R 24
Archivel MU ... 84 R 23
Arcicóllar TO ... 58 L 17
Arcillera ZA ... 29 G 11
Arcillo ZA ... 29 H 12
Arco CC ... 55 M 10
Arco (El) SA ... 43 I 12
Arconada BU ... 18 E 19
Arconada P ... 17 F 16
Arcones SG ... 46 I 18
Arcos BU ... 18 F 18
Arcos LU ... 13 E 6
Arcos OR ... 13 E 5
Arcos ZA ... 29 G 12
Arcos cerca de Carnota C ... 2 D 2
Arcos cerca de Cuntis PO ... 12 E 4
Arcos (Embalse de) CA ... 92 V 12
Arcos de la Frontera CA ... 92 V 12
Arcos de la Sierra CU ... 47 K 23
Arcos de las Salinas TE ... 61 M 26
Arcs (Els) L ... 36 G 32
Arcusa HU ... 22 F 30
Ardales MA ... 100 V 15
Ardanaz NA ... 11 D 25
Ardaitz NA ... 11 D 25
Ardévol L ... 37 G 34
Ardisa Z ... 21 F 27

Ardón LE ... 16 E 13
Ardoncino LE ... 16 E 13
Ardonsillero SA ... 43 J 11
Arduas (Las) SE ... 92 U 12
Area PO ... 12 F 3
Areas LU ... 13 D 6
Areas cerca de Ponteareas PO ... 12 F 4
Areas cerca de Tui PO ... 12 F 4
Areas (Estación de) LU ... 13 E 7
Areatza BI ... 9 C 21
Areeta BI ... 8 C 20
Arejos (Los) MU ... 96 T 24
Arellano NA ... 20 E 24
Arén HU ... 22 F 32
Arena (La) O ... 5 B 11
Arenal AV ... 57 L 14
Arenal (El) SG ... 45 I 18
Arenal (S') Mallorca PM ... 104 N 38
Arenal d'en Castell PM ... 106 L 42
Arenales (Los) SE ... 92 T 14
Arenales de San Gregorio CR ... 71 O 20
Arenales del Sol (Los) A ... 86 R 27
Arenas MA ... 101 V 17
Arenas de Cabrales O ... 6 C 15
Arenas de Iguña S ... 7 C 17
Arenas de San Juan CR ... 70 O 19
Arenas de San Pedro AV ... 57 L 14
Arenas del Rey GR ... 101 V 18
Arenetes (Les) A ... 75 P 30

ÁVILA

Alemania .... B 2
Caballeros .... B 6
Calvo Sotelo (Pl.) .... B 8
Cardenal Pla y Deniel .... B 10
Cortal de las Campanas (Pl. del). A 12

Don Geronimo .... B 13
Esteban Domingo .... B 14
Jimena Blásquez .... A 15
López Núñez .... B 16
Marqués de Benavites .... AB 18
Peregrino (Bajada del) .... B 19
Ramón y Cajal .... A 20
Reyes Católicos .... B 21

Santa (Pl. de la) .... A 25
Santo Tomas (Pas. de) .... B 26
San Segundo .... B 22
San Vicente .... B 24
Sonsoles (Bajada de) .... B 27
Los Telares .... A 28
Tomás luis de Victoria .... B 30
Tostado .... B 31

Map of ÁVILA

Arenillas SO .... 33 H 21
Arenillas SE .... 80 S 12
Arenillas de Muñó BU .... 17 F 18
Arenillas
de Riopisuerga BU ...... 17 E 17
Arenillas
de Villadiego BU .... 17 E 18
Arenoso CO .... 81 R 16
Arens de Lledó TE .... 50 J 30
Arenteiro OR .... 13 E 5
Arenys de Mar B .... 38 H 37
Arenys de Munt B .... 38 H 37
Aranzana de Abajo LO ... 19 E 21
Areños P. .... 17 D 16
Ares C .... 3 B 5
Ares (Coll d') GI .... 24 E 37
Ares (Mola d') CS .... 50 K 29
Ares del Maestrat CS .... 50 K 29
Areso NA .... 10 C 24
Areta VI .... 8 C 21
Aretxabaleta SS .... 10 C 22
Areu L .... 23 E 33
Arevalillo AV .... 44 K 13
Arevalillo de Cega SG .... 45 I 18
Arévalo AV .... 44 I 15
Arévalo SO .... 33 G 22
Argallanes
(Sierra de) BA .... 68 Q 12
Argallón CO .... 80 R 13
Argalo C .... 12 D 3
Argamasilla SE .... 92 T 13
Argamasilla
de Alba CR .... 71 O 20
Argamasilla
de Calatrava CR .... 70 P 17
Argamasón AB .... 72 P 23
Argamasón AL .... 96 U 24
Argamassa PM .... 87 P 34
Arganda del Rey M .... 58 L 19
Argandoña VI .... 19 D 22
Arganza O .... 5 C 10
Arganza LE .... 14 E 9
Argañín ZA .... 29 H 11
Argañoso O .... 6 B 13
Argañoso LE .... 15 E 11
Argavieso HU .... 21 F 29
Argecilla GU .... 47 J 21
Argel AB .... 84 Q 22
Argelaguer GI .... 24 F 37
Argelita CS .... 62 L 28
Argençola B .... 37 H 34
Argente TE .... 48 J 26
Argentera (L') T .... 51 I 32
Argentona B .... 38 H 37
Argés TO .... 58 M 17
Argómaniz VI .... 19 D 22

Argomoso LU .... 4 B 7
Argoños S .... 8 B 19
Argovejo LE .... 16 D 14
Arguedas NA .... 20 F 25
Argüelles O .... 5 B 12
Arguellite AB .... 84 R 22
Argüeña (Serra de la) A . 74 Q 27
Argüero O .... 6 B 13
Arguijuela CC .... 67 N 10
Arguillos MA .... 93 U 15
Arguineguín
Gran Canaria GC ...... 116 C 4
Arguis HU .... 21 F 28
Arguis (Embalse de) HU . 21 F 28
Arguisuelas CU .... 60 M 24
Arguijillo ZA .... 30 I 13
Aria NA .... 11 D 26
Ariany PM .... 105 N 39
Aribe NA .... 11 D 26
Arico Tenerife TF .... 129 G 4
Arico El Nuevo
Tenerife TF .... 129 G 4
Arico Viejo Tenerife TF . 129 G 4
Arienza LE .... 15 D 11
Arija BU .... 17 D 18
Aríns C .... 3 D 4
Ariñez VI .... 19 D 21
Ariño TE .... 49 I 28
Aripe Tenerife TF .... 128 C 4
Arisgotas TO .... 58 N 18
Aristebano (Alto de) O ... 5 B 10
Aristot L .... 23 E 34
Ariza Z .... 33 I 23
Arizala NA .... 10 D 24
Arizaleta NA .... 10 D 24
Arizkun NA .... 11 C 25
Arjona J .... 82 S 17
Arjonilla J .... 82 S 17
Arjuá LU .... 13 E 6
Arlaban (Puerto de) SS .. 19 D 22
Arlanza LE .... 15 E 10
Arlanza BU .... 18 F 19
Arlanzón BU .... 18 F 19
Arlós O .... 5 B 12
Arlucea VI .... 19 D 22
Armada O .... 5 C 12
Armada
(Castillo de la) SE ...... 80 S 13
Armada (La) OR .... 13 F 5
Armallones GU .... 47 J 23
Armañanzas NA .... 19 E 23
Armas MA .... 100 W 15
Armellada LE .... 15 E 12
Armentera (L') GI .... 25 F 39
Armenteros SA .... 44 K 13

Armentón C .... 3 C 4
Arméñime Tenerife TF . 128 C 5
Armilla GR .... 94 U 19
Armillas TE .... 49 J 27
Armindez J .... 83 S 20
Armintza BI .... 8 B 21
Armiñón VI .... 18 D 21
Armuña SG .... 45 I 17
Armuña
de Almanzora AL ...... 96 T 22
Armuña
de Tajuña GU .... 46 K 20
Arnadelo LE .... 14 E 9
Arnado LE .... 14 E 9
Arnao CA .... 99 W 13
Arnedillo LO .... 19 F 23
Arnedo LO .... 19 F 23
Arnego PO .... 13 D 5
Arnés T .... 50 J 30
Arneva A .... 85 R 27
Arnicio (Puerto de) O ..... 6 C 13
Arnoia (Río) OR .... 13 F 5
Arnuero S .... 8 B 19
Aroche H .... 78 S 9
Arona Tenerife TF ...... 128 D 4
Aróstegui NA .... 11 D 24
Arou C .... 2 C 2
Arousa (Isla de) PO ...... 12 E 3
Arousa (Ría de) PO ...... 12 E 3
Arquijo SO .... 33 G 22
Arquillinos ZA .... 29 G 13
Arquillo de San Blas
(Embalse del) TE .... 48 K 26
Arquillos J .... 82 R 19
Arrabal de Portillo VA .. 31 H 16
Arrabal
Santa Barbara TE ...... 48 K 25
Arrabalde ZA .... 15 F 12
Arracó (S') PM .... 104 N 37
Arraia-Maeztu NA .... 19 D 22
Arraitz-Orkin NA .... 11 C 25
Arrankudiaga BI .... 8 C 21
Ararrats NA .... 11 C 24
Arrasate /
Mondragón SS .... 10 C 22
Arrate SS .... 10 C 22
Arratzu BI .... 8 C 22
Arrazola BI .... 10 C 22
Arrebatacapas
(Collado de) CC .... 56 N 14
Arrebatacapas TO .... 59 M 19
Arrecife Lanzarote GC . 123 E 4
Arrecife (El) CO .... 81 S 15

Arredondo S .... 8 C 19
Arres L .... 22 D 32
Arrés HU .... 21 E 27
Arriano VI .... 18 D 21
Arriate MA .... 92 V 14
Arriba TO .... 58 N 17
Arribe-Atallu NA .... 10 C 24
Arrieta NA .... 11 D 25
Arrieta BI .... 9 B 21
Arrieta Lanzarote GC .. 123 F 3
Arrigorriaga BI .... 8 C 21
Arriondas O .... 6 B 14
Arripas (Las) CR .... 69 O 16
Arro HU .... 22 E 30
Arroba
de los Montes CR ...... 69 O 16
Arrobuey CC .... 43 K 11
Arrocampo-Almaraz
(Embalse de) CC .... 56 M 12
Arrojo O .... 5 C 11
Arrojo (Puerto de) O ...... 6 C 13
Arrolobos CC .... 43 K 11
Arronis L .... 22 D 32
Arroyal S .... 17 D 17
Arroyo S .... 17 D 17
Arroyo P .... 16 F 15
Arroyo CR .... 70 Q 18
Arroyo H .... 79 S 9
Arroyo VA .... 30 H 15
Arroyo V .... 61 N 26
Arroyo Bremudo
(Embalse de) CC .... 55 M 11
Arroyo Cerezo V .... 61 L 25
Arroyo de Cuéllar SG ... 31 H 16
Arroyo de la Luz CC ..... 55 N 10
Arroyo de la Miel MA .. 100 W 16
Arroyo de la Plata SE ... 79 S 11
Arroyo
de las Fraguas GU ..... 46 I 20
Arroyo de Salas BU ..... 32 F 20
Arroyo
de San Serván BA ...... 67 P 10
Arroyo de Torote ESP .. 46 K 19
Arroyo del Ojanco J ..... 83 R 21
Arroyo-Malpartida
(Estación) CC .... 55 N 10
Arroyo Meaques M ...... 45 K 18
Arroyomolinos M .... 58 L 18
Arroyomolinos
de la Vera CC .... 56 L 12
Arroyomolinos
de Léon H .... 79 R 10
Arroyomolinos
de Montánchez CC ..... 67 O 11
Arroyomuerto SA .... 43 K 11

Arroyos (Los) M .... 45 K 17
Arroyos (Los) J .... 83 R 22
Arroyuelo BU .... 18 D 19
Arrozao (Sierra del) BA . 68 P 12
Arruazu NA .... 10 D 24
Arrúbal LO .... 19 E 23
Ars L .... 23 E 34
Arséguel L .... 23 E 34
Artà PM .... 105 M 40
Artà (Coves d') PM ..... 105 N 40
Artaiz NA .... 11 D 25
Artaj V .... 61 M 27
Artajo / Artaxo NA ...... 11 D 25
Artajona NA .... 20 E 24
Artana CS .... 62 M 29
Artariáin NA .... 20 E 25
Artasona
cerca de Almudévar HU . 21 F 28
Artasona
cerca de El Grado HU ... 22 F 30
Artavia NA .... 19 D 23
Artaxo / Artajo NA ...... 11 D 25
Artaza
cerca de Subijana VI .. 18 D 21
Artaza de F.
cerca de Vitoria-Gasteiz VI . 19 D 21
Artazu NA .... 10 D 24
Artea BI .... 9 C 21
Artea (El) AL .... 96 U 24
Artedo O .... 5 B 11
Artedosa O .... 6 C 13
Arteixo C .... 3 C 4
Artejuela CS .... 62 L 28
Artekona BI .... 8 C 20
Artenara
Gran Canaria GC ...... 114 D 2
Artés B .... 38 G 35
Artesa CS .... 62 M 29
Artesa de Lleida L ...... 36 H 32
Artesa de Segre L .... 37 G 33
Artesiaga (Puerto de) NA . 11 C 25
Arteta NA .... 10 D 24
Artichuela (La) GR ...... 94 T 19
Artieda NA .... 11 D 26
Artieda Z .... 21 E 27
Arties L .... 22 D 32
Artikutza NA .... 10 C 24
Arto HU .... 21 E 28
Artómaña VI .... 18 D 21
Artrutx (Cap d') PM .... 106 M 41
Artziniega VI .... 8 C 20

Astigarraga SS .... 10 C 24
Astigarreta SS .... 10 C 23
Astillero (El) S .... 7 B 18
Astor (L') B .... 37 G 34
Astorga LE .... 15 E 11
Astráin NA .... 10 D 24
Astrana S .... 8 C 19
Astudillo P .... 17 F 17
Astún (Valle de) HU .... 21 D 28
Asturianas ZA .... 29 F 10
Asua BI .... 8 C 21
Atajate MA .... 99 W 14
Atalaya V .... 62 N 28
Atalaya SA .... 79 Q 10
Atalaya MA .... 100 W 14
Atalaya (La) AV .... 45 K 16
Atalaya (La) SA .... 43 K 10
Atalaya (La) CU .... 60 M 23
Atalaya (La) MU .... 97 T 25
Atalaya (La) H .... 79 S 10
Atalaya (La) SE .... 92 T 13
Atalaya (La) CC .... 55 L 10
Atalaya (La)
Gran Canaria GC ...... 114 D 1
Atalaya (La)
Gran Canaria GC ...... 115 F 2
Atalaya
del Alberche TO .... 57 L 16
Atalaya
del Cañavate CU ...... 60 N 23
Atalaya Real M .... 46 J 19
Atamaría MU .... 97 T 27
Atán C .... 2 D 3
Atance (El) GU .... 47 I 21
Atance
(Embalse de) GU ...... 47 I 21
Atanzón GU .... 46 J 21
Atapuerca BU .... 18 E 19
Ataquines VA .... 44 I 15
Atarés HU .... 21 E 28
Atarfe GR .... 94 U 18
Ataun SS .... 10 C 23
Atauri VI .... 19 D 22
Atauta SO .... 32 H 20
Atazar (El) M .... 46 J 19
Atazar
(Embalse de El) M ..... 46 J 19
Atea Z .... 48 I 25
Ateca Z .... 34 H 24
Atez NA .... 11 D 24
Atiaga VI .... 18 D 20
Atienza GU .... 46 I 21
Atios C .... 3 B 5
Atlanterra CA .... 99 X 12
Atochares AL .... 103 V 23
Atxondo BI .... 9 C 22
Atzeneta d'Albaida V .. 74 P 28
Atzeneta
del Maestrat CS .... 62 L 29
Aubert L .... 22 D 32
Audanzas LE .... 15 F 12
Audíkana VI .... 19 D 22
Aula (Puerto de) L ...... 23 D 32
Aula Dei
(La Cartuja de) Z ...... 35 G 27
Aulaga (La) SE .... 79 S 10
Aulago AL .... 95 U 22
Aulesti BI .... 10 C 22
Auñón GU .... 47 K 21
Aurín HU .... 21 E 28
Auritz / Burguete NA ... 11 D 26
Auritzberri / Espinal NA . 11 D 25
Ausejo LO .... 19 E 23
Ausejo de la Sierra SO . 33 G 22
Ausines (Los) BU .... 18 F 19
Autilla del Pino P .... 31 G 16
Autillo de Campos P .... 30 F 15
Autol LO .... 19 F 23
Autza NA .... 11 C 25
Auza NA .... 11 D 24
Avall (S') PM .... 105 O 39
Ave V .... 73 O 27
Aveinte AV .... 44 J 15
Avellà (L') CS .... 50 K 29
Avellanar CC .... 43 K 10
Avellaneda AV .... 44 K 13
Avellaneda LO .... 19 F 22
Avellaneda
del Páramo BU .... 17 E 18
Avellanes (Les) L .... 36 G 32
Avellaneda de Muñó BU . 31 G 18
Avellanosa
del Páramo BU .... 17 E 18
Avià (Río) OR .... 13 E 5
Aviados LE .... 16 D 13

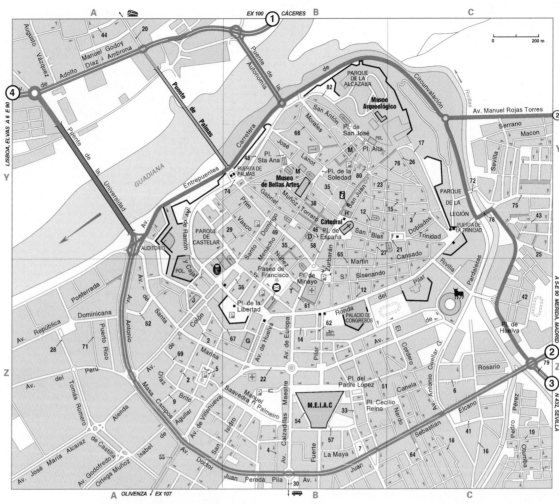

BADAJOZ

Adelardo Covarsí......... AZ 2
Afligidos................ CY 3
Agustina de Aragón....... BZ 4
Alféreces (Pl. de los)... AZ 5
Alonso Cárdenas Cano..... CZ 6
Antonio Cortes Lavado (Pl.).. AZ 7
Antonio Juez............. AZ 9
Arco Agüero............ BYZ 12
Bomba (La).............. BZ 14
Bravo Murillo.......... BCY 15
Calamón (Camino)........ CZ 16
Campillo (El)........... CY 17
Canteras Calamón........ CZ 18
Cardenal Fonseca........ CZ 19
Carolina Coronado (Av. de).. AY 20
Cervantes (Pl.)......... CY 21
Ciudad de Evora......... BZ 23
Concepción............. BCY
Corte de Peleas (Carret. de).. CY 25
Costanilla............. CY 26
Cristóbal Oudrid....... BYZ 27
Damián Téllez Lafuente (Av.). BZ 30
Doroteo M. Benítez...... AZ 29
Dosma.................. BY 29
Enrique Segura Otaño.... BZ 32
Felipe Checa........... BY 35
Fernández de la Puente.. BZ 36
Francisco Morales Bermúdez CZ 41
Francisco Pizarro...... BY 38
Fray Antonio Gómez..... CZ 42
Gabino Tejado.......... CY 43
García de Paredes...... AY 44
Hernán Cortés.......... BY 46
Joaquín Costa (Av.).... BY 48
Juan Carlos I de España.. BY 49
Juan de Badajoz....... BCZ 51
Juan Nogre............. AZ 52
Manuel García Matos.... BZ 54
María Auxiliadora (Av.).. AZ 55
Nuestra Señora de Guadalupe BZ 57
Obispo San Juan de Ribera. BY 58
Pedro de Valdivia...... BZ 61
Pilar (Pl. de)......... CY 62
Pimienta (La).......... CY 64
Ramón Albarrán........ BYZ 65
Regino de Miguel...... ABZ 67
Regulares Marroquíes... BY 68
República Argentina.... AZ 69
República del Ecuador.. AZ 71
Revellín (Puente)...... CY 72
Reyes Católicos (Pl.).. BY 74
Ricardo Carapeto (Av.).. CY 75
San Lorenzo............ CY 76
San Roque (Puente)..... CY 78
Sevilla (Carret.)...... CZ 79
Soto Mancera........... BY 80
Suárez de Figueroa..... BY 82

Avide *LU*.................... 13   E 7
Ávila *AV*................... 44   K 15
Ávila (Bahía de)
  Lanzarote *GC*........... 122   C 5
Avilés *O*.................... 5   B 12
Avilés *TE*................. 35   I 28
Avilés *MU*................ 84   S 24
Avileses *MU*............. 85   S 27
Avín *O*...................... 6   B 15
Aviñyó *B*.................. 38   G 35
Avinyonet *GI*............. 25   F 38
Avinyonet
  del Penedès *B*....... 38   H 35
Aviñante *P*............... 17   D 15
Aviño *C*.................... 3   B 5
Avión *O*.................. 13   E 5
Avión (Faro de) *PO*..... 13   F 5
Axpe *BI*.................. 10   C 22
Aya (Peñas de) /
  Harria (Aiako) *ESP*... 10   C 24
Ayacata
  Gran Canaria *GC*..... 116   D 3
Ayagaures (Embalse de)
  Gran Canaria *GC*..... 116   D 4
Ayamonte *H*............... 90   U 7
Ayaz *LU*................... 13   E 7
Ayechu *NA*............... 11   D 26
Ayegui *NA*............... 19   E 23
Ayera *HU*................ 21   F 29
Ayerbe *HU*............... 21   F 27
Ayesa *NA*................ 20   E 25
Ayllón *SG*............... 32   H 19
Ayna *AB*................. 72   Q 23
Ayódar *CS*............... 62   L 28
Ayoluengo *BU*............ 17   D 18
Ayones *O*.................. 5   B 10
Ayóo de Vidriales *ZA*... 15   F 11
Ayora *V*.................. 73   O 26
Ayuela *P*................ 17   E 16
Ayuela
  (Embalse de) *CC*..... 67   O 11
Ayuelas *BU*............... 18   D 20
Azáceta *VI*.............. 19   D 22
Azáceta (Puerto) *VI*.... 19   D 22

Azafor *VC*............... 74   P 29
Azagala *BA*.............. 67   O 9
Azagra *NA*............... 20   F 24
Azagra *V*................ 61   M 26
Azaila *TE*............... 35   I 28
Azanaque *SE*............. 80   T 13
Azanúy *HU*............... 36   G 30
Azañón *GU*............... 47   J 22
Azara *HU*................ 22   F 29
Azares
  del Páramo *LE*....... 15   F 12
Azarrulla *LO*............ 18   F 20
Azcamellas *SO*........... 47   I 22
Azkarate *NA*............. 10   C 23
Azkarate
  (Puerto de) *SS*...... 10   C 22
Azkoitia *SS*............. 10   C 23
Azlor *HU*................ 22   F 29
Aznalcázar *SE*........... 91   U 11
Aznalcóllar *SE*.......... 91   T 11
Azoberines *TO*........... 58   M 17
Azofra *LO*............... 19   E 21
Azohía (La) *MU*.......... 97   T 26
Azorejo *BA*.............. 69   P 15
Azparren *NA*............. 11   D 26
Azpeitia *SS*............. 10   C 23
Azpilkueta *NA*........... 11   C 25
Azpirotz
  (Puerto de) *NA*...... 10   C 24
Azuaga *BA*............... 80   R 13
Azuara *Z*................ 35   I 27
Azucaica *TO*............. 58   M 18
Azud de Matacavas *H*.... 90   T 7
Azuébar *CS*.............. 62   M 28
Azuel *CO*................ 81   R 17
Azuelo *NA*............... 19   E 22
La Palma *TF*........... 131   D 3
Azuqueca
  de Henares *GU*....... 46   K 20
Azután *TO*............... 57   M 14
Azután
  (Embalse de) *TO*.... 57   M 15

B

Baamonde *LU*............... 3   C 6
Baamorto *LU*............. 14   E 7
Babilafuente *SA*......... 44   J 13
Bacanera *L*.............. 22   D 32
Bacarot *A*............... 86   R 28
Bachiller (El) *AB*....... 73   P 25
Bachillera *CR*........... 71   O 20
Bacoco *BA*............... 66   O 8
Bacoi *LU*................. 4   B 7
Bacor Olivar *GR*......... 95   T 21
Badajoz *BA*.............. 67   P 9
Badalejos (Los) *CA*..... 99   W 12
Badalona *B*.............. 38   H 36
Bádames *S*................ 8   B 19
Badarán *LO*.............. 19   E 21
Bádenas *TE*.............. 48   I 26
Badia Gran *PM*.......... 104   N 38
Badilla *ZA*.............. 34   H 11
Badolatosa *SE*........... 93   U 15
Badostáin *NA*............ 20   D 25
Badules *Z*............... 48   I 26
Baell (El) *GI*........... 24   F 36
Baélls *HU*............... 36   G 31
Baélls (Pantà de la) *B*. 24   F 35
Baelo
  (Ruinas romanas de) *CA* 99   X 12
Baena *CO*................ 93   T 17
Baeza *J*................. 82   S 19
Baeza *J*................. 82   S 19
Baezuela *M*.............. 46   K 19
Bàga *B*.................. 24   F 35
Bagergue *L*.............. 22   D 32
Baguena *TE*.............. 48   I 25
Bagües *Z*................ 21   E 27
Bahabón *VA*.............. 31   H 17
Bahabón
  de Esgueva *BU*....... 32   G 18
Bahia Dorada *MA*........ 99   W 14
Bahillo *P*............... 17   E 16
Bahón
  de Esgueva *BU*....... 32   G 18
Baides *GU*............... 47   I 21

Bailadero
  (El) Tenerife *TF*.... 125   J 1
Bailén *J*................ 82   R 18
Bailo *BU*................ 18   D 19
Bailo *LE*................ 15   F 10
Bailo *HU*................ 21   E 27
Baíña *O*.................. 5   C 12
Baíñas *C*................. 2   C 2
Baio *C*................... 2   C 3
Baiona *PO*............... 12   F 3
Baiuca (A) Arteixo *C*.... 3   C 4
Baja (Punta de la)
  Lanzarote *GC*........ 121   F 2
Bajamar Tenerife *TF*.... 124   H 1
Bajauri *BU*.............. 19   E 22
Bajo (Collado) *CU*...... 60   L 24
Bajo Guadalquivir
  (Canal del) *SE*...... 92   T 12
Bakaiku *NA*.............. 19   D 23
Bakio *BI*................. 9   B 21
Balaguer *L*.............. 36   G 32
Balaïtous *HU*............ 21   D 29
Balanegra *AL*........... 102   V 21
Balazote *AB*............. 72   P 23
Balbacil *GU*............. 47   I 23
Balbarda *AV*............. 44   K 15
Balbases (Los) *BU*...... 17   F 17
Balboa *LE*................ 4   D 9
Balboa *BA*............... 67   P 9
Balcarca *HU*............. 36   G 30
Balcón de Bizkaia *BI*... 10   C 22
Balcón
  de los Alcores (El) *SE* 92 T 12
Balcón de Madrid (El) *M*. 46   J 19
Balconchán *Z*............ 48   I 25
Balcones (Los) *A*....... 85   S 27
Balcones (Los) *GR*...... 95   T 21
Balconete *GU*............ 46   K 21
Baldairan (Pico de) *HU*. 21   D 29
Baldellou *HU*............ 36   G 31
Baldio *CC*............... 56   M 13
Baldomar *L*.............. 37   G 33
Baldovar *V*.............. 61   M 26

Baldrei *OR*.............. 13   F 7
Baldriz *OR*.............. 13   F 7
Baleira *LU*............... 4   C 8
Balerma *AL*............. 102   V 21
Balerma *HU*.............. 93   U 17
Balisa *SG*............... 45   I 16
Balitres (Coll de) *GI*.. 25   E 39
Ballabriga *HU*........... 22   E 31
Ballena o de Tostón (Punta
  de la) Fuerteventura *GC*.111   G 1
Ballestero (El) *AB*..... 72   P 22
Ballesteros *CR*.......... 70   O 18
Ballesteros *CU*.......... 60   M 23
Ballesteros *TO*.......... 58   N 18
Ballesteros
  de Calatrava *CR*.... 70   P 18
Ballobar *HU*............. 36   H 30
Ballstred *HU*............ 36   H 30
Balma (La) *CS*........... 49   J 29
Balmaseda *BI*............. 8   C 20
Balmonte *O*............... 4   B 9
Balmonte *LU*.............. 4   C 7
Balmori *O*................ 6   B 15
Balneario de Jabalcuz *J*. 82   S 18
Balneario
  de Panticosa *HU*.... 21   D 29
Balneario
  de Raposo *BA*....... 79   Q 11
Baloira *PO*.............. 12   D 4
Balones *A*............... 74   P 28
Balouta *LE*............... 8   D 9
Balsa *LU*................. 3   B 11
Balsa de Ves *AB*......... 73   O 26
Balsaín *AL*.............. 84   S 23
Balsareny *B*............. 38   G 35
Balsas (Los) *LE*......... 16   E 15
Balsicas *MU*............. 85   S 27
Baltanás *P*.............. 31   G 17
Baltar *OR*............... 27   G 6
Baltar *LU*................ 4   C 7
Baltar cerca de Arzua *C*. 3   D 5
Baltar cerca de Ferrol *C*. 3   B 5

Baltasana
  (Tossal de la) *T*.... 37   I 33
Balzaín *GR*.............. 94   U 19
Bama *C*.................. 13   D 4
Bamba *ZA*................ 30   H 13
Bamio *PO*................ 12   E 3
Banaguás *HU*............. 21   E 28
Banariés *HU*............. 21   F 28
Banastás *HU*............. 21   F 28
Bandaliés *HU*............ 21   F 29
Bandama (Caldera de)
  Gran Canaria *GC*.... 115   F 2
Bandama (Pico de)
  Gran Canaria *GC*.... 115   F 2
Bande *OR*................ 13   F 6
Bandeira *PO*............. 13   D 5
Bandereta (La) *CS*...... 62   L 29
Banderillas (Las) *J*.... 83   R 21
Banecidas *LE*............ 16   E 14
Bangueses *OR*............ 13   F 5
Baniel *SO*............... 33   H 22
Baños de la Peña *P*..... 17   D 15
Banuncias *LE*............ 16   E 13
Bany de Tredos *L*....... 23   E 32
Banya (Far de la) *T*.... 50   K 31
Banyalbufar *PM*......... 104   M 37
Banyeres de Mariola *A*.. 74   P 28
Banyeres del Penedès *T*. 37   I 34
Banyoles *GI*............. 25   F 38
Banyoles (Estany de) *GI*. 25   F 38
Banyuls (Coll de) *GI*... 25   E 39
Baña (A) *C*............... 2   D 3
Baña (La) *LE*............ 14   F 9
Bañaderos Cardonal
  Gran Canaria *GC*.... 115   E 1
Bañares *LO*.............. 18   E 21
Bañares *B*............... 38   G 35
Bañeza (La) *LE*.......... 15   F 12
Bañistas *CR*............. 71   P 19
Baño *MU*................. 85   R 26
Bañobárez *SA*............ 42   J 10
Bañón *TE*................ 48   J 26
Baños (Los) *MU*......... 85   R 26
Baños (Los) *BA*.......... 67   Q 9

A B C D E F G H I J K L M N O P Q R S T U V W X Y Z

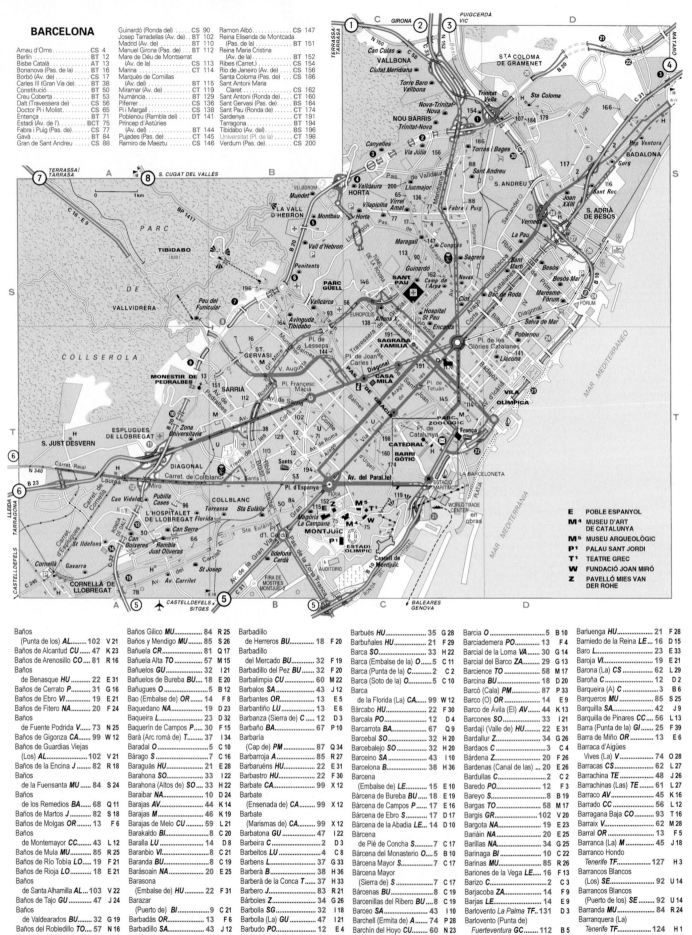

BARCELONA

Arnau d'Oms............ CS 4
Berlín.................. BT 12
Bisbe Català........... AT 13
Bonanova (Pas. de la)... BT 16
Borbó (Av. del)........ CS 17
Carles III (Gran Via de). BT 38
Constitució............ BT 50
Creu Coberta........... BT 53
Dalt (Travessera de)... CS 56
Doctor Pi i Molist..... CS 65
Entença................ BT 71
Estadi (Av. de l')..... BCT 75
Fabra i Puig (Pas. de). CS 77
Gavà................... BT 84
Gran de Sant Andreu ... CS 88

Guinardó (Ronda del)... CS 90
Josep Tarradellas (Av. de). BT 102
Madrid (Av. de)........ BT 110
Manuel Girona (Pas. de). BT 112
Mare de Déu de Montserrat
  (Av. de la)........... CS 113
Marina................. CT 114
Marquès de Comillas
  (Av. del)............. BT 115
Miramar (Av. de)....... CT 119
Numància............... BT 129
Piferrer............... CS 136
Pi i Margall........... CS 136
Poblenou (Rambla del).. DT 141
Príncep d'Astúries
  (Av. del)............. BT 144
Pujades (Pas. de)...... CT 145
Ramiro de Maeztu....... CS 146

Ramon Albó............. CS 147
Reina Elisenda de Montcada
  (Av. de la)........... BT 151
Reina Maria Cristina
  (Av. de la)........... BT 152
Ribes (Carret.)........ CS 154
Rio de Janeiro (Av. de). CS 156
Santa Coloma (Pas. de). CS 186
Sant Antoni Maria
  Claret................ CS 162
Sant Antoni (Ronda de). CT 160
Sant Gervasi (Av. de).. BS 164
Sant Pau (Ronda de).... CT 174
Sardenya............... CT 191
Tarragona.............. CT 194
Tibidabo (Av. del)..... BS 196
Universitat (Pl. de la). CS 198
Verdum (Pas. del)...... CS 200

POBLE ESPANYOL — E
MUSEU D'ART DE CATALUNYA — M⁴
MUSEU ARQUEOLÒGIC — M⁵
PALAU SANT JORDI — P¹
TEATRE GREC — T¹
FUNDACIÓ JOAN MIRÓ — W
PAVELLÓ MIES VAN DER ROHE — Z

Baños
  (Punta de los) AL... 102   V 21
Baños de Alcantud CU... 47   K 23
Baños de Arenosillo CO... 81   R 16
Baños
  de Benasque HU... 22   E 31
Baños de Cerrato P... 31   G 16
Baños de Ebro VI... 19   E 21
Baños de Fitero NA... 20   F 24
Baños
  de Fuente Podrida V... 73   N 25
Baños de Gigonza CA... 99   W 12
Baños de Guardias Viejas
  (Los) AL... 102   V 21
Baños de la Encina J... 82   R 18
Baños
  de la Fuensanta MU... 84   S 24
Baños
  de los Remedios BA... 68   Q 11
Baños de Martos J... 82   S 18
Baños de Molgas OR... 13   F 6
Baños
  de Montemayor CC... 43   L 12
Baños de Mula MU... 85   R 25
Baños de Río Tobía LO... 19   F 21
Baños de Rioja LO... 18   E 21
Baños
  de Santa Alhamilla AL... 103   V 22
Baños de Tajo GU... 47   J 24
Baños
  de Valdearados BU... 32   G 19
Baños del Robledillo TO... 57   N 16

Baños Gilico MU... 84   R 25
Baños y Mendigo MU... 85   S 26
Bañuela CR... 81   Q 17
Bañuela Alta TO... 57   M 15
Bañuela GU... 32   I 21
Bañuelos de Bureba BU... 18   E 20
Bañugues O... 5   B 12
Bao (Embalse de) OR... 14   F 8
Baquedano NA... 19   D 23
Baqueira L... 23   D 32
Baquerín de Campos P... 30   F 15
Baradal O... 5   C 16
Bárago S... 7   C 16
Baraguás HU... 21   E 28
Barahona SO... 33   I 22
Barahona (Altos de) SO... 33   H 22
Baraibar NA... 10   D 24
Barajas AV... 44   K 14
Barajas M... 46   K 19
Barajas de Melo CU... 59   L 21
Barakaldo BI... 8   C 20
Baranbio BI... 8   C 19
Baranda BU... 8   C 19
Barásoain NA... 20   E 25
Barasona
  (Embalse de) HU... 22   F 31
Barazar
  (Puerto de) BI... 9   C 21
Barbadás OR... 13   F 6
Barbadillo SA... 43   J 12

Barbadillo
  de Herreros BU... 18   F 20
Barbadillo
  del Mercado BU... 32   F 19
Barbadillo del Pez BU... 32   F 20
Barbalimpia CU... 60   M 22
Barbalos SA... 43   J 12
Barbantes OR... 13   E 5
Barbantiño LU... 13   E 6
Barbanza (Sierra de) C... 12   D 3
Barbaño BA... 67   P 10
Barbaría
  (Cap de) PM... 87   Q 34
Barbarroja A... 85   R 27
Barbaruéns HU... 22   E 31
Barbastro HU... 22   F 30
Barbate CA... 99   X 12
Barbate
  (Ensenada de) CA... 99   X 12
Barbate
  (Marismas de) CA... 99   X 12
Barbatona GU... 47   I 22
Barbeira S... 7   C 17
Barbeitos LU... 4   C 8
Barbens L... 37   G 33
Barberà SG... 32   I 18
Barberà de la Conca T... 37   H 33
Barbero J... 83   R 21
Barberles Z... 34   G 26
Barbolla SG... 32   I 18
Barbolla (La) GU... 47   I 21
Barbudo PO... 12   E 4

Barbués HU... 35   G 28
Barbuñales HU... 21   F 29
Barca SO... 33   H 22
Barca (Embalse de) O... 5   C 11
Barcial del Barco ZA... 29   G 13
Barco
  de la Florida (La) CA... 99   W 12
Barco (O) OR... 14   E 9
Bárcabo HU... 22   F 30
Barcala PO... 12   D 4
Barcarrota BA... 67   Q 9
Barcebal SO... 32   H 20
Barcebalejo SO... 32   H 20
Barcena SA... 43   I 10
Barcelona BA... 38   H 36
Barcena
  (Embalse de) LE... 15   E 10
Bárcena de Bureba BU... 18   E 14
Bárcena de Campos P... 17   E 16
Bárcena de Ebro S... 17   D 17
Bárcena de la Abadia LE... 14   D 10
Bárcena
  de Pié de Concha S... 7   C 17
Bárcena del Monasterio O... 5   C 17
Bárcena Mayor S... 7   C 17
Bárcena Mayor
  (Sierra de) S... 7   C 17
Bárcenas BU... 8   C 19
Barcenillas del Ribero BU... 8   C 19
Barchell (Ermita de) A... 74   P 28
Barchín del Hoyo CU... 60   N 23

Barcia O... 5   B 10
Barciademera PO... 13   F 4
Barcial de la Loma VA... 30   G 14
Barcience TO... 58   M 17
Barcina BU... 18   D 20
Barcó (Cala) PM... 87   P 33
Barco de Ávila (El) AV... 44   K 13
Barcones SO... 33   I 21
Bardají (Valle de) HU... 22   E 31
Bardallur Z... 34   G 26
Bardaos C... 3   C 4
Bardena S... 21   F 26
Bardenas (Canal de las) Z... 20   E 26
Bardullas C... 2   C 2
Baredo PO... 12   F 3
Bareyo S... 8   B 19
Bargas TO... 58   M 17
Bargis GR... 102   V 20
Bargota NA... 19   E 23
Bariáin NA... 20   E 25
Barillas M... 45   J 18
Barinaga BI... 10   C 22
Barinas MU... 85   R 26
Bariones de la Vega LE... 16   F 13
Barizo C... 2   C 3
Barjacoba ZA... 14   F 9
Barjas LE... 14   E 9
Barlovento La Palma TF... 131   D 3
Barlovento (Punta de)
  Fuerteventura GC... 112   B 5

Barluenga HU... 21   F 28
Barniedo de la Reina LE... 16   D 15
Baro L... 23   E 33
Baroja VI... 19   E 21
Barona (La) CS... 62   L 29
Baroña C... 12   D 2
Barqueira (A) C... 3   B 6
Barqueros MU... 85   S 25
Barquilla SA... 42   J 9
Barquilla de Pinares CC... 56   L 13
Barra (Punta de la) GI... 25   F 39
Barra de Miño OR... 13   E 6
Barraca d'Aigües
  Vives (La) V... 74   O 28
Barracas CS... 62   L 27
Barrachina TE... 48   J 26
Barrachinas (Las) TE... 61   L 27
Barraco AV... 45   K 16
Barrado CC... 56   L 12
Barragana Baja CO... 93   T 16
Barraix V... 62   M 28
Barral OR... 13   F 5
Barranca (La) M... 45   J 18
Barranco Hondo
  Tenerife TF... 127   H 3
Barrancos Blancos
  (Los) SE... 92   U 14
Barrancos Blancos
  (Puerto de los) SE... 92   U 14
Baranda MU... 84   R 24
Barranquera (La)
  Tenerife TF... 124   H 1

BARCELONA

Bacardí (Ptge de) . . . . MY 5
Banys Nous . . . . MX 7
Bergara . . . . LV 10
Bisbe . . . . MX 15
Bória . . . . MV 18
Born (Pas. del) . . . . NX 20
Boters . . . . MX 23
Canaletes (Rambla de) . . . . . LV 27
Canonge Colom (Pl. del) . . . . LY 28
Canvis Vells . . . . NX 32
Caputxins (Rambla dels) . . . . MY 35
Cardenal Casañas . . . . LX 36
Catalunya (Pl. de) LV
Catedral (Av. de la) . . . . MV 40
Ciutat . . . . MX 43
Comercial (Pl. de) . . . . NV 45
Cucurulla . . . . LX 55
Doctor Joaquím Pou . . . . MV 61
Estudis (Rambla dels) LX
Francesc Cambó (Av. de) . . . MV 79
Garriga i Bachs (Pl. de) . . . . MX 83
Isabel II (Pas. d') . . . . NX 98
Montcada . . . . NV 122
Montjuïc del Bisbe . . . . MX 123
Nou de Sant Francesc . . . . . MY 126
Nova (Pl.) . . . . MX 128
Paradís . . . . MX 133
Pintor Fortuny . . . . LX 140
Pi (Pl. del) . . . . LX 137
Portal Santa Madrona . . . . . . MX 142
Ramon Berenguer el Gran
   (Pl. de) . . . . MX 148
Rei (Pl. del) . . . . MX 150
Santa Maria . . . . NX 189
Santa Mònica (Rambla de) . . MY
Sant Felip Neri (Pl. de) . . . . . MX 163
Sant Josep Oriol (Pl. de) . . . LX 171
Sant Josep (Rambla de) . . . . LX 168
Sant Lu (Pl. de) . . . . MX 172
Sant Miquel (Pl. de) . . . . MX 173
Sant Sever . . . . MX 181
Seu (Pl. de la) . . . . MX 192
Tapineria . . . . MX 193
Universitat (Ronda de la) . . . . LV 199

Capella Santa Agata . . . . **F**
Casa de l'Ardiaca . . . . **A**
Castell dels Tres Dragons . . . .
   (Museu de Zoologia)
Museu d'Història de la Ciutat . **M¹**
Museu Frederic Marès . . . **M²**

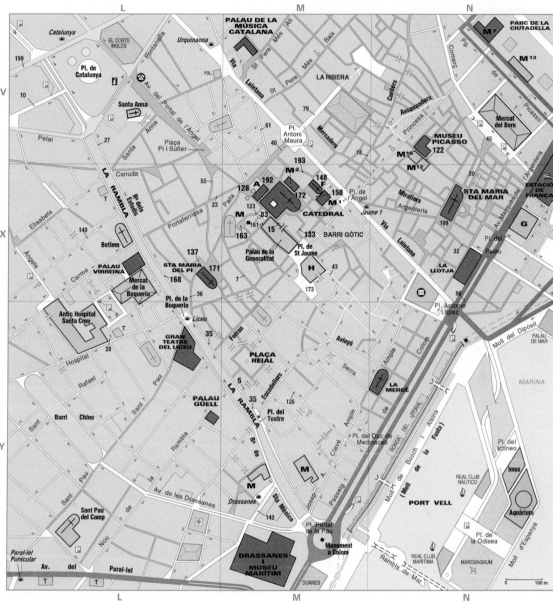

Barranquete *AL* 103   V 23
Barrax *AB* 72   O 23
Barreda *S* 7   B 17
Barreiros *LU* 4   B 8
Barrela (La) *LU* 13   E 6
Barreras *SA* 42   I 10
Barres *O* 4   B 9
Barriada
   de Alcora (La) *AL* . . . 102   V 21
Barriada de Jarana *CA* . 98   W 11
Barriada
   San Cristobal *MU* . . . 85   T 25
Barrié de la Maza
   (Embalse) *C* 12   D 3
Barrika *BI* 8   B 21
Barrillos *LE* 16   D 13
Barrillos
   de las Arrimadas *LE* . . 16   D 14
Barrina *A* 74   Q 29
Barrio *VI* 18   D 20
Barrio *S* 7   C 15
Barrio *LE* 14   D 9
Barrio *OR* 14   E 8
Barrio de Abajo *CU* . . . 72   O 23
Barrio de Enmedio *MA* . 93   U 16
Barrio
   de la Estación *CC* . . . 54   N 7
Barrio de la Estación *J* . 82   R 19
Barrio de la Puente *LE* . 15   D 11
Barrio de Lomba *ZA* . . 14   F 10
Barrio
   de los Pajares *BA* . . . 68   P 12

Barrio
   de Nuestra Señora *LE* . 16   D 13
Barruera *L* 22   E 32
Barués *Z* 20   E 26
Barx *V* 74   O 29
Barxa (A) *OR* 28   G 8
Barxeta *V* 74   O 28
Barriopedro *GU* 47   J 21
Basabe *VI* 18   D 20
Basaburua *NA* 10   C 24
Basadre *PO* 13   D 6
Basáran *HU* 21   E 29
Basardilla *SG* 45   I 17
Basauri *BI* 8   C 21
Bàscara *GI* 25   F 38
Basconcillos
   del Tozo *BU* 17   D 18
Báscones *P* 17   D 17
Báscones de Ojeda *P* . 17   D 16
Bascuñana
   de San Pedro *CU* . . . 60   L 23
Bascones
Barriomartín *SO* 33   G 22
Barrio del Centro *TE* . . 48   J 25
Barrio del Hospital *TE* . 48   J 25
Barrio-Panizares *BU* . . 17   D 18
Barriobusto *VI* 19   E 22
Barrios (Los) *CA* 99   X 13
Barrios (Los) *J* 82   R 17
Barrios
   de Bureba (Los) *BU* . . 18   E 19
Barrios de Colina *BU* . . 18   E 19
Barrios
   de Gordón (Los) *LE* . . 15   D 12
Barrios de Luna
   (Embalse de los) *LE* . . 15   D 12
Barrios
   de Luna (Los) *LE* . . . 15   D 12
Barrios de Villadiego *BU* 17   E 17
Barro *O* 6   B 15
Barro *PO* 12   E 4
Barromán *AV* 44   I 15
Barros *S* 7   C 17
Barros *SE* 74   S 13
Barros (Tierra de) *BA* . 67   Q 10
Barrosa (La) *CA* 98   W 11
Barruecopardo *SA* . . . 42   I 10
Barruelo *BU* 18   D 19
Barruelo *VA* 30   G 14
Barruelo de Santullán *P* . 17   D 17

Batán *AB* 72   P 23
Batán (El) *CC* 55   M 10
Batán de San Pedro *CU* . 59   M 21
Batán del Puerto *AB* . . 72   Q 23
Batea *T* 44   I 30
Baterna *AV* 44   K 15
Baterno *BA* 69   P 15
Batet *GI* 24   F 37
Batllòria (La) *GI* 38   G 37
Batoua (Pic de) *HU* . . . 21   D 30
Batres *M* 58   L 18
Batuecas
   (Monasterio Las) *SA* . . 43   K 11
Batuecas (Reserva nacional
   de las) *SA* 43   K 11
Batxikabo *VI* 18   D 20
Baúl (El) *GR* 95   T 21
Baul (Rambla del) *GR* . . 95   T 21
Bausen *L* 22   D 32
Bayárcal *AL* 95   U 21
Bayarque *AL* 96   U 22
Bayas (Las) *A* 86   R 28
Bayo *O* 5   B 11
Bayo (El) *Z* 20   F 26
Bayona (La) *TO* 57   M 16
Bayos (Los) *LE* 15   D 11
Bayubas de Abajo *SO* . 32   H 21
Bayubas de Arriba *SO* . 32   H 21
Baza *GR* 95   T 21
Baza (Hoya de) *GR* . . . 95   T 21
Bazagona
   (Estación de la) *CC* . . 56   M 12

Bazán *CR* 70   Q 19
Bazana (La) *BA* 79   R 9
Bazar *C* 2   C 3
Bazar cerca de Castro *LU* . 4   C 7
Bazar cerca de Lugo *LU* . 3   D 7
Bea *TE* 48   I 26
Beade *OR* 13   E 5
Beade *PO* 12   F 3
Beamud *CU* 60   L 24
Bearin *NA* 19   D 23
Beariz *OR* 13   E 5
Beas *H* 91   T 9
Beas (Embalse de) *H* . . 91   T 9
Beas de Granada *GR* . . 94   U 19
Beas de Guadix *GR* . . . 95   U 20
Beas de Segura *J* 83   R 21
Beasain *SS* 10   C 23
Beata (La) *SS* 93   U 14
Beatas (Las) *AB* 72   O 22
Beatas (Las) *CO* 93   T 16
Beba *GR* 2   C 2
Bebares *O* 5   C 10
Becedas *AV* 43   K 13
Becedillas *AV* 43   K 13
Beceite *TE* 50   J 30
Becejate *CR* 71   N 21
Becerreá *LU* 14   D 8
Becerrero (Sierra de) *SE* . 93   U 15
Becerril *SG* 32   I 19
Becerril de Campos *P* . 17   F 16
Becerril de la Sierra *M* . 45   J 18
Becerril del Carpio *P* . . 17   D 17

Becerro (Punta del)
   La Gomera TF 118   C 3
Becilla
   de Valderaduey *VA* . . 30   F 14
Bedaio *SS* 10   C 23
Bédar *AL* 96   U 24
Bédar (Sierra de) *AL* . . 96   U 24
Bedaroa *BI* 9   B 22
Bedmar *J* 82   S 19
Bedón *BU* 8   C 19
Bedriñana *O* 6   B 13
Beget *GI* 24   F 37
Begíjar *J* 82   S 19
Begonte *LU* 3   C 6
Begudà *GI* 24   F 37
Begues *B* 38   I 35
Begur *GI* 25   G 39
Begur (Cap de) *GI* . . . 25   G 39
Behobia *SS* 10   B 24
Beingolo *C* 13   D 5
Beintza-Labaien *NA* . . 10   C 24
Beire *NA* 20   E 25
Beires *AV* 95   U 21
Beizama *SS* 10   C 23
Béjar *SA* 43   K 12
Bejarín (El) *GR* 95   T 20
Bejes *SS* 7   C 16
Bejís *CS* 62   M 27
Bel *CS* 50   K 30
Belagua (Arroyo de) *NA* . 11   D 27
Belalcázar *CO* 69   Q 14

A B C D E F G H I J K L M N O P Q R S T U V W X Y Z

BILBAO

Arenal (Puente)	EY	2
Arriaga (Pl.)	EYZ	
Arriquibar (Pl.)	DYZ	
Ayuntamiento (Puente)	EY	
Bidebarrieta	EZ	
Bilbao la Vieja	EZ	
Bombero Echániz (Pl.)	CDZ	
Correo	DY	
Cosme Echevarrieta	DY	
Cruz	EZ	
General Latorre (Pl.)	CZ	22
Gran Vía de López de Haro	CEY	
Jado (Pl. de)	DY	28
Juan Antonio Zunzunegui	CY	30
Ledesma	EY	32
Lersundi	DX	36
Marqués del Puerto	DY	38
Merced (Muelle)	EZ	40
Merced (Puente)	EZ	41
Moraza (Pl. de)	EX	45
Pablo Picasso	DZ	50
Pedro Eguillor (Pl.)	DY	52
Pedro Martínez Artola	DZ	53
Pío Baroja (Pl.)	EZ	55
Plaza Nueva	EZ	57
Ribera (Puente)	EZ	65
Santiago (Pl.)	EZ	71
Santos Juanes (Pl.)	EZ	73
San Francisco Javier (Pl.)	CZ	69
Sombrerería	EZ	75
Víctor Chávarri (Pl.)	CY	78

Museo de Bellas Artes .... DY **M**

Belalcázar (Estación de) CO	69	P 14	Bellavista H	90	U 8	Bélmez CO	80	R 14	Bembibre C	2	C 4
Belante LU	14	D 7	Bellavista SE	91	U 12	Bélmez J	82	S 19	Bembibre LE	15	E 10
Belarra HU	21	E 28	Bellcaire d'Empordà GI	25	F 39	Bélmez de la Moraleda J	82	S 19	Bemil PO	12	E 4
Belascoáin NA	10	D 24	Bellcaire d'Urgell L	37	G 32	Belmonte O	6	B 15	Benabarre HU	22	F 31
Belate (Puerto de) NA	11	C 25	Bellestar cerca de Grau HU	22	F 31	Belmonte CU	59	N 21	Benablón MU	84	R 24
Belauntza SS	10	C 23	Bellestar cerca de Huesca HU	21	F 28	Belmonte (Estación de) H	90	T 9	Benacazón SE	91	T 11
Belbimbre BU	17	F 17	Bellestar de la Tinença (El) CS	50	K 30	Belmonte de Campos P	30	G 15	Benadalid MA	99	W 14
Belchite Z	35	I 27	Bellestar cerca de Sta Coloma de Queralt L	37	H 34	Belmonte de Gracian Z	34	I 25	Benafarces VA	30	H 14
Belén B	10		Bellmunt del Priorat T	36	I 32	Belmonte de Mezquín TE	50	J 29	Benafigos CS	62	L 29
Belén LU	4	B 7	Bellmunt cerca de Bellcaire d'Urgell L	37	G 32	Belmonte de Miranda O	5	C 11	Benagéber V	61	M 26
Belén CC	56	N 12	Bellmunt cerca de Sta Coloma de Queralt L	37	H 34	Belmonte de Tajo M	59	L 19	Benaguasil V	62	M 28
Belén (Ermita de) BA	68	P 14	Bello TE	48	J 25	Belmontejo CU	60	M 22	Benahadux AL	103	V 22
Beleña SA	43	J 13	Bello O	6	C 13	Belones (Los) MU	85	T 27	Benahavís MA	100	W 14
Beleña (Embalse de) GU	46	J 20	Bellostas (Las) HU	22	E 29	Belorado BU	18	E 20	Benajarafe MA	101	V 17
Beleña de Sorbe GU	46	J 20	Bellprat B	37	H 34	Belsué HU	21	F 28	Benalauría MA	99	W 14
Beleño O	6	C 14	Bellpuig L	37	H 33	Beltejar SO	33	I 22	Benalmádena MA	100	W 16
Belerda O	6	C 14	Bellreguard V	74	P 29	Beltrana (Puerto) BA	79	R 9	Benalmádena-Costa MA	100	W 16
Belerda J	83	S 20	Belltall T	37	H 33	Belver HU	36	G 30	Benalúa de Guadix GR	95	T 20
Belerda de Guadix GR	95	T 20	Bellús (Embalse de) V	74	P 28	Belver de los Montes ZA	30	G 13	Benalúa de las Villas GR	94	T 18
Belesar PO	12	F 3	Bellús V	74	P 28	Belvis de Jarama M	46	K 19	Benalup-Casas Viejas CA	99	W 12
Belesar LU	13	E 6	Bellvei T	37	I 34	Belvis de la Jara TO	57	M 15	Benalup de Sidonia CA	99	W 12
Bèlgida V	74	P 28	Bellver PM	104	N 37	Belvis de Monroy CC	56	M 13	Benamahoma CA	92	V 13
Belianes L	37	H 33	Bellver de Cerdanya L	23	E 35	Bembézar CO	80	R 13	Benamargosa MA	101	V 17
Belicena GR	94	U 18	Bellvís L	36	G 32	Bembézar (Embalse de) CO	80	S 14	Benamaurel GR	95	T 21
Belinchón CU	59	L 20	Belmaco (Cueva de) La Palma TF	132	D 6	Bembézar del Caudillo CO	80	S 14	Benamejí CO	93	U 16
Bell-lloc CS	62	L 30							Benamji...		
Bell-lloc d'Urgell L	36	H 32									
Bellaguarda L	36	H 32									
						Benamira SO	47	I 22	Beneixama A	74	P 27
						Benamocarra MA	101	V 17	Benejúzar A	85	R 27
						Benamor MU	84	R 24	Benés L	22	E 32
						Benabarre HU			Benetússer V	62	N 28
						Benablón MU	84	R 24	Benferri A	85	R 27
						Benaoján MA	99	V 14	Benia O	6	B 15
						Benaque MA	101	V 17	Beniaján MU	85	S 26
						Benarrabá MA	99	W 14	Benialfaquí A	74	P 28
						Benasau A	74	P 28	Beniarbeig A	74	P 29
						Benasque HU	22	E 31	Beniardà V	74	P 29
						Benasque (Reserva nacional de) HU	22	D 31	Beniarjó V	74	P 29
						Benassal CS	49	K 29	Beniarrés A	74	P 28
						Benasque (Valle de) HU	22	E 31	Beniatjar V	74	P 28
						Benatae J	83	Q 22	Benicarló CS	50	K 31
						Benavent de Segrià L	36	G 31	Benicàssim / Benicàssim CS	62	L 30
						Benavente HU	22	F 31	Benicàssim / Benicasim CS	62	L 30
						Benavente ZA	29	F 12	Benichembla A	74	P 29
						Benavente CR	70	O 17	Benicolet A	74	P 28
						Benavente BA	66	O 8	Benicull de Xúquer V	74	O 28
						Benavides LE	15	E 12	Benidoleig A	74	P 29
						Benavites V	62	M 29	Benidorm A	74	Q 29
						Benazolve LE	16	E 13	Beniel MU	85	R 26
						Benchijigua La Gomera TF	119	C 2	Benifairó de les Valls V	62	M 29
						Bendinat PM	104	N 37	Benifallet T	50	J 31
						Bendón O	4	C 9	Benifallim A	74	Q 28
						Benecid AL	102	V 21	Benifallim (Port de) A	74	Q 28
						Benegiles ZA	29	H 13			

España 143

Benifassà
(Convent de) CS 50 J 30
Benifato A 74 P 29
Benigànim V 74 P 28
Benijo Tenerife TF 125 J 1
Benijófar A 85 R 27
Benilloba A 74 P 28
Benillup A 74 P 28
Benimantell A 74 P 29
Benimarco A 74 P 30
Benimarfull A 74 P 28
Benimassot A 74 P 29
Benimaurell A 74 P 29
Benimodo V 74 O 28
Benimuslem V 74 O 28
Beninar
(Embalse de) AL 102 V 20
Beniparrell V 74 N 28
Benirrama A 74 P 29
Benisanó V 62 N 28
Benissa A 74 P 30
Benissanet T 50 I 31
Benitagla AL 96 U 23
Benitorafe AL 96 U 23
Benitos AV 44 J 15
Benizalón AL 96 U 23
Benizar MU 84 R 24
Benquerencia LU 4 B 8
Benquerencia CC 68 O 11
Benquerencia
de la Serena BA 68 P 13
Bentaiga (Roque)
Gran Canaria GC 114 D 3
Bentarique AL 102 V 22
Bentraces OR 13 F 6
Bentué de Rasal HU 21 E 28
Benuza LE 14 E 9
Benyamina MA 100 W 16
Benza C 2 C 4
Beo C 2 C 3
Beortegui NA 11 D 25
Bera /
Vera de Bidasoa NA 11 C 24
Beranga S 8 B 19
Berango BI 8 B 21
Berantevilla VI 18 D 21
Beranúy HU 22 E 31
Berastegi SS 10 C 24
Beratón SO 34 G 24
Berbe Bajo GR 94 U 18
Berbegal HU 36 G 29
Berberana BU 18 D 20
Berbes O 6 B 14
Berbinzana NA 20 E 24
Berbucido PO 13 E 4
Bercedo BU 8 C 19
Berceo LO 19 E 21
Bercero VA 30 H 14
Berceruelo VA 30 H 14
Bérchules GR 102 V 20
Bercial SG 45 J 16
Bercial (El) TO 57 M 14
Bercial
de San Rafael (El) TO 57 M 14
Bercial de Zapardiel AV 44 I 15
Bercianos de Aliste ZA 29 G 11
Bercianos
de Valverde ZA 29 G 12
Bercianos
de Vidriales ZA 29 F 12
Bercianos
del Páramo LE 15 E 12
Bercianos
del Real Camino LE 16 E 14
Bercimuel SG 32 H 19
Bercimuelle SA 44 K 13
Berdejo Z 33 H 24
Berdeogas C 2 C 2
Berdía C 3 D 4
Berdillo C 2 C 4
Berdoias C 2 C 2
Berducedo O 4 C 9
Berdún HU 21 E 27
Berengueles (Los) GR 101 V 18
Beret L 23 D 32
Beret (Portarró de) L 23 D 32
Berga B 24 F 35
Berganciano SA 43 I 11
Berganúy HU 22 F 32
Berganza VI 8 C 21
Berganzo VI 19 E 21
Bergara SS 10 C 22
Bergasa LO 19 F 23
Bergasillas Bajeras LO 19 F 23
Bergasillas Somera LO 19 F 23
Berge TE 49 J 28
Bergondo C 3 C 5
Bergüenda VI 18 D 20
Beriain NA 11 D 25
Berja AL 102 V 21
Berlanas (Las) AV 44 J 15
Berlanga BA 80 R 12
Berlanga de Duero SO 32 H 21
Berlanga del Bierzo LE 15 D 10
Berlangas de Roa BU 31 G 18
Bermeja (Sierra) BA 67 O 11
Bermejales
(Embalse de los) GR 101 V 18
Bermejo TO 56 M 13
Bermejo (Roque)
Tenerife TF 125 K 1
Bermellar SA 42 J 9
Bermeo BI 9 B 21
Bermés PO 13 D 5
Bermiego O 5 C 12
Bermillo de Alba ZA 29 H 11
Bermillo de Sayago ZA 29 H 11
Bermún C 2 D 2
Bernadilla (La) GR 101 V 19
Bernagoitia BI 9 C 21
Bernales BI 8 C 19
Bernardo (El) CR 71 O 21
Bernardos SG 45 I 16
Bernedo VI 19 E 22
Bèrnia A 74 Q 29
Berninches GU 47 K 21
Bernués HU 21 E 28
Bernui L 23 E 33
Bernuy TO 57 M 16
Bernuy de Porreros SG 45 I 17
Bernúy-Salinero AV 45 J 16
Bernúy-Zapardiel AV 44 J 15
Berrazales (Los)
Gran Canaria GC 114 D 2
Berriatúa BI 10 C 22
Berrioplano NA 11 D 24
Berriz BI 10 C 22
Berrizaun NA 11 C 24
Berro AB 72 P 23
Berro (El) MU 85 S 25
Berrobi SS 10 C 23
Berrocal H 79 T 10
Berrocal (El) SE 79 S 11
Berrocal de Huebra SA 43 J 12
Berrocal
de Salvatierra SA 43 K 12
Berrocalejo CC 56 M 13
Berrocalejo
de Aragona AV 45 J 16
Berrocales
del Jarama (Los) M 46 K 19
Berroeta NA 11 C 25
Berrosteguieta VI 19 D 21
Berrueces VA 30 G 14
Berrueco Z 48 J 25
Berrueco (El) M 46 J 19
Berrueco (El) J 82 S 18
Berrueco
(Peñón del) MA 99 W 13
Berrús (Ermita de) T 36 I 31
Bertamiráns C 12 D 4
Beruete NA 10 C 24
Berzalejo CC 56 M 12
Berzocana CC 56 N 13
Berzocana
(Puerto de) CC 56 N 13
Berzosa SO 32 H 20
Berzosa CR 71 P 19
Berzosa de Bureba BU 18 E 20
Berzosa
de los Hidalgos P 17 D 16
Berzosa del Lozoya M 46 J 19
Berzosilla P 17 D 17
Besalú GI 24 F 38
Besande LE 16 D 15
Bescanó GI 25 G 38
Bescaran L 23 E 34
Bespén HU 21 F 29
Besteiros OR 13 E 6
Bestué HU 22 E 30
Besullo O 5 C 10
Betancuria
Fuerteventura GC 110 G 3
Betanzos C 3 C 5
Betanzos (Ría de) C 3 B 5
Betelu NA 10 C 24
Bétera V 62 N 28
Betés HU 21 E 28
Beteta CU 47 K 23
Betlem PM 105 M 39
Betlem
(Ermita de) PM 105 M 39
Betolaza VI 19 D 21
Betorz HU 22 F 30
Betren L 22 D 32
Betxí CS 62 M 29
Beuda GI 24 F 38
Beunza NA 11 D 24
Beyos
(Desfiladero de los) LE 6 C 16
Bezana BU 17 D 18
Bezanes O 6 C 14
Bezares LO 19 E 21
Bezas TE 48 K 26
Béznar GR 101 V 19
Béznar
(Embalse de) GR 101 V 19
Bianditz (Alto de) NA 10 C 24
Biar A 74 Q 27
Biasteri VI 19 E 22
Bibéi OR 14 F 8
Bicorp V 73 O 27
Bidania SS 10 C 23
Bidankoze / Vidángoz NA 11 D 26
Bidasoa SS 11 C 25
Bidasoa (Montes de) NA 10 C 24
Bidaurreta NA 10 D 24
Biduedo OR 13 E 6
Biel-Fuencalderas Z 21 E 27
Bielsa HU 22 E 30
Bielsa (Túnel de) HU 22 D 30
Bielva S 7 C 16
Bien Aparecida (La) S 8 C 19
Bienservida AB 83 Q 22
Bienvenida CR 69 Q 16
Bienvenida BA 79 R 11
Bienvenida
(Ermita de) TO 57 M 14
Bienvenida (Monte) BA 79 R 11
Bierge HU 21 F 29
Biescas HU 21 E 29
Bigastro A 85 R 27
Bigornia (Puerto) SO 33 H 24
Bigues B 38 G 36
Bigüézal NA 11 D 26
Bijuesca Z 34 H 24
Bilbao BI 8 C 21
Bilbao SE 92 U 13
Billelabaso BI 8 B 21
Bimeda O 5 C 10
Bimón S 17 D 18
Binaced HU 36 G 30
Binacua HU 21 E 27
Binéfar HU 36 G 30
Biniali PM 104 N 38
Biniaraix PM 104 M 38
Binibèquer PM 106 M 42
Binidali PM 106 M 42
Biniés HU 21 E 27
Binifabini PM 106 M 42
Binissalem PM 104 M 38
Biosca L 37 G 34
Biota Z 20 F 26
Bisaurri HU 22 E 31
Bisbal de Falset (La) T 36 I 32
Bisbal
del Penedès (La) T 37 I 34
Bisbal
d'Empordà (La) GI 25 G 39
Biscarrués HU 21 F 27
Bisimbre Z 34 G 25
Bisjueces BU 18 D 19
Bitem T 50 J 31
Bitoriano VI 19 D 21
Biure GI 25 E 38
Biurrun NA 11 D 24
Blacos SO 32 G 21
Blanc (Cap) PM 104 N 38
Blanc (Mas) CS 62 L 29
Blanca MU 85 R 25
Blanca (Laguna) AB 71 P 21
Blanca (Punta)
Fuerteventura GC 111 H 2
Blanca (Sierra) MA 100 W 15
Blanca de Solanillos GU 47 J 23
Blancafort T 37 H 33
Blancares Nuevos AB 72 O 23
Blancares Viejos AB 72 O 23
Blancas TE 48 J 25
Blanco SE 93 T 14
Blancos OR 27 G 6
Blanes GI 39 G 38
Blanes
(Costa d'en) PM 104 N 37
Blanquillo J 83 R 21
Blanquitos (Los)
Tenerife TF 129 F 5
Blascoeles AV 45 J 16
Blascomillán AV 44 J 14
Blasconuño
de Matacabras AV 44 I 15
Blascosancho AV 45 J 16
Blázquez (Los) CO 80 Q 13
Blecua HU 21 F 29
Blesa TE 49 I 27
Bliecos SO 33 H 23
Blimea O 6 C 13
Blocona SO 33 I 22
Boa C 12 D 3
Boada SA 43 J 11
Boada de Campos P 30 G 15
Boada de Roa BU 31 G 18
Boadella (Pantà de) GI 25 E 38
Boadella d'Empordà GI 25 F 38
Boadilla SA 43 J 11
Boadilla de Rioseco P 16 F 15
Boadilla del Camino P 17 F 16
Boadilla del Monte M 45 K 18
Boal O 4 B 9
Boalo (El) M 45 J 18
Boaño C 2 C 2
Bobadilla LO 19 F 21
Bobadilla J 82 T 17
Bobadilla MA 93 U 15
Bobadilla del Campo VA 44 I 14
Bobadilla Estación MA 93 U 15
Bobastro MA 100 V 15
Bobia O 4 B 9
Boborás OR 13 E 5
Boca Chanza H 78 T 7
Boca de Huérgano LE 16 D 15
Bocacara SA 43 J 10
Bocairent V 74 P 28
Bocal (El) NA 20 F 25
Boceguillas SG 32 H 19
Boche AB 84 Q 23
Bochones GU 32 I 21
Bocigas VA 31 I 15
Bocigas de Perales SO 32 H 19
Bocinegro (Punta del)
Tenerife TF 129 F 5
Bocos BU 18 D 19
Bocos VA 31 H 17
Bodaño PO 13 D 5
Bodegas
de Pardanchinos V 61 M 27
Bodegones (Los) H 91 U 9
Bodegues
del Camp (Les) V 62 M 27
Bodera (La) GU 46 I 21
Bodón (El) SA 42 K 10
Bodonal de la Sierra BA 79 R 10
Boecillo VA 31 H 15
Boedes OR 13 E 5
Boedo P 17 D 16
Boente C 3 D 5
Boeza LE 15 D 11
Bogajo SA 42 J 10
Bogarra AB 72 Q 23
Bogarre GR 94 T 19
Bogarre (Monte) GR 94 T 19
Bohodón (El) AV 44 J 15
Bohonal BA 69 O 15
Bohonal de Ibor CC 56 M 13
Bohoyo AV 44 L 13
Boí L 22 E 32
Boí (Vall de) L 22 E 32
Boimente LU 4 B 7
Boimorto C 3 D 5
Boiro C 12 E 3
Boiro O 4 D 9
Boixar (El) CS 50 J 30
Bóixols L 23 F 33
Bóixols (Coll de) L 23 F 33
Bojadillas (Las) AB 84 R 23
Bola (A) OR 13 F 6
Bolaño LU 4 C 8
Bolaños CA 98 W 11
Bolaños
de Calatrava CR 70 P 19
Bolaños de Campos VA 30 F 14
Bolarque
(Embalse de) CU 47 K 21
Bolbaite V 74 O 27
Bolea HU 21 F 28
Boliches (Los) MA 100 W 16
Bolla CC 43 K 10
Bólliga CU 60 L 22
Bollullos
de la Mitación SE 91 T 11
Bollullos
Par del Condado H 91 T 10
Bolmir S 17 D 17
Bolnuevo MU 97 T 26
Bolo (O) OR 14 F 8
Bolón A 85 Q 27
Bolonia
(Ensenada de) CA 99 X 12
Bolos CR 71 P 20
Boltaña HU 22 E 30
Bolulla A 74 Q 29
Bolvir de Cerdanya GI 24 E 35
Bon Any PM 105 N 39
Bon Jesus de Trandeiras
(Monasterio) OR 13 F 7
Bonaigua (Port de la) L 23 E 32
Bonal (El) CR 70 O 17
Bonales
(Sierra de los) CR 69 Q 15
Bonansa HU 22 E 32
Bonanza CA 91 V 10
Bonanza (Roque de la)
El Hierro TF 109 D 3
Bonares H 91 U 9
Bonastre T 37 I 34
Bonete AB 73 P 25
Bonge LU 4 C 7
Boniches CU 61 M 25
Bonielles O 5 B 12
Bonilla CU 59 L 22
Bonilla de la Sierra AV 44 K 14
Bonillo (El) AB 72 P 22
Bonita (Cueva)
La Palma TF 130 B 4
Bonmatí GI 24 G 37
Bono HU 22 E 32
Boñar LE 16 D 14
Bóo O 5 C 12
Boo de Guarnizo S 7 B 18
Boós SO 32 H 21
Boqueixón C 13 D 4
Boquerón MU 85 R 26
Boquerón
(Puerto del) AV 45 K 16
Boquiñeni Z 34 G 26
Borau HU 21 E 28
Borbollón
(Embalse de) CC 55 L 10
Bordalba Z 33 H 23
Bordecorex SO 33 H 21
Bordejé SO 33 H 22
Bòrdes (Es) L 22 D 32
Bordils GI 25 F 38
Bordón TE 49 J 29
Borge (El) MA 101 V 17
Borges Blanques (Les) L 37 H 32
Borges del Camp
(Les) T 37 I 33
Borgonyà B 24 F 36
Borja Z 34 G 25
Borjabad SO 33 H 22
Borleña S 7 C 18
Bormate AB 73 O 25
Bormujos SE 91 T 11
Borneiro C 2 C 3
Bornos CA 92 V 12
Bornos (Embalse de) CA 92 V 12
Boroa BI 9 C 21
Borobia SO 34 H 24
Borox TO 58 L 18
Borrachina BA 66 Q 8
Borrassà GI 25 F 38
Borredà B 24 F 35
Borreguilla (Finca la) CR 71 Q 20
Borrenes LE 14 E 9
Borrés HU 21 E 28
Borres O 5 B 10
Borriana / Burriana CS 62 M 29
Borriol CS 62 L 29
Borriquillas (Punta de las)
Fuerteventura GC 113 I 4
Bosque C 2 C 3
Bosque (El) M 45 K 18
Bosque (El) TO 57 M 16
Bosque (El) GR 84 T 22
Bosque (El) CA 92 V 13
Bosque Alto Z 35 H 27
Bossòst L 22 D 32
Bot T 50 I 31
Botarell T 51 I 32
Botaya HU 21 E 28
Boticario TO 70 N 18
Botija CC 68 N 11
Bótoa BA 67 O 9
Bótoa (Ermita de) BA 67 O 9
Botorrita Z 34 H 26
Bou (Cala de) PM 87 P 33
Boumort (Serra de) L 23 F 33
Bousés OR 27 G 7
Boutra (Cabo de la) C 2 C 2
Bouza OR 13 E 5
Bouza (La) SA 42 J 9
Bouzas LE 15 E 10
Bouzas PO 12 F 3
Bóveda VI 18 D 20
Bóveda
cerca de Monforte LU 14 E 7
Bóveda de la Ribera BU 18 D 19
Bóveda de Toro (La) ZA 30 H 13
Bóveda
del Río Almar SA 44 J 14
Bovera L 36 I 31
Box O 5 B 12
Boya ZA 29 G 10
Boyar (Puerto del) CA 92 V 13
Bozoo BU 18 D 20
Brabos AV 44 J 15
Brácana CO 94 T 17
Brácana GR 94 U 18
Bràfim T 37 I 34
Braguia (Puerto de) S 8 C 18
Brahojos de Medina VA 30 I 14
Bramadero H 78 S 8
Brandeso C 13 D 5
Brandilanes ZA 29 H 11
Brandomil C 2 C 3
Brandoñas C 2 C 3
Braña (La) O 4 B 9
Braña (La) LE 14 D 9
Braña Vieja S 7 C 16
Brañalonga O 5 B 10
Brañes O 5 B 12
Brañosera P 17 D 17
Brañuás O 5 B 10
Brañuelas LE 15 E 11
Braojos M 46 I 19
Bravatas GR 83 S 22
Bravo (El) H 78 R 9
Bravos LU 3 B 7
Brazacorta BU 32 G 19
Brazato
(Embalse de) HU 21 D 29
Brazatortas CR 70 Q 17
Brazomar S 8 B 20
Brazuelo LE 15 E 11
Brea Z 34 H 25
Brea de Tajo M 59 L 20
Breda GI 38 G 37
Brence LU 14 E 7
Brenes SE 92 T 12
Breña
(Embalse de la) CO 81 S 14
Breña Alta La Palma TF 132 D 5
Breña Baja
La Palma TF 132 D 5
Breñas (Las)
Lanzarote GC 122 B 5
Bres O 4 B 8
Bretó ZA 29 G 12
Bretocino ZA 29 G 12
Bretoña LU 4 B 8
Bretún SO 33 F 22
Brias SO 32 H 21
Bricia BU 17 D 18
Brieva SG 45 I 17
Brieva AV 45 J 16
Brieva de Cameros LO 19 F 21
Brieva de Juarros BU 18 F 19
Brieves O 5 B 10
Brihuega GU 46 J 21
Brime de Sog ZA 29 F 11
Brime de Urz ZA 29 F 12
Brimeda LE 15 E 11
Brincones SA 43 I 10
Briñas LO 19 E 21
Briones LO 19 E 21
Briongos BU 32 G 19
Brisas (Las) GU 47 K 21
Brisos
(Puerto de los) BA 67 O 9
Briviesca BU 18 E 20
Brizuela BU 18 D 19
Brocos PO 13 D 5
Bronchales TE 48 K 25
Bronco (El) CC 55 L 11
Brosquil (El) V 74 O 29
Broto HU 21 E 29
Brovales BA 79 Q 9
Brovales
(Embalse de) BA 79 Q 9
Broza LU 13 E 7
Brozas CC 55 N 9
Bruc (El) B 38 H 35
Brués OR 13 E 5
Bruguera GI 24 F 36
Bruis HU 22 F 30
Brujas (Cuevas de) NA 11 C 25
Brull (El) B 38 G 36
Brullés BU 17 E 18
Brunales (Los) V 73 P 27
Brunete M 45 K 18
Brunyola GI 24 G 38

A B C D E F G H I J K L M N O P Q R S T U V W X Y Z

144 España

A B C D E F G H I J K L M N O P Q R S T U V W X Y Z

BURGOS

Almirante Bonifaz . . . . B 2
Alonso Martínez (Pl. de) . . . . B 3
Aparicio y Ruiz . . . . A 5
Arlanzón (Av. del) . . . . B 6
Cid Campeador (Av. del) . . . . . . B 8
Conde de Guadalhorce (Av.) . . . . A 9
Eduardo Martínez del Campo . . . . A 10
España (Pl.) . . . . B 12
Gen. Santocildes . . . . B 15
Libertad (Pl. de la) . . . . B 16
Mayor (Pl.) . . . . AB 18
Miranda . . . . B 20
Monasterio de las Huelgas (Av. del) . . . . A 21
Nuño Rasura . . . . A 23
Paloma (La) . . . . A 24
Reyes Católicos (Av. de los) . . . . B 26
Rey San Fernando (Pl. del) . . . . A 27
Santo Domingo de Guzmán (Pl. de) . . . . B 28
Vitoria . . . . B

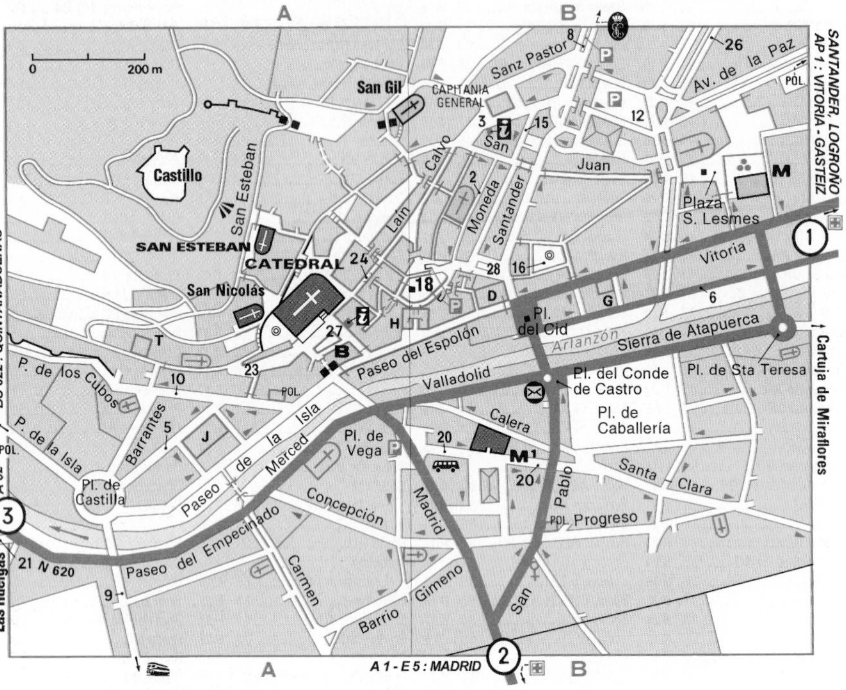

A
B
0
200 m
Sanz Pastor
Av. de la Paz
SANTANDER, LOGROÑO
AP 1 : VITORIA - GASTEIZ
San Gil
CAPITANIA GENERAL
Castillo
San Esteban
SAN ESTEBAN
CATEDRAL
San Nicolás
Calvo
Laín
Moneda
Santander
San Juan
Plaza S. Lesmes
Vitoria
Pl. del Cid
Arlanzón
Sierra de Atapuerca
Paseo del Espolón
Valladolid
Pl. del Conde de Castro
Pl. de Sta Teresa
Pl. de Caballería
Calera
Pl. de Vega
P. de los Cubos
Barrantes
P. de la Isla
Paseo de la Merced
Pl. de Castilla
Paseo del Empecinado
Concepción
Madrid
Pablo
Santa Clara
Progreso
Carmen
Barrio Gimeno
San
N 620
Cartuja de Miraflores
VILLALONQUÉJAR, BU 622 : QUINTANADUEÑAS
VALLADOLID A 62
Hospital del Rey Las Huelgas
A 1 - E 5 : MADRID
POL

Arco de Santa Maria . . . . A B
Museo de Burgos . . . . B M¹

Búbal **HU** .... 21 D 29
Búbal (Embalse de) **HU** ..... 21 D 29
Buberos **SO** .... 33 H 23
Bubierca **Z** .... 34 I 24
Bubión **GR** .... 102 V 19
Bucher **TO** .... 57 L 14
Buciegas **CU** .... 47 K 22
Búcor **GR** .... 94 U 18
Buda (Illa de) **T** .... 51 J 32
Budia **GU** .... 47 K 21
Budián **LU** .... 4 B 7
Budiño **C** .... 3 D 4
Budiño **PO** .... 12 F 4
Buelna **O** .... 7 B 16
Buen Amor **SA** .... 43 I 12
Buen Retiro **CR** .... 71 O 21
Buena Leche **V** .... 61 M 26
Buenache
de Alarcón **CU** .... 60 N 23
Buenache
de la Sierra **CU** .... 60 L 24
Buenafuente
(Monasterio de) **GU** .... 47 J 23
Buenamadre **SA** .... 43 J 11
Buenas Noches **MA** .... 99 W 14
Buenasbodas **TO** .... 57 N 15
Buenaventura **TO** .... 57 L 15
Buenavista **SA** .... 43 J 13
Buenavista **GR** .... 94 U 18
Buenavista (Monte) **AB** ..... 72 O 24
Buenavista-Cala
Abogat **A** .... 75 P 30
Buenavista
de Valdavia **P** .... 17 E 16
Buenavista del Norte
Tenerife **TF** .... 126 B 3
Buendía **CU** .... 47 K 21
Buendía
(Embalse de) **CU** .... 47 K 21
Bueno (El)
Tenerife **TF** .... 129 G 4
Buenos Aires **A** .... 86 R 28
Bueña **TE** .... 48 J 26
Buera **HU** .... 22 F 30
Buerba **HU** .... 22 E 30
Bueres **O** .... 6 C 13
Buesa **HU** .... 21 E 29
Bueu **PO** .... 12 F 3
Buey **TO** .... 58 M 18
Bufali **V** .... 74 P 28
Bugallido **C** .... 12 D 4
Bugarra **V** .... 61 N 27
Bugedo **BU** .... 18 E 20
Búger **PM** .... 104 M 38
Buitrago **SO** .... 33 G 22
Buitrago (Pinilla de) **M** .... 46 J 18
Buitrago del Lozoya **M** .... 46 J 19
Buitre **MU** .... 84 R 24
Buitre **AL** .... 95 U 21
Buitre (Monte) **TE** .... 61 L 26
Buitrera **GU** .... 32 I 19
Buitrón (El) **H** .... 79 T 9
Buitrón (El) *Monte* **H** .... 78 S 8
Buiza **LE** .... 16 D 12
Bujalance **CO** .... 81 S 16
Bujalaro **GU** .... 46 J 21
Bujalcayado **GU** .... 47 I 21
Buján **C** .... 2 D 2
Bujaraiza **J** .... 83 R 21
Bujaraloz **Z** .... 35 H 29
Bujarda (La) **H** .... 78 S 8
Bujardo **BA** .... 78 Q 9
Bujarrabal **GU** .... 47 I 22
Bujaruelo **HU** .... 21 D 29
Bujeda (La) **GU** .... 59 L 21
Bujeo (El) **CA** .... 99 X 13
Bujeo (Puerto del) **CA** .... 99 X 13
Bujo **BA** .... 79 R 11
Bularros **AV** .... 44 J 15
Bulbuente **Z** .... 34 G 25
Bullaque (El) **CR** .... 70 O 17
Bullas **MU** .... 84 R 24
Bulnes **O** .... 6 C 15
Buniel **BU** .... 17 F 18
Bunyola **PM** .... 104 M 38
Buñales **HU** .... 21 F 28
Buño **C** .... 2 C 3
Buñol **V** .... 61 N 27
Buñuel **NA** .... 34 G 25
Burbáguena **TE** .... 48 I 25
Burbia **LE** .... 14 D 9
Burceat **HU** .... 22 F 30
Burceña **BU** .... 8 C 19
Burela **LU** .... 4 B 7
Burés **C** .... 12 D 3
Bureta **Z** .... 34 G 25
Burete **MU** .... 84 R 24
Burgal (El) **V** .... 61 N 27
Burganes
de Valverde **ZA** .... 29 G 12
Burgi / Burgui **NA** .... 11 D 26
Burgo **LU** .... 3 D 7
Burgo (El) **MA** .... 100 V 15
Burgo de Ebro (El) **Z** .... 35 H 27
Burgo de Osma (El) **SO** .... 32 H 20
Burgo Ranero (El) **LE** .... 16 E 14
Burgohondo **AV** .... 44 K 15
Burgomillodo **SG** .... 31 H 18
Burgos **BU** .... 18 E 18
Burgueira **PO** .... 12 F 3
Burguete / Auritz **NA** .... 11 D 26
Burgui / Burgi **NA** .... 11 D 26
Burguilla **CC** .... 57 M 14
Burguillos **SE** .... 91 T 12
Burguillos de Toledo **TO** .... 58 M 18
Burguillos del Cerro **BA** ..... 79 Q 10
Buriz **LU** .... 3 C 6
Burjassot **V** .... 62 N 28
Burlada / Burlata **NA** .... 11 D 25
Burlata / Burlada **NA** .... 11 D 25
Burón **LE** .... 6 C 14
Burras **MU** .... 84 S 24
Burres **C** .... 3 D 5
Burriana / Borriana **CS** ...... 62 M 29
Burrueco **AB** .... 72 P 23
Buruaga **VI** .... 19 D 21
Burujón **TO** .... 58 M 17
Burunchel **J** .... 83 S 21
Busante **O** .... 4 D 9
Buscastell **PM** .... 87 O 34
Busdongo **LE** .... 15 D 12
Busloñe **O** .... 5 C 12
Busmente **O** .... 4 B 9
Busot **A** .... 86 Q 28
Busquístar **GR** .... 102 V 20
Bustablado **S** .... 8 C 19
Bustamante **S** .... 17 C 17
Bustantigo **O** .... 4 B 9
Bustares **GU** .... 46 I 20
Bustarviejo **M** .... 46 J 18
Bustasur **S** .... 17 D 17
Buste (El) **Z** .... 34 G 25
Bustidoño **S** .... 17 D 18
Bustillo de Cea **LE** .... 16 E 14
Bustillo de Chaves **VA** .... 16 F 14
Bustillo de la Vega **P** .... 16 E 15
Bustillo del Monte **S** .... 17 D 17
Bustillo del Oro **ZA** .... 30 G 13
Bustillo del Páramo **LE** ...... 15 E 12
Bustillo del Páramo
de Carrión **P** .... 16 E 15
Busto *cerca de Luarca* **O** ...... 5 B 10
Busto *cerca*
de Villaviciosa **O** .... 6 B 13
Busto (Cabo) **O** .... 5 B 10
Busto (El) **NA** .... 19 E 23
Busto de Bureba **BU** .... 18 E 20
Bustoburniego **O** .... 5 B 10
Bustriguado **S** .... 7 C 16
Busturia **BI** .... 9 B 21
Butihondo
Fuerteventura **GC** .... 112 D 5
Butrera **BA** .... 79 R 10
Butróe **BI** .... 8 B 21
Buxán *cerca de Rois* **C** ...... 12 D 3
Buxán
cerca de Val do Dubra **C** ... 2 C 4
Buxantes (Monte de) **C** .... 2 D 2
Buxu (Cueva del) **O** .... 6 B 14

C

Caamaño **C** .... 12 E 2
Caaveiro **C** .... 3 B 5
Cabaco (El) **SA** .... 43 K 11
Cabaleiros **C** .... 2 C 4
Caballar **SG** .... 45 I 18
Caballera **HU** .... 21 F 28
Caballeros **J** .... 82 Q 18
Caballo **GR** .... 94 U 19
Caballo (Cerro del) **GR** ...... 94 U 19
Caballó (Serra El) **V** .... 74 O 27
Caballón **H** .... 91 T 9
Caballos
(Sierra de los) **MA** .... 93 U 15
Cabalos
(Sierra de los) **LU** .... 14 E 8
Cabana **C** .... 2 C 3
Cabanabona **L** .... 37 G 33
Cabanamoura **C** .... 2 D 3
Cabanas **LU** .... 3 B 6
Cabanas **C** .... 3 B 5
Cabanelas **OR** .... 13 E 5
Cabanelles **GI** .... 25 F 38
Cabanes **GI** .... 25 F 38
Cabanes *Castelló* **CS** .... 62 L 30
Cabanes
(Barranc de) **CS** .... 62 L 29
Cabanillas **NA** .... 20 F 25
Cabanillas **SO** .... 33 H 22
Cabanillas
de la Sierra **M** .... 46 J 19
Cabanillas
del Campo **GU** .... 46 K 20
Cabanyes (Les) **B** .... 37 H 35
Cabañaquinta **O** .... 6 C 13
Cabañas **Z** .... 34 G 26
Cabañas **LE** .... 16 F 13
Cabañas (Monte) **J** .... 83 S 21
Cabañas (Puerto) **CA** .... 92 V 14
Cabañas
de Castilla (Las) **P** .... 17 E 16
Cabañas
de la Dornilla **LE** .... 15 E 10
Cabañas de la Sagra **TO** ... 58 L 18
Cabañas
de Polendos **SG** .... 45 I 17
Cabañas de Sayago **ZA** .... 29 I 12
Cabañas de Yepes **TO** ...... 58 M 19
Cabañas
del Castillo **CC** .... 56 N 13
Cabañas Raras **LE** .... 14 E 9
Cabañeros **LE** .... 16 F 13
Cabañeros **CR** .... 69 N 16
Cabañeros
(Parque nacional) **CR** .... 69 N 16
Cabañes
de Esgueva **BU** .... 32 G 18
Cabarga (Peña) **S** .... 8 B 18
Cabassers **T** .... 36 I 32
Cabdella **L** .... 23 E 32
Cabe **LU** .... 14 E 7
Cabeza (La) **AB** .... 84 R 23
Cabeza
de Béjar (La) **SA** .... 43 K 13
Cabeza de Buey **CR** .... 71 Q 20
Cabeza de Campo **LE** .... 14 E 9
Cabeza
de Diego Gómez **SA** ...... 43 J 11
Cabeza
de la Viña (Isla) **J** .... 83 R 21
Cabeza del Buey **BA** .... 68 P 14
Cabeza del Caballo **SA** ..... 42 I 10
Cabeza Gorda **J** .... 49 I 28
Cabeza la Vaca **BA** .... 79 R 10
Cabezabellosa **CC** .... 56 L 12
Cabezabellosa
de la Calzada **SA** .... 44 I 13
Cabezadas (Las) **GU** .... 46 I 20
Cabezamesada **TO** .... 59 M 20
Cabezarados **CR** .... 70 P 17
Cabezarrubias **CR** .... 70 Q 17
Cabezas
de Alambre **AV** .... 44 J 15
Cabezas de Bonilla **AV** ...... 44 K 14
Cabezas
de San Juan (Las) **SE** .... 91 V 12
Cabezas del Pasto **H** .... 78 T 7
Cabezas del Pozo **AV** .... 44 I 15
Cabezas del Villar **AV** .... 44 J 14
Cabezas Rubias **H** .... 78 S 8
Cabezo **CC** .... 43 K 11
Cabezo (Monte) **TE** .... 61 L 26
Cabezo de la Plata **MU** ..... 85 S 27
Cabezo de Torres **MU** .... 85 R 26
Cabezo Jara **AL** .... 96 T 24
Cabezón **VA** .... 31 G 16
Cabezón
de Cameros **LO** .... 19 F 22
Cabezón de la Sal **S** .... 7 C 17
Cabezón
de la Sierra **BU** .... 32 G 20
Cabezón de Liébana **S** .... 7 C 16
Cabezón
de Valderaduey **VA** .... 16 F 14
Cabezón del Oro
(Serra de) **A** .... 74 Q 28
Cabezudos (Los) **H** .... 91 U 10
Cabezuela **SG** .... 31 I 18
Cabezuela (La) **V** .... 73 O 26
Cabezuela
del Valle **CC** .... 56 L 12
Cabezuelas (Las) **M** .... 45 K 17
Cabezuelos (Los) **GU** .... 47 K 22
Cabizuela **AV** .... 44 J 15
Cabó **L** .... 23 F 33
Cabo Blanco
Tenerife **TF** .... 128 D 5
Cabo Cervera-Playa
La Mata **A** .... 86 R 28
Cabo de Gata **AL** .... 103 V 23
Cabo de Gata-Níjar
(Parque natural de) **AL** ... 96 V 23
Cabo de Palos **MU** .... 86 T 27
Caboalles de Abajo **LE** ...... 15 D 10
Caboalles de Arriba **LE** ..... 15 D 10
Cabolafuente **Z** .... 47 I 23
Cabornera **LE** .... 15 D 12
Caborno **O** .... 5 B 10
Caborredondo **BU** .... 18 E 19
Cabra **CO** .... 93 T 16
Cabra (Cinto) **V** .... 73 O 27
Cabra de Mora **TE** .... 49 L 27
Cabra del Camp **T** .... 37 H 33
Cabra del Santo Cristo **J** ... 83 S 20
Cabras **GR** .... 94 U 17
Cabras (Las) **AB** .... 84 R 22
Cabredo **NA** .... 19 E 22
Cabreiroá **OR** .... 28 G 7
Cabreiros **LU** .... 3 B 6
Cabrejas **CU** .... 60 L 22
Cabrejas (Altos de) **CU** ..... 60 L 22
Cabrejas (Puerto de) **CU** ... 60 L 23
Cabrejas del Campo **SO** ... 33 G 23
Cabrejas del Pinar **SO** .... 33 G 21
Cabrera **BA** .... 79 R 11
Cabrera (La) **M** .... 46 J 19
Cabrera (La) **GU** .... 47 I 22
Cabrera (La) **V** .... 61 N 27
Cabrera (Río de la) **J** .... 82 R 17
Cabrera de Mar **B** .... 38 H 37
Cabrerizos **SA** .... 43 J 13
Cabrero **CC** .... 56 L 12
Cabreros del Monte **VA** ..... 30 G 14
Cabreros del Río **LE** .... 16 E 13
Cabretón **LO** .... 34 G 24
Cabril (El) **CO** .... 80 R 13
Cabrilla (Río de la) **CO** ...... 81 S 14
Cabrillanes **LE** .... 15 D 11
Cabrillas **SA** .... 43 J 11
Cabrillas
(Puerto de las) **TE** .... 49 K 29
Cabrils **B** .... 38 H 37
Cabrito (Alto El) **CA** .... 99 X 13
Cabruñana **O** .... 5 B 11
Cabuérniga **S** .... 7 C 17
Cacabelos **LE** .... 14 E 9
Cáceres **CC** .... 55 N 10
Cáceres
(Embalse de) **CC** .... 55 N 11
Caceruela **CR** .... 69 O 16
Cachafeiro **PO** .... 13 E 4
Cachaza **CC** .... 55 L 9
Cacheiras **C** .... 12 D 4
Cachorilla **CC** .... 55 M 9
Cacín **GR** .... 94 U 18
Cacín (Canal del) **GR** .... 94 U 18
Cadabedo **LU** .... 4 B 7
Cádabo (O) **LU** .... 4 C 8
Cadafresnas **LE** .... 14 E 9
Cadagua **BU** .... 8 C 19
Cadalso **CC** .... 55 L 10
Cadalso de los Vidrios **M** ... 57 L 16
Cadaqués **GI** .... 25 F 39
Cadavedo **O** .... 5 B 10
Cádavos **OR** .... 28 G 8
Cadena
(Puerto de la) **MU** .... 85 S 26
Cadí **L** .... 23 F 34
Cadí (Serra de) **L** .... 23 F 34
Cadí (Túnel de) **GI** .... 24 F 35
Cadí-Moixeró
(Parc natural de) **B** .... 24 F 35
Cádiar **GR** .... 102 V 20
Cadiñanos **BU** .... 18 D 19
Cádiz **CA** .... 98 W 11
Cádiz (Bahía de) **CA** .... 98 W 11
Cadreita **NA** .... 20 F 24
Cadrete **Z** .... 35 H 27
Caicedo Yuso **VI** .... 18 D 21
Caídero de la Niña (Embalse)
Gran Canaria **GC** .... 114 C 3
Caimari **PM** .... 104 M 38
Caimodorro **TE** .... 48 K 24
Caín **LE** .... 6 C 15
Caión **C** .... 2 C 4
Cajigar **HU** .... 22 F 31
Cajiz **MA** .... 101 V 17
Cala **H** .... 79 S 11
Cala (Embalse de) **SE** .... 79 S 11
Cala (La) **A** .... 74 Q 29
Cala Agulla **PM** .... 105 M 40
Cala Bassa **PM** .... 87 P 33
Cala Blanca
Menorca **PM** .... 106 M 41
Cala Blava **PM** .... 104 N 38
Cala Bona **PM** .... 105 N 40

CÁCERES

América (Pl. de)	AZ 2
Amor de Dios	BZ 3
Ancha	BZ 4
Antonio Reyes Huertas	BZ 6
Arturo Aranguren	AZ 7
Ceres	BY 9
Colón	BZ 10
Compañía (Cuesta de la)	BY 12
Diego María Crehuet	BZ 14
Fuente Nueva	BZ 15
Gabino Muriel	AZ 17
Gen. Primo de Rivera (Av. del)	AZ 22
Isabel de Moctezuma (Av.)	AZ 24
José L. Cotallo	AY 25
Juan XXIII	AZ 26
Lope de Vega	BY 28
Marqués (Cuesta del)	BY 30
Mayor (Pl.)	BY
Médico Sorapán	BZ 31
Millán Astray (Av.)	BZ 32
Mono	BY 33
Perreros	BZ 35
Pintores	BY 36
Portugal (Av. de)	AZ 37
Profesor Hdez Pacheco	BZ 39
Ramón y Cajal (Pas. de)	AY 42
Reyes Católicos	AY 43
San Antón	AZ 47
San Blas (Av. de)	BY 45
San Jorge	AY 49
San Juan (Pl. de)	BZ 51
San Pedro	BZ 53
San Pedro de Alcántara (Av.)	AZ 54
San Roque	BZ 56
Tiendas	BY 58
Trabajo	AY 59
Universidad (Av. de la)	BY 60
Viena	AZ 62

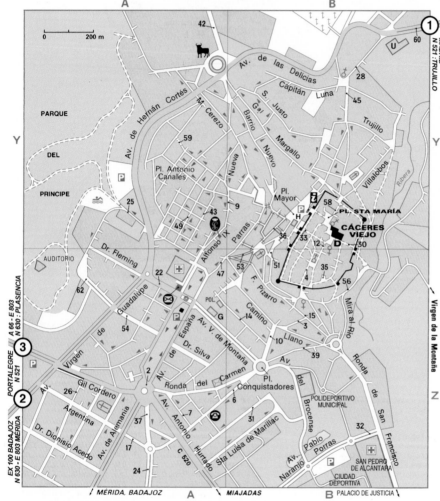

Palacio de Los Golfines de Abajo . . . . BY **D**

Cala de los Tiestos *A*	75 P 30	Cala Sahona *PM*	87 P 34	Calahonda *GR* ... 102 V 19
Cala de Salionç *GI*	39 G 38	Cala Sant Vicenç *PM*	105 M 39	Calahonda *MA* ... 100 W 15
Cala Deià *PM*	104 M 37	Cala Sant Vicent		Calahorra *LO* ... 19 F 24
Cala del Moral *cerca*		Localitat *PM*	87 O 34	Calahorra
de Rincón de la V. *MA*	100 V 17	Cala		(Estación de La) *GR* ... 95 U 20
Cala d'Or *PM*	105 N 39	Santa Galdana *PM*	106 M 41	Calahorra (La) *GR* ... 95 U 20
Cala en Blanes *PM*	106 L 41	Cala Santanyí *PM*	105 O 39	Calahorra de Boedo *P* ... 17 E 16
Cala en Bosc *PM*	106 M 41	Cala Tarida *PM*	87 P 33	Calalberche *TO* ... 58 L 17
Cala en Porter *PM*	106 M 42	Cala Turqueta *PM*	106 M 41	Calama *CC* ... 43 K 11
Cala Ferrera *PM*	105 N 39	Cala Vallgornera *PM*	104 N 38	Calamocha *TE* ... 48 J 26
Cala Figuera *PM*	105 O 39	Cala Vedella *PM*	87 P 33	Calamocos *LE* ... 15 E 10
Cala Fonduco *PM*	106 M 42	Cala Vinyes *PM*	104 N 37	Calamonte *BA* ... 67 P 10
Cala Fornells *PM*	104 N 37	Cala Xarraca *MU*	97 T 25	Calanda *TE* ... 49 J 29
Cala Galdana *PM*	106 M 41	Calabardina		Calanda
Cala Gració *PM*	87 P 33	(Embalse del) *H*	78 T 9	(Embalse de) *TE* ... 49 J 29
Cala Llonga *Ibiza PM*	87 P 34	Calabazas *H*	79 S 9	Calañas *H* ... 84 Q 22
Cala Mesquida		Calabazas *SG*	31 H 17	Calar Alto *AL* ... 95 U 22
Mallorca *PM*	105 M 40	Calabazas *VA*	30 H 15	Calar de la Santa *MU* ... 84 R 23
Cala Mesquida		Calaburra		Calar del Mundo *AB* ... 84 Q 22
Menorca *PM*	106 M 42	(Punta de) *MA*	100 W 16	Calares (Los) *CR* ... 71 Q 21
Cala Millor *PM*	105 N 40	Calaceite *TE*	50 I 30	Calasanz *HU* ... 22 F 31
Cala Montjoi *GI*	25 F 39	Calacuccia *TE*	51 J 32	Calasparra *MU* ... 84 R 24
Cala Morell *PM*	106 L 41	Caladrones *HU*	22 F 31	Calasparra
Cala Murada *PM*	105 N 39	Calaf *B*	37 G 34	(Estación de) *MU* ... 84 R 24
Cala Pi *PM*	104 N 38	Calafat *T*	51 J 32	Calatañazor *SO* ... 33 G 21
Cala Puntal *CS*	50 K 31	Calafell *T*	37 I 34	Calatayud *Z* ... 34 H 25
Cala Rajada *PM*	105 M 40	Calafell Platja *T*	37 I 34	Calatorao *Z* ... 34 H 25

Calahonda *GR*	102 V 19	Calatrava (Campo de) *CR.*	70 P 18
Calahonda *MA*	100 W 15	Calatrava	
Calahorra *LO*	19 F 24	(Puerto de) *CR*	70 P 18
Calahorra		Calatraveño (Puerto) *CO*	81 R 15
(Estación de La) *GR*	95 U 20	Calaveruela *CO*	80 R 13
Calahorra (La) *GR*	95 U 20	Calbinyà *L*	23 E 34
Calahorra de Boedo *P*	17 E 16	Calcena *Z*	34 H 24
Calalberche *TO*	58 L 17	Caldas (Las) *O*	5 C 12
Calama *CC*	43 K 11	Caldas de Besaya (Las) *S*	7 C 17
Calamocha *TE*	48 J 26	Caldas de Luna *LE*	15 D 12
Calamocos *LE*	15 E 10	Caldas de Reis *PO*	12 E 4
Calamonte *BA*	67 P 10	Calde *LU*	3 D 7
Calanda *TE*	49 J 29	Caldearenas *HU*	21 E 28
Calanda		Caldebarcos *C*	12 D 2
(Embalse de) *TE*	49 J 29	Caldelas *PO*	12 F 4
Calañas *H*	84 Q 22	Caldera *CO*	93 T 17
Calar Alto *AL*	95 U 22	Caldereta	
Calar de la Santa *MU*	84 R 23	Fuerteventura *GC*	111 I 2
Calar del Mundo *AB*	84 Q 22	Calderín (El) *TO*	70 O 18
Calares (Los) *CR*	71 Q 21	Calderón *V*	61 L 26
Calasanz *HU*	22 F 31	Calderones (Los) *MU*	85 S 25
Calasparra *MU*	84 R 24	Caldes de Boí *L*	22 E 32
Calasparra		Caldes de Malavella *GI*	25 G 38
(Estación de) *MU*	84 R 24	Caldes de Montbui *B*	38 H 36
Calatañazor *SO*	33 G 21	Caldes d'Estrac *B*	38 H 37

Caldones *O*	6 B 13	Calzadilla de Tera *ZA*	29 G 11
Caldueño *O*	6 B 15	Calzadilla	
Caleao *O*	6 C 13	del Campo *SA*	43 I 11
Calella *B*	38 H 37	Camaleño *S*	7 C 15
Calella de Palafrugell *GI*	25 G 39	Camallera *GI*	25 F 38
Calera (La) *CR*	71 P 20	Camañas *TE*	48 K 26
Calera (La) *PM*	91 U 10	Camarasa *L*	37 G 32
Calera (La) *CC*	56 N 14	Camarasa (Pantà de) *L*	36 G 32
Calera (La) *BA*	67 P 10	Camarena *TO*	58 L 17
Calera de León *BA*	79 R 11	Camarena	
Calera del Prado (La) *BI*	8 C 19	(Sierra de) *TE*	61 L 26
Calera y Chozas *TO*	57 M 15	Camarena	
Caleruega *BU*	32 G 19	de la Sierra *TE*	61 L 26
Caleruela *TO*	56 M 14	Camarenilla *TO*	58 L 17
Caleruela *cerca*		Camarillas *TE*	49 K 27
de Los Yébenes *TO*	58 N 18	Camarillas	
Caleruela (La) *J*	83 R 20	(Embalse de) *AB*	84 Q 25
Cales de Mallorca *PM*	105 N 39	Camarinal (Punta) *CA*	99 X 12
Caleta *El Hierro TF*	109 E 2	Camariñas *C*	2 C 2
Caleta (La) *GR*	101 V 19	Camariñas (Ría de) *C*	2 C 2
Caleta (La) *Tenerife TF*	126 C 3	Camarles *T*	50 J 32
Caleta (La) *Tenerife TF*	128 C 5	Camarma	
Caleta de Famara		de Esteruelas *M*	46 K 19
Lanzarote *GC*	123 E 3	Camarmeña *O*	6 C 15
Caleta de Fustes (Castillo de)		Camarna del Caño *M*	46 K 19
Fuerteventura *GC*	111 I 3	Camarzana de Tera *ZA*	29 G 11
Caleta de Vélez (La) *MA.*	101 V 17	Camás *O*	6 B 13
Caleta del Sebo		Camas *SE*	91 T 11
Lanzarote *GC*	121 E 2	Camasobres *P*	7 C 16
Caletas (Las)		Camba *OR*	14 F 8
La Palma *TF*	132 D 7	Cambados *PO*	12 E 3
Caletillas (Las)		Cambás *C*	3 C 5
Tenerife *TF*	127 H 3	Cambela *OR*	14 F 8
Caleyos (Los) *O*	6 C 13	Cambeo *OR*	13 E 6
Calicasas *GR*	94 U 19	Cambil *J*	82 S 19
Càlig *CS*	50 K 31	Cambre *C*	3 C 4
Callao Salvaje		Cambre *cerca*	
Tenerife *TF*	128 C 5	de Malpica *C*	2 C 3
Calldetenes *B*	38 G 36	Cambrils *L*	23 F 34
Callejas *CU*	60 N 24	Cambrils de Mar *T*	51 I 33
Callejones		Cambrón *CR*	83 Q 20
La Palma *TF*	132 D 5	Cambrón (Peña) *J*	83 S 20
Callejos (Los) *O*	6 B 15	Cambrón	
Callén *HU*	35 G 28	(Sierra del) *CO*	80 Q 13
Calleras *O*	5 B 10	Camelle *C*	2 C 2
Calles *V*	61 M 27	Camello (Punta del)	
Callejuela *O*	5 B 12	Tenerife *TF*	129 G 5
Callobre *O*	5 C 5	Cameno *BU*	18 E 20
Callobre *PO*	13 D 4	Camino *S*	7 C 17
Callosa de Segura *A*	85 R 27	Caminomorisco *CC*	43 L 11
Callosa d'en Sarrià *A*	74 Q 29	Caminreal *TE*	48 J 26
Callús *B*	37 G 35	Camocha (La) *O*	6 B 13
Calmarza *Z*	48 I 24	Camocho *CC*	56 L 12
Calnegre *MU*	97 T 25	Camorro Alto *MA*	100 V 16
Calnegre (Punta de) *MU*	97 T 25	Camós *GI*	25 F 38
Calo *C*	2 C 2	Camp d'Abaix *V*	61 M 26
Calo *C*	12 D 4	Camp d'Arcís *V*	61 N 26
Calobra (Sa) *PM*	104 M 38	Camp de Mar *PM*	104 N 37
Calomarde *TE*	48 K 25	Camp de Mirra (El) *A.*	74 P 27
Calonge *GI*	25 G 39	Camp-redo *T*	50 J 31
Calonge *Mallorca PM*	105 N 39	Campalbo *CU*	61 M 26
Calonge (El) *CO*	80 T 13	Campamento *AL*	103 V 22
Calonge de Segarra *B*	37 G 34	Campamento (El) *CA*	99 X 13
Calp *A*	74 Q 30	Campamento	
Calpes (Los) *CS*	62 L 28	Matallana *SE*	80 T 13
Caltojar *SO*	33 H 21	Campana (La) *CR*	71 P 20
Calvarrasa de Abajo *SA*	44 J 13	Campana (La) *MU*	85 Q 25
Calvarrasa		Campana (La) *SE*	92 T 13
de Arriba *SA*	44 J 13	Campana (Río de) *J*	82 R 18
Calvestra *V*	61 N 26	Campanario *BA*	68 P 13
Calvià *PM*	104 N 37	Campanario	
Calvín Bajo *TO*	58 N 17	(Embalse de) *H*	90 T 9
Calvo *BA*	79 Q 11	Campanas *NA*	11 D 25
Calvos de Randín *OR*	27 G 6	Campanet *PM*	104 M 38
Calypo *TO*	58 L 17	Campanet	
Calzada		(Coves de) *PM*	104 M 38
(Atalaya de la) *CR*	70 Q 18	Campanillas *MA*	100 V 16
Calzada		Campanó *CA*	98 W 11
de Béjar (La) *SA*	43 K 12	Camparañón *SO*	33 G 22
Calzada de Bureba *BU*	18 E 20	Campaspero *VA*	31 H 17
Calzada		Campazas *LE*	16 F 13
de Calatrava *CR*	70 P 18	Campdevànol *GI*	24 F 36
Calzada de los Molinos *P.*	17 F 16	Campdorà *GI*	24 F 36
Calzada		Campell (El) *A*	86 Q 28
de Oropesa (La) *TO*	56 M 14	Campello (El) *A*	86 Q 28
Calzada de Tera *ZA*	29 G 11	Campico	
Calzada		de los López *MU*	97 T 25
de Valdunciel *SA*	43 I 12	Campillejo *GU*	46 I 20
Calzada de Vergara *AB*	73 O 25	Campillo *L*	23 F 34
Calzada del Coto *LE*	16 E 14	Campillo *CR*	69 P 16
Calzadilla de la Cueza *P.*	16 F 15	Campillo	
Calzadilla		(Casa Forestal del) *J*	83 R 22
de los Barros *BA*	79 R 11	Campillo (El) *VA*	30 I 14
Calzadilla		Campillo (El) *ZA*	29 H 12
de los Hermanillos *LE*	16 E 14	Campillo (El) *H*	79 S 10
		Campillo (El) *J*	83 R 20
		Campillo (El) *SE*	92 T 14

A B C D E F G H I J K L M N O P Q R S T U V W X Y Z

Ancha . . . . BY 2
Ántonio López . . . . BCY
Apodaca (Alameda de) . . . . . BY
Argüelles (Pl.) . . . . CY
Benito Pérez Galdós . . . . . . AY
Benjumeda . . . . BY
Calderón de la Barca . . . . . BY 3
Calesas . . . . CZ
Campo del Sur . . . . ABZ
Candelaria (Pl.) . . . . BZ 4
Cardoso . . . . BZ
Carlos III (Paseo) . . . . ABY
Ceballos . . . . BY
Cervantes . . . . BY
Columela . . . . BYZ
Compañía . . . . BZ 5
Concepción Arenal . . . . CZ
Constitución (Pl. de la) . . . . CZ
Cristóbal Colón . . . . CZ 6
Diego Arias . . . . AY
Doctor G. Ulla (Av.) . . . . AY
Doctor Marañón . . . . AY 7
Duque de Najera (Av.) . . . . AYZ
España (Pl. de) . . . . CY
Falla (Pl.) . . . . AY
Fernando el Católico . . . . . CY 8
Fray Félix (Pl.) . . . . BZ 9
Honduras . . . . CY
Marqués de Comillas
   (Alameda) . . . . BY
Mentidero (Pl. del) . . . . BY 10
Mesón Nueva . . . . CZ 12
Mina (Pl. de) . . . . BY
Montañés . . . . BZ 13
Moreno de Mora . . . . BY
Novena . . . . BY 15
Nueva . . . . CZ 16
Pelota . . . . CZ 17
Piratas (Callejón de los) . . . BZ 18
Plocia . . . . CZ
Puerto (Av. del) . . . . CYZ
Ramón de Carranza (Av.) . . CZ 19
Rep. Argentina . . . . CY
Rosario . . . . CY
Sacramento . . . . CY
Sagasta . . . . ABYZ
Santa María . . . . CZ 28
Santo Cristo . . . . BCZ 29
San Agustín . . . . CY 20
San Antonio (Pl.) . . . . BY 21
San Francisco . . . . BCY
San Francisco (Pl. de) . . . . BY 23
San José . . . . ABYZ
San Juan . . . . BZ
San Juan de Dios . . . . CZ 24
San Juan de Dios (Pl.) . . . . CZ 25
San Martín (Pl.) . . . . CZ 26
San Roque (Pl.) . . . . CZ 27
Sopranis . . . . CZ 30
Topete (Pl. del) . . . . CZ 31
Vea Murguía . . . . BY
Virgen de la Palma . . . . AZ
Viudas (Pl. de las) . . . . BY

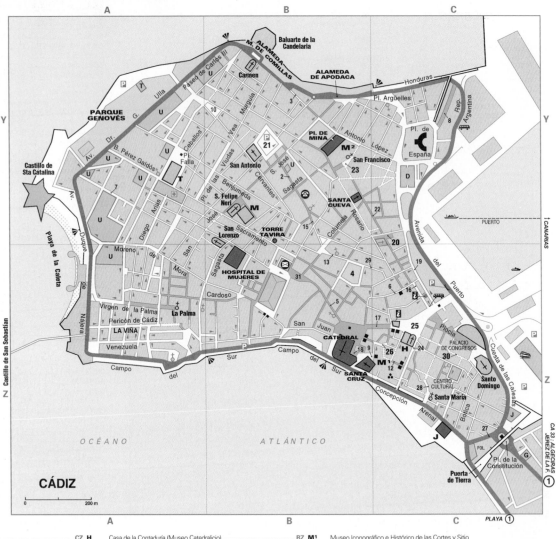

CÁDIZ

0   200 m

Ayuntamiento . . . . CZ **H**
Cárcel Real (Palacio de Justicia) . . . . CZ **J**
Casa de la Contaduría (Museo Catedralicio) . . . . BZ **M¹**
Museo de Cádiz . . . . BY **M²**
Museo Iconográfico e Histórico de las Cortes y Sitio
de Cádiz . . . . BY **M³**

Campillo
de Altobuey *CU* . . . . 60 N 24
Campillo de Aragón *Z* . . . . 48 I 24
Campillo de Aranda *BU* . . . 32 H 18
Campillo de Arenas *J* . . . . . 94 T 19
Campillo de Azaba *SA* . . . . 42 K 9
Campillo
de Deleitosa *CC* . . . . 56 M 13
Campillo de Dueñas *GU* . . . 48 J 24
Campillo
de la Jara (El) *TO* . . . . . . 57 N 14
Campillo
de la Virgen *AB* . . . . 72 P 24
Campillo
de las Doblas *AB* . . . . . . 72 P 24
Campillo de Llerena *BA* . . . 68 Q 12
Campillo de Ranas *GU* . . . . 46 I 20
Campillo
de Salvatierra *SA* . . . . . . 43 K 12
Campillo
del Negro (El) *AB* . . . . . . 73 P 24
Campillo del Río *J* . . . . 82 S 19
Campillos *MA* . . . . 93 U 15
Campillos (Río) *CU* . . . . . . 60 L 24
Campillos
Paraventos *CU* . . . . 61 M 25
Campillos Sierra *CU* . . . . . . 60 L 24
Campino *BU* . . . . 17 D 18
Campins *B* . . . . 38 G 37
Campiña *C* . . . . 32 F 20
Campirme *L* . . . . 23 E 33
Campisábalos *GU* . . . . 32 I 20
Camplong *GI* . . . . 39 G 38
Camplongo *LE* . . . . 16 D 12
Campo *HU* . . . . 22 E 31
Campo *C* . . . . 2 C 3
Campo *LE* . . . . 6 D 13
Campo *S* . . . . 17 D 18

Campo (El) *TE* . . . . 61 L 26
Campo (El) *GR* . . . . 84 S 22
Campomanes *O* . . . . 5 C 12
Campomojado *CR* . . . . 70 O 18
Campo (O) *C* . . . . 3 D 5
Campóo (Alto) *S* . . . . 7 C 16
Campo Cebas *GR* . . . . 83 S 21
Campo da Árbore
   (Porto de) *LU* . . . . 14 D 8
Campo de Arriba *V* . . . . . . 61 M 26
Campo de Caso *O* . . . . 6 C 13
Campo de Criptana *CR* . . . . 71 N 20
Campo de Cuéllar *SG* . . . . 31 I 16
Campo de la Lomba *LE* . . . 15 D 12
Campo
de Ledesma (El) *SA* . . . . . 43 I 11
Campo
de Peñaranda (El) *SA* . . . 44 J 14
Campo
de San Pedro *SG* . . . . . . 32 H 19
Campo de Villavidel *LE* . . . 16 E 13
Campo del Agua *LE* . . . . . . 14 D 9
Campo del Hospital *C* . . . . . 3 B 6
Campo Lameiro *PO* . . . . . . 12 E 4
Campo Lugar *CC* . . . . 68 O 12
Campo Real *M* . . . . 46 K 19
Campo Real
   (Estación de) *CO* . . . . . . 93 T 15
Campo Xestada *C* . . . . 3 C 4
Campobecerros *OR* . . . . . . 14 F 8
Campocámara *GR* . . . . 83 S 21
Campocerrado *SA* . . . . 43 J 11
Campofrío *H* . . . . 79 S 10
Campogrande
   de Aliste *ZA* . . . . 29 G 11
Campohermoso *AL* . . . . . 103 V 23
Campolar *LE* . . . . 16 E 13
Campolara *BU* . . . . 32 F 19
Campollo *S* . . . . 7 C 16

Campolongo *C* . . . . 3 B 5
Campomares *O* . . . . 5 C 12
Campomojado *CR* . . . . 70 O 18
Camponaraya *LE* . . . . 14 E 9
Campóo (Alto) *S* . . . . 7 C 16
Camporredondo *VA* . . . . . . 31 H 16
Camporredondo *J* . . . . 83 R 20
Camporredondo
   (Embalse de) *P* . . . . 17 D 15
Camporredondo
de Alba *P* . . . . 16 D 15
Camporrélls *HU* . . . . 36 G 31
Camporrobles *V* . . . . 61 N 25
Campos *TE* . . . . 49 J 27
Campos Mallorca *PM* . . . 105 N 39
Campos (Los) *O* . . . . 5 B 12
Campos del Río *MU* . . . . . . 85 R 25
Camposancos *PO* . . . . 26 G 3
Camposo *LU* . . . . 14 D 7
Campotéjar *MU* . . . . 85 R 26
Campotéjar *GR* . . . . 94 T 19
Camprodon *GI* . . . . 24 F 37
Camuñas *TO* . . . . 70 N 19
Can Amat *B* . . . . 38 H 35
Can Bondia *B* . . . . 24 F 36
Can Ferrer *T* . . . . 37 I 34
Can Pastilla *PM* . . . . 104 N 38
Can Picafort *PM* . . . . 105 M 39
Can Vidal *B* . . . . 38 G 35
Canabal *LU* . . . . 13 E 7
Canajela *CC* . . . . 67 O 10
Canal (La) *S* . . . . 7 C 18
Canal (Sa) *Ibiza PM* . . . . . 87 P 34
Canal
   de las Bárdenas . . . . 20 E 26
Canaleja *AB* . . . . 72 P 22
Canaleja (La) *CO* . . . . 81 R 15

Canalejas *LE* . . . . 16 D 15
Canalejas de Peñafiel *VA* . . 31 H 17
Canalejas del Arroyo *CU* . . 47 K 22
Canales *AV* . . . . 44 I 15
Canales *LO* . . . . 18 F 20
Canales *O* . . . . 5 D 12
Canales *LO* . . . . 15 D 12
Canales Castelló *CS* . . . . . 61 M 27
Canales (Embalse) *GR* . . . . 94 U 19
Canales
   (Mirador de) *GR* . . . . . . 94 U 19
Canales de Molina *GU* . . . . 47 J 24
Canales del Ducado *GU* . . . 47 J 22
Canaletes *B* . . . . 37 H 35
Canalosa (La) *A* . . . . 85 R 27
Canals *V* . . . . 74 P 28
Canar (es) *PM* . . . . 90 O 34
Canara *MU* . . . . 84 R 24
Canario (Jardín)
   Gran Canaria *GC* . . . . . 115 F 2
Cancarix *AB* . . . . 85 Q 25
Cancelada *LU* . . . . 14 D 8
Cancelada *MA* . . . . 100 W 14
Cances *C* . . . . 2 C 3
Cancha *CC* . . . . 43 K 10
Cancias *HU* . . . . 21 E 29
Canda (Portilla de la) *ZA* . . 28 F 9
Candado (El) *MA* . . . . 100 V 16
Candamil *LU* . . . . 3 B 6
Candamo *O* . . . . 5 B 11
Candán (Alto do) *PO* . . . . . 13 E 5
Cándana
   de Curueño (La) *LE* . . . . 16 D 13
Candanchú *HU* . . . . 21 D 28
Candanedo de Fenar *LE* . . 16 D 13
Candanosa *O* . . . . 5 C 9
Candás *O* . . . . 5 B 12

Candasnos *HU* . . . . 36 H 30
Candelaria *Tenerife TF* . . . 127 H 3
Candelario *SA* . . . . 43 K 12
Candeleda *AV* . . . . 57 L 14
Candieira (Punta) *C* . . . . . . 3 A 6
Candil *AB* . . . . 85 Q 25
Candilichera *SO* . . . . 33 G 23
Candín *LE* . . . . 14 D 9
Candolias *S* . . . . 8 C 18
Candón *H* . . . . 91 T 9
Candoncillo
   (Embalse de) *H* . . . . 91 T 9
Canduas *C* . . . . 2 C 3
Canedo *C* . . . . 5 C 5
Canedo *LU* . . . . 14 E 7
Canedo *LE* . . . . 14 E 9
Caneja *MU* . . . . 84 R 24
Canejan *L* . . . . 22 D 32
Canelles (Pantà del) *L* . . . . 36 G 31
Canena *J* . . . . 82 R 19
Canencia *M* . . . . 46 J 18
Canencia (Puerto de) *M* . . 46 J 18
Canero *O* . . . . 5 B 10
Canet d'Adri *GI* . . . . 24 F 38
Canet de Mar *B* . . . . 38 H 37
Canet d'en Berenguer *V* . . 62 M 29
Canet lo Roig *CS* . . . . 50 K 30
Canfranc *HU* . . . . 21 D 28
Canfranc-Estación *HU* . . . . 21 D 28
Cangas
   cerca de Burela *LU* . . . . . 4 B 7
Cangas
   cerca de Pontón *LU* . . . . 13 E 7
Cangas
   cerca de Vigo *PO* . . . . . 12 F 3
Cangas de Onis *O* . . . . 6 B 14
Cangas del Narcea *O* . . . . . 5 C 10

Canicosa
   de la Sierra *BU* . . . . 32 G 20
Canido *PO* . . . . 12 F 3
Caniles *GR* . . . . 95 T 21
Canillas *TO* . . . . 58 M 17
Canillas de Abajo *SA* . . . . 43 J 12
Canillas de Albaida *MA* . . 101 V 18
Canillas de Esgueva *VA* . . 31 G 17
Canizo (Alto do) *OR* . . . . . 14 F 8
Canizo (O) *OR* . . . . 14 F 8
Canjáyar *AL* . . . . 95 U 21
Cano *J* . . . . 82 S 19
Canós (El) *L* . . . . 37 G 33
Cánovas (Las) *MU* . . . . . . 85 S 26
Cánoves *B* . . . . 38 G 37
Canredondo *GU* . . . . 47 J 22
Canseco *LE* . . . . 6 D 13
Cansinos
   (Estación de los) *CO* . . . 81 S 16
Cantagallo *AB* . . . . 72 P 22
Cantagallo *L* . . . . 46 J 18
Cantagallo *SA* . . . . 43 K 12
Cantal (El) *MU* . . . . 97 T 25
Cantal (El) *AL* . . . . 96 T 23
Cantal (Punta del) *AL* . . . . 96 U 24
Cantalapiedra *SA* . . . . 44 I 14
Cantalar (El) *J* . . . . 83 S 21
Cantalejo *SG* . . . . 31 I 18
Cantalgallo *BA* . . . . 79 R 11
Cantallops *GI* . . . . 25 E 38
Cantalobos *HU* . . . . 35 G 28
Cantalojas *GU* . . . . 32 I 20
Cantalpino *SA* . . . . 44 I 14
Cantalucía *SO* . . . . 32 G 21
Cantaracillo *SA* . . . . 44 J 14
Cantareros (Los) *MU* . . . . 85 S 25
Cantarranas *SA* . . . . 43 K 10
Cantarranas *CA* . . . . 99 X 12

CARTAGENA

América (Av. de)	B 3	Isaac Peral	A 7
Bastarreche (Pl.)	B 4	Jacinto Benavente	B 9
Cuatro Santos	A	Juan Fernández	A 10
Duque	B 6	Juan Muñoz Delgado	B 12
		Mayor	A
		Menéndez y Pelayo	A 13
		Parque	A 15
		Puertas de Murcia	A 16
		Ronda	A 18
		Santa Florentina	A 21
		San Fernando	A
		San Francisco (Pl.)	A 19
		Serreta	A 22
		Universidad (Pl. de la)	B 24

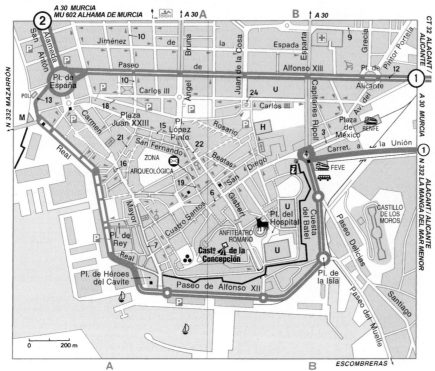

Cantavieja *TE* 49 K 28
Cantera (La) *SE* 80 S 12
Cantera Blanca *J* 94 T 18
Canteras *MU* 97 T 26
Canteras *GR* 84 S 23
Canteras (Estación de) *MU* 85 S 27
Cantillana *SE* 80 T 12
Cantimpalos *SG* 45 I 17
Cantiveros *AV* 44 J 15
Cantó (Coll del) *L* 23 E 33
Cantoblanco *AB* 73 O 26
Cantoblanco Universidad *M* 46 K 18
Cantón (El) *MU* 85 R 27
Cantonigrós *B* 24 F 37
Cantoña *OR* 13 F 6
Cantoral *P* 17 D 16
Cantoria *AL* 96 T 23
Canya (La) *GI* 24 F 37
Canyada (La) cerca de Sant Vicent *A* 86 Q 28
Canyamars *B* 38 H 37
Canyamel *PM* 105 N 40
Canyelles *B* 37 I 35
Cañada cerca de Villena *A* 73 P 27
Cañada (la) *CU* 61 N 25
Cañada (La) *V* 62 N 28
Cañada (Puerto) *BA* 79 R 11
Cañada Catena *J* 83 R 21
Cañada de Agra *AB* 84 Q 24
Cañada de Benatanduz *TE* 49 K 28
Cañada de Caballeros *SE* 81 S 14
Cañada de Calatrava *CR* 70 P 17
Cañada de Cañepla (La) *AL* 84 S 23
Cañada de Herradón (La) *AV* 45 K 16
Cañada de la Cruz *MU* 84 R 23
Cañada de la Madera *J* 83 R 21
Cañada de San Urbano (La) *AL* 103 V 22
Cañada de Verich (La) *TE* 50 J 29
Cañada del Gamo *CO* 80 R 13

Cañada del Hoyo *CU* 60 M 24
Cañada del Provencio *AB* 84 Q 22
Cañada del Rabadán *SE* 80 T 14
Cañada del Trigo *MU* 85 Q 26
Cañada Juncosa *AB* 72 P 23
Cañada Morales *J* 83 R 21
Cañada Rosal *SE* 92 T 14
Cañada Vellida *TE* 49 J 27
Cañadajuncosa *CU* 60 N 23
Cañadas (Las) *SE* 79 T 10
Cañadas (Las) *Tenerife TF* 128 E 4
Cañadas de Haches de Abajo *AB* 72 Q 23
Cañadas de Haches de Arriba *AB* 72 Q 23
Cañadas del Romero *SE* 80 S 12
Cañadas del Teide (Las) *Tenerife TF* 127 F 3
Cañadilla (La) *TE* 49 J 28
Cañadillas *CO* 93 T 16
Cañadillas (Monte) *GR* 94 U 19
Cañamaque *SO* 33 H 23
Cañamares *CU* 47 K 23
Cañamares *GR* 71 P 21
Cañamares *CU* 46 I 21
Cañamero *CC* 68 N 13
Cañar *GR* 102 V 19
Cañares (Embalse de) *TO* 57 M 16
Cañas *LO* 19 E 21
Cañavate (El) *CU* 60 N 23
Cañaveral *CC* 55 M 10
Cañaveral de Léon *H* 79 R 10
Cañaveralejo *SE* 93 U 15
Cañaveras *CU* 47 K 22
Cañaveruelas *CU* 47 K 22
Cañeda *S* 7 C 17
Cañete *CU* 60 L 25
Cañete de las Torres *CO* 81 S 17
Cañete la Real *MA* 93 V 14
Cañicera *SO* 32 H 20
Cañicosa *SG* 45 I 18
Cañigral (Sierra de) *BA* 79 Q 10
Cañijal *SA* 38 H 34
Cañiza (A) *PO* 13 F 5
Cañizal *ZA* 44 I 13
Cañizar *GU* 46 J 20
Cañizar (El) *CU* 60 M 24

Cañizar de Argaño *BU* 17 E 18
Cañizar del Olivar *TE* 49 J 28
Cañizares *GU* 48 J 24
Cañizares *CU* 47 K 23
Cañizo *ZA* 30 G 13
Caños de Meca (Los) *CA* 99 X 12
Cañuelo (El) *CO* 94 T 17
Cañuelo (El) *SE* 79 T 11
Cap de Creus (Parc natural de) *GI* 25 F 39
Cap d'en Font *PM* 106 M 42
Cap i Corp *CS* 63 L 30
Cap Roig *CS* 85 S 27
Capafonts *T* 37 I 33
Capallón *GR* 95 T 21
Capdepera *PM* 105 M 40
Capdepera (Punta de) *PM* 105 M 40
Capdesaso *HU* 35 G 29
Capela *C* 3 B 5
Capella *HU* 22 F 31
Capellades *B* 37 H 35
Capeza de Framontanos *SA* 29 I 10
Capileira *GR* 102 V 19
Capilla *BA* 69 P 14
Capilla (La) *MU* 85 Q 26
Capitán *J* 83 R 21
Capitán (El) *AB* 72 O 22
Capitán (El) *MA* 101 V 17
Capmany *GI* 25 E 38
Capocorp *PM* 104 N 38
Capolat *B* 23 F 35
Capones *J* 82 R 19
Caprés *MU* 85 R 26
Capricho (El) *GR* 101 V 18
Capsacosta (Coll de) *GI* 24 F 37
Capsec *GI* 24 F 37
Carabanchel *M* 46 K 18
Carabantes *SO* 33 H 24
Carabanzo *O* 5 C 12
Carabaña *M* 59 L 20

Carabias *SG* 32 H 19
Carabias *GU* 47 I 21
Caracena de Valle *CU* 60 L 22
Caracenilla *CU* 59 L 22
Caracollera (Estación de) *CR* 69 P 16
Caracuel de Calatrava *CR* 70 P 17
Caramel *AL* 84 S 23
Caranca *VI* 18 D 20
Caranga de Abajo *O* 5 C 11
Carantoña *C* 2 C 2
Caraño *LU* 4 C 8
Caraquiz *GU* 46 J 19
Carasa *S* 8 B 19
Carataunas *GR* 102 V 19
Caravaca de la Cruz *MU* 84 R 24
Carazo *BU* 32 G 19
Carazuelo *SO* 33 G 23
Carbajal de Rueda *LE* 16 D 14
Carbajales de Alba *ZA* 29 H 12
Carbajalinos *ZA* 15 F 10
Carbajo *CC* 54 N 8
Carbajosa *ZA* 22 H 11
Carbajosa de Armuña *SA* 43 I 13
Carbajosa de la Sagrada *SA* 43 J 13
Carballal *LU* 3 D 6
Carballeda *LU* 13 E 5
Carballeda de Avia *OR* 13 E 5
Carballedo *PO* 13 E 4
Carballedo *LU* 13 E 6
Carballido cerca de Lugo *LU* 4 C 7
Carballido cerca de Villalba *LU* 4 C 7
Carballiño (O) *OR* 13 E 5
Carballo *O* 6 C 10
Carballo *C* 2 C 3
Carballo *LU* 3 C 6
Carballo *OR* 13 F 6
Carbayín *O* 6 B 13
Carbayo (El) *O* 6 C 12
Carbellino *ZA* 29 I 11
Carbes *O* 6 C 14
Carbia *PO* 13 D 5

Carboeiro *PO* 13 D 5
Carbón Fuerteventura *GC* 113 G 4
Carbonera *P* 16 E 15
Carbonera de Frentes *SO* 33 G 22
Carboneras *AL* 103 V 24
Carboneras *H* 79 S 10
Carboneras (Las) *BA* 67 P 9
Carboneras de Guadazón *CU* 60 M 24
Carbonero Ahusín *SG* 45 I 17
Carbonero el Mayor *SG* 45 I 17
Carboneros *J* 82 R 19
Carcabada *O* 6 B 13
Carcabal *GR* 95 U 20
Carcaboso *CC* 55 L 11
Carcabuey *CO* 93 T 17
Carcagente / Carcaixent *V* 74 O 28
Carcaixent / Carcagente *V* 74 O 28
Cárcar *NA* 19 E 24
Carcastillo *NA* 20 E 25
Carcedo cerca de Luarca *O* 5 B 10
Carcedo de Bureba *BU* 18 E 19
Carcedo de Burgos *BU* 18 F 19
Carcelén *AB* 73 O 26
Càrcer *V* 74 O 28
Carche (El) *MU* 85 Q 26
Cárchel *J* 82 T 19
Carchelejo *J* 94 T 19
Carchuna *GR* 102 V 19
Carchuna o del Llano (Punta) *GR* 102 V 19
Cardaño de Abajo *P* 16 D 15
Cardaño de Arriba *P* 16 D 15
Cardedeu *B* 38 H 37
Cardejón *SO* 33 H 23
Cárdenas *LO* 19 E 21
Cardenchosa (La) *CO* 80 R 13
Cardenchosa (La) *BA* 80 R 13
Cardenete *CU* 60 M 24
Cardeña *CO* 81 R 17
Cardeñadijo *BU* 18 F 19
Cardeñajimeno *BU* 18 F 19
Cardeñosa *AV* 44 J 15
Cardeñosa *GU* 47 I 21
Cardeñosa de Volpejera *P* 17 F 15
Cardiel de los Montes *TO* 57 L 16
Cardó *T* 50 J 31
Cardón Fuerteventura *GC* 113 F 4
Cardona *B* 37 G 35
Cardonal (Punta del) Gran Canaria *GC* 114 C 2
Cardones Gran Canaria *GC* 115 E 2
Cardós (Vall de) *L* 23 E 33
Cardosa (Balcón de la) *S* 7 C 17
Cardoso de la Sierra (El) *GU* 46 I 19
Caregue *L* 23 E 33
Carenas *Z* 34 I 24
Careñes *O* 6 B 13
Cargadero (El Cerro del) *BU* 32 G 21
Cariatiz *AL* 96 U 23
Caridad (La) *O* 4 B 9
Caridad (La) *CR* 70 P 18
Carija *BA* 67 P 10
Cariñena *Z* 34 H 26
Cariño *C* 3 A 6
Cariseda *LE* 15 D 10
Caritel *PO* 13 E 4
Carivete *MU* 85 S 25
Carla Alto (Observatorio del) *AL* 95 U 22
Carlet *V* 74 O 28
Carlota (La) *CO* 81 S 15
Carme *B* 37 H 34
Carme (Museu del) *CS* 62 M 29
Carmen (Ermita del) *SE* 80 S 12
Carmen (Ermita del) cerca de Cantavieja *TE* 49 K 28
Carmen (Ermita del) cerca de Monreal del Campo *TE* 48 J 25
Carmena *TO* 57 M 16
Cármenes *LE* 16 D 13
Carmolí (El) *MU* 85 S 27
Carmona *S* 7 C 16
Carmona *SE* 92 T 13

Carmonita *BA* 67 O 10
Carne (Pico de la) *GR* 94 U 19
Carnero (Punta del) *CA* 99 X 13
Carneros (Puerto de los) *BA* 69 O 14
Camés *C* 2 C 2
Carnoedo *C* 3 B 5
Carnota *C* 12 D 2
Caro *T* 50 J 31
Caroch *V* 73 O 27
Caroi *PO* 13 E 4
Carolina (La) *SA* 44 I 14
Carolina (La) *J* 82 R 19
Carollo *C* 3 D 4
Carondio (Sierra de) *O* 4 C 9
Carpio *VA* 30 I 14
Carpio (El) *CO* 81 S 16
Carpio (El) *H* 78 S 9
Carpio (Embalse de El) *TO* 57 M 16
Carpio (Embalse de El) *CO* 81 S 16
Carpio de Azaba *SA* 42 K 10
Carpio de Tajo (El) *TO* 57 M 16
Carraca (La) *CA* 98 W 11
Carracedelo *LE* 14 E 9
Carracedo *LE* 14 E 9
Carracedo *OR* 13 F 5
Carracedo *PO* 13 E 4
Carral *C* 3 C 4
Carrales (Casa Forestal de) *J* 83 R 21
Carrales (Puerto de) *BU* 17 D 18
Carramaiza *GR* 83 T 19
Carrandi *O* 6 B 14
Carranque *TO* 58 L 18
Carrasca (La) *J* 82 T 18
Carrascal *SG* 45 I 18
Carrascal *ZA* 29 H 12
Carrascal (El) *T* 50 J 31
Carrascal (Puerto del) *NA* 20 E 25
Carrascal de Barregas *SA* 43 J 12
Carrascal del Obispo *SA* 43 J 12
Carrascal del Río *SG* 31 H 18
Carrascalejo *CC* 57 N 14
Carrascalejo (El) *BA* 67 O 10
Carrascalejo (Estación de El) *BA* 67 O 10
Carrascalejo de Huebra *SA* 43 J 11
Carrascosa *CU* 47 K 23
Carrascosa de Abajo *SO* 32 H 20
Carrascosa de Haro *CU* 60 N 23
Carrascosa de Henares *GU* 46 J 20
Carrascosa de la Sierra *SO* 33 G 23
Carrascosa de Tajo *GU* 47 J 22
Carrascosa del Campo *CU* 59 L 21
Carrascosilla *CU* 59 L 22
Carrascoy *MU* 85 S 26
Carrasqueta (Port de la) *A* 74 Q 28
Carrasquilla (Collado de la) *CU* 60 L 22
Carrasquilla (La) *AB* 72 Q 24
Carratraca *MA* 100 V 15
Carrea *O* 5 C 11
Carreira cerca de Ribeira *C* 12 E 2
Carreira cerca de Zás *C* 2 C 3
Carreña *O* 6 C 15
Carril *O* 5 B 12
Carrera (La) *AV* 44 K 13
Carreros *SA* 43 J 12
Carretero (Puerto del) *J* 94 T 19
Carrias *BU* 18 E 20
Carriches *TO* 57 M 16
Carrícola *V* 74 P 28
Carril *PO* 12 E 3
Carrió *P* 17 D 16
Carrión (Ermita de) *BA* 66 O 8
Carrión (Ermita de) *CR* 70 O 18
Carrión de los Céspedes *SE* 91 T 11
Carrión de los Condes *P* 17 E 16
Carriones (Los) *GR* 83 S 21
Carrizal cerca de Cistierna *LE* 16 D 15
Carrizal cerca de Soto y Amío *LE* 15 D 12

A B C D E F G H I J K L M N O P Q R S T U V W X Y Z

CASTELLÓ DE LA PLANA/CASTELLÓN DE LA PLANA

Arrufat Alonso . . . . A 2
Barrachina . . . . A 3
Benasal . . . . A 4
Buenavista (Pas. de) . . . . B 7
Burriana (Av.) . . . . A 8

Cardenal Costa (Av.) . . . . A 13
Carmen (Pl. del) . . . . B 14
Churruca . . . . B 18
Doctor Clará (Av.) . . . . A 23
Enmedio . . . . A

Espronceda (Av.) . . . . A 24
Guitarrista Tárrega . . . . A 28
Joaquín Costa . . . . A 29
Maestro Ripollés . . . . A 30
María Agustina (Pl.) . . . . A 32
Mar (Av. del) . . . . A 31
Morella (Pas.) . . . . A 33
Oeste (Parque del) . . . . A 34
Orfebres Santalinea . . . . A 35
País Valencià (Pl.) . . . . A 36
Rafalafena . . . . A 37
Sanahuja . . . . A 39
San Pedro . . . . B 38
Sebastián El Cano . . . . B 40
Tarragona . . . . A 42
Teodoro Llorens . . . . A 44
Trevalladors del Mar . . . . B 45
Vinatea (Ronda) . . . . A 48
Zaragoza . . . . A 49

Carrizal (El)
  Gran Canaria GC . . . . 114 C 3
Carrizales (Los)
  Tenerife TF . . . . 126 B 3
Carrizo
  de la Ribera *LE* . . . . 15 E 12
Carrizos (Los) *SE* . . . . 80 S 12
Carrizosa *CR* . . . . 71 P 21
Carrizosa (La) *SE* . . . . 93 T 15
Carro *AB* . . . . 72 O 22
Carroja (La) *A* . . . . 74 P 29
Carrova (La) *T* . . . . 50 J 31
Cartagena *MU* . . . . 97 T 27
Cartajima *MA* . . . . 100 W 14
Cártama *MA* . . . . 100 V 16
Cartaojal *MA* . . . . 93 U 16
Cartavio *O* . . . . 4 B 9
Cartaya *H* . . . . 90 U 8
Cartelle *OR* . . . . 13 F 5
Cartes *S* . . . . 7 C 17
Carteya-
  Guadarranque *CA* . . . . . 99 X 13
Cartirana *HU* . . . . 21 E 28
Cartuja
  (Monasterio de la) *CA* . . 98 W 11
Cartuja
  de Monegros (La) *HU* . . 35 G 29
Carucedo *LE* . . . . 14 E 9
Carvajal *MA* . . . . 100 W 16
Carvajales (Los) *MA* . . . . . 93 U 15
Cas Concos *PM* . . . . 105 N 39
Casa Blanca *CU* . . . . 60 N 22
Casa Blanca *AB* . . . . 72 Q 24
Casa Blanca *GR* . . . . 69 O 16
Casa Blanca *GR* . . . . 84 S 22
Casa Blanca (sa) *PM* . . . . 104 N 38
Casa Cañete *AB* . . . . 72 P 23
Casa de Campo *M* . . . . . . 46 K 18
Casa de Carta
  Tenerife TF . . . . 124 H 2
Casa de la Sierra *BU* . . . . . 18 F 20
Casa de Navamarín *AB* . . . 72 P 22
Casa de Uceda *GU* . . . . . . 46 J 19
Casa
  de Valdepalacios *CC* . . . 68 O 13

Casa del Barón
  (Parador) *PO* . . . . 12 E 4
Casa del Egidillo *CU* . . . . . 60 M 23
Casa del Lléo *A* . . . . 85 R 27
Casa Grande *P* . . . . 31 G 16
Casa Grande *AB* . . . . 72 O 24
Casa la Carriza *CR* . . . . . . 71 O 21
Casa Longa *CU* . . . . 59 M 22
Casa Meca *MU* . . . . 84 T 24
Casa Mula *AL* . . . . 84 S 23
Casa Nueva *TO* . . . . 58 M 17
Casa Nueva *GR* . . . . 94 U 18
Casa Nueva
  de la Torrecilla *J* . . . . . . 83 Q 20
Casa Sola *AB* . . . . 72 Q 23
Casabermeja *MA* . . . . 100 V 16
Casablanca *LU* . . . . 4 C 7
Casablanca *AL* . . . . 84 S 23
Casablanca *CA* . . . . 91 V 11
Casafranca *SA* . . . . 43 K 12
Casaio *OR* . . . . 14 E 9
Casalarreina *LO* . . . . 18 E 21
Casalgordo *TO* . . . . 58 N 18
Casalonga *C* . . . . 12 D 4
Casanova *BU* . . . . 32 G 19
Casanova *C* . . . . 13 D 4
El Casar *GU* . . . . 46 J 19
Casar
  de Cáceres *CC* . . . . 55 N 10
Casar de Cáceres
  (Estación de) *CC* . . . . . . 55 N 10
Casar
  de Escalona (El) *TO* . . . 57 L 16
Casar de Miajadas *CC* . . . . 68 O 12
Casar de Palomero *CC* . . . 43 L 11
Casarabonela *MA* . . . . 100 V 15
Casarejo *CA* . . . . 91 V 11
Casarejo (El) *CR* . . . . 69 O 16
Casarejos *SO* . . . . 32 G 20
Casares *MA* . . . . 99 W 14
Casares
  (Cueva de los) *GU* . . . . 47 J 23
Casares de Arbás *LE* . . . . 15 D 12

Casares
  de las Hurdes *CC* . . . . . 43 K 11
Casariche *SE* . . . . 93 U 15
Casariego *O* . . . . 4 B 9
Casarrubios
  del Monte *TO* . . . . 58 L 17
Casarrubuelos *M* . . . . 58 L 18
Casas (Las) *SO* . . . . 33 G 22
Casas (Las) *CR* . . . . 70 O 18
Casas Altas *V* . . . . 61 L 26
Casas Bajas *V* . . . . 61 L 26
Casas Blancas *CR* . . . . . . 71 P 21
Casas de Belvis *CC* . . . . . 56 M 13
Casas de Benalí (Las) *V* . . 73 O 27
Casas de Búcar *TE* . . . . . . 48 K 24
Casas
  de Don Antonio *CC* . . . 67 O 11
Casas
  de Don Gómez *CC* . . . . 55 L 10
Casas de Don Juan *GR* . . . 84 S 22
Casas de Don Pedro *AB* . . 73 O 25
Casas de Don Pedro *BA* . . 68 O 14
Casas de Esper *Z* . . . . 21 F 27
Casas de Eufemia *V* . . . . . 61 N 26
Casas de Felipe *CC* . . . . . 55 L 9
Casas
  de Fernando Alonso *CU* . 72 N 23
Casas
  de Garcimolina *CU* . . . . 61 M 25
Casas de Guijarro *CU* . . . . 72 N 23
Casas de Guijarro *CU* . . . . 60 N 23
Casas
  de Haches (Las) *AB* . . . 72 Q 23
Casas de Ibañez *A* . . . . . . 85 Q 26
Casas
  de Juan Fernández *CU* . 72 N 24
Casas de Juan Gil *AB* . . . . 73 O 26
Casas
  de Juan Núñez *AB* . . . . 73 O 25
Casas
  de la Alcudilla *CO* . . . . . 93 U 17
Casas de la Calera *CA* . . . 98 W 11
Casas de la Higuera *AB* . . 72 Q 24
Casas de la Peña *AB* . . . . 72 O 22

Casas de Lázaro *AB* . . . . . 72 P 23
Casas
  de los Hierros *CA* . . . . . 99 X 12
Casas de los Pinos *CU* . . . 72 N 22
Casas
  de los Puercos *AB* . . . . 71 O 22
Casas de Luján *CU* . . . . . . 59 M 21
Casas de Medina *V* . . . . . . 61 N 26
Casas de Millán *CC* . . . . . 55 M 11
Casas de Miravete *CC* . . . 56 M 12
Casas de Moya *V* . . . . 61 N 25
Casas de Orán *AB* . . . . . . 72 P 24
Casas de Penen *V* . . . . . . 73 N 26
Casas de Pradas *V* . . . . . . 61 N 25
Casas de Reina *BA* . . . . . . 79 R 12
Casas de Roldán *CU* . . . . . 72 O 22
Casas
  de San Galindo *GU* . . . 46 J 21
Casas
  de Santa Cruz *CU* . . . . 72 N 24
Casas de Soto *V* . . . . 73 O 26
Casas de Ves *AB* . . . . 73 O 25
Casas
  de Villalobillos *CO* . . . . 81 S 15
Casas
  de Villava Perea *CU* . . . 59 M 21
Casas del Campillo *AB* . . . 73 P 26
Casas del Castañar *CC* . . . 56 L 12
Casas del Cerro *AB* . . . . . . 73 O 25
Casas del Collado *AB* . . . . 84 Q 23
Casas
  del Conde (Las) *SA* . . . 43 K 11
Casas del Embalse
  de Alarcón *CU* . . . . 60 N 23
Casas del Matado *AB* . . . . 72 O 23
Casas del Monte *TO* . . . . . 58 M 19
Casas del Monte *CC* . . . . . 56 L 12
Casas del Monte *CR* . . . . . 71 O 20
Casas del Olmo *CU* . . . . . 72 O 24
Casas del Pino *AB* . . . . . . 84 Q 23
Casas del Puerto *AV* . . . . . 64 K 14
Casas del Puerto *AB* . . . . . 72 P 23
Casas del Puerto *MU* . . . . 85 Q 26
Casas del Rey *V* . . . . 61 N 25
Casas del Río *V* . . . . 73 O 26

Casas El Pozo *TE* . . . . 61 M 27
Casas Ibáñez *AB* . . . . 73 O 25
Casas Nuevas *CU* . . . . 61 L 25
Casas Nuevas *MU* . . . . . . 84 S 25
Casas Nuevas
  cerca de Librilla *MU* . . . 85 S 25
Casas Nuevas
  cerca de Lorca *MU* . . . . 84 S 24
Casas Viejas *AB* . . . . 72 P 24
Casasana *GU* . . . . 47 K 22
Casasbuenas *TO* . . . . 58 M 17
Casaseca
  de Campeán *ZA* . . . . . . 29 H 12
Casaseca
  de las Chanas *ZA* . . . . . 29 H 12
Casasimarro *CU* . . . . 72 N 23
Casasnovas *HU* . . . . 36 G 30
Casasoá *OR* . . . . 13 F 6
Casasola *AV* . . . . 44 J 15
Casasola
  (Embalse) *MA* . . . . 100 V 16
Casasola de Arión *VA* . . . . 30 H 14
Casasuertes *LE* . . . . 6 C 15
Casatejada *CC* . . . . 56 M 12
Casavegas *P* . . . . 7 C 16
Casavieja *AV* . . . . 57 L 15
Casbas de Huesca *HU* . . . 21 F 29
Cascaire *AL* . . . . 96 T 22
Cascajares *MA* . . . . 100 W 14
Cascajares
  de Bureba *BU* . . . . 18 D 20
Cascajares
  de la Sierra *BU* . . . . 32 F 19
Cascajosa *SO* . . . . 33 H 21
Cascante *NA* . . . . 34 G 24
Cascante del Río *TE* . . . . . 61 L 26
Cascantes *LE* . . . . 16 D 13
Cascón de la Nava *P* . . . . . 31 F 16
Cáseda *NA* . . . . 20 E 25
Caseiro *OR* . . . . 13 E 5
Caseres *T* . . . . 50 I 30
Caserío
  de Don Domingo *J* . . . . 83 R 22
Caserío de Embid *CU* . . . . 60 L 23
Caserío de Torrubia *J* . . . . 82 R 19
Caserío
  los Molinares *TE* . . . . . . 48 L 25
Caserío San José *SG* . . . . 31 H 18
Caserres *T* . . . . 24 F 35
Cases d'Alcanar (Les) *T* . . 50 K 31
Cases de Sitjar *CS* . . . . . . 62 L 29
Cases
  del Senyor (Les) *A* . . . . 85 Q 27
Casetas *Z* . . . . 34 G 26
Casica del Madroño *AB* . . . 72 P 23
Casicas
  del Río Segura *J* . . . . . 83 R 22
Casilla de Moya *V* . . . . 61 N 25
Casillas *AV* . . . . 45 L 16
Casillas *GU* . . . . 32 I 21
Casillas
  (Embalse de) *CC* . . . . . 56 N 12
Casillas (Las) *GU* . . . . 47 J 23
Casillas (Las) *H* . . . . 91 U 10
Casillas (Las) *J* . . . . 82 R 19
Casillas (Las)
  Gran Canaria GC . . . . . 116 C 3
Casillas de Berlanga *SO* . . 33 H 21
Casillas de Coria *CC* . . . . . 55 M 10
Casillas de Flores *SA* . . . . 42 K 9
Casillas de Marín
  de Abajo *AB* . . . . 73 P 26
Casillas de Marín
  de Arriba *AB* . . . . 73 P 25
Casillas de Ranera *CU* . . . 61 M 26
Casillas de Velasco *CO* . . . 81 R 16
Casillas del Angel
  Fuerteventura GC . . . . . 111 H 3
Casinos *V* . . . . 62 M 27
Casisa (Las) *CC* . . . . 54 N 8
Casitas (Las)
  Fuerteventura GC . . . . . 113 G 4
Casla *SG* . . . . 46 I 19
Casoio *OR* . . . . 14 E 9
Casomera *O* . . . . 6 C 13
Caspe *Z* . . . . 36 I 29
Caspe (Embalse de) *TE* . . . 50 I 29
Caspueñas *GU* . . . . 46 J 21
Cassà de la Selva *GI* . . . . 25 G 38
Castadón *OR* . . . . 13 E 6
Castala *AL* . . . . 102 V 21
Castalla *A* . . . . 74 Q 27
Castanesa *HU* . . . . 22 E 31
Castanyet *GI* . . . . 24 G 37
Castañar (El) *TO* . . . . 58 N 17
Castañar de Ibor *CC* . . . . . 56 N 13
Castañares *BU* . . . . 18 E 19

Castañares de Rioja *LO* . . . 18 E 21
Castañeda *S* . . . . 7 C 18
Castañeda *C* . . . . 3 D 5
Castañedo *S* . . . . 8 B 18
Castaño *CO* . . . . 81 R 15
Castaño (El) *CA* . . . . 99 X 13
Castaño del Robledo *H* . . . 79 S 9
Castaños (Los) *AL* . . . . . . 96 U 23
Castaños
  (Puerto de los) *CC* . . . . 55 M 10
Castañuelo *H* . . . . 79 S 10
Cástaras *GR* . . . . 102 V 20
Castejón *SO* . . . . 33 G 23
Castejón *CU* . . . . 47 K 22
Castejón *NA* . . . . 20 F 24
Castejón de Alarba *Z* . . . . 48 I 25
Castejón
  de Arbaniés *HU* . . . . . . 21 F 29
Castejón
  de Henares *GU* . . . . . . 47 J 21
Castejón de las Armas *Z* . . 34 I 24
Castejón
  de Monegros *HU* . . . . . 35 H 29
Castejón
  de Sobrarbe *HU* . . . . . . 22 F 30
Castejón de Sos *HU* . . . . . 22 E 31
Castejón de Tornos *TE* . . . 48 J 25
Castejón de Valdejasa *Z* . . 35 G 27
Castejón del Puente *HU* . . 36 G 30
Castelflorite *HU* . . . . 36 G 29
Castell (El) *T* . . . . 50 K 31
Castell (es) *PM* . . . . 106 M 42
Castell d'Aro *GI* . . . . 25 G 39
Castell de Cabres *CS* . . . . 50 K 30
Castell de Castells *A* . . . . . 74 P 29
Castell de Ferro *GR* . . . . . 102 V 19
Castell
  de Guadalest (El) *A* . . . 74 P 29
Castell de l'Areny *B* . . . . . 24 F 35
Castelladral *B* . . . . 37 G 35
Castellana *C* . . . . 3 C 5
Castellano *V* . . . . 61 M 27
Castellanos *LE* . . . . 16 E 14
Castellanos *CR* . . . . 71 P 19
Castellanos (Montes) *CR* . . 71 Q 21
Castellanos
  de Castro *BU* . . . . 17 F 17
Castellanos
  de Moriscos *SA* . . . . . . 44 I 13
Castellanos
  de Villiquera *SA* . . . . . . 43 I 12
Castellanos
  de Zapardiel *AV* . . . . . . 44 I 15
Castellar *TO* . . . . 59 L 19
Castellar *B* . . . . 37 G 34
Castellar (El) *TE* . . . . 49 K 27
Castellar (El) *CO* . . . . 94 T 17
Castellar (El) *J* . . . . 82 G 26
Castellar
  de la Frontera *CA* . . . . . 99 X 13
Castellar
  de la Muela *GU* . . . . . . 48 J 24
Castellar
  de Santiago *CR* . . . . . . 71 Q 20
Castellar
  de Santisteban *J* . . . . . 83 R 20
Castellar de Tost *L* . . . . . . 23 F 34
Castellar del Riu *B* . . . . . . 23 F 35
Castellar del Vallès *B* . . . . 38 H 36
Castellàs *L* . . . . 23 F 33
Castellbell *B* . . . . 38 H 35
Castellbisbal *B* . . . . 38 H 35
Castellbó *L* . . . . 23 E 34
Castellcir *B* . . . . 38 G 36
Castellciutat *L* . . . . 23 E 34
Castelldans *L* . . . . 36 H 32
Castelldefels *B* . . . . 38 I 35
Castellet *B* . . . . 37 I 34
Castellfollit
  de la Roca *GI* . . . . 24 F 37
Castellfollit
  de Riubregós *B* . . . . . . 37 G 34
Castellfollit del Boix *B* . . . . 37 G 35
Castellfort *CS* . . . . 49 K 29
Castellgalí *B* . . . . 38 G 35
Castellnou de Bages *B* . . . 38 G 35
Castellnou de Montsec *L* . . 22 F 32
Castellnou de Seana *L* . . . 37 H 32
Castellnovo *CS* . . . . 62 M 28
Castelló de la Ribera *V* . . . 74 O 28
Castelló de la Plana /
  Castellón de la Plana *CS* 62 M 29
Castelló de Rugat *V* . . . . . 74 P 28

Castelló d'Empúries GI..... 25 F 39
Castellolí B..... 37 H 35
Castellón de la Plana /
  Castelló de la Plana CS. 62 M 29
Castellote TE..... 49 J 29
Castells L..... 23 F 33
Castellserà L..... 37 G 32
Castellterçol B..... 38 G 36
Castellvell T..... 37 I 33
Castellví de la Marca B..... 37 H 34
Castellví de Rosanes B..... 38 H 35
Castelnóu TE..... 35 I 28
Castelo cerca de Cervo LU..4 B 7
Castelo
  cerca de Taboada LU.. 13 D 6
Castelserás TE..... 49 J 29
Castelvispal TE..... 62 L 28
Castielfabib V..... 61 L 26
Castiello de Jaca HU..... 22 F 31
Castigaleu HU..... 22 F 31
Castil de Campos CO..... 94 T 17
Castil de Carrias BU..... 18 E 20
Castil de Lences BU..... 18 E 19
Castil de Peones BU..... 18 E 19
Castil de Tierra SO..... 33 H 23
Castil de Vela P..... 30 G 15
Castilblanco BA..... 69 O 14
Castilblanco
  de los Arroyos SE..... 79 S 12
Castildelgado BU..... 18 E 20
Castilfalé LE..... 16 F 13
Castilforte GU..... 47 K 22
Castilfrío
  de la Sierra SO..... 33 G 23
Castiliscar Z..... 20 E 26
Castilla (Canal de) VA..... 3 G 15
Castillazuelo HU..... 22 F 30
Castilleja
  de la Cuesta SE..... 91 T 11
Castilleja del Campo SE..... 91 T 11
Castilléjar GR..... 83 S 22
Castillejo M..... 58 M 18
Castillejo de Azaba SA..... 42 K 9
Castillejo
  de Dos Casas SA..... 42 J 9
Castillejo de Iniesta CU..... 60 N 24
Castillejo
  de Martín Viejo SA..... 42 J 10
Castillejo
  de Mesleón SG..... 32 I 19
Castillejo
  de Robledo SO..... 32 H 19
Castillejo
  de San Pedro SO..... 33 G 23
Castillejo
  del Romeral CU..... 60 L 22
Castillejo Sierra CU..... 47 K 23
Castillejos MA..... 100 W 15
Castillo CC..... 43 K 10
Castillo
  cerca de Garbayuela BA.. 69 O 15
Castillo
  cerca de Monesterio BA..79 R 11
Castillo (Puerto del) M..... 94 T 18
Castillo Albaráñez CU..... 60 L 22
Castillo de Alba (El) ZA..... 29 H 11
Castillo de Bayuela TO..... 57 L 15
Castillo de Calatrava la Nueva
  (Convento) CR..... 70 P 18
Castillo de Don Juan A..... 85 S 27
Castillo de Escalona TO..... 57 L 16
Castillo
  de Garcimuñoz CU..... 60 N 22
Castillo
  de Huarea (El) GR..... 102 V 20
Castillo
  de la Mezquita HU..... 21 F 28
Castillo
  de la Zuda (Parador) T.. 50 J 31
Castillo
  de las Guardas (El) SE..79 S 11
Castillo de Leres HU..... 21 E 28
Castillo de Locubín J..... 94 T 18
Castillo de Tajarja GR..... 94 U 18
Castillo de Tajo M..... 59 L 20
Castillo de Villamalefa CS. 62 L 28
Castillo del Plá HU..... 22 F 31
Castillo del Romeral
  Gran Canaria GC..... 117 F 4
Castillo-Nuevo NA..... 11 D 27
Castillo-Pedroso S..... 7 C 18
Castillón LU..... 13 E 7
Castillonroy HU..... 36 G 31
Castilmimbre GU..... 47 J 21
Castilnuevo GU..... 48 J 24
Castilruíz SO..... 33 G 23
Castilsabás HU..... 21 F 29

Castilseco LO..... 18 E 21
Castiltierra SG..... 32 H 19
Castiñeira OR..... 14 F 8
Castiñeiras C..... 12 E 3
Castiñeiros LU..... 3 B 6
Castralvo TE..... 61 L 26
Castraz SA..... 43 J 10
Castrecias BU..... 17 D 17
Castrejón VA..... 30 I 14
Castrejón TO..... 57 M 16
Castrejón
  (Embalse de) TO..... 58 M 17
Castrejón de la Peña P..... 17 D 16
Castrejón
  (Estación de) OR..... 14 F 8
Castrelo de Abajo OR..... 28 G 8
Castrelo de Miño OR..... 13 F 5
Castrelo do Val OR..... 28 G 7
Castrelos PO..... 12 F 3
Castri GR..... 83 S 21
Castril BU..... 32 G 19
Castrillo de Cabrera LE..... 15 E 10
Castrillo de Cepeda LE..... 15 E 11
Castrillo de Duero VA..... 31 H 17
Castrillo
  de la Guareña ZA..... 30 I 14
Castrillo de la Reina BU..... 32 G 20
Castrillo de la Ribera LE.. 16 E 13
Castrillo de la Valduerna LE.. 15 F 11
Castrillo de la Vega BU..... 32 H 18
Castrillo
  de los Polvazares LE..... 15 E 11
Castrillo
  de Matajudíos BU..... 17 F 17
Castrillo de Murcia BU..... 17 E 17
Castrillo de Onielo P..... 31 G 17
Castrillo de Porma LE..... 16 E 13
Castrillo
  de Riopisuerga BU..... 17 E 17
Castrillo de Rucios BU..... 18 E 18
Castrillo
  de Sepúlveda SG..... 31 H 18
Castrillo de Villavega P..... 17 E 16
Castrillo del Haya S..... 17 D 17
Castrillo del Val BU..... 18 F 19
Castrillo-Tejeriego VA..... 31 G 16
Castrillón O..... 5 B 12
Castrillón O..... 4 B 8
Castriz C..... 2 C 3
Castro C..... 3 B 5
Castro OR..... 13 F 5
Castro O..... 4 C 9
Castro Carballedo LU..... 13 E 6
Castro cerca de Lugo LU.. 4 C 7
Castro Dozón PO..... 13 E 5
Castro Pantón LU..... 13 E 7
Castro (El) LE..... 14 D 8
Castro
  (Embalse de El) TO..... 58 M 18
Castro de Alcánices ZA..... 29 H 11
Castro de Amarante LU..... 13 D 6
Castro de Filabres AL..... 96 U 22
Castro
  de Fuentidueña SG..... 31 H 18
Castro de Ouro LU..... 4 B 7
Castro de Rei LU..... 4 C 7
Castro del Río CO..... 81 S 16
Castro-Urdiales S..... 8 B 20
Castrobarto BU..... 8 C 19
Castrobol VA..... 16 F 14
Castrocalbón LE..... 15 F 12
Castrocontrigo LE..... 15 F 11
Castrodeza VA..... 30 H 15
Castrofuerte LE..... 16 F 13
Castrogonzalo ZA..... 30 G 13
Castrojeriz BU..... 17 F 17
Castrojimeno SG..... 31 H 18
Castromaior LU..... 4 B 7
Castromao OR..... 14 F 8
Castromembibre VA..... 30 G 14
Castromil ZA..... 28 F 9
Castromocho P..... 30 F 15
Castromonte VA..... 30 G 14
Castromudarra LE..... 16 E 14
Castroncán LU..... 14 D 7
Castronuevo ZA..... 30 G 13
Castronuevo
  de Esgueva VA..... 31 G 16
Castropepe ZA..... 30 G 13
Castropodame LE..... 15 E 10
Castropol O..... 4 B 8

Castroponce VA..... 16 F 14
Castroquilame LE..... 14 E 9
Castroserna
  de Abajo SG..... 46 I 18
Castroserracín SG..... 31 H 18
Castrotierra
  cerca de la Bañeza LE.. 15 F 12
Castrotierra
  cerca de Sahagún LE..... 16 E 14
Castrove PO..... 12 E 3
Castroverde LU..... 4 C 8
Castroverde
  de Campos ZA..... 30 G 14
Castroverde
  de Cerrato VA..... 31 G 17
Castroviejo LO..... 19 F 22
Castrovido BU..... 32 F 20
Castuera BA..... 68 P 13
Castuera (Puerto de) BA.. 68 Q 13
Catadau V..... 74 O 28
Catarroja V..... 62 N 28
Catí CS..... 50 K 30
Catllar (El) T..... 37 I 33
Catoira PO..... 12 E 3
Catral A..... 85 R 27
Cauche (Río de) MA..... 100 V 16
Caudal (El) SE..... 92 T 12
Caudé TE..... 48 K 26
Caudete AB..... 73 P 27
Caudete
  de las Fuentes V..... 61 N 26
Caudiel CS..... 62 M 28
Caudilla TO..... 58 L 17
Cauneado O..... 5 C 11
Cauro GR..... 94 T 18
Cautivos (Los) MU..... 84 S 24
Cava L..... 23 F 34
Cava (La) T..... 50 J 32
Cavada (La) S..... 8 B 18
Cavallería (Cap de) PM.. 106 L 42
Cavia BU..... 17 F 18
Caxado C..... 3 B 6
Cayés O..... 5 B 12
Cayuela BU..... 17 F 18
Cazadores
  Gran Canaria GC..... 117 E 3
Cazalegas TO..... 57 L 15
Cazalegas
  (Embalse de) TO..... 57 L 15
Cazalilla J..... 82 S 18
Cazalla de la Sierra SE..... 80 S 12
Cazalla y Constantina
  (Estación de) SE..... 80 S 12
Cazanuecos LE..... 15 F 12
Cazás LU..... 3 C 6
Cazorla J..... 83 S 21
Cazorla
  (Coto nacional de) J..... 83 R 21
Cazorla (Sierra de) J..... 83 R 21
Cazurra ZA..... 29 H 12
Cea LE..... 16 E 14
Cea OR..... 13 E 6
Cea PO..... 12 E 3
Ceadea ZA..... 29 G 11
Ceal J..... 83 S 20
Cebanico LE..... 16 D 14
Cebes (Cabo) O..... 4 B 9
Cebolla TO..... 57 M 16
Cebollar H..... 90 T 8
Cebolleros BU..... 18 D 19
Cebrecos BU..... 32 G 19
Cebreiro (O) LU..... 14 D 8
Cebreros AV..... 45 K 16
Cebrones del Río LE..... 15 F 12
Cecebre C..... 3 C 5
Ceceda O..... 6 B 13
Ceclavín CC..... 55 M 9
Cecos O..... 4 C 9
Cedeira C..... 3 B 5
Cedeira (Ría de) C..... 3 A 5
Cedemonio O..... 4 B 9
Cedena (Río) TO..... 57 M 16
Cedillo CC..... 54 N 7
Cedillo (Embalse de) CC.. N 8
Cedillo de la Torre SG..... 32 H 19
Cedillo del Condado TO.. 58 L 18
Cedofeita O..... 4 B 8
Cedramán CS..... 62 L 28
Cedrillas TE..... 49 K 27
Cedrón S..... 14 D 8
Cee C..... 2 D 2
Cefiñas (Las) H..... 78 S 9
Cega SG..... 45 I 18

Cegoñal LE..... 16 D 15
Ceguilla SG..... 45 I 18
Cehegín MU..... 84 R 24
Ceinos VA..... 30 F 14
Ceja
  del Palancar (La) CU.. 60 L 24
Cejancas S..... 17 D 18
Cejo H..... 91 T 10
Cela LE..... 14 D 9
Cela OR..... 27 G 5
Cela
  cerca de Becerreá LU.. 14 D 9
Cela cerca de Sarria LU.. 14 D 7
Celada S..... 15 E 11
Celada S..... 17 D 17
Celada (La) CO..... 93 U 17
Celada de Cea LE..... 16 E 15
Celada de la Torre BU..... 18 E 19
Celada de Roblecedo P..... 17 D 16
Celada del Camino BU..... 17 F 18
Celadas TE..... 48 K 26
Celadas (Las) BU..... 17 E 18
Celadilla LE..... 15 E 12
Celadilla del Río P..... 16 E 15
Celanova OR..... 13 F 6
Celas OR..... 3 C 4
Celia (La) MU..... 85 Q 25
Celis S..... 7 C 16
Cella TE..... 48 K 26
Celladilla-Sotobrín BU..... 18 E 18
Cellera de Ter (La) GI..... 24 G 37
Cellers L..... 23 F 32
Cellórigo LO..... 18 E 20
Celorio O..... 6 B 15
Celrà GI..... 25 F 38
Celtigos LU..... 14 D 7
Cembranos LE..... 16 E 13
Cenajo MU..... 84 Q 24
Cenajo
  (Embalse del) AB..... 84 Q 24
Cenegro SO..... 32 H 19
Cenes de la Vega GR..... 94 U 19
Cenicero LO..... 19 E 22
Cenicientos M..... 57 L 16
Cenizas MU..... 97 T 27
Cenizate AB..... 73 O 25
Cenlle OR..... 13 E 5
Cenobio de Valerón
  Gran Canaria GC..... 114 D 1
Centcelles
  (Mausoleu de) T..... 37 I 33
Centelles B..... 38 G 36
Centenales O..... 4 C 9
Centenera HU..... 22 F 31
Centenera GU..... 46 K 20
Centenera
  de Andaluz SO..... 33 H 21
Centenera
  del Campo SO..... 33 H 22
Centenero HU..... 21 E 28
Centinela (Mirador de la)
  Tenerife TF..... 128 E 5
Cepeda SA..... 43 K 11
Cepeda la Mora AV..... 44 K 14
Cepero (El) CR..... 70 O 17
Cepillo (El) AB..... 71 P 22
Cequeril PO..... 12 E 4
Cera O..... 5 C 10
Cerbón SO..... 33 G 23
Cerca (La) BU..... 18 D 19
Cerca (La) Monte BU..... 18 F 19
Cercadillo GU..... 47 I 21
Cerceda M..... 45 J 18
Cerceda C..... 3 D 5
Cerceda Antemil C..... 3 C 4
Cerceda (Estación de) C.. 3 C 4
Cercedilla M..... 45 J 17
Cercio PO..... 13 D 5
Cercs B..... 24 F 35
Cerdà V..... 74 P 28
Cerdanya
  (Reserva nacional de) L.. 23 E 34
Cerdanyola B..... 38 H 36
Cerdedelo OR..... 14 F 7
Cerdedo PO..... 13 E 4
Cerdeira C..... 2 C 4
Cerdeira (Puerto de) OR.. 14 F 8
Cerdido C..... 3 B 6
Cerdigo S..... 8 B 20
Cerecea BU..... 18 D 19
Cerecea S..... 8 C 19
Cerecea O..... 6 B 14

Cereceda GU..... 47 K 22
Cereceda
  de la Sierra SA..... 43 K 11
Cerecedo LE..... 16 D 14
Cerecinos
  de Campos ZA..... 30 G 13
Cerecinos
  del Carrizal ZA..... 29 G 13
Cereixal LU..... 14 D 8
Cereixedo LU..... 14 D 9
Cereo C..... 2 C 3
Cerésola HU..... 21 E 29
Cerezal de Alba ZA..... 29 H 11
Cerezales
  del Condado LE..... 16 D 13
Cerezo CC..... 55 L 11
Cerezo de Abajo SG..... 46 I 19
Cerezo de Arriba SG..... 32 I 19
Cerezo
  de Mohernando GU..... 46 J 20
Cerezo de Riotirón BU..... 18 E 20
Cerezos (Los) TE..... 61 L 27
Cerillar (El) CA..... 92 V 13
Cerler HU..... 22 E 31
Cerler (Pico de) HU..... 22 E 31
Cermoño O..... 5 B 11
Cernadilla ZA..... 29 F 10
Cernadilla
  (Embalse de) ZA..... 29 G 10
Cernégula BU..... 18 E 18
Cerollera TE..... 50 J 29
Cerponzons PO..... 12 E 4
Cerqueda O..... 2 C 3
Cerrada OR..... 13 E 7
Cerrado
  de Calderon MA..... 100 V 16
Cerradura (La) J..... 82 S 19
Cerrajos MU..... 73 Q 25
Cerralba MA..... 100 V 15
Cerralbo SA..... 42 J 10
Cerralbos (Los) TO..... 57 M 16
Cerrata CR..... 69 O 15
Cerratón de Juarros BU.. 18 E 19
Cerrazo S..... 7 B 17
Cerredo O..... 15 D 10
Cerredo (Alto de) LU..... 4 C 8
Cerredo (Puerto de) LE.. 15 D 10
Cerricos (Los) AL..... 96 T 23
Cerrillo (El) J..... 83 S 20
Cerrillo (Punta del)
  Gran Canaria GC..... 116 B 4
Cerro (El) SA..... 43 L 12
Cerro (El) BU..... 32 G 20
Cerro Alarcón M..... 45 K 17
Cerro Alberche TO..... 57 L 16
Cerro
  de Andévalo (El) H..... 78 S 9
Cerro del Hierro SE..... 80 S 13
Cerro Grande GR..... 95 U 21
Cerro Muriano CO..... 81 R 15
Cerro Perea SE..... 93 T 15
Cerroblanco AB..... 72 P 22
Cerrolobo AB..... 72 P 24
Cerrón GR..... 102 V 20
Certascan (Pico de) L..... 23 D 33
Cervales CC..... 56 N 14
Cervantes CR..... 71 Q 19
Cervantes LU..... 14 D 8
Cervatos S..... 17 D 17
Cervatos de la Cueza P.. 16 F 15
Cervela LE..... 14 D 7
Cervelló B..... 38 H 35
Cervera (La) TE..... 61 M 27
Cervera (Peñas de) BU.. 32 G 19
Cervera (Rambla de- CS.. 50 K 30
Cervera de Buitrago M..... 46 J 19
Cervera de la Cañada Z.. 34 H 24
Cervera de Llano CO..... 60 M 22
Cervera de la Maestrat CS. 50 K 30
Cervera del Rincón TE..... 49 J 27
Cervera
  del Río Alhama LO..... 33 F 24
Cerveruela Z..... 34 I 26
Cervià GI..... 25 F 38
Cervià
  de les Garrigues L..... 37 H 32
Cervillego de la Cruz VA.. 44 I 15
Cerviñuelo
  (Casa Forestal del) CU.. 47 K 24
Cervo LU..... 4 A 7
Cesantes PO..... 12 F 4

César Manrique (Fundación)
  Lanzarote GC..... 123 E 4
Céspedes BU..... 18 D 19
Céspedes CO..... 80 S 14
Cespedosa SA..... 44 K 13
Cespedosa
  de Agadones SA..... 42 K 10
Cespón C..... 12 D 3
Cesuras C..... 3 C 5
Cetina Z..... 33 I 24
Ceutí MU..... 85 R 26
Cevico de la Torre P..... 31 G 16
Cevico Navero P..... 31 G 17
Cezeral
  de Peñahorcada SA..... 42 I 10
Cezura P..... 17 D 17
Chacín C..... 2 D 3
Chacón SE..... 80 S 12
Chacona (La) CA..... 98 W 11
Chacones (Los) AL..... 96 T 23
Chagarcía
  Medianero SA..... 44 K 13
Chaguazoso OR..... 14 F 8
Chaherrero AV..... 44 J 15
Chalamera HU..... 36 G 30
Chamartín AV..... 44 J 15
Chamorga Tenerife TF..... 125 K 1
Chamorro PO..... 69 O 14
Chan (A) PO..... 13 E 4
Chana LE..... 15 E 10
Chanca (La) BA..... 78 Q 9
Chandávila
  (Ermita de) BA..... 66 O 8
Chandrexa OR..... 14 F 7
Chandrexa
  (Embalse de) OR..... 14 F 7
Chano LE..... 14 D 9
Chantada LU..... 13 E 6
Chanteiro C..... 3 B 5
Chanza (Embalse del) H.. 78 T 7
Chanzas (Sierra de) GR.. 94 U 17
Chañe SG..... 31 H 16
Chaorna SO..... 47 I 23
Chapa PO..... 13 D 5
Chaparral GR..... 94 U 19
Chaparral (El) M..... 46 J 19
Chaparral (El) CA..... 99 X 12
Chapatales SE..... 91 U 12
Chapinería M..... 45 K 17
Charca (La) TO..... 70 O 18
Charches GR..... 95 U 21
Charco (El)
  La Palma TF..... 132 C 6
Charco
  de los Hurones CA..... 99 W 13
Charco del Pino
  Tenerife TF..... 128 E 5
Charcofrío SE..... 91 T 10
Charilla J..... 94 T 18
Charpona TO..... 57 L 16
Chatún SG..... 31 I 16
Chauchina GR..... 94 U 18
Chavaga LU..... 14 E 7
Chavaler SO..... 33 G 22
Chave LU..... 13 D 7
Chavín LU..... 4 B 7
Chayofa Tenerife TF..... 128 D 5
Checa GU..... 48 K 24
Cheles BA..... 66 Q 8
Chella V..... 74 O 28
Chelva V..... 61 M 27
Chenlo PO..... 12 F 3
Chequilla GU..... 48 K 24
Chera GU..... 48 J 24
Chera V..... 61 N 27
Cherbo AL..... 96 U 22
Chércoles SO..... 33 H 23
Chercos AL..... 96 U 23
Chercos Viejo AL..... 96 U 23
Cherín GR..... 102 V 20
Cheste V..... 62 N 27
Chía HU..... 22 E 31
Chica Carlota (La) CO..... 81 S 15
Chícamo R..... 85 R 26
Chiclana
  de la Frontera CA..... 98 W 11
Chiclana de Segura J..... 83 R 20
Chiguergue Tenerife TF.. 128 C 4
Chilches / Xilxes V..... 62 M 29
Chilches MA..... 101 V 17
Chilladeras (Las) H..... 78 T 9
Chillarón de Cuenca CU.. 60 L 23
Chillarón del Rey GU..... 47 K 21
Chillón CR..... 69 P 15
Chilluevar J..... 83 R 20
Chiloeches GU..... 46 K 20

A
B
C
D
E
F
G
H
I
J
K
L
M
N
O
P
Q
R
S
T
U
V
W
X
Y
Z

A
B
C
D
E
F
G
H
I
J
K
L
M
N
O
P
Q
R
S
T
U
V
W
X
Y
Z

CIUDAD REAL

Alarcos .... Z	Cañas .... YZ 12	Mayor (Pl.) .... Z
Alcántara .... Z 2	Cardenal Monescillo .... Z 13	Norte .... Y 31
Antonio Blázquez .... Z 3	Corazón de María .... YZ 15	Olivo .... Z 32
Azucena .... YZ 5	Cruz .... Z 16	Ramón y Cajal .... Z 34
Bernardo Mulleras .... Z 6	Elisa Cendreros .... Y 18	Refugio .... YZ 35
Caballeros .... YZ 8	General Aguilera .... Z 21	Reyes .... YZ 37
Calatrava .... YZ	General Rey .... Z 23	Rosa .... Y 38
Camarín .... YZ 10	Infantes .... Y 24	Sancho Rey
	Inmaculada Concepción ..... Z 26	(Camino) .... Y 39
	Lanza .... Z 27	Tinte .... Z 41
	Lirio .... YZ 29	Vásquez .... Z 42

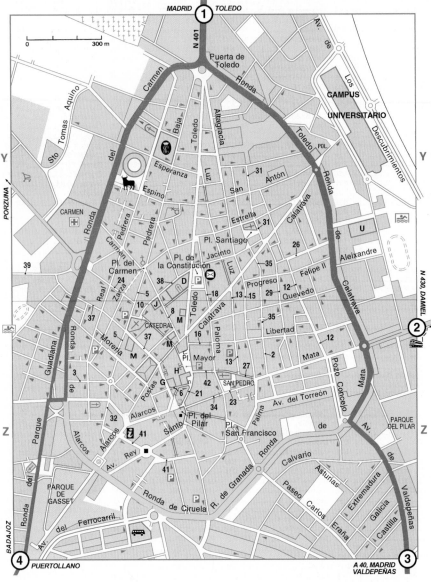

Cillas GU .... 48 J 24	Cobas OR .... 13 E 6
Cillero S .... 7 C 18	Cobatillas TE .... 49 J 27
Cilleros CC .... 55 L 9	Cobatillas AB .... 84 Q 24
Cilleros de la Bastida SA. 43 K 11	Cobatillas (Las) AL ..... 84 S 23
Cilleros el Hondo SA .. 43 J 12	Cobatillas (Las) CA .... 99 W 12
Cilleruelo AB .... 72 P 22	Cóbdar AL .... 96 U 23
Cilleruelo de Abajo BU . 31 G 18	Cobeja TO .... 58 L 18
Cilleruelo de Arriba BU . 32 G 19	Cobeña M .... 46 K 19
Cilleruelo de Bezana BU. 17 D 18	Cobertelada SO .... 33 H 22
Cilleruelo	Cobeta GU .... 47 J 23
de San Mamés SG . 32 H 19	Cobisa TO .... 58 M 17
Cima da Vila LU ..... 3 C 6	Cobos de Cerrato P .... 31 F 17
Cimada (La) MA ..... 92 V 14	Cobos
Cimanes de la Vega LE. 16 F 13	de Fuentidueña SG .. 31 H 18
Cimanes del Tejar LE .. 15 E 12	Cobos de Segovia SG.. 45 J 16
Cimballa Z .... 48 I 24	Cóbreces S .... 7 B 17
Cimbre MU .... 96 T 24	Cobreros ZA .... 14 F 9
Cinca (Canal del) HU . 21 F 28	Cobres PO .... 12 F 4
Cinca (Río) HU ...... 22 E 30	Cobres
Cinco Casas CR ..... 71 O 20	(San Adrián de) PO.. 12 F 4
Cinco Casas	Cobujón (El) H .... 90 T 9
(Colonia de) TO ... 70 O 19	Coca SG .... 31 I 16
Cinco Esquinas	Coca de Alba SA ...... 44 J 13
(Castillo) J ..... 83 S 20	Cocentaina A .... 74 P 28
Cinco Lindes BA ..... 79 R 9	Cocoll A .... 74 P 29
Cinco Olivas Z ...... 35 H 28	Cocón (El) AL .... 96 T 24
Cinco Villas M .... 46 J 19	Cocosa (La) BA .... 66 P 9
Cinco Villas (Las) Z .. 20 F 26	Coculina BU .... 17 E 18
Cincovillas GU ...... 47 I 21	Codes AL .... 47 I 23
Cinctorres CS .... 49 K 29	Codesal ZA .... 29 G 10
Cintruénigo NA ...... 20 F 24	Codeseda PO .... 13 E 4
Ciñera LE .... 16 D 13	Codeso C .... 13 D 4
Cional ZA .... 29 G 10	Codo Z .... 35 H 27
Cipérez SA .... 43 J 11	Codoñera (La) TE ...... 50 J 29
Cirat CS .... 62 L 28	Codornillos LE .... 16 E 14
Ciraugui NA .... 10 D 24	Codorniz SG .... 45 I 16
Circos (Reserva nacional	Codos Z .... 34 I 25
de los) HU ...... 22 D 30	Codosera (La) BA ...... 66 O 8
Cirera L .... 23 F 34	Coedo OR .... 13 E 6
Ciria SO .... 33 H 24	Coelleira (Isla) LU ...... 4 A 7
Cirio LU .... 4 C 7	Coeo LU .... 4 D 7
Ciriza NA .... 10 D 24	Coeses LU .... 4 D 7
Ciruela SO .... 33 H 21	Cofete
Ciruela CR .... 70 P 18	Fuerteventura GC .. 112 C 5
Ciruelas GU .... 46 J 20	Cofiñal LE .... 6 C 14
Ciruelos SG .... 32 H 18	Cofio (Río) M .... 45 K 17
Ciruelos TO .... 58 M 19	Cofita HU .... 36 G 30
Ciruelos de Cervera BU. 32 G 19	Cofrentes V .... 73 O 26
Ciruelos de Coca SG . 31 I 16	Cofrentes
Ciruelos del Pinar GU . 47 I 23	(Embalse de) AB ... 73 O 26
Ciruelos de Coca SG . 31 I 16	Cogeces de Iscar VA .. 31 H 16
Cirueña LO .... 18 E 21	Cogeces del Monte VA. 31 H 17
Cirueña J .... 82 S 19	Cogollor GU .... 47 J 21
Cirugeda TE .... 49 J 27	Cogollos BU .... 18 F 18
Cirujales LE .... 15 D 11	Cogollos (Sierra de) GR. 94 U 19
Ciscar HU .... 22 F 31	Cogollos de Guadix GR. 95 U 20
Cisla AV .... 44 J 14	Cogollos Vega GR ..... 94 U 19
Cisneros P .... 16 F 15	Cogolludo GU .... 46 J 20
Cistella Gl .... 25 F 38	Cogorderos LE .... 15 E 11
Cistérniga VA .... 31 H 15	Cogul (El) L .... 36 H 32
Cistierna LE .... 16 D 14	Coin MA .... 100 W 15
Citolero (El) CR ...... 70 O 17	Coiro PO .... 12 F 3
Citores BU .... 17 E 18	Coirós C .... 3 C 5
Ciudad OR .... 13 E 5	Coitelada (Punta) C .... 3 B 5
Ciudad de Osma SO .. 32 H 20	Cojáyar GR .... 102 V 20
Ciudad Ducal AV ..... 45 K 16	Cojóbar BU .... 18 F 19
Ciudad	Colativí AL .... 103 V 23
Encantada(La) CU .. 60 L 23	Colera Gl .... 25 E 39
Ciudad Real CR ...... 70 P 18	Colgada
Ciudad Rodrigo SA ... 42 K 10	(Laguna de la) AB ... 71 P 21
Ciudadeja	Colgadizos ESP .... 46 I 19
(Ribera de) SE ... 80 S 13	Colilla (La) AV .... 44 K 15
Ciudalcampo M ...... 46 K 19	Colinas SE .... 91 U 11
Ciutadella	Colinas (Las) M .... 58 L 18
de Menorca PM ... 106 M 41	Colinas
Ciutadilla L .... 37 H 33	de Trasmonte ZA ... 29 F 12
Cívica GU .... 47 J 21	Colindres S .... 8 B 19
Civis L .... 23 E 34	Colio S .... 7 C 16
Claras AB .... 84 R 23	Coll de Nargó L .... 23 F 33
Claraválls HU .... 22 F 32	Coll
Claraválls L .... 37 G 33	d'en Rabassa (es) PM. 104 N 38
Clares GU .... 47 I 23	Collada S .... 6 B 13
Clarés de Ribota Z .... 34 H 24	Colladico (El) TE ...... 48 I 26
Clariana L .... 37 G 34	Collado S .... 7 C 17
Clariana B .... 37 H 34	Collado CC .... 56 L 12
Claveles (Los) SE ..... 92 T 12	Collado (El) SO .... 33 G 23
Clavería CC .... 54 N 8	Collado (El) AB .... 84 R 22
Claverol L .... 23 F 32	Collado (El) V .... 61 M 26
Clavijo LO .... 19 E 22	Collado de Contreras AV. 44 J 15
Clavín (El) GU .... 46 K 20	Collado
Clavín (Puerto del) CC. 67 O 10	de las Carrascas AB . 84 Q 22
Clotes (Los) B .... 50 J 30	Collado
Clunia BU .... 32 G 19	del Mirón AV .... 44 K 13
Coalla S .... 5 B 11	Collado Hermoso SG .. 45 I 18
Coaña O .... 4 B 9	Collado Mediano M ... 45 J 17
Coba LU .... 3 C 6	Collado
Coba OR .... 14 F 8	Royo y Poviles TE ... 62 L 27
Coballes O .... 6 C 13	

Chimenea	Chirigota (La) CA ...... 92 V 12	Chuchurumbache	Cielo MA .... 101 V 18
(Sierra de la) BA ... 68 O 14	Chirivel AL .... 96 T 23	Tenerife TF ...... 129 F 5	Ciempozuelos M .... 58 L 19
Chimeneas GR ...... 94 U 18	Chirivel (Rambla de) AL. 96 T 23	Chueca TO .... 58 M 18	Cienfuegos (Puerto de) LE. 14 D 9
Chimeneas (Las) CR .. 71 O 20	Chirlateira (Punta) C .... 3 B 5	Chulilla V .... 61 N 27	Cierva (La) CU .... 60 L 24
Chimiche Tenerife TF . 129 F 5	Chisponos (Los) AL .... 95 U 21	Chulilla (Baños de) V .. 61 N 27	Cierva (La) SE .... 92 T 12
Chimillas HU .... 21 F 28	Chite GR .... 101 V 19	Chullera	Cíes (Islas) PO .... 12 F 3
Chimorra CO .... 81 R 15	Chive (El) AL .... 96 U 23	(Punta de la) CA .. 99 X 14	Cieza MU .... 85 R 25
Chimparra C .... 3 A 5	Chiva V .... 62 N 27	Chullo (El) GR .... 95 U 20	Cieza BI .... 7 C 17
Chinar AB .... 73 P 26	Chodes Z .... 34 H 25	Chumillas CU .... 60 M 23	Cifuentes LE .... 16 E 14
Chinas (Las) H .... 79 S 9	Chopillo (El) MU ...... 84 R 24	Churriana MA .... 100 V 16	Cifuentes GU .... 47 J 22
Chinchilla	Chorillo (El) CS .... 62 L 28	Churriana	Cigales VA .... 31 G 15
de Monte Aragón AB . 72 P 24	Chorlo BA .... 67 O 9	de la Vega GR ..... 94 U 19	Cigudosa SO .... 33 G 23
Chinchón M .... 59 L 19	Chorreras CR .... 69 Q 16	Ciadoncha BU .... 17 F 18	Cigüenza BU .... 18 D 19
Chinorla AL .... 85 Q 27	Chorro (El) J .... 83 S 20	Ciaño O .... 6 C 12	Cigüñuela VA .... 30 H 15
Chinorlet A .... 85 Q 27	Chorro (El) MA ...... 100 V 15	Ciaurriz NA .... 11 D 25	Cihuela SO .... 33 H 24
Chío Tenerife TF .... 128 C 4	Chorro	Cibanal ZA .... 29 I 11	Cijara BA .... 69 O 14
Chipeque Tenerife TF . 127 G 3	(Garganta del) MA . 100 V 15	Cibea O .... 5 C 10	Cijara (Embalse de) CC. 69 N 15
Chipiona CA .... 91 V 10	Chospes (Los) AB ..... 72 P 22	Cibuyo O .... 5 C 10	Cijara
Chiprana Z .... 35 I 29	Chóvar CS .... 62 M 29	Cicero S .... 8 B 19	(Reserva national de) BA. 69 O 15
Chipude La Gomera TF. 118 B 2	Chozas (Lomo de las)	Cicujano VI .... 19 D 22	Cijuela GR .... 94 U 18
Chiquero (El) CR ..... 69 O 16	La Palma TF ...... 130 C 4	Cidad de Ebro BU ..... 18 D 18	Cildoz NA .... 11 D 24
Chira (Embalse de)	Chozas de Abajo LE .. 15 E 12	Cidad	Cillamayor P .... 17 D 17
Gran Canaria GC .. 114 D 3	Chozas de Canales TO. 58 L 17	de Valdeporres BU . 18 C 18	Cillán AV .... 44 J 15
Chirán AL .... 95 V 21	Chucena H .... 91 T 10	Cidones SO .... 33 G 22	Cillaperlata BU .... 18 D 19

Collado Villalba **M** .... **45** K 18
Colladona (La) **O** .... **6** C 13
Collados **TE** .... **48** J 26
Collados **CU** .... **60** L 23
Collados (Los) **AB** .... **84** Q 23
Collarada **HU** .... **21** D 28
Colibató **B** .... **38** H 35
Coldejou **T** .... **51** I 32
Colldelrat **L** .... **37** G 33
Collegats
  (Congost de) **L** .... **23** F 33
Collera **O** .... **6** B 14
Colliformic **B** .... **38** G 37
Collfred **L** .... **37** G 33
Collía **O** .... **6** B 14
Cólliga **CU** .... **60** L 23
Colliguilla **CU** .... **60** L 23
Colloto **O** .... **5** B 12
Collsuspina **B** .... **38** G 36
Colmenar **MA** .... **100** V 17
Colmenar (El) **MA** .... **99** W 13
Colmenar
  de la Sierra **GU** .... **46** I 19
Colmenar
  de Montemayor **SA** .... **43** K 12
Colmenar de Oreja **M** .... **59** L 19
Colmenar del Arroyo **M** .... **45** K 17
Colmenar Viejo **M** .... **46** K 18
Colmenarejo **M** .... **45** K 17
Colmenares **P** .... **17** D 16
Colodro **J** .... **82** R 17
Colombres **O** .... **7** B 16
Colomera **GR** .... **94** T 18
Colomera
  (Embalse de) **GR** .... **94** T 18
Colomers **GI** .... **25** F 38
Colón
  (Monumento a) **H** .... **90** U 9
Colonia (La) **MU** .... **85** R 25
Colonia Cinto
  de los Abates **V** .... **73** N 27
Colonia
  de la Estación **SA** .... **42** K 9
Colònia
  de Sant Jordi **PM** .... **105** O 38
Colònia
  de Sant Pere **PM** .... **105** M 39
Colonia
  de Santa Ana **MA** .... **93** U 15
Colonia Iberia **TO** .... **58** M 18
Colònia Rosal **B** .... **23** F 35
Colonia
  Santa Eulalia (La) **A** .... **73** Q 27
Coloradas (Las)
  Lanzarote **GC** .... **122** B 5
Coloradas (Punta de las)
  Gran Canaria **GC** .... **115** E 1
Colorado **MU** .... **96** T 24
Colorado **BA** .... **68** P 13
Colorado (El) **CA** .... **98** W 11
Colorado (Monte) **CO** .... **81** R 16
Colsa **S** .... **7** C 17
Columbrets (Els) **CS** .... **63** M 32
Columbrianos **LE** .... **15** E 10
Colunga **O** .... **6** B 14
Colungo **HU** .... **22** F 30
Coma (La) **L** .... **7** F 34
Coma (La) *Castelló* **CS** .... **62** L 29
Coma (Sa) **PM** .... **105** N 40
Coma-ruga **T** .... **37** I 34
Comaloforno (Pic de) **L** .... **22** E 32
Comares **MA** .... **101** V 17
Combarro **PO** .... **12** E 3
Combarros **LE** .... **15** E 11
Comendador (El) **V** .... **74** P 27
Comillas **S** .... **7** B 17
Comiols (Coll de) **L** .... **23** F 33
Compañía (La) **SE** .... **91** U 11
Comparada **C** .... **12** D 3
Cómpeta **MA** .... **101** V 18
Compuerto
  (Embalse de) **P** .... **16** D 15
Comtat
  de Sant Jordi **GI** .... **25** G 39
Con **O** .... **6** C 14
Concabella **L** .... **37** G 33
Concepción
  (Ermita de la) **GU** .... **48** J 24
Concepción
  (Finca de la) **MA** .... **100** V 16
Concepción (La) **SO** .... **33** H 22
Concepción (La) **CO** .... **94** T 17
Concepción (La) **AL** .... **96** U 16
Concepción (Mirador de la)
  La Palma **TF** .... **131** D 4
Concha **BI** .... **8** C 19
Concha **GU** .... **47** I 24

Concha (La) *cerca de San Roque*
  de Riomeira **S** .... **8** C 18
Cónchar **GR** .... **101** V 19
Conchas
  (Embalse de las) **OR** .... **27** G 6
Conchel **HU** .... **36** G 30
Concilio **Z** .... **21** F 27
Concud **TE** .... **48** K 26
Condado **BU** .... **18** D 19
Condado (El) **O** .... **6** C 13
Condado
  de Castilnovo **SG** .... **32** I 18
Conde (Casas del) **AB** .... **73** O 26
Conde (Sierra de) **BA** .... **67** P 11
Conde de Gondomar
  (Parador) *Baiona* **PO** .... **12** F 3
Conde de Guadiana **J** .... **83** S 20
Condemios de Abajo **GU** .... **46** I 20
Condemios
  de Arriba **GU** .... **46** I 20
Condes de Alba y Aliste
  (Parador) **ZA** .... **29** H 12
Condesa (La) **J** .... **82** R 18
Conejera **SA** .... **42** K 10
Conejeros **TO** .... **57** L 16
Conejeros
  (Puerto de los) **BA** .... **67** O 9
Conejo (El) **GR** .... **95** T 20
Conesa **T** .... **37** H 33
Confital (Punta del)
  Gran Canaria **GC** .... **115** F 1
Conforto **LU** .... **4** B 8
Confrides **A** .... **74** P 29
Congosta **ZA** .... **15** F 11
Congosto **BU** .... **17** E 17
Congosto **LE** .... **15** E 10
Congosto (El) **CU** .... **59** M 22
Congosto de Valdavia **P** .... **17** D 16
Congostrina **GU** .... **46** I 21
Conil *Lanzarote* **GC** .... **122** C 4
Conil de la Frontera **CA** .... **98** X 11
Connio (Puerto del) **O** .... **4** C 9
Conques **L** .... **23** F 33
Conquezuela **SO** .... **47** I 22
Conquista **CO** .... **81** Q 16
Conquista
  de la Sierra **CC** .... **68** N 12
Conquista
  del Guadiana **BA** .... **68** O 11
Consell **PM** .... **104** M 38
Consolación
  (Ermita de) **CR** .... **71** P 19
Consolación
  (Ermita de la) **TE** .... **50** J 29
Consolación
  (Santuario) **J** .... **83** R 20
Consolación
  (Santuario de la) **H** .... **90** U 8
Constantí **T** .... **37** I 33
Constantina **SE** .... **80** S 13
Constanzana **AV** .... **44** J 15
Consuegra **TO** .... **58** N 19
Contador (El) **AL** .... **96** T 22
Contamina **Z** .... **34** I 24
Contar (Sierra del) **MU** .... **97** T 25
Conti **SE** .... **91** T 11
Contienda (La) **H** .... **78** R 9
Contrasta **VI** .... **19** D 23
Contreras **BU** .... **32** F 19
Contreras **J** .... **82** S 18
Contreras
  (Embalse de) **CU** .... **61** N 25
Contreras (Venta de) **CU** .... **61** N 25
Convento
  de San Clemente **CC** .... **56** N 12
Convento de San Miguel
  de las Victorias **CU** .... **47** K 23
Convoy (El) **AL** .... **96** T 24
Coo **S** .... **7** C 17
Coomonte **ZA** .... **15** F 12
Copa (La) **MU** .... **84** R 25
Cope **MU** .... **97** T 25
Cope (Cabo) **MU** .... **97** T 25
Copernal **GU** .... **46** J 20
Copons **B** .... **37** H 34
Corao **O** .... **6** B 14
Coratxà **CS** .... **50** J 30
Corb (Riu) **L** .... **37** H 33
Corbalán **TE** .... **48** K 27
Corbatón **TE** .... **48** J 26
Corbelle **OR** .... **13** F 5
Corbelle **LU** .... **14** D 7
Corbera **V** .... **74** O 28
Corbera (Punta de la) **LU** .... **4** B 8
Corbera de Dalt **B** .... **38** H 35
Corbera de Llobregat **B** .... **38** H 35

A B C D E F G H I J K L M N O P Q R S T U V W X Y Z

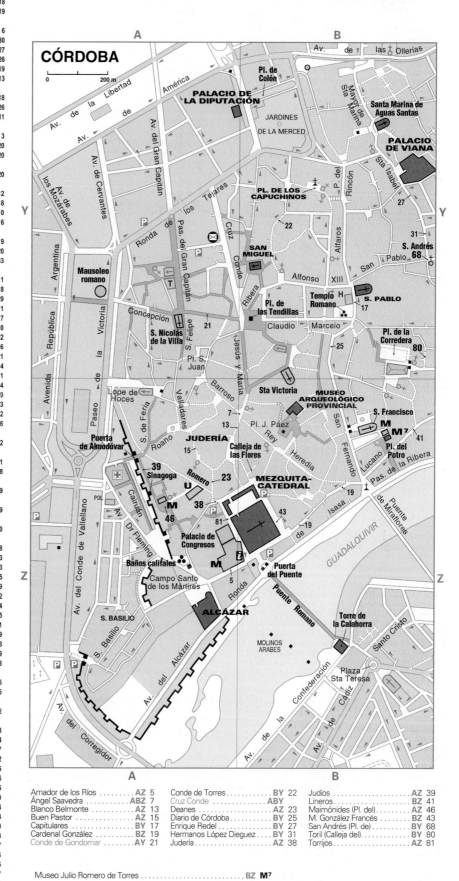

CÓRDOBA
0   200 m

Amador de los Ríos .... **AZ** 5
Ángel Saavedra .... **ABZ** 7
Blanco Belmonte .... **AZ** 13
Buen Pastor .... **AZ** 15
Capitulares .... **BY** 17
Cardenal González .... **BZ** 19
Conde de Gondomar .... **AY** 21

Conde de Torres .... **BY** 22
Cruz Conde .... **ABY**
Deanes .... **AZ** 23
Diario de Córdoba .... **BY** 25
Enrique Redel .... **BY** 27
Hermanos López Dieguez .... **BY** 31
Judería .... **AZ** 38

Judíos .... **AZ** 39
Lineros .... **BZ** 41
Maimónides (Pl. del) .... **AZ** 46
M. González Francés .... **BZ** 43
San Andrés (Pl. de) .... **BY** 68
Toril (Calleja del) .... **BY** 80
Torrijos .... **AZ** 81

Museo Julio Romero de Torres .... **BZ M⁷**

A B C D E F G H I J K L M N O P Q R S T U V W X Y Z

A CORUÑA

Cantón Grande	AZ 7	Herrerías	BY 23	Riego del Agua	BY 42
Cantón Pequeño	AZ 8	Juana de Vega (Av.)	AZ 26	Rubine (Av. de)	AZ 45
Compostela	AZ 13	Juan Canalejo	AY 25	Sánchez Bregua	AZ 50
Damas	BY 14	Maestranza	BY 27	Santa Catalina	AZ 52
Ferrol	AZ 18	María Pita (Pl. de)	BY 28	Santa María	BY 51
Finisterre (Av. de)	AZ 19	Padre Feijóo	AZ 32	San Agustín	BY 46
Gómez Zamalloa	AZ 20	Payo Gómez	AZ 36	San Agustín (Cuesta de)	BY 47
		Picavia	AZ 37	San Andrés	AYZ
		Pontevedra (Pl. de)	AZ 40	San Andrés	AYZ 55
		Real	AY	Teresa Herrera	AZ 55

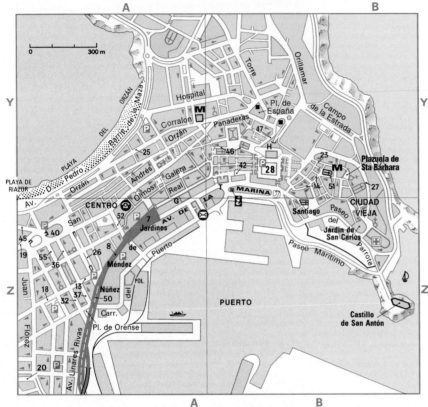

Corbera d'Ebre *T* .... 50 I 31
Corbillos
 de los Oteros *LE* .... 16 E 13
Corbins *L* .... 36 G 32
Corboeira *LU* .... 4 B 7
Corçà *L* .... 22 F 32
Corça *GI* .... 25 G 39
Corcho *BA* .... 68 Q 12
Corchuela *TO* .... 57 M 14
Corchuela *BA* .... 66 P 8
Corchuela (La) *SE* .... 91 U 12
Corcoesto *C* .... 2 C 3
Córcoles *GU* .... 47 K 22
Córcoles (Río) *CU* .... 60 N 23
Córcoles (Río) *AB* .... 71 O 21
Corcolilla *V* .... 61 M 26
Corconte *S* .... 7 C 18
Corcos *VA* .... 31 G 15
Corcoya *SE* .... 93 U 15
Corcubión *C* .... 2 D 2
Cordido *LU* .... 4 B 7
Cordiñanes *LE* .... 6 C 15
Córdoba *CO* .... 81 S 15
Cordobilla *CO* .... 93 T 15
Cordobilla
 (Embalse de) *CO* .... 93 U 15
Cordobilla de Lácara *BA* ... 67 O 10
Cordobillas *CO* .... 81 S 16
Cordovilla *P* .... 17 D 17
Cordovilla *SA* .... 44 J 13
Cordovilla *AB* .... 73 Q 25
Cordovilla la Real *P* .... 31 F 17
Cordovín *LO* .... 19 E 21
Corduente *GU* .... 47 J 24
Corella *NA* .... 20 F 24
Corera *LO* .... 19 E 23
Cores *C* .... 2 C 3
Coreses *ZA* .... 30 H 13
Corgo *LU* .... 4 D 7
Coria *CC* .... 55 M 10
Coria (Sierra de) *CC* .... 55 L 10

Coria del Río *SE* .... 91 U 11
Corias cerca de Cangas
 de Narcea *O* .... 5 C 10
Corias cerca de Pravia *O* ... 5 B 11
Coripe *SE* .... 92 V 13
Coristanco *C* .... 2 C 3
Corlay (El) *TO* .... 58 M 19
Corme Aldea *C* .... 2 C 3
Corme-Porto *C* .... 2 C 3
Corme y Laxe (Ría de) *C* ... 2 C 3
Corna *OR* .... 13 E 5
Cornadelo
 (Pico de) *HU* .... 22 E 32
Cornago *LO* .... 33 F 23
Cornalvo
 (Embalse de) *BA* .... 67 P 11
Cornanda *C* .... 12 D 3
Corneda *C* .... 3 D 5
Corneira *C* .... 2 D 3
Cornejo *BU* .... 6 C 19
Cornellà de Terri *GI* .... 25 F 38
Cornellana *O* .... 5 B 11
Cornón *P* .... 16 D 15
Cornoncillo *P* .... 17 D 15
Cornudella
 de Montsant *T* .... 37 I 32
Cornudilla *BU* .... 18 D 19
Coronada (La) *CO* .... 80 R 13
Coronada (La) *BA* .... 68 P 12
Coronas (Puerto Las) *NA* .. 11 D 26
Coronela *C* .... 12 D 3
Coronela (La) *SE* .... 92 U 14
Coroneles (Casa de los)
 Fuerteventura GC .... 111 H 2
Coronil (El) *SE* .... 92 U 13
Cortazar *C* .... 12 D 3
Cortes *NA* .... 34 G 25
Cortes *V* .... 61 M 26
Cortes de Aragón *TE* ...... 49 J 27
Cortes de Arenoso *CS* ..... 62 L 28
Cortes de Baza *GR* .... 83 T 21
Cortes de la Frontera *MA* .. 99 W 13

Corral de Calatrava *CR* .... 70 P 17
Corral de Cantos *TO* .... 57 N 16
Corral de Garciñigo *SA* .... 43 K 12
Corral Rubio *AB* .... 73 P 25
Corralejo
 Fuerteventura GC .... 111 G 1
Corralejo (El) *TO* .... 58 M 19
Corrales *H* .... 90 U 9
Corrales *LE* .... 14 E 9
Corrales (Los) *SE* .... 93 U 15
Corrales de Buelna (Los) *S* . 7 C 17
Corrales de Duero *VA* ...... 31 G 17
Corrales del Vino *ZA* ...... 29 H 12
Corralín *O* .... 4 D 9
Corrals (Els) *V* .... 74 O 28
Correderas (Las) *J* .... 82 Q 19
Corredoira *PO* .... 13 E 4
Corredoiras *C* .... 3 C 5
Correpoco *S* .... 7 C 17
Corres *VI* .... 19 D 22
Corrocera *LE* .... 15 D 12
Corrochana *TO* .... 57 M 14
Corrubedo *C* .... 12 E 3
Corrubedo (Cabo de) *C* .... 12 E 2
Corte (La) *H* .... 79 S 9
Corte de Peleas *BA* .... 67 P 9
Corteconcepción *H* .... 79 S 10
Cortegada *PO* .... 13 E 5
Cortegada
 cerca de Ribadavia *OR* .. 13 F 5
Cortegada cerca
 de Xinzo de Limia *OR* ... 13 F 7
Cortegana *H* .... 78 S 9
Cortegana *BA* .... 67 P 10
Cortegana *MA* .... 101 V 17
Corterrangel *H* .... 79 S 10
Cortes *NA* .... 34 G 25
Cortes *SO* .... 33 G 23
Cortes de la Sierra *SA* ..... 43 J 12
Corullón *LE* .... 14 E 9
Corumbel *H* .... 91 T 10
Corumbela *MA* .... 101 V 17
Coruña (A) *C* .... 3 B 4
Coruña (Ría de La) *C* ...... 3 B 4
Coruña del Conde *BU* ..... 32 G 19
Corveo *C* .... 3 C 5
Corvelle *LU* .... 4 B 7
Corvera *MU* .... 85 S 26
Corvera de Asturias *O* ..... 5 B 12
Corvera de Toranzo *S* ..... 7 C 18

Corvillón *OR* .... 13 F 6
Corvio *P* .... 17 D 17
Corvite *LU* .... 4 C 7
Corzos *OR* .... 14 F 8
Cosa *TE* .... 48 J 26
Coscó *L* .... 37 G 33
Coscojuela *HU* .... 22 E 30
Coscojuela
 de Fantova *HU* .... 22 F 30
Coscollet (El) *L* .... 23 F 33
Coscullano *HU* .... 21 F 29
Coscurita *SO* .... 33 H 22
Cosgaya *S* .... 7 C 15
Cosio *S* .... 7 C 16
Coslada *M* .... 46 K 19
Cospedal *LE* .... 15 D 11
Cospeito *LU* .... 4 C 7
Cospindo *C* .... 2 C 3
Costa Ballena *CA* .... 91 V 10
Costa Blanca *VC* .... 86 R 29
Costa Blanca (Parador)
 Jávea A .... 75 P 30
Costa Brava *CT* .... 39 H 39
Costa Brava (Parador de la)
 Aiguablava GI .... 25 G 39
Costa Calma
 Fuerteventura GC .... 112 E 5
Costa Daurada /
 Costa Dorada *CT* .... 51 J 33
Costa de Almería *AL* .... 102 V 21
Costa de Cantabria *CB* ..... 7 B 17
Costa de Canyamel *PM* .... 105 N 40
Costa de la Calma *PM* ..... 104 N 37
Costa de la Luz *AN* .... 90 U 8
Costa de Madrid *M* .... 45 K 16
Costa de Maresme *B* ...... 38 H 37
Costa del Azahar / Costa dels
 Tarongers *VC* .... 63 M 30
Costa del Azahar
 (Parador) Benicarló *CS* .. 50 K 31
Costa
 del Montseny (La) *B* ..... 38 G 37
Costa del Silencio
 Tenerife TF .... 128 E 5
Costa del Sol *AN* .... 100 X 14
Costa dels Pins *PM* .... 105 N 40
Costa dels Tarongers /
 Costa del Azahar *VC* ..... 63 M 30
Costa Dorada /
 Costa Daurada *CT* .... 51 J 33
Costa Teguise
 Lanzarote GC .... 123 F 4
Costa Vasca *PV* .... 9 B 22
Costa Verde *AS* .... 5 B 10
Costabona *GI* .... 24 E 37
Costacabana *AL* .... 103 V 22
Costana (La) *S* .... 7 C 17
Costar *CS* .... 62 L 29
Costean *HU* .... 22 F 30
Costitx *PM* .... 104 N 38
Costur *CS* .... 62 L 29
Cosuenda *Z* .... 34 H 26
Cota *LU* .... 3 C 6
Cotanes *ZA* .... 30 G 14
Cotefablo
 (Puerto de) *HU* .... 21 E 29
Cotelas *OR* .... 13 E 6
Cotiella *HU* .... 22 E 30
Cotilfar Baja *GR* .... 94 T 19
Cotillas *AB* .... 83 Q 22
Cotillas *CU* .... 60 L 24
Cotillo *S* .... 7 C 17
Cotillo (El)
 Fuerteventura GC .... 111 G 1
Coto *O* .... 5 C 11
Coto de Bornos *CA* .... 92 V 12
Coto de Buzalén *BA* .... 82 Q 11
Coto de Puentevejio *AV* ... 45 J 16
Coto Redondo *PO* .... 12 E 3
Cotobade *PO* .... 13 E 4
Cotorios *J* .... 83 R 21
Cotorredondo *M* .... 58 L 18
Cotos (Puerto de) *ESP* .... 45 J 18
Cotos
 de Monterrey (Los) *M* ... 46 J 19
Coubet (Coll de) *GI* .... 24 F 37
Courel (Sierra del) *LU* ..... 14 E 8
Couso (Alto del) *OR* .... 13 F 6
Couso (Punta de) *PO* ...... 12 F 3
Couto *LU* .... 13 D 6
Couto *PO* .... 13 F 5
Couzadoiro *C* .... 3 B 6
Couzo (Punta de) *C* .... 12 E 2
Cova Santa (La) *CS* .... 62 M 28
Covacha *BA* .... 67 N 9
Covacha
 (Puerto de la) *CC* .... 67 O 10

Covadonga *O* .... 6 C 14
Covalanas (Cuevas de) *S* .. 8 C 19
Covaleda *SO* .... 32 G 21
Covarrubias *SO* .... 33 H 22
Covarrubias *BU* .... 32 F 19
Covas
 cerca de Carucedo *OR* .. 14 E 9
Covas
 cerca de Pereiro *OR* .... 13 E 6
Covas cerca de Vivero *LU* . 4 A 7
Covas cerca de Xinzo *OR* . 27 G 6
Covas (As) *PO* .... 12 E 3
Covelo *PO* .... 13 F 4
Covelo (Alto de) *OR* .... 14 F 8
Coves
 de Vinromà (Les) *CS* ... 50 L 30
Coves
 dels Canelobres *A* ...... 74 Q 28
Coves Noves
 (Urbanitzacio) *PM* ...... 106 L 42
Covet *L* .... 23 F 33
Coveta Fumà (La) *A* .... 86 Q 28
Cox *A* .... 85 R 27
Coy *MU* .... 84 S 24
Coyote (El) *AL* .... 103 V 23
Cózar *CR* .... 71 Q 20
Cozcurrita *ZA* .... 29 H 11
Cozuelos
 de Fuentidueña *SG* ..... 31 H 17
Cozuelos de Ojeda *P* ...... 17 D 16
Cozvijar *GR* .... 101 V 19
Crecente *PO* .... 13 F 5
Cregenzán *HU* .... 22 F 30
Creixell *T* .... 37 I 34
Crémenes *LE* .... 16 D 14
Crende *LU* .... 4 C 8
Crendes *C* .... 3 C 5
Crespos *AV* .... 44 J 15
Cretas *TE* .... 50 J 30
Creu de Codo *L* .... 23 F 34
Creu de Perves
 (Coll de) *L* .... 22 E 32
Creus (Cap de) *GI* .... 25 F 39
Crevillent *A* .... 85 R 27
Criaderas (Las) *SE* .... 79 T 11
Criales *BU* .... 18 D 20
Criptana (Ermita de) *CR* ... 71 N 20
Crispinejo *SE* .... 79 T 11
Cristal *L* .... 23 F 34
Cristales (Los) *H* .... 90 T 9
Cristiano *GR* .... 101 V 18
Cristianos (Los)
 Tenerife TF .... 128 D 5
Cristina *BA* .... 68 P 11
Cristo *CR* .... 71 P 20
Cristo (Ermita del) *GU* .... 46 L 20
Cristo de la Laguna *SA* .... 43 J 11
Cristo
 del Espíritu Santo *CR* ... 70 O 17
Cristóbal *SA* .... 43 K 12
Crivillén *TE* .... 49 J 28
Crivillén (Mases de) *TE* ... 49 J 28
Cruceiro *OR* .... 13 E 5
Cruceras (Las) *AV* .... 45 K 16
Cruces *C* .... 3 C 5
Cruces *AB* .... 72 Q 24
Cruces *CO* .... 81 R 15
Cruces (Cuevas de las)
 Gran Canaria GC .... 114 C 2
Cruces
 (Ermita de las) *BA* ..... 68 P 12
Cruceta (Puerto de) *VI* .... 10 C 22
Cruïlles *GI* .... 25 G 39
Cruz cerca de Puebla
 de Almenara *CU* .... 59 M 21
Cruz (Cerro de la) *MA* ..... 100 V 16
Cruz (Ermita de la) *CR* .... 70 O 17
Cruz (La) *O* .... 6 B 13
Cruz (La) *CO* .... 81 S 16
Cruz (La) *GR* .... 94 T 18
Cruz (La) *J* .... 82 R 19
Cruz (Pico de la)
 La Palma TF .... 131 C 3
Cruz (Puerto de la) *PO* .... 12 D 4
Cruz (Sierra de la) *J* ...... 82 S 19
Cruz de Alpera *AB* .... 73 P 26
Cruz de Cancela
 (Puerto) *LU* .... 4 B 8
Cruz de Cofrentes
 (Puerto de) *V* .... 73 N 26
Cruz de Hierro (Puerto) *AV* 45 J 16
Cruz de Incio *LU* .... 14 E 7
Cruz de Piedra *CR* .... 70 O 18

Cruz de Tea *Tenerife TF*..	129	E 4
Cruz de Tejeda		
Gran Canaria GC.....	114	D 2
Cruz del Carmen		
(Mirador de) *Tenerife TF*..	125	I 2
Cruz del Roque		
Tenerife TF..............	129	G 4
Cruz Grande (Puerto de)		
Gran Canaria GC........	116	D 3
Cruz Uzano *S*...............	8	C 19
Cua *O*......................	14	D 9
Cuacos de Yuste *CC*.......	56	L 12
Cuadradillo *CO*.............	81	S 16
Cuadrado (Cerro) *AB*.....	73	P 25
Cuadramón *LU*.............	4	B 7
Cuadrón (El) *M*............	46	J 19
Cuadrón *LE*................	16	D 13
Cuadros *J*..................	82	S 19
Cualedro *OR*...............	27	G 7
Cuarenta (Las) *SE*........	92	T 13
Cuarte *HU*.................	21	F 28
Cuarte de Huerva *Z*.......	35	H 27
Cuartico (El) *AB*..........	72	P 23
Cuartillejo *TO*.............	58	M 18
Cuarto Pelado		
(Puerto de) *TE*..........	49	K 28
Cuartón (El) *CA*...........	99	X 13
Cuatro Calzadas *SA*.......	43	J 13
Cuatro Puertas		
Gran Canaria GC........	117	G 3
Cuatrocorz *HU*............	36	G 31
Cuatrovitas		
(Santuario de) *SE*.......	91	U 11
Cuba (La) *TE*..............	49	K 29
Cubas *AB*..................	73	O 25
Cubas *CO*.................	81	S 16
Cubas de la Sagra *M*......	58	L 18
Cubel *Z*...................	48	I 25
Cubelles *B*................	37	I 35
Cubells *L*.................	37	G 32
Cubells (es) *PM*...........	87	P 33
Cubia *O*...................	5	C 11
Cubilla *BU*................	18	D 20
Cubilla *SO*................	32	G 21
Cubilla (Puerto de la) *O*...	5	D 12
Cubillas *GU*...............	47	I 22
Cubillas		
(Embalse del) *GR*.......	94	U 18
Cubillas de Cerrato *P*.....	31	G 16
Cubillas de los Oteros *LE*..	16	E 13
Cubillas de Rueda *LE*.....	16	E 14
Cubillas		
de Santa Marta *VA*.....	31	G 16
Cubillejo de la Sierra *GU*..	48	J 24
Cubillejo del Sitio *GU*.....	48	J 24
Cubillo *P*.................	17	D 16
Cubillo *SG*................	45	I 18
Cubillo (El) *AB*...........	72	P 22
Cubillo (El) *CU*...........	61	L 25
Cubillo de Uceda(El) *GU*..	46	J 19
Cubillo del Campo *BU*....	18	F 19
Cubillos *ZA*...............	29	H 12
Cubillos *BU*...............	18	C 19
Cubillos del Rojo *BU*......	18	D 18
Cubillos del Sil *LE*........	15	E 10
Cubla *TE*..................	61	L 26
Cubo *GR*..................	83	S 21
Cubo de Benavente *ZA*....	15	F 11
Cubo de Bureba *BU*.......	18	E 20
Cubo		
de Don Sancho (El) *SA*.	43	J 11
Cubo de Hogueras *SO*.....	33	G 22
Cubo de la Sierra *SO*......	33	G 22
Cubo de la Solana *SO*.....	33	H 22
Cubo de Tierra del Vino (El) *ZA*	29	
I 12		
Cucalón *TE*................	48	I 26
Cucalón (Sierra de) *TE*....	48	J 26
Cucayo *S*..................	7	C 16
Cucharal *AB*...............	72	P 23
Cucharas (Laguna de) *CR*	70	P 17
Cucharón *MU*.............	85	Q 25
Cuchía *S*..................	7	B 17
Cuchillo (El)		
Lanzarote GC...........	123	D 3
Cucho *BU*.................	19	D 21
Cucos (Los) *MU*...........	97	T 25
Cudillero *O*...............	5	B 11
Cué *O*.....................	7	B 15
Cuelgamures *ZA*..........	29	I 13
Cuéllar *SG*................	31	H 17
Cuénabres *LE*.............	6	C 15
Cuenca *CO*................	80	R 13
Cuenca *CU*................	60	L 23
Cuenca (La) *SO*...........	33	G 21
Cuenca Alta del Manzanares		
(Parque Regional) *M*....	45	K 18

Cuenca de Campos *VA*....	30	F 14
Cuencabuena *TE*..........	48	I 26
Cuérigo *O*.................	6	C 13
Cuerlas (Las) *Z*...........	48	J 25
Cuerva *TO*................	58	N 17
Cuervo *CR*................	70	O 19
Cuervo (El) *TE*............	61	L 26
Cuervo (El) *SE*............	91	V 11
Cuervo		
(Nacimiento del) *CU*....	48	K 24
Cuesta *LU*................	4	B 7
Cuesta (La) *SG*............	45	I 18
Cuesta (La) *SO*............	33	F 23
Cuesta (La) *MA*...........	93	U 15
Cuesta (La) *BI*............	8	B 20
Cuesta (La) *Tenerife TF*...	125	I 2
Cuesta Blanca *MU*.........	85	T 26
Cuesta de la Villa		
Tenerife TF.............	124	F 2
Cueta (La) *LE*.............	5	C 11
Cueto *BI*..................	8	C 20
Cueto (Ermita de El) *SA*...	43	J 12
Cueto Negro *LE*...........	15	D 12
Cueva *BU*.................	8	C 19
Cueva *AL*.................	84	S 23
Cueva (La) *CU*............	48	K 24
Cueva (Punta de la)		
Gran Canaria GC.......	115	G 3
Cueva de Ágreda *SO*......	34	G 24
Cueva de Juarros *BU*.....	18	F 19
Cueva de la Mora *H*.......	79	S 9
Cueva de la Mora		
(Embalse) *H*............	78	S 9
Cueva de Las Niñas		
Gran Canaria GC........	116	C 3
Cueva de Roa (La) *BU*....	31	G 18
Cueva del Agua		
La Palma TF............	130	B 3
Cueva del Beato		
(Ermita de la) *GU*......	47	J 22
Cueva del Hierro *CU*......	47	K 23
Cueva del Pájaro (La) *AL*..	96	U 24
Cueva Foradada		
(Embalse de) *TE*........	49	J 27
Cuevarruz (La) *V*.........	61	M 27
Cuevas *SO*................	32	H 20
Cuevas *O*.................	5	C 11
Cuevas (Las) *A*...........	85	Q 27
Cuevas Bajas *MA*.........	93	U 16
Cuevas de Almudén *TE*....	49	J 27
Cuevas de Amaya *BU*.....	17	E 17
Cuevas de Ambrosio *J*....	83	R 21
Cuevas de Cañart (Las) *TE*	49	J 28
Cuevas		
de los Medinas (Las) *AL*	103	V 23
Cuevas		
de los Úbedas *AL*......	103	V 23
Cuevas		
de Moreno (Las) *AL*....	84	S 23
Cuevas de Portalrubio *TE*.	49	J 27
Cuevas de Provanco *SG*...	31	H 18
Cuevas de Reillo *MU*......	85	S 26
Cuevas		
de San Clemente *BU*...	18	F 19
Cuevas		
de San Marcos *MA*.....	93	U 16
Cuevas de Soria (Las) *SO*	33	G 22
Cuevas de Velasco *CU*....	60	L 22
Cuevas del Almanzora *AL*.	96	U 24
Cuevas del Becerro *MA*...	92	V 14
Cuevas del Campo *GR*....	95	T 21
Cuevas del Sil *LE*.........	15	D 10
Cuevas del Valle *AV*.......	57	L 14
Cuevas Labradas *TE*......	48	K 26
Cuevas Labradas *GU*......	47	J 23
Cuevas Minidas *GU*.......	47	J 23
Cuiña *C*...................	3	A 6
Cuiña *LU*..................	4	A 7
Culebra (Reserva nacional de la		
Sierra de la) *ZA*........	29	G 11
Culebras *CU*..............	60	L 22
Culebrón *A*...............	85	Q 27
Culebros *LE*...............	15	E 11
Culla *CS*..................	49	K 29
Cúllar Baza *GR*...........	95	T 21
Cúllar Vega *GR*...........	94	U 18
Cullera *V*.................	74	O 29
Cullera (Far de) *V*........	74	O 29
Culleredo *C*...............	3	C 4
Cumbre (La) *CC*..........	56	N 12
Cumbre Alta *TO*...........	57	N 15
Cumbre del Sol *A*.........	75	P 30
Cumbrecita (La)		
La Palma TF............	131	C 4
Cumbres de Calicanto *V*..	62	N 28
Cumbres de En Medio *H*..	79	R 9

Cumbres		
de San Bartolomé *H*.....	79	R 9
Cumbres de Valencia *V*...	73	P 27
Cumbres Mayores *H*......	79	R 10
Cumplida		
(Punta) *La Palma TF*..	131	D 2
Cuna (Peñón de la) *J*......	82	R 17
Cunas *LE*.................	15	F 10
Cunchillos *Z*..............	34	G 24
Cundins *C*................	2	C 3
Cunit *T*...................	37	I 34
Cuntis *PO*................	12	E 4
Cuñas *OR*................	13	E 5
Cura (Casas del) *M*........	58	L 19
Cura (El) *CR*..............	70	P 18
Cura (El) *GR*..............	83	S 22
Cura (Monestir de) *PM*....	104	N 38
Curbe *HU*.................	35	G 29
Cures *C*...................	12	D 3
Curiel *VA*.................	31	H 17
Curillas *LE*................	15	E 11
Curota		
(Mirador de la) *C*.......	12	E 3
Currás *PO*................	12	E 4
Currelos *LU*...............	13	D 7
Curtis *C*..................	3	C 5
Curtis Teixeiro *C*.........	3	C 5
Cusanca *OR*..............	13	E 5
Cutanda *TE*...............	48	J 26
Cútar *MA*.................	101	V 17
Cuzcurrita *BU*.............	32	G 19
Cuzcurrita		
de Río Tirón *LO*........	18	E 21
Cuzna *CO*................	81	R 15

D

Dacón *OR*.................	13	E 5
Dadín *OR*.................	13	E 5
Daganzo de Arriba *M*......	46	K 19
Daimalos *MA*.............	101	V 17
Daimiel *CR*...............	70	O 19
Daimús *V*.................	74	P 29
Dalías *AL*.................	102	V 21
Dalías (Campo de) *AL*.....	102	V 21
Dallo *VI*..................	19	D 22
Dalt (Conca de) *L*.........	23	F 32
Dama (La) *La Gomera TF*	118	B 3
Damas (Las) *AV*...........	45	K 17
Damil *LU*.................	3	C 7
Dantxarinea *NA*...........	11	C 25
Dañador *J*................	83	Q 20
Dañador (Río) *J*...........	83	Q 20
Daró (El) *GI*..............	25	G 39
Daroca *Z*.................	48	I 25
Daroca de Rioja *LO*.......	19	E 22
Darnical *AL*...............	102	V 20
Darro *J*...................	95	T 20
Das *GI*....................	24	E 35
Daya Nueva *A*............	85	R 27
Deba *SS*..................	10	C 24
Degaña *O*................	15	D 10
Degollada		
(La) *Tenerife TF*......	129	E 5a
Degollados		
(Puerto Los) *NA*.......	20	F 24
Degrada (A) *LU*...........	14	D 9
Dehesa *BA*................	68	P 12

Dehesa (La) *CR*...........	70	P 19
Dehesa (La) *H*............	79	S 10
Dehesa (La) *cerca*		
de Casa del Pino AB....	84	Q 23
Dehesa (La) *cerca de*		
El Griego AB...........	72	Q 23
Dehesa de Campoamor *A*.	85	S 27
Dehesa de Montejo *P*.....	17	D 16
Dehesa de Romanos *P*....	17	E 16
Dehesa del Horcajo *TO*...	57	M 14
Dehesa del Moncayo (Parque natural		
de la) *Z*................	34	G 24
Dehesa Mayor *SG*........	31	H 17
Dehesa Media Matilla *BA*..	67	Q 9
Dehesa Nueva *TO*.........	57	M 14
Dehesas *LE*...............	14	E 9
Dehesas de Guadix *GR*...	95	T 20
Dehesas Viejas *GR*.......	94	T 19
Dehesilla *AL*..............	47	K 22
Dehesilla (La) *CU*.........	59	M 20
Deifontes *GR*.............	94	U 19
Deleitosa *CC*..............	56	N 13
Delgadas (Las) *H*.........	79	T 10
Delgadillo *GR*.............	95	T 20
Délika *VI*.................	18	D 21
Deltebre *T*................	50	J 32
Demanda (Reserva nacional de la		
Sierra de la) *BU*........	18	F 20
Demués *O*................	6	C 15
Dena *PO*..................	12	E 3
Dénia *A*..................	75	P 30
Denúy *HU*................	22	E 31

Derio *BI*..................	8	C 21
Derramadero *AB*..........	84	Q 23
Derramador *V*............	61	N 26
Derrasa (La) *OR*..........	13	F 6
Desamparados (Los) *CR*..	71	O 21
Descargamaría *CC*........	42	L 10
Desesperada *CR*..........	82	Q 19
Desierto (El) *Tenerife TF*.	129	F 5
Deskarga (Alto) *SS*.......	10	C 22
Desojo *NA*................	19	E 23
Despeñaperros		
(Desfiladero de) *J*......	82	Q 19
Despeñaperros		
(Parque natural de) *J*...	82	Q 19
Deva *O*...................	5	F 5
Dévanos *SO*..............	33	G 24
Devesa *LU*................	4	B 8
Devesa *OR*...............	13	E 5
Deveso *C*.................	3	B 6
Devesos *C*................	3	B 6
Devotas		
(Congosto de las) *HU*..	22	E 30
Deyá *PM*.................	104	M 37
Deza (Río) *PO*............	30	H 23
Deza *GR*.................	94	U 20
Diamondi *LU*..............	13	E 6
Diego Álvaro *AV*..........	44	J 14
Diego del Carpio *AV*......	44	J 14
Diezma *GR*...............	94	U 20
Diezmo (Peña del) *M*......	45	J 19
Dilar *GR*..................	94	U 19
Dima *BI*...................	9	C 21

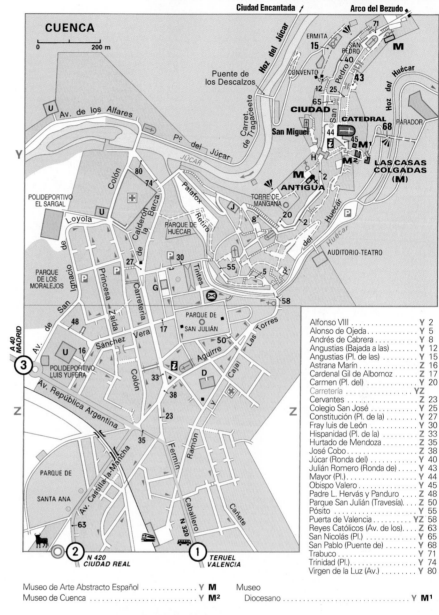

CUENCA

0   200 m

Alfonso VIII		Y 2
Alonso de Ojeda		Y 5
Andrés de Cabrera		Y 8
Angustias (Bajada a las)		Y 12
Angustias (Pl. de las)		Y 15
Astrana Marín		Z 16
Cardenal Gil de Albornoz		Z 17
Carmen (Pl. del)		Y 20
Carretería		YZ
Cervantes		Z 23
Colegio San José		Y 25
Constitución (Pl. de la)		Y 27
Fray luis de León		Y 30
Hispanidad (Pl. de la)		Z 33
Hurtado de Mendoza		Z 35
José Cobo		Z 38
Júcar (Ronda del)		Y 40
Julián Romero (Ronda de)		Y 43
Mayor (Pl.)		Y 44
Obispo Valero		Y 45
Padre L. Hervás y Panduro		Z 48
Parque San Julián (Travesía)		Z 50
Pósito		Y 55
Puerta de Valencia		YZ 58
Reyes Católicos (Av. de los)		Z 63
San Nicolás (Pl.)		Y 65
San Pablo (Puente de)		Y 68
Trabuco		Y 71
Trinidad (Pl.)		Y 74
Virgen de la Luz (Av.)		Y 80

Museo de Arte Abstracto Español .... Y **M**
Museo de Cuenca .... Y **M²**
Museo Diocesano .... Y **M¹**

154 España

DONOSTIA-SAN SEBASTIÁN

Andía ... DZ 2
Argentinako Errepublikaren (Pas.) ... EY 6
Askatasunaren (Hiribidea) ... DEZY
Bulebar Zumardia ... DY 14
Errigina Erregentearen ... EY 17
Euskadi (Pl.) ... EY 18
Fermin Calbetón ... DY 19
Garibai ... DY
Hernani ... DY
Konstituzio (Pl.) ... DY 28
Maria Kristina (Zubia) ... EZ 31
Miramar ... DZ 32
Portu ... DY 36
Ramón Maria Lili (Pas.) ... EY 38
Santa Katalina (Zubia) ... EY 45
San Jerónimo ... DY 42
San Juan ... DEY 43
Urbieta ... DEZ
Urdaneta ... EZ 49
Zabaleta ... EY 53
Zurriola (Zubia) ... EY 58

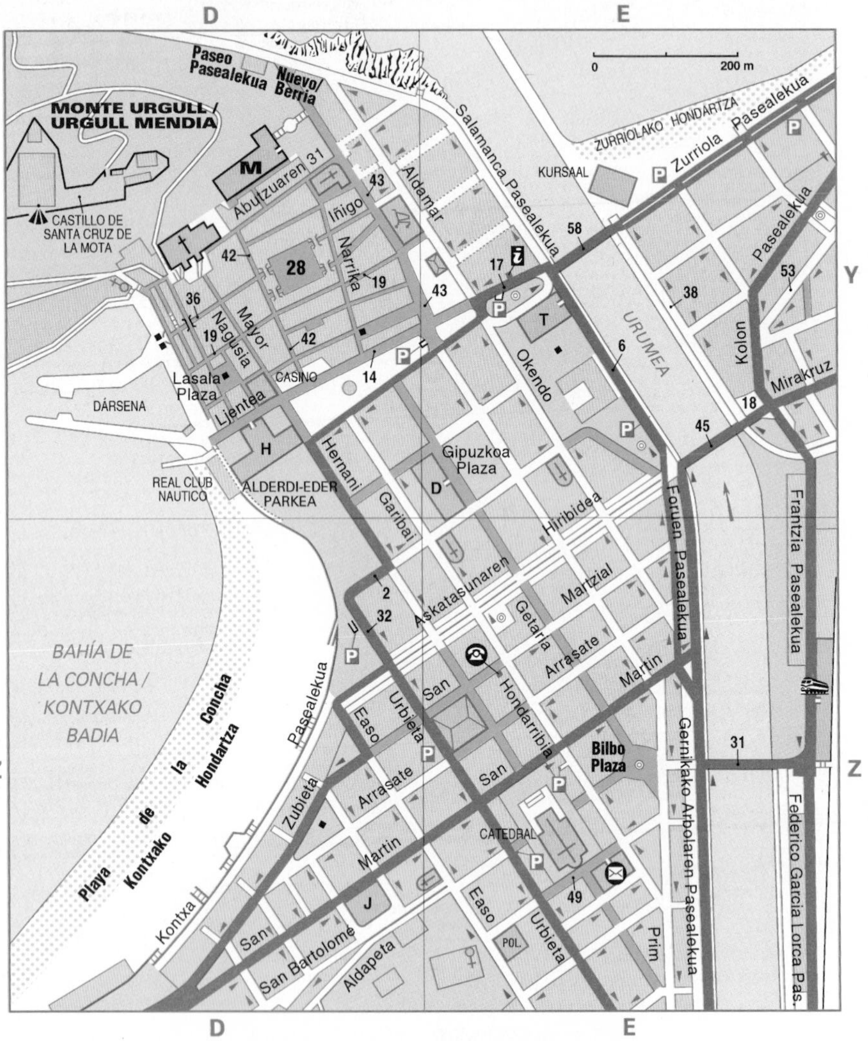
D
E
Y
Z
0
200 m
Paseo Nuevo / Pasealekua Berria
MONTE URGULL / URGULL MENDIA
CASTILLO DE SANTA CRUZ DE LA MOTA
M
Abuztuaren 31
Iñigo
Narrika
Aldamar
Salamanca Pasealekua
ZURRIOLAKO HONDARTZA
Zurriola Pasealekua
KURSAAL
Mayor
Nagusia
Lasala Plaza
CASINO
DÁRSENA
Ijentea
REAL CLUB NAUTICO
ALDERDI-EDER PARKEA
Hernani
Garibai
Gipuzkoa Plaza
Okendo
URUMEA
Kolon
Mirakruz
Frantzia Pasealekua
Foruen Pasealekua
Hiribidea
Askatasunaren
Getaria
Martzial
Arrasate
Martin
Hondarribia
San
Urbieta
Easo
Bilbo Plaza
Gernikako Arbolaren Pasealekua
Federico García Lorca Pas.
BAHÍA DE LA CONCHA / KONTXAKO BADIA
Playa de la Concha
Kontxako Hondartza
Pasealekua
Zubieta
Kontxa
CATEDRAL
San Bartolomé
Aldapeta
POL.
Prim

Dios le Guarde **SA** 43 K 11
Dique (El) **Z** 36 I 29
Discatillo **NA** 19 E 23
Distriz **LU** 3 C 6
Diustes **SO** 33 F 22
Doade **LU** 14 E 7
Doade **OR** 13 E 5
Doade **PO** 13 E 5
Dobro **BU** 18 D 19
Doctor (Casas del) **V** 73 N 26
Doctor (El) **CR** 70 P 19
Doctoral (El) *Gran Canaria* **GC** 117 F 4
Dodro **C** 12 D 3
Doiras **O** 4 B 9
Doiras **LU** 14 D 9
Doiras (Embalse de) **O** 4 B 9
Dólar **GR** 95 U 21
Dolores **A** 85 R 27
Dolores **MU** 85 S 27
Dolores (Los) **MU** 85 T 26
Domaio **PO** 12 F 3
Domeño **NA** 11 D 26
Domeño **V** 61 M 27
Dómez **ZA** 29 G 11
Domingo García **SG** 45 I 16
Domingo Pérez **TO** 57 M 16
Domingo Pérez **GR** 94 T 19
Domingos (es) **PM** 105 N 39
Don Álvaro **BA** 67 P 11
Don Benito **BA** 68 P 12
Don Diego **GR** 95 U 21
Don Gaspar de Portolá (Parador de) *Artiés de* **L** 22 D 32
Don Gonzalo **MU** 84 S 24
Don Jaume (Ermita) **A** 86 Q 28
Don Jerónimo **CR** 71 O 20
Don Jerónimo Tapia (Casa de) **TO** 70 N 18
Don Juan **CR** 71 O 19
Don Juan (Cueva de) **V** 73 O 26
Don Martin (Mirador de) *Tenerife* **TF** 127 H 3
Don Miguel de Unamuno (Monumento a) Fuerteventura **GC** 111 H 2
Don Pedro **MA** 99 W 14
Don Pedro (Cabeza de) **CU** 60 L 24
Don Pedro (Casas de) **AB** 72 O 24
Don Rodrigo (Estación de) **SE** 92 U 12
Donadío **J** 82 S 19
Donado **ZA** 15 F 10
Donalbai **LU** 3 C 6
Donamaria **NA** 11 C 24
Donar (La) **AB** 84 R 22
Donarque (Puerto de) **TE** 48 K 25
Donas **PO** 12 F 3
Doncos **LU** 14 D 8
Done Bikendi Harana **VI** 19 D 22
Doney de la Requejada **ZA** 15 F 10
Doneztebe / Santesteban **NA** 11 C 24
Donhierro **SG** 44 I 15
Doniños **C** 3 B 5
Donis **LU** 14 D 9
Donjimeno **AV** 44 J 15
Donón **PO** 12 F 3
Donostia-San Sebastián **SS** 10 C 24
Donramiro **PO** 13 E 5
Donvidas **AV** 44 I 15
Donzell **L** 37 G 33
Doña Aldonza (Embalse de) **J** 83 S 20
Doña Ana **GR** 83 S 22
Doña Ana **J** 83 R 21
Doña Blanca **CA** 98 W 11
Doña Blanca de Navarra (Castillo de) **NA** 20 F 25
Doña Inés **MU** 84 S 24
Doña Justa **CR** 69 P 15
Doña María **BA** 66 P 8
Doña María Ocaña **AL** 95 U 21
Doña Marina **GR** 95 T 20
Doña Mencía **CO** 93 T 16
Doña Rama **CO** 80 R 14
Doña Santos **BU** 32 G 19
Doñana **MA** 100 V 16
Doñana (Parque Nacional de) **H** 91 V 10
Doñinos de Ledesma **SA** 43 I 11
Doñinos de Salamanca **SA** 43 J 12
Dóriga **O** 5 B 11
Dormea **C** 3 D 5
Dornillas **ZA** 15 F 10
Doroño **BU** 19 D 21
Dorrao / Torrano **NA** 19 D 23
Dòrria **GI** 24 E 36
Dos Aguas **V** 73 O 27
Dos Hermanas **SE** 91 U 12
Dos Picos **AL** 95 U 21
Dos Torres **CO** 81 Q 15
Dos Torres de Mercader **TE** 49 J 28
Dosante **BU** 8 C 18
Dosbarrios **TO** 58 M 19
Dosrius **B** 38 H 37
Dozón **PO** 13 E 5
Drach (Coves del) **PM** 105 N 39
Dragonte **LE** 14 E 9
Draguillo (El) *Tenerife* **TF** 125 J 1
Driebes **GU** 59 L 20
Drova (La) **V** 74 O 29
Duañez **SO** 33 G 23
Dúas Igréxas **PO** 13 E 4
Ducs (Els) **V** 61 N 26
Duda (Sierra de) **GR** 83 S 21
Dúdar **GR** 94 U 19
Dueña Baja (La) **SE** 92 U 14
Dueñas **P** 31 G 16
Dueñas (Las) **TE** 61 L 26
Duerna **LE** 15 F 11
Duesaigües **T** 51 I 32
Dueso **S** 8 B 19
Dumbría **C** 2 C 2
Duques de Cardona (Parador de) *Cardona* **B** 37 G 35
Duquesa (La) **CR** 70 O 19
Duquesa (La) **MA** 99 W 14
Durana **VI** 19 D 22
Duranes **CR** 69 P 16
Durango **BI** 10 C 22
Duratón **SG** 32 I 18
Dúrcal **GR** 101 V 19
Durón **GU** 47 K 21
Durro **L** 22 E 32
Duruelo **SO** 32 G 21
Duxame **PO** 13 D 5

E

Ea **BI** 9 B 22
Ebre (Delta de l') **T** 50 J 32
Ebrón **V** 61 L 26
Ecay / Ekai de Lóguida **NA** 11 D 25
Echagüe **NA** 20 E 25
Echálaz **NA** 11 D 25
Echarren de Guirguillano *cerca de Puente la Reina* **NA** 10 D 24
Echedo *El Hierro* **TF** 109 D 1
Écija **SE** 92 T 14
Edrada **OR** 13 F 7
Egea **HU** 22 E 31
Egino **VI** 19 D 23
Egozkue **NA** 11 D 25
Eguaras **NA** 11 D 24
Egüés **NA** 11 D 25
Eguílaz **VI** 19 D 23
Eguileor **VI** 19 D 22
Eguileta **VI** 19 D 22
Eibar **SS** 10 C 22
Eidos **PO** 12 F 4
Eiras **OR** 13 E 5
Eiras (Embalse de) **PO** 12 E 4
Eiré **LU** 13 E 7
Eirón **C** 2 D 3
Eivissa / Ibiza **PM** 87 P 34
Ejea de los Caballeros **Z** 20 F 26
Ejeme **SA** 44 J 13
Ejep **HU** 22 F 30
Ejido (El) **TO** 57 M 14
Ejido (El) **AL** 102 V 21
Ejulve **TE** 49 J 28
Ekai de Lóguida / Ecay **NA** 11 D 25
Ekain **SS** 10 C 23
Elantxobe **BI** 9 B 22
Elbete **NA** 11 C 25
Elburgo **VI** 19 D 22
Elche / Elx **A** 85 R 27
Elche de la Sierra **AB** 84 Q 23
Elciego **VI** 19 E 22
Elcóaz **NA** 11 D 26
Elda **A** 85 Q 27
Elduain **SS** 10 C 24
Elgeta **SS** 10 C 22
Elgoibar **SS** 10 C 22
Elgorriaga **NA** 11 C 24
Eliana (L') **V** 62 N 28
Elice (Puerto) **CC** 55 N 9
Elizondo **NA** 11 C 25
Eljas **CC** 55 L 9
Eller **L** 23 E 35
Elorregi **SS** 10 C 22
Elorrieta **GR** 94 U 19
Elorrio **BI** 10 C 22
Elortz / Elorz **NA** 11 D 25
Elorz / Elortz **NA** 11 D 25
Elosu **VI** 19 D 21
Elosua **SS** 10 C 22
Els Munts **T** 37 I 34
Els Poblets **A** 74 P 30
Eltzaburu **NA** 11 C 24
Elvillar **VI** 19 E 22
Elvira (Sierra) **GR** 94 U 18
Elviria **MA** 100 W 15
Elx / Elche **A** 85 R 27
Embid **GU** 48 J 24
Embid de Ariza **Z** 33 H 24
Embid de la Ribera **Z** 34 H 25
Embún **HU** 21 E 27
Empalme (El) **H** 90 U 8
Emperador (El) **TO** 70 O 18
Empuriabrava **GI** 25 F 39
Empúries **GI** 25 F 39
Ena **HU** 21 E 27
Enamorados **MA** 93 U 16
Encantada (Embalse de) **CO** 81 S 15
Encarnación (Ermita de La) **MU** 84 R 24
Encarnación (La) **CR** 70 O 18
Encebras **A** 85 Q 27
Encima-Angulo **BU** 8 C 20
Encina (La) **SA** 42 K 10
Encina (La) **A** 73 P 27
Encina de San Silvestre **SA** 43 I 11
Encinacaida **CR** 57 N 15
Encinacorba **Z** 34 I 26
Encinar (El) **M** 46 K 19
Encinar (Ermita del) **CC** 55 M 9
Encinar del A. **M** 58 L 16
Encinarejo **CO** 81 S 15
Encinarejo (El) **J** 82 R 18
Encinarejo (Embalse del) **J** 82 R 18
Encinares **AV** 44 K 13
Encinares de Sanlúcar la Mayor (Los) **SE** 91 T 11
Encinas **SG** 32 H 19
Encinas (Las) **SE** 92 T 12
Encinas (Monte) **CR** 82 Q 18
Encinas de Abajo **SA** 44 J 13
Encinas de Arriba **SA** 44 J 13
Encinas de Esgueva **VA** 31 G 17
Encinas Reales **CO** 93 U 16
Encinasola **H** 78 R 9
Encinasola de los Comendadores **SA** 42 I 10
Encinedo **LE** 15 F 10
Encinetas **MA** 100 W 14
Encinilla (La) **SE** 92 V 12
Encinillas **SG** 45 I 17
Encío **BU** 18 E 20
Enciso **LO** 19 F 23
Encomienda (La) *cerca de Badajoz* **BA** 66 P 8
Encomienda (La) *cerca de Villanueva de la Serena* **BA** 68 O 12
Endrinal **SA** 43 K 12
Endrinales (Los) **M** 46 J 18
Enériz **NA** 11 D 24
Enfesta **C** 3 D 4
Enguera **V** 74 P 27
Enguera (Serra de) **V** 73 P 27
Enguídanos **CU** 61 M 25
Enillas (Las) **ZA** 29 H 12
Enix **AL** 102 V 22
Enjambre (La) **CR** 57 N 15
Enmedio **TO** 70 N 18
Enmedio **V** 61 M 26
Enmedio **S** 17 D 17
Enmedio (Sierra de) **AB** 85 Q 25
Enol (Lago de) **O** 6 C 15
Ènova (L') **V** 74 O 28
Enroig **CS** 50 K 30
Entallada (La) *Fuerteventura* **GC** 113 H 4
Enterrias **S** 7 C 15
Entinas (Punta) **AL** 102 V 21
Entis **C** 2 D 3
Entrago **O** 5 C 11
Entrala **ZA** 29 H 12
Entrambasaguas **S** 8 B 18
Entrambasmestas **S** 7 C 18
Entrecinsa **OR** 14 F 8
Entrecruces **C** 2 C 3
Entredicho (El) **AB** 84 Q 23
Entredicho (El) **CO** 80 R 14
Entredicho (Embalse de) **CR** 69 P 15
Entredichos **CU** 60 M 22
Entrego (El) **O** 6 C 13
Entremont (Congosto del) **HU** 22 F 30
Entrena **LO** 19 E 22
Entrepeñas (Embalse de) **GU** 47 K 21
Entrepinos **M** 57 L 16
Entrerrios **BA** 68 P 12
Entrimo **OR** 27 G 5
Entrines (Los) **BA** 67 Q 9
Envernallas **LU** 4 D 9
Envía (Ermita de la) **CU** 47 K 22
Enviny **L** 23 E 33
Eo **LU** 4 B 8
Epároz **NA** 11 D 26
Épila **Z** 34 H 26

A B C D E F G H I J K L M N O P Q R S T U V W X Y Z

ELCHE

Alfonso XII . . . . **Z** 3
Almórida . . . . **Z** 4
Antonio Machado (Av. d') . . . . . **Z** 6
Baix (Pl. de) . . . . **Z** 7
Bassa dels Moros (Camí) . . . . . **Y** 8
Camino del Gato . . . . **Z** 13
Camino de l'Almassera . . . . **Z** 12
Canalejas (Puente de) . . . . **Z** 15
Clara de Campoanor . . . . **Y** 16
Conrado del Campo . . . . **Z** 17

Corredora . . . . **Z**
Diagonal del Palau . . . . **Y** 18
Eres de Santa Llucia . . . . **Y** 19
Escultor Capuz . . . . **Z** 20
Estació (Pas. de l') . . . . **Y** 21
Federico García Lorca . . . . **Z** 23
Fernanda Santamaría . . . . **Z** 24
Jiménez Díaz (Doctor) . . . . **Z** 28
Jorge Juan . . . . **YZ** 29
José María Pemán . . . . **Z** 31
Juan Ramón Jiménez . . . . **Z** 32
Luis Gonzaga Llorente . . . . **Y** 33
Maestro Albéniz . . . . **Y** 35

Major de la Vila . . . . **Y** 36
Marqués de Asprella . . . . **Y** 37
Ntra Sra de la Cabeza . . . . **Y** 39
Pont dels Ortissos . . . . **Y** 40
Porta d'Alacant . . . . **Y** 41
Rector . . . . **Z** 43
Reina Victoria . . . . **Z**
Santa Anna . . . . **Z** 45
Santa Pola (Av. de) . . . . **Y** 47
Santa Teresa (Puente) . . . . **Y** 48
Sant Joan (Pl. de) . . . . **Z** 44
Vicente Blasco Ibáñez . . . . **Y** 51
Xop II. Licitá . . . . **Z** 52

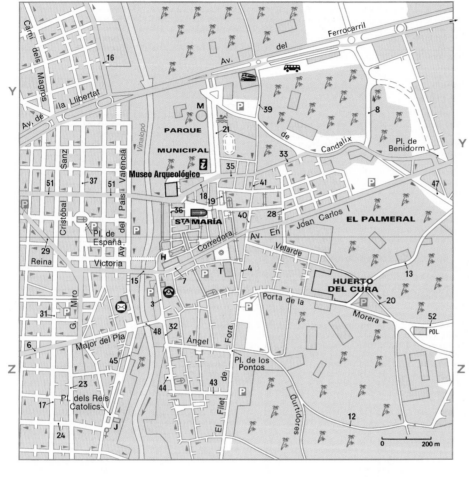

Epina *La Gomera* **TF** . . . . . . 118 B 2
Eras (Las) **TE** . . . . . . 61 L 26
Eras (Las) **AB** . . . . . . 73 O 25
Eratsun **NA** . . . . . . 10 C 24
Eraul **NA** . . . . . . 19 D 23
Erbecedo **C** . . . . . . 2 C 3
Erbedeiro **LU** . . . . . . 13 E 6
Ercina (La) **LE** . . . . . . 16 D 14
Ercina (Lago de la) **O** . . . . . . 6 C 15
Erdoizta **SS** . . . . . . 10 C 23
Ereño **BI** . . . . . . 9 B 22
Ereñozu **SS** . . . . . . 10 C 24
Eresma **SG** . . . . . . 45 J 17
Ergoien **BI** . . . . . . 9 C 21
Ería **CL** . . . . . . 15 F 12
Erias **CC** . . . . . . 43 K 10
Erice **NA** . . . . . . 11 D 24
Erice
   cerca de Eguaras **NA** . . . 10 D 24
Erill la Vall **L** . . . . . . 22 E 32
Erillas **CO** . . . . . . 80 R 14
Erinyà **L** . . . . . . 23 F 32
Eripol **HU** . . . . . . 22 F 30
Eripol (Collado de) **HU** . . . 22 F 30
Eriste **HU** . . . . . . 22 E 31
Erjas **CC** . . . . . . 55 L 9
Erjos *Tenerife* **TF** . . . . . 126 C 3
Erla **Z** . . . . . . 21 F 27
Ermida **LU** . . . . . . 14 E 8
Ermida (A) **OR** . . . . . . 13 E 5
Ermita **T** . . . . . . 50 J 31
Ermita (La) **AL** . . . . . . 96 T 22

Ermita (S') **PM** . . . . . 105 N 39
Ermita de Nuestra
   Santa Fátima **BA** . . . . 80 Q 13
Ermita Nueva **J** . . . . . 94 T 18
Ermitas (Las) **CO** . . . . . 81 S 15
Ermua **BI** . . . . . . 10 C 22
Eroles **L** . . . . . . 22 F 32
Erratzu **NA** . . . . . . 11 C 25
Errazkin **NA** . . . . . . 10 C 24
Errea **NA** . . . . . . 11 D 25
Errenteria / Rentería **SS** . . . 10 C 24
Errezil **SS** . . . . . . 10 C 23
Errigoiti **BI** . . . . . . 9 C 21
Erro **NA** . . . . . . 11 D 25
Erronkari / Roncal **NA** . . . 11 D 27
Errotz **NA** . . . . . . 10 D 24
Erustes **TO** . . . . . . 57 M 16
Es Caló **PM** . . . . . . 97 P 34
Esanos **S** . . . . . . 7 C 16
Esblada **T** . . . . . . 37 H 34
Escacena del Campo **H** . . . 91 T 10
Escairón **LU** . . . . . . 13 E 7
Escala (L') /
   La Escala **GI** . . . . . 25 F 39
Escala (La) /
   Escala (L') **GI** . . . . . 25 F 39
Escalada **BU** . . . . . . 18 D 18
Escaladei **T** . . . . . . 36 I 32
Escalante **S** . . . . . . 8 B 19
Escalar
   (Garganta del) **HU** . . . 21 D 29
Escale (Pantà d') **HU** . . . 22 E 32

Escalera **GU** . . . . . . 47 J 23
La Escaleruela **TE** . . . . . 61 L 27
Escaleta (Punta de l') **A** . . . 74 Q 29
Escaló **L** . . . . . . 23 E 33
Escalona **HU** . . . . . . 22 E 30
Escalona **TO** . . . . . . 57 L 16
Escalona (La) **TF** . . . . . 128 E 5
Escalona del Prado **SG** . . . 45 I 17
Escalonilla **TO** . . . . . . 57 M 16
Escamilla **GU** . . . . . . 47 K 22
Escandón
   (Puerto de) **TE** . . . . . 61 L 27
Escañuela **J** . . . . . . 82 S 17
Escarabajosa
   de Cabezas **SG** . . . . . 45 I 17
Escarabote **C** . . . . . . 12 E 3
Escariche **GU** . . . . . . 47 K 21
Escarihuela (La) **MU** . . . 96 T 24
Escaro **LE** . . . . . . 6 C 14
Escarrilla **HU** . . . . . . 21 D 29
Escatrón **Z** . . . . . . 35 I 29
Escatrón
   (Estación de) **TE** . . . . 61 L 27
Esclavitud **C** . . . . . . 12 D 4
Escó **Z** . . . . . . 20 E 26
Escobar **SE** . . . . . . 91 U 11
Escobar (El) **MU** . . . . . 85 S 26
Escobar
   de Polendos **SG** . . . . . 45 I 17
Escobedo **S** . . . . . . 7 B 18
Escobar **ZA** . . . . . . 29 G 12

Escobonal
   (El) *Tenerife* **TF** . . . . 129 G 4
Escobosa **SO** . . . . . . 33 H 22
Escombreras **MU** . . . . . 97 T 27
Escopete **GU** . . . . . . 46 K 20
Escorial (El) **M** . . . . . 45 K 17
Escorial
   (Monasterio de El) **M** . . 45 K 17
Escoriales (Los) **J** . . . . . 82 R 18
Escorihuela **TE** . . . . . 49 K 27
Escornabois **OR** . . . . . 13 F 7
Escóznar **GR** . . . . . . 94 U 18
Escrita (La) **S** . . . . . . 8 C 20
Escuadro de Sayago **ZA** . . . 29 I 11
Escuaín **HU** . . . . . . 22 E 30
Escucha **TE** . . . . . . 49 J 27
Escudero **V** . . . . . . 73 P 27
Escudo (Puerto del) **S** . . . 7 C 18
Escuelas (Las) **J** . . . . . 82 S 19
Escuernavacas **SA** . . . . . 43 J 10
Escullar **AL** . . . . . . 95 U 21
Escullos (Los) **AL** . . . . 103 V 23
Escurial **CC** . . . . . . 68 O 12
Escurial de la Sierra **SA** . . . 44 K 12
Escusa **PO** . . . . . . 12 E 3
Escúzar **GR** . . . . . . 94 U 18

Esdolomada **HU** . . . . . 22 F 31
Esera **HU** . . . . . . 22 F 31
Esfiliana **GR** . . . . . . 95 U 20
Esgleieta (S') **PM** . . . . . 104 N 37
Esgos **OR** . . . . . . 13 F 6
Esguevillas
   de Esgueva **VA** . . . . . 31 G 16
Eskoriatza **SS** . . . . . 10 C 22
Eslava **NA** . . . . . . 20 E 25
Esles **S** . . . . . . 8 C 18
Eslida **CS** . . . . . . 62 M 29
Esmerode **C** . . . . . . 2 C 3
Esnotz **NA** . . . . . . 11 D 25
Espà (L') **B** . . . . . . 23 F 35
Espadà **CS** . . . . . . 62 M 28
Espadaña **SA** . . . . . . 43 I 11
Espadañedo **ZA** . . . . . 15 F 10
Espadilla **CS** . . . . . . 62 L 28
Espaén **L** . . . . . . 23 F 33
Espantaperros **SE** . . . . . 92 U 12
Esparra (L') **GI** . . . . . 24 G 37
Esparragal **MU** . . . . . 85 R 26
Esparragal
   (Embalse del) **SE** . . . . 91 T 11
Esparragosa
   de la Serena **BA** . . . . 68 Q 13
Esparragosa
   de Lares **BA** . . . . . . 68 P 14
Esparreguera **B** . . . . . 38 H 35
Esparreguera
   (Monte) **CS** . . . . . . 62 L 29
Espartal (El) **M** . . . . . 46 J 19
Esparteros **SE** . . . . . . 92 U 13
Espartinas **SE** . . . . . . 91 T 11
Espartosa (La) **MU** . . . . 85 R 26
Esparza de Salazar
   cerca de Ochagavía **NA**. 11 D 26
Espasante **C** . . . . . . 3 A 6
Espeja **SA** . . . . . . 42 K 9
Espeja
   de San Marcelino **SO** . . 32 G 20
Espejo **VI** . . . . . . 18 D 20
Espejo **CO** . . . . . . 81 S 16
Espejón **SO** . . . . . . 32 G 20
Espelt (L') **B** . . . . . . 37 H 34
Espelúy **J** . . . . . . 82 R 18
Espera **CA** . . . . . . 92 V 12
Esperante **C** . . . . . . 12 D 3
Esperanza
   (Ermita de la) **CO** . . . . 93 T 16
Esperanza (La) **SE** . . . . 92 U 14
Esperanza (La)
   Tenerife **TF** . . . . . . 124 H 2
Espés **HU** . . . . . . 22 E 31
Espiel **CO** . . . . . . 81 R 14
Espiel (Puerto de) **CO** . . . 81 R 14
Espierba **HU** . . . . . . 22 E 30
Espín **HU** . . . . . . 21 E 29
Espina (Collado de) **HU** . . 22 E 31
Espina (La) **O** . . . . . . 5 B 10
Espina (La) **LE** . . . . . 16 D 15
Espina de Tremor **LE** . . . 15 D 11
Espinal / Auritzberri **NA** . . 11 D 25
Espinama **S** . . . . . . 6 C 15
Espinar (El) **SG** . . . . . 45 J 17
Espinardo **MU** . . . . . . 85 R 26
Espinaredo **O** . . . . . . 6 C 13
Espinavell **GI** . . . . . . 24 E 37
Espinelves **GI** . . . . . . 24 G 37
Espinilla **S** . . . . . . 7 C 17
Espino (Cuesta del) **CO** . . 81 S 15
Espino
   (Ermita Virgen del) **AV** . 44 J 14
Espino de la Orbada **SA** . . 44 I 13
Espino
   de los Doctores **SA** . . . 43 I 12
Espinosa de Cerrato **P** . . . 31 G 18
Espinosa de Cervera **BU** . . 32 G 19
Espinosa
   de Henares **GU** . . . . . 46 J 20
Espinosa
   de la Ribera **LE** . . . . . 15 D 13
Espinosa
   de los Caballeros **AV** . . 45 I 16
Espinosa
   de los Monteros **BU** . . . 8 C 19
Espinosa
   de Villagonzalo **P** . . . . 17 E 16
Espinosa del Camino **BU** . . 18 E 20
Espinosa del Monte **BU** . . 18 E 20
Espinoso
   de Compludo **LE** . . . . 15 E 10
Espinoso del Rey **TO** . . . 57 N 15

Espiñaredo **C** . . . . . . 3 B 6
Espirdo **SG** . . . . . . 45 J 17
Espíritu Santo
   (Ermita del) **O** . . . . . . 5 B 11
Esplegares **GU** . . . . . 47 J 22
Esplugafreda **HU** . . . . 22 E 31
Espluga Calba (L') **L** . . . 37 H 33
Espluga
   de Francolí (L') **T** . . . . 37 H 33
Espluga de Serra **L** . . . . 22 F 32
Esplús **HU** . . . . . . 36 G 30
Espolla **GI** . . . . . . 25 E 39
Esponellà **GI** . . . . . . 25 F 38
Esporles **PM** . . . . . . 104 M 37
Esposa **HU** . . . . . . 21 E 28
Espot **L** . . . . . . 23 E 33
Espot (Portarró d') **L** . . . 23 E 32
Espotz / Espoz **NA** . . . . 11 D 25
Espoz / Espotz **NA** . . . . 11 D 25
Espronceda **NA** . . . . . 19 E 24
Espuéndolas **HU** . . . . . 21 E 28
Espunyola (L') **B** . . . . . 23 F 35
Esquedas **HU** . . . . . . 21 F 28
Esquinazo
   (Puerto del) **TE** . . . . . 49 J 27
Esquivel **SE** . . . . . . 91 T 12
Esquivias **TO** . . . . . . 58 L 18
Establés **GU** . . . . . . 47 I 23
Establiments **PM** . . . . . 104 N 37
Estaca de Bares
   (Punta de la) **C** . . . . . 3 A 6
Estacas
   cerca de Cuntis **PO** . . . 12 E 4
Estacas cerca
   de Ponte-Caldelas **PO** . . 13 E 4
Estacas de Trueba
   (Puerto de las) **BU** . . . . 8 C 18
Estacio (Faro del) **MU** . . . 86 S 27
Estació
   de Novelda (La) **A** . . . . 85 Q 27
Estación (La) **M** . . . . . 45 K 18
Estación (La) **M** . . . . . 45 K 17
Estación (La) **SE** . . . . . 92 T 12
Estación (La) **M** . . . . . 45 K 17
Estación (La)
   cerca de Arévalo **AV** . . . 44 I 15
Estación (La) cerca
   de Sanchidrián **AV** . . . . 45 J 16
Estación Cártama **MA** . . 100 V 16
Estación de Agramón **AB** . . 84 Q 25
Estación de Algodor **M** . . . 58 M 18
Estación
   de Archidona **MA** . . . . 93 U 16
Estación de Baeza **J** . . . . 82 R 19
Estación de Cabra
   del Santo Cristo
   y Alicún **J** . . . . 83 T 20
Estación de Huelma **J** . . . 95 T 20
Estación de la Puebla
   de Híjar **TE** . . . . 35 I 28
Estación
   de Las Mellizas **MA** . . 100 V 15
Estación
   de las Minas **AB** . . . . . 84 R 25
Estación
   de los Molinos **M** . . . . 45 J 17
Estación
   de Matallana **LE** . . . . . 16 D 13
Estación de Mora
   de Rubielos **TE** . . . . . 61 L 27
Estación de Obejo **CO** . . . 81 R 15
Estación de Ordes **C** . . . . 3 C 4
Estación de Páramo **LE** . . 15 D 10
Estación de Salinas **MA** . . 93 U 17
Estación
   de San Roque **CA** . . . . 99 X 13
Estación
   y Pajares (La) **M** . . . . . 45 K 17
Estada **HU** . . . . . . 22 F 30
Estadilla **HU** . . . . . . 22 F 30
Estallo **HU** . . . . . . 21 E 28
Estamariu **L** . . . . . . 23 E 34
Estana **L** . . . . . . 23 F 34
Estanca
   (Embalse de la) **TE** . . . 49 I 29
Estany (L') **B** . . . . . . 38 G 36
Estany
   d'en Mas (S') **PM** . . . 105 N 39
Estanyol (S') *Ibiza* **PM** . . 87 P 33
Estanyol (S')
   Mallorca **PM** . . . . . 104 N 38
Estaña **HU** . . . . . . 22 F 31
Estaràs **L** . . . . . . 37 G 34
Estartit (L') **GI** . . . . . 25 F 39

A B C D E F G H I J K L M N O P Q R S T U V W X Y Z

Estasen (L') *B*... 23 F 35
Estats (Pico d') *L*... 23 E 34
Estavillo *VI*... 18 D 21
Estebanvela *SG*... 32 H 20
Esteiro
  cerca de Cedeira *C*... 3 B 5
Esteiro cerca de Muros *C*.. 12 D 3
Estelas (As) *PO*... 12 F 3
Estella / Lizarra *NA*... 19 D 23
Estella del Marqués *CA*... 98 V 11
Estellencs *PM*... 104 N 37
Estena *CC*... 67 O 10
Estena (Río) *CR*... 69 N 16
Estepa *SE*... 93 U 15
Estepa de San Juan *SO*... 33 G 23
Estépar *BU*... 17 F 18
Estepas (Los) *CO*... 81 S 15
Estepona *MA*... 100 W 14
Esteras *SO*... 33 G 23
Esteras (Puerto) *SO*... 47 I 22
Esteras de Medinaceli *SO*. 47 I 22
Estercuel *TE*... 49 J 28
Esteribar *NA*... 11 D 25
Esteros (Los) *AB*... 71 P 22
Esterri d'Àneu *L*... 23 E 33
Esterri de Cardós *L*... 23 E 33
Estévez (Las) *BA*... 67 P 10
Estiche *HU*... 36 G 30
Estivadas *OR*... 27 F 7
Estivadas (Alto de) *OR*... 27 F 7
Estivella *V*... 62 M 28
Estiviel *TO*... 58 M 17
Esto *C*... 2 C 3
Estollo *LO*... 19 F 21
Estopiñán *HU*... 36 G 31
Estorninos *CC*... 55 M 9
Estrada (A) *PO*... 13 D 4
Estrecho (El) *AL*... 84 S 23
Estrecho (El)
  cerca de Lobosillo *MU*... 85 S 26
Estrecho
  (Mirador El) *CA*... 99 X 13
Estrecho de San Ginés (El)
  cerca de
  Llano del Beal *MU*... 85 T 27
Estrella
  (Castillo de la) *MA*... 100 V 15
Estrella (La) *TO*... 57 M 14
Estremera *M*... 59 L 20
Estremera
  (Embalse de) *CU*... 59 L 21
Estriégana *GU*... 47 I 22
Estubeny *V*... 74 O 28
Etayo *NA*... 19 E 23
Eterna *BU*... 18 E 20
Etreros *SG*... 45 J 16
Etsain *NA*... 11 D 25
Etxabarri-Ibiña *VI*... 19 D 21
Etxalar *NA*... 11 C 25
Etxaleku *NA*... 10 D 24
Etxano *BI*... 9 C 21
Etxarri-Aranatz *NA*... 19 D 23
Etxauri *NA*... 10 D 24
Etxebarri *BI*... 8 C 21
Etxebarria *BI*... 10 C 22
Etxeberri *NA*... 10 D 24
Etxegarate
  (Puerto de) *SS*... 19 D 23
Euba *BI*... 9 C 21
Eugenio (Casa de) *AB*... 71 O 21
Eugi *NA*... 11 D 25
Eulate *NA*... 19 D 23
Eume *C*... 3 B 5
Eume (Embalse de) *C*... 3 B 6
Eume (Río) *C*... 3 B 5
Europa (Picos de) *O*... 5 C 15
Eurovillas-Las Villas *M*... 46 K 20
Extramiana *BU*... 18 D 20
Ézaro *C*... 2 D 2
Ezcaray *LO*... 18 F 20
Ezcároz / Ezkaroze *NA*...11 D 26
Ezkaroze / Ezcároz *NA*... 11 D 26
Ezkio *SS*... 10 C 23
Ezkurra *NA*... 10 C 24
Ezprogui *NA*... 20 E 25

F

Faba (La) *LE*... 14 D 8
Fabara *Z*... 36 I 30
Fabara (Estación de) *Z*... 36 I 30
Fabares *O*... 6 B 13
Fabero *LE*... 15 D 10
Fábrica de Orbaitzeta *NA*...11 D 26
Fábrica del Pedroso *SE*... 80 S 12
Fábricas (Las) *TE*... 49 K 27
Fábricas de Riópar *AB*... 84 Q 22
Facheca *A*... 74 P 29

Facinas *CA*... 99 X 12
Fadas (Collado de) *HU*... 22 E 31
Fado *TO*... 58 L 17
Fadón *Z*... 29 H 11
Faedo *O*... 5 B 11
Faeira *C*... 3 B 6
Fago *HU*... 11 D 27
Faidella (Coll de) *L*... 23 F 33
Faido *VI*... 19 D 22
Fajana
  (Punta de la) *TF*... 126 D 2
Fajanita (La)
  Gran Canaria *GC*... 114 B 2
Faladoira (Sierra de) *C*... 3 B 6
Falces *NA*... 20 E 24
Falcones (Punta)
  La Gomera *TF*... 118 B 3
Falgons *GI*... 24 F 37
Falset *T*... 51 I 32
Famara Lanzarote *GC*... 123 E 3
Famorca *A*... 74 Q 29
Fanadix *A*... 75 Q 30
Fangar (El) *T*... 51 J 32
Fanlo *HU*... 22 E 29
Fanzara *CS*... 62 L 29
Fañanás *HU*... 21 F 29
Fao *C*... 13 D 5
Farajón *MA*... 99 W 14
Faramontanos
  de Tábara *ZA*... 29 G 12
Faramontaos *OR*... 13 E 6
Farasdués *Z*... 20 F 26
Farena *T*... 37 I 33
Fariza *ZA*... 29 H 11
Farlete *Z*... 35 G 28
Faro *LU*... 4 A 7
Faro (Porto do) *PO*... 13 E 6
Faro (Sierra del) *LU*... 13 E 6
Farrera *L*... 23 E 33
Fasgar *LE*... 15 D 11
Fasnia Tenerife *TF*... 129 G 4
Fastias *O*... 5 B 10
Fataga (Barranco de)
  Gran Canaria *GC*... 116 D 4
Fatarella (La) *T*... 50 I 31
Fátima *GR*... 83 S 21
Fátima (Castillo de) *CA*... 99 V 13
Faura *V*... 62 M 29
Faustino *SE*... 79 S 12
Favara *V*... 74 O 29
Favàritx (Cap de) *PM*... 106 M 42
Faxilda (Punta) *PO*... 12 E 3
Fayón *Z*... 36 I 31
Fayón-Pobla de Massaluca
  (Estació) *T*... 36 I 31
Fayos (Los) *Z*... 34 G 24
Fazay *LU*... 4 C 7
Fazouro *LU*... 4 B 8
Féa *OR*... 13 F 6
Feáns *C*... 3 C 4
Feás *C*... 3 A 6
Feás *OR*... 13 E 5
Febró (La) *T*... 37 I 32
Feces de Abaixo *OR*... 28 G 7
Feixa *L*... 23 E 33
Felanitx *PM*... 105 N 39
Felechares *LE*... 15 F 11
Felechas *LE*... 16 D 14
Felechosa *O*... 6 C 13
Felgueras *O*... 5 C 12
Felipa (La) *AB*... 72 O 24
Felipes (Los) *V*... 61 M 26
Felix *AL*... 102 V 22
Félix Méndez *GR*... 94 U 19
Felmín *LE*... 16 D 13
Femés Lanzarote *GC*... 122 B 5
Fene *C*... 3 B 5
Férez *AB*... 84 Q 23
Feria *BA*... 67 Q 10
Feria do Monte *LU*... 4 C 7
Ferial
  (Embalse de El) *NA*... 20 F 25
Fermoselle *ZA*... 29 I 10
Fernán Caballero *CR*... 70 O 18
Fernán Núñez *CO*... 81 S 15
Fernán Núñez
  (Estación de) *CO*... 81 S 16
Fernán Pérez *AL*... 103 V 23
Fernandina *J*... 82 R 19
Fernandina
  (Embalse de la) *J*... 82 R 19
Fernando de Aragón (Parador)
  Sos del Rey Católico *Z*.. 20 E 26
Ferral del Bernesga *LE*... 16 E 13

Ferreira *LU*... 3 D 6
Ferreira *GR*... 95 U 20
Ferreira Valadouro *LU*... 4 B 7
Ferreiras *LU*... 14 D 8
Ferreiravella *LU*... 4 C 8
Ferreiro *C*... 3 D 5
Ferreiros
  cerca de Baralla *LU*... 14 D 8
Ferreiros cerca de Puebla
  de Brollón *LU*... 14 E 7
Ferrer (Son) *PM*... 104 N 37
Ferreras de Abajo *ZA*... 29 G 11
Ferreras de Arriba *ZA*... 29 G 11
Ferreres
  (Aqüeducte de les) *T*... 37 I 33
Ferreries *PM*... 106 M 42
Ferreruela *ZA*... 29 G 11
Ferreruela de Huerva *TE*.. 48 I 26
Ferro (Monte) *PO*... 12 F 3
Ferrol (Ría de) *C*... 3 B 5
Ferrol (Ría de) *C*... 3 B 5
Fervenza
  (Embalse de) *C*... 12 D 3
Fesnedo *O*... 5 C 11
Figal (La) *O*... 5 B 10
Figaredo *O*... 5 C 12
Figaró (El) *B*... 38 G 36
Figarol *NA*... 20 E 25
Figols *B*... 22 F 32
Figols *B*... 24 F 35
Fígols d'Organyà *L*... 23 F 34
Figueirido *PO*... 12 E 4
Figuera (La) *L*... 36 I 32
Figueral (es) *PM*... 87 O 34
Figueras *O*... 4 B 8
Figueres *GI*... 25 F 38
Figuerola del Camp *T*... 37 I 33
Figuerola d'Orcau *L*... 23 F 32
Figueroles *CS*... 62 L 29
Figuerosa (La) *L*... 37 G 33
Figueruela
  de Arriba *ZA*... 29 G 10
Figueruela
  de Sayago *ZA*... 29 I 12
Figueruelas *Z*... 34 G 26
Filgueira *LU*... 13 D 6
Filgueira *PO*... 13 E 5
Filgueiras *C*... 3 B 5
Filiel *LE*... 15 E 11
Filipinas (La) *J*... 85 S 27
Finca Villalpardillo *CU*... 72 O 23
Fincas la Dehesilla
  y Carazo *BA*... 66 Q 8
Fines *AL*... 96 T 23
Finestrat *A*... 74 Q 29
Finestrelles (Pic de) *GI*... 24 E 36
Finisterre (Cabo) /
  Fisterra (Cabo) *C*... 2 D 2
Finisterre
  (Embalse de) *TO*... 58 N 19
Finolledo *LE*... 15 E 10
Fiñana *AL*... 95 U 21
Fiobre *C*... 3 C 5
Fiolleda *LU*... 14 E 7
Fión *LU*... 13 E 7
Fíos *O*... 6 B 14
Firgas
  Gran Canaria *GC*... 115 E 2
Fiscal *HU*... 21 E 29
Fisterra *C*... 2 D 2
Fisterra (Cabo) /
  Finisterre (Cabo) *C*... 2 D 2
Fistéus *LU*... 14 E 8
Fitero *NA*... 20 F 24
Fito (Mirador del) *O*... 6 B 14
Fitoiro *OR*... 14 F 7
Flaçà *GI*... 25 F 38
Flariz *OR*... 27 G 7
Flix *T*... 36 I 31
Flix (Pantà de) *T*... 36 I 31
Florderrei *OR*... 28 G 8
Florejacs *L*... 37 G 33
Flores de Ávila *AV*... 44 J 14
Floresta (La) *L*... 37 H 32
Florida (La) *H*... 91 T 9
Florida (La) Tenerife *TF*...127 G 4
Florida de Liébana *SA*... 43 I 12
Flumen *HU*... 21 F 28
Fluvià (El) *GI*... 24 F 37
Fofe *PO*... 13 F 4
Fogars *B*... 38 G 38
Fogars de Montclús *B*... 38 G 37
Foia (La) *A*... 86 R 27
Foia (La) Castelló *CS*... 62 L 29
Foixà *GI*... 25 F 38
Foldada *P*... 17 D 16
Folgosa *LU*... 4 D 8

Folgoso *PO*... 13 E 4
Folgoso de la Ribera *LE*.. 15 E 11
Folgoso do Courel *LU*... 14 E 8
Folgueiras *O*... 4 B 8
Folgueira *LU*... 4 A 7
Folgueras *O*... 5 B 11
Folladela *C*... 3 D 5
Folledo *LE*... 15 D 12
Fombellida *S*... 17 D 17
Fombellida *VA*... 31 G 17
Fombuena *Z*... 48 I 26
Fompedraza *VA*... 31 H 17
Foncastín *VA*... 30 H 14
Foncea *LO*... 18 E 20
Foncebadón *LE*... 15 E 10
Fondarella *L*... 37 H 32
Fondevila *OR*... 27 G 5
Fondó de les Neus (El) /
  Hondón de las Nieves *A*... 85 R 27
Fondón *AL*... 102 V 21
Fondos de Vega *O*... 15 D 10
Fonelas *GR*... 95 T 20
Fonfría *TE*... 48 J 26
Fonfría cerca
  de Fonsagrada *LU*... 4 C 9
Fonfría cerca
  de Triacastela *LU*... 14 D 8
Fonfría (Puerto de) *TE*... 48 J 26
Fonolleres *L*... 37 H 33
Fonollosa *B*... 37 G 35
Fonsagrada (A) *LU*... 4 C 8
Font Calders *B*... 23 F 35
Font de la Figuera
  (Estació de la) *V*... 73 P 27
Font
  de la Figuera (La) *V*... 73 P 27
Font d'en Carròs (La) *V*.. 74 P 29
Font
  d'en Segures (La) *CS*... 50 K 29
Font-Mezquitas *A*... 86 Q 28
Font Roja
  (Santuari de la) *A*... 74 Q 28
Font-rubí *B*... 37 H 34
Fontán *C*... 3 B 5
Fontanar *GU*... 46 J 20
Fontanar *CO*... 93 T 15
Fontanar *J*... 83 S 21
Fontanarejo *CR*... 69 O 16
Fontanars
  dels Alforins *V*... 74 P 27
Fontaneira *LU*... 4 C 8
Fontanella
  (Serra de la) *A*... 74 P 27
Fontanil
  de los Oteros *LE*... 16 E 13
Fontanillas de Castro *ZA*.. 29 G 12
Fontanilles *GI*... 25 F 39
Fontanosas *CR*... 69 P 16
Fontañera (La) *CC*... 54 N 8
Fontcoberta *GI*... 25 F 38
Fontdepou *L*... 36 G 32
Fonte da Cova *LE*... 14 F 9
Fontecha *VI*... 18 D 20
Fontecha *S*... 7 C 17
Fontecha *P*... 17 D 15
Fontecha *LE*... 15 E 12
Fontefría *OR*... 14 F 7
Fontellas *NA*... 20 F 25
Fontelles *B*... 37 G 34
Fontenebro-Mirador de la Sierra
  (Dominio de) *M*... 45 K 18
Fontibre *S*... 7 C 17
Fontioso *BU*... 32 G 18
Fontiveros *AV*... 44 J 15
Fontllonga *L*... 36 G 32
Fontoria *LE*... 15 E 11
Fontoria de Cepeda *LE*... 15 E 11
Fonts (Les) Castelló *CS*... 63 L 30
Fontscaldes *T*... 37 I 33
Fonz *HU*... 22 F 30
Fonzaleche *LO*... 18 E 20
Foradada *L*... 37 G 33
Foradada
  (Collado de) *HU*... 22 E 31
Foradada del Toscar *HU* .. 22 E 31
Foradada
  Mallorca *PM*... 104 M 37
Forca *L*... 21 D 27
Forcadas (Embalse de) *C*.. 3 B 5
Forcall *CS*... 49 K 29
Forcarei *PO*... 13 E 4
Forcat *HU*... 22 E 30
Forcayao (Alto de) *O*... 5 B 10
Forès *T*... 37 H 33

Forfoleda *SA*... 43 I 12
Forgoselo (Sierra de) *C*... 3 B 5
Formariz *ZA*... 29 H 11
Formentera
  del Segura *A*... 85 R 27
Formentor
  (Cap de) *PM*... 105 N 39
Formiche Alto *TE*... 49 L 27
Formiche Bajo *TE*... 61 L 27
Formiga *O*... 21 F 29
Formigal (El) *HU*... 21 D 28
Formigales *HU*... 22 E 30
Formigones *LE*... 15 D 12
Formigueiro (O) *OR*... 14 F 8
Fornalutx *PM*... 104 M 38
Fornelas *LU*... 14 E 7
Fornells
  cerca de Girona *GI*... 25 G 38
Fornells cerca de Ribes *GI* 24 F 36
Fornells Menorca *PM*... 106 L 42
Fornells (Badia de) *PM*.. 106 L 42
Fornells *C*... 2 C 3
Fornells de Mar *GI*... 25 G 39
Fornelos
  cerca de Ponteareas *PO*... 12 F 4
Fornelos de Montes *PO*... 13 E 4
Fornes *GR*... 101 V 18
Fornillos *HU*... 36 G 30
Fornillos de Alba *ZA*... 29 H 11
Fornillos
  de Fermoselle *ZA*... 29 H 11
Fornis *C*... 2 D 2
Fórnoles *TE*... 50 J 30
Fórnols *L*... 23 F 34
Foronda *VI*... 19 D 21
Foriolo (Alto de) *OR*... 13 F 6
Fortaleny *V*... 74 O 29
Fortanete *TE*... 49 K 28
Fortià *GI*... 25 F 39
Fortuna *MU*... 85 R 26
Forua *BI*... 9 C 21
Forxa (A)
  A Porqueira *OR*... 13 F 6
Forzans *PO*... 13 E 4
Fosado *HU*... 22 E 30
Fosca (Vall) *L*... 23 E 32
Foxo *PO*... 13 D 4
Foz *LU*... 4 B 8
Foz Calanda *TE*... 49 J 29
Foz de Biniés *HU*... 21 E 27
Foz de la Ribera *BU*... 30 H 13
Foz de Mieres (La) *O*... 5 C 12
Fradellos *ZA*... 29 G 11
Frades *LU*... 14 D 7
Frades *C*... 3 C 5
Frades de la Sierra *SA*... 43 K 12
Fraella *HU*... 35 G 29
Fraga *HU*... 36 H 31
Fraga (A) *OR*... 13 F 5
Frage (El) *GR*... 94 T 19
Fragen *HU*... 21 E 29
Frago (El) *Z*... 21 F 27
Fragosa *CC*... 43 K 11
Fraguas (Las) *S*... 7 C 17
Fraguas (Las) *SO*... 33 G 21
Frailes *J*... 94 T 18
Frailes (Los) *CR*... 71 O 19
Frairia *LU*... 4 C 8
Fraja *CA*... 99 W 12
Framean *LU*... 13 D 6
Franca (La) *O*... 6 B 15
Francas (Las) *SE*... 80 S 13
Francelos *OR*... 13 F 5
Francho *Z*... 27 F 25
Francolí (El) *T*... 37 H 33
Francos *SG*... 32 H 19
Francos *VA*... 14 D 8
Frandoviñez *BU*... 17 F 18
Franqueira (A) *PO*... 13 F 4
Franza *C*... 2 B 5
Frasno (El) *Z*... 34 H 25
Frasno (Puerto del) *Z*... 34 H 25
Fraussa (Roc de) *GI*... 24 E 38
Frayás *L*... 4 B 7
Frecha (La) *O*... 5 C 12
Frechilla *P*... 16 F 15
Frechilla *SO*... 33 H 22
Fredes *CS*... 50 J 30
Fregenal
  de la Sierra *BA*... 79 R 10

Freginals *T*... 50 J 31
Freigamuñoz
  (Arroyo) *BA*... 66 Q 8
Freixeiro *LU*... 14 E 7
Freixeiro *C*... 3 C 5
Freixial *BA*... 66 P 8
Freixido *OR*... 14 E 8
Freixo *C*... 3 B 6
Freixo *LU*... 14 D 8
Freixo *OR*... 13 F 6
Fréscano *Z*... 34 G 25
Freser i Setcases
  (Reserva nacional de) *GI*.. 24 E 36
Fresnadillo *ZA*... 29 H 11
Fresneda *VI*... 18 D 20
Fresneda *BU*... 18 F 20
Fresneda *CR*... 82 Q 19
Fresneda (La) *MA*... 100 V 16
Fresneda (La) *TE*... 50 J 30
Fresneda (La) *TO*... 57 M 15
Fresneda
  de Altorejos *CU*... 60 M 23
Fresneda
  de la Sierra *CU*... 47 K 23
Fresnedelo *LE*... 15 D 10
Fresnedilla *AV*... 57 L 16
Fresnedilla
  (Casa Forestal La) *J*... 83 R 21
Fresnedilla (La) *J*... 83 R 21
Fresnedillas
  de la Oliva *M*... 45 K 17
Fresnedo *S*... 8 C 19
Fresnedo *LE*... 15 D 10
Fresnedo
  de Valdellorma *LE*... 16 D 14
Fresnedoso de Ibor *CC*... 56 M 13
Fresneña *BU*... 18 E 20
Fresno
  de las Dueñas *BU*... 32 H 19
Fresno (El) *AV*... 44 K 15
Fresno (El) *CR*... 69 P 16
Fresno (El) *CC*... 55 L 10
Fresno (Portillo de) *BU*... 18 E 18
Fresno Alhándiga *SA*... 43 J 13
Fresno
  de Cantespino *SG*... 32 H 19
Fresno de Caracena *SO*... 32 H 20
Fresno de la Fuente *SG*... 32 H 19
Fresno
  de la Polvorosa *ZA*... 29 F 12
Fresno de la Ribera *ZA*... 30 H 13
Fresno de la Vega *LE*... 16 E 13
Fresno de Riotirón *BU*... 18 E 20
Fresno de Rodilla *BU*... 18 E 19
Fresno de Sayago *ZA*... 29 I 12
Fresno de Torote *M*... 46 K 19
Fresno del Río *O*... 16 D 15
Fresno el Viejo *VA*... 44 I 14
Freu (Cap d'es) *PM*... 105 M 40
Frexulfe *LU*... 4 B 7
Frías *BU*... 18 D 20
Frías de Albarracín *TE*... 48 K 25
Frieira
  (Embalse de) *OR*... 13 F 5
Friera *LE*... 14 E 9
Friera de Valverde *ZA*... 29 G 12
Frigiliana *MA*... 101 V 18
Frío *GR*... 93 U 17
Friol *LU*... 3 C 6
Frixe *C*... 2 C 2
Frollais *LU*... 14 D 7
Frómista *P*... 17 F 16
Fronfría *ZA*... 29 H 11
Frontera El Hierro *TF*... 108 C 2
Frontera (La) *CU*... 47 K 23
Frontón *LU*... 13 E 7
Frouxeira (Punta) *C*... 3 B 5
Fruiz *BI*... 9 C 21
Frula *HU*... 35 G 28
Frumales *SG*... 31 H 17
Fuego (Montañas del)
  Lanzarote *GC*... 122 C 4
Fuembellida *GU*... 47 J 24
Fuen del Cepo *TE*... 61 L 27
Fuen-Vich *V*... 73 N 26
Fuencalderas *Z*... 21 E 27
Fuencaliente *BU*... 17 E 17
Fuencaliente *SO*... 32 G 20
Fuencaliente *GR*... 83 S 22
Fuencaliente
  cerca de Bañuela *CR*... 81 Q 17
Fuencaliente cerca
  de Las Peralosas *CR*... 70 O 17

GIJÓN

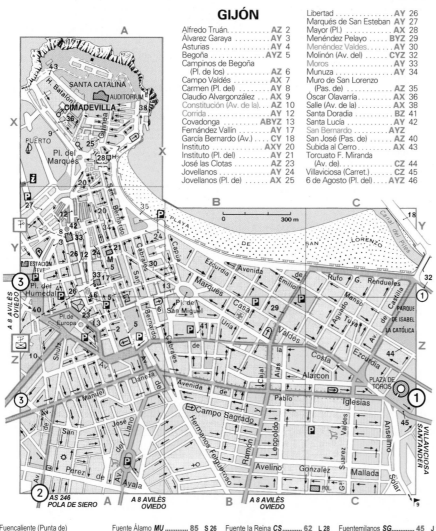

Alfredo Truán . . . . **AZ** 2
Álvarez Garaya . . . . **AY** 3
Asturias . . . . **AY** 4
Begoña . . . . **AYZ** 5
Campinos de Begoña
(Pl. de los) . . . . **AZ** 6
Campo Valdés . . . . **AX** 7
Carmen (Pl. del) . . . . **AY** 8
Claudio Alvargonzález . . . **AX** 9
Constitución (Av. de la) . . **AZ** 10
Corrida . . . . **AY** 12
Covadonga . . . . **ABYZ** 13
Fernández Vallín . . . . **AY** 17
García Bernardo (Av.) . . . . **CY** 18
Instituto . . . . **AXY** 20
Instituto (Pl. del) . . . . **AY** 21
José las Clotas . . . . **AZ** 23
Jovellanos . . . . **AY** 24
Jovellanos (Pl. de) . . . . . . **AX** 25

Libertad . . . . **AY** 26
Marqués de San Esteban **AY** 27
Mayor (Pl.) . . . . **AX** 28
Menéndez Pelayo . . . . . **BYZ** 29
Menéndez Valdés . . . . . . **AY** 30
Molinón (Av. del) . . . . . . **CYZ** 32
Moros . . . . **AY** 33
Munuza . . . . **AY** 34
Muro de San Lorenzo
(Pas. de) . . . . **AZ** 35
Óscar Olavarría . . . . **AX** 36
Salle (Av. de la) . . . . **AX** 38
Santa Doradia . . . . **BZ** 41
Santa Lucía . . . . **AY** 42
San Bernardo . . . . **AYZ**
San José (Pas. de) . . . . . . **AZ** 40
Subida al Cerro . . . . **AX** 43
Torcuato F. Miranda
(Av. de) . . . . **CZ** 44
Villaviciosa (Carret.) . . . . **CZ** 45
6 de Agosto (Pl. del) . . . . **AYZ** 46

Fuencaliente (Punta de)
La Palma **TF** . . . . **132** C 7
Fuencaliente de la Palma
La Palma **TF** . . . . **132** C 7
Fuencaliente
de Lucio **BU** . . . . **17** D 17
Fuencarral **M** . . . . **46** K 19
Fuencemillán **GU** . . . . **46** J 20
Fuencubierta **CO** . . . . **81** S 15
Fuendecampo **HU** . . . . **22** E 30
Fuendejalón **Z** . . . . **34** G 25
Fuendelada (La) **TE** . . . . . . **49** K 27
Fuendetodos **Z** . . . . **35** K 27
Fuenferrada **TE** . . . . **49** J 26
Fuengirola **MA** . . . . **100** W 16
Fuenlabrada **M** . . . . **58** L 18
Fuenlabrada **AB** . . . . **72** Q 23
Fuenlabrada
de los Montes **BA** . . . . . . **69** O 15
Fuenllana **CR** . . . . **71** P 21
Fuenmayor **LO** . . . . **19** E 22
Fuensaldaña **VA** . . . . **30** G 15
Fuensalida **TO** . . . . **58** L 17
Fuensanta **O.** . . . . **6** B 13
Fuensanta **AB** . . . . **72** O 23
Fuensanta **GR** . . . . **94** U 18
Fuensanta
(Ermita de la) **J** . . . . **82** S 19
Fuensanta
(Ermita de la) **SE** . . . . **93** U 15
Fuensanta (La) **AB** . . . . **72** P 23
Fuensanta
(Santuario de la) **MU** . . . . **85** S 26
Fuensanta
de Martos **J** . . . . **82** T 18
Fuensaúco **SO** . . . . **33** G 22
Fuensaviñán (La) **GU** . . . . . **47** J 22
Fuente **H.** . . . . **91** T 10
Fuente (La) **AL** . . . . **96** T 24
Fuente
(Santibáñez de la) **O.** . . . . **6** C 13
Fuente Álamo **AB** . . . . **73** P 25

Fuente Álamo **MU** . . . . **85** S 26
Fuente Alamo **J** . . . . **94** T 17
Fuente Alhama **CO** . . . . . . **93** T 17
Fuente Amarga **AL** . . . . . . **96** T 24
Fuente Arcada
(Ermita de) **CC** . . . . **55** L 9
Fuente Blanca **MU** . . . . **85** R 26
Fuente Caldera **GR** . . . . . . **95** T 20
Fuente Camacho **GR** . . . . . **93** U 17
Fuente Santa
(Estación de) **AL** . . . . **95** U 22
Fuente de Cantos **BA** . . . . **79** R 11
Fuente Dé **S** . . . . **6** C 15
Fuente de la Corcha **H** . . . . **90** T 9
Fuente de la Torre **J** . . . . . **83** R 20
Fuente
de Pedro Naharro **CU** . . . **59** M 20
Fuente de Piedra **MA** . . . . . **93** U 15
Fuente
de San Esteban (La) **SA** . . **43** J 11
Fuente
de Santa Cruz **SG** . . . . . . **45** I 16
Fuente de Taif **AB** . . . . **84** Q 23
Fuente del Arco **BA** . . . . . . **80** R 12
Fuente del Fresno **M** . . . . . **46** K 19
Fuente del Gallo **BA** . . . . . **79** R 11
Fuente del Maestre **BA** . . . **67** Q 10
Fuente del Pino **MU** . . . . . . **73** Q 26
Fuente del Villar **CU** . . . . . **60** M 24
Fuente El Carnero **ZA** . . . . **29** I 12
Fuente El Fresno **CR** . . . . . **70** O 18
Fuente el Olmo
de Fuentidueña **SG** . . . . . **31** H 18
Fuente el Olmo
de Iscar **SG** . . . . **31** I 16
Fuente el Sauz **AV** . . . . **44** J 14
Fuente el Saz
de Jarama **M.** . . . . **46** K 19
Fuente el Sol **VA** . . . . **44** I 15
Fuente Encalada **ZA** . . . . . **15** F 12
Fuente Grande **GR** . . . . . . **94** U 19
Fuente Higuera **AB** . . . . . . **84** Q 23
Fuente la Lancha **CO** . . . . . **81** Q 14

Fuente la Reina **CS** . . . . . . **62** L 28
Fuente Librilla **MU** . . . . . . **85** S 25
Fuente Obejuna **CO** . . . . . . **80** R 13
Fuente Olmedo **VA** . . . . . . **31** I 16
Fuente Palmera **CO** . . . . . . **80** S 14
Fuente Pardiñas
(Balneario de) **LU** . . . . **3** C 6
Fuente Pinilla **J** . . . . **83** R 21
Fuente Santa
(Estación de) **AL** . . . . **95** U 22
Fuente Segura **J** . . . . **83** R 21
Fuente Tójar **GR** . . . . **94** T 17
Fuente-Urbel **BU** . . . . **17** E 18
Fuente Vaqueros **GR** . . . . . **94** U 18
Fuente Victoria **AL** . . . . . . **61** N 25
Fuente
de Albatages **GU** . . . . . . **46** J 20
Fuentealbilla **AB** . . . . **73** O 25
Fuentealamo **J** . . . . **94** T 17
Fuentearmegil **SO** . . . . **32** G 20
Fuentebravía **CA** . . . . **98** W 11
Fuentecambrón **SO** . . . . . . **32** H 20
Fuentecantales **SO** . . . . . . **32** G 21
Fuentecantos **SO** . . . . **33** G 22
Fuentecén **B** . . . . **31** I 17
Fuentefría (Puerto de) **PO.** **13** F 5
Fuentegelmes **SO** . . . . **33** H 22
Fuenteguinaldo **SA.** . . . . . . **42** K 9
Fuenteheridos **H.** . . . . **79** S 10
Fuentelahiguera
de Albatages **GU** . . . . . . **46** J 20
Fuentelapeña **ZA.** . . . . **30** I 13
Fuentelárbol **SO** . . . . **33** H 21
Fuentelcarro **SO** . . . . **32** H 22
Fuentelcésped **BU** . . . . **32** H 19
Fuentelencina **GU** . . . . **46** K 21
Fuentelespino
de Haro **CU** . . . . **59** M 21
Fuentelespino
de Moya **CU** . . . . **61** M 25
Fuenteliante **SA** . . . . **42** J 10
Fuentelmonge **SO** . . . . **33** H 23
Fuentelsaz **SO** . . . . **33** G 22
Fuentelviejo **GU** . . . . **46** K 21

Fuentemilanos **SG** . . . . **45** J 17
Fuentemizarra **SG** . . . . **32** H 19
Fuentemolinos **BU** . . . . **31** H 18
Fuentenebro **BU** . . . . **31** H 18
Fuentenovilla **GU** . . . . **46** K 20
Fuentepelayo **SG** . . . . **31** I 17
Fuentepinilla **SO** . . . . **33** H 21
Fuentepiñel **SG** . . . . **31** H 17
Fuenterrabía /
Hondarribia **SS** . . . . **10** B 24
Fuenterrabiosa **BU** . . . . **8** C 19
Fuenterrebollo **SG** . . . . **31** I 18
Fuenterroble
de Salvatierra **SA** . . . . . . **43** K 12
Fuenterrobles **V.** . . . . **61** N 25
Fuentes **CU** . . . . **60** M 23
Fuentes **TO** . . . . **57** M 14
Fuentes (Las) **CR** . . . . **82** Q 19
Fuentes (Las) **AB** . . . . **73** O 26
Fuentes
(Puerto de las) **AV** . . . . . **44** K 14
Fuentes Calientes **TE** . . . . **49** J 27
Fuentes Carrionas **P** . . . . . **17** D 16
Fuentes Carrionas
(Reserva nacional) **P** . . . . **17** D 15
Fuentes Claras **TE** . . . . **48** J 26
Fuentes de Ágreda **SO** . . . **34** G 24
Fuentes
de Andalucía **SE** . . . . **92** T 13
Fuentes de Año **AV** . . . . . . **44** I 15
Fuentes de Béjar **SA** . . . . . **43** K 12
Fuentes
de Carbajal **LE** . . . . **16** E 13
Fuentes de Cesna **GR** . . . . **93** U 17
Fuentes de Cuéllar **SG** . . . . **31** H 17
Fuentes de Ebro **Z** . . . . **35** H 28
Fuentes de Jiloca **Z** . . . . . . **34** I 25
Fuentes
de la Alcarria **GU** . . . . . . **46** J 21
Fuentes de León **BA** . . . . . **79** R 10
Fuentes de los Oteros **LE.** **16** E 13

Fuentes de Nava **P** . . . . . . **30** F 15
Fuentes de Oñoro **SA** . . . . **42** K 9
Fuentes de Piedralá **CR** . . . **70** O 17
Fuentes de Ropel **ZA** . . . . . **30** F 13
Fuentes de Rubielos **TE** . . **62** L 28
Fuentes de Valdepero **P** . . **31** F 16
Fuentesanta
(Ermita de) **CC** . . . . **68** O 12
Fuentesaúco **ZA** . . . . **30** I 13
Fuentesaúco
de Fuentidueña **SG** . . . . . **31** H 17
Fuentesbuenas **CU** . . . . . . **60** L 22
Fuentesclaras **CU** . . . . **60** L 23
Fuentesecas **ZA** . . . . **30** H 13
Fuentesoto **SG** . . . . **31** H 18
Fuentespalda **TE** . . . . **50** J 30
Fuentespina **BU** . . . . **32** H 18
Fuentespreadas **ZA** . . . . . . **29** I 13
Fuentestrún **SO** . . . . **33** G 23
Fuentetecha **SO** . . . . **33** G 23
Fuentetoba **SO** . . . . **33** G 22
Fuentetovar **SO** . . . . **33** H 21
Fuentidueña **SG** . . . . **31** H 18
Fuentidueña **CO** . . . . **81** S 17
Fuentidueña de Tajo **M** . . . **59** L 20
Fuerte del Rey **J** . . . . **82** S 18
Fuertescusa **CU** . . . . **47** K 23
Fueva (La) **HU** . . . . **22** E 30
Fuliola (La) **L** . . . . **37** G 33
Fulleda **L** . . . . **37** H 33
Fumaces (Alto de) **OR** . . . . **28** G 7
Funes **NA** . . . . **20** F 24
Furco **LU** . . . . **13** E 6
Fustiñana **NA.** . . . . **20** F 25

G

Gabaldón **CU** . . . . **60** N 24
Gabar **AL** . . . . **84** S 23
Gabarda / Gavarda **V.** . . . . **74** O 28
Gabás **HU** . . . . **22** E 31
Gabasa **HU** . . . . **22** F 31
Gabia la Chica **GR** . . . . **94** U 19
Gabia la Grande **GR** . . . . . **94** U 18
Gabica **BI** . . . . **9** B 22
Gabiria **SS** . . . . **10** C 23
Gabriel Y Galán
(Embalse de) **CC** . . . . **56** L 11
Gádor **AL** . . . . **103** V 22
Gaena **CO** . . . . **93** T 16
Gafarillos **AL** . . . . **96** U 23
Gaià **B** . . . . **38** G 35
Gaià (El) **T** . . . . **37** H 34
Gaianes **A.** . . . . **74** P 28
Gaibiel **CS** . . . . **62** M 28
Gaintza **NA.** . . . . **10** C 23
Gaintza **SS** . . . . **10** C 23
Gaioso **LU** . . . . **3** C 6
Gaitanejo
(Embalse de) **MA.** . . . . . **100** V 15
Gaitanes
(Desfiladero de los) **MA.** . . **100** V 15
Gajanejos **GU** . . . . **46** J 21
Gajano **SA** . . . . **44** J 13
Galachar **AL** . . . . **103** V 22
Galapagar **M** . . . . **45** K 17
Galapagar **J** . . . . **82** S 18
Galapagares **SO** . . . . **32** H 21
Galápagos **GU** . . . . **46** J 19
Galarde **BU** . . . . **18** E 19
Galaroza **H.** . . . . **79** S 9
Galatzó **PM.** . . . . **104** N 37
Galbarra **NA.** . . . . **19** D 23
Galbarros **BU** . . . . **18** E 19
Galbárruli **LO** . . . . **18** E 21
Galdakao **BI** . . . . **9** C 21
Galdames **BI** . . . . **8** C 20
Gáldar
Gran Canaria **GC** . . . . . . **114** D 1
Galende **ZA** . . . . **14** F 10
Galera **GR** . . . . **83** S 22
Galera (La) **T.** . . . . **50** J 31
Galga (La) La Palma **TF.** . . **131** D 3
Galgo (Cresta del) **MU** . . . . **85** S 26
Galilea **LO** . . . . **19** E 23
Galilea Mallorca **PM.** . . . . **104** N 37
Galinduste **SA** . . . . **44** K 13
Galiñeiro **PO** . . . . **12** F 3
Galisancho **SA** . . . . **44** J 13
Galisteo **CC** . . . . **55** M 11
Galiz (Puerto de) **CA** . . . . . **99** W 13
Galizano **S.** . . . . **8** B 18
Galizuela **BA** . . . . **68** P 14
Gallardo **AB.** . . . . **72** P 22
Gallardos (Cuesta los) **J.** . . **94** T 19
Gallardos (Los) **AL** . . . . . . **96** U 24
Gallartu **BI** . . . . **9** C 21
Gallega (La) **BU** . . . . **32** G 20

Gallega (Marisma) **SE** . . . . **91** U 11
Gállego (Río) **AR** . . . . **21** E 29
Gallegos **SG** . . . . **45** I 18
Gallegos
Gran Canaria **GC** . . . . . . **117** E 4
Gallegos La Palma **TF.** . . . **131** C 3
Gallegos
de Altamiros **AV.** . . . . . . **44** J 15
Gallegos de Argañán **SA.** . **42** K 9
Gallegos de Hornija **VA.** . . **30** H 14
Gallegos
de San Vicente **AV.** . . . . . **45** J 16
Gallegos
de Sobrinos **AV.** . . . . **44** J 14
Gallegos
de Solmirón **SA** . . . . **44** K 13
Gallegos del Campo **ZA** . . **29** G 10
Gallegos del Pan **ZA** . . . . . **30** H 13
Gallegos del Río **ZA** . . . . . **29** G 11
Galleguillos **SA** . . . . **44** J 13
Galleguillos
de Campos **LE** . . . . **16** F 14
Gallejones **BU** . . . . **18** D 18
Galletas (Las)
Tenerife **TF.** . . . . **128** E 5
Gallifa **B.** . . . . **38** G 36
Gallina (Cerro de la) **GR.** . . **94** U 17
Gallinero **SO** . . . . **33** G 23
Gallinero **AB.** . . . . **73** P 26
Gallinero
de Cameros **LO.** . . . . **19** F 22
Gallinero de Rioja **LO.** . . . . **18** E 21
Galliners **GI** . . . . **25** F 38
Gallipienzo **NA.** . . . . **20** E 25
Gallipienzo Nuevo **NA.** . . . **20** E 25
Gallo (El) **SE.** . . . . **93** T 15
Gallocanta **Z** . . . . **48** J 25
Gallos (Los) **CA.** . . . . **98** W 11
Gallués / Galoze **NA.** . . . . . **11** D 26
Gallur **Z** . . . . **34** G 26
Galoze / Gallués **NA.** . . . . . **11** D 26
Galve **TE** . . . . **49** K 27
Galve de Sorbe **GU** . . . . . . **46** I 20
Galves (Los) **GR.** . . . . **102** V 20
Gálvez **TO** . . . . **58** M 17
Gama **S** . . . . **8** B 19
Gamero **CR** . . . . **58** N 17
Gamiz-Fika **BI** . . . . **9** C 21
Gamo **BA** . . . . **44** J 14
Gamonal **AV** . . . . **44** J 14
Gamonal **BU** . . . . **18** E 18
Gamonal **S** . . . . **7** C 18
Gamonal **TO.** . . . . **57** M 15
Gamonero **CR** . . . . **29** H 11
Gamones **ZA** . . . . **29** H 11
Ganadera **TO** . . . . **57** L 15
Gánamo **A.** . . . . **29** H 11
Ganchoza (La) **SE.** . . . . . . **80** S 12
Gándara Boimorto **C** . . . . . . **3** C 5
Gandara Narón **C** . . . . **3** B 5
Gandarela **PO** . . . . **13** F 5
Gandarilla **S.** . . . . **7** B 16
Gandesa **T.** . . . . **50** I 31
Gandia **V** . . . . **74** P 29
Gando (Punta de)
Gran Canaria **GC.** . . . . . . **117** E 4
Gandul **SE** . . . . **92** T 12
Gandullas **M** . . . . **46** I 19
Ganillas
de Aceituno **MA.** . . . . . . **101** V 17
Ganso (El) **LE.** . . . . **15** E 11
Ganuza **NA.** . . . . **19** D 23
Gañinas **P.** . . . . **17** E 15
Gañuelas cerca de Alhama
de Murcia **MU** . . . . **85** S 25
Gañuelas cerca
de La Majada **MU** . . . . . . **85** T 25
Garabás **OR** . . . . **13** E 5
Garabato (El) **CO** . . . . **81** S 15
Garachico La Palma **TF.** . . **131** D 3
Garachico Tenerife **TF.** . . . **126** C 3
Garafía La Palma **TF.** . . . . **130** B 3
Garai **BI** . . . . **10** C 22
Garaioa **NA.** . . . . **11** D 26
Garajonay
La Gomera **TF** . . . . **118** C 2
Garapacha (La) **MU** . . . . . . **85** R 26
Garapinillos **Z** . . . . **34** G 26
Garbayuela **BA** . . . . **69** O 15
Garcia **T.** . . . . **50** I 31
García (Collado) **AL** . . . . . . **96** U 23
García de Sola
(Embalse de) **BA** . . . . . . **69** O 14
Garciaz **CC** . . . . **56** N 13

A B C D E F G H I J K L M N O P Q R S T U V W X Y Z

A B C D E F G H I J K L M N O P Q R S T U V W X Y Z

GIRONA

Álvarez de Castro	AZ	2
Argenteria	BY	3
Ballesteries	BY	4
Bellaire	BY	6
Berenguer Carnicer	AY	7
Bonastruc de Porta	AY	9
Carme	BZ	10
Ciutadans	BZ	12
Cúndaro	BY	13
Devesa (Pas. de la)	AY	14

Eduard Marquína (Pl. de)	AZ	15
General Fournàs	BY	16
General Peralta (Pas. del)	BZ	17
Joaquim Vayreda	AY	18
Juli Garreta	AZ	19
Llibertat (Rambla de la)	BZ	23
Nou	AZ	
Nou del Teatre	BZ	27
Oliva i Prat	BY	26
Palafrugell	BZ	28
Pedreres (Pujada de les)	BZ	29
Ramon Folch (Av. d'en)	AY	31
Reina Isabel la Católica	BZ	36

Reina Joana (Pas. de la)	BY	37
Rei Ferran el Católic	BY	33
Rei Martí (Pujada del)	BY	34
Santa Clara	ABYZ	
Santa Eugénia	AZ	49
Sant Cristòfol	BY	39
Sant Daniel	BY	40
Sant Domènec (Pl. de)	BY	42
Sant Feliu (Pujada de)	BY	44
Sant Francesc (Av. de)	BY	45
Sant Pere (Pl. de)	BY	48
Ultònia	AZ	53

Banys Àrabs .... **S**   Colegiata de Sant Feliu ...... **R**   Museu d'Art .... **M¹**

Garcibuey SA	43	K 12	
Garcíez cerca de Jaén J.	82	S 18	
Garcíez cerca de Jódar J.	82	S 19	
Garcíez Jimena (Estación de) J.	82	S 19	
Garcihernández SA	44	J 13	
Garcillán SG	45	J 17	
Garcinarro CU	59	L 21	
Garciotún TO	57	L 16	
Garcipollera (La) HU	21	E 28	
Garcirrey SA	43	J 11	
Garcisobaco CA	99	W 13	
Garde NA	11	D 27	
Garfín LE	16	D 14	
Gargaligas BA	68	O 13	
Gargallà B	37	G 35	
Gargallo TE	49	J 28	
Garganchón BU	18	F 20	
Garganta BA	69	P 15	
Garganta (La) CR	81	Q 16	
Garganta (La) CC	43	L 12	
Garganta (Puerto de la) O	4	B 8	
Garganta de la Yecla BU	32	G 19	
Garganta de los Montes M	46	J 18	
Garganta del Villar AV	44	K 14	

Garganta la Olla CC	56	L 12	
Gargantiel CR	69	P 15	
Gargantilla TO	57	N 15	
Gargantilla CC	56	L 12	
Gargantilla del Lozoya M	46	J 18	
Gargantón (El) CR	70	O 17	
Gárgoles de Abajo GU	47	J 22	
Gárgoles de Arriba GU	47	J 22	
Gargüera CC	56	L 12	
Gargüera (Embalse de) CC	56	M 12	
Garidells (Els) T	37	I 33	
Garínoain NA	20	E 25	
Garísoain NA	10	D 24	
Garita (La) GC	115	G 2	
Garlitos BA	69	P 14	
Garnatilla (La) GR	102	V 19	
Garos L	23	D 32	
Garraf B	38	I 35	
Garraf (Parc natural de) B	38	I 35	
Garralda NA	11	D 26	
Garrapata (Sierra de la) CC	55	M 9	

Garray SO	33	G 22	
Garriga (La) B	38	G 36	
Garrigàs GI	25	F 38	
Garrigoles GI	25	F 39	
Garriguella GI	25	E 39	
Garrobillo MU	97	T 25	
Garrobo (El) SE	79	T 11	
Garrofa (La) AL	103	V 22	
Garrotxa GI	24	F 37	
Garrovilla (La) BA	67	P 10	
Garrovillas de Alconétar CC	55	M 10	
Garrucha AL	96	U 24	
Garsola L	37	G 33	
Garvín CC	56	M 13	
Garza (Embalse de la) BA	68	P 11	
Garza (La) BA	68	P 11	
Garza (La) BA	23	F 33	
Gasconilla (Ermita de) TE	49	L 27	
Gascones M	46	I 19	
Gascueña CU	60	L 22	
Gascueña de Bornova GU	46	I 20	
Gasset (Embalse de) CR	70	O 18	

Gastiáin NA	19	D 23	
Gastor (El) CA	92	V 14	
Gasulla (Barranc de la) CS	50	K 29	
Gata CC	55	L 10	
Gata (Cabo de) AL	103	V 23	
Gata (Faro de) AL	103	V 23	
Gata de Gorgos A	74	P 30	
Gatika BI	8	B 21	
Gato CO	81	R 15	
Gato GR	84	S 23	
Gatón de Campos VA	30	F 15	
Gatos H	91	T 10	
Gátova V	62	M 28	
Gaucín MA	99	W 14	
Gautegiz-Arteaga BI	9	B 22	
Gavà B	38	I 36	
Gavarda / Gabarda V	74	O 28	
Gavarra L	23	F 33	
Gavarres (Les) GI	25	G 38	
Gavàs L	23	E 33	
Gavet L	23	F 32	
Gavilanes AV	57	L 15	
Gavín HU	21	E 29	
Gaviota (Punta) La Gomera TF	119	D 3	

Gaviotas (Las) GU	47	K 21	
Gayangos BU	18	C 19	
Gazeo VI	19	D 22	
Gázquez (Los) AL	96	T 24	
Gaztelu SS	10	C 23	
Gaztelugatxe BI	9	B 21	
Gea de Albarracín TE	48	K 25	
Gebas MU	85	S 25	
Gejo de Diego Gómez SA	43	J 11	
Gejo de los Reyes (El) SA	43	I 11	
Gejuelo del Barro SA	43	I 11	
Geldo CS	62	M 28	
Gelgaiz LU	3	B 6	
Gelida B	38	H 35	
Gelsa Z	35	H 28	
Gelves SE	91	T 11	
Gema ZA	29	H 13	
Gemuño AV	44	K 15	
Genal MA	100	W 14	
Genalguacil MA	99	W 14	
Génave J	83	Q 21	
Genestacio LE	15	F 12	
Genestosa LE	5	C 11	
Genestoso O	5	C 10	
Genevilla NA	19	E 22	
Genicera LE	16	D 13	
Genovés (El) V	74	P 28	
Ger GI	24	E 35	
Gerb L	36	G 32	
Gerbe HU	22	E 30	
Gerena SE	91	T 11	
Gérgal AL	95	U 22	
Gergal (El) SE	79	T 11	
Gergal (Embalse de) SE	91	T 11	
Geria VA	30	H 15	
Geria (La) Lanzarote GC	122	C 4	
Gerindote TO	58	M 17	
Gernika-Lumo BI	9	C 21	
Gerri de la Sal L	23	F 33	
Gertusa Z	35	I 28	
Ges (El) L	23	F 34	
Gesalibar SS	10	C 22	
Gésera HU	21	E 29	
Gessa L	22	D 32	
Gestalgar V	61	N 27	
Gestoso LE	14	E 8	
Getafe M	58	L 18	
Getaria SS	10	C 23	
Gete BU	32	G 20	
Getxo BI	8	B 21	
Gévora del Caudillo BA	67	P 9	
Gibaja S	8	C 19	
Gibalbín CA	91	V 12	
Gibarrayo SE	80	S 13	
Gibraleón H	90	T 9	
Gibralgalia MA	100	V 15	
Gibraltar (Estrecho de) CA	99	X 13	
Gigante MU	84	S 24	
Gigante (Sierra) AL	84	S 23	
Gigantes (Los) Tenerife TF	128	B 4	
Gigonza BA	79	R 10	
Gijano BU	8	C 20	
Gijón O	6	B 13	
Gil-García AV	43	L 13	
Gil Márquez H	78	S 9	
Gila (La) AB	73	O 25	
Gila (La) TO	57	N 15	
Gilbuena AV	43	K 13	
Gilena SE	91	U 15	
Giles (Los) AL	96	U 23	
Gilet V	62	M 29	
Gilierna VI	18	D 21	
Gimenells L	36	H 31	
Gimialcón AV	44	J 14	
Ginebrosa (La) TE	49	J 29	
Ginés SE	91	T 11	
Ginés (Punta) Lanzarote GC	122	A 5	
Ginesta (La) B	38	I 35	
Ginestar T	50	I 31	
Ginete (La) AB	72	O 23	
Ginete (El) AB	84	Q 23	
Giniginamar Fuerteventura GC	113	G 4	
Gio O	4	B 9	
Giraba CS	62	L 28	
Giralda GR	101	V 19	
Girona GI	25	G 38	
Gironda (La) SE	92	U 13	
Gironella B	24	F 35	
Gisclareny B	23	F 35	

Gistaín HU	22	E 30	
Gizaburuaga BI	10	C 22	
Gloria (La) SE	92	T 13	
Gobantes BU	18	D 19	
Gobantes (Estación de) MA	100	V 15	
Gobernador GR	95	T 20	
Gobiendes O	6	B 14	
Godall T	50	K 31	
Godán O	5	B 11	
Godelleta V	62	N 27	
Godojos Z	34	I 24	
Godóns PO	13	F 5	
Godos TE	48	J 26	
Goente C	3	B 6	
Goián LU	14	D 7	
Goián PO	26	G 3	
Goiás PO	13	D 5	
Goiriz LU	3	C 7	
Goizueta NA	10	C 24	
Gójar GR	94	U 19	
Gola de Migjorn T	51	J 32	
Gola del Nord T	51	J 32	
Gola del Perelló V	74	O 29	
Golán C	4	D 5	
Golfo (El) Lanzarote GC	122	B 4	
Golfo (El)(Localidad) Lanzarote GC	122	B 4	
Golilla BA	67	O 9	
Gollino TO	59	M 20	
Golmayo SO	33	G 22	
Golmés L	37	H 32	
Golondrinas (Las) CC	56	N 11	
Golopón (R.) GR	95	T 21	
Golosalvo AB	73	O 25	
Goloso (El) M	46	K 18	
Golpejas SA	43	I 12	
Gómara SO	33	H 23	
Gombrèn GI	24	F 36	
Gomeán LU	4	D 7	
Gomecello SA	44	I 13	
Gomeciego SA	43	I 11	
Gomesende OR	13	F 5	
Gómez Yáñez AB	73	P 25	
Gómeznarro SG	32	I 19	
Gómeznarro VA	30	I 15	
Gomezserracín SG	31	I 17	
Gonce LU	3	C 6	
Gondar LU	4	C 7	
Gondar PO	12	E 3	
Gondomar PO	12	F 3	
Gondrame LU	4	D 7	
Gondulfes OR	28	G 7	
Góngora (Punta de) Gran Canaria GC	114	B 2	
Gontán LU	4	B 7	
Gonte C	2	D 3	
Gonzar LU	13	D 6	
Gôñar MU	96	T 24	
Goñi NA	10	D 24	
Gopegui VI	19	D 21	
Gor GR	95	T 21	
Gorafe GR	95	T 20	
Gorbeia PV	9	C 21	
Gorbeia (Parque Natural de) PV	9	C 21	
Gorda (Punta) Lanzarote GC	120	E 2	
Gorda (Punta) La Palma TF	130	A 3	
Gorda (Sierra) GR	93	U 17	
Gordaliza de la Loma VA	16	F 14	
Gordaliza del Pino LE	16	E 14	
Gordéliz O	8	C 20	
Gordo AL	84	S 23	
Gordo (Cabezo) H	78	S 8	
Gordo (El) CC	56	M 13	
Gordo (Monte) H	90	T 7	
Gordoa O	19	D 22	
Gordoncillo LE	16	F 13	
Gorgullos Tordoia (Estación de) C	3	C 4	
Gorliz BI	8	B 21	
Gormaz SO	32	H 20	
Gorual (La) B	37	I 34	
Goroeta SS	10	C 22	
Gorozika BI	9	C 21	
Gorramakil (Pico) NA	11	C 25	
Gorriti NA	10	C 24	
Gorza / Güesa NA	11	D 26	
Gósol L	23	F 34	
Gotarrendura AV	43	J 15	
Gotor Z	34	H 25	
Gózon de Ucieza P	17	E 16	
Gózquez de Abajo M	58	L 19	

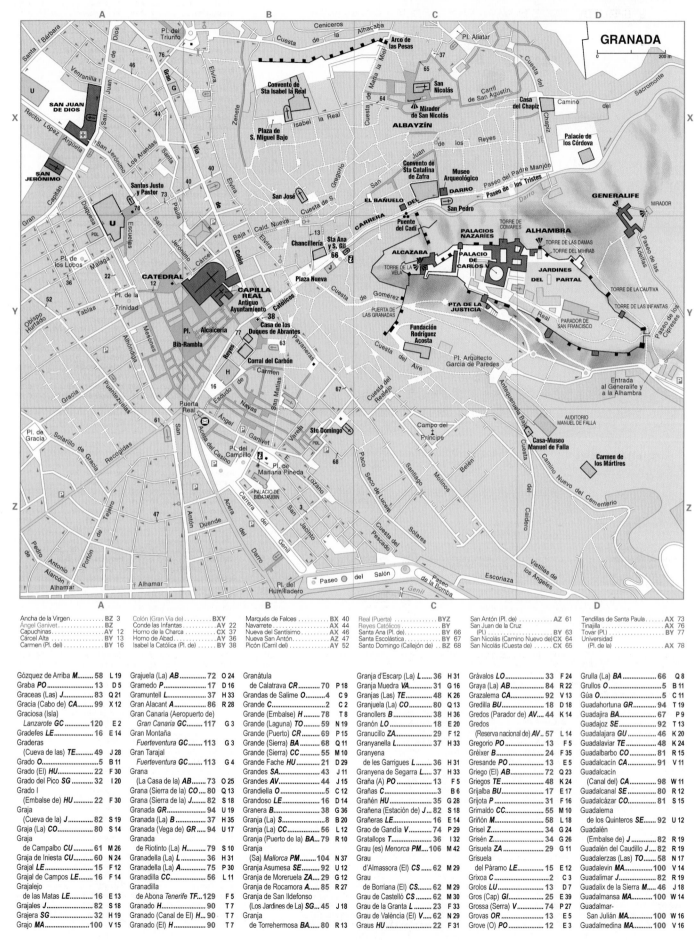

GRANADA

Ancha de la Virgen	BZ	3
Ángel Ganivet	BZ	
Capuchinas	AY	12
Cárcel Alta	BY	13
Carmen (Pl. del)	BY	16
Colón (Gran Vía de)	BXY	
Conde las Infantas	AY	22
Horno de la Charca	CX	37
Horno de Abad	AY	36
Isabel la Católica (Pl. de)	BY	38
Marqués de Falces	BX	40
Navarrete	AX	44
Nueva del Santísimo	AX	46
Nueva San Antón	AZ	47
Picón (Carril del)	AY	52
Real (Puerta)	BYZ	
Reyes Católicos	BY	
Santa Ana (Pl. de)	BY	66
Santa Escolástica	BY	67
Santo Domingo (Callejón de)	BZ	68
San Antón (Pl. de)	AZ	61
San Juan de la Cruz		
(Pl.)	BY	63
San Nicolás (Camino Nuevo de)	CX	64
San Nicolás (Cuesta de)	CX	65
Tendillas de Santa Paula	AX	73
Tinajilla	AX	76
Tovar (Pl.)	BY	77
Universidad		
(Pl. de la)	AX	78

Gózquez de Arriba M	58	L 19
Graba PO	13	D 5
Graceas (Las) J	83	Q 21
Gracia (Cabo de) CA	99	X 12
Graciosa (Isla)		
Lanzarote GC	120	E 2
Gradefes LE	16	E 14
Graderas		
(Cueva de las) TE	49	J 28
Grado O	5	B 11
Grado (El) HU	22	F 30
Grado del Pico SG	32	I 20
Grado I		
(Embalse de) HU	22	F 30
Graja		
(Cueva de la) J	82	S 19
Graja (La) CO	80	S 14
Graja		
de Campalbo CU	61	M 26
Graja de Iniesta CU	60	N 24
Grajal LE	15	F 12
Grajal de Campos LE	16	F 14
Grajalejo		
de las Matas LE	16	E 13
Grajales J	82	S 18
Grajera SG	32	H 19
Grajo MA	100	V 15
Grajuela (La) AB	72	O 24
Gramedo P	17	D 16
Gramuntell L	37	H 33
Gran Alacant A	86	R 28
Gran Canaria (Aeropuerto de)		
Gran Canaria GC	117	G 3
Gran Montaña		
Fuerteventura GC	113	G 3
Gran Tarajal		
Fuerteventura GC	113	G 4
Grana		
(La Casa de la) AB	73	O 25
Grana (Sierra de la) CO	80	Q 13
Grana (Sierra de la) J	82	S 18
Granada GR	94	U 19
Granada (La) B	37	H 35
Granada (Vega de) GR	94	U 17
Granada		
de Riotinto (La) H	79	S 10
Granadella (La) L	36	H 31
Granadella CC	56	L 11
Granadilla		
de Abona Tenerife TF	129	F 5
Granado H	90	T 7
Granado (Canal de El) H	90	T 7
Granado (El) H	90	T 7
Granátula		
de Calatrava CR	70	P 18
Grandas de Salime O	4	C 9
Grande C	2	C 2
Grande (Embalse) H	78	T 8
Grande (Laguna) TO	59	N 19
Grande (Puerto) CR	69	P 15
Grande (Sierra) BA	68	Q 11
Grande (Sierra) CC	55	M 10
Grande Fache HU	21	D 29
Grandes SA	43	J 11
Grandes AV	44	J 15
Grandiella O	5	C 12
Grandoso LE	16	D 14
Granera B	38	G 36
Granja (La) S	38	B 20
Granja (La) CC	56	L 12
Granja (Puerto de la) BA	79	R 10
Granja		
(Sa) Mallorca PM	104	N 37
Granja Asumesa SE	92	U 12
Granja de Moreruela ZA	29	G 12
Granja de Rocamora A	85	R 27
Granja de San Ildefonso		
(Los Jardines de La) SG	45	J 18
Granja		
de Torrehermosa BA	80	R 13
Granja d'Escarp (La) L	36	H 31
Granja Muedra VA	31	G 16
Granjas (Las) TE	48	K 26
Granjuela (La) CO	80	Q 13
Granollers B	38	H 36
Granucillo ZA	29	F 12
Granón LO	18	E 20
Granyanella L	37	H 33
Granyena		
de les Garrigues L	36	H 31
Granyena de Segarra L	37	H 33
Graña (A) PO	13	F 5
Graña (Sa) PO	13	F 5
Grañén HU	35	G 28
Grañeras LE	16	E 14
Grao de Gandía V	74	P 29
Grao (es) Menorca PM	106	M 42
Grau		
d'Almassora (El) CS	62	M 29
Grau		
de Borriana (El) CS	62	M 29
Grau de Castelló CS	62	M 30
Grau de la Granta L	23	F 33
Grau de València (El) V	62	N 29
Graus HU	22	F 31
Grávalos LO	33	F 24
Graya (La) AB	84	R 22
Grazalema CA	92	V 13
Gredilla BU	18	D 18
Gredos (Parador de) AV	44	K 14
Gredos		
(Reserva nacional de) AV	57	L 14
Gregorio PO	13	F 5
Gréixer B	24	F 35
Gresande PO	13	E 5
Griego (El) AB	72	Q 23
Griegos TE	48	K 24
Grijalba BU	17	E 17
Grijota P	31	F 16
Grimaldo CC	55	M 10
Griñón M	58	L 18
Grisel Z	34	G 24
Grisén Z	34	G 26
Grisuela ZA	29	G 11
Grisuela		
del Páramo LE	15	E 12
Grixoa C	2	C 3
Grolos LU	13	D 7
Gros (Cap) GI	25	E 39
Grossa (Serra) V	74	P 27
Grovas OR	13	E 5
Grove (O) PO	12	E 3
Grulla (La) BA	66	Q 8
Grullos O	5	B 11
Gúa O	5	C 11
Guadahortuna GR	94	T 19
Guadajira BA	67	P 9
Guadajoz SE	92	T 13
Guadalajara GU	46	K 20
Guadalaviar TE	48	K 24
Guadalbarbo CO	81	R 15
Guadalcacín CA	91	V 11
Guadalcacín		
(Canal del) CA	98	W 11
Guadalcanal SE	80	R 12
Guadalcázar CO	81	S 15
Guadalema		
de los Quinteros SE	92	U 12
Guadalén		
(Embalse de) J	82	R 19
Guadalén del Caudillo J	82	R 19
Guadalerzas (Las) TO	58	N 17
Guadalevín MA	100	V 14
Guadalimar J	82	R 19
Guadalix de la Sierra M	46	J 18
Guadalmansa MA	100	W 14
Guadalmar-		
San Julián MA	100	W 16
Guadalmedina MA	100	V 16

A B C D E F G H I J K L M N O P Q R S T U V W X Y Z

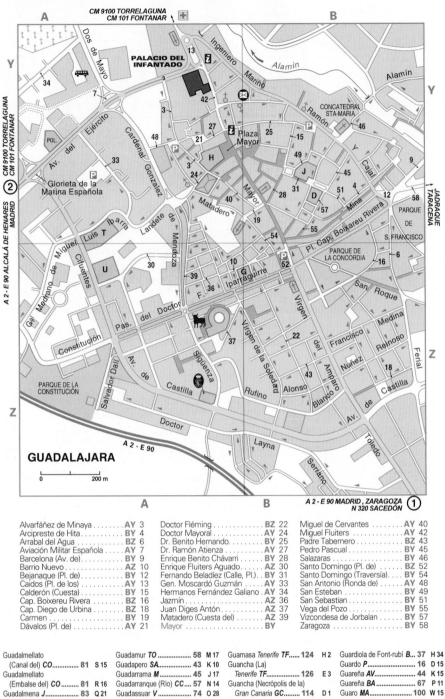

CM 9100 TORRELAGUNA
CM 101 FONTANAR

PALACIO DEL INFANTADO

CONCATEDRAL STA-MARIA

PARQUE DE S. FRANCISCO

PARQUE DE LA CONCORDIA

Glorieta de la Marina Española

CM 9100 TORRELAGUNA MADRID

A 2 - E 90 ALCALÁ DE HENARES MADRID

PARQUE DE LA CONSTITUCIÓN

JADRAQUE TARACENA

A 2 - E 90

GUADALAJARA

0   200 m

A 2 - E 90 MADRID , ZARAGOZA
N 320 SACEDÓN

Alvarfáñez de Minaya . . . . AY 3	Doctor Fléming . . . . BZ 22	Miguel de Cervantes . . . . AY 40
Arcipreste de Hita. . . . . BY 4	Doctor Mayoral . . . . AY 24	Miguel Fluiters . . . . AY 42
Arrabal del Agua . . . . BZ 6	Dr. Benito Hernando. . . . . BY 25	Padre Tabernero . . . . BZ 43
Aviación Militar Española . . . . . AY 7	Dr. Ramón Atienza . . . . AY 27	Pedro Pascual . . . . BY 45
Barcelona (Av. de) . . . . BY 9	Enrique Benito Chávarri . . . . . . BY 28	Salazaras . . . . BY 46
Barrio Nuevo . . . . AZ 10	Enrique Fluiters Aguado . . . . . . AZ 30	Santo Domingo (Pl. de) . . . . . . BZ 52
Bejanaque (Pl. de) . . . . BY 12	Fernando Beladíez (Calle, Pl.) . . BY 31	Santo Domingo (Travesía) . . . . BY 54
Caidos (Pl. de los) . . . . AY 13	Gen. Moscardó Guzmán . . . . . . AY 33	San Antonio (Ronda de) . . . . . . AY 48
Calderón (Cuesta) . . . . BY 15	Hermanos Fernández Galiano . . AY 34	San Esteban . . . . BY 49
Cap. Boixereu Rivera . . . . BZ 16	Jazmín . . . . AZ 36	San Sebastian . . . . BY 51
Cap. Diego de Urbina . . . . BZ 18	Juan Diges Antón . . . . AZ 37	Vega del Pozo . . . . BY 55
Carmen . . . . BY 19	Matadero (Cuesta del) . . . . AZ 39	Vizcondesa de Jorbalan . . . . . . BY 57
Dávalos (Pl. de) . . . . AY 21	Mayor . . . . BY	Zaragoza . . . . BY 58

Guadalmellato			Guadamur *TO*	58 M 17	Guamasa *Tenerife TF*	124 H 2
(Canal del) *CO*	81 S 15	Guadapero *SA*	43 K 10	Guancha (La)	
Guadalmellato		Guadarrama *M*	45 J 17	*Tenerife TF*	126 E 3
(Embalse del) *CO*	81 R 16	Guadarranque (Río) *CC*	57 N 14	Guancha (Necrópolis de la)	
Guadalmena *J*	83 Q 21	Guadassuar *V*	74 O 28	*Gran Canaria GC*	114 D 1
Guadalmez-		Guadiamar (Caño de) *SE*	91 U 11	Guara (Sierra de) *HU*	21 F 29
Los Predroches *CR*	69 P 15	Guadiana		Guarazoca *El Hierro TF*	109 D 2
Guadalmina *MA*	100 W 15	del Caudillo *BA*	67 P 9	Guarbes (Sierra de) *L*	22 D 32
Guadalope *TE*	49 K 27	Guadianeja (La) *CR*	70 O 20	Guarda (A) *PO*	26 G 3
Guadalperales (Los) *BA*	68 O 13	Guadiaro *CA*	99 X 14	Guarda (La) *BA*	68 P 12
Guadalporcún *SE*	92 V 13	Guadiel *J*	82 R 18	Guarda de la Alameda	
Guadalquivir		Guadilla de Villamar *BU*	17 E 17	(Casas del) *J*	83 Q 20
(Garganta) *J*	83 R 21	Guadix *GR*	95 U 20	Guarda Forestal	
Guadalquivir		Guadix (Hoya de) *GR*	95 T 20	(Mirador del) *MA*	100 V 15
(Marismas del) *H*	91 U 10	Guainos Bajos *AL*	102 V 19	Guardamar	
Guadalteba *MA*	100 V 15	Guájar Alto *GR*	101 V 19	de la Safor *V*	74 P 29
Guadalteba-Guadalhorce		Guájar Faragüit *GR*	101 V 19	Guardamar del Segura *A*	86 R 28
(Embalse del) *MA*	100 V 15	Guájar Fondón *GR*	101 V 19	Guàrdia (La) *L*	23 F 33
Guadalupe *AL*	84 S 23	Guajara *Tenerife TF*	128 E 4	Guardia (La) *TO*	58 M 19
Guadalupe *CC*	56 N 14	Guajaraz		Guàrdia d'Ares (La) *L*	23 F 33
Guadalupe		(Embalse de) *TO*	58 M 17	Guarda de Jaén (La) *J*	82 S 18
(Monasterio de) *CC*	56 N 14	Guajardo		Guàrdia de Tremp *L*	22 F 32
Guadalupe		y Malhincada *CC*	55 L 10	Guàrdia	
(Santuario de) *J*	82 R 19	Gualba *B*	38 G 37	dels Prats (La) *T*	37 H 33
Guadalupe		Gualchos *GR*	102 V 19	Guàrdia Lada (La) *L*	37 H 33
(Sierra de) *CC*	56 N 13	Guardilama		Guardilama	
Guadamatilla *CO*	69 Q 14	Gualda *GU*	47 J 21	*Lanzarote GC*	122 C 4
Guadamojete (Punta de)		Gualta *GI*	25 F 39	Guardiola *MU*	85 Q 26
Tenerife TF	125 I 3	Gualter *L*	37 G 33	Guardiola de Berguedà *B*	24 F 35

Guamasa *Tenerife TF*	124 H 2	Guardiola de Font-rubí *B*	37 H 34	Güesa / Gorza *NA*	11 D 26
		Guardo *P*	16 D 15	Guesálaz *NA*	10 D 24
		Guareña *AV*	44 K 15	Guevara *VI*	19 D 22
		Guareña *BA*	67 P 11	Güevéjar *GR*	94 U 19
		Guaro *MA*	100 W 15	Guía	
		Guarrate *ZA*	30 I 13	de Isora *Tenerife TF*	128 C 4
		Guarrizas *J*	82 R 19	Guiamets (Els) *T*	50 I 32
		Guarromán *J*	82 R 18	Guiana *LE*	15 E 10
		Guasa *HU*	21 E 28	Guiar *O*	4 B 8
		Guaso *HU*	22 E 30	Guijar (El) *SG*	45 I 18
		Guatiza *GC*	123 F 3	Guijarral *AB*	72 P 23
		Guayente *HU*	22 E 31	Guijarro	
		Guaza *Tenerife TF*	128 D 5	(Collado del) *CC*	68 N 12
		Guaza de Campos *P*	16 F 15	Guijarrosa (La) *CO*	81 T 15
		Gúdar *TE*	49 K 27	Guijasalbas *SG*	45 J 17
		Gúdar (Puerto de) *TE*	49 K 27	Guijo *GU*	47 J 23
		Gudillos *SG*	45 J 17	Guijo (El) *CO*	81 Q 15
		Gudiña (A) *OR*	14 F 8	Guijo de Ávila *SA*	43 K 13
		Güdar *TE*	48 K 26	Guijo de Coria *CC*	55 L 10
		Güéjar Sierra *GR*	94 U 19	Guijo de Galisteo *CC*	55 L 10
		Güenes *BI*	8 C 20	Guijo de Granadilla *CC*	55 L 11
		Gueral *OR*	13 E 6	Guijo	
		Guerechal (El) *BA*	68 P 12	de Santa Bárbara *CC*	56 L 13
		Guereñu *VI*	19 D 22	Guijosa *GU*	47 I 22
		Guerra *CR*	71 O 20	Guijosa *SO*	32 G 20
		Guerragos		Guijoso *BU*	32 G 20
		(Santa Cruz de los) *ZA*	29 G 10	Guijoso (El) *AB*	71 P 21

Güesa / Gorza *NA*	11 D 26	Haza Alta *J*	83 Q 21
		Haza del Trigo *GR*	102 V 20
		Hazas de Cesto *S*	8 B 19
		Hazuelas (Las) *CO*	81 S 16
		Hecho *HU*	21 D 27
		Hecho (Valle de) *HU*	21 D 27
		Hedradas (Las) *ZA*	28 F 9
		Hedroso *ZA*	28 F 9
		Helado (El) *CR*	70 P 18
		Helechal *BA*	68 P 13
		Helechosa *BA*	69 O 15
		Helgueras *S*	8 B 19
		Hellín *AB*	84 Q 24
		Henajeros *CU*	61 M 25
		Henares *MU*	96 T 24
		Henche *GU*	47 J 21
		Herada *S*	8 C 19
		Heras *GU*	46 J 20
		Heras (Las) *P*	16 D 17
		Herbés *CS*	50 J 29
		Herbeset *CS*	50 K 29
		Herbogo *C*	12 D 3
		Herbón *C*	12 D 4
		Herbosa *BU*	17 D 18
		Herce *LO*	19 F 23
		Hércules (Torre de) *C*	3 B 4
		Herdadiña *OR*	27 G 5
		Heredia *VI*	19 D 22
		Herencia *CR*	71 O 19
		Herencias (Las) *TO*	57 M 15
		Hereña *VI*	18 D 21
		Herguijuela *CC*	68 N 12
		Herguijuela (La) *AV*	44 K 14
		Herguijuela	
		de Ciudad Rodrigo *SA*	42 K 10
		Herguijuela	
		de la Sierra *SA*	43 K 11
		Herguijuela	
		del Campo *SA*	43 K 12
		Hermanas (Dos) *BA*	67 O 9
		Hermanas (Las) *AB*	85 Q 25
		Hérmedes de Cerrato *P*	31 G 17
		Hermida	
		(Desfiladero de la) *S*	7 C 16
		Hermida (La) *S*	7 C 16
		Hermigua *La Gomera TF*	118 C 1
		Hermisende *ZA*	28 G 9
		Hermo (Monasterio de) *O*	5 D 10
		Hermosilla *BU*	18 E 19
		Hernán Cortés *BA*	68 O 12
		Hernán Pérez *CC*	55 L 10
		Hernán Valle *GR*	95 T 20
		Hernani *SS*	10 C 24
		Hernansancho *AV*	44 J 15
		Herniálde *SS*	10 C 23
		Herradón (El) *AV*	45 K 16
		Herradura (La) *TO*	70 O 19
		Herradura (La) *GR*	101 V 18
		Herradura (Punta de la)	
		Fuerteventura GC	110 F 3
		Herramélluri *LO*	18 E 21
		Herraña *MU*	85 S 25
		Herrera *J*	83 R 20
		Herrera	
		cerca de El Coronil *SE*	92 U 12
		Herrera	
		cerca de Estepa *SE*	93 T 15
		Herrera (La) *AB*	72 P 23
		Herrera (Puerto de) *VI*	19 E 22
		Herrera de Alcántara *CC*	54 N 7
		Herrera de Duero *VA*	31 H 16
		Herrera	
		de la Mancha *CR*	71 O 20
		Herrera	
		de los Navarros *Z*	34 I 26
		Herrera de Pisuerga *P*	17 E 17
		Herrera de Soria *SO*	32 G 20
		Herrera	
		de Valdecañas *P*	31 F 17
		Herrera del Duque *BA*	69 O 14
		Herrería *GU*	47 J 24
		Herrería *LU*	14 E 8
		Herrería (La) *AB*	72 Q 23
		Herrería (La) *CO*	80 S 14
		Herrerías *S*	7 C 16
		Herrerías (Las) *AL*	96 U 24
		Herrerías (Las) *H*	78 T 8
		Herrerías (Las) *J*	83 R 22
		Herrero *GR*	101 V 18
		Herreros *SO*	33 G 21
		Herreros (Los) *V*	73 O 27
		Herreros de Jamuz *LE*	15 F 12
		Herreros de Rueda *LE*	16 E 14
		Herreros de Suso *AV*	44 J 14
		Herreruela *CC*	55 N 9
		Herreruela	
		de Castillería *P*	17 D 16

H

Haba (La) *BA*	68 P 12
Hacho *MA*	100 V 15
Hacinas *BU*	32 G 20
Haedillo *BU*	32 F 20
Hamapega *SE*	80 R 12
Hams (Coves des) *PM*	104 N 38
Haria *Lanzarote GC*	123 F 2
Harinosa (La) *SE*	92 V 12
Haro *LO*	19 E 21
Harria (Aiako) /	
Aya (Peñas de) *ESP*	10 C 24
Hato Verde *SE*	91 T 11
Hatoqueo *CC*	67 O 10
Haza *BU*	31 H 18

Herreruela
de Oropesa *TO*............ 57 M 14
Herrezuelo *SA*............ 44 J 13
Herrín de Campos *VA*.... 16 F 15
Herriza (La) *MA*......... 93 U 15
Herrumblar (El) *CU*...... 73 N 25
Hervás *CC*............... 56 L 12
Herves *C*................. 3 C 4
Hervías *LO*.............. 18 E 21
Hervideros (Los) *V*...... 73 O 26
Hervideros
(Los) *Lanzarote GC*..... 122 B 4
Hidalgo (Punta del)
Tenerife TF............ 125 I 1
Hiendelaencina *GU*..... 46 I 20
Hierro *BU*............... 18 D 19
Hierro *M*................ 45 J 18
Hierro (Puerto del) *SO*. 32 G 21
Higares *TO*.............. 58 M 18
Higuera (La) *SG*........ 45 I 17
Higuera (La) *AB*........ 73 P 25
Higuera de Albalat *CC*.. 56 M 13
Higuera de Calatrava *J*. 82 S 17
Higuera
de la Serena *BA*....... 68 Q 12
Higuera de la Sierra *H*. 79 S 10
Higuera
de las Dueñas *AV*...... 57 L 16
Higuera de Llerena *BA*.. 79 Q 11
Higuera de Vargas *BA*.. 78 Q 9
Higuera la Real *BA*..... 79 R 9
Higueral *AL*............ 95 T 22
Higueral (El) *CO*....... 93 U 17
Higueras *CS*............ 62 M 28
Higueras (Las) *CO*..... 94 T 17
Higuerón *MA*........... 101 V 18
Higuerón (El) *CO*....... 81 S 15
Higuerón (Puerto del) *CA*. 99 X 13
Higüeros *AL*........... 103 V 22
Higueruela *AB*......... 73 P 25
Higueruela (La)
*cerca de Belvis
de la Jara TO*......... 57 M 15
Higueruela (La)
cerca de Toledo TO.... 58 M 17
Higueruelas *V*......... 61 M 27
Hija de Dios (La) *AV*... 44 K 15
Híjar *TE*............... 49 I 28
Híjar *AB*............... 72 Q 23
Hijate (El) *AL*......... 95 T 22
Hijes *GU*............... 32 I 21
Hijosa *P*............... 17 E 17
Hilario (Islote de)
Lanzarote GC.......... 122 C 4
Hincada (Puerto) *LO*... 19 F 21
Hinestrosa *BU*......... 17 F 17
Hiniesta (La) *ZA*....... 29 H 12
Hinojal *CC*............. 55 M 10
Hinojales *H*............ 79 R 10
Hinojar *CR*............. 70 Q 17
Hinojar *MU*............ 85 S 25
Hinojar del Rey *BU*.... 32 G 20
Hinojares *J*............ 83 S 20
Hinojedo *S*............. 7 B 17
Hinojora *GR*........... 95 T 22
Hinojos *H*.............. 91 U 10
Hinojos (Marisma de) *H*. 91 U 10
Hinojosa *GU*........... 48 I 24
Hinojosa (La) *SO*...... 32 G 20
Hinojosa (La) *CU*...... 60 M 22
Hinojosa de Duero *SA*.. 42 J 9
Hinojosa de Jarque *TE*. 49 J 27
Hinojosa de la Sierra *SO*. 33 G 22
Hinojosa
de San Vicente *TO*..... 57 L 15
Hinojosa del Campo *SO*. 33 G 23
Hinojosa del Cerro *SG*. 31 H 18
Hinojosa del Duque *CO*. 80 Q 14
Hinojosa del Valle *BA*.. 67 Q 11
Hinojosas
de Calatrava *CR*....... 70 Q 17
Hinojosos (Los) *CU*.... 59 N 21
Hío *PO*................. 12 F 3
Hiriberri / Villanueva
de Aézkoa *NA*.......... 11 D 26
Hirmes *AL*............. 102 V 21
Hiruela (La) *M*......... 46 I 19
Hita *AL*................ 46 J 20
Hito (El) *CU*........... 59 M 21
Hito (Laguna de El) *CU*. 59 M 21
Hoces
(Desfiladero Las) *LE*... 16 D 13
Hoces de Bárcena *S*.... 7 C 17
Hoja (Embalse de la) *H*. 78 T 9
Holguera *CC*........... 55 M 10
Hombrados *GU*......... 48 J 24
Home (Cabo de) *PO*.... 12 F 3

Hondarribia /
Fuenterrabía *SS*....... 10 B 24
Hondón *A*.............. 85 Q 27
Hondón de las Nieves / Fondó
de les Neus (El) *A*..... 85 R 27
Hondón
de los Frailes *A*....... 85 R 27
Hondura *SA*............ 43 K 12
Honduras
(Puerto de) *CC*........ 56 L 12
Honduras (Punta de)
Tenerife TF........... 129 G 4
Honquilana *VA*......... 44 I 15
Honrubia *CU*........... 60 N 23
Honrubia
de la Cuesta *SG*....... 32 H 18
Hontalbilla *SG*......... 31 H 17
Hontana (El) *V*......... 61 M 26
Hontanar *TO*........... 57 N 16
Hontanar *V*............ 61 L 25
Hontanar (Collado de) *J*. 82 Q 17
Hontanares
cerca de La Hunde V... 73 O 26
Hontanares *AV*......... 57 L 15
Hontanares *GU*........ 47 J 21
Hontanares
de Eresma *SG*......... 45 J 17
Hontanas *BU*.......... 17 F 17
Hontanaya *CU*......... 59 M 21
Hontangas *BU*......... 31 H 18
Hontecillas *CU*........ 60 M 23
Hontoba *GU*........... 46 K 20
Hontomín *BU*.......... 18 E 19
Hontoria *SG*........... 45 J 17
Hontoria *O*............ 6 B 15
Hontoria de Cerrato *P*. 31 G 16
Hontoria
de la Cantera *BU*...... 18 F 19
Hontoria
de Valdearados *BU*.... 32 G 19
Hontoria del Pinar *BU*. 32 G 20
Horca (La) *AB*......... 84 Q 25
Horcajada (La) *AV*..... 44 K 13
Horcajada de la Torre *CU*. 59 L 22
Horcajo *CR*............ 81 Q 16
Horcajo *CC*............ 43 K 10
Horcajo (El) *AB*....... 72 P 22
Horcajo de la Ribera *AV*. 44 K 13
Horcajo de la Sierra *M*. 46 I 19
Horcajo
de las Torres *AV*...... 44 I 14
Horcajo
de los Montes *CR*..... 69 O 16
Horcajo
de Montemayor *SA*.... 43 K 12
Horcajo de Santiago *CU*. 59 M 21
Horcajo Medianero *SA*. 44 K 13
Horcajuelo
de la Sierra *M*........ 46 I 19
Horche *GU*............ 46 K 20
Horcón *CO*............ 69 Q 15
Horconera
de la Sierra *CO*....... 93 T 17
Hormazas (Las) *BU*.... 17 E 18
Hormazuela *BU*........ 17 E 18
Hormigos *TO*.......... 57 L 16
Hormilla *LO*........... 19 E 21
Hormilleja *LO*......... 19 E 21
Horna *BU*.............. 18 D 19
Horna *GU*............. 47 I 22
Horna *AB*.............. 73 P 25
Hornachos *BA*......... 68 Q 11
Hornachuelos *CO*...... 80 S 14
Hornachuelos
(Estación de) *CO*...... 80 S 14
Hornias Bajas *MU*..... 70 O 17
Hornico (El) *MU*....... 84 R 23
Hornija *LE*............ 14 E 9
Hornillatorre *BU*...... 8 C 19
Hornillayuso *BU*....... 18 C 19
Hornillo (El) *AV*....... 57 L 14
Hornillo (El) *MU*...... 97 T 25
Hornillos *VA*.......... 30 H 15
Hornillos
de Cameros *LO*........ 19 F 22
Hornillos de Cerrato *P*. 31 G 17
Hornillos
del Camino *BU*........ 17 E 18
Hornos *J*.............. 83 R 21
Hornos
(Garganta de los) *AV*.. 44 K 14
Hornos de la Mata *S*... 7 C 17
Hornos de Peal *J*...... 83 S 20
Horra (La) *BU*......... 31 G 18
Horsavinyà *B*.......... 38 G 37
Hort
de la Rabassa (L') *V*... 74 N 28

HUELVA

Alameda Sundheim .... **BZ** 2
Arquitecto Pérez Carasa..... **BZ** 4
Las Bocas .... **AZ** 25
Concepción .... **AZ** 9
La Fuente .... **BZ** 22
Independencia (Pas.) ...... **AZ** 18
José Nogales .... **ABZ** 20
Marina .... **AZ** 28
Martín Alonso Pinzón (Av. de) . **BZ** 29
Méndez Núñez .... **AZ** 31
Las Monjas (Pl. de) .... **AZ** 26
Pablo Rada .... **BZ** 33
Padre Jesús de la Pasión ... **BZ** 34
Palacios .... **AZ** 35
La Palma .... **AZ** 23
Plus Ultra .... **AZ** 37
Rábida .... **BZ** 39
Sanlúcar de Barrameda .... **AZ** 44
Santa Fé (Pas. de) .... **ABZ** 46
San Sebastián .... **AY** 45
Tomás Domínguez Ortiz
(Av. de) .... **AZ** 50
Vázquez López .... **AZ** 51
3 de Agosto .... **BZ** 52

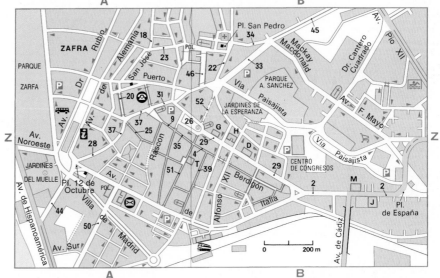

Horta (Cap de l') *A*.... 86 Q 28
Horta (S') *PM*......... 105 N 39
Horta de Sant Joan *T*.. 50 J 30
Hortas *C*.............. 13 D 5
Hortells *CS*............ 49 J 29
Hortezuela *SO*......... 32 H 21
Hortezuela
de Océn (La) *GU*...... 47 J 22
Hortezuelos *BU*........ 32 G 19
Hortichuela (La) *J*..... 94 T 18
Hortigüela *BU*......... 32 F 19
Hortizuela *CU*......... 60 L 23
Hortoneda *L*........... 23 F 33
Hortunas de Arriba *V*.. 73 N 26
Hospital
cerca de Fonsagrada LU. 4 C 8
Hospital
cerca de Linares LU... 14 D 8
Hospital
(Collado del) *CC*...... 56 N 14
Hospital de Órbigo *LE*. 15 E 12
Hospitalet
de l'Infant (L') *T*..... 51 J 32
Hospitalet
de Llobregat (L') *B*.... 38 H 36
Hosquillo (El) *CU*..... 48 K 24
Hostal de Ipiés *HU*.... 21 E 28
Hostalets (Els) *L*...... 23 F 34
Hostalets (Els) *cerca
de Esparreguera B*.... 38 H 35
Hostalets (Els)
cerca de Tona B....... 38 G 36
Hostalets
d'En Bas (Els) *GI*..... 24 F 37
Hostalric *GI*........... 38 G 37
Hoya (La) *SA*.......... 43 K 12
Hoya (La) *MU*......... 84 S 25
Hoya (La) *MA*......... 100 V 16
Hoya (La)
Lanzarote GC......... 122 B 4
Hoya de la Carrasca *TE*. 61 L 26
Hoya del Campo *MU*... 85 R 25
Hoya del Espino (La) *GR*. 83 R 22
Hoya del Peral *CU*..... 61 L 25
Hoya Gonzalo *AB*...... 73 P 25
Hoya Santa Ana *AB*.... 73 P 25
Hoyales de Roa *BU*.... 31 H 18
Hoyo (El) *CR*.......... 82 Q 18
Hoyo (El) *CO*.......... 80 R 14
Hoyo de Manzanares *M*. 45 K 18
Hoyo de Pinares (El) *AV*. 45 K 16

Hoyocasero *AV*........ 44 K 15
Hoyorredondo *AV*..... 44 K 13
Hoyos *CC*.............. 55 L 9
Hoyos
de Miguel Muñoz *AV*.. 44 K 14
Hoyos del Collado *AV*. 44 K 14
Hoyos del Espino *AV*.. 44 K 14
Hoyuelos *SG*........... 45 I 16
Hoz (Collado de) *S*.... 7 C 16
Hoz (Cueva de la) *GU*.. 47 J 23
Hoz (La) *AB*........... 72 P 22
Hoz (La) *CO*........... 93 U 16
Hoz de Abajo *SO*...... 32 H 20
Hoz de Anero *S*........ 8 B 19
Hoz de Arreba *BU*..... 18 D 18
Hoz de Arriba *SO*...... 32 H 20
Hoz de Barbastro *HU*.. 22 F 30
Hoz de Beteta
(Desfiladero) *CU*...... 47 K 23
Hoz de Jaca *HU*....... 21 D 29
Hoz de la Vieja (La) *TE*. 49 J 27
Hoz de Valdivielso *BU*. 18 D 19
Hozabejas *BU*......... 18 D 19
Hozgarganta *CA*....... 99 W 13
Hoznayo *S*............. 8 B 18
Huarte / Uharte *NA*... 11 D 25
Huebra *AL*............. 96 V 23
Huebro *AL*............. 96 V 23
Huecas *TO*............. 58 L 17
Huecha (La) .... 102 V 22
Huélaga *CC*............ 55 L 10
Huélago *GR*........... 95 T 20
Huélamo *CU*........... 60 L 24
Huelga (La) *AL*........ 96 U 23
Huelgas
Reales (Las) *BU*...... 18 F 18
Huelgueras *S*.......... 7 B 16
Huelma *J*.............. 82 T 19
Huelva *H*.............. 90 U 9
Huéneja *GR*........... 95 U 21
Huéneja
(Estación de) *GR*...... 95 U 21
Huerba (La) *Z*......... 48 I 26
Huércal de Almería *AL*. 103 V 22
Huércal Overa *AL*..... 96 T 24
Huércanos *LO*......... 19 E 21
Huerce (La) *GU*....... 46 I 20
Huércemes *CU*........ 60 M 24
Huerces *O*............. 6 B 12
Huercios *O*............ 6 B 12
Huérguina *CU*......... 61 L 25
Huérmeces *BU*........ 18 E 18
Huérmeces del Cerro *GU*.. 47 I 21

Huérmeda *Z*........... 34 H 25
Hueros (Los) *M*....... 46 K 19
Huerrios *HU*.......... 21 F 28
Huerta *SG*............ 6 I 18
Huerta *SA*............ 44 J 13
Huerta (La) *AL*....... 96 U 24
Huerta de Abajo *BU*... 32 F 20
Huerta de Arriba *BU*.. 32 F 20
Huerta
de Cuarto Holgado *CC*.. 55 L 11
Huerta
de la Obispalía *CU*... 60 M 22
Huerta
de Valdecarábanos *TO*. 58 M 19
Huerta de Vero *HU*.... 22 F 30
Huerta
del Marquesado *CU*... 60 L 24
Huerta del Rey *BU*.... 32 G 19
Huertahernando *GU*... 47 J 23
Huertapelayo *GU*..... 47 J 23
Huertas
(Ermita Las) *MU*..... 85 S 25
Huertas (Las) *CC*..... 54 N 8
Huertas
de la Magdalena *CC*.. 56 N 12
Huérteles *SO*......... 33 F 23
Huerto *HU*............ 22 G 29
Huerto (Embalse de) *SS*. 10 C 29
Huertos (Los) *SG*..... 45 I 17
Huerva (La) *Z*......... 48 I 26
Huesa *J*.............. 83 S 20
Huesa del Común *TE*.. 49 I 27
Huesas (Las) *CR*...... 70 Q 18
Huesas (Las) *GC*...... 115 G 3
Huesca *HU*............ 21 F 28
Huéscar *GR*........... 83 S 22
Huesna
(Embalse de) *SE*..... 80 S 12
Huéspeda *BU*......... 18 D 19
Huete *CU*............. 59 L 21
Huétor Santillán *GR*.. 94 U 19
Huétor Tájar *GR*...... 94 U 17
Huétor-Vega *GR*...... 94 U 19
Huetos *GU*............ 47 J 22
Hueva *GU*............. 46 K 21
Huévar *SE*............ 91 T 11
Huma *MA*............. 100 V 15
Humada *BU*........... 17 D 17
Humanes *GU*.......... 46 J 20
Humanes de Madrid *M*. 58 L 18
Humboldt (Mirador de)
Tenerife TF........... 124 F 2

Humera *M*............. 45 K 18
Humilladero *MA*....... 93 U 15
Humilladero
(Ermita del) *CC*...... 56 N 13
Humo de Muro (El) *HU*. 22 E 30
Humosa (La) *AB*....... 72 P 24
Hunde (La) *V*......... 73 O 26
Hurchillo *A*........... 85 R 27
Hurdes (Las) *CC*...... 43 K 11
Hurones *BU*........... 18 E 19
Hurones
(Embalse de los) *CA*.. 99 V 13
Hurtado *CR*........... 71 O 19
Hurtumpascual *AV*.... 44 J 14
Husillos *P*............ 31 F 16

I

Ibahernando *CC*....... 68 O 12
Ibañeta (Puerto) *NA*... 11 C 26
Ibarra *BI*............. 9 B 22
Ibarra *SS*............. 10 C 23
Ibarra *BI*............. 8 C 21
Ibarrangelu *BI*........ 9 B 22
Ibárruri *BI*........... 9 C 21
Ibeas de Juarros *BU*.. 18 F 19
Ibi *A*................. 74 Q 28
Ibias *O*.............. 3 C 9
Ibibur (Embalse de) *SS*. 10 C 23
Ibiza / Eivissa *PM*.... 87 P 34
Ibrillos *BU*........... 18 E 20
Ibros *J*............... 82 R 19
Icod de los Vinos *TF*.. 126 D 3
Idafe (Roque de)
La Palma TF.......... 130 C 4
Idiazábal *SS*.......... 10 C 23
Idocín *NA*............ 11 D 25
Ifach (Peñón de) *A*.... 75 Q 30
Ifonche *Tenerife TF*... 128 D 4
Igal / Igari *NA*....... 11 D 26
Igantzi *NA*........... 11 C 24
Igari / Igari *NA*...... 11 D 26
Igea *LO*.............. 19 F 23
Igeldo *SS*............ 10 C 23
Iglesiarrubia *BU*...... 31 G 18
Iglesias *BU*........... 17 F 18
Iglesuela (La) *TO*..... 57 L 15
Iglesuela del Cid (La) *TE*. 49 K 29
Igorre *BI*............. 9 C 21
Igrexafeita *C*......... 3 B 5
Igriés *HU*............ 21 F 28
Igualada *B*............ 37 H 34
Igualeja *MA*.......... 100 W 14
Igualero *La Gomera TF*... 118 B 2

A B C D E F G **H** **I** J K L M N O P Q R S T U V W X Y Z

A B C D E F G H I J K L M N O P Q R S T U V W X Y Z

JAÉN

Adarves Bajos	CZ	2
Álamos	BZ	3
Alcalde García Segovia	CX	5
Alféreces Provisionales	BX	8
Alhama	BY	58
Ángel (Puerta del)	CZ	9
Bernabé Soriano	BZ	12
Capitán Aranda Alta	BZ	13
Carmello Torres	BY	14
Castilla	BY	16
Coca de la Piñera (Pl.)	BY	17
Condestable Iranzo	AX	18
Correa Weglason	AY	20
Doctor Civera	BZ	21
Doctor Eduardo Arroyo	BY	22
Doctor Eduardo García Triviño López	BX	24
Ejido de Alcantarilla	BZ	25
Extremadura	BX	26
Francisco Coello	BZ	27
Frente a Jesús	BZ	44
Fuerte del Rey	AX	30
Hermanos Pinzón	BX	31
Ignacio Figueroa	BZ	32
Juanito el Practicante	AY	34
Juan Pedro Gutiérrez Higueras	AX	35
Madre de Dios	BZ	36
Madre Soledad Torres Acosta	BY	38
Maestra	BZ	39
Magdalena Baja	AY	40
Manuel Caballero Venzala	CX	41
Manuel Jontoya	BZ	43
Molino de la Condesa	AY	45
Muñoz Garnica	BZ	47
Navas de Tolosa	BY	48
Núñez de Balboa	BY	49
Obispo Alonso Suárez	CY	51
Obispo García de Castro (Pl.)	CYZ	54
Obispo González	BZ	55
Obispo Stúñiga	BX	52
Puerta del Sol	BY	56
Salvador Vicente de la Torre	AX	59
Santa Luisa de Marillac (Pl. de)	AY	70
Santo Domingo	AY	71
San Agustín (Pl. de)	BY	61
San Andrés	BY	62
San Bartolomé (Pl.)	BY	63
San Clemente	BYZ	65
San Francisco (Pl.)	BZ	67
San Juan (Pl. de)	BY	68
Vicente Montuno	CZ	72
Virgen Capilla	BCY	74
Virgen de la Cabeza	BX	73

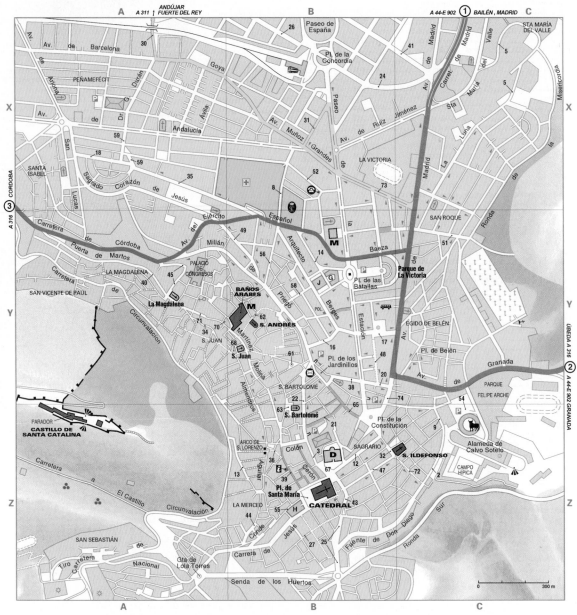

Igüeña *LE*	15	D	11
Igueste *Tenerife TF*	127	H	3
Igueste de San Andrés *Tenerife TF*	125	K	2
Igúzquiza *NA*	19	E	23
Ihabar *NA*	10	D	24
Ikaztegieta *SS*	10	C	23
Ilarraza *VI*	19	D	22
Ilche *HU*	36	G	30
Illa *OR*	27	G	5
Illa (L') *T*	37	H	33
Illa de Arousa *PO*	12	E	3
Illán de Vacas *TO*	57	M	16
Illana *GU*	59	L	21
Illano *O*	4	C	9
Illar *AL*	102	V	22
Illaso *O*	4	B	9
Illescas *TO*	58	L	18
Illora *GR*	94	U	18
Illot (S') *PM*	105	N	40
Illueca *Z*	34	H	25
Ilurdotz *NA*	11	D	25
Imón *GU*	47	I	21
Imotz *NA*	10	D	24
Ina (La) *CA*	98	W	11
Inagua *Gran Canaria GC*	114	C	3
Inazares *MU*	84	R	23
Inca *PM*	104	M	38
Incinillas *BU*	18	D	19
Incio *LU*	14	E	7

Indiana (Estación de la) *MA*	92	V	14
Indiano (El) *SE*	91	T	11
Indias (Las) *La Palma TF*	132	C	6
Induráin *NA*	11	D	25
Ines *SO*	32	H	20
Inestrillas *LO*	33	G	24
Infantas (La) *J*	82	S	18
Infantas (Las) *J*	58	L	18
Infierno (Picos del) *HU*	21	D	29
Infiesto *O*	6	B	13
Ingenio *Gran Canaria GC*	117	F	3
Iniesta *CU*	60	N	24
Iniéstola *GU*	47	J	22
Inogés *Z*	34	H	25
Inoso *VI*	18	C	21
Insúa *AL*	102	V	22
Instinción *AL*	102	V	22
Insúa *B*	3	B	6
Insúa cerca de Taboada *LU*	13	D	6
Insúa cerca de Villalba *LU*	3	C	6
Insúa (Punta) *C*	2	C	2
Intza *NA*	10	C	24
Inviernas (Las) *GU*	47	J	21
Iragi *NA*	11	D	26
Iranzu (Monasterio de) *NA*	19	D	23

Irañeta *NA*	10	D	24
Ircio *BU*	18	E	21
Irede *LE*	15	D	12
Iregua (Valle de) *LO*	19	F	22
Iriépal *GU*	46	K	20
Irixo *OR*	13	E	5
Irixoa *C*	3	C	5
Iruecha *SO*	47	I	23
Iruela *LE*	15	F	10
Iruela (La) *J*	83	S	21
Iruelos *SA*	43	I	11
Irueste *GU*	46	K	21
Irumugarrieta *NA*	10	C	23
Irún *SS*	10	B	24
Irura *SS*	10	C	23
Iruraiz-Gauna *VI*	19	D	22
Irurita *NA*	11	C	25
Irurozqui *NA*	11	D	26
Irurtzun *NA*	10	D	24
Irús *BU*	8	C	19
Iruz *SA*	7	C	18
Iruzubieta *BI*	10	C	22
Isaba / Izaba *NA*	11	D	27
Isabel (La) *J*	78	T	7
Isabela *J*	82	R	19
Isar *BU*	17	E	18
Iscar *VA*	31	H	16
Isidro *BA*	78	Q	9
Isidros (Los) *V*	61	N	26

Isil *L*	23	D	33
Isín *HU*	21	E	28
Isla *S*	8	B	19
Isla *Lanzarote GC*	6	B	14
Isla Canela *H*	90	U	7
Isla Cristina *H*	90	U	8
Isla de Luna *CO*	93	T	15
Isla del Vicario *SE*	92	T	14
Isla Plana *MU*	97	T	26
Isla Playa *S*	8	B	19
Isla Ravenna *PM*	105	M	39
Isla Redonda *SE*	93	T	15
Islares *SA*	8	B	20
Islas Menores *MU*	85	T	27
Isleta (La) *AL*	103	V	23
Isleta (La) *Gran Canaria GC*	115	G	1
Isleta (La) *Lanzarote GC*	122	D	3
Islote (El) *Fuerteventura GC*	112	C	5
Isoba *LE*	6	C	14
Isona *L*	23	F	33
Isora El Hierro *TF*	109	D	3
Isóvol *GI*	23	E	35
Ispaster *BI*	10	C	22
Isso *AB*	84	Q	24
Istán *MA*	100	W	15
Isuerre *Z*	20	E	26
Itálica (Ruinas de) *SE*	91	T	11
Izana *SO*	33	G	22

Itero de la Vega *P*	17	F	17
Itero del Castillo *BU*	17	F	17
Itoiz (Embalse de) *NA*	11	D	26
Itrabo *GR*	101	V	19
Itrabo (Cerro de) *GR*	101	V	19
Itsaso *SS*	10	C	23
Itsasondo *SS*	10	C	23
Ituero *SO*	33	H	22
Ituero de Azaba *SA*	42	K	9
Ituero y Lama *SG*	45	J	16
Iturgoyen *NA*	10	D	24
Iturmendi *NA*	10	D	24
Iturreta *BI*	10	C	22
Itzalle / Izal *NA*	11	D	26
Itzaltzu / Izalzu *NA*	11	D	26
Itzarri (Punta) *SS*	10	C	23
Itziar *SS*	10	C	23
Ivars de Noguera *L*	36	G	31
Ivars d'Urgell *L*	37	G	32
Ivarsos (Els) *CS*	62	L	29
Ivorra *L*	37	G	34
Izagaondoa *NA*	11	D	25
Izagre *LE*	16	F	14
Izal / Itzalle *NA*	11	D	26
Izalzu / Itzaltzu *NA*	11	D	26
Izana *SO*	33	G	22

Izaña *Tenerife TF*	127	F	3
Izarra *VI*	18	D	21
Izarraitz (Monte) *SS*	10	C	23
Izbor *GR*	101	V	19
Izcar *CO*	81	S	16
Izco *NA*	20	E	25
Izki (Parque natural de) *VI*	19	D	22
Iznájar *CO*	93	U	17
Iznalloz *GR*	94	T	19
Iznate *MA*	101	V	17
Iznatoraf *J*	83	R	20
Izurtza *BI*	10	C	22

J

Jábaga *CU*	60	L	23
Jabalcón *GR*	95	T	21
Jabalcuz *J*	82	S	18
Jabalera *CU*	59	L	21
Jabaloyas *TE*	61	L	25
Jabalquinto *J*	82	R	18
Jabarrella *HU*	21	E	28
Jabarriega *BA*	67	O	9
Jabata *H*	79	S	10
Jable (El) *Lanzarote GC*	123	D	3
Jabugo *H*	79	S	9
Jabuguillo *H*	79	S	10
Jaca *HU*	21	E	28
Jaca *SO*	94	T	18

JEREZ DE LA FRONTERA

Algarve	BZ	2
Angustias (Pl. de las)	BZ	5
Arenal (Pl. del)	BZ	8
Armas	ABZ	10
Arroyo (Calzada del)	AZ	12
Asunción (Pl. del)	BZ	13
Beato Juan Grande	BY	15
Cabezas	AYZ	18
Conde de Bayona	BZ	21
Consistorio	BZ	23

Cordobeses	AY	26
Cristina (Alameda)	BY	28
Doña Blanca	BZ	31
Duque de Abrantes (Av.)	BY	32
Eguilaz	BYZ	33
Encarnación (Pl. de la)	AZ	35
Gaspar Fernández	BYZ	40
José Luis Díez	AZ	42
Lancería	BZ	45
Larga	BZ	47
Letrados	ABZ	50
Luis de Isasy	AYZ	52
Manuel María González	AZ	55
Mercado (Pl. del)	AYZ	56

Monti (Pl.)	BZ	57
Nuño de Cañas	BY	60
Pedro Alonso	BZ	62
Peones (Pl.)	AZ	65
Plateros (Pl.)	BZ	67
Pozuelo	ABZ	70
Rafael Bellido Caro	AZ	71
Rafael Rivero (Pl.)	BY	72
Santiago (Pl.)	BY	81
San Agustín	AZ	75
San Fernando	AZ	77
San Lucas (Pl.)	AYZ	80
Tornería	BY	82
Vieja (Alameda)	AZ	84

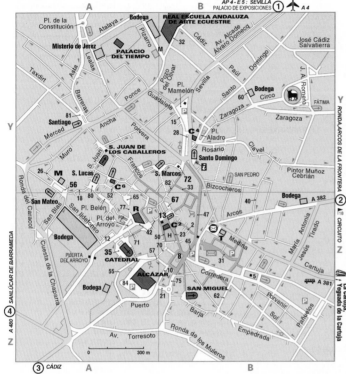

AP 4 - E 5 : SEVILLA
PALACIO DE EXPOSICIONES
PALACIO DE EXPOSICIONES ① A 4

Jacarilla *A*	85	R 27
Jacintos *BA*	79	R 10
Jadraque *GU*	46	J 21
Jaén *S*	82	S 18
Jafre *GI*	25	F 39
Jaganta *TE*	49	J 29
Jalance *V*	73	O 26
Jalón (Río) *Z*	33	I 23
Jalón de Cameros *LO*	19	F 22
Jalvegada *CR*	82	Q 18
Jama *Tenerife TF*	128	E 5
Jambrina *ZA*	29	H 13
Jameos del Agua *Lanzarote GC*	121	F 3
Jamilena *J*	82	S 18
Jana (La) *CS*	50	K 30
Jandía *Fuerteventura GC*	112	C 5
Jandía (Península de) *Fuerteventura GC*	112	B 5
Jandía (Punta de) *Fuerteventura GC*	112	A 5
Jandilla *CA*	99	X 12
Jandulilla *J*	83	S 20
Janubio (Salinas de) *Lanzarote GC*	122	B 4
Jara (La) *TO*	57	M 14
Jara (La) *CA*	91	V 10
Jaraba *Z*	48	I 24
Jarafuel *V*	73	O 26
Jaraguas *V*	61	N 25
Jaraicejo *CC*	56	N 12
Jaraiz de la Vera *CC*	56	L 12
Jarales *El Hierro TF*	109	D 2
Jarama (Circuito del) *M*	46	K 19
Jaramillo de la Fuente *BU*	32	F 20
Jaramillo Quemado *BU*	32	F 19
Jarandilla de la Vera *CC*	56	L 13
Jaras (Las) *CO*	81	S 15
Jarastepar *MA*	99	V 14
Jaray *SO*	33	G 23
Jarceley *O*	5	C 10

Jardín (El) *AB*	72	P 23
Jardines (Puerto de los) *J*	82	Q 19
Jarilla *CC*	56	L 11
Jarilla (La) *SE*	92	T 12
Jarillas (Las) *SE*	80	S 12
Jarlata *HU*	21	E 28
Jarosa (Embalse de la) *M*	45	J 17
Jarosa (La) *CR*	71	P 20
Jarque *Z*	34	H 24
Jarque de la Val *TE*	49	J 27
Jártos *AB*	84	Q 23
Jasa *HU*	21	D 28
Jata *GR*	84	S 22
Játar *GR*	101	V 18
Jatiel *TE*	35	I 28
Jauja *CO*	93	U 16
Jaulín *Z*	35	H 27
Jauntsarats *NA*	10	C 24
Jaurrieta *NA*	11	D 26
Jautor (El) *CA*	99	W 13
Javalambre *TE*	61	L 26
Javalambre (Sierra de) *TE*	61	L 27
Javalón *TE*	61	L 26
Javana (Punta) *AL*	103	V 24
Jávea / Xàbia *A*	75	P 30
Javier *NA*	20	E 26
Javierre *HU*	21	E 29
Javierre del Obispo *HU*	21	E 29
Javierregay *HU*	21	E 27
Javierrelatre *HU*	21	E 29
Jayena *GR*	101	V 18
Jédula *CA*	99	V 12
Jedey *La Palma TF*	132	C 5
Jemenuño *SG*	45	J 16
Jerez *de los Caballeros BA*	79	R 9
Jerez del Marquesado *GR*	95	U 20

Jérica *CS*	62	M 28
Los Jerónimos *MU*	85	S 26
Jerte *CC*	56	L 12
Jesús (Iglesia) *PM*	87	P 34
Jesús y María *T*	50	J 32
Jesús Pobre *A*	74	P 30
Jete *GR*	101	V 18
Jiloca *Z*	48	I 25
Jimena *J*	82	S 19
Jimena de la Frontera *CA*	99	W 13
Jimenado *MU*	85	S 26
Jiménez de Jamuz *LE*	15	F 12
Jimera de Libar (La) *MA*	99	W 14
Jinama (Mirador de) *El Hierro TF*	109	D 2
Jinamar *Gran Canaria GC*	115	F 2
Jinetes (Los) *SE*	92	T 12
Joanetes *GI*	24	F 37
Joanín *LU*	13	E 6
Joara *LE*	16	E 15
Joarilla de las Matas *LE*	16	F 14
Jócano *VI*	18	D 21
Jódar *J*	82	S 19
Jodra de Cardos *SO*	33	H 22
Jola *CC*	66	O 8
Jolúcar *GR*	102	V 19
Joncosa de Montmell (La) *T*	37	I 34
Jonquera (La) *GI*	25	E 38
Jorairátar *GR*	102	V 20
Jorba *B*	37	H 34
Jorcas *TE*	49	K 27
Jorquera *AB*	73	O 25
Josa del Cadí *L*	23	F 34
José Antonio *CA*	99	V 12
Jose Díez *BA*	79	R 10
Jose Toran (Embalse de) *SE*	80	S 13
Jou *L*	23	E 33
Jou (Coll de) *L*	23	F 34
Joya (La) *H*	78	S 8
Joya (La) *Ibiza PM*	87	O 34

Joyosa (La) *Z*	34	G 26
Juan Antón *SE*	79	T 10
Juan Gallego *SE*	79	T 10
Juan Grande *Gran Canaria GC*	117	F 4
Juan Martín *CO*	81	S 16
Juan Navarro *V*	61	N 26
Juan Quílez *AB*	84	Q 23
Juan Rico (Casas de) *A*	73	Q 27
Juanar (Refugio de) *MA*	100	W 15
Juarros de Riomoros *SG*	45	J 17
Juarros de Voltoya *SG*	45	I 16
Jubera *LO*	19	F 23
Jubera *SO*	47	I 22
Jubera *J*	82	S 18
Jubiley (Puerto) *GR*	102	V 19
Jubrique *MA*	99	W 14
Judes *SO*	47	I 23
Judio *CR*	69	Q 16
Judío (Embalse del) *MU*	85	R 25
Jumilla *MU*	85	Q 26
Jumilla (Puerto de) *MU*	73	Q 26
Juncalillo *Gran Canaria GC*	114	D 2
Juncar (El) *CS*	62	L 29
Junciana *AV*	44	K 13
Juncosa *L*	36	H 32
Juneda *L*	36	H 32
Junquera (La) *MU*	84	S 23
Junquera de Tera *ZA*	29	F 11
Junquillo *J*	82	R 17
Juntas *J*	94	T 18
Juntas de Arriba (Las) *AL*	84	S 23
Junzano *HU*	21	F 29
Jurado *CO*	81	R 16
Jurados (Los) *SE*	92	U 12
Juseu *HU*	22	F 31
Juslibol *Z*	35	G 27
Justel *ZA*	15	F 11
Justo (San) *LO*	19	F 23
Juviles *GR*	102	V 20
Juzbado *SA*	43	I 12
Júzcar *MA*	100	W 14

K

Kanala *BI*	9	B 21
Kanpazar (Puerto de) *PV*	10	C 22
Kortezubi *BI*	9	B 22
Kripan *VI*	19	E 22

L

Labacengos *C*	3	B 6
Labacolla *C*	3	D 4
Labajos *SG*	45	J 16
Labarces *S*	7	C 16
Labastida *VI*	19	E 21
Labata *HU*	21	F 29
Labor de Acequión *AB*	72	O 23
Laborcillas *GR*	95	T 20
Labores (Las) *CR*	70	O 19
Labra *O*	6	B 14
Labrada *cerca de Abadín LU*	4	B 7
Labrada *cerca de Germade LU*	3	C 6
Labraza *VI*	19	E 22
Labros *GU*	48	I 24
Labuerda *HU*	22	E 30
Lacabe *NA*	11	D 25
Lácara *BA*	67	P 10
Lacervilla *VI*	19	D 21
Láchar *GR*	94	U 18
Lacorvilla *Z*	21	F 27
Lada *O*	5	C 12
Laderas del Campillo *MU*	85	R 26
Ladines *O*	6	C 13
Ladrillar *CC*	43	K 11
Ladronera *CO*	81	R 16
Ladrones *MU*	73	P 25
Ladrones (Punta) *MA*	100	W 15
Ladruñán *TE*	49	J 28
Lafortunada *HU*	22	E 30
Lafuente *S*	7	C 16
Lagar *O*	4	B 9
Lagar de San Antonio *CO*	93	T 15
Lagarejos *ZA*	29	F 10
Lagarín *CA*	92	V 14
Lagartera *TO*	57	M 14
Lagartos *P*	16	E 15
Lagata *Z*	35	I 27
Lago *O*	4	C 9
Lago *LU*	4	A 7
Lago Menor *PM*	105	M 39
Lagoa (A) *PO*	12	E 4
Lagos *MA*	101	V 17
Lagran *VI*	19	E 22
Laguarta *HU*	21	E 29
Lagueruela *TE*	48	I 26
Laguna (La) *CR*	70	P 18

Laguna (La) *GR*	93	U 17
Laguna (La) *La Palma TF*	132	C 5
Laguna (La) *Tenerife TF*	125	I 2
Laguna Chica *TO*	59	N 20
Laguna Dalga *LE*	15	F 12
Laguna de Cameros *LO*	19	F 22
Laguna de Contreras *SG*	31	H 17
Laguna de Duero *VA*	30	H 15
Laguna de Negrillos *LE*	16	F 13
Laguna de Somoza *LE*	15	E 11
Laguna del Marquesado *CU*	60	L 24
Laguna Grande *CU*	71	N 21
Laguna Negra de Neila *BU*	32	F 20
Laguna Negra de Urbión *SG*	33	F 21
Laguna Rodrigo *SG*	45	J 16
Lagunarrota *HU*	36	G 29
Lagunas de Ruidera (Parque natural) *CR*	71	P 21
Lagunaseca *CU*	47	K 23
Lagunazo *H*	78	T 8
Lagunazo (Embalse de) *H*	78	T 8
Lagunilla *SA*	43	L 12
Lagunilla (La) *CR*	69	O 16
Lagunilla del Jubera *LO*	19	E 23
Lagunillas (Las) *CO*	93	T 17
Lahiguera *J*	82	S 18
Laida *BI*	9	B 21
Laíño *C*	12	D 3
Laiosa *LU*	14	E 7
Lajares *Fuerteventura GC*	111	H 1
Lajita (La) *Fuerteventura GC*	113	F 4
Lakuntza *NA*	19	D 23
Lalastra *VI*	18	D 20
Lalín *PO*	13	E 5
Laluenga *HU*	22	F 29
Lalueza *HU*	35	G 29
Lama *PO*	13	E 4
Lamalonga *OR*	14	F 9
Lamas *LU*	3	C 6
Lamas *LU*	13	E 6
Lamas cerca de San Sadurniño *C*	3	B 5
Lamas cerca de Zás *C*	2	C 3
Lamas (As) *OR*	13	F 9
Lamas (Las) *LE*	14	D 9

LEÓN

Alcalde Miguel Castaño	B	2
Almirante Martín-Granizo (Av. del)	A	3
Ancha	A	5
Arquitecto Ramón Cañas del Río	B	4
Caño Badillo	B	8
Cruz Roja de León	A	9
Espolón (Pl. del)	B	12
Facultad (Av. de la)	A	15

González de Lama	B	18
Guzmán el Bueno (Glorieta de)	A	23
Independencia (Av. de)	B	25
Inmaculada (Pl. de)	A	5
Jorge de Montemayor	B	26
Mariano Andrés (Av. de)	B	28
Murias de Paredes	B	30
Ordoño II	A	
Padre Isla (Av. del)	AB	
Palomera	B	31
Papalaguinda (Pas. de)	A	33

Quevedo (Av. de)	A	40
Ramiro Valbuena	A	45
Rúa	B	
Sáez de Miera (Pas. de)	A	47
Santo Domingo (Pl. del)	B	58
Santo Martino (Pl. del)	B	61
San Francisco (Pas. de)	B	48
San Isidoro (Pl. de)	B	50
San Marcelo (Pl. de)	B	52
San Marcos (Pl. de)	B	55
San Pedro	B	38

A
B
C
D
E
F
G
H
I
J
K
L
M
N
O
P
Q
R
S
T
U
V
W
X
Y
Z

LLEIDA

Almadi Vell	Z 3
Bisbe Messeguer	YZ 5
Canyeret	YZ 7
Cardenal Cisneros	Z 8
Carme	Y 9
Catedral (Pl. de la)	Z 10
Comtes d'Urgell	Y 12
Exèrcit (Av. de l')	Z 14
Exèrcit (Pl. de l')	Z 15
Francesc Macià	Y 16
Gov. Montcada	Z 18
Magdalena	Y 24
Major	Z
Missions (Pl. de les)	Y 26
Mossèn Jacint Verdaguer (Pl. del)	Y 27
Paeria (Pl. de la)	Z 29
Pallars	Y 30
Pi i Margall	Y 31
Ramon Berenguer IV (Pl. de)	Y 32
República del Paraguai	Y 33
Ricard Vinyes (Pl. de)	Y 34
Sal (Pl. de la)	Y 36
Sant Andreu	YZ 38
Sant Antoni	Z
Sant Crist	Z 39
Sant Joan	Y 41
Sant Joan (Pl. de)	YZ 42
Sant Josep (Pl. de)	Z 43
Sant Llorenç (Pl. de)	Z 45
Sant Martí (Ronda)	Y 46
Saragossa	YZ 49
Vallcalent	Y 55

Lamas de Moreira LU	4	C 8		
Lamata HU	22	F 30		
Laminoria (Cantera de) VI	19	D 22		
Lamosa PO	13	F 4		
Lanaja HU	35	G 29		
Lanave HU	21	E 28		
Láncara LU	14	D 7		
Lancha (La) J	82	R 18		
Lancha (Puerto de la) AV	45	K 16		
Lanchar MU	84	R 23		
Lanchares S	7	C 18		
Lanciego VI	19	E 22		
Landete CU	61	M 25		
Landrove LU	4	B 7		
Lanestosa BI	8	C 19		
Langa AV	44	I 15		
Langa (La) CU	59	L 22		
Langa de Duero SO	32	H 19		
Langa del Castillo Z	34	I 25		
Langayo VA	31	H 17		
Langosto SO	33	G 22		
Langre LE	15	D 10		
Langreo O	6	C 13		
Languilla SG	32	H 19		
Lanjarón GR	101	V 19		
Lanseros ZA	29	F 10		
Lantadilla P	17	E 17		
Lantaño PO	12	E 3		
Lantarón VI	18	D 20		
Lantéira GR	95	U 20		
Lantejuela SE	92	T 14		
Lantz NA	11	D 25		
Lanuza (Embalse de) HU	21	D 29		
Lanza Z	3	C 5		
Lanzahíta AV	57	L 15		
Lanzas Agudas BI	8	C 19		
Lanzós LU	3	B 7		
Lanzuela TE	48	I 26		
Laño BU	19	E 22		
Lapa (La) SE	91	T 11		
Lapa (La) BA	79	Q 10		
Lapa (Sierra de la) BA	68	P 12		
Lapela PO	13	F 5		
Laperdiguera HU	36	G 29		
Lapoblación NA	19	E 22		
Lapones CC	54	N 8		
Lapuebla de Labarca VI	19	E 22		
Lara BU	18	F 19		
Lara CR	70	O 18		
Laracha (A) C	2	C 4		
Laranueva GU	47	J 22		
Laraxe C	3	B 5		
Lardero LO	19	E 22		
Laredo S	8	B 19		
Larga (Laguna) TO	59	N 20		
Larga (Sierra) AL	84	S 23		
Largas TO	58	N 19		
Largo (El) AL	96	T 24		
Lariño C	11	D 2		
Lario LE	6	C 14		
Laro PO	13	E 5		
Laroá OR	27	F 6		
Laroles GR	95	U 20		
Larón O	5	D 10		
Larouco OR	14	E 8		
Laroya AL	96	U 23		
Larrabasterra BI	8	B 21		
Larrabetzu BI	9	C 21		
Larraga NA	20	E 24		
Larraintzar NA	11	D 24		
Larraitz (Ermita de) SS	10	C 23		
Larraona NA	19	D 23		
Larrau (Puerto de) NA	11	D 27		
Larraul SS	10	C 23		
Larraun NA	10	D 24		
Larráun NA	19	D 24		
Lárrede HU	21	E 29		
Larreineta BI	8	C 20		
Larrés HU	21	E 28		
Larriba LO	19	F 22		
Larrión NA	19	D 23		
Larrodrigo SA	44	J 13		
Larruskain BI	10	C 22		
Larués HU	21	E 27		
Larva J	83	S 20		
Larva (Estacíon de) J	83	S 20		
Larxentes LU	4	D 9		
Lasao SS	10	C 23		
Lasaosa HU	21	E 29		
Lasarte-Oria SS	10	C 23		
Lascasas HU	21	F 28		
Lascellas HU	21	F 29		
Lascuarre HU	22	F 31		
Lasieso HU	21	E 28		
Laspaúles HU	22	E 31		
Laspuña HU	22	E 30		
Laspuña (Embalse de) HU	22	E 30		
Lastanosa HU	35	G 29		
Lastra (A) LU	4	C 8		
Lastra (La) S	7	C 16		
Lastra (La) P	17	D 16		
Lastra del Cano (La) AV	44	K 13		
Lastras S	8	C 19		
Lastras de Cuéllar SG	31	I 17		
Lastras de la Torre BU	18	C 20		
Lastras de las Eras BU	8	C 19		
Lastras del Pozo SG	45	J 16		
Lastres O	6	B 14		
Lastrilla (La) SG	45	J 17		
Latasa cerca de Lekunberri NA	10	D 24		
Latasa cerca de Lizaso NA	11	D 25		
Latedo ZA	29	G 10		
Latorrecilla HU	22	E 30		
Latre HU	21	E 28		
Laudio / Llodio VI	8	C 21		
Laujar de Andarax AL	102	V 21		
Laukiz BI	8	B 21		
Letur AB	84	Q 23		
Lavaderos TE	49	J 27		
Lavadores PO	12	F 3		
Lavandeira C	3	B 5		
Lavern B	38	H 35		
Lavid de Ojeda P	17	E 16		
Lavio O	5	B 10		
Laxe C	2	C 2		
Laxe LU	13	E 6		
Laxosa LU	4	D 7		
Layana Z	20	F 26		
Layna SO	47	I 23		
Layón AL	95	U 22		
Layos TO	58	M 17		
Laza OR	14	F 7		
Lazagurría NA	19	E 23		
Lázaro CU	60	M 24		
Lazkao SS	10	C 23		
Lea LU	4	C 7		
Leache NA	20	E 26		
Lebanza P	17	D 16		
Lebeña S	7	C 16		
Leboreiro C	13	D 6		
Leboreiro OR	14	F 7		
Lebozán PO	13	E 5		
Lebozán OR	13	E 5		
Lebrancón GU	47	J 23		
Lebredo O	4	B 9		
Lebrija SE	91	V 11		
Lécera Z	35	I 27		
Leces O	6	B 14		
Lechago TE	48	J 26		
Lechina AB	72	O 22		
Lechón Z	48	I 26		
Lechugales (Morra de) ESP	7	C 15		
Lecina HU	22	F 30		
Leciñena Z	35	G 28		
Lecrín GR	101	V 19		
Lecrín (Valle de) GR	101	V 19		
Ledanca GU	47	J 21		
Ledaña CU	72	N 24		
Ledesma SA	43	I 11		
Ledesma de la Cogolla LO	19	F 21		
Ledesma de Soria SO	33	H 23		
Ledigos P	16	E 15		
Ledrada SA	43	K 12		
Leganés M	46	L 18		
Leganiel CU	59	L 21		
Legarda NA	10	D 24		
Legazpi SS	10	C 22		
Legorreta SS	10	C 23		
Leguarda VI	19	D 22		
Leiloio C	2	C 3		
Leintz-Gatzaga SS	19	D 22		
Leioa BI	8	B 20		
Leioa BI	8	B 21		
Leioa BI	8	C 21		
Leira C	3	C 4		
Leirado PO	13	F 4		
Leiro C	3	B 5		
Leiro OR	13	E 5		
Leis C	2	C 2		
Leitariegos O	5	D 10		
Leitariegos (Puerto de) LE	5	D 10		
Leitza NA	10	C 24		
Leiva LO	18	E 20		
Lekeitio BI	9	B 22		
Lekunberri NA	10	C 24		
Lemoa BI	9	C 21		
Lemoiz BI	8	B 21		
Lences BU	18	E 19		
Lendínez J	82	S 17		
Lentejí GR	101	V 18		
Lentellais OR	14	F 8		
Lentiscal (El) CA	99	X 12		
León LE	16	E 13		
León (Isla de) CA	98	W 11		
León (Montes de) LE	15	E 10		
León (Puerto del) MA	100	V 16		
Leones (Los) CO	93	T 16		
Leoz NA	20	E 25		
Lepe H	90	U 8		
Leranotz NA	11	D 25		
Lérez PO	12	E 4		
Lerga NA	20	E 25		
Lerín NA	19	E 24		
Lerma BU	32	F 18		
Lermilla BU	18	E 19		
Lerones S	7	C 16		
Les L	22	D 32		
Lesaka NA	11	C 24		
Lesón C	12	E 3		
Letreros (Cuevas de los) AL	84	S 23		
Letur AB	84	Q 23		
Letux Z	35	I 27		
Levante (Peñas de) CC	55	L 10		
Levinco O	6	C 13		
Leyre (Monasterio de) NA	20	E 26		
Leza VI	19	E 22		
Leza de Río Leza LO	19	F 22		
Lezama BI	9	C 21		
Lezama VI	8	C 21		
Lezáun NA	10	D 24		
Lezo SS	10	C 24		
Lezuza AB	72	P 22		
Liandres S	7	B 17		
Libardón O	6	B 14		
Liber LU	14	D 8		
Librán LE	15	D 10		
Librilla MU	85	S 25		
Libros TE	61	L 26		
Liceras SO	32	H 20		
Lidón TE	48	J 26		
Liebres BA	67	O 9		
Liédana NA	20	E 26		
Liegos LE	6	C 14		
Liencres S	7	B 18		
Liendo S	8	B 19		
Lieres O	6	B 13		
Liérganes S	8	B 18		
Lierta HU	21	F 28		
Liesa HU	21	F 29		
Liétor AB	72	Q 24		
Ligos SO	32	H 20		
Ligüerre de Ara HU	21	E 29		
Ligüerzana P	17	D 16		
Lijar AL	96	U 23		
Lillo TO	59	M 20		
Lillo del Bierzo LE	15	D 10		

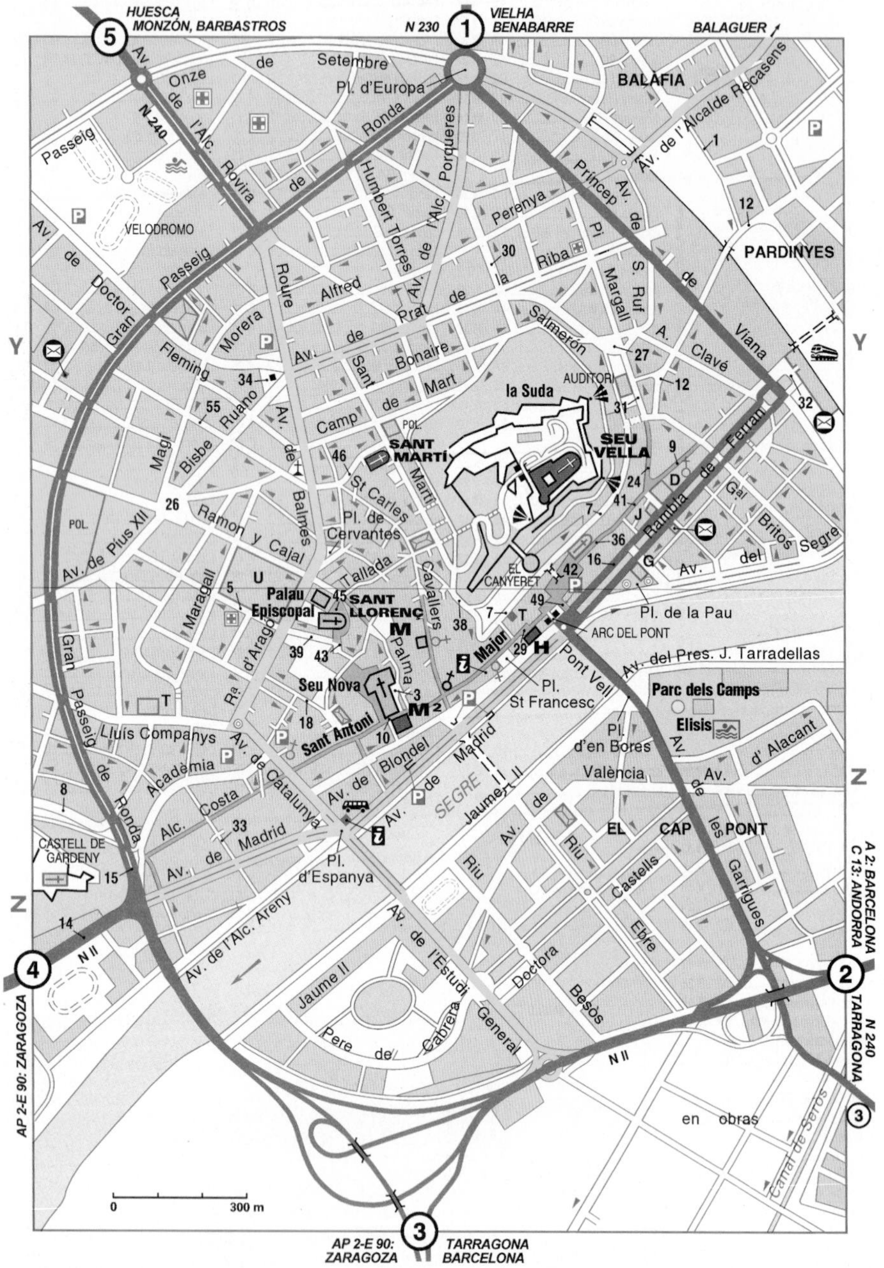

LOGROÑO

Alférez Provisional (Pl. del) .... **A** 2
Autonomía de la Rioja (Av. de la) **B** 3
Bretón de los Herreros .... **A** 4
Capitán Gaona .... **B** 5
Carmen (Muro del) .... **B** 6
Cervantes (Muro de) .... **B** 7
Daniel Trevijano .... **A** 9
Doce Ligero de Artillería (Av. del) **B** 12
Duquesa de la Victoria .... **B** 13

España (Av. de) .... **B** 14
Fausto Elhuyar .... **A** 15
Francisco de la Mata
  (Muro) .... **B** 16
Ingenieros Pino y Amorena .... **B** 19
Juan XXIII (Av. de) .... **B** 22
Marqués de Murrieta .... **A** 23
Marqués de San Nicolás ...... **AB** 25
Mercado (Pl. del) .... **B** 26
Miguel Villanueva .... **AB** 27
Navarra (Av. de) .... **B** 28
Navarra (Carret. de) .... **B** 29

Once de Junio .... **A** 30
Pío XII (Av. de) .... **B** 31
Portales .... **B** 32
Portugal (Av. de) .... **A** 33
Rioja (Av. de la) .... **B** 34
Rodríguez
  Paterna .... **B** 35
Sagasta .... **A** 36
Teniente Coronel Santos
  Ascarza .... **B** 40
Tricio .... **B** 41
Viana (Av. de) .... **B** 42

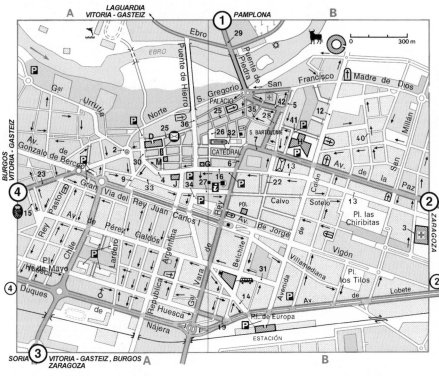

Limaria *AL* .... 96 T 23
Limia (Río) *OR* .... 13 F 6
Limodre *C* .... 3 B 5
Limones *GR* .... 94 T 18
Limonetes
  de Villalobos (Los) *BA* .. 67 P 9
Limpias *S* .... 8 B 19
Linarejos *ZA* .... 29 G 10
Linarejos *J* .... 82 R 19
Linares *S* .... 7 C 16
Linares *J* .... 82 R 19
Linares cerca de Cangas
  de Narcea *O* .... 5 C 10
Linares cerca de Salas *O* ... 5 B 11
Linares (Puerto de) *TE* ..... 49 L 28
Linares de la Sierra *H* ..... 79 S 10
Linares de Mora *TE* .... 49 L 28
Linares de Riofrío *SA* ...... 43 K 12
Linares del Arroyo
  (Embalse de) *SG* .... 32 H 19
Linás de Broto *HU* .... 21 E 29
Linás de Marcuello *HU* ..... 21 F 27
Linde (La) *O* .... 5 C 10
Lindín *LU* .... 4 B 8
Línea
  de la Concepción (La) *CA* 99 X 13
Lintzoain *NA* .... 11 D 25
Linyola *L* .... 37 G 32
Liñaio *O* .... 2 C 12
Liñares *LU* .... 14 D 8
Liñares
  cerca de Bearíz *OR* ...... 13 E 5
Liñares
  cerca de Orense *OR* ...... 13 E 6
Lira *C* .... 12 D 2
Lires *C* .... 2 D 2
Liri *HU* .... 22 E 31
Liria / Llíria *V* .... 62 N 28
Litago *Z* .... 34 G 24
Litera *HU* .... 22 F 31
Litos *ZA* .... 29 G 11
Lituelo *TE* .... 48 J 26
Lituénigo *Z* .... 34 G 24
Lizarra / Estella *NA* .... 19 D 23

Lizarraga cerca
  de Echarri Aranaz *NA* .... 19 D 23
Lizarraga
  cerca de Urroz *NA* .... 11 D 25
Lizarraga
  (Puerto de) *NA* .... 19 D 23
Lizarrieta *NA* .... 11 C 25
Lizarrusti
  (Puerto de) *NA* .... 19 D 23
Lizartza *SS* .... 10 C 23
Lizaso *NA* .... 11 D 24
Lizóain *NA* .... 11 D 25
Llabería *T* .... 51 I 32
Llacuna (La) *B* .... 37 H 34
Lladó *GI* .... 25 F 38
Lladorre *L* .... 23 E 33
Lladrós *L* .... 23 E 33
Lladurs *L* .... 37 F 34
Llafranc *GI* .... 25 G 39
Llagosta (La) *B* .... 38 H 36
Llagostera *GI* .... 25 G 38
Llagunes *L* .... 23 E 33
Llamas *O* .... 6 C 13
Llamas de Cabrera *LE* ..... 14 E 10
Llamas de la Ribera *LE* ..... 16 E 12
Llamas de Rueda *LE* .... 16 E 14
Llamas del Mouro *O* .... 5 C 10
Llambilles *GI* .... 25 G 38
Llamo *O* .... 6 B 15
Llanaves
  de la Reina *LE* .... 6 C 15
Llançà *GI* .... 25 E 39
Llanelo *O* .... 14 D 9
Llanera de Ranes *V* .... 74 O 28
Llanes *O* .... 6 B 15
Llanillo *BU* .... 17 D 17

Llano *S* .... 17 D 18
Llano (El) *O* .... 4 B 8
Llano (Puerto) *CC* .... 68 N 14
Llano (Puerto) *BA* .... 67 Q 11
Llano de Brujas *MU* .... 85 R 26
Llano de Bureba *BU* .... 18 E 19
Llano de la Torre *AB* .... 84 Q 23
Llano de Olmedo *VA* .... 31 I 16

Llano del Beal *MU* .... 85 T 27
Llano Don Antonio *AL* ...... 103 V 24
Llano Negro *La Palma TF* 130 B 3
Llanos (Los) *AB* .... 72 P 24
Llanos
  de Antequera (Los) *MA* 93 U 16
Llanos de Aridane
  (Los) *La Palma TF* .... 132 C 5

Llanos de Arriba (Los) *J* 83 Q 21
Llanos de Don Juan *CO* .. 93 T 16
Llanos de la Concepción
  Fuerteventura GC ...... 111 G 3
Llanos
  de Tormes (Los) *AV* .. 44 L 13
Llanos del Caudillo *CR* .. 71 O 19
Llanos del Valle *CA* ..... 99 W 12
Llanteno *VI* .... 8 C 20
Llanuces *O* .... 5 C 12
Llardecans *S* .... 36 H 31
Llares (Los) *S* .... 7 C 17
Llauri *V* .... 74 O 29
Llavorsí *L* .... 23 E 33
Lledó *TE* .... 50 J 30
Lleida *L* .... 36 H 31
Llén *SA* .... 43 J 12
Llena (Pic de) *L* .... 23 E 32
Llera *BA* .... 79 Q 11
Llerana *S* .... 7 C 18
Llerandi *O* .... 6 C 14
Llerena *BA* .... 79 R 11
Llers *GI* .... 25 F 38
Llert *HU* .... 22 E 31
Lles de Cerdanya *L* .... 23 E 35
Llesp *L* .... 22 E 32
Llessui *L* .... 23 E 33
Llessui (Vall de) *L* .... 23 E 33
Líber *A* .... 74 P 30
Lliçà d'Amunt *B* .... 38 H 36
Llimiania *L* .... 37 F 32
Llinars *L* .... 23 F 34
Llinars
  de l'Aigua d'Ora *B* .. 23 F 35
Llinars del Vallès *B* ... 38 H 37
Llíria / Liria *V* .... 62 N 28
Llívia *GI* .... 24 E 35
Lloà *T* .... 36 I 32
Llobera cerca
  de Organyà *L* .... 23 F 34
Llobera cerca
  de Solsona *L* .... 37 G 34
Llobregat (El)(Riu) *B* .. 24 F 35
Llocnou
  de Sant Jeroni *V* .... 74 P 29
Llocnou d'en Fenollet *V* 74 O 28
Llodio / Laudio *O* ...... 8 C 21
Lloma (La)
  cerca de Marines *V* .. 62 M 28
Lloma (La)
  cerca de Nàquera *V* .. 62 N 28
Llombai *V* .... 74 O 28
Llombarts (es) *PM* .... 105 N 39
Llombera *LE* .... 16 D 13
Llonín *O* .... 7 B 16
Llor (El) *L* .... 37 G 33
Llorac *T* .... 37 H 33
Lloreda *S* .... 7 C 18
Llorenç de Vallbona *L* 37 H 33
Llorenç del Penedès *T* 37 I 34
Llorengoz *BU* .... 18 D 20

Lloret de Mar *GI* .... 39 G 38
Lloret
  de Vistalegre *PM* .... 104 N 38
Llosa (La) *CS* .... 62 M 29
Llosa de Camacho *A* ... 74 P 29
Llosa de Ranes (La) *V* .. 74 O 28
Llosses (Les) *GI* ...... 24 F 36
Llovio *O* .... 6 B 14
Llubí *PM* .... 105 M 39
Lluça *B* .... 24 F 36
Lluçars *L* .... 37 G 33
Llucena *CS* .... 62 L 29
Llucmajor *PM* .... 104 N 38
Llumes *Z* .... 48 I 24
Llusias (Monte) *S* .... 8 C 19
Llutxent *V* .... 74 P 28
Lo Ferro *MU* .... 85 S 27
Loarre *HU* .... 21 F 28
Loarre (Castillo de) *HU* 21 F 28
Loba (Puerto de la) *BA* 79 R 10
Loba (Sierra de la) *LU* 3 C 6
Lobatejo *CO* .... 93 T 17
Lobeira *OR* .... 27 G 5
Lobeira (Mirador de) *PO* 12 E 3
Lobera de Onsella *Z* .. 20 E 26
Loberuela (La) *V* ..... 61 M 25
Lobillo (El) *CR* .... 71 P 20
Lobo (Pico del) *GU* .. 46 I 19
Lobo (Pilón del) *CR* .. 69 P 15
Lobo (Puerto) *GR* .... 94 U 19
Lobón *BA* .... 67 P 10
Lobos *GR* .... 83 S 22
Lobos (Isla de los)
  Fuerteventura GC .... 111 J 1
Lobos (Los) *AL* ...... 96 U 24
Lobosillo *MU* .... 85 S 26
Lobras *GR* .... 102 V 20
Lobres *GR* .... 101 V 19
Lodares cerca de El Burgo
  de Osma *SO* .... 32 H 20
Lodares
  cerca de Medinaceli *SO* 47 I 22
Lodares del Monte *SO* 33 H 22
Lodosa *NA* .... 19 E 23
Lodoso *BU* .... 17 E 18
Loeches *M* .... 48 K 19
Logroño *LO* .... 19 E 22
Logrosán *CC* .... 68 N 13
Loiba *O* .... 3 A 6
Loiloi *GR* .... 94 U 17
Loiti (Puerto) *NA* .... 20 E 25
Loiu *BI* .... 8 C 21
Loja *GR* .... 94 U 17
Lojilla *GR* .... 94 T 17
Loma (La) *GU* .... 47 J 23
Loma (La) *GR* .... 94 U 18
Loma Badada *A* ...... 85 Q 27
Loma de Piqueras *AB* 72 Q 22

LUGO

Ánxel López Pérez (Av.) ... **Z** 2
Bispo Aguirre .... **Z** 3
Bolaño Rivadeneira .... **Y** 5
Campo (Pr. do) .... **Z** 8
Comandante Manso (Pr.) **Z** 12
Conde Pallarés .... **Z** 15
Coruña (Av. da) .... **Y** 21
Cruz .... **Z** 23
Dezaoito de Xullo (Av. do) **Y** 24
Doctor Castro .... **Z** 27
Marior (Pr.) .... **Z** 30
Montero Ríos (Av.) .... **Z** 37
Paxariños .... **Z** 39
Pío XII (Pr. de) .... **Z** 43
Progreso .... **Y** 47
Quiroga Ballesteros .... **Y** 50
Raíña .... **Y** 53
Ramón Ferreiro .... **Z** 56
Rodríguez Mourelo (Av.) **Z** 62
Santa María (Pr. de) ... **Z** 74
Santo Domingo (Pr. de) **YZ** 77
San Fernando .... **Y** 65
San Marcos .... **Y** 68
San Pedro .... **Z** 71
Teatro .... **Y** 78
Teniente Coronel
  Teijeiro .... **YZ** 79
Tinería .... **Z** 80
Vilalba .... **Z** 83

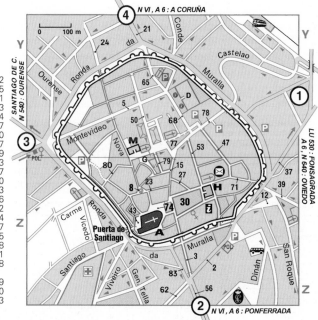

A B C D E F G H I J K L M N O P Q R S T U V W X Y Z

MADRID

Andalucía (Av. de) .... BM 12
Andes (Av. de los) .... CL 13
Atocha (R. de) .... BM 22
Ciudad de Barcelona
  (Av. de la) .... BM 46
Complutense (Av.) .... AL 51
Delicias (Pas. de las) ...... BM 66
Estación de Hortaleza
  (Carret. a la) .... CL 89
Florida (Pas. de la) .... BL 100
General Ricardos .... BM 110
Ginzo de Limia .... BL 113
Infanta Isabel (Pas. de la) . BM 119
Isla de Oza .... BL 120
Manzanares (Av. del) .... BM 142
Mar de Cristal (Glta del) ... CL 144
Miraflores (Av. de) .... AL 161
Monforte de Lemos (Av. de) . BL 165
Raimundo Fernández
  Villaverde .... BT 195
Reina Cristina (Pas. de la) . BM 198
Reina Victoria (Av. de la) .. BL 200
Reyes Católicos (Av. de los) BL 204
Ribera del Sena .... CL 205
Santa María de la Cabeza
  (Pas. de) .... BM 229
San Francisco de Sales
  (Pas. de) .... BL 216
San Luis (Av. de) .... CL 223
Toledo (Ronda de) .... BM 235
Valdetorres de Jarama ...... CL 241
Valladolid (Av. de) .... AL 244
Veinticinco de Septiembre
  (Av. del) .... CL 247

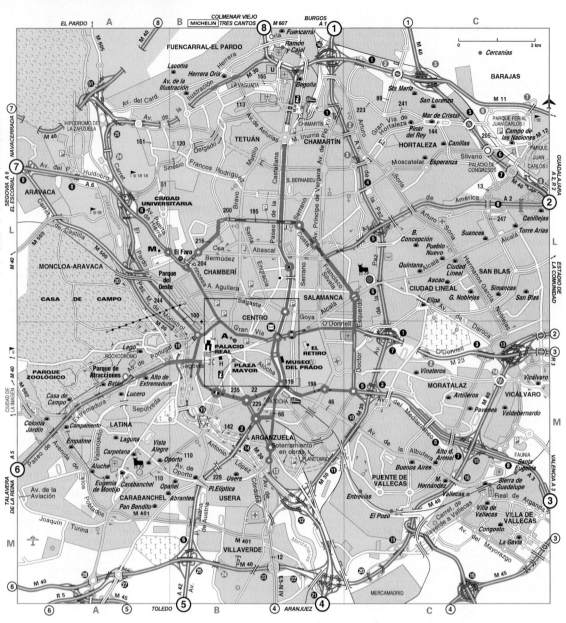

Loma del Ucieza *P* .... 17 E 16
Loma Gerica *J* .... 83 R 22
Loma Gorda *TE* .... 61 L 26
Loma Pelada
  (Punta de) *AL* .... 103 V 23
Lomana *BU* .... 18 D 20
Lomas *P* .... 17 F 16
Lomas (Las) *MU* .... 85 S 26
Lomas (Las) *CA* .... 99 X 12
Lomas (Las) *MA* .... 100 W 15
Lomas (Las) *M* .... 45 K 18
Lomas (Las) *Z* .... 35 G 27
Lomba (La) *L* .... 7 C 17
Lomeña *S* .... 7 C 16
Lomero *H* .... 78 S 9
Lominchar *TO* .... 58 L 18
Lomo
  de Mena *Tenerife TF* .... 127 G 3
Lomoviejo *VA* .... 44 I 15
Longares *Z* .... 34 H 26
Longás *Z* .... 21 E 27
Loña del Monte *OR* .... 13 E 6
Lope Amargo *CO* .... 81 S 16
Lopera *J* .... 81 S 17
Lopera *GR* .... 95 U 20
Loporzano *HU* .... 21 F 29
Lor *LU* .... 14 E 7
Lora *CA* .... 92 V 14
Lora de Estepa *SE* .... 93 U 15
Lora del Río *SE* .... 80 T 13
Loranca de Tajuña *GU* ...... 46 K 20

Loranca del Campo *CU* ...... 59 L 21
Loranquillo *BU* .... 18 E 20
Lorbé *C* .... 3 B 5
Lorca *MU* .... 84 S 24
Loredo *S* .... 8 B 18
Lorenzana *LE* .... 16 D 13
Lorenzana *LU* .... 4 B 8
Loureza *PO* .... 12 G 3
Loreto *GR* .... 94 U 18
Loriguilla *V* .... 62 N 28
Loriguilla (Ruinas
  del pueblo de) *V* .... 61 M 27
Lorilla *BU* .... 17 D 18
Lorquí *MU* .... 85 R 26
Losa *AB* .... 72 Q 24
Losa (La) *SG* .... 45 J 17
Losa (La) *GR* .... 83 S 22
Losa del Obispo *V* .... 61 M 27
Losacino *ZA* .... 29 G 11
Losacio *ZA* .... 29 G 11
Losadilla *LE* .... 14 F 10
Losana del Pirón *SG* .... 45 I 17
Losar (El) *AV* .... 44 K 13
Losar de la Vera *CC* .... 56 L 13
Losares *CU* .... 60 L 23
Loscorrales *HU* .... 21 F 28
Loscos *TE* .... 48 I 26
Losilla *ZA* .... 29 G 12
Losilla (La) *SO* .... 33 G 23
Losilla (La) *AB* .... 72 P 24
Losilla de Aras *V* .... 61 M 26

Lougares *PO* .... 13 F 4
Loureda *C* .... 13 D 4
Loureiro *LU* .... 14 D 7
Loureiro *PO* .... 13 E 4
Lourenza *LU* .... 4 B 8
Lourenzá *PO* .... 12 G 3
Louro *C* .... 12 D 2
Louro (Punta) *C* .... 12 D 2
Lousada *LU* .... 13 D 7
Lousadela *LU* .... 13 D 6
Lousame Portobravo *C* ...... 12 D 3
Lousame Portobravo *C* ...... 12 D 3
Louseiro *LU* .... 14 D 8
Loza *VI* .... 19 E 21
Lozoya *M* .... 45 J 18
Lozoyuela *M* .... 46 J 19

Lucena *OR* .... 27 G 7
Luces *O* .... 6 B 14
Luchena *MU* .... 84 S 24
Luciana *CR* .... 70 P 17
Lucillo *LE* .... 15 E 11
Lucillos *TO* .... 57 M 16
Luco de Bordón *TE* .... 49 J 29
Luco de Jiloca *TE* .... 48 J 26
Ludiente *CS* .... 62 L 28
Ludrio *LU* .... 4 C 7
Lueje *O* .... 6 C 15
Luelmo *ZA* .... 29 H 11
Luesia *Z* .... 21 E 26
Luesma *Z* .... 48 I 26
Luey *LE* .... 16 D 13
Lugar Nuevo
  (Coto nacional de) *J* ..... 82 R 17
Lugar Nuevo (El) *J* .... 82 R 17
Lugareja
  (Ermita La) *AV* .... 44 I 15
Lugo *LU* .... 4 C 7
Lugo de Llanera *O* .... 5 B 12
Lugones *O* .... 5 B 12
Lugros *GR* .... 95 U 20
Lugueros *LE* .... 16 D 13

Lújar *GR* .... 102 V 19
Lumajo *LE* .... 5 D 11
Lumbier *NA* .... 20 E 26
Lumbier (Hoz de) *NA* .... 20 E 26
Lumbrales *SA* .... 42 J 9
Lumbreras *LO* .... 33 F 22
Lumias *SO* .... 32 H 21
Lumpiaque *Z* .... 34 H 26
Lupiana *GU* .... 46 K 20
Lupiñén *HU* .... 21 F 28
Lupiñén-Ortilla *HU* .... 21 F 28
Lupión *J* .... 82 S 19
Luque *CO* .... 93 T 17
Luquiano *VI* .... 18 D 21
Luquin *NA* .... 19 E 23
Lurda *SA* .... 44 J 13
Luriana *BA* .... 67 O 10
Lusio *LE* .... 14 E 9
Luso *GR* .... 95 U 20
Luyando *VI* .... 8 C 21
Luyego *LE* .... 15 E 11
Luz *BA* .... 66 Q 8
Luz (La) *VA* .... 31 H 15
Luzaga *GU* .... 47 J 22
Luzaide / Valcarlos *NA* ..... 11 C 26
Luzás *HU* .... 22 F 31
Luzmela *S* .... 7 C 17
Luzón *GU* .... 47 I 23

M

Mabegondo *C* .... 3 C 5
Macael *AL* .... 96 U 23
Macalón *AB* .... 84 Q 23
Maçanet de Cabrenys *GI* ..... 24 E 38
Maçanet de la Selva *GI* ..... 39 G 38
Macarra *CC* .... 56 M 12
Macastre *V* .... 73 N 27
Maceda cerca
  de Corgo *LU* .... 14 D 7
Maceda cerca
  de Orense *OR* .... 13 F 7
Maceda cerca de Palas
  de Rei *LU* .... 13 D 6
Maceira *PO* .... 13 F 4
Macetua
  (Estación de la) *MU* ..... 85 R 25
Machacón *SA* .... 44 J 13
Machal (El) *BA* .... 67 O 10
Macharaviaya *MA* .... 101 V 17
Mácher *Lanzarote GC* ...... 122 C 4
Machero *CR* .... 70 N 17
Machimala *HU* .... 22 D 31
Macisvenda *MU* .... 85 R 26
Macotera *SA* .... 44 J 14
Madarcos *M* .... 46 I 19
Madariaga *SS* .... 10 C 22
Madera *J* .... 83 R 22
Maderal (El) *ZA* .... 29 I 13
Madero (Puerto del) *SO* ..... 33 G 23

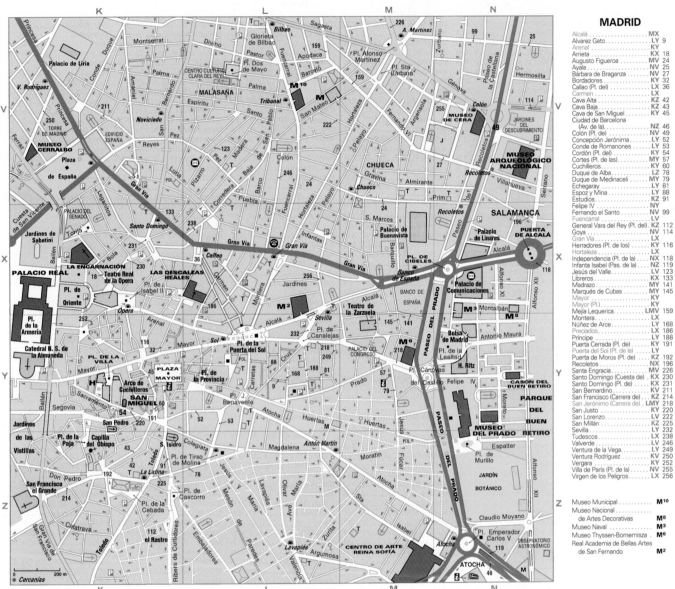

MADRID

Alcalá . . . . MX
Alvarez Gato. . . . . LY 9
Arenal . . . . KY
Arrieta . . . . KX 18
Augusto Figueroa . . . . MV 24
Ayala . . . . NV 25
Bárbara de Braganza . . . . . NV 27
Bordadores . . . . KY 32
Callao (Pl. del) . . . . LX 36
Carmen . . . . LY
Cava Alta . . . . KZ 42
Cava Baja . . . . KZ 43
Cava de San Miguel . . . . . . KY 45
Ciudad de Barcelona
  (Av. de la) . . . . NZ 46
Colón (Pl. de) . . . . NV 49
Concepción Jerónima . . . . . LY 52
Conde de Romanones . . . . . LY 53
Cordón (Pl. del) . . . . KY 54
Cortes (Pl. de las) . . . . MY 57
Cuchilleros . . . . KY 60
Duque de Alba . . . . LZ 78
Duque de Medinaceli . . . . . MY 79
Echegaray . . . . LY 81
Espoz y Mina . . . . LY 88
Estudios . . . . KZ 91
Felipe IV . . . . NY
Fernando el Santo . . . . NV 99
Fuencarral LV
General Vara del Rey (Pl. del) KZ 112
Goya . . . . NV 114
Gran Vía LX
Herradores (Pl. de los) . . . . KY 116
Hortaleza LX
Independencia (Pl. de la) . . . NX 118
Infanta Isabel (Pas. de la) . . NZ 119
Jesús del Valle . . . . LV 123
Libreros . . . . KX 133
Madrazo . . . . MY 141
Marqués de Cubas . . . . MY 145
Mayor . . . . KY
Mayor (Pl.) . . . . KY
Mejía Lequerica . . . . LMV 159
Montera LX
Núñez de Arce . . . . LX 168
Preciados LX
Príncipe . . . . LY 188
Puerta Cerrada (Pl. de) . . . . KY 191
Puerta del Sol (Pl. de la) . . . LY
Puerta de Moros (Pl. de) . . . KZ 192
Recoletos . . . . NX 196
Santa Engracia . . . . MV 226
Santo Domingo (Cuesta de) . KX 230
Santo Domingo (Pl. de) . . . . KX 231
San Bernardino . . . . KV 211
San Francisco (Carrera de) . KZ 214
San Jerónimo (Carrera de) . . LMY 218
San Justo . . . . LV 220
San Lorenzo . . . . LV 222
San Millán . . . . KZ 225
Sevilla . . . . LY 232
Tudescos . . . . LX 238
Valverde . . . . LV 246
Ventura de la Vega . . . . LY 249
Ventura Rodríguez . . . . KV 250
Vergara . . . . KY 252
Villa de París (Pl. de la) . . . NV 255
Virgen de los Peligros . . . . LX 256

Museo Municipal M10
Museo Nacional
  de Artes Decorativas   M8
Museo Naval M3
Museo Thyssen-Bornemisza . M6
Real Academia de Bellas Artes
  de San Fernando   M2

Maderuelo *SG* . . . . 32 H 19
Madre de las Marismas
  del Rocío *H*. . . . . 91 U 10
Madremanya *GI* . . . . 25 G 38
Madrero (El) *TO* . . . . 57 N 15
Madrid *M* . . . . 46 K 19
Madridanos *ZA* . . . . 30 H 13
Madridejos *TO* . . . . 58 N 19
Madrideña (La) *CR*. . . . . . 70 P 19
Madrigal *GU* . . . . 33 I 21
Madrigal *TO* . . . . 57 M 16
Madrigal de la Vera *CC* . . 56 L 13
Madrigal de las
  Altas Torres *AV*. . . . . . 44 I 15
Madrigal del Monte *BU*. . 18 F 18
Madrigalejo *SA* . . . . 68 O 13
Madrigalejo
  del Monte *BU*. . . . . . . 18 F 18
Madriguera *SG* . . . . 32 I 20
Madrigueras *AB* . . . . 72 O 24
Madrigueras
  (Estación de) *J* . . . . . . 82 R 19
Madroa *PO* . . . . 12 F 3
Madrona *SG* . . . . 45 J 17
Madroñal *SA* . . . . 43 K 11
Madroñera *CC* . . . . 56 N 12
Madroñera *BA*. . . . . 67 Q 10
Madroñera
  (Embalse de) *CC* . . . . . 56 N 12
Madroñera (Sierra) *H* . . . 78 T 7
Madroño *AB* . . . . 73 Q 25

Madroño *MU*. . . . . 84 S 24
Madroño *MU*. . . . . 84 S 23
Madroño (El) *AB* . . . . 72 P 23
Madroño (El) *SE*. . . . . . . 79 T 10
Madroños *MU*. . . . . 84 S 23
Madruédano *SO* . . . . 32 H 20
Maella *Z*. . . . . 50 I 30
Maello *AV* . . . . 45 J 16
Maestrat (El) *CS* . . . . 49 K 29
Maestre *SE* . . . . 92 U 14
Mafet *L* . . . . 37 G 33
Magacela *BA* . . . . 68 P 12
Magallón *Z* . . . . 34 G 25
Magaluf *PM* . . . . 104 N 37
Magán *TO* . . . . 58 M 18
Magaña *SO* . . . . 33 G 23
Magaz de Abajo *LE*. . . . . 14 E 9
Magaz de Cepeda *LE* . . . 15 E 11
Magazos *AV* . . . . 44 I 15
Magazos *LU* . . . . 4 B 7
Magdalena (Ermita) *C* . . . 12 E 3
Magdalena (Ermita de la)
  cerca de Aguaviva *TE*. . 49 J 29
Magdalena (Ermita de la)
  cerca de Mora
Majada Blanca
  Fuerteventura GC. . . . . 113 H 3
Majada de la Peña *BA* . . . 66 P 14
Magdalena
  (Puerto de la) *LE* . . . . . 15 D 11
Mágina *J*. . . . . 82 S 19

Magrero *CR*. . . . . 70 P 19
Magro *GC* . . . . 121 F 3
Maguilla *BA* . . . . 80 Q 12
Maguma *BI*. . . . . 10 C 22
Mahamud *BU* . . . . 17 F 18
Maján *SO* . . . . 33 H 23
Mahide *ZA* . . . . 29 G 10
Mahón / Maó *PM*. . . . . . . 106 M 42
Mahora *AB* . . . . 72 O 24
Mahoya *MU*. . . . . 85 R 26
Maià de Montcal *GI*. . . . . 24 F 38
Maials *L*. . . . . 36 H 31
Maians *B*. . . . . 37 H 35
Maicas *TE* . . . . 49 J 27
Maigmó *A* . . . . 74 Q 28
Maillo (El) *SA* . . . . 43 K 11
Maimón *AL* . . . . 96 U 23
Mainar *Z* . . . . 48 I 26
Mainar (Puerto de) *Z* . . . 34 I 26
Maire
  de Castroponce *ZA* . . . 15 F 12
Mairena *GR*. . . . . 95 U 20
Mairena *B*. . . . . 37 H 35
Mairena del Alcor *SE*. . . . 92 T 12
Mairena del Aljarafe *SE*. . 91 T 11
Mairena *GR*. . . . . 95 U 19
Majada (La) *MU*. . . . . 85 T 25
Majada Madrid *MA* . . . . . 99 W 14
Majada Ruiz *CA* . . . . 99 V 13
Majadahonda *M*. . . . . 45 K 18

Majadas *CC*. . . . . 56 M 12
Majadas (Las) *CU* . . . . . . 60 L 23
Majaelrayo *GU* . . . . 46 I 20
Majalinos (Puerto de) *TE*. . 49 J 28
Majan *SO*. . . . . 33 H 23
Majanicho
  Fuerteventura GC. . . . . 111 H 1
Majano *AB* . . . . 72 O 24
Majazul *TO*. . . . . 58 L 17
Majaño *S* . . . . 8 B 18
Majogazas *AB*. . . . . 72 P 23
Majona (Punta)
  La Gomera TF. . . . . 119 D 2
Majones *HU*. . . . . 21 E 27
Majúa (La) *LE* . . . . 5 D 11
Majuges *SA* . . . . 43 I 10
Majadas *BA*. . . . . 56 M 12
Mal Pas (es) *PM*. . . . . 105 M 39
Mala *Lanzarote GC*. . . . . 123 F 3
Mala (Punta) *CA*. . . . . . . 99 X 14
Malacuera *GU* . . . . 47 J 21
Maladeta *HU* . . . . 22 D 31
Mallona (La) *SO*. . . . . 33 G 21
Maladeta
  (Pico de la) *HU* . . . . . . 22 E 31
Málaga *MA* . . . . 100 V 16
Málaga (Hoya de) *MA* . . . 100 V 15
Málaga del Fresno *GU* . . 46 J 20
Malagón *TO* . . . . 70 O 18
Malagraner *CS* . . . . 51 J 30
Malaguilla *GU*. . . . . 46 J 20
Malahá (La) *GR*. . . . . 94 U 18

Malandar
  (Punta de) *CA* . . . . 91 V 10
Malanquilla *Z*. . . . . 34 H 24
Malcocinado *BA* . . . . 80 R 12
Maldá *L* . . . . 37 H 33
Maleján *Z*. . . . . 34 G 25
Malgrat de Mar *B*. . . . . . . 39 H 38
Maliaño *S* . . . . 8 B 18
Malillas *LE* . . . . 16 E 13
Malillos *ZA*. . . . . 29 H 12
Mallén *Z*. . . . . 34 G 25
Malleza *O* . . . . 5 B 11
Mallol (El) *GI* . . . . 24 F 37
Mallón *C* . . . . 2 C 3
Mallona (La) *SO*. . . . . 33 G 21
Mallorca *PM* . . . . 104 O 37
Mallos (Los) *HU*. . . . . 21 E 27
Málaga
  (Ensenada de) *MA*. . . . 100 W 16
Malpaís cerca
  de Las Cuevecitas *TF*. . . 127 H 3
Malpaís Grande
  Fuerteventura GC. . . . . 113 H 4
Malpaíses *La Palma TF*. . 132 D 6
Malpartida de Cáceres *CC* 55 N 10

Malpartida
  de Corneja *AV* . . . . 44 K 13
Malpartida
  de la Serena *BA*. . . . . . 68 P 13
Malpartida
  de Plasencia *CC* . . . . . 56 M 11
Malpás *L*. . . . . 22 E 32
Malpasillo
  (Embalse de) *CO* . . . . . 93 U 16
Malpaso *El Hierro TF*. . . . 108 C 3
Malpelo *AB*. . . . . 72 O 24
Malpica de Arba *Z*. . . . . . 20 F 26
Malpica de Bergantiños *C*. . 2 C 3
Malpica de España *BA*. . . 66 P 8
Malpica de Tajo *TO*. . . . . 57 M 16
Maluenda *Z*. . . . . 34 I 25
Maluque *SG* . . . . 32 H 19
Malva *ZA* . . . . 30 H 13
Malva-rosa (La) *V*. . . . . . . 62 M 29
Malvana
  (Sierra de la) *CC*. . . . . . 55 L 9
Malvas *PO*. . . . . 12 F 3
Malvedo *O* . . . . 5 C 12
Mamblas *AV* . . . . 44 I 14
Mambliga *BU*. . . . . 18 D 20
Mambrilla
  de Castrejón *BU* . . . . . 31 H 18
Mambrillas de Lara *BU*. . . 32 F 19
Mamillas *Z*. . . . . 20 E 26
Mamola (La) *GR*. . . . . 102 V 20
Mamolar *BU* . . . . 32 G 19

A B C D E F G H I J K L M N O P Q R S T U V W X Y Z

Mámoles ZA.....29 H 11
Mampodre (Reserva nacional de) LE.....6 C 13
Manacor PM.....105 N 39
Manán LU.....4 D 7
Manantial (El) CA.....98 W 11
Manar (Sierra del) GR.....94 U 19
Mancera de Abajo SA.....44 J 14
Mancera de Arriba AV.....44 J 14
Mancha (La) TF.....71 O 19
Mancha Real J.....82 S 19
Manchas (Las) Tenerife TF.....126 C 3
Manchego (Collado) CU.....48 K 24
Manchica (A) OR.....13 F 6
Manchita BA.....68 P 11
Manchones Z.....48 I 25
Manchoya HU.....21 E 29
Manciles BU.....17 E 18
Mancor de la Vall PM.....104 M 38
Mandaio C.....3 C 5
Mandayona GU.....47 J 21
Mandeo C.....3 C 5
Mandiá C.....3 B 5
Mandín OR.....28 G 7
Maneta MU.....73 Q 26
Manga (Cañada de la) AB.....71 P 21
Manga del Mar Menor (La) MU.....86 T 27
Manganese ZA.....29 F 12
Manganeses de la Lampreana ZA.....29 G 12
Manilla MA.....84 S 25
Manilva MA.....99 W 14
Maniños C.....3 B 5
Manises V.....62 N 28
Manjabálago AV.....44 K 14
Manjarín LE.....15 E 10
Manjarrés LO.....19 E 21
Manjavacas (Ermita de) CU.....59 N 21
Manjirón M.....46 J 19
Manlleu B.....24 F 36
Manojar (El) CR.....70 N 17
Manquillo (Collado El) BU.....18 F 20
Manquillos P.....17 F 16
Manresa B.....38 G 35
Mansilla BU.....17 E 18
Mansilla SG.....46 I 19
Mansilla de la Sierra LO.....18 F 21
Mansilla de las Mulas LE.....16 E 13
Mansilla del Páramo LE.....15 E 12
Mansilla Mayor LE.....16 E 13
Mantet (Portella de) GI.....24 E 36
Mantiel GU.....47 K 22
Mantinos P.....16 D 15
Manuel V.....74 O 28
Manuelas CO.....81 R 16
Manurga VI.....19 D 21
Manyà A.....85 Q 27
Manzalvos OR.....28 G 8
Manzanal (Puerto de) LE.....15 E 11
Manzanal de los Infantes ZA.....29 F 10
Manzanal del Barco ZA.....29 H 12
Manzanal del Puerto LE.....15 E 11
Manzanares CR.....71 O 19
Manzanares de Rioja LO.....18 E 21
Manzanares el Real M.....45 J 18
Manzaneda O.....5 C 12
Manzaneda OR.....14 F 8
Manzaneda cerca de Truchas LE.....15 F 11
Manzaneda (Cabeza de) OR.....14 F 8
Manzaneda de Torío cerca de Garrafe de Torío LE.....16 D 13
Manzanedo BU.....18 D 18
Manzaneque TO.....58 N 18
Manzanera TE.....61 L 27
Manzaneruela CU.....61 M 26
Manzanilla H.....83 T 10
Manzanillo VA.....31 H 17
Manzano SA.....42 K 10
Manzano (El) SA.....29 I 11
Mañaria B.....10 C 22
Mañeru NA.....10 D 24
Mañón C.....3 B 6
Mao OR.....14 F 7
Maó / Mahón PM.....106 M 42
Maqueda TO.....57 L 16

Mar y Land PM.....87 Q 34
Mara Z.....34 I 25
Maracena GR.....94 U 19
Marachón (Puerto de) GU.....47 I 23
Maranchón GU.....47 I 23
Maraña LE.....6 C 14
Maraña (La) MU.....85 R 25
Marañón NA.....19 E 22
Marañón CR.....71 O 20
Marañosa (La) M.....58 L 19
Maraurí BU.....19 D 22
Maravillas (Gruta de las) H.....79 S 10
Marazoleja SG.....45 J 16
Marazovel SO.....33 I 21
Marazuela SG.....45 J 16
Marbella CO.....93 T 17
Marbella H.....95 U 20
Marbella MA.....100 W 15
Marbella (Ensenada de) MA.....100 W 15
Marboré HU.....22 D 30
Marçà T.....50 I 32
Marcalain NA.....11 D 24
Marcale LU.....13 E 6
Marcén HU.....35 G 29
Marchagaz CC.....55 L 11
Marchal GR.....95 U 20
Marchal (El) AL.....96 U 23
Marchal de Antón López (El) AL.....102 V 22
Marchamalo GU.....46 J 20
Marchena SE.....92 U 13
Marchenilla CA.....99 W 13
Marchenilla (Castillo) SE.....92 U 12
Marcilla de Campos P.....17 F 16
Marcilla NA.....20 F 24
Marco (El) BA.....66 O 8
Marco (Puerto El) PO.....13 D 6
Marco de Alvare (Puerto) LU.....4 C 8
Marco Fabio Quintiliano (Parador) Calahorra LO.....19 F 24
Marcón PO.....12 E 4
Marcos (Los) V.....61 N 26
Marea (La) O.....6 C 13
Marentes O.....4 C 9
Mareny Blau (El) V.....74 O 29
Mareny de Barraquetes (El) V.....74 O 29
Mareny de Sant Llorenç (El) V.....74 O 29
Mareny de Vilxes V.....74 O 29
Mareo O.....6 B 12
Mares (Hacienda Dos) MU.....86 S 27
Mareta (Punta de la) Lanzarote GC.....120 E 1
Marey LU.....14 D 7
Margalef T.....36 I 32
Marganell B.....38 H 35
Margarida A.....74 P 29
Margen (El) GR.....83 T 22
Margolles O.....6 B 14
María AL.....84 S 23
María Andrés (Sierra de) BA.....67 Q 9
María Cristina (Embassament de) CS.....62 L 29
María de Huerva Z.....35 H 27
María de la Salut PM.....105 M 39
Mariana CU.....60 L 23
Marías (Las) GU.....47 K 21
Maribáñez SE.....92 U 12
Maribáñez BA.....68 O 13
Maridos (Los) J.....83 Q 22
Marifranca CC.....55 L 10
Marigenta H.....79 T 10
Marigutiérrez AB.....72 O 22
Marimínguez AB.....73 O 25
Marín PO.....12 E 3
Marín AL.....103 V 22
Marina (La) T.....51 I 33
Marina (La) A.....86 R 28
Marina (La) V.....74 O 29
Marina-Oasis A.....86 R 27
Marinaleda SE.....93 T 15
Marines (Las) A.....102 V 22
Marines Llíria V.....62 M 28
Marines Olocau V.....62 M 28
Marines (Los) H.....79 S 10
Les Marines (Platjas) A.....74 Q 30
Mariña (A) C.....3 B 5
Maripérez AB.....72 O 23
Marisán V.....62 N 28

Marisánchez CR.....71 P 20
Marismas (Puerto de las) BA.....79 S 11
Marismilla SE.....91 U 12
Mariz LU.....3 C 6
Marjaliza TO.....58 N 18
Markina BI.....10 C 22
Marlín AV.....44 J 15
Marmellar de Abajo BU.....17 E 18
Marmellar de Arriba BU.....18 E 18
Mármol J.....82 R 19
Marmolejo J.....82 R 17
Maro MA.....101 V 18
Maroma MA.....101 V 17
Marqués (Casa del) AB.....84 Q 24
Marqués de Vallejo LO.....19 E 22
Marquina VI.....19 D 21
Marquínez VI.....19 D 22
Marracos Z.....21 F 27
Marrero (Punta de) TF.....126 E 2
Marroquí o de Tarifa (Punta) CA.....99 X 13
Marrupe TO.....57 L 15
Martés HU.....21 E 27
Martiago SA.....43 K 10
Martialay SO.....33 G 22
Martiherrero AV.....44 J 15
Martillán SA.....42 J 9
Martimporra O.....6 C 13
Martín (Río) TE.....49 I 28
Martín (Río) CU.....61 M 25
Martín de la Jara SE.....93 U 15
Martín de Yeltes SA.....43 J 11
Martín del Río TE.....49 J 27
Martín Miguel SG.....45 J 17
Martín Muñoz SG.....32 I 19
Martín Muñoz de la Dehesa SG.....45 I 15
Martín Muñoz de las Posadas SG.....45 J 16
Martinet L.....23 E 35
Martinete CO.....93 T 16
Martínez AV.....44 K 13
Martínez del Puerto (Los) MU.....85 S 26
Martiñán LU.....4 B 7
Martiño (Punta) Fuerteventura GC.....111 J 1
Martorell B.....38 H 35
Martorelles B.....38 H 36
Martos J.....82 S 18
Martos (Portillo de) J.....94 T 17
Martul LU.....3 C 7
Maruanas CO.....81 S 16
Marugán SG.....45 J 16
Maruri-Jatabe BI.....8 B 21
Marzà GI.....25 F 39
Marzales VA.....30 H 14
Marzán LE.....15 D 11
Marzoa C.....3 C 4
Mas Buscà GI.....25 F 39
Mas de Barberáns T.....50 J 31
Mas de Batxero (El) CS.....62 L 29
Mas de Bondia (El) L.....37 H 33
Mas de Caballero V.....61 N 26
Mas de Cortixtelles (El) V.....74 N 28
Mas de Flors CS.....62 L 29
Mas de Jacinto V.....61 L 26
Mas de la Montalvana CS.....50 K 29
Mas de las Altas TE.....49 J 29
Mas de las Matas TE.....49 J 29
Mas de Llorenç CS.....62 L 29
Mas de Llosa CS.....62 L 29
Mas de Pessetes CS.....49 K 29
Mas-de-riudoms T.....51 I 32
Mas del Carril V.....62 N 27
Mas del Olmo V.....61 L 26
Mas Llunés GI.....24 G 38
Mas Nou GI.....25 G 39
Masa BU.....18 E 18
Masada (La) CS.....62 L 28
Masada del Sordo CS.....62 M 28
Masadas (Alto de) A.....20 F 25
Masarac GI.....25 E 38
Masca Tenerife TF.....126 B 3
Mascaraque TO.....58 M 18
Mascarat (Barranc del) A.....74 P 30
Mascún (Barranco de) HU.....21 F 29
Masdenverge T.....50 J 31
Masegosa CU.....47 K 23
Masegoso AB.....72 P 23

Masegoso de Tajuña GU.....47 J 21
Masella GI.....24 E 35
Masía de los Pérez CS.....62 M 27
Maside OR.....13 E 5
Masies de Voltregà (Les) B.....24 F 36
Masllorenç T.....37 I 34
Masma LU.....4 B 8
Masma (Golfo de la) LU.....4 B 8
Masnou (El) B.....38 H 36
Masos (Els) GI.....25 G 39
Maspalomas Gran Canaria GC.....117 E 4
Masquefa B.....38 H 35
Masroig (El) T.....50 I 32
Massalavés V.....74 O 28
Massalcoreig L.....36 H 31
Massalfassar V.....62 N 29
Massamagrell V.....62 N 29
Massanassa V.....62 N 28
Massanes GI.....38 G 37
Massoteres L.....37 G 33
Mata BU.....18 E 18
Mata S.....7 C 17
Mata CO.....93 T 16
Mata (La) AB.....45 I 18
Mata (La) LE.....16 D 13
Mata (La) A.....86 R 28
Mata (La) SA.....43 J 13
Mata (La) Castelló CS.....49 K 29
Mata (La) cerca de Carmena TO.....57 M 16
Mata (Salines de la) A.....86 R 27
Mata de Alcántara CC.....55 M 9
Mata de Armuña (La) SA.....43 I 13
Mata de Cuéllar SG.....31 H 16
Mata de Hoz S.....17 D 17
Mata de la Riba (La) LE.....16 D 13
Mata de Ledesma (La) SA.....43 J 12
Mata de los Olmos (La) TE.....49 J 28
Mata de Monteagudo (La) LE.....16 D 14
Mata del Páramo (La) LE.....15 E 12
Matabuena SG.....46 I 18
Matacas J.....82 S 18
Matadeón de los Oteros LE.....16 E 13
Matadepera B.....38 H 36
Mataelpino M.....45 J 18
Matagalls B.....38 G 37
Matagorda AL.....102 V 21
Matal de Toscal CO.....81 S 16
Matalascañas H.....91 U 10
Matalavilla LE.....15 D 10
Matalebreras SO.....33 G 23
Matalindo BA.....68 P 11
Matallana GU.....46 I 19
Matallana SA.....92 U 12
Matallana de Torío LE.....16 D 13
Matallana de Valmadrigal LE.....16 E 13
Mataloso TO.....69 P 16
Matalobos del Páramo LE.....15 E 12
Mataluenga LE.....15 D 12
Matamá PO.....12 F 3
Matamala SG.....46 I 18
Matamala de Almazán SO.....33 H 22
Matamorisca P.....17 D 17
Matamorosa S.....17 D 17
Matanza LE.....16 F 13
Matanza (La) A.....85 R 26
Matanza de Acentejo (La) Tenerife TF.....124 G 2
Matanza de Soria SO.....32 H 20
Matanza TE.....49 K 28
Mataparta V.....61 M 26
Matapozuelos VA.....30 H 15
Matapuercas CO.....81 R 16
Mataporquera S.....17 D 17
Matarraña (río) TE.....50 J 30
Mataró B.....38 H 37
Matarredonda SE.....94 T 15
Matarrosa del Sil LE.....15 D 10
Matarrubia GU.....46 J 20
Matas (Las) M.....45 K 18
Matas Blancas Fuerteventura GC.....113 E 4

Matas de Lubia (Alto de) SO.....33 H 22
Matas Verdes AB.....72 O 22
Matasanos SE.....92 T 13
Matasejún SO.....33 G 23
Matea J.....83 R 22
Mateo (Puerto de) MA.....93 U 16
Matet CS.....62 M 28
Matián GR.....96 T 22
Matilla (La) SG.....45 I 18
Matilla (La) Fuerteventura GC.....111 H 2
Matilla de Arzón ZA.....16 F 13
Matilla de los Caños V.....30 H 15
Matilla de los Caños del Río SA.....43 J 12
Matilla la Seca ZA.....30 H 13
Matillas GU.....47 J 21
Mato LU.....3 C 7
Matorro (Puerto El) BU.....18 F 19
Matueca de Torío LE.....16 D 13
Matute LO.....19 F 21
Matute SO.....33 H 22
Mauberme (Pic de) L.....22 D 32
Maus de Salas OR.....27 G 6
Mave P.....17 D 17
Maxal LU.....3 D 6
Maya / Amaiur NA.....11 C 25
Maya (La) SA.....43 J 13
Mayalde ZA.....29 I 12
Mayor LU.....4 B 8
Mayor (Cabo) S.....8 B 18
Mayor (Isla) MU.....85 S 27
Mayor (Isla) SE.....91 U 11
Mayor (Río) LO.....33 F 21
Mayorga VA.....16 F 14
Mayorga BA.....66 O 8
Mazagón H.....90 U 9
Mazaleón TE.....30 I 30
Mazarabeas Altas TO.....58 M 17
Mazarambroz TO.....58 M 17
Mazarete GU.....47 I 23
Mazaricos C.....2 D 3
Mazariegos P.....31 F 15
Mazariegos (Puerto) BU.....32 F 19
Mazarracín TO.....58 M 18
Mazarrón MU.....97 T 26
Mazarrón H.....91 T 10
Mazarrón (Golfo de) MU.....97 T 26
Mazarulleque CU.....59 L 21
Mazaterón SO.....33 H 23
Mazo O.....7 C 16
Mazo La Palma TF.....132 D 5
Mazo (Collado del) CC.....56 N 13
Mazorra (Puerto de La) BU.....18 D 19
Mazueco BU.....18 D 19
Mazuecos GU.....59 L 20
Mazuecos de Valdeginate P.....16 F 15
Mazuela B.....17 F 18
Mazuelo de M. BU.....17 F 18
Meabia P.....13 E 4
Meano NA.....19 E 22
Meaño PO.....12 E 3
Meca TO.....98 X 11
Mecerreyes BU.....32 F 19
Mecina Alfahar GR.....102 V 20
Mecina Bombarón GR.....102 V 20
Mecina Fondales GR.....102 V 20
Meco M.....46 K 20
Meda LU.....4 C 7
Meda OR.....13 E 7
Medeiros OR.....27 G 7
Medellín BA.....68 P 12
Medes (Illes) GI.....25 F 39
Media Naranja (Punta de la) AL.....103 V 24
Mediana Z.....35 H 27
Mediana TE.....49 K 28
Mediana de Voltoya AV.....45 J 16
Medianero (Carpio) AV.....44 K 13
Mediano (Embalse de) HU.....22 E 30
Medida (La) Tenerife TF.....127 H 3
Medina Azahara CO.....81 S 15
Medina de las Torres BA.....79 Q 10
Medina de Pomar BU.....18 D 19
Medina de Rioseco VA.....30 G 14
Medina del Campo VA.....30 I 15
Medina-Sidonia CA.....99 W 12

Medinaceli SO.....47 I 22
Medinilla AV.....43 K 13
Mediñyà GI.....25 F 38
Mediona B.....37 H 34
Medranda GU.....46 J 21
Medrano LO.....19 E 22
Medro MU.....96 T 24
Medua OR.....14 E 9
Médulas (Las) LE.....14 E 9
Médulas (Las) (Localidad) LE.....14 E 9
Megeces VA.....31 H 16
Megina GU.....48 K 24
Meilán LU.....4 C 7
Meilán Mondoñedo LU.....4 B 8
Meira LU.....4 C 8
Meira PO.....12 F 3
Meira (Sierra de) LU.....4 C 8
Meirama C.....3 C 4
Meirás cerca de Sada C.....3 B 5
Meirás cerca de Valdoviño C.....3 B 5
Meis PO.....12 E 3
Mejara (Puerto) BA.....68 P 13
Mejorada del Campo M.....46 K 19
Mejorada TO.....57 L 15
Melegís GR.....101 V 19
Melegriz AB.....72 P 24
Melendreros O.....6 C 13
Melgar de Abajo VA.....16 F 14
Melgar de Arriba VA.....16 F 14
Melgar de Fernamental BU.....17 E 17
Melgar de Tera ZA.....29 G 11
Melgar de Yuso P.....17 F 17
Melgarejo CR.....71 P 20
Melgosa (La) CU.....60 L 23
Melgoso MU.....84 S 24
Meliana V.....62 N 28
Melias OR.....13 E 6
Melicena GR.....102 V 20
Mélida NA.....20 E 25
Melide C.....3 D 5
Melón OR.....13 F 5
Melque SG.....45 I 16
Membibre de la Hoz SG.....31 H 17
Membribe SA.....43 J 12
Membrilla CR.....71 P 19
Membrilla CO.....81 T 15
Membrillar P.....17 E 15
Membrillera GU.....46 J 21
Membrillo (El) TO.....57 M 15
Membrillo (El) SE.....79 S 12
Membrillo (Lucio del) CA.....91 V 10
Membrillo Alto H.....79 T 10
Membrío CC.....54 N 8
Mena LE.....29 G 11
Menagaray BU.....8 C 20
Menárguens L.....36 G 32
Menas (Las) AL.....95 U 22
Menas (Los) AL.....96 T 24
Menasalbas TO.....58 N 17
Menaza P.....17 D 17
Menchón de Abril (El) GR.....94 T 18
Mendaro SS.....10 C 22
Mendata BI.....10 C 22
Mendavia NA.....19 E 23
Mendaza NA.....19 E 23
Mendeika BI.....8 C 20
Mendexa BI.....9 B 22
Méndez AB.....84 Q 24
Mendigorría NA.....20 E 24
Mendíjur VI.....19 D 22
Mendoza VI.....19 D 21
Mendióroz NA.....11 D 25
Menera (Sierra de) TE.....48 J 25
Meneses CU.....60 N 23
Meneses de Campos P.....30 G 15
Menga (Puerto de) AV.....44 K 14
Menga y Viera (Cuevas de) MA.....93 U 16
Mengabril BA.....68 P 12
Mengamuñoz AV.....44 K 15
Mengíbar J.....82 S 18
Menjillán SE.....92 U 13
Menor (Isla) SE.....91 U 11
Menor (Mar) MU.....85 S 27
Menorca PM.....106 M 41
Menoyo VI.....8 C 20
Mens C.....2 C 3
Mentera S.....8 C 19
Mentiras J.....83 R 22
Méntrida TO.....58 L 17
Menudero O.....5 B 10

Menuza (Ermita de) *Z*...... 35 I 28
Meñaka *BI*......9 B 21
Meotz / Meoz *NA*......11 D 25
Meoz / Meotz *NA*......11 D 25
Mequinenza *Z*...... 36 H 30
Mequinenza
  (Embalse de) *Z*...... 36 H 30
Mera *LU*......3 D 6
Mera *cerca de Ortigueira C*...3 A 6
Mera
  cerca de Santa Cruz C...3 B 4
Meranges *GI*...... 23 E 35
Meràs *O*......5 B 10
Merca (A) *OR*...... 13 F 6
Mercadal (es) *PM*...... 106 M 42
Mercadillo *BI*......8 C 20
Mercadillo *BU*......8 C 20
Mercadillos de Abajo *AB*...72 P 24
Meré *O*......6 B 15
Meredo *O*......4 B 8
Merelas *C*......3 C 5
Merendero *LU*......3 C 6
Meréns *OR*...... 13 F 5
Mérida *BA*...... 67 P 10
Merille *LU*......4 B 7
Merlán *C*......3 D 6
Merli *HU*...... 22 E 31
Mero *C*......3 C 5
Merodio *O*......7 C 16
Merolla (Coll de) *GI*...... 24 F 36
Merou *O*......4 B 9
Merujal *O*......6 C 13
Merza *PO*...... 13 D 5
Mesa (La) *J*...... 82 R 19
Mesa (La) *LO*...... 33 F 22
Mesa del Mar
  Tenerife TF...... 124 G 2
Mesa Roldán (La) *AL*...103 V 24
Mesas (Las) *CU*...... 71 N 21
Mesas (Las) *MA*...... 92 V 14
Mesas de Asta *CA*...... 91 V 11
Mesas de Ibor *CC*...... 56 M 13
Mesas de Santiago *CA*...... 91 V 12
Mesas
  del Guadalora *CO*...... 80 S 14
Mesegar de Corneja *AV*...... 44 K 14
Mesegar de Tajo *TO*...... 57 M 16
Mesía *C*......3 C 5
Mesillas *CC*...... 56 L 12
Mesón do Vento *C*......3 C 4
Mesones *GU*...... 46 J 19
Mesones *AB*...... 84 Q 22
Mesones (Los) *SA*...... 43 I 12
Mesones de Isuela *Z*...... 34 H 25
Mesta *AB*...... 72 Q 22
Mesta de Con *O*......6 B 14
Mestanza *CR*...... 70 Q 17
Mestanza
  (Puerto de) *CR*...... 70 Q 17
Mestas *O*......5 C 10
Las Mestas *CC*...... 43 K 11
Metauten *NA*...... 19 D 23
Mezalocha *Z*...... 34 H 26
Mezkiritz *NA*...... 11 D 25
Mezpelerreka-
  El Regato *BI*......8 C 20
Mezquetillas *SO*...... 33 I 22
Mezquita (A) *OR*...... 28 F 8
Mezquita
  (Estación de la) *H*...... 90 T 9
Mezquita (La) *MA*...... 93 U 15
Mezquita de Jarque *TE*...... 49 J 27
Mezquita de Loscos *TE*...... 48 I 26
Mezquitilla *MA*...... 101 V 17
Mezquitilla (La) *SE*...... 92 U 14
Miajadas *CC*...... 68 O 12
Miami Platja *T*...... 51 I 32
Mianos *Z*...... 21 E 27
Micereces de Tera *ZA*...... 29 G 12
Michos *CR*...... 69 P 16
Micieces de Ojeda *P*...... 17 D 16
Miedes *Z*...... 34 I 25
Miedes de Atienza *GU*...... 32 I 21
Miengo *S*......7 B 18
Miera *S*......8 C 18
Miera (La) *CR*...... 71 O 21
Mieres *GI*...... 24 F 37
Mieres *O*......5 C 12
Mierla (La) *GU*...... 46 J 20
Mieza *SA*...... 28 I 9
Migjorn Gran (es) *PM*...106 M 42
Miguel Esteban *TO*...... 59 N 20
Miguel Ibáñez *SG*...... 45 I 16
Miguelagua *TO*...... 58 N 18
Migueláñez *SG*...... 45 I 16
Migueltura *CR*...... 70 P 18
Mijancas *VI*...... 19 D 21

Mijares *AV*...... 57 L 15
Mijares *V*...... 73 N 27
Mijares (Puerto de) *AV*...... 44 K 15
Mijas *MA*...... 100 W 16
Milagres
  (Santuario Os) *OR*...... 13 F 7
Milagro *NA*...... 20 F 24
Milagro (El) *CR*...... 58 N 17
Milagro (Puerto del) *TO*...... 58 N 17
Milagros *BU*...... 32 H 18
Milán
  Tenerife TF...... 124 H 1
Milano *SA*...... 42 I 10
Milano *AB*...... 71 P 22
Milanos *GR*...... 94 U 17
Milanos
  (Estación de los) *H*...... 78 T 9
Miliana *T*...... 50 K 31
Miliario del Caudillo *SG*...... 32 H 18
Milla (Perales de) *M*...... 45 K 17
Milladoiro *C*...... 12 D 4
Millana *GU*...... 47 K 22
Millanes *CC*...... 56 M 13
Millarada (A) *PO*...... 13 E 5
Millares *LU*...... 73 O 27
Millares (Los) *H*...... 90 T 7
Millares (Salto de) *V*...... 74 O 27
Millarón (El) *CC*...... 54 N 8
Miller *J*...... 83 R 22
Milles
  de la Polvorosa *ZA*...... 29 G 12
Millón *C*...... 12 D 3
Milmarcos *GU*...... 48 I 24
Mina (La) *HU*...... 21 D 27
Mina de Rodes *J*...... 73 Q 27
Minas (La) *TE*...... 49 J 27
Minas (Las) *CU*...... 61 M 25
Minas (Las) *AB*...... 84 R 24
Minas (Las) *AL*...... 103 V 22
Minas de Cala *H*...... 79 S 10
Minas de Riotinto *H*...... 79 S 10
Minas
  del Marquesado *GR*...... 95 U 20
Minateda *AB*...... 84 Q 25
Minateda
  (Cuevas de) *AB*...... 84 Q 25
Mingarnao *AB*...... 84 R 23
Minglanilla *CU*...... 61 N 25
Mingogil *AB*...... 84 Q 24
Mingorría *AV*...... 45 J 15
Mingrano *AB*...... 84 S 24
Minguez (Puerto) *TE*...... 47 J 26
Mini Hollywood *AL*...... 96 U 22
Minilla
  (Embalse de la) *SE*...... 79 S 11
Mínima (Isla) *SE*...... 91 U 11
Miñagón *O*......4 B 9
Miñana *SO*...... 33 H 23
Miñano *MU*...... 84 R 24
Miñano Mayor *VI*...... 19 D 22
Miñarros *MU*...... 97 T 25
Miño *C*......3 B 5
Miño Cuevo *ZA*...... 29 G 11
Miño de Medina *SO*...... 47 I 22
Miño
  de San Esteban *SO*...... 32 H 19
Miñón *C*......3 D 2
Miñosa (La) *GU*...... 46 I 21
Miñotos *LU*......4 B 7
Miñotos *LU*......3 B 7
Mioño *S*......8 B 20
Mira *CU*...... 61 M 25
Mira (La) *CR*...... 70 P 17
Mirabel *SE*...... 92 U 12
Mirabel *CC*...... 55 M 11
Mirabel (Ermita de) *CC*...... 56 N 13
Mirabueno *GU*...... 47 J 21
Miracle (El) *L*...... 37 G 34
Miradera
  (Sierra de la) *BA*...... 68 Q 11
Mirador (El) *MU*...... 85 S 27
Mirador (Sierra del) *LU*...... 4 C 8
Mirador de Oseja *LE*......6 C 14
Mirador
  del Romero (El) *M*...... 45 K 17
Miraelrío *J*...... 82 R 19
Miraflores *BU*...... 18 E 19
Miraflores de la Sierra *M*...... 46 J 18
Mirafuentes *NA*...... 19 E 23
Miralcamp *L*...... 37 H 32
Miralcampo *AB*...... 72 O 24
Miralrío *GU*...... 46 J 21
Miralsot de Abajo *HU*...... 36 H 30
Miramar *PM*...... 104 M 37
Mirambel *TE*...... 49 K 28

Miranda *LU*......4 D 8
Miranda *MU*...... 85 S 26
Miranda
  de la Carballeda *ZA*...... 15 F 11
Miranda de Arga *NA*...... 20 E 24
Miranda de Azán *SA*...... 43 J 12
Miranda de Ebro *BU*...... 18 D 21
Miranda
  del Castañar *SA*...... 43 K 12
Miranda del Rey *J*...... 82 Q 19
Mirandilla *BA*...... 67 O 11
Mirantes de Luna *LE*...... 15 D 12
Miravalles *LE*...... 14 D 9
Miraveche *BU*...... 18 D 20
Miravet *T*...... 50 I 31
Miravete *TE*...... 49 K 27
Miravete (Puerto de) *CC*...... 56 M 12
Miraz
  cerca de Guitiriz LU......3 C 6
Miraz
  cerca de Xermade LU......3 B 6
Mirón (El) *AV*...... 44 K 13
Mironcillo *AV*...... 44 K 15
Mirones *S*......8 C 18
Mirones (Los) *CR*...... 70 Q 18
Mirueña
  de los Infanzones *AV*...... 44 J 14
Miyares *O*......6 B 14
Moal *O*......5 C 10
Moañas *P*...... 17 D 16
Moaña *PO*...... 12 F 3
Moar *C*......3 C 5
Moarves *P*...... 17 D 16
Mocanal *El Hierro TF*...... 109 D 2
Mocasilla *GU*...... 47 J 22
Mocejón *TO*...... 58 M 18
Mochales *GU*...... 47 I 23
Mochila *GR*...... 94 T 19
Mochuelos (Los) *J*...... 83 Q 20
Moclín *GR*...... 94 T 18
Moclinejo *MA*...... 101 V 17
Modino *LE*...... 16 D 14
Modubar *BU*...... 18 F 19
Modúbar
  de San Cibrián *BU*...... 18 F 19
Moeche *C*......3 B 6
Mogábar *CO*...... 81 Q 16
Mogán
  Gran Canaria GC...... 116 C 3
Mogarraz *SA*...... 43 K 11
Mogatar *SA*...... 29 H 12
Mogón *J*...... 83 R 20
Mogor *PO*...... 12 E 3
Mogorrita *GU*...... 48 K 24
Mogorrita *GU*...... 47 J 23
Mogro *S*......7 B 18
Moguer *H*...... 90 U 9
Moharras *AB*...... 72 O 22
Moheda (La) *CC*...... 55 L 10
Mohedas *O*......4 B 9
Mohedas (Las) *AB*...... 72 Q 23
Mohedas de la Jara *TO*...... 57 N 14
Mohernando *GU*...... 46 J 20
Mohías *O*......4 B 9
Mohorte *CU*...... 60 L 23
Moià *B*...... 38 G 36
Moixent *V*...... 74 P 27
Mojácar *AL*...... 96 U 24
Mojados *VA*...... 31 H 16
Mojares *AL*...... 47 I 22
Mojón *AL*...... 95 T 22
Mojón (El) *V*...... 61 L 25
Mojón (El) *A*...... 85 S 27
Mojón (El) *MU*...... 85 R 27
Mojón Alto *CU*...... 60 M 22
Mojón Alto *AL*...... 93 T 16
Mojón Blanco *TE*...... 48 K 24
Mojón Gordo *MA*...... 92 V 14
Mojón Pardo
  (Puerto) *SO*...... 32 G 21
Mojonera *AL*...... 102 V 21
Mola *PM*...... 87 Q 34
Mola (Cap de Sa) *PM*...... 104 N 37
Mola (Castell de la) *A*...... 85 Q 27
Mola (Far de la) *PM*...... 87 Q 34
Mola (La) *Menorca PM*...... 106 M 42
Molacillos *ZA*...... 29 H 13
Molar (El) *T*...... 36 I 32
Molar (El) *M*...... 46 J 19
Molar (El) *J*...... 83 S 20
Molares *H*...... 79 S 9
Molares (Los) *SE*...... 92 U 12
Molata *MU*...... 84 R 23
Molata (La) *AB*...... 72 P 23
Molatón *AB*...... 73 P 25
Moldes *C*...... 13 D 5
Moldones *ZA*...... 29 G 10

Molezuelas
  de la Carballeda *ZA*...... 15 F 11
Molí (es) *PM*...... 87 P 33
Molí Azor (El) *CS*...... 49 L 28
Molí de l'Abad (El) *CS*...... 50 J 30
Molina (La) *GI*...... 24 E 35
Molina (La) *BU*...... 18 D 20
Molina de Aragón *GU*...... 48 J 24
Molina de Segura *MU*...... 85 R 26
Molina
  de Ubierna (La) *BU*...... 18 E 19
Molinaferrera *LE*...... 15 E 10
Molinas (Los) *AL*...... 96 U 23
Molinaseca *LE*...... 15 E 10
Molinicos *AB*...... 84 Q 23
Molinilla *VI*...... 18 D 21
Molinillo *SA*...... 43 K 12
Molinillo (El) *CR*...... 58 N 17
Molinillo (El) *GR*...... 94 U 19
Molino (El) *BA*...... 66 P 8
Molino Blanco *TO*...... 57 M 16
Molinos *TE*...... 49 J 28
Molinos (Los) *C*......2 C 2
Molinos (Los) *HU*...... 22 E 30
Molinos (Los) *M*...... 45 J 17
Molinos (Los)
  Fuerteventura GC...... 110 G 2
Molinos (Los)
  Gran Canaria GC...... 114 B 3
Molinos de Duero *SO*...... 33 G 21
Molinos de Matachel
  (Embalse de los) *BA*...... 67 Q 11
Molinos de Papel *CU*...... 60 L 23
Molinos de Razón *SO*...... 33 G 22
Molinos
  del Río Aguas (Los) *AL*...96 U 23
Molinos
  Marfagones *MU*...... 85 T 26
Molins de Rei *B*...... 38 H 36
Molinseco *Y*......7 C 17
Mollerussa *L*...... 37 H 32
Mollet *GI*...... 25 E 39
Mollet *B*...... 38 H 36
Mollina *MA*...... 93 U 16
Mollinedo *S*......8 C 20
Molló *GI*...... 24 E 37
Molsosa (La) *L*...... 37 G 34
Moluengo *V*...... 61 N 25
Molvízar *GR*...... 101 V 19
Momán
  cerca de Cospeito LU......4 C 7
Momán
  cerca de Xermade LU......3 C 6
Mombeltrán *AV*...... 57 L 14
Momblona *SO*...... 33 H 22
Mombuey *ZA*...... 29 F 11
Momediano *BU*...... 18 D 19
Momia *CA*...... 99 W 12
Mompichel *AB*...... 73 P 25
Mona (Punta de la) *GR*...101 V 18
Monachil *GR*...... 94 U 19
Monasterio *SO*...... 33 H 21
Monasterio *GU*...... 46 J 20
Monasterio
  de la Sierra *BU*...... 32 F 20
Monasterio
  de Rodilla *BU*...... 18 E 19
Monasterio de Vega *VA*...... 16 F 14
Monasterio del Coto *O*......4 C 9
Monasterioguren *VI*...... 19 D 22
Moncalián *S*......8 B 19
Moncalvillo *BU*...... 32 G 20
Moncalvillo
  del Huete *CU*...... 59 L 21
Moncalvo *VA*...... 14 F 9
Moncayo *GR*...... 83 S 22
Moncayo
  (Santuario del) *Z*...... 34 G 24
Moncelos *LU*......4 C 7
Moncelos (Puerto de) *PO*...13 F 5
Monclova (La) *SE*...... 92 T 14
Moncofa *CS*...... 62 M 29
Monda *MA*...... 100 W 15
Mondalindo *M*...... 46 J 18
Mondariz *PO*...... 13 F 4
Mondéjar *GU*...... 59 L 20
Mondoñedo *LU*......4 B 7
Mondragón /
  Arrasate *SS*...... 10 C 22
Mondreganes *LE*...... 16 D 14
Mondriz *LU*......4 C 7
Mondrón *MA*...... 101 V 17
Mondújar *GR*...... 101 V 19
Mondúver (El) *V*...... 74 O 29
Monegrillo *Z*...... 35 H 28
Monegros
  (Canal de) *HU*...... 21 F 28

Monegros (Los) *Z*...... 35 H 28
Monells *GI*...... 25 G 38
Moneo *BU*...... 18 D 19
Mones *O*......5 B 10
Monesma *HU*...... 36 G 30
Monesma *HU*...... 21 F 28
Monesterio *BA*...... 79 R 11
Moneva *Z*...... 49 I 27
Moneva (Embalse de) *Z*...... 49 I 27
Monfarracinos *ZA*...... 29 H 12
Monfero *C*......3 C 5
Monfero
  (Monasterio de) *C*......3 B 5
Monflorite *HU*...... 21 F 28
Monforte de la Sierra *SA*...... 43 K 11
Monforte de Lemos *LU*...... 14 E 7
Monforte
  de Moyuela *TE*...... 49 I 26
Monforte del Cid *A*...... 85 Q 27
Monfragüe
  (Santuario de) *CC*...... 56 M 11
Monistrol de Calders *B*...... 38 G 36
Monistrol
  de Montserrat *B*...... 38 H 35
Monistrolet *B*...... 37 G 35
Monjas (Las) *CR*...... 71 O 19
Monjas (Las) *V*...... 61 N 26
Monjas (Las) *SE*...... 92 U 13
Monleón *SA*...... 43 K 12
Monleras *SA*...... 29 I 11
Monòver *A*...... 85 Q 27
Monrabana *V*...... 62 M 27
Monreal *NA*...... 11 D 25
Monreal de Ariza *Z*...... 33 I 23
Monreal del Campo *TE*...... 48 J 25
Monreal del Llano *CU*...... 59 N 21
Monrepós
  (Puerto de) *HU*...... 21 E 28
Monroy *CC*...... 55 N 11
Monroyo *TE*...... 50 J 29
Monsagro *SA*...... 43 K 11
Monsalud *BA*...... 67 Q 9
Monsalupe *AV*...... 44 J 15
Mont Cristina *CS*...... 62 L 29
Mont Horquera *V*...... 62 N 28
Mont-i-sol *V*...... 62 N 28
Mont-ral *T*...... 37 I 33
Mont-ras *GI*...... 25 G 39
Mont-roig del Camp *T*...... 51 I 32
Mont-ros *L*...... 22 E 32
Monta (La) *TO*...... 70 O 18
Montagut i Oix *GI*...... 24 F 37
Montalbán *TO*...... 57 M 16
Montalbán *TE*...... 49 J 27
Montalbán
  de Córdoba *CO*...... 93 T 15
Montalbanejo *CU*...... 60 M 22
Montalbo *CU*...... 59 M 21
Montalbos *TE*...... 49 J 28
Montalvos *AB*...... 72 O 23
Montamarta *ZA*...... 29 H 12
Montán *L*...... 23 F 34
Montán *Castelló CS*...... 62 L 28
Montánchez *CC*...... 67 O 11
Montanchuelos *CR*...... 70 P 19
Montanejos *CS*...... 62 L 28
Montanúy *HU*...... 22 E 32
Montaña Blanca
  Lanzarote GC...... 123 D 4
Montaña Clara (Isla de)
  Lanzarote GC...... 120 E 2
Montaña *HU*...... 22 F 32
Montañana *Z*...... 35 G 27
Montañas
  (Ermita de las) *CA*...... 92 V 13
Montañesa (Peña) *HU*...... 22 E 30
Montañeta (La)
  Tenerife TF...... 127 J 3
Montaos *C*......3 C 4
Montardo *L*...... 22 E 32
Montargull *L*...... 37 G 33
Montarrón *GU*...... 46 J 20
Montaverner *V*...... 74 P 28
Montaves *SO*...... 33 F 23
Montblanc *T*...... 37 H 33
Montblanquet *L*...... 37 H 33
Montbrió de la Marca *T*...... 37 H 33
Montbrió del Camp *T*...... 51 I 33
Montcada *V*...... 62 N 28
Montcada i Reixac *B*...... 38 H 36
Montclar *T*...... 23 F 35
Montclar d'Urgell *L*...... 37 G 33
Montcortès *L*...... 23 F 33
Monte *C*......3 B 5
Monte *LU*......4 B 7
Monte (El) *AB*...... 72 P 23

Monte (Ermita del) *SE*...80 S 12
Monte Aloya
  (Parque natural del) *PO*...12 F 3
Monte Alto *CO*...... 81 T 15
Monte Aragón
  (Cordillera de) *AB*...73 P 24
Monte Aragón
  (Monasterio de) *HU*...21 F 28
Monte Calderón *GU*...... 46 J 19
Monte de Luna
  La Palma TF...... 132 D 6
Monte de Meda *LU*......3 D 7
Monte Hueco *GU*...... 46 J 20
Monte la Reina *ZA*...... 30 H 13
Monte Lope Álvarez *J*...... 82 S 17
Monte Perdido (Parodorde)
  Bielsa HU...... 22 D 30
Monte Redondo *GU*...... 47 J 21
Monte Robledal *M*...... 59 L 20
Monteagú *CR*...... 82 Q 19
Monteagudo *NA*...... 34 G 24
Monteagudo *MU*...... 85 R 26
Monteagudo (Isla de) *PO*...12 F 3
Monteagudo
  de las Salinas *CU*...... 60 M 24
Monteagudo
  de las Vicarías *SO*...... 33 H 23
Monteagudo
  del Castillo *TE*...... 49 K 27
Montealegre *VA*...... 30 G 15
Montealegre
  del Castillo *AB*...... 73 P 26
Montearagón *TO*...... 57 M 16
Montecillo *S*...... 17 D 18
Monteclaro-
  La Cabaña *M*...... 45 K 18
Montecorto *MA*...... 92 V 14
Montecubeiro *LU*......4 C 8
Montederramo *OR*...... 14 F 7
Montefrío *GR*...... 94 U 17
Montehermoso *CC*...... 55 L 10
Monteixo *L*...... 23 E 34
Montejaque *MA*...... 92 V 14
Montejícar *GR*...... 94 T 19
Montejo *SA*...... 43 K 13
Montejo de Arévalo *SG*...... 45 I 16
Montejo de Bricia *BU*...... 17 D 18
Montejo de Cebas *BU*...... 18 D 20
Montejo de la Sierra *M*...... 46 I 19
Montejo de la Vega *SG*...... 32 H 19
Montejo de Tiermes *SO*...32 H 20
Montejos del Camino *LE*...15 E 12
Montellà *L*...... 23 E 35
Montellano *BI*......8 C 20
Montellano *SE*...... 92 V 13
Montemayor *CO*...... 93 T 15
Montemayor *AB*...... 81 T 15
Montemayor
  (Ermita de) *H*...... 90 U 9
Montemayor de Pililla *VA*...31 H 16
Montemayor del Río *SA*...... 43 K 12
Montemolín *BA*...... 79 R 11
Montenartró *L*...... 23 E 33
Montenebro *M*...... 46 J 19
Montenegro *AL*...... 95 U 21
Montenegro
  de Cameros *SO*...... 33 F 21
Montepalacio *SE*...... 92 U 13
Montequinto *SE*...... 48 I 24
Monterde
  de Albarracín *TE*...... 48 K 25
Monteros (Los) *TO*...... 58 N 17
Monteros (Los) *MA*...... 100 W 15
Monterreal *PO*...... 12 F 3
Monterredondo *OR*...... 13 F 5
Monterrei *OR*...... 28 G 7
Monterrey *TO*...... 58 M 17
Monteroso *LU*...... 13 D 6
Monterrubio *SG*...... 45 J 16
Monterrubio *ZA*...... 15 F 10
Monterrubio
  de Armuña *SA*...... 43 I 13
Monterrubio
  de Demanda *BU*...... 18 F 20
Monterrubio
  de la Serena *BA*...... 68 Q 13
Monterrubio
  de la Sierra *SA*...... 43 J 12
Montes (Los) *GR*...... 94 T 18
Montes de Málaga (Parque
  natural de los) *MA*...93 V 16
Montes de Mora *TO*...... 70 N 17
Montes de San Benito *H*...78 S 8
Montes Universales (Reserva
  nacional de los) *TE*...... 48 K 24
Montesa *V*...... 74 P 28

A B C D E F G H I J K L M N O P Q R S T U V W X Y Z

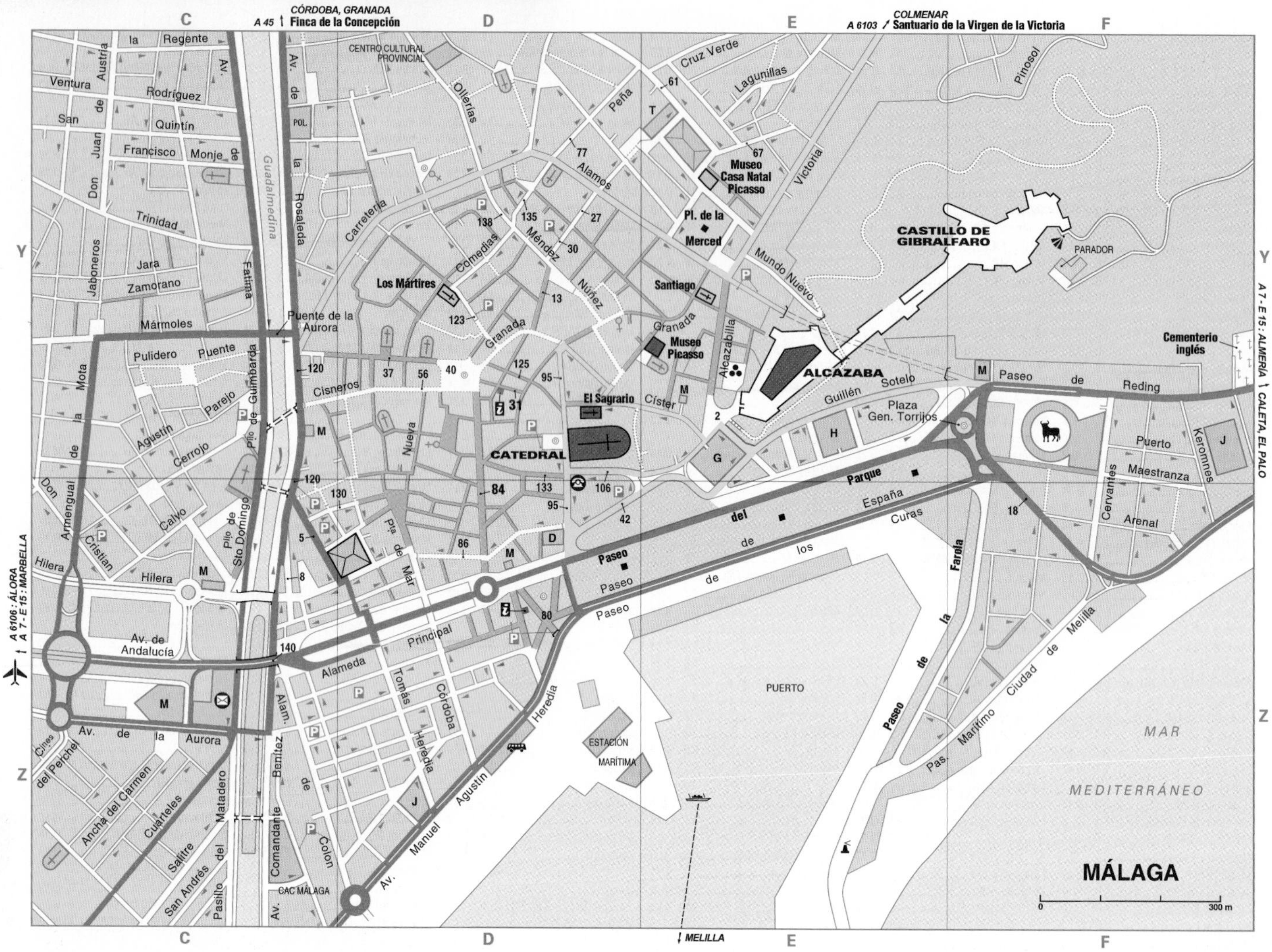

CÓRDOBA, GRANADA
A 45 ↑ Finca de la Concepción

COLMENAR
A 6103 ↗ Santuario de la Virgen de la Victoria

CENTRO CULTURAL PROVINCIAL

Cruz Verde
Lagunillas

Peña

Museo Casa Natal Picasso

Pl. de la Merced

Santiago

Museo Picasso

Alcazabilla

Los Mártires

El Sagrario

CATEDRAL

ALCAZABA

CASTILLO DE GIBRALFARO

PARADOR

Plaza Gen. Torrijos

Parque

Paseo de España

CEMENTERIO inglés

Paseo de Reding

Puerto

Maestranza

Arenal

Paseo del Parque

ESTACIÓN MARÍTIMA

PUERTO

Paseo Marítimo Ciudad de Melilla

MAR MEDITERRÁNEO

MÁLAGA

0 — 300 m

↓ MELILLA

A 6106 : ÁLORA
A 7 - E 15 : MARBELLA

A7 - E15 : ALMERÍA
CALETA, EL PALO

Aduana (Pl. de la)	EY 2	Casapalma	DY 30	Cortina		Mariblanca	DY 77

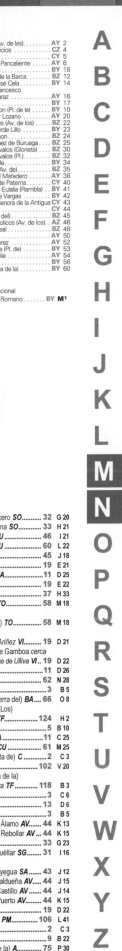

MÉRIDA (map)

A 5-E 90 ① N 630, CÁCERES
②
A 5-E 90, MADRID / A 430, CIUDAD REAL

ERMITA DE LA ANTIGUA
CASA DE CULTURA 44
CIRCO ROMANO
STA EULALIA
CASA DEL ANFITEATRO
ANFITEATRO
MUSEO NACIONAL DE ARTE ROMANO M¹
TEATRO ROMANO
Plaza de España
TEMPLO DE DIANA
Pl. de Sta Maria
MORERIA
Alcazaba
Pl. de Roma
GUADIANA
Puente Romano
CASA DEL MITREO
COLUMBARIOS ROMANO
ESTADIO ROMANO
Pl. de los Escritores
PALACIO DE CONGRESOS
CASA DE CULTURA

A 5-E 90 BADAJOZ ③ A 66-E 803 SEVILLA

0 — 400 m

Abadias (Av. de las) . . . . AY 2
Artes y Oficios . . . . CZ 4
Ausonio . . . . CY 5
Avenal de Pancaliente . . . . AY 6
Berzocana . . . . BY 18
Calderon de la Barca . . . . BZ 12
Camillo José Cela . . . . BY 14
Capitan Francesco
  de Almaraz . . . . AY 16
Cervantes . . . . BY 17
Constitucion (Pl. de la) . . . . BY 10
Don César Lozano . . . . AY 20
Estudiantes (Av. de los) . . . . . . BZ 22
Félix Valverde Lillo . . . . BZ 23
John Lennon . . . . BZ 24
José A. Saez de Buruaga . . . . . BZ 25
Juan de Avalos (Glorieta) . . . . . BZ 30
Juan de Avalos (Pl.) . . . . BZ 32
Louis Braille . . . . BY 34
Lusitania (Av. de) . . . . AY 35
Manga del Matadero . . . . AY 38
Marques de Paterna . . . . CY 40
Mártir Sta. Eulalia (Rambla) . . . AY 41
Moreno de Vargas . . . . BY 42
Muestra Senora de la Antigua . CY 43
Nerja . . . . CY 44
Rastro (Pl. del) . . . . BZ 45
Reyes Catolicos (Av. de los) . . . AZ 46
Romero Leal . . . . BZ 48
Salvador . . . . AY 50
Sancho Pèrez . . . . AY 52
Santa Clara (Pl. de) . . . . BY 53
Santa Eulalia . . . . AY 54
Trajano . . . . BY 56
Villa (Puerta de la) . . . . BY 60

Museo Nacional
  de Arte Romano . . . . BY M¹

Morriondo *LE* . . . . 15 E 12
Morro Jable
  Fuerteventura GC . . . . 112 C 5
Morrón *AB* . . . . 73 Q 24
Morrón *AL* . . . . 102 V 21
Morrón
  de los Genoveses *AL* . . 103 V 23
Morrón del Puerto *MU* . . . . 73 Q 26
Morrones (Los) *CR* . . . . . . 71 Q 20
Morrones (Los) *GR* . . . . . . 94 T 19
Mortera (La) *O* . . . . 5 C 10
Mortera (La) *VA* . . . . 30 G 15
Mos *PO* . . . . 12 F 4
Moscán *LU* . . . . 14 D 7
Moscardón *TE* . . . . 48 L 25
Moscari *PM* . . . . 104 M 38
Moscaril *GR* . . . . 101 V 18
Moscoso *PO* . . . . 12 F 4
Mosende *LU* . . . . 3 A 7
Mosende *PO* . . . . 12 F 4
Mosqueruela *TE* . . . . 49 K 28
Mosqueruela
  (Puerto de) *TE* . . . . 49 K 28
Mosquete *C* . . . . 12 E 3
Mosteiro *OR* . . . . 13 F 5
Mosteiro *Meis PO* . . . . . . 12 E 3
Mosteiro *CO* . . . . 80 R 13
Mosteiro Pol *LU* . . . . 4 C 7
Móstoles *M* . . . . 58 L 18
Mota (Fortaleza de la) *J* . . . 94 T 18
Mota (La) *GI* . . . . 25 F 38
Mota (La) *CA* . . . . 92 V 14
Mota de Altarejos *CU* . . . . 60 M 23
Mota del Cuervo *CU* . . . . . 59 N 21
Mota del Marqués *VA* . . . . 30 H 14
Motilleja *AB* . . . . 72 O 24
Motos *GU* . . . . 48 K 25
Motril *GR* . . . . 101 V 19
Moucide *LU* . . . . 4 B 7
Mougás *PO* . . . . 12 F 3
Mourentán *PO* . . . . 13 F 5
Mourisca *OR* . . . . 14 F 8
Mouriscados *PO* . . . . 13 F 4
Mourulle *LU* . . . . 13 D 6
Mousende *LU* . . . . 4 B 8
Moutas *O* . . . . 5 B 11
Moveros *ZA* . . . . 29 H 11

Moya *CU* . . . . 61 M 25
Moya *Gran Canaria GC* . . 115 D 2
Moyas (Las) *CR* . . . . 71 O 20
Moyuela *Z* . . . . 49 I 27
Mozar de Valverde *ZA* . . . 29 G 11
Mozárbez *SA* . . . . 43 J 13
Mozas
  (Monte de las) *CU* . . . . 72 O 23
Mozoncillo *SG* . . . . 45 I 17
Mozóndiga *LE* . . . . 15 E 12
Mozota *Z* . . . . 34 H 26
Muchachos (Roque de los)
  La Palma TF . . . . 130 C 3
Mucientes *VA* . . . . 30 G 15
Mudá *P* . . . . 17 D 16
Mudapelos *J* . . . . 82 S 17
Mudela *CR* . . . . 70 Q 19
Muduex *GU* . . . . 46 J 21
Mudurra (La) *VA* . . . . 30 G 15
Muel *Z* . . . . 34 H 26
Muela *AB* . . . . 73 P 25
Muela *MU* . . . . 85 S 25
Muela *CO* . . . . 80 R 13
Muela *BU* . . . . 32 F 19
Muela
  cerca de Cantavieja *TE* . 49 K 28
Muela
  cerca de Manzanera *TE* . 61 L 27
Múnia (La) *Z* . . . . 34 H 26
Muela (La) cerca
  de Algodonales *CA* . . . 92 V 13
Muela (La)
  cerca de Vejer *CA* . . . . 99 X 12
Muela (La)
  cerca de Cartagena *MU* . 97 T 26
Muela de Cortes (Reserva
  nacional de) *V* . . . . 73 O 27
Muelas
  de los Caballeros *ZA* . . 15 F 10
Muelas del Pan *ZA* . . . . . 29 H 12
Mués *NA* . . . . 19 E 23

Muez *NA* . . . . 10 D 24
Muga *BU* . . . . 34 G 24
Muga (La) (Riu) *GI* . . . . . 24 E 37
Muga de Alba *ZA* . . . . . . 29 G 11
Muga de Sayago *ZA* . . . . 29 H 11
Muñis *LU* . . . . 4 D 9
Muño *O* . . . . 6 B 13
Muñoces (Los) *MU* . . . . . 85 S 26
Muñogalindo *AV* . . . . 44 K 15
Muñogrande *AV* . . . . 44 J 15
Muñomer del Peco *AV* . . . 44 J 15
Muñopedro *SG* . . . . 45 J 16
Muñopepe *AV* . . . . 44 K 15
Muñosancho *AV* . . . . 44 J 14
Muñotello *AV* . . . . 44 K 14
Muñoveros *SG* . . . . 45 I 18
Muñoyerro *AV* . . . . 44 J 15
Mur (Castell de) *L* . . . . . . 22 F 32
Mura *B* . . . . 38 G 35
Muradelle *LU* . . . . 13 E 6
Muras *O* . . . . 3 B 6
Murchante *NA* . . . . 20 F 25
Murchas *GR* . . . . 101 V 19
Murcia *MU* . . . . 85 S 26
Murciélagos
  (Cueva de los) *CO* . . . . 93 T 17
Murero *Z* . . . . 48 I 25
Mures *J* . . . . 94 T 18
Murguía *B* . . . . 19 D 21
Murias *LE* . . . . 15 E 11
Murias *ZA* . . . . 14 F 10
Murias
  cerca de Santibáñez *O* . . 6 C 12
Murias de Paredes *LE* . . . 15 D 11
Murias de Ponjos *LE* . . . . 15 D 11
Muriedas *S* . . . . 7 B 18
Muriel *GU* . . . . 46 J 20
Muriel de la Fuente *SO* . . 32 G 21
Muriel de Zapardiel *VA* . . 44 I 15
Muriel Viejo *SO* . . . . 32 G 21
Muriellos *O* . . . . 5 C 12
Murillo Berroya *NA* . . . . . 11 D 26
Murillo de Calahorra *LO* . . 19 E 24
Murillo de Gállego *Z* . . . . 21 E 27
Murillo de Río Leza *LO* . . 19 E 23
Murillo el Cuende *NA* . . . 20 E 25

Murillo el Fruto *NA* . . . . . 20 E 25
Murla *A* . . . . 74 Q 29
Muro *PM* . . . . 105 M 39
Muñique *Lanzarote GC* . . 123 D 1
Muro de Ágreda *SO* . . . . 33 G 24
Muro de Aguas *LO* . . . . . 19 F 23
Muro de Alcoy *A* . . . . 74 P 28
Muro en Cameros *LO* . . . 19 F 22
Muros *C* . . . . 12 D 2
Muros de Nalón *O* . . . . . . 5 B 11
Muros y Noia
  (Ría de) *PO* . . . . 12 D 2
Murta (La) *MU* . . . . 85 S 26
Murtas *GR* . . . . 102 V 20
Murtas (Las) *MU* . . . . . . 84 R 24
Murtiga *H* . . . . 78 R 9
Muruarte de Reta *NA* . . . 11 D 25
Muruzábal *NA* . . . . 10 D 24
Muruzábal
  de Andión *NA* . . . . 20 E 24
Musel (El) *O* . . . . 6 B 12
Museros *V* . . . . 62 N 28
Musitu *VI* . . . . 19 D 22
Muskilda
  (Santuario de) *NA* . . . . 11 D 26
Mussara (La) *T* . . . . 37 I 33
Mussara (Serra de la) *T* . . 37 I 33
Mustio (El) *H* . . . . 78 S 8
Mutiloa *SS* . . . . 10 C 23
Mutilagoiti /
  Mutilva Alta *NA* . . . . . . 11 D 25
Mutilva Alta /
  Mutiloagoiti *NA* . . . . . . 11 D 25
Mutriku *SS* . . . . 10 C 22
Mutxamel *A* . . . . 86 Q 28
Muxia *C* . . . . 2 C 2
Muyo (El) *SG* . . . . 32 I 20

N

Na Macaret *PM* . . . . 106 L 42
Na Xamena *PM* . . . . 87 O 34
Nabarniz *BI* . . . . 10 C 22
Nacha *HU* . . . . 36 G 31
Nacimiento *CO* . . . . 93 T 16
Nacimiento *AL* . . . . 95 U 22
Nadela *LU* . . . . 8 D 7

Nafría de Ucero *SO* . . . . . 32 G 20
Nafría la Llana *SO* . . . . . 33 H 21
Naharros *GU* . . . . 46 I 21
Naharros *CU* . . . . 60 L 22
Najarra *M* . . . . 45 J 18
Nájera *LO* . . . . 19 E 21
Najurrieta *NA* . . . . 11 D 25
Nalda *LO* . . . . 19 E 22
Nalec *L* . . . . 37 H 33
Nambroca *TO* . . . . 58 M 18
Nambroca
  (Sierra de) *TO* . . . . . . 58 M 18
Nanclares
  cerca de Ariñez *VI* . . . . 19 D 21
Nanclares de Gamboa cerca
  de Embalse de Ulliva *VI* . 19 D 22
Napal *NA* . . . . 11 D 26
Náquera *V* . . . . 62 N 28
Naraío *C* . . . . 3 B 5
Naranjal (Sierra del) *BA* . . 66 O 8
Naranjeros (Los)
  Tenerife TF . . . . 124 H 2
Naraval *O* . . . . 5 B 10
Narbarte *NA* . . . . 11 C 25
Narboneta *CU* . . . . 61 M 25
Nariga (Punta de) *C* . . . . . 2 C 3
Narila *GR* . . . . 102 V 20
Nariz (Punta de la)
  La Gomera TF . . . . . . 118 B 3
Narla *LU* . . . . 3 C 6
Narón *LU* . . . . 13 D 6
Narón *C* . . . . 3 B 5
Narrillos del Álamo *AV* . . . 44 K 13
Narrillos del Rebollar *AV* . 44 K 15
Narros *SG* . . . . 33 G 16
Narros de Cuéllar *SG* . . . 31 I 16
Narros
  de Matalayegua *SA* . . . 43 J 12
Narros de Saldueña *AV* . . 44 J 15
Narros del Castillo *AV* . . . 44 J 14
Narros del Puerto *AV* . . . . 44 K 15
Narvaja *VI* . . . . 19 D 22
Nati (Punta) *PM* . . . . 106 L 41
Natón *C* . . . . 2 C 3
Natxitua *BI* . . . . 9 B 22
Nau (Cap de la) *A* . . . . . . 75 P 30

A B C D E F G H I J K L M N O P Q R S T U V W X Y Z

MURCIA

Alfonso X el Sabio (Gran Vía) . . **DY** 2
Cardenal Belluga (Pl.) . . . . **DY** 5
Colón (Alameda de) . . . . **DZ**
España (Glorieta de) . . . . **DZ** 15
Floridablanca . . . . **DZ** 18

Garay (Pas. de) . . . . **DZ** 20
Gómez Cortina . . . . **CY** 28
Infante Don Juan Manuel
 (Av.) . . . . **DZ** 33
Isidoro de la Cierva . . . . **DY** 40
José Antonio Ponzoa . . . . **DY** 44
Licenciado Cascales . . . . **DY** 56
Marcos Redondo . . . . **CY** 60

Martínez Tornel (Pl.) . . . . **DZ** 65
Platería . . . . **DY**
Proclamación . . . . **DZ** 75
San Francisco (Plano de) . . . . **CYZ** 78
Sociedad . . . . **DY** 80
Teniente Flomesta
 (Av.) . . . . **DZ** 83
Traperia . . . . **DY**

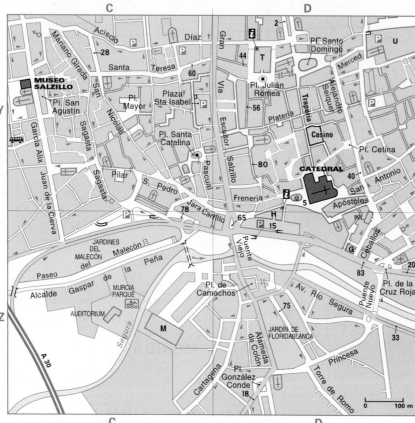

Nava *O* . . . . .6 B 13
Nava (Estación de la) *H* . . . . .79 S 9
Nava (La) *CR* . . . . .82 Q 19
Nava (La) *H* . . . . .79 S 9
Nava (La) *SE* . . . . .80 R 13
Nava (La) *BA* . . . . .68 P 13
Nava (Laguna la) *CR* . . . . . . .70 O 18
Nava (Puerto de la) *BA* . . . . . .68 P 14
Nava de Abajo *AB* . . . . .72 Q 24
Nava de Arévalo *AV* . . . . .44 J 15
Nava de Arriba *AB* . . . . .72 P 24
Nava de Béjar *SA* . . . . .43 K 12
Nava de Campana *AB* . . . . . . .84 Q 25
Nava de Francia *SA* . . . . .43 K 11
Nava de
 Jadraque (La) *GU* . . . . . .46 I 20
Nava
 de la Asunción *SG* . . . . .45 I 16
Nava
 de los Caballeros *LE* . . . .16 E 14
Nava de Mena *BU* . . . . .8 C 20
Nava de Pablo *J* . . . . .83 S 21
Nava
 de Ricomalillo (La) *TO* . . .57 N 15
Nava-de Roa *BU* . . . . .31 H 18
Nava de San Pedro *J* . . . . . . .83 S 21
Nava
 de Santiago (La) *BA* . . . . .67 O 10
Nava de Sotrobal *SA* . . . . . . .44 J 14
Nava del Barco *AV* . . . . .56 L 13
Nava del Rey *VA* . . . . .30 I 14
Nava el Zar *J* . . . . .82 Q 18
Navacarros *SA* . . . . .43 K 12
Navaceped
 de Tormes *AV* . . . . .44 K 14
Navacepedilla
 de Corneja *AV* . . . . .44 K 14
Navacerrada *M* . . . . .45 J 17
Navacerrada *CR* . . . . .69 P 16
Navacerrada
 (Puerto de) *M* . . . . .45 J 17
Navachica *MA* . . . . .101 V 18

Navaconcejo *CC* . . . . .56 L 12
Navadijos *AV* . . . . .44 K 14
Navaescurial *AV* . . . . .44 K 14
Navafría *SG* . . . . .45 I 18
Navafría *LE* . . . . .16 E 13
Navafría (Puerto de) *M* . . . . . .45 J 18
Navahermosa *TO* . . . . .57 N 16
Navahermosa *MA* . . . . .93 U 15
Navahermosa
 cerca de Aracena *H* . . . . .79 S 9
Navahermosa cerca
 de Valdeverde del C. *H* . .91 T 9
Navaholguín *SE* . . . . .80 S 12
Navahombela *SA* . . . . .44 K 13
Navahondilla *AV* . . . . .45 L 16
Navajarra *CR* . . . . .69 O 16
Navajarra (Sierra de) *CR* . . . . .69 O 16
Navajas *CS* . . . . .62 M 28
Navajún *LO* . . . . .33 G 23
Naval *HU* . . . . .22 F 30
Navalacruz *AV* . . . . .44 K 15
Navalafuente *M* . . . . .45 J 18
Navalagamella *M* . . . . .45 K 17
Navalatienda *CR* . . . . .69 P 15
Navalavaca *CR* . . . . .71 Q 20
Navalcaballo *SO* . . . . .33 G 22
Navalcán *TO* . . . . .57 L 14
Navalcán
 (Embalse de) *TO* . . . . . .57 L 14
Navalcarnero *M* . . . . .58 L 17
Navalcuervo *CO* . . . . .80 R 14
Navaldrún *Z* . . . . .20 E 26
Navalengua *AB* . . . . .72 P 23
Navalguijo *AV* . . . . .56 L 13
Navalices *CR* . . . . .58 N 17
Navalilla *SG* . . . . .31 H 18
Navalmanzano *SG* . . . . .45 I 17
Navalmoral *AV* . . . . .44 K 15
Navalmoral
 (Puerto de) *AV* . . . . .44 K 15
Navalmoral de Béjar *SA* . . . . .43 K 12

Navalmoral
 de la Mata *CC* . . . . .56 M 13
Navalmoralejo *TO* . . . . .57 M 14
Navalmorales (Los) *TO* . . . . . .57 M 16
Navalón *CU* . . . . .60 L 23
Navalón de Abajo *V* . . . . .73 P 27
Navalón de Arriba *V* . . . . .73 P 27
Navalonguilla *AV* . . . . .56 L 13
Navalosa *AV* . . . . .44 K 15
Navalperal
 de Pinares *AV* . . . . .45 K 16
Navalperal
 de Tormes *AV* . . . . .44 K 14
Navalpino *CR* . . . . .69 O 16
Navalpotro *GU* . . . . .47 J 22
Navalrincón *CR* . . . . .69 O 16
Navalsáuz *AV* . . . . .44 K 14
Navaltoril *TO* . . . . .57 N 15
Navalucillos (Los) *TO* . . . . . . .57 M 16
Navaluenga *AV* . . . . .44 K 15
Navalvillar *SE* . . . . .80 S 13
Navalvillar de Ibor *CC* . . . . . . .56 N 13
Navalvillar de Pela *BA* . . . . . . .68 O 13
Navamorales *SA* . . . . .44 K 13
Navamorcuende *TO* . . . . .57 L 15
Navamuel *S* . . . . .17 D 17
Navandrinal *AV* . . . . .44 K 15
Navapalos *SO* . . . . .32 H 20
Navaquesera *AV* . . . . .44 K 15
Navarcles *B* . . . . .38 G 35
Navardún *Z* . . . . .20 E 26
Navares *MU* . . . . .84 R 24
Navares de Ayuso *SG* . . . . . . .32 H 18
Navares
 de Enmedio *SG* . . . . . . .32 H 18
Navares
 de las Cuevas *SG* . . . . . .32 H 18
Navaridas *VI* . . . . .19 E 22
Navarredonda *M* . . . . .46 J 18
Navarredonda *SE* . . . . .92 U 14
Navarredonda
 de Gredos *AV* . . . . .44 K 14

Navarredonda
 de la Rinconada *SA* . . . . .43 K 11
Navarredonda
 de Salvatierra *SA* . . . . . .43 K 12
Navarredondilla *AV* . . . . .44 K 15
Navarrés *V* . . . . .74 O 27
Navarrete *VI* . . . . .19 E 22
Navarrete *LO* . . . . .19 E 22
Navarrete del Río *TE* . . . . .48 J 26
Navarrevisca *AV* . . . . .44 K 15
Navàs *B* . . . . .38 G 35
Navas
 (Embalse de las) *HU* . . . .21 F 28
Navas (Las) *TO* . . . . .70 N 17
Navas (Las) *CO* . . . . .94 T 17
Navas (Las) *SE* . . . . .91 V 12
Navas de Buitrago *M* . . . . .46 J 19
Navas de Bureba *BU* . . . . .18 D 20
Navas de Estena *TO* . . . . .57 N 16
Navas de Jadraque *GU* . . . . . .46 I 20
Navas de Jorquera *AB* . . . . . . .72 O 24
Navas de la Concepción
 (Las) *SE* . . . . .80 S 13
Navas de Oro *SG* . . . . .45 I 16
Navas de Riofrío *SG* . . . . .45 J 17
Navas
 de San Antonio *SG* . . . . .45 J 17
Navas de San Juan *J* . . . . . . .83 R 20
Navas de Selpillar *CO* . . . . . . .93 T 16
Navas de Tolosa (Las) *J* . . . . .82 R 19
Navas del Madroño *CC* . . . . . .55 N 10
Navas
 del Marqués (Las) *AV* . . .45 K 17
Navas del Pinar *BU* . . . . .32 G 20
Navas del Rey *M* . . . . .45 K 17
Navasa *HU* . . . . .21 E 28
Navascués *NA* . . . . .11 D 26
Navasfrías *SA* . . . . .42 L 9
Navata *GI* . . . . .25 F 38
Navata (La) *M* . . . . .45 K 18
Navatalgordo *AV* . . . . .44 K 15
Navatejares *AV* . . . . .44 K 13

Navatrasierra *CC* . . . . .56 N 14
Navazos (Los) *CR* . . . . .71 P 21
Navazuelo *CO* . . . . .93 T 16
Navazuelo (El) *GR* . . . . .94 T 19
Návea *OR* . . . . .14 F 7
Navelgas *O* . . . . .5 B 10
Navelonga
 (Ermita de) *CC* . . . . .55 L 9
Naveros *CA* . . . . .99 W 12
Navès *L* . . . . .37 G 34
Naveta des Tudons *PM* . . . . . .106 M 41
Navezuelas
 cerca de Mirabel *CC* . . . .56 M 11
Navezuelas
 cerca de Roturas *CC* . . . .56 N 13
Navia *O* . . . . .4 B 9
Navia (Río) *ESP* . . . . .4 C 9
Navia (Valle del) *O* . . . . .4 C 9
Navia de Suarna *LU* . . . . .4 D 8
Navianos de Alba *ZA* . . . . . . .29 G 12
Navianos
 de Valverde *ZA* . . . . .29 G 12
Navilla *BA* . . . . .68 P 11
Navillas (Las) *TO* . . . . .57 N 16
Naya (La) *H* . . . . .79 S 10
Nazar *NA* . . . . .19 E 23
Nazaret *V* . . . . .62 N 29
Nazaret (Ermita de) *J* . . . . . . .83 Q 20
Neblines *SE* . . . . .92 T 13
Nebra *C* . . . . .12 D 3
Nebreda *BU* . . . . .32 G 19
Nechite *GR* . . . . .95 U 20
Neda *C* . . . . .3 B 5
Neda (Cordal de) *LU* . . . . .4 B 7
Negra (Punta) *MU* . . . . .97 T 27
Negra (Punta) *GR* . . . . .102 V 20
Negra (Punta)
 Tenerife *TF* . . . . .126 B 3
Negra (Punta)
 Tenerife *TF* . . . . .128 C 5
Negra (Punta)
 Tenerife *TF* . . . . .128 E 5
Negradas *LU* . . . . .3 A 6
Negrales-
 Los Llanos (Los) *M* . . . . .45 K 17
Negras (Las) *AL* . . . . .103 V 23
Negredo *GU* . . . . .46 I 21
Negredo (El) *SG* . . . . .32 I 20
Negreira *C* . . . . .2 D 3
Negrete (Cabo) *MU* . . . . .97 T 27
Negrilla de Palencia *SA* . . . . . .44 I 13
Negrón *V* . . . . .61 L 25
Negrón (Túnel de) *LE* . . . . . . .15 D 12
Negueira de Muñiz *LU* . . . . . . .4 C 9
Neguillas *SO* . . . . .33 H 22
Neila *BU* . . . . .32 F 21
Neila de San Miguel *AV* . . . . . .43 K 13
Neira *LU* . . . . .4 D 8
Neiro *LU* . . . . .4 C 8
Nela *BU* . . . . .18 D 19
Nembro *O* . . . . .5 B 12
Nemeño *C* . . . . .2 C 3
Nemiña *C* . . . . .2 C 2
Nepas *SO* . . . . .33 H 22
Nerín *HU* . . . . .21 E 30
Nerja *MA* . . . . .101 V 18
Nerja
 (Cueva de) *MA* . . . . .101 V 18
Nerpio *AB* . . . . .84 R 23
Nerva *H* . . . . .79 S 10
Nespereira *LU* . . . . .13 D 6
Nestar *P* . . . . .17 D 17
Nestares *LO* . . . . .19 F 22
Neulos (Pic) *GI* . . . . .25 E 38
Neves (As) *PO* . . . . .13 F 4
Neves (As) *C* . . . . .3 B 6
Nicho (Ermita del) *J* . . . . .83 S 20
Niebla *H* . . . . .91 T 9
Niefla
 (Puerto de) *CR* . . . . .69 Q 16
Nietos (Los) *MU* . . . . .85 T 27
Nieva *SG* . . . . .45 I 16
Nieva de Cameros *LO* . . . . . . .19 F 21
Nieve (Pozo de la) *AL* . . . . . . .95 U 22
Nieves *C* . . . . .3 B 5
Nieves *CO* . . . . .60 L 24
Nieves (Ermita de las)
 Lanzarote *GC* . . . . .123 E 3
Nieves (Las) *TO* . . . . .58 M 18
Nieves (Las) *SE* . . . . .79 T 11
Nieves (Pozo de las)
 Gran Canaria *GC* . . . . . .117 E 3
Nigoi *PO* . . . . .13 E 4
Nigrán *PO* . . . . .12 F 3
Nigüelas *GR* . . . . .101 V 19
Nigüella *Z* . . . . .34 H 25
Niharra *AV* . . . . .44 K 15

Níjar *AL* . . . . .103 V 23
Níjar
 (Campo de) *AL* . . . . .103 V 23
Niñas (Las) *CO* . . . . .81 S 15
Niño (El) *MU* . . . . .85 R 25
Niñodaguia *OR* . . . . .13 F 7
Niñons *C* . . . . .2 C 3
Nistal *LE* . . . . .15 E 11
Niveiro *C* . . . . .2 C 4
Noáin *NA* . . . . .11 D 25
Noalejo *J* . . . . .94 T 19
Noalla *PO* . . . . .12 E 3
Noarre *L* . . . . .23 D 33
Nobeda *CU* . . . . .60 L 23
Noblejas *TO* . . . . .59 M 19
Noceco cerca de Espinosa
 de los M. *BU* . . . . .8 C 19
Noceda *LU* . . . . .14 D 8
Noceda cerca de Castrillo
 de Cabrera *LE* . . . . .15 E 10
Noceda del Bierzo cerca
 de Toreno *LE* . . . . .15 D 10
Nocedo cerca
 de Sedano *BU* . . . . .18 D 18
Nocedo de Curueño *LE* . . . . . .16 D 13
Nocedo do Val *OR* . . . . .28 F 7
Noche *LU* . . . . .3 C 6
Nocito *HU* . . . . .21 F 29
Nódalo *SO* . . . . .33 G 21
Nodar *C* . . . . .3 C 6
Noez *TO* . . . . .58 M 17
Nofuentes *BU* . . . . .18 D 19
Nogais (As) *LU* . . . . .14 D 8
Nogal de las Huertas *P* . . . . . .17 E 16
Nogales *MA* . . . . .100 V 16
Nogales *BA* . . . . .67 Q 9
Nogales *P* . . . . .17 D 17
Nogales
 (Embalse de) *BA* . . . . . . .67 Q 9
Nogales (Los) *TO* . . . . .57 L 16
Nogalte
 (Rambla de) *MU* . . . . . . .96 T 24
Nogar *LE* . . . . .15 F 10
Nogarejas *LE* . . . . .15 F 11
Nograles *SO* . . . . .32 H 21
Nograro *VI* . . . . .18 D 20
Nogueira *LU* . . . . .13 E 6
Nogueira *OR* . . . . .13 E 5
Nogueira *PO* . . . . .2 E 3
Noguera *TE* . . . . .48 K 25
Noguera
 de Tort (La) (Riu) *L* . . . . .22 E 32
Noguera Pallaresa
 (Vall de la) *L* . . . . .23 E 33
Noguera Ribagorçana
 (Vall del) *HU* . . . . .22 E 32
Nogueras *TE* . . . . .48 I 26
Nogueras (Las) *V* . . . . .61 N 26
Noguero *HU* . . . . .22 F 31
Noguerones (Los) *J* . . . . .82 T 17
Nogueruela (La) *CU* . . . . .61 L 25
Nogueruelas *TE* . . . . .62 L 28
Nohales *TO* . . . . .58 M 17
Noharre *AV* . . . . .44 J 15
Noia *C* . . . . .12 D 3
Noicela *C* . . . . .2 C 4
Nois *LU* . . . . .4 B 8
Noja *S* . . . . .8 B 19
Nolay *SO* . . . . .33 H 22
Nombela *TO* . . . . .57 L 16
Nombrevilla *Z* . . . . .48 I 25
Nomparedes *SO* . . . . .33 H 23
Nonaspe *Z* . . . . .36 I 30
Nora *BA* . . . . .78 R 9
Nora (La) *LE* . . . . .15 F 12
Noreña *O* . . . . .5 B 12
Norfeu
 (Cap de) *GI* . . . . .25 F 39
Norias (Las) *CR* . . . . .70 Q 19
Norias (Las) cerca
 de Huércal Overa *AL* . . .96 T 24
Norias de Daza (Las)
 cerca de Almerimar *AL* . .102 V 21
Noriega *O* . . . . .7 B 16
Norís *L* . . . . .23 E 34
Norte (Punta)
 El Hierro *TF* . . . . .109 D 1
Nostra Senyora
 de Bellmunt *B* . . . . .24 F 36
Nostra Senyora
 de la Salut *GI* . . . . .24 F 37
Nostra Senyora de Lluc
 (Monestir de) *PM* . . . . . .104 M 38
Nostra Senyora
 de Queralt *B* . . . . .24 E 35

Nostra Senyora
del Far *GI*...... 24 F 37
Nostra Senyora
del Mont *GI*...... 24 F 38
Nostra Senyora
dels Àngels *GI*.... 25 G 38
Notáez *GR*........ 102 V 20
Nou (La) *B*........ 24 F 35
Nou de Gaià (La) *T*.... 37 I 34
Novales *HU*........ 21 F 29
Novales *S*........ 7 B 17
Novaliches *CS*.... 62 M 28
Novallas *Z*........ 34 G 24
Novelda *A*........ 85 Q 27
Novelda
del Guadiana *BA*.... 67 P 9
Novellaco *Z*........ 20 E 26
Novellana *O*........ 5 B 11
Novés *HU*........ 21 E 28
Novés *TO*........ 58 L 17
Noves de Segre *L*.... 23 F 34
Noviales *SO*........ 32 H 20
Noviercas *SO*........ 33 G 23
Novillas *Z*........ 34 G 25
Novo Sancti Petri *CA*.... 98 W 11
Nuarbe *SS*........ 10 C 23
Nubledo *O*........ 5 B 12
Nublo (Roque)
Gran Canaria GC.... 116 D 3
Nucia (La) *A*........ 74 Q 29
Nueno *HU*........ 21 F 28
Nueros *TE*........ 48 J 26
Nuestra Santa Fátima
(Ermita de) *BA*.... 80 Q 13
Nuestra Señora
de Alarcos *CR*.... 70 P 17
Nuestra Señora de Altagracia
(Ermita de) *BA*.... 69 P 14
Nuestra Señora
de Angosto *VI*.... 18 D 20
Nuestra Señora
de Araceli *CO*.... 93 T 16
Nuestra Señora de Aranz
(Ermita de) *GU*.... 47 J 22
Nuestra Señora
de Arnotegui *NA*.... 10 D 24
Nuestra Señora
de Bella *H*........ 90 U 8
Nuestra Señora de Chilla
(Santuario de) *AV*.... 56 L 14
Nuestra Señora
de Codés *NA*.... 19 E 22
Nuestra Señora de Cortés
(Santuario) *AB*.... 72 P 22
Nuestra Señora de Escardiel
(Ermita) *SE*.... 79 S 11
Nuestra Señora
de Fuensanta *MA*.... 100 W 15
Nuestra Señora
de Gádor *AL*.... 102 V 21
Nuestra Señora de Garón
(Ermita de) *P*.... 31 G 17
Nuestra Señora
de Gracia *BA*.... 78 R 9
Nuestra Señora de Gràcia
(Ermita de) *CS*.... 62 M 29
Nuestra Señora
de Guadalupe *SS*.... 10 B 24
Nuestra Señora de Guadalupe
(Ermita de)
La Gomera TF.... 119 E 2
Nuestra Señora de Hontanares
(Ermita de) *SG*.... 32 I 19
Nuestra Señora de la Antigua
(Ermita de) *BA*.... 68 P 12
Nuestra Señora de la Antigua
(Santuario de) *CR*.... 71 P 20
Nuestra Señora
de la Anunciada *VA*.... 30 G 14
Nuestra Señora
de la Bienvenida *GU*.... 47 K 22
Nuestra Señora
de la Cabeza *GU*.... 48 J 24
Nuestra Señora de la Carrasca
(Ermita) *TE*.... 48 J 25
Nuestra Señora
de la Consolación *SE*.... 92 U 12
Nuestra Señora
de la Esperanza *MU*.... 84 R 24
Nuestra Señora
de la Estrella *J*.... 82 R 19
Nuestra Señora
de la Fuensanta *CO*.... 81 S 15
Nuestra Señora
de la Fuensanta *J*.... 83 R 21
Nuestra Señora
de la Hoz *GU*.... 47 J 23

Nuestra Señora de la Luz
(Ermita de) *CC*.... 55 N 10
Nuestra Señora de la Luz
(Santuario de) *CA*.... 99 X 13
Nuestra Señora de la Misericordia
(Santuario de) *Z*.... 34 G 25
Nuestra Señora de la Peña
(Ermita de) *CC*.... 55 L 9
Nuestra Señora de la Peña
(Ermita de)
Fuerteventura GC.... 110 F 3
Nuestra Señora de la Rosa
(Ermita de) *TE*.... 49 J 27
Nuestra Señora de la Sierra
(Ermita de) *CC*.... 93 T 16
Nuestra Señora
de la Soledad *H*.... 90 U 9
Nuestra Señora
de las Nieves *BU*.... 8 C 19
Nuestra Señora
de las Nieves *CR*.... 70 P 19
Nuestra Señora
de las Viñas *BU*.... 18 F 19
Nuestra Señora
de Lebeña *S*.... 7 C 16
Nuestra Señora
de Linares *CO*.... 81 S 15
Nuestra Señora
de los Ángeles *H*.... 79 S 9
Nuestra Señora de
los Desamparados *CU*.. 47 K 21
Nuestra Señora
de los Hilos
(Ermita de) *CC*.... 55 M 9
Nuestra Señora de los Reyes
(Ermita) *El Hierro TF*.... 108 B 3
Nuestra Señora
de Melque *TO*.... 57 M 16
Nuestra Señora de Monlora
(Santuario de) *Z*.... 21 F 27
Nuestra Señora
de Oca *BU*.... 18 E 20
Nuestra Señora
de Piedras Albas *H*.... 90 T 8
Nuestra Señora
de Pineta *HU*.... 22 D 30
Nuestra Señora
de Regla *CA*.... 91 V 10
Nuestra Señora
de Setefilla *SE*.... 80 S 13
Nuestra Señora de Valvanera
(Monasterio) *LO*.... 18 F 21
Nuestra Señora de Vico
(Monasterio) *LO*.... 19 F 23
Nuestra Señora
de Zuqueca *CR*.... 70 P 18
Nuestra Señora del Campo
(Ermita de) *TE*.... 48 J 26
Nuestra Señora del Campo
(Ermita de) *CC*.... 55 N 9
Nuestra Señora
del Castillo *BU*.... 17 E 18
Nuestra Señora del Castillo
(Ermita de) *SA*.... 43 I 11
Nuestra Señora
del Llano *AB*.... 72 O 23
Nuestra Señora
del Oro *VI*.... 19 D 21
Nuestra Señora del Pasico
(Ermita) *MU*.... 85 S 27
Nuestra Señora del Prado
(Ermita de) *H*.... 79 S 10
Nuestra Señora
del Puerto *H*.... 79 S 11
Nuestra Señora del Puerto
(Ermita de) *CC*.... 56 L 11
Nuestra Señora
del Pueyo *Z*.... 35 I 27
Nuestra Señora del Remedio
(Ermita de) *V*.... 61 N 26
Nuestra Señora del Remedio
(Santuario) *V*.... 61 N 26
Nuestra Señora del Tremedal
(Ermita de) *TE*.... 48 K 25
Nuestra Señora
del Yugo *NA*.... 20 F 25
Nuestra Señora dels Àngels
(Ermita de) *CS*.... 50 K 30
Nueva *O*........ 8 B 15
Nueva (La) *O*........ 6 C 12
Nueva Andalucía *MA*.... 100 W 15
Nueva Carteya *CO*.... 93 T 16
Nueva Jarilla *CA*.... 91 V 11
Nueva Villa
de las Torres *VA*.... 30 I 14
Nuévalos *Z*........ 48 I 24
Nuevo Baztán *M*.... 46 K 20

Nuevo Chinchón *M*.... 59 L 19
Nuevo Guadiaro *CA*.... 99 X 14
Nuevo Rocío *SE*.... 91 U 11
Nuevo Toboso *M*.... 46 K 18
Nuevos *J*........ 83 Q 21
Nuez *ZA*........ 29 G 10
Nuez de Abajo (La) *BU*.... 17 E 18
Nuez de Arriba (La) *BU*.... 17 E 18
Nuez de Ebro *Z*.... 35 H 27
Nules *CS*........ 62 M 29
Nullán *LU*........ 14 D 8
Numancia *SO*........ 33 G 22
Numancia
de la Sagra *TO*.... 58 L 18
Nuño Gómez *TO*.... 57 L 16
Nuñomoral *CC*.... 43 K 11
Núria *GI*........ 24 E 36
Ñora (La) *MU*.... 85 S 26

O

O Burgo *C*........ 3 C 4
Oba *BI*........ 9 C 21
Obando *BA*........ 68 O 13
Obanos *NA*........ 10 D 24
Obejo *CO*........ 81 R 15
Obispo (Torre del) *J*.... 82 R 19
Obispo Hernandez *V*.... 61 M 26
Oblea *SA*........ 43 J 11
Obón *TE*........ 49 J 27
Obona *O*........ 5 B 10
Obra *C*........ 13 D 4
Obregón *S*........ 7 B 18
Oca *BU*........ 18 E 19
Oca (Montes de) *BU*.... 18 E 19
Ocaña *TO*........ 58 M 19
Ocaña *AL*........ 95 U 21
Oceja de Valdellorma *LE*.... 16 D 14
Ocejo de la Peña *LE*.... 16 D 14
Ocejón *GU*........ 46 I 20
Ocentejo *GU*........ 47 J 22
Ocero *LE*........ 14 D 10
Ochagavía *NA*........ 11 D 26

Ochando *SG*........ 45 I 16
Ochavillo del Río *CO*.... 80 S 14
Ochíchar *GR*........ 94 U 18
Ocio *VI*........ 19 E 21
Oco *NA*........ 19 E 23
Oco *AV*........ 44 K 15
Ocón *LO*........ 19 F 23
Odèn *L*........ 23 F 34
Odena *VA*........ 11 D 25
Oderitz *NA*........ 10 D 24
Odiel (Embalse de) *H*.... 79 S 10
Odollo *LE*........ 15 E 10
Odón *TE*........ 48 J 25
Odres (Los) *MU*.... 84 R 23
Oencia *LE*........ 14 E 9
Ogassa *GI*........ 24 F 36
Ogern *L*........ 23 F 34
Ogíjares *GR*........ 94 U 19
Oguina *VI*........ 19 D 22
Ohanes *AL*........ 95 U 21
Oia *PO*........ 12 F 3
Oiartzun *SS*........ 10 C 24
Oibar / Aibar *NA*.... 20 E 25
Oieregi *NA*........ 11 C 24
Oimbra *OR*........ 28 G 7
Oins *C*........ 3 D 5
Oirán *LU*........ 4 B 7
Oís *C*........ 3 C 5
Oitura *Z*........ 34 G 26
Oitz *NA*........ 11 C 24
Oix *GI*........ 24 F 37
Ojacastro *LO*.... 18 E 20
Ojebar *S*........ 8 C 19
Ojedo *S*........ 7 C 16
Ojén *MA*........ 100 W 15
Ojén (Puerto de) *CA*.... 99 X 13
Ojén (Puerto de) *MA*.... 100 W 15
Ojo Guareña *BU*.... 8 C 18
Ojós *MU*........ 85 R 25
Ojos-Albos *AV*.... 45 J 16
Ojos de Garza *GC*.... 117 G 3
Ojos Negros *TE*.... 48 J 25

Ojuel *SO*........ 33 G 23
Ojuelos *CO*........ 80 R 13
Ojuelos (Los) *SE*.... 92 U 14
Okondo *BI*........ 8 C 20
Ola *HU*........ 21 F 29
Olaberri *NA*........ 11 D 25
Olabarri *HU*........ 21 E 29
Olaeta *VI*........ 10 C 22
Olague *NA*........ 11 D 25
Oláiz *NA*........ 11 D 25
Olalla *TE*........ 48 J 26
Olalla (Punta de las) *C*.... 2 C 4
Olatz *SS*........ 10 C 22
Olave *NA*........ 11 D 25
Olaz (Puerto) *NA*.... 20 E 25
Olaz *TE*........ 62 L 28
Olazagutia / Olazti *NA*.... 19 D 23
Olazti / Olazagutia *NA*.... 19 D 23
Olba *TE*........ 62 L 28
Olcoz *NA*........ 20 E 24
Olea *S*........ 17 D 17
Olea de Boedo *P*.... 17 E 16
Oleiros *LU*........ 3 C 7
Oleiros
cerca de Ribeira C.... 12 E 2
Oleiros
cerca de Sada C.... 3 B 5
Oleja *NA*........ 19 E 23
Olelas *OR*........ 27 G 5
Olérdola *B*........ 37 I 35
Olesa de Bonesvalls *B*.... 38 H 35
Olesa de Montserrat *B*.... 38 H 35
Oliana *L*........ 23 F 33
Oliana (Pantà d') *L*.... 23 F 34
Olías *V*........ 100 V 17
Olías del Rey *TO*.... 58 M 18
Oliete *TE*........ 49 J 27
Oliola *L*........ 37 G 33
Olite *NA*........ 20 E 25
Olius *L*........ 23 F 34
Oliva *V*........ 74 P 29
Oliva (La)
Fuerteventura GC.... 111 H 2

Oliva
(Monasterio de la) *NA*.... 20 E 25
Oliva de la Frontera *BA*.... 78 R 9
Oliva de Mérida *BA*.... 67 P 11
Oliva de Plasencia *CC*.... 56 L 11
Oliván *HU*........ 21 E 29
Olivar (Convento del) *TE*.... 49 J 28
Olivar (El) *LO*.... 19 E 21
Olivar (El) *GU*.... 47 K 21
Olivares *SE*........ 91 T 11
Olivares (Los) *GR*.... 94 T 18
Olivares de Duero *VA*.... 31 H 16
Olivares de Júcar *CU*.... 60 M 22
Oliveira *PO*........ 12 F 4
Olivella *B*........ 38 I 35
Olivenza *BA*........ 66 P 8
Olives *PO*........ 13 D 4
Olivillo (El) *CA*.... 91 V 11
Olivos *NA*........ 20 F 24
Olla (L') *A*........ 74 Q 29
Ollauri *LO*........ 19 E 21
Olleria (L') *V*........ 74 P 28
Olleros *LE*........ 16 D 14
Olleros
(Ullibarri de los) *VI*.... 19 D 22
Olleros de Alba *LE*.... 15 D 12
Olleros
de Paredes Rubias *P*.... 17 D 17
Olleros de Pisuerga *P*.... 17 D 17
Olleros de Tera *ZA*.... 29 G 11
Ollo *NA*........ 10 D 24
Olloniego *O*........ 5 C 12
Olmeda (La) *SO*.... 34 H 20
Olmeda (La) *CU*.... 61 M 26
Olmeda de Cobeta *GU*.... 47 J 23
Olmeda de Eliz *CU*.... 60 L 22
Olmeda
de Jadraque (La) *GU*.... 47 I 21
Olmeda
de la Cuesta *CU*.... 60 L 22
Olmeda
de las Fuentes *M*.... 46 K 20

OVIEDO

Adelantado de la Florida...... **BY** 2
Alcalde G. Conde.......... **BY** 3
Alfonso II (Pl.)........ **BZ** 4
Antiguo Hospital del Principado **AY**
Argüelles............ **ABY** 5
Arzobispo Guisasola........ **BZ** 6
Cabo Noval............ **AZ** 7
Campo de los Patos (Pl.)..... **BY** 8
Canóniga............ **BZ** 9
Cimadevilla............ **BZ** 10
Constitución (Pl. de la)...... **BZ** 12

Covadonga............... **AY** 13
Daoiz y Velarde (Pl. de)...... **BZ** 14
División Azul............ **AZ** 15
Fruela............... **ABZ** 17
Ingeniero Marquina......... **AY** 18
Marqués de Gastañaga...... **BZ** 20
Marqués de Santa Cruz..... **AZ** 21
Martínez Marina........... **ABZ** 22
Martínez Vigil............ **BY** 23
Melquíades Álvarez........ **AY** 25
Monumentos (Av. de los)..... **AY** 27
Museo de Bellas Artes
de Asturias............ **BZ**
Padre Vinjoy............ **AZ** 28

Palacio Valdés............ **AY** 29
Pelayo............... **AYZ** 30
Pérez de la Sala........... **AZ** 31
Porlier (Pl. de)........... **BZ** 32
Postigo Alto............. **BZ** 33
Riego (Pl.)............. **BZ** 34
San Antonio............. **BZ** 36
San Francisco............ **ABZ** 37
San José............... **BZ** 38
San Vicente............. **BYZ** 39
Tenderina (La)........... **BY** 42
Teniente Alfonso
Martínez............. **BY** 44
Uría................ **AY** 45

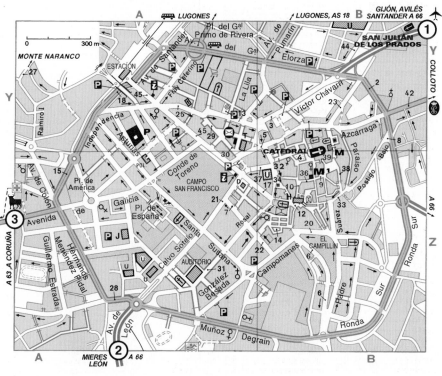

A B C D E F G H I J K L M **N O** P Q R S T U V W X Y Z

A B C D E F G H I J K L M N O P Q R S T U V W X Y Z

Olmeda del Extremo *GU*	47	J	21
Olmeda del Rey *CU*	60	M	23
Olmedilla de Alarcón *CU*	60	N	23
Olmedilla del Campo *CU*	59	L	21
Olmedillas *GU*	41	I	22
Olmedillas (Las) *V*	61	M	26
Olmedillo de Roa *BU*	31	G	18
Olmedo *VA*	31	I	15
Olmedo de Camaces *SA*	42	J	10
Olmillos *SO*	32	H	20
Olmillos de Castro *ZA*	29	G	12
Olmillos de Muñó *BU*	17	F	18
Olmillos de Sasamón *BU*	17	E	17
Olmillos de Valverde *ZA*	29	G	12
Olmo (El) *SG*	32	I	19
Olmo de la Guareña *ZA*	44	I	14
Olmos (Los) *TE*	49	J	28
Olmos de Esgueva *VA*	31	G	16
Olmos de la Picaza *BU*	17	E	18
Olmos de Ojeda *P*	17	D	16
Olmos de Peñafiel *VA*	31	H	17
Olmos de Pisuerga *P*	17	E	17
Olocau *V*	62	M	28
Olocau (Barranco de) *V*	62	N	28
Olocau del Rey *CS*	49	K	28
Olombrada *SG*	31	H	17
Olóriz *NA*	20	E	25
Olost *B*	38	G	36
Olot *GI*	24	F	37
Olp *L*	23	E	33
Olsón *HU*	22	F	30
Oluges (Les) *L*	37	G	33
Olula de Castro *AL*	95	U	22
Olula del Río *AL*	96	T	23
Olvan *B*	24	F	35
Olveda *LU*	13	D	6
Olveira *C*	12	E	2
Olveiroa *C*	2	D	2
Olvena *HU*	22	F	30
Olvera *CA*	92	V	14
Olvés *Z*	34	I	25
Olza *NA*	10	D	24
Olzinelles *B*	38	H	37
Omañas (Embalse de) *LE*	15	D	12
Omañas (Las) *LE*	15	D	12
Omañón *LE*	15	D	11
Ombreiro *LU*	3	C	7
Omellons (Els) *L*	37	H	32
Omells de Na Gaia (Els) *L*	37	H	33
Omeñaca *SO*	33	G	23
Onamio *LE*	15	E	10
Oncala *SO*	33	G	23
Oncala (Puerto de) *SO*	33	G	23
Oncebreros *AB*	73	P	25
Onceta (Isla de) *PO*	12	E	3
Onda *CS*	62	M	29
Ondara *A*	74	P	30
Ondarroa *BI*	10	C	22
Ondes *O*	5	C	11
Ongoz *NA*	11	D	26
Onil *A*	74	Q	27
Onón *O*	5	C	10
Ons *PO*	12	E	3
Ons (Isla de) *PO*	12	E	3
Onsares *J*	83	Q	22
Ontalafia (Laguna de) *AB*	72	P	24
Ontalafia (Sierra de) *AB*	72	P	24
Ontalvilla de Almazan *SO*	33	H	22
Ontaneda *S*	7	C	18
Ontano (El) *TO*	70	O	18
Ontígola *TO*	58	L	19
Ontinar del Salz *Z*	35	G	27
Ontinyent *V*	74	P	28
Ontiñena *HU*	36	G	30
Onton *S*	8	B	20
Ontur *AB*	73	Q	25
Onza *SE*	80	R	13
Onzonilla *LE*	16	E	13
Oña *BU*	18	D	19
Oña (Sierra de) *BU*	18	D	19
Oñati *SS*	10	C	22
Opacua *VI*	19	D	22
Opacua (Puerto de) *VI*	19	D	23
Oqueales *GR*	95	T	20
Oquillas *BU*	32	G	18
Orallo *LE*	15	D	10
Oraque *H*	90	T	9
Orba *V*	74	P	29
Orbada (La) *SA*	44	I	13
Orbaitzeta *NA*	11	D	26
Orbaneja del Castillo *BU*	18	D	18

Orbaneja-Riopico *BU*	18	E	19
Orbara *NA*	11	D	26
Órbigo *CL*	15	F	12
Orbiso *VI*	19	D	23
Orbita *AV*	45	I	16
Orcajo *Z*	48	I	25
Orcau *L*	23	F	32
Orce *GR*	83	S	22
Orcera *J*	83	R	22
Orchilla (Punta de) El Hierro *TF*	108	B	3
Ordaliego *O*	6	C	13
Ordejón de Arriba *BU*	17	E	17
Orden (Pozo de la) *J*	82	S	17
Ordes (Les) *T*	37	H	34
Ordesa (Valle de) *HU*	22	E	29
Ordesa y Monte Perdido (Parque nacional de) *HU*	22	D	29
Ordial (El) *GU*	46	I	20
Ordis *GI*	25	F	38
Orduña (Monte) *GR*	94	U	19
Orduña (Puerto de) *BI*	18	D	20
Orea *GU*	48	K	24
Orejana *SG*	46	I	18
Orejanilla *SG*	45	I	18
Orellan *LE*	14	E	9
Orellana (Embalse de) *BA*	68	P	13
Orellana de la Sierra *BA*	68	O	13
Orellana la Vieja *BA*	68	O	13
Oreña *S*	7	B	17
Orera *Z*	34	I	25
Orés *Z*	35	F	27
Orexa *SS*	10	C	24
Orfes *GI*	25	F	38
Órganos (Los) La Gomera *TF*	118	B	1
Organos de Montoro *TE*	49	J	28
Organyà *L*	23	F	33
Orgaz *TO*	58	N	18
Orgiva *GR*	102	V	19
Oria *AL*	96	T	23
Oria (Rambla de) *AL*	96	T	22
Oria (Sierra de) *AL*	96	T	23
Oricáin *NA*	11	D	25
Orient *PM*	104	M	38
Orihuela *A*	85	R	27
Orihuela del Tremedal *TE*	48	K	25
Orillares *SO*	32	G	20
Orille *OR*	13	F	6
Orillena *HU*	35	G	29
Oriñón *S*	8	B	20
Orio *SS*	10	C	23
Orís *B*	24	F	36
Orisoain *NA*	11	D	25
Oristà *B*	38	G	36
Orito *A*	86	Q	27
Orjal *C*	3	D	5
Orlé *O*	6	C	14
Ormaiztegi *SS*	10	C	23
Ormijana *VI*	18	D	21
Orna de Gállego *HU*	21	E	28
Oro *SS*	4	C	24
Oro (El) *V*	73	O	27
Oro (Sierra del) *BA*	68	Q	13
Oroel (El) *HU*	21	E	28
Oroel (Puerto de) *HU*	21	E	28
Orokieta-Erbiti *NA*	10	C	24
Orón *BU*	18	D	21
Oronz *NA*	11	D	26
Oronoz-Mugairi *NA*	11	C	25
Oropesa *TO*	57	M	14
Oropesa del Mar / Orpesa *CS*	62	L	30
Ororbia *NA*	10	D	24
Oros *HU*	21	E	28
Orosa *LU*	13	D	6
Oroso *OR*	13	E	5
Orotava (La) Tenerife *TF*	127	F	3
Orpesa / Oropesa del Mar *CS*	62	L	30
Orpí *B*	37	H	34
Orreaga / Roncesvalles *NA*	11	C	26
Orriols *GI*	25	F	38

Orrios *TE*	49	K	27
Òrrius *B*	38	H	37
Ortedó *L*	23	E	34
Ortegal (Cabo) *C*	3	A	6
Ortegas (Los) *CO*	80	S	14
Ortegicar *MA*	100	V	15
Ortiga *BA*	68	P	12
Ortigosa *AB*	71	P	21
Ortigosa *LO*	19	F	21
Ortigosa de Pestaño *SG*	45	I	16
Ortigosa de Rioalmar *AV*	44	J	14
Ortigosa del Monte *SG*	45	J	17
Ortigueira *C*	3	A	6
Ortiguera *O*	4	B	9
Ortilla *HU*	21	F	28
Ortuella *BI*	8	C	20
Orús *HU*	21	E	29
Orusco de Tajuña *M*	59	L	20
Orx (L') *A*	74	P	29
Orxeta *A*	74	Q	29
Osa de Balaguer *L*	36	G	32
Os de Civis *L*	18	C	20
Osa de la Vega *CU*	59	N	21
Osácar *NA*	10	D	24
Oscuro *GR*	94	T	19

Oseja *Z*	34	H	24
Oseja de Sajambre *LE*	6	C	14
Oselle *LU*	14	D	8
Osera *Z*	35	H	28
Oset *V*	61	M	27
Osia *HU*	21	E	27
Osinaga *NA*	10	D	24
Osma *VI*	18	D	20
Oso (El) *AV*	44	J	15
Osona *SO*	33	H	21
Osonilla *SO*	33	H	21
Osor *GI*	24	G	37
Osorillo *P*	17	E	17
Osorno la Mayor *P*	17	E	16
Ossa de Montiel *AB*	71	P	21
Ossero (El) *AB*	71	P	21
Osso *HU*	36	G	30
Oso de Sió *L*	37	G	33
Ostiz *NA*	11	D	25
Osuna *SE*	92	U	14
Otano *NA*	11	D	25
Otañes *S*	8	C	20
Otatzu *VI*	19	D	22
Oteiza *NA*	19	E	24
Oteo *BU*	18	C	20
Oter *GU*	47	J	22
Oterico *LE*	15	D	12
Otero *LE*	15	E	11

Otero *LU*	4	C	7
Otero *TO*	57	L	16
Otero (El) *VA*	31	H	16
Otero de Bodas *ZA*	29	G	11
Otero de Guardo *P*	16	D	15
Otero de Herreros *SG*	45	J	17
Otero de las Dueñas *LE*	15	D	12
Otero de Naragantes *LE*	15	D	10
Otero de Sanabria *ZA*	29	F	10
Otero de Sariegos *ZA*	30	G	13
Oteros (Los) *CU*	60	L	24
Oteruelo del Valle *M*	45	J	18
Oteruelos *SO*	33	G	22
Otilla *GU*	48	J	24
Otiñano *NA*	19	E	23
Otiñar (Puerto de) *OR*	13	F	5
Otita Leitzaran *SS*	10	C	24
Otívar *GR*	101	V	18
Oto *HU*	21	E	29
Oto Goien *VI*	19	D	21
Otones de Benjumez *SG*	45	I	17
Otos *MU*	84	R	23
Otos *V*	74	P	28
Otur *O*	5	B	10
Otura *GR*	94	U	19
Oturia *HU*	21	E	29
Otxandio *BI*	10	C	22
Otxaran *BI*	8	C	20
Otxondo (Puerto de) *NA*	11	C	25

Oubiña *PO*	12	E	3
Oulego *OR*	14	E	9
Oural *LU*	14	D	7
Ourense *OR*	13	E	6
Ouría *O*	4	B	8
Ouro *LU*	4	B	7
Ourol *LU*	3	B	7
Outara *LU*	14	E	7
Outeiro *LU*	14	E	8
Outeiro *OR*	13	E	6
Outeiro de Augas (Puerto de) *OR*	13	F	5
Outeiro de Rei *LU*	3	C	7
Outes *C*	12	D	3
Outomuro *OR*	13	F	5
Ouviaño *LU*	4	C	9
Ouzande *PO*	13	D	4
Ovanes *O*	5	B	11
Ove *LU*	4	B	8
Oviedo *O*	5	B	12
Oville *LE*	16	D	13
Oyón *VI*	19	E	22
Oza cerca de Carballo *C*	2	C	3
Oza cerca de Teo *C*	12	D	4
Oza dos Ríos *C*	3	C	5
Ozaeta *VI*	19	D	22
Ozón *C*	2	C	2
Ozuela *LE*	14	E	10

PALENCIA

Antigua Florida (Av. de la)	AY	2
Asturias (Av. de)	AY	3
Barrio y Mier	AY	4
Cardenal Almaraz	AZ	5
Cervantes (Pl.)	AY	8
La Cestilla	AZ	23
Eduardo Dato	AY	14
Gil de Fuentes	AZ	17
Ignacio Martínez de Azcoitia	BY	20
Jorge Manrrique	AY	21
Juan de Castilla	AY	22
Mayor	AYZ	
Mayor (Pl.)	AY	24
Mayor (Puente)	AZ	25
Menéndez Pelayo	AY	26
Padre Faustino Calvo (Pas. del)	AZ	28
Salvino Sierra	AY	32
Santander (Av. de)	ABY	38
Santo Domingo de Guzmán	AY	40
San Francisco (Pl.)	BZ	6
San Juan de Dios	BZ	33
San Marcos	AZ	34

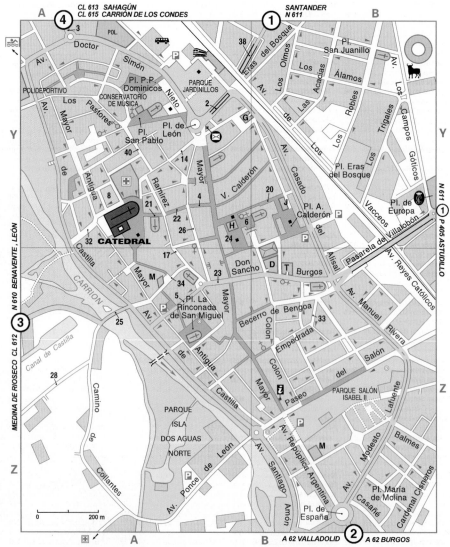

P

Paca (La) *MU* .... 84 S 24
Pachecas (Las) *CR* .... 71 O 20
Pacios cerca
  de Baamonde *LU* .... 3 C 6
Pacios cerca
  de Castro de Rei *LU* .... 4 C 7
Pacios Paradella *LU* .... 14 D 7
Pacs del Penedès *B* .... 37 H 35
Padastro *MA* .... 93 V 14
Paderne *C* .... 3 C 5
Paderne de Allariz *OR* .... 13 F 6
Padiernos *AV* .... 44 K 15
Padilla de Abajo *BU* .... 17 E 17
Padilla de Arriba *BU* .... 17 E 17
Padilla de Duero *VA* .... 31 H 17
Padilla de Hita *GU* .... 46 J 21
Padilla de Vedija *VA* .... 30 G 14
Padilla del Ducado *GU* .... 47 J 22
Padornelo *ZA* .... 28 F 9
Padrastro *AB* .... 72 Q 23
Padre Caro *H* .... 79 S 10
Padrenda *OR* .... 13 F 5
Padrón *C* .... 12 D 4
Padrón (O) *LU* .... 4 C 8
Padrona (Puerto) *SE* .... 79 S 11
Padrones de Bureba *BU* .... 18 D 19
Padróns *PO* .... 12 F 4
Padul *GR* .... 94 U 19
Padules *ÁL* .... 102 V 21
Pagán (Lo) *MU* .... 85 S 27
Paganes (Los) *MU* .... 85 S 26
Páganos *VI* .... 19 E 22
Pago del Humo *CA* .... 98 W 11
Pagoaga *SS* .... 10 C 24
Pagoeta *SS* .... 10 C 23
Paja (La) *GR* .... 83 S 21
Pajanosas (Las) *SE* .... 91 T 11
Pajar de Marta *AB* .... 71 P 22
Pájara
  Fuerteventura GC .... 113 F 3
Pajarejos *SG* .... 32 H 19
Pajares *VA* .... 30 F 14
Pajares *O* .... 5 C 12
Pajares *CU* .... 60 L 23
Pajares *GU* .... 47 J 21
Pajares (Los) *SE* .... 80 T 12
Pajares (Puerto de) *LE* .... 5 D 12
Pajares de Adaja *AV* .... 45 J 16
Pajares de Fresno *SG* .... 32 H 19
Pajares de Hinojosos
  de Abajo *TO* .... 57 M 14
Pajares de la Laguna *SA* .... 44 I 13
Pajares
  de la Lampreana *ZA* .... 29 G 12
Pajares de los Oteros *LE* .... 16 F 13
Pajarete *CA* .... 99 W 12
Pajarón *CU* .... 60 M 24
Pajaroncillo *CU* .... 60 M 24
Pajonales (Morro)
  Gran Canaria GC .... 116 D 3
Pal (Collado de) *B* .... 24 F 35
Palacio de Jamuz *LE* .... 15 F 11
Palacio
  de las Cabezas *CC* .... 56 M 12
Palacio de Torío *LE* .... 16 D 13
Palacio
  de Valdellorma *LE* .... 16 D 14
Palacio Quemado *BA* .... 67 P 11
Palacios (Los) *CR* .... 71 P 20
Palacios de Benaver *BU* .... 17 E 18
Palacios de Campos *VA* .... 30 G 15
Palacios de Goda *AV* .... 44 I 15
Palacios de la Sierra *BU* .... 32 G 20
Palacios
  de la Valduerna *LE* .... 15 E 12
Palacios
  de Riopisuerga *BU* .... 17 E 17
Palacios
  de Salvatierra *SA* .... 43 K 12
Palacios de Sanabria *ZA* .... 29 F 10
Palacios del Alcor *P* .... 17 F 16
Palacios
  del Arzobispo *SA* .... 43 I 12
Palacios del Pan *ZA* .... 29 H 12
Palacios del Sil *LE* .... 15 D 10
Palacios Rubios *AV* .... 44 I 15
Palacios
  y Villafranca (Los) *SE* .... 91 U 12
Palaciosrubios *SA* .... 44 I 14
Palafolls *B* .... 39 G 38
Palafrugell *GI* .... 25 G 39
Palamós *GI* .... 25 G 39
Palancar *CC* .... 55 M 10
Palancares *GU* .... 46 I 20
Palancares
  (Estación de) *CU* .... 60 M 24

Palancas *CR* .... 71 O 19
Palanques *CS* .... 49 J 29
Palas (Las) *MU* .... 85 T 26
Palas de Rei *LU* .... 13 D 6
Palau d'Anglesola (El) *L* .... 37 H 32
Palau de Noguera *L* .... 23 F 32
Palau-sator *GI* .... 25 F 39
Palau-saverdera *GI* .... 25 F 39
Palau-solità
  i Plegamans *B* .... 38 H 36
Palazuelo *BA* .... 68 O 12
Palazuelo
  cerca de Boñar *LE* .... 16 D 14
Palazuelo
  de las Cuevas *ZA* .... 29 G 11
Palazuelo de Torío
  cerca de León *LE* .... 16 D 13
Palazuelo de Vedija *VA* .... 30 G 14
Palazuelo-Empalme
  (Estación de) *CC* .... 56 M 11
Palazuelos *GU* .... 47 I 21
Palazuelos
  de Eresma *SG* .... 45 J 17
Palazuelos
  de la Sierra *BU* .... 18 F 19
Palazuelos de Muñó *BU* .... 17 F 18
Palazuelos
  de Villadiego *BU* .... 17 E 17
Paleira *GI* .... 3 B 6
Palencia *P* .... 31 F 16
Palencia de Negrilla *SA* .... 44 I 13
Palenciana *CO* .... 93 U 16
Palenzuela *P* .... 31 F 17
Pallaresos (Els) *T* .... 37 I 33
Pallargues (Les) *L* .... 37 G 33
Pallaruelo
  de Monegros *HU* .... 35 G 29
Pallejà *B* .... 38 H 35
Paller *B* .... 24 F 35
Pallerol *HU* .... 22 E 32
Pallerols *L* .... 23 E 33
Palm-Mar *Tenerife TF* .... 128 D 5
Palma (La) *MU* .... 85 S 27
Palma de Gandia *V* .... 74 P 29
Palma d'Ebre (La) *T* .... 36 I 31
Palma
  del Condado (La) *H* .... 91 T 10
Palma del Río *CO* .... 80 S 14
Pálmaces
  (Embalse de) *GU* .... 46 I 21
Pálmaces
  de Jadraque *GU* .... 46 I 21
Palmanova *PM* .... 104 N 37
Palmanyola *PM* .... 104 N 37
Palmar (El) *MU* .... 85 S 26
Palmar (El) *V* .... 74 O 29
Palmar (El) *CA* .... 98 X 11
Palmar de Troya (El) *SE* .... 92 U 12
Palmas de Gran Canaria (Las)
  Gran Canaria GC .... 115 G 2
Palmeira *C* .... 12 E 3
Palmer (es) *PM* .... 105 N 39
Palmeral (El) *A* .... 86 R 27
Palmeras
  (Las) *Mallorca PM* .... 104 N 38
Palmeras (Les) *V* .... 74 O 29
Palmeritas (Las) *H* .... 90 U 8
Palmerola *GI* .... 24 F 36
Palmés *OR* .... 13 E 6
Palmes
  (Desert de les) *CS* .... 62 L 29
Palmitos Park
  Gran Canaria GC .... 116 D 4
Palmones *CA* .... 99 X 13
Palo *HU* .... 22 F 30
Palo (El) *MA* .... 100 V 16
Palo (Puerto del) *O* .... 4 C 9
Palo (Punta del)
  Gran Canaria GC .... 115 G 2
Palojo *CO* .... 93 T 16
Palol de Revardit *GI* .... 25 F 38
Paloma
  (Lagunas de) *TO* .... 59 N 20
Paloma (Punta) *CA* .... 99 X 12
Palomar *CO* .... 93 T 15
Palomar (El) *V* .... 74 P 28
Palomar (El) *AB* .... 71 Q 22
Palomar (El) *SG* .... 32 T 13
Palomar de Arroyos *TE* .... 49 J 27
Palomares *AL* .... 96 U 24
Palomares de Alba *SA* .... 44 J 13
Palomares
  del Campo *CU* .... 59 M 22
Palomares del Río *SE* .... 91 U 11

Palomas *BA* .... 67 P 11
Palomas
  (Las) *Tenerife TF* .... 129 F 5
Palomas
  (Puerto de las) *CA* .... 92 V 13
Palombera (Puerto de) *S* .... 7 C 17
Palomeque *TO* .... 58 L 18
Palomera *CU* .... 60 L 23
Palomera (Monte) *V* .... 73 O 26
Palomera (Sierra) *TE* .... 48 K 26
Palomero *CC* .... 55 L 11
Palomes
  (Puerto de las) *J* .... 94 T 18
Palomitas
  (Casas de) *TE* .... 49 K 28
Palos de la Frontera *H* .... 90 U 9
Palou de Sanaüja *L* .... 37 G 33
Palou de Torà *L* .... 37 G 34
Pals *GI* .... 25 G 39
Pámanes *S* .... 8 B 18
Pampaneira *GR* .... 102 V 19
Pampanico *AL* .... 102 V 21
Pampliega *BU* .... 17 F 18
Pamplona *NA* .... 11 D 25
Panadella (La) *B* .... 37 H 34
Pánchez (Los) *CO* .... 80 R 14
Pancorbo *BU* .... 18 E 20
Pancrudo *TE* .... 49 J 26
Pandenes *O* .... 6 B 13
Panderruedas
  (Puerto de) *LE* .... 6 C 15
Pandetrave
  (Puerto de) *LE* .... 6 C 15
Pando *BI* .... 8 C 20
Pando (Puerto del) *LE* .... 16 D 14
Pandorado *LE* .... 15 D 12
Pandos
  (Casa de los) *AB* .... 73 P 26
Panes *O* .... 7 C 16
Panillo *HU* .... 22 F 30
Paniza *Z* .... 34 I 26
Paniza (Puerto de) *Z* .... 34 I 26
Panizares *BU* .... 18 D 19
Pano *HU* .... 22 F 30
Pansas *MU* .... 85 Q 26
Pantano
  de Navabuena *CC* .... 56 M 12
Panticosa *HU* .... 21 D 29
Pantoja *TO* .... 58 L 18
Pantón *LU* .... 13 E 7
Panxón *PO* .... 12 F 3
Panzano *HU* .... 21 F 29
Paones *SO* .... 32 H 21
Papagayo (Punta del)
  Lanzarote GC .... 122 B 5
Papatrigo *AV* .... 44 J 15
Papiol (El) *B* .... 38 H 36
Paracuellos *CU* .... 60 M 24
Paracuellos
  de Jarama *M* .... 46 K 19
Paracuellos de Jiloca *Z* .... 34 I 25
Paracuellos
  de la Ribera *Z* .... 34 H 25
Parada *C* .... 3 C 4
Parada (Monte) *CU* .... 60 M 24
Parada de Arriba *SA* .... 43 J 12
Parada
  de Rubiales *SA* .... 44 I 13
Parada do Sil *OR* .... 13 E 7
Parada dos Montes *LU* .... 14 E 8
Paradas *SE* .... 92 U 13
Paradaseca *LE* .... 14 D 9
Paradaseca *OR* .... 14 F 7
Paradasolana *LE* .... 15 E 10
Paradavella *LU* .... 4 C 8
Paradela *C* .... 3 D 6
Paradela *LU* .... 13 D 7
Paradilla (La) *M* .... 45 K 17
Paradilla
  de Gordón *LE* .... 15 D 12
Paradinas *SG* .... 45 I 16
Paradinas
  de San Juan *SA* .... 44 J 14
Parador (El) *AL* .... 102 V 22
Paraíso
  (Balneario del) *TE* .... 61 L 27
Paraíso Alto *TE* .... 61 L 27
Paraíso Bajo *TE* .... 61 L 27
Paraíso-Barronal *MA* .... 100 W 14
Parajas *O* .... 5 C 10
Parajes *LU* .... 4 C 8
Paralacuesta *BU* .... 18 D 19

Paramera
  (Puerto de la) *AV* .... 45 K 16
Paramíos *O* .... 4 B 8
Páramo *LU* .... 14 D 7
Páramo *O* .... 5 C 11
Paramo de Boedo *P* .... 17 E 16
Páramo de Masa
  (Puerto de) *BU* .... 18 E 18
Páramo del Sil *LE* .... 15 D 10
Paramos *C* .... 2 D 3
Paraño
  (Alto de) *OR* .... 13 E 5
Paraños *PO* .... 13 F 4
Parapanda *GR* .... 94 U 18
Parauta *MA* .... 100 W 14
Paraya (La) *O* .... 6 C 13
Parbayón *S* .... 7 B 18
Parcelas (La) *CR* .... 81 Q 16
Parcent *A* .... 74 P 29
Parchel (Punta del)
  Gran Canaria GC .... 116 C 4
Parchite
  (Estación de) *MA* .... 92 V 14
Parda (Cabeza) *J* .... 82 R 18
Pardal (El) *AB* .... 84 Q 23
Pardavé *LE* .... 16 D 13
Pardellas *LU* .... 3 C 6
Pardemarín *PO* .... 13 D 4
Pardesivil *LE* .... 16 D 13
Pardilla *BU* .... 32 H 18
Pardines *GI* .... 24 F 36
Pardo (El) *M* .... 45 K 18
Pardo
  (Embalse de El) *M* .... 45 K 18
Pardornelo
  (Portilla de) *ZA* .... 28 F 9
Pardos *GU* .... 48 J 24
Pardos
  (Rambla de los) *AL* .... 96 T 23
Pared *AL* .... 95 U 22
Pared (La) *J* .... 73 O 26
Pared (La)
  Fuerteventura GC .... 112 E 4
Paredes *O* .... 5 B 10
Paredes *OR* .... 14 F 7
Paredes *PO* .... 12 E 4
Paredes de Buitrago *M* .... 46 I 19
Paredes
  de Escalona *TO* .... 57 L 16
Paredes de Monte *P* .... 31 G 16
Paredes de Nava *P* .... 17 F 15
Paredes
  de Sigüenza *GU* .... 33 I 21
Paredesroyas *SO* .... 33 H 23
Paredón *BA* .... 69 O 14
Pareja *GU* .... 47 K 22
Parellades (Les) *T* .... 50 J 31
Parets *B* .... 38 H 36
Parga *LU* .... 3 C 6
Parilla (La) *MA* .... 93 U 16
Parla *M* .... 58 L 18
Parladé *SE* .... 79 S 11
Parlavà *GI* .... 25 F 39
Parlero *O* .... 4 B 9
Parolis las Juntas *AB* .... 84 R 22
Parque Calablanca *A* .... 75 P 30
Parque Coimbra *M* .... 58 L 18
Parque del Cubillas *GR* .... 94 U 18
Parque Robledo *SG* .... 45 J 17
Parquelagos *M* .... 45 K 18
Parra (La) *AV* .... 57 L 14
Parra (La) *AL* .... 102 V 20
Parra (La) *BA* .... 67 Q 10
Parra
  de las Vegas (La) *CU* .... 60 M 23
Parral (El) *SA* .... 43 J 12
Parralejo (El) cerca de Casicas
  del Río Segura *J* .... 83 R 22
Parralejo Nuevo *CA* .... 99 W 12
Parralillo
  (Embalse de El) *GC* .... 114 C 3
Parras
  de Castellote (Las) *TE* .... 49 J 29
Parras
  de Martín (Las) *TE* .... 49 J 27
Parres Arriondas *O* .... 6 B 14
Parrilla (La) *VA* .... 31 H 16
Parrillas *TO* .... 57 L 14
Parrillas (Las) *CU* .... 60 L 24
Parròquia d'Hortó (La) *L* .... 23 F 34
Parsa *SE* .... 92 T 13
Partaloa *AL* .... 96 T 23

Parte de Bureba (La) *BU* .... 18 D 19
Parte
  de Sotoscueva (La) *BU* .... 8 C 18
Partidor (El) *MU* .... 85 R 26
Partidores (Los) *AB* .... 72 P 23
Partija-
  Santa Mónica (La) *M* .... 46 K 19
Partovía *OR* .... 13 E 5
Parzán *HU* .... 22 E 30
Pas (El) *T* .... 50 K 31
Pasai Donibane *SS* .... 10 C 24
Pasai San Pedro / Pasajes
  de San Pedro *SS* .... 10 C 24
Pasajes de San Pedro /
  Pasai San Pedro *SS* .... 10 C 24
Pasarela *C* .... 2 C 2
Pasariegos *ZA* .... 29 H 11
Pasarón de la Vera *CC* .... 56 L 12
Pascualcobo *AV* .... 44 K 14
Pascuales *SG* .... 45 I 16
Pascuales (Los) *J* .... 83 Q 21
Paso *Tenerife TF* .... 125 J 1
Paso (El) *La Palma TF* .... 132 C 5
Paso Chico (Punta de)
  Fuerteventura GC .... 111 G 2
Passanant *T* .... 37 H 33
Pasteral (El) *GI* .... 24 G 37
Pasteral (Pantà del) *GI* .... 24 G 37
Pastillos
  (Sierra de los) *BA* .... 68 O 14
Pastor
  (Monumento al) *BU* .... 18 E 20
Pastores *SA* .... 42 K 10
Pastores (Los) *TE* .... 62 L 28
Pastores (Los) *CA* .... 99 X 13
Pastoriza *S* .... 2 C 2
Pastoriza *LU* .... 4 C 7
Pastrana *GU* .... 46 K 21
Pastrana *MU* .... 97 T 25
Pastriz *Z* .... 35 H 27
Pata de Mulo *CO* .... 93 T 15
Pata del Caballo
  (Coto nacional de la) *H* .... 91 T 10
Paterna *V* .... 62 N 28
Paterna de Rivera *CA* .... 99 W 12
Paterna del Campo *H* .... 91 T 10
Paterna del Madera *AB* .... 72 Q 22
Paterna del Río *AL* .... 95 U 21
Paternáin *NA* .... 10 D 24
Patones de Abajo *M* .... 46 J 19
Patrás *H* .... 79 S 9
Patrite *CA* .... 99 W 12
Patrocinio (El) *J* .... 82 Q 18
Patudas (Las) *CO* .... 80 Q 14
Paúl (El) *TE* .... 61 L 27
Paúl (La) *HU* .... 35 G 27
Paül (La) *M* .... 45 J 18
Paulenca *AL* .... 103 V 22
Paúles *HU* .... 22 F 30
Paúles *AB* .... 84 R 22
Paúles de Lara *BU* .... 18 F 19
Paúles del Agua *BU* .... 31 F 18
Paüls *T* .... 50 J 31
Pava *MU* .... 73 Q 26
Pavías *CS* .... 62 M 28
Paxareiras *C* .... 2 D 2
Paymogo *H* .... 78 S 7
Payo (El) *SA* .... 42 L 9
Payo de Ojeda *P* .... 17 D 16
Payosaco *C* .... 3 C 4
Payueta *VI* .... 19 E 21
Paz (La) *CO* .... 81 T 15
Pazo *LU* .... 3 B 6
Pazo de Mariñan *C* .... 3 C 5
Pazo de Oca *PO* .... 13 D 4
Pazos cerca
  de Cortegada *OR* .... 13 F 7
Pazos cerca de Lamas *C* .... 2 C 3
Pazos cerca de Leiro *OR* .... 13 E 5
Pazos cerca
  de Ponte-Ceso *C* .... 2 C 3
Pazuengos *LO* .... 18 F 21
Pazos de Borbén *PO* .... 12 F 4
Peal de Becerro *J* .... 83 S 20
Peares
  (Embalse de los) *LU* .... 13 E 6
Peares (Os) *OR* .... 13 E 6
Pecá *CU* .... 60 L 23
Pechina *AL* .... 103 V 22
Pechiguera (Punta)
  Lanzarote GC .... 122 A 5
Pechón *S* .... 7 B 16
Pedernoso (El) *CU* .... 59 N 21
Pedra *C* .... 3 A 6

Pedra (La) *L* .... 23 F 34
Pedrafita
  Camporredondo *LU* .... 4 D 8
Pedrafita
  do Cebreiro *LU* .... 14 D 8
Pedrafita do Cebreiro
  (Puerto de) *LU* .... 14 D 8
Pedraja *SO* .... 32 H 20
Pedraja
  de Portillo (La) *VA* .... 31 H 16
Pedrajas *SO* .... 33 G 22
Pedrajas
  de San Esteban *VA* .... 31 H 16
Pedralba *V* .... 62 N 27
Pedralba
  de la Pradería *ZA* .... 28 F 9
Pedraza *LU* .... 13 D 6
Pedraza de Alba *SA* .... 44 J 13
Pedraza de Campos *P* .... 30 G 15
Pedraza de la Sierra *SG* .... 45 I 18
Pedre *PO* .... 13 E 4
Pedredo *LE* .... 15 E 11
Pedreira *PO* .... 13 E 4
Pedreira *C* .... 3 B 6
Pedreira *PO* .... 13 E 4
Pedreña *S* .... 8 B 18
Pedrera *TO* .... 58 N 18
Pedrera *SE* .... 93 U 15
Pedrera
  (Embassament de la) *A* .... 85 R 27
Pedret *GI* .... 25 F 39
Pedrezuela *M* .... 46 J 19
Pedrezuela
  (Embalse de) *M* .... 46 J 19
Pedro *SO* .... 32 I 20
Pedro Abad *CO* .... 81 S 16
Pedro Andrés *AB* .... 84 R 22
Pedro Barba
  Lanzarote GC .... 121 F 2
Pedro Bernardo *AV* .... 57 L 15
Pedro Díaz *CO* .... 80 S 14
Pedro Gómez
  (Sierra de) *CC* .... 56 N 12
Pedro Izquierdo *CU* .... 61 M 25
Pedro Malo *CR* .... 71 O 20
Pedro Marín
  (Embalse de) *J* .... 82 S 19
Pedro Martínez *GR* .... 95 T 20
Pedro Muñoz *CU* .... 71 N 21
Pedro Pidal *O* .... 6 C 15
Pedro Rodríguez *AV* .... 44 J 15
Pedroche *CO* .... 81 Q 15
Pedrola *Z* .... 34 G 26
Pedrones (Los) *V* .... 73 N 26
Pedroñeras (Las) *CU* .... 59 N 21
Pedrosa (La) *CA* .... 99 V 12
Pedrosa de Duero *BU* .... 31 G 18
Pedrosa de la Vega *P* .... 16 E 15
Pedrosa de Muñó *BU* .... 17 F 18
Pedrosa
  de Río Urbel *BU* .... 17 E 18
Pedrosa de Tobalina *BU* .... 18 D 19
Pedrosa del Páramo *BU* .... 17 E 18
Pedrosa del Príncipe *BU* .... 17 F 17
Pedrosa del Rey *VA* .... 30 H 14
Pedrosas (Las) *Z* .... 21 F 27
Pedrosillo (El) *SE* .... 79 T 10
Pedrosillo de Alba *SA* .... 44 J 13
Pedrosillo
  de los Aires *SA* .... 43 J 12
Pedrosillo el Ralo *SA* .... 44 I 13
Pedroso *LO* .... 19 F 21
Pedroso *C* .... 3 B 5
Pedroso *O* .... 6 B 13
Pedroso (El) *CA* .... 99 W 12
Pedroso (El) *SE* .... 80 S 12
Pedroso
  de la Armuña (El) *SA* .... 44 I 13
Pedroso
  de la Carballeda *ZA* .... 29 G 10
Pedrotoro *SA* .... 43 K 10
Pedrouzo (O) *C* .... 3 D 4
Pedrouzos *C* .... 12 D 3
Pedroveya *O* .... 5 C 12
Pedrún de Torío *LE* .... 16 D 13
Pego *V* .... 74 P 29
Pego (El) *ZA* .... 30 I 13
Peguera *PM* .... 104 N 37
Peguerillas *H* .... 90 T 9
Peguerinos *AV* .... 45 K 17
Peinao (El) *TE* .... 48 K 25

A B C D E F G H I J K L M N O P Q R S T U V W X Y Z

Pela (Sierra de) *GU*..... 32 I 20
Pela (Sierra de) *BA*..... 68 O 13
Pelabravo *SA*..... 44 J 13
Pelada (Sierra) *CR*..... 70 P 19
Pelada (Sierra) *H.*..... 78 S 9
Pelado *AL*..... 96 T 22
Pelahustán *TO*..... 57 L 16
Pelarda
 (Santuario de) *TE*..... 48 J 26
Pelarrodríguez *SA*..... 43 J 11
Pelayo *CO*..... 81 R 14
Pelayos *SA*..... 44 J 13
Pelayos de la Presa *M*..... 45 K 17
Pelayos del Arroyo *SG*..... 45 I 18
Peleagonzalo *ZA*..... 30 H 13
Peleas de Abajo *ZA*..... 29 H 12
Peleas de Arriba *ZA*..... 29 I 12
Pelegrina *GU*..... 47 I 22
Pelejaneta (La) *CS*..... 62 L 29
Peligro (Punta del)
 La Gomera TF..... 118 B 1
Peligros *GR*..... 94 U 19
Pellila *SA*..... 29 I 11
Peloche *BA*..... 69 O 14
Pelugano *O*..... 6 C 13
Pembes *O*..... 6 C 15
Pena *LU*..... 3 C 6
Pena (A) *C*..... 2 D 3
Pena (A) *OR*..... 13 F 6
Penacaballera *SA*..... 43 K 12
Penagos *S*..... 7 B 18
Penàguila *A*..... 74 P 28
Penamil *LU*..... 14 D 8

Penarrubia *LU*..... 4 D 8
Penas *LU*..... 13 D 6
Pendilla *LE*..... 5 C 12
Pendones *O*..... 6 C 14
Pendueles *O*..... 7 B 16
Penedo (Punta de)
 Lanzarote GC..... 123 D 3
Penela *LU*..... 14 E 7
Penelles *L*..... 37 G 32
Penilla *S*..... 7 C 18
Penilla (La) *S*..... 7 C 18
Peníscola /
 Peñíscola *CS*..... 50 K 31
Peníscola
 (Estació de) *CS*..... 50 K 31
Penoselo *LE*..... 14 D 9
Pentedura *BU*..... 32 F 19
Pentes *OR*..... 28 F 8
Penyagolosa *CS*..... 62 L 28
Penyal d'Ifac *A*..... 74 Q 30
Penzol *O*..... 4 B 9
Peña (La) *SA*..... 29 I 10
Peña (Mirador de la)
 El Hierro TF..... 109 D 2
Peña (Montes La) *BU*..... 8 C 19
Peña (Sierra de la) *HU*..... 21 E 27
Peña de Cabra *SA*..... 43 J 12
Peña de Francia *SA*..... 43 K 11
Peña del Águila *CA*..... 98 V 10
Peña Migjorn *A*..... 74 Q 28
Peña Mira *ZA*..... 29 G 10
Peña Negra *LE*..... 15 F 10

Peña Negra *SO*..... 33 F 21
Peña Negra *O*..... 5 C 11
Peña Negra
 (Puerto de la) *AV*..... 44 K 14
Peña Sacra *M*..... 45 J 18
Peña Santa *LE*..... 6 C 15
Peña-Tú *O*..... 7 B 15
Peña Utrera *BA*..... 67 Q 9
Peñablanca *TE*..... 48 K 24
Peñacerrada *VI*..... 8 E 21
Peñafiel *VA*..... 31 H 17
Peñaflor *Z*..... 35 G 27
Peñaflor *O*..... 5 B 11
Peñaflor *SE*..... 80 S 13
Peñaflor de Hornija *VA*..... 30 G 15
Peñafuente *O*..... 4 C 9
Peñagua *SE*..... 92 U 13
Peñahorada *BU*..... 18 E 19
Peñalagos *GU*..... 47 K 21
Peñalajos *CR*..... 70 Q 19
Peñalba *HU*..... 36 H 29
Peñalba *SO*..... 32 H 20
Peñalba *Castelló CS*..... 62 M 28
Peña alba de Ávila *AV*..... 44 J 15
Peñalba de Castro *BU*..... 32 G 19
Peñalba de Cilleros *LE*..... 15 D 11
Peñalba de la Sierra *GU*..... 46 I 19
Peñalba de Santiago *LE*..... 15 E 10
Peñalén *GU*..... 47 K 23
Peñalosa *CO*..... 80 S 14
Peñaloscintos *LO*..... 19 F 21
Peñalsordo *BA*..... 69 P 14

Peñalver *GU*..... 46 K 21
Peñaparda *SA*..... 42 L 9
Peñaranda
 de Bracamonte *SA*..... 44 J 14
Peñaranda
 de Duero *BU*..... 32 G 19
Peñarandilla *SA*..... 44 J 13
Peñarrodrigo *CR*..... 81 Q 16
Peñarroya *TE*..... 49 K 28
Peñarroya
 (Embalse de) *CR*..... 71 O 21
Peñarroya
 (Ermita de) *CR*..... 71 O 20
Peñarroya
 de Tastavíns *TE*..... 50 J 30
Peñarroya-
 Pueblonuevo *CO*..... 80 R 14
Peñarroyas *TE*..... 49 J 27
Peñarrubia *S*..... 7 C 16
Peñarrubia cerca
 de Elche *AB*..... 84 Q 23
Peñarrubia cerca
 de Peñascosa *AB*..... 72 P 23
Peñarrubia (Monte) *AB*..... 73 O 25
Peñarrubia
 de Pirón *SG*..... 45 I 17
Peñas (Cabo de) *O*..... 5 B 12
Peñas Blancas
 (Puerto de) *MA*..... 99 W 14
Peñas
 de Riglos (Las) *HU*..... 21 E 27
Peñas
 de San Pedro *AB*..... 72 P 23

Peñas Negrillas
 (Coto nacional de) *CR*..... 82 Q 19
Peñascales (Los) *M*..... 45 K 18
Peñascosa *AB*..... 72 P 22
Peñaullán *O*..... 5 B 11
Peñausende *ZA*..... 29 I 12
Peñillas *CO*..... 93 T 17
Peñíscola /
 Peníscola *CS*..... 50 K 31
Peñita *CO*..... 80 R 13
Peñolite *J*..... 83 R 21
Peñón (Alto del) *ZA*..... 15 F 10
Peñón (El) *AB*..... 84 R 23
Peñón (El) *GR*..... 95 T 20
Peñoso *MU*..... 84 S 24
Peñuela (La) *H*..... 91 T 9
Peñuelas *GR*..... 94 U 18
Pepino *TO*..... 57 L 15
Pepino (El) *GU*..... 46 K 20
Peque *ZA*..... 29 G 11
Pera (La) *GI*..... 25 F 38
Pera (Sierra de) *GR*..... 94 U 18
Peracense *TE*..... 48 K 25
Perafita (cerca de Calaf) *B*..... 37 G 34
Perafita cerca de Prats
 de Lluçanes *B*..... 24 F 36
Perafort *T*..... 37 I 33
Peral (Barranco del) *AL*..... 96 U 23
Peral (El) *CU*..... 60 N 24
Peral (La) *O*..... 5 B 12
Peral de Arlanza *BU*..... 31 F 17

Peralada *GI*..... 25 F 39
Peralba *L*..... 37 G 32
Peraleda de la Mata *CC*..... 56 M 13
Peraleda
 de San Román *CC*..... 56 M 13
Peraleda
 del Zaucejo *BA*..... 80 Q 13
Peraleja (La) *CU*..... 59 L 22
Peralejo *M*..... 45 K 17
Peralejo *SO*..... 32 I 20
Peralejo (El) *SE*..... 79 S 10
Peralejos *TE*..... 49 K 26
Peralejos de Abajo *SA*..... 43 I 10
Peralejos de Arriba *SA*..... 43 I 10
Peralejos
 de las Truchas *GU*..... 48 K 24
Perales *P*..... 17 F 16
Perales (Los) *CC*..... 55 N 9
Perales (Puerto de) *CC*..... 55 L 9
Perales de Tajuña *M*..... 59 L 19
Perales del Alfambra *TE*..... 49 K 26
Perales del Puerto *CC*..... 55 L 9
Perales del Río *M*..... 58 L 19
Peralosa
 (Puerto de la) *CR*..... 70 O 17
Peralosas (Las) *CR*..... 70 O 17
Peralta *NA*..... 20 E 24
Peralta de Alcofea *HU*..... 35 G 29
Peralta de la Sal *HU*..... 36 G 31
Peraltilla *HU*..... 22 F 29
Peralveche *GU*..... 47 K 22
Peralvillo Alto *CR*..... 70 O 18
Peramato *SA*..... 43 J 11

PALMA DE MALLORCA

Almoina (Pl.) ..... GZ 6
Antoni Maura (Av.) ..... GZ 12
Antoni Planas i Franch. ..... HZ 13
Apuntadors ..... FZ 15
Arnau Rossiñol ..... EY 18
Balanguera ..... FX 24
Ballester (Travessia) ..... HY 25

Baro de Pinopar ..... GX 27
Bayarte ..... EY 28
Bisbe Berenguer de Palou (Pl.) GX 31
Bisbe Campins ..... GX 33
Born (Pas. des) ..... HX 52
Bosseria ..... HY 34
Cadena 36
Calatrava ..... HZ 37
Can Pueyo ..... GY 40
Can Savellà ..... HZ 42
Can Serra ..... HZ 43

Catalunya ..... FY 46
Cerdanya ..... FX 48
Conquistador ..... GZ 50
Constitució ..... GY 51
Convent dels Caputxins ..... HX 52
Convent de Santa Magdalena GY 55
Convent de Sant Francesc ..... HY 57
Corderia ..... HY 57
Drassana (Pl.) ..... FZ 58
Ducs de Palma de Mallorca
 (Rambla dels) ..... GXY 60

Enric Alzamora ..... HX 63
Escola Graduada ..... HY 64
Forn de la Gloria ..... FZ 69
General Ricardo Ortega ..... HY 81
Jaume II. ..... FY
Jaume III (Av.) ..... FY
Joan March (Av.) ..... HX 91
Josep Maria Quadrado (Pl.) ..... HZ 94
Josep Tous i Ferrer ..... HY 95
Llibertat ..... EX 97
Monsenyor Palmer ..... EZ 106

Monti-Sion ..... HZ 108
Palau Reial ..... GZ 109
Pasqual Ribot ..... FX 110
Porta de Santa Catalina (Pl.) ..... FX 112
Portella ..... GZ 114
Rafael Rodríguez Méndez ..... FX 117
Ramón Llull ..... FZ 118
Reina (Pl.) ..... GZ 120
Rei Joan Carles I (Pl.) ..... GY 119
Riera ..... GY 121
Rodríguez de Arias ..... FX 123

Rubén Dario ..... FX 126
Ruiz de Alda ..... FX 127
Santa Clara ..... HZ 135
Sant Bartomeu ..... GY 130
Sant Francesc (Pl.) ..... HZ 132
Sant Pere Nolasc. ..... GY 133
Sastre Roig ..... GY 136
Temple ..... HZ 141
Teodor Llorente ..... GY 142
Tous i Maroto ..... GY 144
Weyler (Pl.) ..... GY 148

Ayuntamiento ..... GZ H   Casa Berga ..... GY J   Museo del Mallorca ..... GZ M¹   Museo Diocesano ..... GZ M²   Palau Solleric ..... GY Z

Peramea L..............23 F 33
Peramola L..............23 F 33
Peranzanes LE..........15 D 10
Perarrúa HU............22 F 31
Peratallada GI.........25 G 39
Perazancas P...........17 D 16
Perbes C................3 B 5
Perdices SO............33 H 22
Perdido (Monte) HU.....22 D 30
Perdigón BA............78 R 8
Perdigón (El) ZA.......29 H 12
Perdiguera Z...........35 G 28
Perdiguero HU..........22 D 31
Perdoma (La)
  Tenerife TF..........127 F 3
Perdón NA..............11 D 24
Perdón (Puerto del) NA..10 D 24
Perea GR...............83 T 22
Pereda (La) O...........6 B 15
Pereda de Ancares LE...14 D 9
Peredilla LE...........16 D 13
Peregrina (La) LE......16 E 14
Pereira C...............2 D 3
Pereira LU.............13 E 6
Pereiriña C.............2 C 2
Pereiro OR.............28 F 8
Pereiro de Aguiar OR...13 E 6
Pereje LE..............14 E 9
Perelló (El) T.........50 J 32
Perelló (El) V.........74 O 29
Perellonet (El) V......74 O 29
Perenos (Los) SE.......93 U 15
Pereña SA..............29 I 10
Perera (La) SO.........32 H 20
Perero H...............78 S 8
Pereruela ZA...........29 H 12
Perex BU...............18 D 20
Pérez (Los) SE.........93 U 15
Periana MA.............101 V 17
Pericay (Sierra del) MU..84 S 24
Pericón (El) MU........85 S 26
Perilla de Castro ZA...29 G 12
Perín MU...............85 T 26
Perla-
  Torremuelle (La) MA..100 W 16
Pernía SE..............93 T 15
Pernia (La) P..........17 D 16
Perobéques TO..........58 M 16
Perogordo SG...........45 J 17
Peromingo SA...........43 K 12
Perona (Monte) MU......85 S 25
Perorrubio SG..........32 I 18
Perosillo SG...........31 H 17
Peroxa (A) OR..........13 E 6
Perro (Punta del) CA...91 V 10
Perrunal (El) H........78 S 9
Pertusa HU.............35 G 29
Peruyes O...............6 B 14
Pesadas de Burgos BU...18 D 19
Pesadoira C.............2 D 3
Pesaguero S.............7 C 16
Pescadores
  (Puerto de los) MA...100 W 15
Pescadores
  (Refugio de) HU......36 H 30
Pescueza CC............55 M 10
Pesebre AB.............72 P 22
Pesebre (Punta)
  Fuerteventura GC.....112 B 5
Pesga (La) CC..........43 L 11
Pesoz O.................9 C 9
Pesqueira C............12 E 3
Pesquera BU............18 D 18
Pesquera S..............7 C 17
Pesquera LE............16 D 14
Pesquera (Dársena)
  Tenerife TF..........125 J 2
Pesquera (La) CU.......61 N 25
Pesquera de Duero VA...31 H 17
Pesquerín O.............6 B 14
Pesqueruela VA.........30 H 15
Pessó (Pic del) L......23 E 32
Pesués S...............7 B 16
Petilla de Aragón NA...20 E 26
Petín OR...............14 E 8
Petit I (Embalse de) CC..55 N 10
Petra PM..............105 N 39
Petrer A...............85 Q 27
Petrés V...............62 M 29
Pétrola AB.............73 P 25
Pétrola (Laguna de) AB..73 P 25
Peza (La) GR...........95 U 20
Pezuela de las Torres M..46 K 20
Pi de Sant Just (El) L..37 G 34
Pías ZA................14 F 9
Pías (Embalse de) ZA...14 F 9
Piatones (Sierra de) CC..56 M 12

La Pica H..............79 S 9
Picacho CA.............92 V 13
Picacho de la Barre
  (Faro El) H..........90 U 9
Picao V................62 N 29
Picamoixons T..........37 I 33
Picanya V..............62 N 28
Picassent V............74 N 28
Picazo GU..............47 J 21
Picazo (El) CU.........60 N 23
Picazo
  (Embalse de El) CU...60 N 23
Picena GR.............102 V 20
Pico (Puerto del) AV...44 L 14
Pico de las Flores
  (Mirador de) Tenerife TF..124 H 2
Pico del Castrón
  (Mirador del) S......7 C 17
Pico del Inglés (Mirador de)
  Tenerife TF..........125 I 2
Picón CR...............70 O 17
Piconcillo CO..........80 R 13
Picones SA.............42 I 10
Picorzo CU.............59 M 21
Picorzos AB............84 Q 23
Picota C................2 D 3
Picouto OR.............13 F 6
Piedra Z...............48 I 24
Piedra (La) BU.........17 E 18
Piedra (La) GR.........84 S 22
Piedra
  (Monasterio de) Z....48 I 24
Piedra Aguda
  (Embalse de) BA......66 Q 8
Piedra del Sol OR......14 E 7
Piedra Escrita
  (Ermita de) BA.......68 P 13
Piedra San Martín
  (Collado de la) NA...11 D 27
Piedrabuena BA.........67 O 9
Piedrabuena CR.........70 O 17
Piedraescrita TO.......57 N 15
Piedrafita HU..........21 D 29
Piedrafita LE..........6 C 13
Piedrafita de Babia LE..15 D 11
Piedrafitas
  (Mirador de) LE......6 C 15
Piedrahita AV..........44 K 14
Piedrahita TE..........48 I 26
Piedrahita de Castro ZA..29 G 12
Piedralá CR............70 O 17
Piedralaves AV.........44 L 15
Piedramillera NA.......19 E 23
Piedras H..............90 U 8
Piedras (Canal del) H..90 U 8
Piedras (Embalse) H....90 T 8
Piedras (Las) CO.......93 T 17
Piedras Albas CC.......55 M 9
Piedras Blancas O......5 B 12
Piedrasluengas P.......7 C 16
Piedrasluengas
  (Puerto de) P........7 C 16
Piedratajada Z.........21 F 27
Piedros (Los) CO.......93 T 16
Piera B................37 H 35
Piérnigas BU...........18 E 19
Pierola B..............38 H 35
Pieros LE..............14 E 9
Pierre GR..............95 T 20
Piescolgados AL........96 U 22
Pigüeña O...............5 C 11
Pijotilla (La) BA......67 P 10
Pila MU................85 R 26
Pila (Sierra de la) GU..47 I 21
Pilar (El) AL..........96 U 23
Pilar (Ermita del) TE..49 K 27
Pilar de Jaravía AL....96 T 24
Pilar de la Horadada A..85 S 27
Pilar de Moya J........82 S 17
Pilar del Prado MA.....100 V 16
Pilas SE...............91 U 11
Pilas (Casas de) BA....80 R 12
Pilas (Puerto de las) AV..45 K 16
Pilas Verdes AB........71 Q 21
Piles V................74 P 29
Piles (Les) T..........37 H 34
Pileta
  (Cueva de la) MA.....99 V 14
Pililla CU.............60 M 23
Pilillas CU............60 M 23
Piloño PO..............13 D 5
Pilzán HU..............22 F 31
Pimpollar (El) M.......45 K 17
Pina Mallorca PM.......104 N 38

Pina de Ebro Z.........35 H 28
Pina de Montalgrao CS..62 L 28
Pinar CA...............92 V 13
Pinar (Cap des)
  cerca de Alcúdia PM..105 M 39
Pinar (El) M...........45 K 18
Pinar (El) Castelló CS..63 L 30
Pinar (Ermita del) SG..31 H 17
Pinar (Monte) CU.......59 L 21
Pinar
  de Almorox (El) TO...57 L 16
Pinar de Antequera VA..30 H 15
Pinar de C. (El) A.....85 S 27
Pinar de la Mola (El) PM..87 P 34
Pinar
  de los Franceses CA..98 W 11
Pinar de Puenteviejo AV..45 J 16
Pinar Negro MU.........84 R 24
Pinarejo CU............60 N 22
Pinarejos SG...........31 I 17
Pinarnegrillo SG.......45 I 17
Pindo (O) C.............2 D 2
Pineda de Gigüela CU...60 L 22
Pineda de la Sierra BU..18 F 20
Pineda de Mar B........38 H 38
Pineda-Trasmonte BU....32 G 18
Pinedas SA.............43 K 12
Pinedas (Las) CO.......81 S 15
Pinedillo BU...........31 F 18
Pinel LU...............14 E 7
Pinell L...............37 G 34
Pinell de Brai (El) T..50 I 31
Pinet (El) V...........86 R 28
Pineta (Valle de) HU...22 E 30
Pinganillo SE..........92 U 12
Pinilla LE.............15 F 11
Pinilla cerca
  de Fuente Alamo AB...73 P 25
Pinilla cerca
  de Fuente-Higuera AB..84 Q 23
Pinilla cerca de Salinas
  de Pinilla AB........71 P 22
Pinilla (Embalse de) M..45 J 18
Pinilla (La) SG........46 I 19

LAS PALMAS DE GRAN CANARIA

Alfonso XII...............AU 2
Ansite (Av.)..............AT 4
Cornisa (Pas.)............AT 12
Doctor Marañón............AU 14
Don Benito (Pl. de).......AU 17
Fernando Guanarteme.......AS 20

Ingeniero Léon y Castillo
  (Pl.)...................AU 28
Juan Rejón................AS 36
Juan XXIII (Av.)..........AT 37
Léon y Castillo...........AT 40
Lugo (Pas. de)............AT 44
Luis Correa Medina........AU 46
Marítima del Sur (Av.)....AU 52
Mata (Carret. de).........AU 53
M. González Martín........AT 49

Ortiz de Zàrate...........AT 59
Pérez Muñoz...............AS 63
Pino Apolinario...........AU 65
Pío XII...................AT 66
San José (Pas.)...........AU 76
Secretario Padilla........AT 80
Simancas..................AT 81
Tecen.....................AS 83
Tomás Morales
  (Pas.)..................ATU 85
Zaragoza..................AU 90

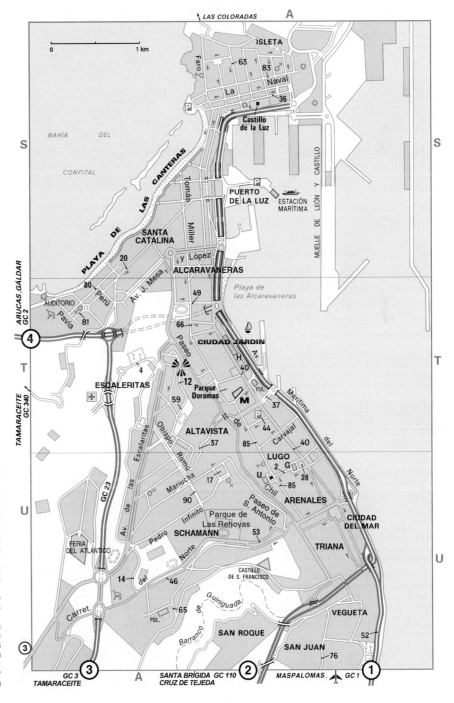

A
B
C
D
E
F
G
H
I
J
K
L
M
N
O
P
Q
R
S
T
U
V
W
X
Y
Z

A
B
C
D
E
F
G
H
I
J
K
L
M
N
O
P
Q
R
S
T
U
V
W
X
Y
Z

PAMPLONA

Amaya.................... **BYZ** 4
Ansoleaga .... **AY** 5
Bayona (Av. de) .... **AY** 13
Carlos III (Av. de). ..... **BYZ**
Castillo de Maya .... **BZ** 16
Chapitela .... **BY** 17
Conde Oliveto (Av. del)... **AZ** 19
Cortes de Navarra........ **BY** 20
Cruz (Pl. de la) .... **BZ** 22

Esquiroz................. **AZ** 25
Estafeta................. **BY** 26
García Castañón.......... **ABY** 30
Juan de Labrit .... **BY** 33
Leyre................... **BYZ** 36
Mayor .... **AY** 40
Mercaderes .... **AY** 43
Navarrería .... **BY** 48
Navas de Tolosa .... **BY** 50
Paulino Caballero .... **BZ** 51
Príncipe de Viana (Pl. del) . **BZ** 54
Reina (Cuesta de la) ..... **AY** 56

Roncesvalles (Av. de)....... **BY** 59
Sancho el Mayor .... **ABZ** 60
Sangüesa................. **BZ** 69
Santo Domingo........... **AY** 70
San Fermín .... **BZ** 63
San Francisco
(Pl. de) .... **AY** 65
San Ignacio (Av. de) ..... **BYZ** 66
Sarasate (Paseo de) .... **AY** 72
Taconera (Recta de) ...... **AY** 73
Vínculo (Pl. del) .... **AYZ** 78
Zapatería .... **AY** 89

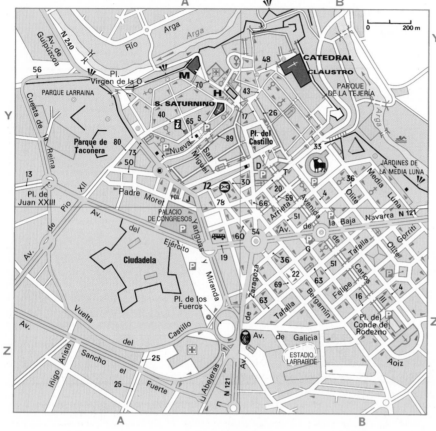

Museo de Navarra .... **M**

Pinilla (La) *MU*.............. 85 S 26
Pinilla Ambroz *SG* .... 45 I 16
Pinilla de Fermoselle *ZA*... 29 H 10
Pinilla de Jadraque *GU* .. 46 I 21
Pinilla
de los Barruecos *BU*.... 32 G 20
Pinilla de los Moros *BU*... 32 F 20
Pinilla de Molina *GU*..... 48 J 24
Pinilla de Toro *ZA* .... 30 H 13
Pinilla del Campo *SO* .... 33 G 23
Pinilla del Olmo *SO*...... 33 I 22
Pinilla del Valle *M* ...... 45 J 18
Pinilla-Trasmonte *BU*.... 32 G 19
Pinillos *BU*............... 31 G 18
Pinillos *LO* .... 19 F 22
Pinillos de Polendos *SG*.. 45 I 17
Pino *BU*.................. 18 D 19
Pino *LU* .... 14 E 7
Pino (Cuerda del) *AL*.... 84 S 23
Pino (El) *BA*.............. 67 P 10
Pino (O) *C*............... 2 D 4
Pino (Puerto del) *HU* ... 22 F 30
Pino Alto *M*.............. 45 K 17
Pino de Tormes (El) *SA*... 43 I 12
Pino de Valencia *CC* .... 66 O 8
Pino del Oro *ZA*........... 29 H 11
Pino del Río *P* .... 16 E 15
Pino do Val *C*............ 2 D 3
Pino Grande *SE*.......... 92 T 12
Pinofranqueado *CC*...... 43 L 10
Pinós *LE*................. 5 D 12
Pinós *A*.................. 74 P 29
Pinós (El) / Pinoso *A* .... 85 Q 26
Pinos (Los) *CC* .... 68 O 13

Pinos de Mar *H*.......... 90 U 9
Pinos del Valle *GR* ..... 101 V 19
Pinos Genil *GR*......... 94 U 19
Pinos Puente *GR*........ 94 U 18
Pinosa *AL*............... 84 S 24
Pinoso (Monte) *GU*...... 47 J 22
Pinsoro *Z*................ 20 F 25
Pinseque *Z*.............. 34 G 26
Pintado
(Contraembalse de) *SE*.. 80 S 12
Pintado (El) *SE*........... 79 S 12
Pintado
(Embalse del) *SE*...... 80 S 12
Pintano *Z*................ 20 E 26
Pintín *LU* .... 14 D 7
Pinto *M*.................. 58 L 18
Pinto (O) *OR*............. 13 F 6
Pintueles *O*.............. 5 B 13
Pinzales *O*............... 5 B 12
Pinzón *SE*................ 91 U 11
Piña de Campos *P*....... 17 F 16
Piña de Esgueva *VA*..... 31 G 16
Piñar *GR*................ 94 T 19
Piñar (Estación de) *GR* .. 94 T 19
Piñeira *LU* .... 14 E 7
Piñeira *OR*.............. 13 F 6

Piñeiro
cerca de Mondariz *PO*.. 13 F 4
Piñel de Abajo *VA*....... 31 G 17
Piñel de Arriba *VA*...... 31 G 17
Piñera *O*................. 6 C 12
Piñeres *O* .... 6 C 12
Piñero (El) *ZA* .... 30 H 13
Piñor *OR*................ 13 E 5
Piñuécar *M*.............. 46 I 19
Piñuel *ZA*................ 29 H 11
Pío *LE*................... 6 C 14
Piornal *CC*............... 56 L 12
Piornal (Puerto del) *CC* .. 56 L 12
Piornedo *OR*............. 28 F 7
Pioz *GU*................. 46 K 20
Pípaón *VI*............... 19 E 22
Piquera *SO*............... 32 H 20
Piquera *S*............... 32 H 20
Piqueras *GU*............. 48 K 24
Piqueras (Puerto de) *LO*.. 33 F 22
Piqueras del Castillo *CU*.. 60 M 23
Pira *T*.................. 37 H 33
Piracés *HU* .... 21 F 29
Pirarque *TE*.............. 49 K 28
Pitiegua *SA*.............. 44 I 13
Pitillas *NA*.............. 20 E 25
Pitres *GR*............... 102 V 20
Piúca (A) *OR*............. 13 F 6
Piúgos *LU*............... 4 D 7
Pixeiros *OR*.............. 14 F 8
Pizarra *MA*.............. 100 V 15
Pizarral *SA*.............. 43 K 13
Pizarrera (La) *M*......... 45 K 17
Pizarro *CC*............... 68 O 12

Piñeiro
cerca de Germadé *LU*.. 3 B 6
Piñeiro
cerca de Lugo *LU*.... 14 D 7
Piñeiro cerca
de Marín *PO*........ 12 E 3
Piñeiro
cerca de Meira *LU*... 4 C 8

Pizarroso
(Embalse del) *CC* ..... 56 M 14
Pla de la Font *L* .... 36 G 31
Pla de Manlleu (El) *T*.... 37 H 34
Pla de Sant Tirs (El) *L* ... 23 F 34
Pla
de Santa Maria (El) *T*... 37 H 33
Pla del Penedès (El) *B*.... 37 H 35
Pla dels Hospitalets *GI*... 24 E 36
Pla dels Pitxells *CS*...... 50 K 31
Placín *OR*................ 14 F 8
Plan *HU*................. 22 E 31
Plana (La) *L*.............. 23 E 32
Planas (Las) *TE*.......... 49 J 29
Plandogau *L*............. 37 G 33
Planes *A*................. 74 P 28
Planes (Les) *T*........... 51 I 32
Planes
d'Hostoles (Les) *GI*.... 24 F 37
Planoles *GI*.............. 24 F 36
Plantío (El) *M*............ 45 K 18
Plasencia *CC*............. 56 L 11
Plasencia
(Embalse de) *CC*....... 56 L 11
Plasencia de Jalón *Z*..... 34 G 26
Plasencia del Monte *HU*.. 21 F 28
Platera (La) *J*............ 83 R 21
Platgetes (Les) *CS*........ 62 L 30
Platja Ben Afeli *CS*....... 62 M 30
Platja d'Alboraya *V*...... 62 N 29
Platja d'Aro (Ciutat) *GI*... 25 G 39
Platja de Bellreguard *V*... 74 P 29
Platja de Canyelles *GI*.... 39 G 38
Platja de Casa Blanca *CS*. 62 M 29

Platja de Corint *V* .... 62 M 29
Platja
de Cova Fumada *B*..... 38 I 35
Platja de Covafumada *B*... 38 I 35
Platja de Daimús *V*...... 74 P 29
Platja de Fanals *GI*....... 39 G 38
Platja
de Formentor *PM*..... 105 M 39
Platja de Gavamar *B*..... 38 I 36
Platja de Guardamar *A*... 86 R 28
Platja de la Conxa *CS*.... 62 L 30
Platja de la Devesa *V*.... 74 N 29
Platja de la Fosca *GI*..... 25 G 39
Platja
de la Granadella *A*.... 75 P 30
Platja
de la Malvarrosa *V*.... 62 N 29
Platja de la Pineda *T*..... 51 I 33
Platja de la Pobla
de Farnals *V* .... 62 N 29
Platja de l'Albufereta *A*.. 86 Q 28
Platja de les Fonts *CS*.... 63 L 30
Platja de les Villes *CS*.... 62 L 30
Platja de Llevante *A* ..... 74 Q 29
Platja de Marianeta
Cassiana *A*............ 75 P 30
Platja de Moncofa *CS*.... 62 M 29
Platja de Moraira *A*...... 75 P 30
Platja de Mutxavista *A*... 86 Q 28
Platja de Nules *CS*....... 62 M 29
Platja de Pals *GI*......... 25 F 39
Platja de Piles *V*......... 74 P 29
Platja de Pinedo *V*....... 62 N 29
Platja de Ponente *A*...... 74 Q 29
Platja de Puçol *V*........ 62 N 29
Platja de Rifà *T* .... 51 I 32
Platja de Sabanell *GI*..... 39 G 38
Platja de Salou *T*........ 51 I 33
Platja de Sant Joan *A*.... 86 Q 28
Platja de Sant Pol *GI*..... 39 G 39
Platja
de Sant Tomás *PM*... 106 M 42
Platja de Son Bou *PM*... 106 M 42
Platja de Xeresa *V*....... 74 O 29
Platja de Xilxes *CS*....... 62 M 29
Platja del Arenal *A*....... 75 P 30
Platja
del Carregador *CS*..... 63 L 30
Platja del Morro
de Gos *CS*............ 62 L 30
Platja del Parais *A*....... 86 Q 29
Platja del Pinar *CS*....... 62 M 30
Platja del Pinet *A*........ 86 R 28
Platja del Saler *V*........ 74 N 29
Platja
dels Eucaliptus *TE*.... 49 K 32
Platja d'en Bossa *PM*.... 87 P 34
Platja d'Oliva *V*.......... 74 P 29
Platja i Grau
de Gandia *V*.......... 74 O 29
Platja Larga *T*........... 51 I 33
Platja Lissa (La) *A*....... 86 R 28
Platja los Arenales
del Sol *A*............. 86 R 28
Platja Miramar *V*........ 74 P 29
Platja Mitjorn *PM*....... 87 P 34
Platjas de Orihuela *A*..... 86 S 28
Platosa (La) *SE*.......... 92 T 14

Playa de Barlovento de Jandía
Fuerteventura GC... 112 C 5
Playa de Bateles *CA* ..... 98 X 11
Playa
de Benalmádena *MA*.. 100 W 16
Playa de Ber *C* .... 3 B 5
Playa de Bozo *C* .... 5 B 10
Playa de Burriana *MA* .. 101 V 18
Playa de Butihondo
Fuerteventura GC.... 112 D 5
Playa
de Calabardina *MU*.... 97 T 25
Playa de Canelas *PO* ... 12 E 3
Playa de Carnota *C* ..... 12 D 2
Playa de Castilla *H* ..... 91 U 9
Playa de Cerillos *AL*..... 102 V 22
Playa de Cofete
Fuerteventura GC.... 112 C 5
Playa de Cortadura *CA* .. 98 W 11
Playa
de Cuevas del Mar *O*... 6 B 15
Playa de Doniños *C*..... 3 B 5
Playa de Eres es
La Gomera TF....... 118 C 3
Playa de Famara
Lanzarote GC....... 123 E 3
Playa de Fontanilla *CA*... 98 X 11
Playa
de Fuentebravía *CA* ... 98 W 11
Playa de Garcey *GC* .... 113 E 3
Playa de Getares *CA*..... 99 X 13
Playa de Guayedra
Gran Canaria GC.... 114 C 2
Playa de Isla Cristina *H*.. 90 U 8
Playa de Janubio
Lanzarote GC....... 122 B 4
Playa de Juan Gómez
Fuerteventura GC.... 112 B 5
Playa de la Antilla *H* .... 90 U 8
Playa de la Ballena *CA*... 98 V 10
Playa de la Barqueta
La Palma TF........ 132 D 6
Playa de la Barrosa *CA*... 98 W 11
Playa de la Calera
La Gomera TF....... 118 A 2
Playa de la Caleta
La Gomera TF....... 119 D 1
Playa de la Costilla *CA*... 98 W 10
Playa de la Enramada
Tenerife TF......... 128 C 5
Playa de la Entrada
Tenerife TF......... 127 H 3
Playa de la Garita
Lanzarote GC....... 123 F 3
Playa de la Guancha
La Gomera TF....... 119 D 3
Playa de la Hullera
Gran Canaria GC.... 117 G 3
Playa de la Laja
Gran Canaria GC.... 115 G 2
Playa de la Lanzada *PO*.. 12 E 3
Playa de la Madera
Lanzarote GC....... 122 B 4
Playa de la Margallera
Tenerife TF......... 129 H 4
Playa de la Reya *MU*.... 97 T 26
Playa de la Solapa *GC*... 113 F 3
Playa de la Tejita
Tenerife TF......... 129 F 5
Playa de la Verga
Gran Canaria GC.... 116 C 4
Playa
de la Victoria *CA* ..... 98 W 11
Playa de Ladeira *C* ..... 12 E 2
Playa de Lapamán *PO*... 12 E 3
Playa de Lariño *C* ...... 12 D 2
Playa de las Américas
Tenerife TF......... 128 D 5
Playa de las Canteras
Gran Canaria GC.... 115 F 1
Playa de las Casillas
Gran Canaria GC.... 117 F 4
Playa de las Conchas
Lanzarote GC....... 120 E 2
Playa de las Cruces
Gran Canaria GC.... 117 G 3
Playa de las Pilas
Fuerteventura GC.... 112 B 5
Playa de las Teresitas
Tenerife TF......... 125 J 2
Playa de Levante *CA*.... 98 W 11
Playa de Linés
El Hierro TF........ 108 G 4
Playa de los Abrigos
Tenerife TF......... 128 E 5
Playa de los Abrigos
Tenerife TF......... 129 G 4

Playa de los Cancajos		
La Palma **TF** **132**	D 5	
Playa de los Cardones		
El Hierro **TF** **109**	D 3	
Playa de los Mozos		
El Hierro **TF** **108**	B 3	
Playa de los Palos		
El Hierro **TF** **108**	B 2	
Playa de los Pocillos		
Lanzarote **GC** **123**	D 5	
Playa de los Troches		
Tenerife **TF** **125**	I 1	
Playa de Louro **C** **12**	D 2	
Playa		
de Marchamalo **MU** **86**	S 27	
Playa de Maspalomas		
Gran Canaria **GC** **116**	D 5	
Playa de Matagorda		
Lanzarote **GC** **123**	D 5	
Playa		
de Matalascañas **CA** **91**	V 10	
Playa de Mazagón **H** **90**	U 9	
Playa de Mont-roig **T** **51**	I 32	
Playa de Montalvo **PO** **12**	E 3	
Playa de Ojos		
Fuerteventura **GC** **112**	H 4	
Playa de Puerto Rey **AL** .. **96**	U 24	
Playa		
de Punta Umbría **H** **90**	U 9	
Playa de Rapadoira **LU** **4**	B 8	
Playa de Regla **CA** **91**	V 10	
Playa de Riazor **C** **3**	B 4	
Playa de Roda **PO** **12**	F 3	
Playa de Rodiles **O** **6**	B 13	
Playa de Samil **PO** **12**	F 3	
Playa		
de San Cristóbal **GR** **101**	V 18	
Playa de San Juan		
Tenerife **TF** **128**	C 4	
Playa de San Marcos		
Tenerife **TF** **126**	D 3	
Playa de San Xorxe **C** **3**	B 5	
Playa de Santa Catalina		
La Gomera **TF** **118**	B 1	
Playa de Santa Comba **C** **3**	B 5	
Playa de Santiago		
La Gomera **TF** **119**	C 3	
Playa de Sotavento		
Fuerteventura **GC** **112**	E 5	
Playa de Tarajalejo		
Fuerteventura **GC** **113**	F 4	
Playa de Tasarte		
Gran Canaria **GC** **116**	B 3	
Playa de Tebeto		
Fuerteventura **GC** **111**	G 2	
Playa de Torre		
del Mar **MA** **101**	V 17	
Playa		
de Torremolinos **MA** **100**	W 16	
Playa de Traba **C** **2**	C 2	
Playa de Vallehermoso		
La Gomera **TF** **118**	C 1	
Playa de Velilla **GR** **101**	V 19	
Playa		
de Vila-seca **T** **51**	I 33	
Playa del Abrigo		
Tenerife **TF** **129**	H 4	
Playa del Asno		
Gran Canaria **GC** **116**	B 3	
Playa del Azufre		
La Palma **TF** **132**	D 6	
Playa del Bajo de la Burra		
Fuerteventura **GC** **111**	I 1	
Playa del Cabrito		
La Gomera **TF** **119**	D 3	
Playa del Cantadal		
El Hierro **TF** **109**	D 2	
Playa del Cardón		
Gran Canaria **GC** **117**	F 4	
Playa del Castro **LU** **4**	B 8	
Playa del Hoyo		
La Palma **TF** **132**	D 5	
Playa del Inglés		
Gran Canaria **GC** **117**	E 4	
Playa del Matorral		
Fuerteventura **GC** **111**	I 3	
Playa del Matorral		
Fuerteventura **GC** **112**	D 5	
Playa del Médano		
Tenerife **TF** **129**	F 5	
Playa del Medio		
Tenerife **TF** **129**	G 5	
Playa del Mojón **A** **85**	S 27	
Playa del Muerto		
Tenerife **TF** **125**	I 2	
Playa		
del Pedrucho **MU** **85**	S 27	
Playa del Pudrimal **MU** **85**	S 27	
Playa del Puerco **CA** **98**	X 11	
Playa del Reducto		
Lanzarote **GC** **123**	E 4	
Playa del Río		
Tenerife **TF** **129**	G 5	
Playa del Risco		
Gran Canaria **GC** **114**	C 2	
Playa del Risco		
Lanzarote **GC** **121**	F 2	
Playa del Rostro **C** **2**	D 2	
Playa del Socorro		
Tenerife **TF** **127**	E 3	
Playa del Tarajalillo		
Gran Canaria **GC** **117**	E 4	
Playa del Viejo Rey **GC** **112**	E 4	
Playa Francesa		
Lanzarote **GC** **120**	E 2	
Playa Granada **GR** **101**	V 19	
Playa Honda **MU** **85**	T 27	
Playa Honda		
Lanzarote **GC** **123**	D 4	
Playa Pozo Negro		
Fuerteventura **GC** **113**	I 4	
Playa Quemada		
Lanzarote **GC** **122**	C 5	
Playa Río Sieira **C** **12**	E 2	
Playas (Las)		
El Hierro **TF** **109**	D 3	
Playas (Mirador de las)		
El Hierro **TF** **109**	D 3	
Playas de Corralejo		
Fuerteventura **GC** **111**	I 1	
Playas		
de Estepona **MA** **100**	W 14	
Playas		
de Fuengirola **MA** **100**	W 16	
Playas de Marbella **MA** .. **100**	W 15	
Playas de Troya		
Tenerife **TF** **128**	D 5	
Playas Largas		
El Hierro **TF** **109**	E 2	
Playas Negras		
Fuerteventura **GC** **112**	E 4	
Playitas (Las)		
Fuerteventura **GC** **113**	H 4	
Plaza **CU** **59**	M 20	
Plaza **CR** **70**	O 19	
Plaza (La) **O** **5**	C 11	
Pleitas **Z** **34**	G 26	
Plenas **Z** **49**	I 27	
Plentzia **BI** **8**	B 21	
Pliego **MU** **85**	S 25	
Plomo (El) **AL** **103**	V 24	
Plou **TE** **49**	J 27	
Poal (El) **L** **37**	G 32	
Pobelnou		
del Delta (El) **T** **50**	K 32	
Pobes **VI** **18**	D 21	
Pobla (A) **OR** **14**	E 8	
Pobla (Sa) **PM** **105**	M 39	
Pobla		
de Benifassà (La) **CS** .. **50**	K 30	
Pobla		
de Cérvoles (La) **L** **37**	H 32	
Pobla		
de Claramunt (La) **B** **37**	H 35	
Pobla de Farnals (La) /		
Puebla de Farnals **V** **62**	N 29	
Pobla de Lillet (La) **B** **24**	F 35	
Pobla de Mafumet (La) **T** ... **37**	I 33	
Pobla		
de Massaluca (La) **T** ... **36**	I 31	
Pobla		
de Montornès (La) **T** ... **37**	I 34	
Pobla de Segur (La) **L** **23**	F 32	
Pobla de Vallbona (La) **V** .. **62**	N 28	
Pobla del Duc (La) **V** **74**	P 28	
Pobla Llarga (La) **V** **74**	O 28	
Pobla Tornesa (La) **CS** **62**	L 29	
Población (La) **S** **7**	C 18	
Población de Abajo **S** **17**	D 18	
Población de Arroyo **P** **16**	E 15	
Población de Campos **P** **17**	F 16	
Población de Cerrato **P** **31**	G 16	
Población		
de Valdivielso **BU** **18**	D 19	
Poblado		
de Santiago **CR** **69**	O 16	
Pobladura de Aliste **ZA** **29**	G 10	
Pobladura		
de la Sierra **LE** **15**	E 10	
Pobladura		
de las Regueras **LE** **15**	D 11	
Pobladura		
de Pelayo García **LE** **15**	F 12	
Pobladura		
de Sotiedra **VA** **30**	H 14	
Pobladura		
de Valderaduey **ZA** **30**	G 13	
Pobladura del Valle **ZA** **15**	F 12	
Poble de Tous **V** **74**	O 28	
Poble Nou		
de Benitatxell (El) **A** **75**	P 30	
Pobles (Les) **T** **37**	H 34	
Poblet (Monestir de) **T** **37**	H 33	
Pobleta (La) *Castelló* **CS** .. **50**	J 29	
Pobleta (La)		
cerca de Andilla **V** **61**	M 27	
Pobleta (La)		
cerca de Serra **V** **62**	M 28	
Pobleta de Bellveí (La) **L** ... **23**	E 32	
Poblete **CR** **70**	P 18	
Poblets (Els) **A** **74**	P 30	
Pobo (El) **TE** **49**	K 27	
Pobo (Sierra del) **TE** **49**	K 27	
Pobo de Dueñas (El) **GU** .. **48**	J 25	
Poboleda **T** **37**	I 32	
Pobra de Brollón (A) **LU** .. **14**	E 7	
Pobra		
do Caramiñal (A) **C** **12**	E 3	
Pobre (Punta del)		
Lanzarote **GC** **120**	E 2	
Pocetas (Las) **GC** **111**	G 3	
Pocicas (Las) **AL** **96**	T 23	
Pocico (El) **AL** **96**	U 23	
Pocicos (Los) **AB** **72**	P 24	
Podes **O** **5**	B 12	
Poio **PO** **12**	E 3	
Pol **OR** **5**	E 5	
Pol *cerca de Reguntille* **LU** **4**	C 8	
Pola de Allande **O** **5**	C 10	
Pola de Gordón (La) **LE** ... **16**	D 13	
Pola de Laviana **O** **6**	C 13	
Pola de Lena **O** **6**	C 12	
Pola de Siero **O** **6**	B 13	
Pola de Somiedo **O** **5**	C 11	
Pola del Pino **O** **6**	C 13	
Polacra (Punta de la) **AL** . **103**	V 24	
Polán **TO** **58**	M 17	
Polanco **S** **7**	B 17	
Polentinos **P** **16**	D 16	
Poleñino **HU** **35**	G 29	
Policar **GR** **95**	U 20	
Polientes **S** **17**	D 18	
Polinyà de Xúquer **V** **74**	O 28	
Polinyà del Vallès **B** **38**	H 36	
Pollença **PM** **104**	M 39	
Pollos **VA** **30**	H 14	
Pollosa (Coll de la) **B** **38**	G 36	
Polop **A** **74**	Q 29	
Polop (Ermita del) **A** **74**	P 28	
Polopos **GR** **102**	V 20	
Poloria **GR** **94**	T 19	
Polvoredo **LE** **6**	C 14	
Polvorosa **P** **17**	E 16	
Pomaluengo **S** **7**	C 18	
Pomar **MU** **36**	G 30	
Pomar de Valdivia **P** **17**	D 17	
Pombeiro **LU** **13**	E 6	
Pombriego **LE** **14**	E 9	
Pomer **Z** **34**	H 24	
Pompajuela **TO** **57**	M 15	
Pompenillo **HU** **21**	F 28	
Poncebos **O** **6**	C 15	
Ponferrada **LE** **15**	E 10	
Ponjos **LE** **15**	D 11	
Pont d'Armentera (El) **T** ... **37**	H 34	
Pont d'Arròs **L** **22**	D 32	
Pont de Bar (El) **L** **23**	E 34	
Pont de Molins **GI** **25**	F 38	
Pont de Suert **L** **22**	E 32	
Pont de Vilomara (El) **B** **38**	G 35	
Pont d'Inca (es) **PM** **104**	N 38	
Ponte (A) **OR** **14**	F 9	
Ponte (A) *Arnoia* **OR** **13**	F 5	
Ponte Albar **C** **2**	D 4	
Ponte Ambía **OR** **13**	F 6	
Ponte Barxas **OR** **13**	F 5	
Ponte-Caldelas **PO** **12**	E 4	
Ponte Carreira **C** **3**	C 5	
Ponte do Porto **C** **2**	C 2	
Ponte Ledesma **PO** **13**	D 4	
Ponte Nafonso **C** **12**	D 3	
Ponte Ulla **C** **13**	D 4	
Ponte Valga **PO** **12**	D 4	
Ponteareas **PO** **12**	F 4	
Ponteceso **C** **2**	C 3	
Pontecesures **PO** **12**	D 4	
Pontedeume **C** **3**	B 5	
Pontedeva **OR** **13**	F 5	
Pontedo **LE** **16**	D 13	
Pontejos **ZA** **29**	H 12	
Pontenova (A) **LU** **4**	B 8	
Pontes de García Rodríguez		
(As) **C** **3**	B 6	
Pontevedra **PO** **12**	E 4	
Pontevedra (Ría de) **PO** **12**	E 3	
Ponticiella **O** **5**	B 10	
Pontigón **O** **5**	B 10	
Pontils **T** **37**	H 34	
Pontón (El) **V** **61**	N 26	
Pontón (Puerto del) **LE** **6**	C 14	
Pontón Alto **J** **83**	R 21	
Pontón de la Oliva		
(Embalse del) **M** **46**	J 19	
Pontones **J** **83**	R 21	
Pontós **GI** **25**	F 38	
Ponts **L** **37**	G 33	
Ponzano **HU** **21**	F 29	
Póo **O** **6**	B 15	
Porciles (Alto de) **O** **5**	C 10	
Porcuna **J** **82**	S 17	
Poreño **O** **6**	B 13	
Porís de Abona		
Tenerife **TF** **129**	G 4	
Porma (Embalse del) **LE** ... **16**	D 14	

PONTEVEDRA

0   200 m

Alfonso XIII	**AY** 2	Fray Juan de Navarrete	**BZ** 18	Peregrina	**BZ** 42
Andrés Mellado	**BZ** 3	General Martitegui	**AY** 20	Peregrina (Pr.)	**BZ** 43
Andrés Muruais	**BZ** 5	Gen. Gutiérrez Mellado	**AY** 19	Real	**BY**
Arzobispo Malvar	**AY** 6	Isabel II	**AY** 22	Sagasta	**BZ** 44
Augusto González Besada	**AY** 7	Juan Bautista Andrade	**BZ** 24	Santa María (Av. de)	**AY** 51
Benito Corbal	**BZ**	Juan Manuel Pintos	**BY** 25	San Bartolomé	
Buenos Aires (Av. de).	**BY**	Manuel Quirogaz	**BZ** 29	(Arcos de)	**BY** 45
Charino (Paio Gómez)	**BZ** 8	Michelena	**BZ** 31	San José (Pl. de)	**AZ** 46
Cobián Roffignac	**BZ** 9	Montero Rios (Gran Vía de)	**AZ** 32	San Nicolás	**BY** 47
Concepción Arenal (Pl.)	**AY** 10	Oliva	**BZ**	San Roque	**BY** 48
Condesa Pardo Bazán	**AY** 11	Padre Amoedo Carballo	**BY** 36	Sarmiento	**BY** 50
Cruz Vermella	**BY** 12	Padre Feijóo	**BZ** 38	Soportales da Ferrería	**BZ** 52
Daniel de la Sota	**BZ** 14	Padre Fernando Olmedo	**BZ** 37	Valentín García Escudero	
Eduardo Pondal (Av. de)	**BZ** 15	Padre Gaite	**BY** 39	(Pr.)	**BY** 55
España (Pr. de)	**BZ** 16	Pedreira (Pr. de la)	**AY** 40	Verdura (Pr. da)	**BZ** 56
Ferrería (Pl. de la)	**BZ** 17	Peirao (Pr. do)	**AY** 41	Virgen del Camino	**BZ** 58

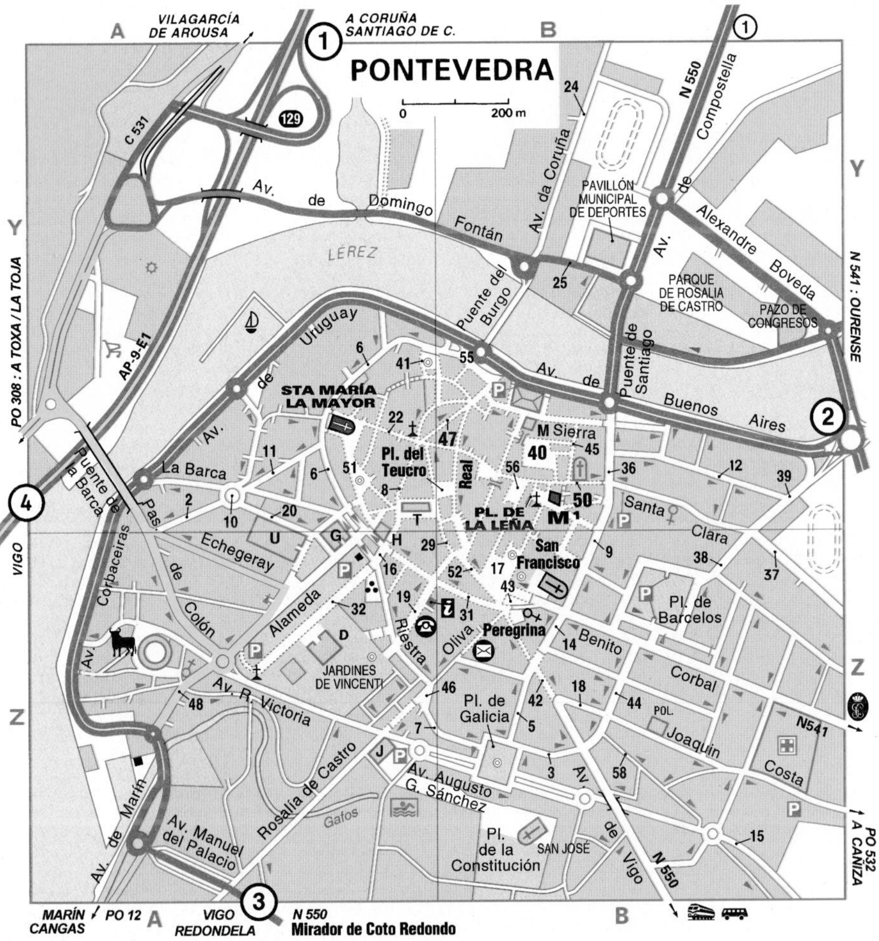

A B C D E F G H I J K L M N O P Q R S T U V W X Y Z

Porqueira (A) *OR* — 13 F6
Porquera *P* — 17 D17
Porquera (Ermita de la) *CA* — 99 X12
Porqueres *GI* — 24 F38
Porqueriza *SA* — 43 J12
Porquero *LE* — 15 E11
Porrejón *M* — 46 I19
Porrera *T* — 37 I32
Porreres *PM* — 105 N39
Porriño *PO* — 12 F4
Porrón *AB* — 84 Q24
Porrosa (La) *J* — 83 R21
Porrosillo *J* — 82 R19
Porrúa *O* — 6 B15
Port (El) Castelló *CS* — 62 M29
Port Ainé *L* — 23 E33
Port Aventura *T* — 51 I33
Port d'Alcúdia *PM* — 105 M39
Port d'Andratx *PM* — 104 N37
Port de Beseit (Reserva nacional de) *T* — 50 J30
Port de Caldes *L* — 22 E32
Port de la Selva (El) *GI* — 25 E39
Port de Llançà (El) *GI* — 25 E39
Port de Pollença / Puerto de Pollença *PM* — 105 M39
Port de Sagunt (El) *V* — 62 N29
Port de Sant Miquel *PM* — 87 O34
Port de Sóller / Puerto de Sóller *PM* — 104 M38
Port de Valldemossa *PM* — 104 M37
Port del Balís *B* — 38 H37
Port del Comte *L* — 23 F34
Port des Canonge *PM* — 104 M37
Port des Torrent *PM* — 87 P33
Port Vell *PM* — 105 N40
Portaceli (Monestir de) *V* — 62 M28
Portaje *CC* — 55 M10
Portaje (Embalse de) *CC* — 55 M10
Portal (El) *CA* — 98 W11
Portalet (Puerto del) *HU* — 21 D28
Portalrubio *TE* — 49 J26
Portalrubio de Guadamajud *CU* — 59 L22
Portals Nous *PM* — 104 N37
Portals Vells *PM* — 104 N37
Portas *PO* — 12 E4
Portas (Embalse de Las) *OR* — 14 F8
Portazgo *Z* — 35 G27
Portbou *GI* — 25 E39
Portela *OR* — 3 D5
Portela *OR* — 14 E9
Portela cerca de Barro *PO* — 12 E4
Portela cerca de Bueu *PO* — 12 F3
Portela de Aguiar *LE* — 14 E9
Portelárbol *SO* — 33 G22
Portell *L* — 37 G34
Portell de Morella *CS* — 49 K29
Portella (La) *L* — 36 G31
Portellada (La) *TE* — 50 J30
Portera (La) *V* — 73 N26
Portet de Moraira (El) *A* — 75 P30
Portezuelo *CC* — 55 M10
Porticholl *A* — 85 Q27
Portichuelo *MU* — 73 Q26
Portil (El) *H* — 90 U8
Portilla *VI* — 19 D21
Portilla *CU* — 60 L23
Portilla (La) *LE* — 15 F12
Portilla (La) *AL* — 96 U24
Portilla Alta *CC* — 43 K11
Portilla de la Reina *LE* — 6 C15
Portilla de Luna *LE* — 15 D12
Portillas (Alto de las) *LE* — 16 D15
Portillejo *P* — 17 E16
Portillinas (Alto Las) *LE* — 15 E10
Portillo *VA* — 31 H16
Portillo (El) *SA* — 43 K11
Portillo (El) *V* — 61 N27
Portillo de la Villa (El) Tenerife *TF* — 127 F3
Portillo de Soria *SO* — 33 H23
Portillo de Toledo *TO* — 58 L17
Portillón (Collado del) *L* — 22 D31
Portinatx *PM* — 87 O34
Portiña (Embalse de la) *TO* — 57 L15
Portlligat *GI* — 25 F39
Portman *MU* — 97 T27
Porto *ZA* — 27 F9
Porto Cristo *PM* — 105 N40

Porto de Abaixo *LU* — 4 B8
Porto de Bares *C* — 3 A6
Porto de Celeiro *LU* — 4 A7
Porto de Espasante *C* — 3 A6
Porto do Barqueiro *C* — 3 A6
Porto do Son *C* — 12 D2
Portobravo *C* — 12 D3
Portocamba *OR* — 14 F7
Portocelo *LU* — 4 A7
Portocolom *PM* — 105 N39
Portocristo Novo *PM* — 105 N39
Portodemouros (Embalse de) *C* — 13 D5
Portol *PM* — 104 N38
Portomarín *LU* — 13 D7
Portomourisco *OR* — 14 E8
Portomouro *C* — 2 D4
Portonovo *PO* — 12 E3
Portopetro *PM* — 105 N39
Portosín *C* — 12 D3
Portugalete *BI* — 8 C20
Portugos *GR* — 102 V20
Portuguesa (La) *BA* — 67 P9
Pórtus (Coll de) *GI* — 25 E38
Porvenir (El) *SG* — 32 H18
Porzomillos *C* — 3 C5
Porzún *O* — 8 B8
Porzuna *CR* — 70 O17
Posada *O* — 5 B12
Posada de Llanes *O* — 6 B15
Posada de Omaña *LE* — 15 D11
Posada de Valdeón *LE* — 6 C15
Posadas *LO* — 18 F20
Posadas *CO* — 80 S14
Posadilla *LE* — 15 E12
Posadilla *CO* — 80 R14
Posets *HU* — 22 E31
Potes *S* — 7 C16
Potiche *AB* — 72 Q23
Potries *V* — 74 P29
Poublanc *A* — 85 Q27
Poulo *OR* — 13 F5
Poutomillos *LU* — 3 D7
Poveda *AV* — 44 K14
Poveda (La) *M* — 58 L19
Poveda de la Obispalía *CU* — 60 M22
Poveda de la Sierra *GU* — 47 K23
Poveda de las Cintas *SA* — 44 I14
Póveda de Soria (La) *SO* — 33 F22
Povedilla *AB* — 71 P22
Povedillas (Las) *CR* — 70 O17
Poyales del Hoyo *AV* — 57 L14
Poyatas (Las) *BA* — 67 P11
Poyato *MA* — 99 W14
Poyatos *CU* — 47 K23
Poyo (El) *ZA* — 29 G10
Poyo (Puerto El) *LU* — 14 D8
Poyo del Cid (El) *TE* — 48 J25
Poza de la Sal *BU* — 18 E19
Poza de la Vega *P* — 16 E15
Pozal de Gallinas *VA* — 30 I15
Pozáldez *VA* — 30 H15
Pozalmuro *SO* — 33 G23
Pozán de Vero *HU* — 22 F30
Pozancos *P* — 17 D17
Pozancos *GU* — 47 I22
Pozazal (Puerto) *S* — 17 D17
Pozo Alcón *J* — 83 S21
Pozo Aledo *MU* — 85 S27
Pozo Amargo *CA* — 92 U13
Pozo Cañada *AB* — 73 P24
Pozo de Abajo *AB* — 83 Q22
Pozo de Almoguera *GU* — 46 K20
Pozo de Guadalajara *GU* — 46 K20
Pozo de la Peña *AB* — 72 P24
Pozo de la Rueda *GR* — 84 S23
Pozo de la Serna *CR* — 71 P20
Pozo de las Calcosas El Hierro *TF* — 109 D1
Pozo de los Frailes *AL* — 103 V23
Pozo de Sabinosa El Hierro *TF* — 108 B2
Pozo de Urama *P* — 16 F15
Pozo del Camino *H* — 90 U8
Pozo del Esparto (El) *AL* — 96 T24
Pozo Estrecho *MU* — 85 S27
Pozo Higuera *MU* — 96 T24
Pozo Lorente *AB* — 73 O25
Pozo Negro Fuerteventura *GC* — 113 I4
Pozo Usero (El) *AL* — 103 V23

Pozoamargo *CU* — 72 N23
Pozoantiguo *ZA* — 30 H13
Pozoblanco *CO* — 81 Q15
Pozohondo *AB* — 72 P24
Pozondón *TE* — 48 K25
Pozorrubio *CU* — 59 M21
Pozos *LE* — 15 F11
Pozos de Hinojo *SA* — 43 J10
Pozoseco *CU* — 60 N24
Pozuel de Ariza *Z* — 33 H23
Pozuel del Campo *TE* — 48 J25
Pozuelo *AB* — 72 P23
Pozuelo (Embalse de) *CR* — 70 O18
Pozuelo (El) *AL* — 47 K23
Pozuelo (El) *GR* — 102 V20
Pozuelo (El) *H* — 79 T9
Pozuelo (Monte) *GR* — 94 T18
Pozuelo de Alarcón *M* — 45 K18
Pozuelo de Aragón *Z* — 34 G25
Pozuelo de Calatrava *CR* — 70 P18
Pozuelo de la Orden *VA* — 30 G14
Pozuelo de Tábara *ZA* — 29 G12
Pozuelo de Vidriales *ZA* — 29 F12
Pozuelo de Zarzón *CC* — 55 L10
Pozuelo del Páramo *LE* — 15 F12
Pozuelo del Rey *M* — 46 K20
Pozuelos de Calatrava (Los) *CR* — 70 P17
Pozuelos del Rey *P* — 16 F15
Prada *OR* — 14 F8
Prada (Embalse de) *OR* — 14 F8
Pradales *SG* — 32 H18
Prádanos de Bureba *BU* — 18 E19
Prádanos de Ojeda *P* — 17 D16
Pradejón *LO* — 19 E23
Pradela *LE* — 14 E9
Pradell *T* — 37 I32
Prádena *SG* — 46 I18
Prádena de Atienza *GU* — 46 I20
Prádena del Rincón *M* — 46 I19
Pradera de Navalhorno (La) *SG* — 45 J17
Pradet *T* — 37 I32
Pradet *L* — 22 D32
Pradilla *GU* — 48 J24
Pradilla de Ebro *Z* — 34 G26
Prado *O* — 5 C11
Prado *LU* — 3 C6
Prado *OR* — 13 F7
Prado *ZA* — 30 G13
Prado Caravia *O* — 6 B14
Prado cerca de Maceira *PO* — 13 F5
Prado cerca de Ponteareas *PO* — 12 F4
Prado cerca de Silleda *PO* — 13 D5
Prado (Sierra del) *BA* — 80 Q12
Prado de la Guzpeña *LE* — 16 D14
Prado del Rey *CA* — 92 V13
Prado Llano *GR* — 94 U19
Prado Norte *M* — 46 K19
Prado y Eritas *H* — 78 S9
Pradoalvar *OR* — 14 F8
Pradochano *CC* — 55 L11
Pradolongo *OR* — 14 F8
Pradosegar *AV* — 44 K14
Pradoviejo (Alto de) *BU* — 17 E18
Pradreiro *C* — 2 C3
Prados *MU* — 84 R24
Prados (Los) *AB* — 84 Q22
Prados (Los) *CO* — 94 T17
Prados de Armijo *J* — 83 R21
Prados Redondos *GU* — 48 J24
Prat de Llobregat (El) *B* — 38 I36
Prat del Comte *T* — 50 J31
Pratdip *T* — 51 I32
Prats de Cerdanya *L* — 24 E35
Prats de Lluçanès *B* — 37 F36
Prats de Rei (Els) *B* — 37 G34
Praves *S* — 8 B19
Pravia *O* — 5 B11
Predaja (Puerto de la) *BU* — 18 E19
Preixana *L* — 37 H33
Preixens *L* — 37 G33
Préjano *LO* — 19 F23
Premià de Dalt *B* — 38 H37
Premià de Mar *B* — 38 H37
Prenafeta *T* — 37 H33
Prendes *O* — 5 B12
Prendones *O* — 4 B9
Prenyanosa (La) *L* — 37 G33
Presa *BI* — 8 C19
Présaras *C* — 3 C5

Presas (Las) *CO* — 81 R17
Presedo *C* — 3 C5
Presencio *BU* — 17 F18
Presillas Bajas (Las) *AL* — 103 V23
Preso (El) *CR* — 71 O20
Presqueira *PO* — 13 E4
Prevediños *C* — 13 D4
Prexiguero *OR* — 13 F5
Priaranza de la Valduerna *LE* — 15 F11
Priaranza del Bierzo *LE* — 14 E10
Priego *CU* — 47 K23
Priego de Córdoba *CO* — 93 T17
Priero *O* — 5 B11
Priesca *O* — 6 B13
Priescas *O* — 6 C14
Prieta *MA* — 100 V15
Prieta (Punta) Lanzarote *GC* — 121 F2
Prieto *MA* — 100 V15
Prim (Castillo de) *CR* — 70 N17
Primajas *LE* — 16 D14
Príncipe de Viana (Parador) Olite *NA* — 20 E25
Prioiro *C* — 3 B5
Prior (Cabo) *C* — 3 B5
Priorato *SE* — 80 S13
Prioriño (Cabo) *C* — 3 B4
Prioro *LE* — 16 D15
Pris (El) Tenerife *TF* — 124 G2
Proacina cerca de Proaza *O* — 5 C11
Proaño *S* — 7 C17
Proaza *O* — 5 C11
Progo *OR* — 28 G8
Propios del Guadiana (Los) *J* — 83 S20
Proserpina (Embalse de) *BA* — 67 P10
Provadura *OR* — 13 E6
Provencio (El) *CU* — 71 N22
Providencia (La) *O* — 6 B13
Pruit *B* — 24 F37
Prullans *L* — 23 E35
Pruna *SE* — 92 V14
Pruvia *O* — 5 B11
Púbol *GI* — 25 F38
Puçol *V* — 62 N29
Puebla (La) *MU* — 85 S27
Puebla de Albortón *Z* — 35 H27
Puebla de Alcocer *BA* — 68 P14
Puebla de Alcollarín *BA* — 68 O12
Puebla de Alfindén *Z* — 35 H27
Puebla de Almenara *CU* — 59 M21
Puebla de Almoradiel (La) *TO* — 59 N20
Puebla de Arenoso *CS* — 62 L28
Puebla de Arganzón (La) *BU* — 19 D21
Puebla de Argeme *CC* — 55 M10
Puebla de Azaba *SA* — 42 K9
Puebla de Beleña *GU* — 46 J20
Puebla de Castro (La) *HU* — 22 F30
Puebla de Cazalla (La) *SE* — 92 U14
Puebla de Don Fadrique *GR* — 84 S22
Puebla de Don Rodrigo *CR* — 69 O16
Puebla de Eca *SO* — 33 H22
Puebla de Fantova (La) *HU* — 22 F31
Puebla de Farnals / Pobla de Farnals (La) *V* — 62 N29
Puebla de Guzmán *BA* — 78 T8
Puebla de Híjar (La) *TE* — 35 I28
Puebla de la Calzada *BA* — 67 P10
Puebla de la Reina *BA* — 67 Q11
Puebla de la Sierra *M* — 46 I19
Puebla de Lillo *LE* — 6 C14
Puebla de los Infantes (La) *SE* — 80 S13
Puebla de Montalbán (La) *TO* — 57 M16
Puebla de Mula (La) *MU* — 85 R25
Puebla de Obando *BA* — 67 O10
Puebla de Pedraza *SG* — 45 I18
Puebla de Roda (La) *HU* — 22 F31
Puebla de San Julián *LU* — 14 D7

Puebla de San Medel *SA* — 43 K12
Puebla de Sanabria *ZA* — 28 F10
Puebla de Sancho Pérez *BA* — 79 Q10
Puebla de Trives *OR* — 14 E8
Puebla de Valdavia (La) *P* — 17 D16
Puebla de Valles *GU* — 46 J20
Puebla de Valverde (La) *TE* — 61 L27
Puebla de Yeltes *SA* — 43 K11
Puebla del Maestre *BA* — 79 R11
Puebla del Príncipe *CR* — 71 Q21
Puebla del Prior *BA* — 67 Q11
Puebla del Río (La) *SE* — 91 U11
Puebla del Salvador *CU* — 60 N24
Pueblanueva (La) *TO* — 57 M15
Pueblica de Valverde *ZA* — 29 G12
Pueblo Nuevo de Miramontes *CC* — 56 L13
Pueblonuevo del Guadiana *BA* — 67 P9
Puelo *O* — 5 C10
Puendeluna *Z* — 21 F27
Puente (El) *S* — 8 B20
Puente (La) *J* — 71 O20
Puente Agüera *O* — 6 B14
Puente Almuhey *LE* — 16 D15
Puente Arce *S* — 7 B18
Puente de Domingo Flórez *LE* — 14 E9
Puente de Génave *J* — 83 Q21
Puente de Híjar *AB* — 84 Q24
Puente de la Cerrada (Embalse del) *J* — 83 S20
Puente de la Sierra *J* — 82 S18
Puente de la Sierra *M* — 45 K17
Puente de las Herrerías *J* — 83 S21
Puente de los Fierros *O* — 5 C12
Puente de Montañana *HU* — 22 F32
Puente de San Martín *O* — 5 B11
Puente de San Miguel *S* — 7 B17
Puente de Sanabria *ZA* — 14 F10
Puente de Vadillos *CU* — 47 K23
Puente de Valderredible *S* — 17 D18
Puente del Arzobispo (El) *TO* — 57 M14
Puente del Congosto *SA* — 44 K13
Puente del Obispo *J* — 82 S19
Puente del Río *AL* — 102 V21
Puente del Villar *J* — 82 S18
Puente Duda *BA* — 83 S22
Puente Duero *VA* — 30 H15
Puente-Genil *CO* — 93 T15
Puente Grande *CC* — 94 T17
Puente la Reina *NA* — 10 D24
Puente la Reina de Jaca *HU* — 21 E27
Puente Nuevo *AV* — 45 K16
Puente Nuevo *J* — 82 S18
Puente Nuevo (Embalse de) *CO* — 81 R14
Puente Pumar *S* — 7 C16
Puente Torres *AB* — 73 O25
Puente Viesgo *S* — 7 C18
Puentecilla *C* — 5 C10
Puentedey *BU* — 17 D18
Puentenansa *S* — 7 C16
Puentes (Embalse de) *MU* — 84 S24
Puentevea *C* — 12 D4
Puercas *ZA* — 29 G11
Puerta (La) *GU* — 47 K22
Puerta de Segura (La) *J* — 83 Q21
Puertas *SA* — 43 I11
Puertas de Villafranca (Las) *TO* — 59 N19
Puertecico *AL* — 96 T24
Puertito (El) Fuerteventura *GC* — 111 J1
Puertito de Güimar (El) Tenerife *TF* — 127 H3
Puerto *GR* — 101 V18
Puerto (El) *CU* — 61 M26
Puerto (El) *AL* — 102 V22
Puerto (El) *H* — 78 S9
Puerto Alegre *CO* — 93 T15
Puerto Alto *J* — 82 S18
Puerto Banús *MA* — 100 W15

Puerto Cabopino *MA* — 100 W15
Puerto Calero Lanzarote *GC* — 122 C5
Puerto Castilla *AV* — 56 L13
Puerto de Béjar *SA* — 43 K12
Puerto de Cotos *ESP* — 45 J18
Puerto de la Cruz Fuerteventura *GC* — 112 B5
Puerto de la Cruz Tenerife *TF* — 124 F2
Puerto de la Encina *SE* — 92 U14
Puerto de la Estaca El Hierro *TF* — 109 E2
Puerto de la Peña Fuerteventura *GC* — 110 F3
Puerto de la Torre *MA* — 100 V16
Puerto de las Nieves Gran Canaria *GC* — 114 C2
Puerto de Mazarrón *MU* — 97 T26
Puerto de Mogán Gran Canaria *GC* — 116 B4
Puerto de Motril *GR* — 101 V19
Puerto de Pollença / Port de Pollença *PM* — 105 M39
Puerto de San Vicente *TO* — 57 N14
Puerto de Santa Cruz *CC* — 68 O12
Puerto de Santa María (El) *CA* — 98 W11
Puerto de Santiago Tenerife *TF* — 128 B4
Puerto de Sardina Gran Canaria *GC* — 114 C1
Puerto de Sóller / Port de Sóller *PM* — 104 M38
Puerto de Tazacorte La Palma *TF* — 130 B5
Puerto de Vega *O* — 5 B10
Puerto del Carmen Lanzarote *GC* — 123 D5
Puerto del Castaño *CA* — 99 W13
Puerto del Pino *AB* — 84 Q23
Puerto del Rosario Fuerteventura *GC* — 111 I3
Puerto Espíndola La Palma *TF* — 131 D3
Puerto Gil *H* — 79 S10
Puerto Haza de Lino *GR* — 102 V20
Puerto Hurraco *BA* — 68 Q13
Puerto Lajas Fuerteventura *GC* — 111 I2
Puerto Lápice *CR* — 70 O19
Puerto López *GR* — 94 T18
Puerto-Lucía *H* — 79 S9
Puerto Lumbreras *MU* — 96 T24
Puerto Moral *H* — 79 S10
Puerto Naos La Palma *TF* — 132 C5
Puerto Nuevo Gran Canaria *GC* — 114 D1
Puerto Real *CA* — 98 W11
Puerto Rey *TO* — 57 N14
Puerto Rey *AL* — 96 U24
Puerto Rico Gran Canaria *GC* — 116 C4
Puerto San Nicolás Gran Canaria *GC* — 114 B2
Puerto Seguro *SA* — 42 J9
Puerto Serrano *CA* — 92 V13
Puértolas *HU* — 22 E30
Puertollanillo *CA* — 92 V12
Puertollano *CR* — 70 P17
Puertomingalvo *TE* — 62 L28
Puertos (Los) *T* — 50 J31
Pueyo *NA* — 20 E25
Pueyo (El) *HU* — 21 D29
Pueyo (Monasterio de) *HU* — 22 F30
Pueyo (Monte) *HU* — 21 E29
Pueyo de Araguás (El) *HU* — 22 E30
Pueyo de Fañanás *HU* — 21 F29
Puibolea *HU* — 21 F29
Puig *V* — 62 N29
Puig campana *A* — 74 Q29
Puig Moreno *TE* — 49 I29
Puig-reig *B* — 38 G35
Puig Rom *GI* — 25 F39
Puigcercós *L* — 22 F32
Puigcerdà *L* — 24 E35
Puigdàlber *B* — 37 H35
Puiggròs *L* — 37 H32
Puigmal *GI* — 24 E36

España 181

Puigmoreno de Franco TE 49 I 29
Puigpedrós GI 23 E 35
Puigpelat T 37 I 33
Puigpunyent PM 104 N 37
Puigsacalm GI 24 F 37
Puigverd d'Agramunt L 37 G 33
Puigverd de Lleida L 36 H 32
Puilatos Z 35 G 27
Pujal (El) L 23 F 33
Pujalt B 37 G 34
Pujarnol GI 24 F 38
Pujayo S 7 C 17
Pujerra MA 100 W 14
Pujols (es) PM 87 P 34
Pulgar TO 58 M 17
Pulgosa (La) AB 72 P 24
Pulido (Puerto) CR 69 Q 16
Pulpí AL 96 T 24
Pulpite GR 95 T 22
Pulpites (Los) MU 85 R 26
Pumalverde S 7 C 17
Pumarejo de Tera ZA 29 G 11
Pumares OR 14 E 9
Punta (Sa) GI 25 G 39
Punta (Sa) Mallorca PM 105 N 39
Punta Alta L 22 E 32
Punta Bombarda A 74 Q 29
Punta Brava Tenerife TF 124 F 2
Punta de Deia PM 104 M 37
Punta de Moraira A 75 P 30
Punta Mala CA 99 X 14
Punta Mujeres Lanzarote GC 121 F 3
Punta ó Sénia Sevilla (La) CS 62 L 30
Punta Prima A 86 S 27
Punta Prima Menorca PM 106 M 42
Punta Umbría H 90 U 9
Puntagorda La Palma TF 130 B 3
Puntal MA 93 U 16
Puntal (El) O 6 B 13
Puntal (El) V 73 P 27
Puntal de la Mina AB 71 Q 22
Puntales (Sierra de los) CO 81 R 15
Puntallana La Palma TF 131 E 4
Puntalón GR 101 V 19
Punxín OR 13 E 5
Puras BU 18 E 20
Puras VA 45 I 16
Purchena AL 96 T 22
Purchena H 91 T 10
Purchil GR 94 U 19
Purias MU 96 T 25
Purias (Puerto) MU 96 T 25
Purón O 7 B 15
Purroy Z 34 H 25
Purroy de la Solana HU 22 F 31
Purujosa Z 34 G 24
Purullena GR 95 U 20
Puyarruego HU 22 E 30

Q

Quar (La) B 24 F 35
Quart de les Valls V 62 M 29
Quart de Poblet V 62 N 28
Quart d'Onyar GI 25 G 38
Quatretonda V 74 P 28
Quatretondeta A 74 P 29
Quebrada (Sierra) BA 79 R 11
Quebradas AB 84 Q 24
Quecedo BU 18 D 19
Queguas OR 27 G 5
Queimada C 3 C 5
Queipo de Llano SE 91 U 11
Queirogás OR 28 G 7
Queiruga C 12 D 2
Queixa (Sierra de) OR 14 F 7
Queixans GI 24 E 35
Queixas C 3 C 4
Queizán LU 4 D 8
Quejana VI 8 C 20
Quejigal SA 43 J 12
Quejigo BA 69 O 15
Quejo VI 18 D 20
Quel LO 19 F 23
Quemada BU 32 G 19
Quéntar GR 94 U 19
Quéntar (Embalse de) GR 94 U 19
Quer GU 46 K 20
Quer Foradat (El) L 23 F 34
Queralbs GI 24 E 36
Queralt B 37 H 34
Querencia GU 47 I 21
Quero TO 59 N 20
Querol T 37 H 34
Querolt L 23 F 34
Ques O 6 B 13
Quesa V 74 O 27
Quesada J 83 S 20
Quesada (Estación de) J 83 S 20
Quesada (Peña de) GR 83 S 21
Quesera (Collado de la) GU 46 I 19
Queveda S 7 B 17
Quicena HU 21 F 28
Quiebrajano (Embalse de) J 94 T 18
Quijas S 7 B 17
Quijorna M 45 K 17
Quiles (Los) CR 70 O 18
Quilmas C 2 D 2
Quilós LE 14 E 9
Quincoces de Yuso BU 18 D 20
Quindous LU 14 D 9
Quines OR 13 F 5
Quinta (la) M 46 K 18
Quinta (La) MA 92 V 14
Quintana VI 19 E 22
Quintana ZA 14 F 9
Quintana cerca de Albariza O 5 C 11
Quintana cerca de Astrana S 8 C 19
Quintana cerca de Nava O 6 B 13
Quintana cerca de Vega O 6 B 13
Quintana cerca de Villegar S 7 C 18
Quintana (La) S 17 D 17
Quintana (Sierra de) J 81 Q 17
Quintana de Fuseros LE 15 D 11
Quintana de la Serena BA 68 P 12
Quintana de Rueda LE 16 E 14
Quintana del Castillo LE 15 E 11
Quintana del Marco LE 15 F 12
Quintana del Monte LE 16 E 14
Quintana del Pidio BU 32 G 18
Quintana del Puente P 31 F 17
Quintana María BU 18 D 20
Quintana-Martín Galíndez BU 18 D 20
Quintana Redonda SO 33 H 22
Quintana y Congosto LE 15 F 11
Quintanabureba BU 18 E 19
Quintanadueñas BU 18 E 18
Quintanaélez BU 18 E 20
Quintanaloma BU 18 D 18
Quintanaloranco BU 18 E 20
Quintanamanvirgo BU 31 G 18
Quintanaopio BU 18 D 19
Quintanaortuño BU 18 E 18
Quintanapalla BU 18 E 19
Quintanar (Collado de) BU 32 F 20
Quintanar de la Orden TO 59 N 20
Quintanar de la Sierra BU 32 G 20
Quintanar del Rey CU 72 N 24
Quintanarejo (El) SO 33 G 21
Quintanarraya BU 32 G 19
Quintanarruz BU 18 E 19
Quintanas de Gormaz SO 32 H 21
Quintanas de Valdelucio BU 17 D 17
Quintanas Rubias de Abajo SO 32 H 20
Quintanas Rubias de Arriba SO 32 H 20
Quintanatello de Ojeda P 17 D 16
Quintanavides BU 18 E 19
Quintanilla S 7 C 16
Quintanilla BU 17 F 18
Quintanilla de Arriba VA 31 H 17
Quintanilla de Babia LE 15 D 11
Quintanilla de Flórez LE 15 F 11
Quintanilla de la Berzosa P 17 D 16
Quintanilla de la Cueza P 16 F 15
Quintanilla de la Mata BU 32 G 18
Quintanilla de las Torres P 17 D 17
Quintanilla de las Viñas BU 18 F 19
Quintanilla de los Oteros LE 16 F 13
Quintanilla de Losada LE 15 F 10
Quintanilla de Nuño Pedro SO 32 G 20
Quintanilla de Onésimo VA 31 H 16
Quintanilla de Onsoña P 17 E 16
Quintanilla de Pienza BU 18 D 19
Quintanilla de Riopisuerga BU 17 E 17
Quintanilla de Rueda LE 16 D 14
Quintanilla de Sollamas LE 15 E 12
Quintanilla de Somoza LE 15 E 11
Quintanilla de Tres Barrios SO 32 H 20
Quintanilla de Trigueros VA 31 G 16
Quintanilla de Urz ZA 29 F 12
Quintanilla de Yuso LE 15 F 10
Quintanilla del Agua BU 32 F 19
Quintanilla del Coco BU 32 G 19
Quintanilla del Molar VA 30 G 13
Quintanilla del Monte ZA 30 G 13
Quintanilla del Monte LE 15 E 12
Quintanilla del Olmo ZA 30 G 13
Quintanilla del Valle LE 15 E 12
Quintanilla la Ojada BU 18 D 20
Quintanilla-Pedro Abarca BU 17 E 18
Quintanilla San García BU 18 E 20
Quintanilla-Sobresierra BU 18 E 18
Quintanilla-Vivar BU 18 E 18
Quintanillabón BU 18 E 20
Quintanillas (Las) BU 17 E 18
Quintás C 3 C 5
Quintás OR 27 G 5
Quintela LE 14 D 9
Quintela LU 4 C 7
Quintela de Leirado OR 13 F 5
Quintera (La) SE 80 S 13
Quintería (La) J 82 R 18
Quintes O 6 B 13
Quintillo (El) CR 70 P 19
Quintinilla-Rucandio S 17 D 18
Quinto Z 35 H 28
Quintos de Mora (Coto nacional) TO 70 N 17
Quintueles O 6 B 13
Quinzano HU 21 F 28
Quiñonería (la) SO 33 H 23
Quireza PO 13 E 4
Quiroga LU 14 E 8
Quiruelas ZA 29 F 12
Quismondo TO 58 L 17

R

Rabadá y Navarro TE 61 L 26
Rábade LU 3 C 7
Rabadeira C 2 C 3
Rábago S 7 C 16
Rabal cerca de Chandrexa OR 14 F 7
Rabal cerca de Verín OR 28 G 7
Rabanal de Fenar LE 16 D 13
Rabanal del Camino LE 15 E 11
Rabanales ZA 29 G 11
Rabanera LO 19 F 22
Rabanera del Pinar BU 32 G 20
Rábano VA 31 H 17
Rábano de Aliste ZA 29 G 10
Rábano de Sanabria ZA 14 F 10
Rábanos BU 18 F 20
Rábanos Los) SO 33 G 22
Rabassa (La) L 37 H 34
Rabassa (La) BA 66 O 8
Rabé BU 32 G 18
Rábida (Monasterio de la) H 90 U 9
Rabinadas (Las) CR 70 O 17
Rabisca (Punta de) La Palma TF 130 B 2
Rábita MA 93 U 15
Rábita (La) GR 102 V 20
Rábita (La) J 94 T 17
Rabizo (Alto del) LE 16 D 13
Rabós GI 25 E 39
Racó de Loix A 74 Q 29
Racó de Santa Llucia B 37 I 35
Rad (La) SA 43 J 12
Rada (La) NA 20 F 25
Rada de Haro CU 59 N 22
Radiquero HU 22 F 30
Radona SO 33 I 22
Rafal A 85 R 27
Ráfales TE 50 J 30
Rafalet A 75 P 30
Rafelbunyol V 62 N 28
Rafelguaraf V 74 O 28
Ràfol d'Almunia (El) A 74 P 29
Rágama SA 44 J 14
Rágol AL 102 V 21
Ragua (Puerto de la) GR 95 U 20
Ragudo (Cuesta de) CS 62 M 28
Raguero de Bajo MU 85 S 25
Raices C 12 D 4
Raíces (Las) Tenerife TF 124 H 2
Raigada OR 14 F 8
Raïmat L 36 G 31
Rairiz de Veiga OR 13 F 6
Raixa PM 104 M 38
Rajadell B 37 G 35
Rajita (La) La Gomera TF 118 B 3
Rala AB 84 Q 23
Ramacastañas AV 57 L 14
Ramales de la Victoria S 8 C 19
Ramallosa C 12 D 4
Ramallosa (A) PO 12 F 3
Rambla (La) AB 72 P 23
Rambla (La) CO 93 T 15
Rambla Aljibe (La) GR 95 U 23
Rambla de Castellar CR 71 Q 20
Rambla de Martín (La) TE 49 J 27
Rambla del Agua AL 95 U 21
Ramblas (Las) AB 84 Q 24
Ramil LU 4 C 7
Ramilo OR 14 F 9
Ramirás OR 13 F 5
Ramiro VA 30 I 15
Ramonete (Ermita del) MU 97 T 25
Rancajales (Los) M 46 J 18
Randa PM 104 N 38
Randín OR 27 G 6
Ranedo BU 18 D 20
Ranera BU 18 D 20
Ranera (Monte) CU 61 M 26
Ranero BI 8 C 19
Raneros LE 16 E 13
Ranin HU 22 E 30
Rante OR 13 F 6
Rañadoiro (Puerto de) O 4 C 9
Rañadoiro (Sierra de) O 4 C 9
Rañas del Avellanar CR 57 N 15
Rao LU 4 D 9
Rapariegos SG 45 I 16
Rápita (La) B 37 I 34
Ràpita (sa) Mallorca PM 104 N 38
Rasa (La) SO 32 H 20
Rasal HU 21 E 28
Rasca (Faro de la) Tenerife TF 128 D 6
Rasca (Punta de la) Tenerife TF 128 D 5
Rascafría M 45 J 18
Rascanya (La) V 62 N 28
Rasillo (El) LO 19 F 21
Rasines S 8 C 19
Raso (El) AV 56 L 13
Rasos de Peguera B 23 F 35
Raspay MU 85 Q 26
Raspilla AB 84 Q 22
Rasquera T 50 I 31
Rasueros AV 44 I 14
Rates (Coll de) A 74 P 29
Rauric T 37 H 34
Raval de Crist T 50 J 31
Raval de Jesús T 50 J 31
Raxo PO 12 E 3
Raxón C 3 B 5
Raya del Palancar-Guadamonte (La) M 45 K 18
Rayo (Puerto del) CR 69 P 15
Rayo (Sierra del) TE 49 K 28
Razbona GU 46 J 20
Razo C 2 C 3
Real (Caño) SE 91 V 10
Real (Lucio) CA 91 V 11
Real Cortijo de San Isidro cerca de Aranjuez M 58 L 19
Real de la Jara (El) SE 79 S 11
Real de Montroi V 74 N 28
Real de San Vicente (El) TO 57 L 15
Realejo Alto Tenerife TF 127 E 3
Realejo Bajo Tenerife TF 127 E 3
Realejos (Los) Tenerife TF 127 E 3
Reales MA 99 W 14
Rebanal de las Llantas P 17 D 16
Rebide LU 14 E 8
Reboiró LU 14 D 7
Rebolado de Traspeña BU 17 D 17
Rebollada cerca de Laviana O 6 C 13
Rebollada cerca de Mieres O 5 C 12
Rebollar SO 33 G 22
Rebollar O 15 D 10
Rebollar V 61 N 26
Rebollar CC 56 L 12
Rebolledo (El) A 86 Q 28
Rebolledo de la Torre BU 17 D 17
Rebollera CR 82 Q 17
Rebollo SG 45 I 18
Rebollo SO 33 H 21
Rebollo (Monte) CU 61 M 25
Rebollo (Monte) CU 60 M 22
Rebollosa de Hita GU 46 J 20
Rebollosa de Jadraque GU 47 I 21
Rebollossa de Pedro SO 32 I 20
Reboredo cerca de Boiro C 12 D 3
Reboredo cerca de O Grove PO 12 E 3
Reboredo cerca de Oza dos Ríos C 3 C 5
Rebost B 24 F 35
Recajo LO 19 E 23
Recaré LU 4 B 7
Recas TO 58 L 18
Recueja (La) AB 73 O 25
Recuenco (El) GU 47 K 22
Recuerda SO 32 H 21
Redal (El) LO 19 E 23
Redecilla del Campo BU 18 E 20
Redipollos LE 6 C 14
Redipuertas LE 6 C 13
Redonda C 2 D 2
Redonda (La) SA 42 J 9
Redonda (Peña) LU 14 E 8
Redondal LE 15 E 10
Redondela PO 12 F 4
Redondela (La) H 90 U 8
Redondo BU 8 C 19
Redondo Tenerife TF 126 D 3
Redondo (Puerto) BU 32 G 20
Redován A 85 R 27
Redueña M 46 J 19
Refoxos PO 13 E 5
Refugi (El) CS 62 L 30
Regadas OR 13 F 5
Regencós GI 25 G 39
Regla (La) O 5 C 10
Régola (La) L 36 G 32
Reguengo PO 12 F 4
Regueral O 5 B 12
Regueras de Arriba LE 15 F 12
Reguérs (Els) T 50 J 31
Regumiel de la Sierra BU 32 G 21
Reguntille LU 4 C 7
Reigada O 5 C 10
Reigosa LU 4 C 7
Reillo CU 60 M 24
Reina BA 80 R 12
Reina (Mirador de la) O 6 C 14
Reinante LU 4 B 8
Reino (El) OR 13 E 5
Reinosa S 17 C 17
Reinosilla S 17 D 17
Reinoso BU 18 E 19
Reinoso de Cerrato P 31 G 16
Rejano SE 93 U 15
Rejas SO 32 H 20
Rejas de Ucero SO 32 G 20
Relaño (El) MU 85 R 26
Relea P 17 E 15
Reliegos LE 16 E 13
Rellanos O 5 B 10
Relleu A 74 Q 29
Rellinars B 38 H 35
Rello SO 33 H 21
Reloj CA 92 V 13
Relumbrar AB 83 Q 21
Remedios (Ermita de los) BA 79 R 10
Remedios (Punta dos) C 12 D 2
Remendia NA 20 D 26
Remolina LE 16 D 14
Remolino (El) CO 93 T 15
Remolinos Z 34 G 26
Remondo SG 31 H 16
Rena BA 68 O 12
Renales GU 47 J 22
Renales (Cabeza) SG 45 J 17
Renche LU 14 D 8
Rendona (La) CA 99 W 12
Renedo VA 31 H 16
Renedo S 7 B 18
Renedo de Cabuérniga S 7 C 17
Renedo de la Vega P 17 E 15
Renedo de Valdavia P 17 E 16
Renedo de Valderaduey LE 16 E 15
Renedo de Valdetuéjar LE 16 D 14
Renera GU 46 K 20
Rengos O 5 C 10
Renieblas SO 33 G 22
Renodo P 17 D 17
Rentería / Errenteria SS 10 C 24
Renúñez Grande CR 71 P 20
Reocín S 7 B 17
Reolid AB 71 Q 22
Repilado (El) H 79 S 9
Repollés (Masía del) TE 49 K 28
Repostería LU 13 D 6
Represa LE 16 E 13
Requejada (Embalse de la) P 17 D 16
Requejo S 17 C 17
Requejo ZA 28 F 9
Requena V 61 N 26
Requena de Campos P 17 F 16
Requiás OR 27 G 6
Requijada SG 45 I 18
Resconorio S 7 C 18
Residencial Montelar GU 46 J 19
Resinera (La) GR 101 V 18
Resinera-Voladilla MA 100 W 14
Resoba P 17 D 16
Respaldiza VI 8 C 20
Respenda de la Peña P 17 D 15
Restábal GR 101 V 19
Restiello O 5 C 11
Restinga (La) El Hierro TF 109 D 4
Retama CR 69 O 16
Retamal BA 67 P 10
Retamal de Llerena BA 68 Q 12
Retamar CR 70 P 17
Retamar AL 103 V 23
Retamar (El) Tenerife TF 126 C 3
Retamosa CC 56 N 13
Retamosa (La) CR 69 P 16
Retamoso de la Jara TO 57 M 15
Retascón Z 48 I 25
Retiendas GU 46 J 20
Retorno (El) V 73 N 25
Retorta LU 3 D 6
Retorta OR 28 F 7
Retortillo S 17 D 17
Retortillo SA 43 J 10
Retortillo (Embalse de derivación del) SE 80 S 14
Retortillo de Soria SO 32 I 21
Retuerta BU 32 F 19
Retuerta del Bullaque CR 57 N 16
Retuerto LE 6 C 14
Reus T 37 I 33
Revalbos SA 44 K 13
Revell (Coll de) GI 24 G 37
Revellinos ZA 30 G 13
Revenga BU 17 F 18
Revenga SG 45 J 17
Revenga de Campos P 17 F 16
Reventón La Palma TF 132 D 5
Reventón (Puerto del) CR 70 P 18
Revilla S 7 B 18
Revilla P 17 D 17
Revilla HU 22 E 30
Revilla (La) BU 32 F 20
Revilla (La) S 7 B 16
Revilla de Calatañazor (La) SO 33 H 21
Revilla de Campos P 31 F 15
Revilla de Collazos P 17 E 16
Revilla del Campo BU 18 F 19
Revilla-Vallegera BU 17 F 17
Revillaruz BU 18 F 19
Revolcadores MU 84 R 23

A B C D E F G H I J K L M N O P Q R S T U V W X Y Z

A B C D E F G H I J K L M N O P Q R S T U V W X Y Z

Rey (Embalse del) *M* .... 58 L 19
Rey (Sierra del) *CR* .... 81 Q 17
Reyero *LE* .... 16 D 14
Reyertas (Las) *SE* .... 92 V 13
Reyertilla *SE* .... 92 U 13
Reyes (Bahía de los)
    El Hierro TF .... 108 B 3
Reznos *SO* .... 33 H 23
Ría de Abres *O* .... 4 B 8
Riaguas
    de San Bartolomé *SG* .. 32 H 19
Riahuelas *SG* .... 32 H 19
Rial *C* .... 2 C 4
Rial
    cerca de Rianxo *C* .... 12 E 3
Rial *Soutomaior PO* .... 12 F 4
Rialb (Pantà de) *L* .... 23 F 33
Rialp *L* .... 23 E 33
Riancho *S* .... 8 C 19
Riano *O* .... 5 C 12
Riánsares
    (Estación de) *CU* .... 59 L 21
Rianxo *C* .... 12 E 3
Riaño *S* .... 8 B 19
Riaño *LE* .... 16 D 15
Riaño (Embalse de) *LE* .... 16 D 14
Riaño (Reserva
    nacional de) *LE* .... 6 C 14
Rías Altas *C* .... 3 B 4
Rías Baixas /
    Rías Bajas *PO* .... 12 E 2
Rías Bajas /
    Rías Baixas *PO* .... 12 E 2
Rías Gallegas *C* .... 2 C 2
Riaza *SG* .... 32 I 19
Riba *S* .... 8 C 19
Riba (La) *T* .... 37 I 33
Riba
    de Escalote (La) *SO* .... 33 H 21
Riba de Saelices *GU* .... 47 J 23
Riba de Santiuste *GU* ...... 47 I 21
Riba
    de Valdelucio (La) *BU* .. 17 D 17
Riba-roja (Pantà de) *T* ..... 36 I 31
Riba-roja de Túria *V* .... 61 N 28
Riba-roja d'Ebre *T* .... 36 I 31
Ribabellosa *VI* .... 18 D 21
Ribadavia *OR* .... 13 F 5
Ribadedeva *O* .... 7 B 16
Ribadelago *ZA* .... 14 F 9
Ribadeo *LU* .... 4 B 8
Ribadeo (Ría de) *LU* .... 4 B 8
Ribadesella *O* .... 6 B 14
Ribadeume *C* .... 3 B 6
Ribadulla *C* .... 13 D 4
Ribadumia *PO* .... 12 E 3
Ribaforada *NA* .... 34 G 25
Ribafrecha *LO* .... 19 E 22
Ribagorda *CU* .... 47 K 23
Ribagorda
    (Ermita de) *GU* .... 48 K 24
Ribarredonda *GU* .... 47 J 23
Ribarroya *SO* .... 33 H 22
Ribarteme *PO* .... 13 F 4
Ribas *LE* .... 15 F 12
Ribas de Campos *P* .... 17 F 16
Ribas de Miño *LU* .... 13 E 6
Ribas de Sil *LU* .... 14 E 8
Ribas de Sil
    (Monasterio de) *OR* ..... 13 E 6
Ribas Pequeñas *LU* .... 14 E 7
Ribasaltas *LU* .... 14 E 7
Ribatajada *CU* .... 47 K 23
Ribatajadilla *CU* .... 60 L 23
Ribatejada *M* .... 46 K 19
Ribeira *LU* .... 14 D 8
Ribeira *C* .... 12 E 3
Ribeira (Embalse de la) *C* .. 3 B 6
Ribeira *J* .... 94 T 18
Ribera (La) *LE* .... 15 E 10
Ribera Baja *J* .... 94 T 18
Ribera de Arriba *O* .... 5 C 12
Ribera de Cabanes *CS* ..... 62 L 30
Ribera de Cardós *L* .... 23 E 33
Ribera
    de Los Molinos *BA* ...... 79 R 11
Ribera de Molina *MU* .... 85 R 26
Ribera de Piquín *LU* .... 4 C 8
Ribera de Vall *HU* .... 22 F 32
Ribera del Fresno *BA* .... 67 Q 11
Ribera-Oveja *CC* .... 43 L 11
Riberas *B* .... 8 B 11
Riberas de Lea *LU* .... 4 C 7
Riberos de la Cueza *P* ...... 16 F 15
Ribes de Freser *GI* .... 24 F 36
Ribesalbes *CS* .... 62 L 29
Ribota *BU* .... 8 C 20

Ribota *SG* .... 32 H 19
Ricabo *O* .... 5 C 12
Ricardo Roca
    (Mirador) *PM* .... 104 N 37
Ricla *Z* .... 34 H 25
Ricobayo *ZA* .... 29 H 12
Ricote *MU* .... 85 R 25
Riego de Ambros *LE* .... 15 E 10
Riego de la Vega *LE* .... 15 E 12
Riego del Camino *ZA* .... 29 G 12
Riego del Monte *LE* .... 16 E 13
Riegoabajo *O* .... 5 B 11
Riello *LE* .... 15 D 12
Riells cerca de Breda *GI* .. 38 G 37
Riells cerca
    de l'Escala *GI* .... 25 F 39
Riells del Fai *B* .... 38 G 36
Rielves *TO* .... 58 M 17
Rienda *GU* .... 33 I 21
Riensena *O* .... 6 B 14
Riera (La) *T* .... 37 I 34
Riera (La) *LE* .... 15 D 11
Riera (La) cerca
    de Aguasmestas *O* .... 5 C 11
Riera (La) cerca
    de Covadonga *O* .... 6 C 14
Riera (Sa) *GI* .... 25 G 39
Riglos *HU* .... 21 E 27
Rigueira *LU* .... 4 B 7
Rigüelo *SE* .... 93 U 15
Rilleira *C* .... 3 C 6
Rillo *TE* .... 49 J 27
Rillo de Gallo *GU* .... 48 J 24
Rincón (El) *AB* .... 73 P 25
Rincón (El) *MU* .... 84 S 24
Rincón
    de Ballesteros *CC* .... 67 O 10
Rincón
    de la Victoria *MA* .... 101 V 17
Rincón de Olivedo *LO* ...... 33 F 24
Rincón de Soto *LO* .... 20 F 24
Rincón del Moro *AB* .... 92 Q 24
Rincón del Obispo *CC* ...... 55 M 10
Rinconada *AV* .... 45 J 14
Rinconada (La) *AV* .... 45 K 16
Rinconada (La) *AB* .... 72 P 23
Rinconada (La) *SE* .... 91 T 12
Rinconada
    de la Sierra (La) *SA* .... 43 K 11
Rinconadas (Las) *CU* .... 61 M 26
Rinconcillo (El) *CA* .... 99 X 13
Rinconcillo (El) *CA* .... 89 S 15
Riner *L* .... 37 G 34
Rinlo *LU* .... 4 B 8
Río *OR* .... 14 E 8
Río *LU* .... 14 D 8
Río (El) *CR* .... 70 O 17
Río (El) *LO* .... 18 F 21
Río (El) *Tenerife TF* ...... 129 F 4
Río (Mirador del
    Lanzarote *GC* .... 121 F 2
Río (Punta del) *AL* .... 103 V 22
Río Aragón *ESP* .... 21 E 27
Río Cedena *TO* .... 57 N 16
Río Chico (El) *AL* .... 102 V 21
Río Cofio *M* .... 45 K 17
Río Duero *CL* .... 33 G 22
Río Ería *CL* .... 15 F 12
Río Frío *CL* .... 69 O 16
Río Gállego *AR* .... 21 E 29
Río Juanes *V* .... 73 N 27
Río Madera *AB* .... 72 Q 23
Río Órbigo *CL* .... 15 F 12
Río Sil *ESP* .... 14 E 7
Río Tajo
    (Estación de) *CC* .... 55 M 10
Río Tirón *ESP* .... 18 F 20
Río Valderaduey *CL* .... 16 E 15
Riobarba *LU* .... 4 A 6
Riocabado *AV* .... 44 J 15
Riocavado
    de la Sierra *BU* .... 18 F 20
Riocerezo *BU* .... 18 E 19
Riocobo *LU* .... 4 A 7
Riocorvo *S* .... 7 C 17
Riodeva *TE* .... 61 L 26
Riofabar *O* .... 6 C 13
Riofrío *AV* .... 44 K 15
Riofrío *LE* .... 15 E 12
Riofrío *GR* .... 93 U 17
Riofrío de Aliste *ZA* .... 29 G 11
Riofrío de Riaza *SG* .... 32 I 19
Riofrío del Llano *GU* .... 47 I 21

Ríogordo *MA* .... 101 V 17
Rioja *AL* .... 103 V 22
Riola *V* .... 74 O 29
Riolago *LE* .... 15 D 11
Riolobos *CC* .... 55 M 11
Riomalo de Arriba *CC* ...... 43 K 11
Riomanzanas *ZA* .... 29 G 10
Riomao *OR* .... 14 E 8
Rionegro del Puente *ZA* .. 29 F 11
Riópar *AB* .... 84 Q 22
Rioseco
    cerca de Reinosa *S* .... 7 C 17
Rioseco de Soria *SO* .... 33 H 21
Rioseco de Tapia *LE* .... 15 D 12
Riosequillo
    (Embalse de) *M* .... 46 J 18
Riosequino de Torío *LE* ... 16 D 13
Rioseras *BU* .... 18 E 19
Riospaso *O* .... 5 C 12
Riotorto *LU* .... 4 B 8
Rioxuán *LU* .... 4 C 8
Roda (La) *AB* .... 72 O 23
Roda
    de Andalucía (La) *SE* .. 93 U 15
Ripodas *NA* .... 11 D 26
Ripoll *GI* .... 24 F 36
Ripollet *B* .... 38 H 36
Ris *S* .... 8 B 19
Risco *BA* .... 69 P 14
Risco (Embalse del) *HU* ... 78 T 8
Risco de las Moras *CC* .... 57 N 14
Riudarenes *GI* .... 24 G 38
Riudaura *GI* .... 24 F 37
Riudecanyes *T* .... 51 I 32
Riudecols *T* .... 37 I 32
Riudellots de la Selva *GI* .. 25 G 38
Riumar *T* .... 51 J 32
Riumors *GI* .... 25 F 39
Riva (La) *S* .... 7 C 18
Rivanera *TE* .... 48 K 25
Rivas (La) *BA* .... 67 P 9
Rivas *T* .... 20 F 26
Rivas de Tereso *LO* .... 19 E 21
Rivas-Vaciamadrid *M* ...... 46 L 19
Rivero *S* .... 7 C 17
Rivero de Posadas *CO* .... 80 S 14
Rivilla de Barajas *AV* .... 44 J 15
Roa de Duero *BU* .... 31 G 18
Roales *VA* .... 30 F 13
Roales *ZA* .... 29 H 12
Robla (La) *LE* .... 16 D 13
Robladillo *VA* .... 30 H 15
Robladillo de Ucieza *P* .... 17 E 16
Robleda *SA* .... 42 K 10
Robleda-Cervantes *ZA* .... 14 F 10
Robledillo *TO* .... 57 N 15
Robledillo (El) *TO* .... 70 N 18
Robledillo de Gata *CC* ..... 43 L 10
Robledillo de la Jara *M* .... 46 J 19
Robledillo de la Vera *CC* .. 56 L 13
Robledillo
    de Mohernando *GU* ..... 46 J 20
Robledillo de Trujillo *CC* .. 68 O 12
Robledo *O* .... 6 B 14
Robledo *LE* .... 15 F 11
Robledo *S* .... 7 C 17
Robledo *LU* .... 14 D 9
Robledo *OR* .... 14 E 9
Robledo *ZA* .... 29 F 10
Robledo *AB* .... 72 P 22
Robledo (El) *CR* .... 70 O 17
Robledo (El) *J* .... 83 R 21
Robledo de Caldas *LE* ..... 15 D 12
Robledo de Chavela *M* ..... 45 K 17
Robledo de Corpes *GU* .... 46 I 21
Robledo
    de las Traviesas *LE* ..... 15 D 10
Robledo del Buey *TO* .... 57 N 15
Robledo del Mazo *TO* ...... 57 N 15
Robledo Hermoso *SA* ...... 43 I 10
Robledollano *CC* .... 56 N 13
Robledondo *M* .... 45 K 17
Robleluengo *GU* .... 46 I 20
Robles
    de la Valcueva *LE* .... 16 D 13
Robliza *OR* .... 14 E 8
Robliza de Cojos *SA* .... 43 J 12
Robredo *B* .... 18 D 20
Robredo-Temiño *BU* .... 18 E 19
Robregordo *M* .... 46 I 19
Robres *HU* .... 35 G 28
Robres del Castillo *LO* ..... 19 F 23

Robriguero *O* .... 7 C 16
Roca *LU* .... 3 C 6
Roca (La) *M* .... 45 J 18
Roca
    de la Sierra (La) *BA* ..... 67 O 9
Roca del Vallès (La) *B* ..... 38 H 36
Roca Grossa *GI* .... 39 G 38
Roca Llisa *PM* .... 87 P 34
Rocabruna *GI* .... 24 E 37
Rocacorba *GI* .... 24 F 38
Rocafort *L* .... 37 H 33
Rocafort *B* .... 38 G 35
Rocafort *V* .... 62 M 28
Rocafort *V* .... 62 N 28
Rocafort de Queralt *T* ...... 37 H 33
Rocaforte *NA* .... 20 E 26
Rocagrossa *GI* .... 39 G 38
Rocallaura *T* .... 37 H 33
Rocamudo *S* .... 17 D 18
Rocas Doradas *T* .... 51 J 32
Rocha (Puerto de la) *PO* .. 13 E 5
Roche *MU* .... 85 T 27
Roche (Cabo) *CA* .... 98 W 11
Rociana del Condado *H* ... 91 U 10
Rocina (El) *H* .... 91 U 10
Rocío (El) *H* .... 91 U 10
Roda *MU* .... 85 S 27
Roda (La) *O* .... 4 B 9
Roda (La) *AB* .... 72 O 23
Roda
    de Barà *T* .... 37 I 34
Roda de Eresma *SG* .... 45 I 17
Roda de Isábena *HU* .... 22 F 31
Roda de Ter *B* .... 38 G 36
Rodalquilar *AL* .... 103 V 23
Rodanas
    (Santuario de) *Z* .... 34 H 25
Rodanillo *LE* .... 15 E 10
Rodeche *TE* .... 62 L 28
Rodeiro *PO* .... 13 E 6
Rodellar *HU* .... 21 F 29
Rodén *Z* .... 35 H 28
Rodeos
    (Embalse de los) *MU* ... 85 R 26
Rodeos (Los) *MU* .... 85 R 26
Rodezno *LO* .... 19 E 21
Rodical (El) *O* .... 5 C 10
Rodicio (Alto del) *OR* .... 13 F 7
Rodiezmo *LE* .... 15 D 12
Rodilana *VA* .... 30 H 15
Rodiles *O* .... 5 B 11
Rodillazo *LE* .... 16 D 13
Rodiño *O* .... 5 D 4
Rodonyà *T* .... 37 I 34
Rodrigas *LU* .... 4 B 8
Rodrigatos
    de la Obispalía *LE* .... 15 E 11
Rodriguillo *A* .... 85 Q 26
Roelos *ZA* .... 29 I 11
Roglà i Corberà *V* .... 74 O 29
Roimil *LU* .... 3 C 6
Rois *O* .... 12 D 3
Roitegui *VI* .... 19 D 22
Roiz *S* .... 7 C 16
Roja (Punta)
    Tenerife TF .... 129 F 5
Rojal (El) *AL* .... 102 V 22
Rojales *A* .... 85 R 27
Rojals *T* .... 37 H 33
Rojas *BU* .... 18 E 19
Rojas (La) *AB* .... 72 Q 23
Roldán *MU* .... 85 S 26
Roldán (Faro) *AL* .... 103 V 24
Roldán (Salto de) *HU* ...... 21 F 28
Rollamienta *SO* .... 33 G 22
Rollán *SA* .... 43 J 12
Roma *V* .... 61 N 26
Romai *PO* .... 12 D 3
Romana (La) *A* .... 85 Q 27
Romana (Villa) *VA* .... 45 I 16
Romancos *GU* .... 46 J 21
Romanes (Los) *MA* .... 101 V 17
Romaneta (La) *A* .... 85 Q 27
Romangordo *CC* .... 56 M 12
Romaní (El) *V* .... 74 O 28
Romanillos
    de Atienza *GU* .... 32 I 21
Romanillos
    de Medinaceli *SO* .... 33 I 22
Romanones *GU* .... 46 K 21
Romanos *Z* .... 48 I 26
Romanyà de la Selva *GI* .. 25 G 38
Rozas *ZA* .... 14 F 10

Romariz *LU* .... 4 B 7
Romeán *LU* .... 4 C 7
Romedales (Los) *CU* .... 60 L 23
Romedios
    (Ermita de los) *BA* .... 68 P 12
Romelle *C* .... 2 C 3
Romera *AB* .... 71 O 21
Romeral *TO* .... 59 N 19
Romeral
    (Cueva del) *MA* .... 93 U 16
Romeral (El) *TO* .... 59 M 19
Romeral (El) *V* .... 62 M 28
Romeral (El) *MA* .... 100 V 16
Romerano (El) *H* .... 90 T 7
Romeros (Los) *H* .... 79 S 9
Rompido (Barra de El) *H* .. 90 U 8
Rompido (El) *H* .... 90 U 8
Roncadoira (Punta) *LU* ..... 4 A 7
Roncal / Erronkari *NA* ...... 11 D 27
Roncesvalles /
    Orreaga *NA* .... 11 C 26
Roncudo (Punta) *C* .... 2 C 3
Ronda *MA* .... 92 V 14
Ronda
    (Serranía de) *MA* ...... 100 V 14
Ronda la Vieja *MA* .... 92 V 14
Rondín *CR* .... 70 P 18
Roní *L* .... 23 E 33
Ronquillo (El) *SE* .... 79 S 11
Ronquillo (El) *BA* .... 67 P 9
Ropera (La) *J* .... 82 R 17
Roperuelos
    del Páramo *LE* .... 15 F 12
Roque
    Fuerteventura GC ..... 111 H 1
Roque del Faro
    La Palma TF .... 130 C 3
Roques (Bahía de los)
    La Palma TF .... 132 D 6
Roquetas de Mar *AL* ...... 102 V 22
Roquetas de Mar
    (Urbanización) *AL* ...... 102 V 22
Roquetes *T* .... 50 J 31
Ros *BU* .... 17 E 18
Rosa (La) *BA* .... 67 P 9
Rosal *PO* .... 26 G 3
Rosal (El) *CO* .... 81 S 15
Rosal Alto (El) *SE* .... 92 T 12
Rosal de la Frontera *H* ..... 78 S 8
Rosalejo *CC* .... 56 M 13
Rosales *BU* .... 18 D 19
Rosales (Los) *TO* .... 57 L 16
Rosales (Los) *J* .... 83 S 20
Rosales (Los) *SE* .... 92 T 12
Rosamar *GI* .... 39 G 38
Rosario (Ermita del) *V* ..... 73 O 26
Rosarito
    (Embalse de) *TO* .... 56 L 14
Rosas / Roses *GI* .... 25 F 39
Rosas (Les)
    La Gomera TF .... 118 C 1
Rosas / Roses *Tenerife TF*.. 124 H 2
Roscales *P* .... 17 D 16
Rosello *CS* .... 50 K 30
Rosselló *L* .... 36 G 31
Rosso *SE* .... 93 U 14
Rostro (El) *CR* .... 69 O 16
Rota *CA* .... 98 W 10
Rotes (Les) *A* .... 75 P 30
Ròtova *V* .... 74 P 29
Roturas *VA* .... 31 G 17
Roturas *CC* .... 56 N 13
Rouch (Monte) *L* .... 23 D 33
Roupar *LU* .... 3 B 6
Rourell (El) *T* .... 37 I 33
Royo *AB* .... 72 P 23
Royo (El) *SO* .... 33 G 22
Royo Odrea *AB* .... 72 Q 23
Royos (Los) *MU* .... 84 S 23
Royuela *TE* .... 48 K 25
Royuela
    de Río Franco *BU* .... 31 G 18
Rozadas cerca de Boal *O* .. 4 B 9
Rozadas
    cerca de El Pedroso *O* .... 6 B 13
Rozadas
    cerca de Sotrondio *O* ..... 6 C 16
Rozadio *S* .... 7 C 16
Rozalejo (El) *SE* .... 92 U 13
Rozalén del Monte *CU* ..... 59 M 21
Rozas ZA .... 14 F 10

Rozas
    (Embalse de las) *LE* .... 15 D 10
Rozas (Las) *S* .... 17 D 17
Rozas (Monte) *M* .... 45 K 18
Rozas
    de Madrid (Las) *M* .... 45 K 18
Rozas de Puerto Real *M* .. 57 L 16
Rúa *LU* .... 4 B 7
Rúa (A) *OR* .... 14 E 8
Rúanales *S* .... 17 D 18
Ruanes *CC* .... 68 O 11
Rubalcaba *S* .... 8 C 18
Rubayo *S* .... 8 B 18
Rubena *BU* .... 18 E 19
Rubí *B* .... 38 H 36
Rubí de Bracamonte *VA* .. 30 I 15
Rubia *O* .... 14 E 9
Rubia (La) *SO* .... 33 G 22
Rubia (Peña)
    cerca de Lorca *MU* ...... 84 T 24
Rubiales *TE* .... 61 L 26
Rubiales *BA* .... 80 Q 12
Rubián *LU* .... 14 E 7
Rubiáns *PO* .... 12 E 3
Rubiás *LU* .... 4 C 7
Rubiás *OR* .... 14 F 8
Rubielos Altos *CU* .... 60 N 23
Rubielos Bajos *CU* .... 60 N 23
Rubielos
    de la Cérida *TE* .... 48 J 26
Rubielos de Mora *TE* .... 62 L 28
Rubillas Bajas *CO* .... 81 S 16
Rubinat *L* .... 37 H 33
Rubió *B* .... 37 H 34
Rubió
    cerca de Foradada *L* .... 37 G 32
Rubió cerca de Sort *L* ...... 23 E 33
Rubio (El)
    cerca de Montellano *SE* 92 V 12
Rubio (El)
    cerca de Osuna *SE* ..... 93 T 15
Rubiós *PO* .... 13 F 4
Rubite *GR* .... 102 V 19
Rublacedo de Abajo *BU* .. 18 E 19
Rucandio *S* .... 8 B 18
Rucandio *BU* .... 18 D 19
Rucayo *LE* .... 16 D 14
Rudilla *TE* .... 49 J 26
Rudilla (Puerto de) *TE* ..... 48 I 26
Ruecas (Río) *BA* .... 68 O 12
Rueda *VA* .... 30 H 15
Rueda
    (Monasterio de) *Z* .... 35 I 29
Rueda de Jalón *Z* .... 34 H 26
Rueda de Pisuerga *P* .... 17 D 16
Ruedas
    de Ocón (Las) *LO* .... 19 F 23
Ruente *S* .... 7 C 17
Ruérrero *S* .... 17 D 18
Ruescas *AL* .... 103 V 23
Ruesca *Z* .... 34 I 25
Ruesga *P* .... 17 D 16
Rugat *V* .... 74 P 28
Ruguilla *GU* .... 47 J 22
Ruices (Los) *AB* .... 73 P 25
Ruices (Los) *MU* .... 85 T 26
Ruices (Los) *V* .... 61 N 26
Ruidera *CR* .... 71 P 21
Ruidera
    (Lagunas de) *AB* .... 71 P 21
Ruidoms *T* .... 51 I 33
Ruiforco de Torío *LE* .... 16 D 13
Ruiloba *S* .... 7 B 17
Ruiseñada *S* .... 7 B 17
Rumblar *J* .... 82 R 18
Rumblar
    (Embalse del) *J* .... 82 R 18
Rupià *GI* .... 25 F 39
Rupit *B* .... 24 F 37
Rus *C* .... 2 C 3
Rus *J* .... 82 R 19
Rus (Río) *CU* .... 60 N 22
Rute *CO* .... 93 U 16
Ruyales del Agua *BU* .... 31 F 18
Ruyales del Páramo *BU* .. 17 E 18

S

Saavedra *LU* .... 3 C 7
Sabadell *B* .... 38 H 36
Sabadelle *LU* .... 13 E 6
Sabadelle *OR* .... 13 E 6
Sabando *VI* .... 19 D 22
Sabar *MA* .... 101 V 17

SALAMANCA

Álvaro Gil . . . . BY 3
Anaya (Pl.) . . . . BZ 4
Ancha . . . . ABY
Ángel (Pl.) . . . . BY 6
Azafranal . . . . CY
Balmes . . . . AZ
Bandos (Pl. de los) . . . . BY 7
Bordadores . . . . BY 9
Caldereros . . . . BZ 10
Calderón de la Barca . . . . BZ 12
Campaña . . . . BY
Canalejas (Pas. de) . . . . CYZ
Carmelitas (Pas. de las) . . . . ABY
Carmen (Cuesta del) . . . . BY 13
Cervantes . . . . BY
Champagnat (Av. de) . . . . AY
Comuneros (Av. de los) . . . . CY 16
Concilio de Trento (Pl.) . . . . BZ 18
Condes de Crespo Rascón . . . . BY 19
Constitución (Pl. de la) . . . . CY 21
Corrillo (Pl.) . . . . BY 22
Desengaño (Pas.) . . . . AZ 24
Diego de Cobarrubias (Pl.) . . . . AY
Dr. Gregorio Marañón (Av.) . . . . AY
Dr. Torres Villarroel (Pas. del) . . . . BY 25
Enrique Esteban (Puente) . . . . BZ 27
España (Pl. del) . . . . CY
Espoz y Mina . . . . BY 28
Estación (Pas. de la) . . . . CY 30
Federico Anaya (Av. de) . . . . CY 31
Filiberto Villalobos (Av. de) . . . . . . AY 33
Fray Luis de Granada . . . . AZ
Fregeneda . . . . AZ
Fuente (Pl. de la) . . . . BY 36
García Tejado . . . . AY
Gran Vía . . . . CY
Grillo . . . . CYZ
Italia (Av. de) . . . . BY
Juan de la Fuente . . . . BZ 37
Libertad (Pl. de la) . . . . BY 39
Libreros . . . . BZ 40
María Auxiliadora . . . . CY 42
Marquesa de Almarza . . . . CZ 43
Mayor (Pl.) . . . . BY
Meléndez . . . . BY 45
Mirat (Av. de) . . . . BCY
Monterrey (Pl. de) . . . . AY 46
Obispo Jarrín . . . . BY 48
Padilla . . . . CY 49
Palominos . . . . BZ 51
Patio Chico . . . . BZ 52
Pedro Mendoza . . . . CY 54
Poeta Iglesias (Pl.) . . . . BY 57
Portugal (Av. de) . . . . CY
Pozo Amarillo . . . . BY 58
Príncipe de Asturias (Puente) . . . . . BZ 59
Prior . . . . BY
Progreso (Pas. del) . . . . AZ
Puerta de Zamora (Pl.) . . . . BY
Ramón y Cajal . . . . AY 60
Rector Esperabe (Pas. del) . . . . BZ
Rector Lucena . . . . BY 15
Reina (Pl. de la) . . . . CY 61
Reyes de España (Av.) . . . . BZ 63
Rosario . . . . BCZ
Rúa Mayor . . . . BZ
Sánchez Fabres (Puente) . . . . AZ 73
Sancti Spíritus (Cuesta) . . . . CY 75
Santa Clara . . . . CZ
Santa Eulalia (Pl.) . . . . CV 69
Santa Teresa (Pl. de) . . . . BY 70
Santo Domingo (Pl.) . . . . BZ 72
San Antonio (Pas. de) . . . . CY
San Blas . . . . AZ
San Gregorio . . . . AZ
San Isidro (Pl. de) . . . . BYZ 66
San Julián (Pl.) . . . . CY 67
San Justo . . . . BY
San Pablo . . . . BZ
San Vicente (Pas. de) . . . . AY
Serranos . . . . BZ 76
Sorias . . . . BY
Toro . . . . BCY
Tostado . . . . BZ 78
Vergara . . . . CYZ
Villamayor (Av. de) . . . . AY
Wences Moreno . . . . BY 79
Zamora . . . . BY

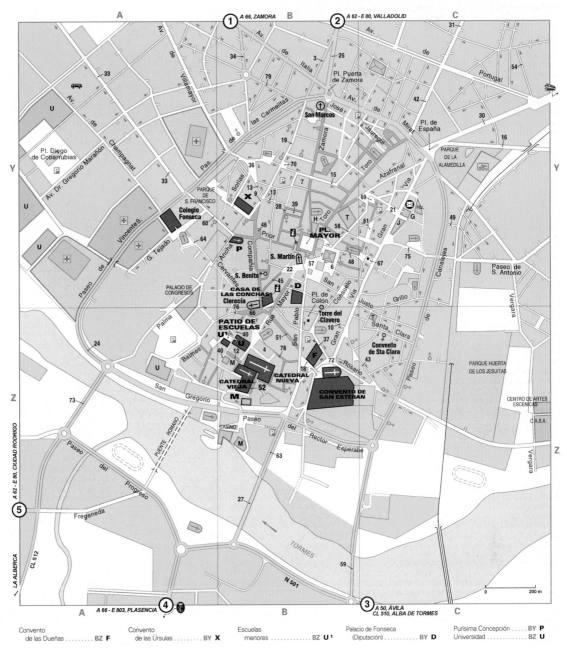

Convento
de las Dueñas . . . . BZ **F**

Convento
de las Úrsulas . . . . BY **X**

Escuelas
menores . . . . BZ **U¹**

Palacio de Fonseca
(Diputación) . . . . BY **D**

Purísima Concepción . . . . . BY **P**
Universidad . . . . BZ **U**

Sabardes C 12   D 3
Sabariego J 94   T 17
Sabataia (Coll de) PM . . 104 M 38
Sabatera (La) A 75   Q 30
Sabayés HU 21   F 28
Sabero LE 16   D 14
Sabinar Z 20   F 26
Sabinar (El) AB 71   P 21
Sabinar (El) MU 84   R 23
Sabinar (Punta) AL . . . . 102 V 21
Sabinas
  (Collado de las) GR . . 94   U 19
Sabinita (La)
  Tenerife TF . . . . 129 G 4
Sabinosa El Hierro TF . . 108 B 3
Sabiñánigo HU 21   E 28
Sabiote J 83   R 20
Saboredo (Tuc de) L . . . 23   E 32
Sabucedo OR 13   F 6
Sabucedo PO 13   E 4
Sacañet CS 62   M 27
Sacecorbo GU 47   J 22
Saceda LE 15   F 10
La Saceda GU 47   J 23
Saceda del Río CU 59   L 22
Saceda Trasierra CU 59   L 21
Sacedillas (Las) J 83   Q 20

Sacedón GU 47   K 21
Sacedoncillo CU 60   L 23
Saceruela CR 69   P 16
Saceruela (Sierra de) CR . 69   O 16
Sacos PO 12   E 4
Sacramenia SG 31   H 18
Sacramento SE 92   U 12
Sacratif (Cabo) GR . . . . . 101 V 19
Sacristanía (La) CR 70   P 18
Sada C 3   B 5
Sada NA 20   E 25
Sádaba Z 20   F 26
Sademes GI 24   F 37
Saelices CU 59   M 21
Saelices de la Sal GU . . . 47   J 22
Saelices de Mayorga VA . 16   F 14
Saelices del Payuelo LE . . 16   E 14
Saelices del Río LE 16   E 14
Saelices el Chico SA 42   J 10
Safari Madrid M 58   L 17
Sagallos ZA 29   G 10
Saganta HU 36   G 31
Sagàs B 24   F 35
Sagides SO 47   I 23
Sagra GR 94   U 17
Sagra (La) SA 43   J 11

Sagrajas BA 67   P 9
Sagunt / Sagunto V 62   M 29
Sagunto / Sagunt V 62   M 29
Sahagún LE 16   E 14
Sahechores LE 16   E 14
Sahuco (El) AB 72   P 23
Sahún HU 22   E 31
Saja S 7   C 17
Saja-Besaya
  (Parque natural) S . . . 7   C 17
Sajazarra LO 18   E 21
Sal (Punta de la)
  Gran Canaria GC . . . . 117 G 3
Salada (La) SE 93   U 15
Saladar (El) A 85   R 27
Saladillo-Benamara MA . . 100 W 14
Salado (El) GR 83   S 22
Salado (Río) GU 47   I 21
Salado de los Villares J . . 82   S 17
Salamanca SA 43   J 12
Salamir O 5   B 11
Salamón LE 16   D 14
Salanova HU 22   F 31
Salar GR 94   U 17
Salardú L 22   D 32
Salares MA . . . . 101 V 17
Salas O 5   B 11

Salas (Embalse de) OR . . 27   G 6
Salas (Las) LE 16   D 14
Salas Altas HU 22   F 30
Salas Bajas HU 22   F 30
Salas de Bureba BU 18   D 19
Salas de la Ribera LE . . . 14   E 9
Salas de los Barios LE . . 15   E 10
Salas de los Infantes BU . 32   F 20
Salas de Pallars L 23   F 32
Salave O 8   B 9
Salazar BU 18   D 19
Salazar GR 95   T 21
Salce ZA 29   I 11
Salce LE 15   D 11
Salcedo (La) SG 45   I 18
Salcedo de Caselas PO . . 12   F 4
Salcedillo P 17   D 17
Salcedillo TE 49   J 26
Salcedo (El) J 82   R 18
Salces S 17   C 17
Salcidos PO 26   G 3
Saldaña P 16   E 15
Saldaña de Ayllón SG . . . 32   H 19
Saldeana SA 42   I 10
Saldes B 23   F 35
Saldias NA 10   C 24

Saldoira LU 4   B 8
Sáldon TE 48   L 25
Salduero SO 33   G 21
Saler (El) V 74   P 28
Saler (Parador de El) V . . 74   O 29
Sales de Llierca GI 24   F 37
Salgueiros C 2   C 2
Salgueiros LU 13   D 6
Salguerias C 2   C 3
Salgüero de Juarros BU . . 18   F 19
Salicor (Laguna de) CR . . 59   N 20
Saliencia O 5   C 11
Saliente AL 96   T 23
Salillas HU 35   G 29
Salillas de Jalón Z 34   H 26
Salime (Embalse de) O . . . 4   C 9
Salina Grande ZA 30   G 13
Salinas O 5   B 12
Salinas A 73   Q 27
Las Salinas MU 85   S 27
Salinas (Las)
  Fuerteventura GC . . . 113 I 3

Salinas (Monte)
  Fuerteventura GC . . . 111 G 2
Salinas (Punta)
  La Palma TF . . . . 131 E 4
Salinas de Hoz HU 22   F 30
Salinas de Ibargoiti NA . . 11   D 25
Salinas de Jaca HU 21   E 27
Salinas
  de Medinaceli SO . . . 47   I 22
Salinas de Oro NA 10   D 24
Salinas de Pinilla AB 71   P 22
Salinas de Pisuerga P . . . 17   D 16
Salinas de Sin HU 22   E 30
Salinas del Manzano CU . 61   L 25
Salinas GI 24   E 36
Salines (Les) GI 24   E 38
Salinillas de Buradón VI . 19   E 21
Salinillas de Bureba BU . 18   E 19
Saliñas (Llacuna de) A . . 85   Q 27
Salitja GI 25   G 38
Sallent B 38   G 35
Sallent (El) GI 24   F 36
Sallent de Gállego HU . . . 21   D 29
Sallfort (Pic de) GI 25   E 39
Salmantón VI 8   C 20
Salmerón GU 47   K 22
Salmerón MU 84   Q 24

A B C D E F G H I J K L M N O P Q R S T U V W X Y Z

Salmeroncillos
  de Abajo *CU*............. 47 K 22
Salmeroncillos
  de Arriba *CU*............. 47 K 22
Salmor (Roque)
  El Hierro TF........ 109 D 2
Salmoral *SA*............ 44 J 14
Salo *B*............ 37 G 34
Salobral *AV*............ 44 K 15
Salobral (El) *AB*........ 72 P 24
Salobralejo *AV*............ 44 K 15
Salobralejo
  (Laguna del) *AB*........ 73 P 25
Salobre cerca
  de Alcaraz *AB*........ 72 Q 22
Salobre cerca
  de Munera *AB*........ 72 O 22
Salobreña *GR*............ 101 V 19
Salomó *T*............ 37 I 34
Salón *BU*............ 8 C 19
Salor (Embalse del) *CC*........ 67 N 11
Salorino *CC*............ 55 N 8
Salou *T*............ 51 I 33
Salou (Cabo) *T*............ 51 I 33
Salse (El) *A*............ 74 P 27
Salt *GI*............ 25 G 38
Saltador (El) *AL*............ 96 T 24
Salteras *SE*............ 91 T 11
Saltes (Isla de) *H*............ 90 U 9
Salto al Cielo
  (Ermita) *CA*............ 99 W 11
Salto de Bolarque *GU*........ 47 K 21
Salto de Villalba *CU*........ 60 L 23
Salto de Villora *CU*........ 61 M 25
Salto del Ciervo *SE*........ 93 T 14
Salto del Negro *MA*........ 101 V 17
Salto Saucelle *SA*............ 42 I 9
Saltor *GI*............ 24 F 36
Saltos (Punta de los)
  El Hierro TF........ 109 D 4
Saludes
  de Castroponce *LE*........ 15 F 12
Salvacañete *CU*............ 61 L 25
Salvadiós *AV*............ 44 J 14
Salvador (Ermita El) *CS*........ 62 M 29
Salvador
  de Zapardiel *VA*........ 44 I 15
Salvaje (Punta del)
  Fuerteventura GC........ 110 G 2
Salvaleón *BA*............ 67 Q 9
Salvaterra de Miño *PO*........ 12 F 4
Salvatierra / Agurain *VI*........ 19 D 22
Salvatierra de Escá *Z*........ 11 D 26
Salvatierra
  de los Barros *BA*........ 67 Q 9
Salvatierra
  de Santiago *CC*........ 68 O 11
Salvatierra
  de Tormes *SA*........ 43 K 13
Sálvora (Isla de) *C*........ 12 E 2
Salzadella (La) *CS*........ 50 K 30
Sama de Grado *O*............ 5 C 11
Sama de Langreo *O*............ 6 C 12
Samaniego *VI*............ 19 E 21
Sámano *S*............ 8 B 20
Samara (Montaña)
  Tenerife TF........ 126 D 3
Sambana *CA*............ 99 W 13
Samboal *SG*............ 31 I 16
Sambreixo *LU*............ 13 D 6
Sames *O*............ 6 C 14
Samieira *PO*............ 12 E 3
Samir de los Caños *ZA*........ 29 G 11
Samos *LU*............ 14 D 8
Samper *HU*............ 22 E 30
Samper de Calanda *TE*........ 49 I 28
Samper del Salz *Z*........ 35 I 27
Samprizón *PO*............ 13 E 5
San Adrián *LE*............ 16 D 14
San Adrián *M*............ 19 E 24
San Adrián (Cabo de) *C*........ 2 B 3
San Adrián
  de Juarros *BU*........ 18 F 19
San Adrián de Sasabe
  (Ermita de) *HU*........ 21 D 28
San Adrián del Valle *LE*........ 15 F 12
San Adriano *LU*............ 4 B 8
San Agustín *TE*............ 62 L 27
San Agustín *AL*............ 102 V 21
San Agustín
  Gran Canaria GC........ 117 E 4
San Agustín
  (Convento de) *CU*........ 60 L 24
San Agustín (Ermita de)
  Fuerteventura GC........ 111 H 2
San Agustín
  del Guadalix *M*........ 46 J 19

San Agustín del Pozo *ZA*.. 30 G 13
San Amancio
  (Ermita de) *GU*............ 48 J 24
San Amaro *OR*............ 13 E 5
San Andrés *O*............ 5 C 12
San Andrés *O*............ 6 C 13
San Andrés *LO*............ 33 F 22
San Andrés cerca
  de Potes *S*............ 7 C 16
San Andrés
  cerca de San Miguel *S*........ 7 C 18
San Andrés
  El Hierro TF........ 109 D 2
San Andrés
  La Palma TF........ 131 D 3
San Andrés *Tenerife TF*..125 J 2
San Andrés de Arroyo *P*.... 17 D 16
San Andrés
  de la Regla *P*............ 16 E 15
San Andrés
  de las Puentes *LE*........ 15 E 10
San Andrés
  de San Pedro *SO*........ 33 G 23
San Andrés de Teixido *C*........ 3 A 6
San Andrés
  del Congosto *GU*........ 46 J 20
San Andrés
  del Rabanedo *LE*........ 16 E 13
San Andrés del Rey *GU*........ 47 K 21
San Antolín
  (Monasterio de) *O*........ 6 B 15
San Antolín de Ibias *O*........ 4 C 9
San Antón *SE*............ 93 T 14
San Antón *BU*............ 17 E 18
San Antón
  (Ermita de) *GU*............ 47 K 21
San Antón
  (Ermita de) *CC*............ 54 N 8
San Antón
  (Puerto de) *SS*........ 10 C 24
San Antoniño *PO*........ 12 E 4
San Antonio *V*............ 61 N 26
San Antonio *CO*............ 81 S 16
San Antonio (Ermita de) *C*........ 3 B 6
San Antonio (Ermita de)
  cerca de Aliaguilla *CU*........ 61 M 26
San Antonio (Ermita de)
  cerca de Cardenete *CU*. 60 M 25
San Antonio (Ermita de)
  La Palma TF........ 130 C 3
San Antonio (Volcán de)
  La Palma TF........ 132 C 7
San Antonio
  de Banaixeve *V*........ 62 N 28
San Antonio de Portmany /
  Sant Antoni
  de Portmany *PM*........ 87 P 33
San Antonio
  del Fontanar *SE*........ 92 U 14
San Asensio *LO*........ 19 E 21
San Bartolomé *CU*........ 59 L 21
San Bartolomé *LO*........ 19 F 23
San Bartolomé
  Lanzarote GC........ 123 D 4
San Bartolomé
  (Ermita de) *TE*........ 48 J 26
San Bartolomé
  (Ermita de) *CC*........ 68 O 12
San Bartolomé
  de Béjar *AV*........ 43 K 13
San Bartolomé
  de Corneja *AV*........ 44 K 13
San Bartolomé
  de la Torre *H*........ 90 T 8
San Bartolomé
  de las Abiertas *TO*........ 57 M 15
San Bartolomé
  de Pinares *AV*........ 45 K 16
San Bartolomé
  de Rueda *LE*........ 16 D 14
San Bartolomé de Tirajana
  Gran Canaria GC........ 117 E 3
San Bartolomé
  de Tormes *AV*........ 44 K 14
San Baudelio
  (Ermita de) *SO*........ 33 H 21
San Benito *V*........ 73 P 26
San Benito
  cerca de Almadén *CR*........ 69 Q 15
San Benito
  cerca de Ciudad Real *CR* 70 P 17
San Benito
  (Convento) *CC*........ 55 M 9
San Benito
  (Ermita de) *TE*........ 49 K 27
San Benito
  (Ermita de) *SE*........ 80 S 12

San Benito
  de la Contienda *BA*........ 66 Q 8
San Bernabé *CA*........ 99 X 13
San Bernabé
  (Sierra de) *CC*........ 56 L 11
San Bernado
  de Valbuena *VA*........ 31 H 17
San Bernardino *CA*........ 92 V 12
San Bernardo
  (Sierra de) *BA*........ 79 R 11
San Blas *TE*............ 48 K 26
San Blas *BA*............ 29 G 10
San Bruno *CR*............ 82 Q 18
San Calixto *CO*........ 80 S 14
San Caprasio
  (Collado de) *HU*........ 22 F 30
San Carlos *BU*........ 32 G 19
San Carlos del Valle *CR*........ 71 P 20
San Cebrián
  de Campos *P*........ 17 F 16
San Cebrián
  de Castro *ZA*........ 29 G 12
San Cebrián
  de Mazote *VA*........ 30 G 14
San Cibrao *OR*............ 14 F 8
San Cibrau *OR*............ 28 G 7
San Cibrián de Arriba *LE*........ 16 E 13
San Cibrián
  de la Somoza *LE*........ 16 D 14
San Cipriano *LU*............ 4 A 7
San Cipriano *ZA*........ 14 F 10
San Ciprián
  cerca de Hermisende *ZA*. 28 G 9
San Ciprián
  de Viñas *OR*............ 13 F 6
San Cipriano
  del Condado *LE*........ 16 E 13
San Claudio *O*............ 5 B 12
San Claudio *C*............ 3 B 6
San Clemente *CU*........ 72 N 22
San Clemente
  de Valdueza *LE*........ 15 E 10
San Clodio *LU*............ 14 E 8
San Cosme *S*............ 8 B 11
San Cosme *LU*............ 4 B 8
San Crispín *M*............ 46 K 18
San Cristóbal *CU*........ 60 L 22
San Cristóbal *CR*........ 71 Q 21
San Cristóbal *SE*........ 80 S 13
San Cristóbal *BA*........ 79 R 9
San Cristóbal *CC*........ 68 O 13
San Cristóbal
  Gran Canaria GC........ 115 G 2
San Cristóbal
  (Ermita de) *CA*........ 98 W 11
San Cristóbal (Ermita de)
  cerca de Andorra *TE*........ 49 J 28
San Cristóbal (Ermita de)
  cerca de Barrachina *TE*.. 48 J 26
San Cristóbal (Ermita de)
  cerca de Bronchales *TE*.. 48 K 25
San Cristóbal (Ermita de)
  cerca de Sarrión *TE*........ 61 L 27
San Cristóbal
  (Santuario) *Z*........ 48 I 25
San Cristóbal
  de Boedo *P*........ 17 E 16
San Cristóbal
  de Cea *OR*........ 13 E 6
San Cristóbal
  de Chamoso *LU*........ 4 D 7
San Cristóbal
  de Cuéllar *SG*........ 31 H 16
San Cristóbal
  de Entreviñas *ZA*........ 30 F 13
San Cristóbal
  de la Cuesta *SA*........ 43 I 13
San Cristóbal
  de la Polantera *LE*........ 15 E 12
San Cristóbal
  de la Vega *SG*........ 45 I 16
San Cristóbal
  de Segovia *SG*........ 45 J 17
San Cristóbal
  de Trabancos *AV*........ 44 J 14
San Cristóbal
  de Valdueza *LE*........ 15 E 10
San Cristóbal
  del Monte *BU*........ 18 E 20
San Cristóbal I *LE*........ 48 J 26
San Cristobo *OR*........ 28 G 8
San Cucao *O*............ 5 B 12
San Diego *CA*............ 99 X 14
San Diego
  (Ermita de) *SE*........ 80 R 13

San Emiliano *O*............ 4 C 9
San Emiliano *LE*........ 15 D 12
San Enrique
  de Guadiaro *CA*........ 99 X 14
San Esteban *O*........ 5 B 11
San Esteban
  de Gormaz *SO*........ 32 H 20
San Esteban
  de la Sierra *SA*........ 43 K 12
San Esteban
  de Litera *HU*........ 36 G 30
San Esteban
  de los Buitres *O*........ 4 C 9
San Esteban
  de los Patos *AV*........ 45 J 16
San Esteban
  de Nogales *LE*........ 15 F 12
San Esteban
  de Valdueza *LE*........ 15 E 10
San Esteban
  de Zapardiel *AV*........ 44 I 15
San Esteban
  del Molar *ZA*........ 30 G 13
San Esteban
  del Valle *AV*........ 57 L 15
San Facundo *OR*........ 13 E 5
San Felices *BU*........ 17 D 18
San Felices *SO*........ 33 G 23
San Felices
  de los Gallegos *SA*........ 42 J 9
San Felipe *C*............ 3 B 5
San Felipe *CU*........ 48 K 24
San Feliú *HU*........ 22 E 31
San Feliú de Guixols /
  San Feliu de Guíxols *GI*. 39 G 39
San Feliz
  de las Lavanderas *LE*........ 15 D 12
San Feliz de Torío *LE*........ 16 D 13
San Fernando W 11
San Fernando
  Gran Canaria GC........ 115 D 2
San Fernando
  de Henares *M*........ 46 K 19
San Fiz do Seo *LE*........ 14 E 9
San Francisco
  A........ 96 T 24
San Francisco
  Mallorca PM........ 104 N 38
San Francisco
  (Convento de) *VA*........ 30 G 14
San Francisco
  (Mirador) *BU*........ 32 F 20
San Francisco
  de Olivenza *BA*........ 66 P 8
San Francisco (Ermita de)
  Fuerteventura GC........ 111 H 3
San Frutos
  (Ermita de) *SG*........ 31 I 18
San Fulgencio *A*........ 85 R 27
San Gabriel
  Lanzarote GC........ 123 E 4
San García
  de Ingelmos *AV*........ 44 J 14
San Gil *CU*........ 55 M 11
San Gil (Ermita de) *Z*........ 27 F 17
San Ginés *TE*........ 48 K 25
San Glorio (Puerto de) *S*........ 6 C 15
San Gregorio *SS*........ 19 D 23
San Gregorio *TO*........ 59 N 20
San Gregorio *CO*........ 81 Q 16
San Gregorio
  (Basílica de) *NA*........ 19 E 23
San Gregorio
  (Ermita de) *GU*........ 48 J 24
San Gregorio
  (Ermita de) *BA*........ 67 P 10
San Ignacio
  de Loiola *SS*........ 10 C 23
San Ignacio del Viar *SE*........ 91 T 12
San Ildefonso
  o la Granja *SG*........ 45 J 17
San Isidoro
  (Ermita de) *BA*........ 68 P 13
San Isidro *CR*........ 70 P 19
San Isidro *GU*........ 59 L 21
San Isidro *AB*........ 73 O 25
San Isidro cerca
  de Berlanga *BA*........ 80 R 12
San Isidro cerca
  de Huérca Overa *AL*........ 96 T 24
San Isidro cerca
  de Navalmorales *TO*........ 57 M 16
San Isidro cerca
  de Nijar *AL*........ 103 V 23
San Isidro
  Gran Canaria GC........ 114 D 2
San Isidro
  Gran Canaria GC........ 115 E 2

San Isidro *Tenerife TF*..... 125 I 2
San Isidro *Tenerife TF*..... 129 F 5
San Isidro
  (Ermita de) *CU*........ 60 N 24
San Isidro (Ermita de) *V*........ 61 M 26
San Isidro
  (Ermita de) *BA*........ 79 R 10
San Isidro (Puerto de) *LE*........ 6 C 13
San Isidro
  de Guadalete *CA*........ 99 W 12
San Jerónimo *CO*........ 81 S 15
San Jerónimo de Lagar
  (Ermita de) *CC*........ 55 N 10
San Joaquím *GU*........ 59 L 20
San Jorge *HU*........ 35 G 28
San Jorge *BA*........ 67 Q 10
San Jorge (Ermita de) *V*........ 61 N 27
San Jorge de Alor *BA*........ 66 Q 8
San José *AB*........ 71 P 21
San José *AL*........ 103 V 23
San José *BA*........ 79 Q 9
San José *Lanzarote GC*..123 E 4
San José
  (Embalse de) *VA*........ 30 H 14
San José (Ermita de) *TE*........ 50 J 29
San José (Ermita de) *J*........ 82 R 17
San José (Ermita de)
  Tenerife TF........ 126 C 3
San José de la Rábita *J*........ 94 T 17
San José
  de la Rinconada *SE*........ 91 T 12
San José
  de Malcocinado *CA*........ 99 W 12
San José del Valle *CA*........ 99 W 12
San Juan *M*........ 45 K 17
San Juan *V*........ 61 N 26
San Juan *MA*........ 93 U 16
San Juan *CC*........ 55 L 10
San Juan
  (Embalse de) *M*........ 45 K 16
San Juan (Ermita de)
  cerca de Cedrillas *TE*........ 49 K 27
San Juan (Ermita de)
  cerca de Montalbán *TE*.. 49 J 28
San Juan (Sierra de) *SE* ... 92 U 13
San Juan de Gredos *AV*.. 44 K 14
San Juan
  de la Cuesta *ZA*........ 14 F 10
San Juan
  de la Encinilla *AV*........ 44 J 15
San Juan de la Mata *LE*........ 14 E 10
San Juan de la Nava *AV*........ 44 K 15
San Juan de la Peña
  (Monasterio de) *HU*........ 21 E 27
San Juan de la Rambla
  Tenerife TF........ 126 E 3
San Juan
  de los Terreros *AL*........ 96 T 25
San Juan
  de Mozarrifar *Z*........ 35 G 27
San Juan de Nieva *O*........ 5 B 12
San Juan de Ortega *BU*........ 18 E 19
San Juan de Plan *HU*........ 22 E 31
San Juan
  del Flumen *HU*........ 35 G 29
San Juan
  del Molinillo *AV*........ 44 K 15
San Juan del Monte *BU*........ 32 G 19
San Juan del Olmo *AV*........ 44 K 14
San Juan del Puerto *H*........ 90 U 9
San Juan
  del Rebollar *ZA*........ 29 G 10
San Juan-Los Vallejos
  (Valle de) *M*........ 59 L 19
San Juan Muskiz *BI*........ 8 C 20
San Juan Perales
  Tenerife TF........ 124 H 2
San Juánico
  el Nuevo *ZA*........ 29 F 11
San Julián *C*........ 3 B 13
San Julián *C*........ 12 D 2
San Julián *J*........ 81 R 17
San Julián *MU*........ 97 T 27
San Julián
  de Banzo *HU*........ 21 F 28
San Julián de Sales /
  San Xulian de Sales *C*... 13 D 4
San Just (Ermita de) *TE*.. 49 J 27
San Just (Puerto de) *TE*.. 49 J 27
San Just (Sierra de) *TE*.. 49 J 27

San Justo *ZA*............ 14 F 10
San Justo
  de Cabanillas *LE*........ 15 D 10
San Justo
  de la Vega *LE*........ 15 E 11
San Leandro *SE*........ 91 U 12
San Leonardo
  de Yagüe *SO*........ 32 G 20
San Llorente *VA*........ 31 G 17
San Llorente
  de la Vega *BU*........ 17 E 17
San Llorente
  del Páramo *P*........ 16 E 15
San Lorenzo *ZA*........ 29 G 12
San Lorenzo *HU*........ 35 G 29
San Lorenzo *LO*........ 18 F 21
San Lorenzo
  Gran Canaria GC........ 115 F 2
San Lorenzo
  (Ermita de) *TE*........ 48 J 26
San Lorenzo
  (Ermita de) *GU*........ 48 K 24
San Lorenzo
  de Calatrava *CR*........ 82 Q 18
San Lorenzo
  de El Escorial *M*........ 45 K 17
San Lorenzo
  de la Parrilla *CU*........ 60 M 22
San Lorenzo
  de Tormes *AV*........ 44 K 13
San Lourenzo *OR*........ 28 G 8
San Luis *Tenerife TF*..124 H 2
San Luis
  de Sabinillas *MA*........ 99 W 14
San Mamed *ZA*........ 29 G 10
San Mamed cerca
  de Viana do Bolo *OR*........ 14 F 8
San Mamede *C*........ 3 B 6
San Mamede cerca
  de Xinzo *OR*........ 27 F 6
San Mamés *BU*........ 17 E 18
San Mamés *M*........ 46 J 18
San Mamés de Abar *BU*........ 17 D 17
San Mamés
  de Campos *P*........ 17 E 16
San Mamés de Meruelo *S*...8 B 19
San Marcial *ZA*........ 29 H 12
San Marco *C*........ 3 C 5
San Marco
  cerca de Montalbán *TE*........ 3 B 5
San Marcos *CA*........ 98 W 11
San Marcos *CC*........ 56 M 13
San Marcos *NA*........ 19 E 24
San Marcos (Ermita de)
  cerca de Alustante *GU*... 48 K 24
San Marcos (Ermita de)
  cerca de Tordesilos *GU*.. 48 J 25
San Martín *HU*........ 22 E 31
San Martín *BU*........ 18 D 18
San Martín *NA*........ 19 D 23
San Martín *O*........ 5 C 11
San Martín *AV*........ 44 J 15
San Martín
  de Boniches *CU*........ 61 M 25
San Martín
  de Castañeda *ZA*........ 14 F 9
San Martín de Don *BU*........ 18 D 20
San Martín de Elines *S*........ 17 D 18
San Martín
  de Galvarín *BU*........ 19 D 21
San Martín
  de la Falamosa *LE*........ 15 D 12
San Martín
  de la Tercia *LE*........ 15 D 12
San Martín de la Vega *M*........ 58 L 19
San Martín de la Vega
  del Alberche *AV*........ 44 K 14
San Martín de la Virgen
  de Moncayo *Z*........ 34 G 24
San Martín
  de los Herreros *P*........ 17 D 16
San Martín de Luiña *O*........ 5 B 11
San Martín
  de Mondoñedo *LU*........ 4 B 8
San Martín
  de Montalbán *TO*........ 57 M 16
San Martín
  de Moreda *LE*........ 14 D 9
San Martín de Oscos *O*........ 4 C 9
San Martín de Pusa *TO*........ 57 M 16
San Martín
  de Rubiales *BU*........ 31 H 18
San Martín
  de Tábara *ZA*........ 29 G 12
San Martín de Torres *LE*........ 15 F 12
San Martín
  de Trevejo *CC*........ 55 L 9
San Martín de Unx *NA*........ 20 E 25

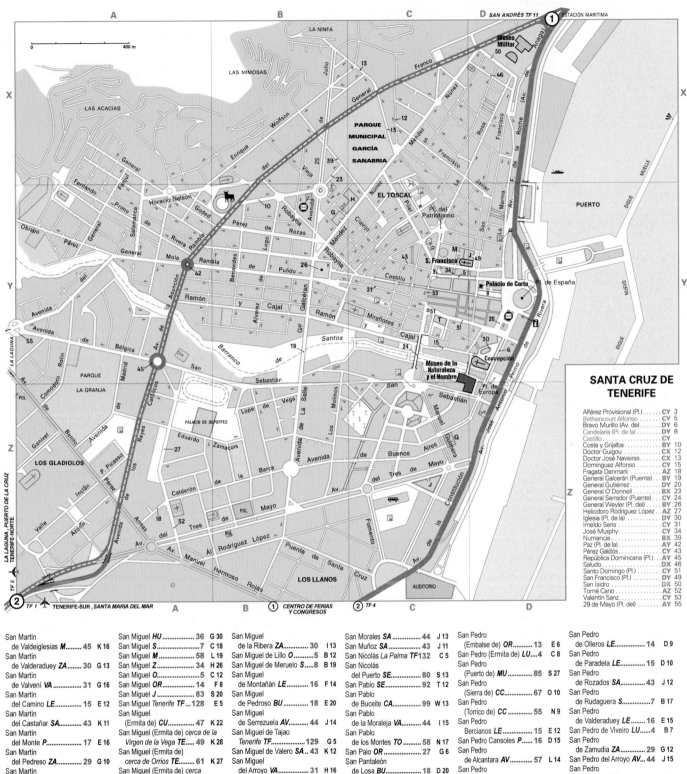

A
B
C
D
E
F
G
H
I
J
K
L
M
N
O
P
Q
R
S
T
U
V
W
X
Y
Z

SANTA CRUZ DE TENERIFE

Alférez Provisional (Pl.)	**CY**	3
Bethencourt Alfonso	**CY**	5
Bravo Murillo (Av. de)	**DY**	6
Candelaria (Pl. de la)	**DY**	8
Castillo	**CY**	
Costa y Grijalba	**BY**	10
Doctor Guigou	**CX**	12
Doctor José Naveiras	**CX**	13
Domínguez Alfonso	**CY**	15
Fragata Danmark	**AZ**	18
General Galcerán (Puente)	**BY**	19
General Gutiérrez	**DY**	20
General O'Donnell	**BX**	23
General Serrador (Puente)	**CY**	24
General Weyler (Pl. del)	**BY**	26
Heliodoro Rodríguez López	**AZ**	27
Iglesia (Pl. de la)	**DY**	30
Imeldo Seris	**CY**	31
José Murphy	**CY**	34
Numancia	**BX**	39
Paz (Pl. de la)	**AY**	42
Pérez Galdós	**CY**	43
República Dominicana (Pl.)	**AY**	45
Saludo	**DX**	46
Santo Domingo (Pl.)	**CY**	51
San Francisco (Pl.)	**DY**	49
San Isidro	**DX**	50
Tomé Cano	**AZ**	52
Valentín Sanz	**CY**	53
29 de Mayo (Pl. del)	**AY**	55

San Martín de Valdeiglesias *M*.	**45**	K 16
San Martín de Valderaduey *ZA*.	**30**	G 13
San Martín de Valvení *VA*.	**31**	G 16
San Martín del Camino *LE*.	**15**	E 12
San Martín del Castañar *SA*.	**43**	K 11
San Martín del Monte *P*.	**17**	E 16
San Martín del Pedreso *ZA*.	**29**	G 10
San Martín del Pimpollar *AV*.	**44**	K 14
San Martín del Río *TE*.	**48**	I 25
San Martín del Rojo *BU*.	**18**	D 18
San Martín del Tesorillo *CA*.	**99**	W 14
San Martín del Valledor *O*.	**4**	C 9
San Martín y Mudrián *SG*.	**31**	I 17
San Martiño cerca de Castro Caldelas *OR*.	**14**	E 7
San Martiño cerca de Cualedro *OR*.	**27**	G 7
San Martiño (Isla de) *PO*.	**12**	F 3
San Martzial *SS*.	**10**	C 24
San Mateo de Gállego *Z*.	**35**	G 27
San Mauro *C*.	**3**	C 5
San Medel *SA*.	**43**	K 12

San Miguel *HU*.	**36**	G 30
San Miguel *S*.	**7**	C 18
San Miguel *M*.	**58**	L 19
San Miguel *Z*.	**34**	H 26
San Miguel *O*.	**5**	C 12
San Miguel *OR*.	**14**	F 8
San Miguel *J*.	**83**	S 20
San Miguel *Tenerife TF*.	**128**	E 5
San Miguel (Ermita de) *CU*.	**47**	K 22
San Miguel (Ermita de) cerca de la Virgen de la Vega *TE*.	**49**	K 28
San Miguel (Ermita de) cerca de Orrios *TE*.	**61**	K 27
San Miguel (Ermita de) cerca de Valderrobres *TE*.	**50**	J 30
San Miguel de Aguayo *S*.	**7**	C 17
San Miguel de Aralar (Santuario de) *NA*.	**10**	D 24
San Miguel de Aras *S*.	**8**	C 19
San Miguel de Bernuy *SG*.	**31**	H 18
San Miguel de Corneja *AV*.	**44**	K 14
San Miguel de Escalada *LE*.	**16**	E 14
San Miguel de Foces *HU*.	**21**	F 29
San Miguel de la Dueñas *LE*.	**15**	E 10
San Miguel de la Puebla *CS*.	**49**	K 29

San Miguel de la Ribera *ZA*.	**30**	I 13
San Miguel de Lillo *O*.	**5**	B 12
San Miguel de Meruelo *S*.	**8**	B 19
San Miguel de Montañán *LE*.	**16**	F 14
San Miguel de Pedroso *BU*.	**18**	E 20
San Miguel de Serrezuela *AV*.	**44**	J 14
San Miguel de Tajao Tenerife *TF*.	**129**	G 5
San Miguel de Valero *SA*.	**43**	K 12
San Miguel del Arroyo *VA*.	**31**	H 16
San Miguel del Camino *LE*.	**15**	E 12
San Miguel del Pino *VA*.	**30**	H 15
San Miguel del Valle *ZA*.	**30**	F 13
San Millán *BU*.	**18**	D 20
San Millán *OR*.	**27**	G 7
San Millán (Monte) *BU*.	**18**	F 20
San Millán de Juarros *BU*.	**18**	F 19
San Millán de la Cogolla *LO*.	**18**	F 21
San Millán de Lara *BU*.	**18**	F 19
San Millán de los Caballeros *LE*.	**16**	F 13
San Millán de Yécora *LO*.	**18**	E 20

San Morales *SA*.	**44**	J 13
San Muñoz *SA*.	**43**	J 11
San Nicolás *La Palma TF*.	**132**	C 5
San Nicolás del Puerto *SE*.	**80**	S 13
San Pablo *SE*.	**92**	T 12
San Pablo de Buceite *CA*.	**99**	W 13
San Pablo de la Moraleja *VA*.	**44**	I 15
San Pablo de los Montes *TO*.	**58**	N 17
San Paio *OR*.	**27**	G 6
San Pantaleón de Losa *BU*.	**18**	D 20
San Pascual *SA*.	**44**	J 15
San Payo *LU*.	**8**	C 7
San Pedro *S*.	**8**	C 19
San Pedro *P*.	**17**	D 16
San Pedro *LU*.	**14**	D 8
San Pedro *PO*.	**13**	E 5
San Pedro *CC*.	**54**	N 8
San Pedro *AL*.	**103**	V 24
San Pedro cerca de Grado *O*.	**5**	B 11
San Pedro cerca de Oviedo *O*.	**5**	B 12
San Pedro cerca de Parres *O*.	**6**	B 14
San Pedro cerca de Segovia *SG*.	**45**	I 17

San Pedro (Embalse de) *OR*.	**13**	E 6
San Pedro (Ermita de) *LU*.	**4**	C 8
San Pedro (Puerto de) *MU*.	**85**	S 27
San Pedro (Sierra de) *CC*.	**67**	O 10
San Pedro (Torrico de) *CC*.	**55**	N 9
San Pedro Bercianos *LE*.	**15**	E 12
San Pedro Cansoles *P*.	**16**	D 15
San Pedro de Alcántara *AV*.	**57**	L 14
San Pedro de Alcántara *MA*.	**100**	W 15
San Pedro de Arlanza (Ermita) *BU*.	**32**	F 19
San Pedro de Cardeña *BU*.	**18**	F 19
San Pedro de Ceque *ZA*.	**29**	F 11
San Pedro de Gaíllos *SG*.	**31**	I 18
San Pedro de la Nave *ZA*.	**29**	H 12
San Pedro de la Viña *ZA*.	**15**	F 11
San Pedro de las Herrerías *ZA*.	**29**	G 10
San Pedro de Latarce *VA*.	**30**	G 14
San Pedro de Mérida *BA*.	**67**	P 11

San Pedro de Olleros *LE*.	**14**	D 9
San Pedro de Paradela *LE*.	**15**	D 10
San Pedro de Rozados *SA*.	**43**	J 12
San Pedro de Rudaguera *S*.	**7**	B 17
San Pedro de Valderaduey *LE*.	**16**	E 15
San Pedro de Viveiro *LU*.	**4**	B 7
San Pedro de Zamudia *ZA*.	**29**	G 12
San Pedro del Arroyo *AV*.	**44**	J 15
San Pedro del Pinatar *MU*.	**85**	S 27
San Pedro del Romeral *S*.	**7**	C 18
San Pedro del Valle *SA*.	**43**	I 12
San Pedro Manrique *SO*.	**33**	F 23
San Pedro Palmiches *CU*.	**47**	K 22
San Pedro Samuel *BU*.	**17**	E 18
San Pelayo *S*.	**8**	C 19
San Pelayo *VA*.	**30**	G 14
San Pelayo *BI*.	**9**	B 21
San Pelayo de Guareña *SA*.	**43**	I 12
San Quintín *CR*.	**70**	P 17
San Quirce de Riopisuerga *P*.	**17**	E 17
San Rafael *SG*.	**45**	J 17

A B C D E F G H I J K L M N O P Q R S T U V W X Y Z

SANTANDER

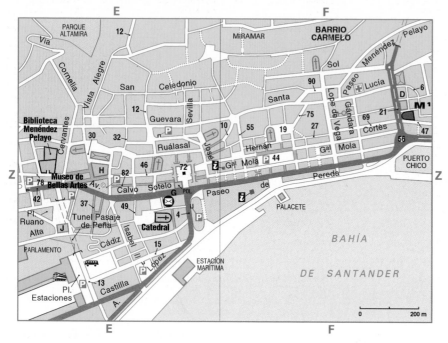

Museo Regional de Prehistoria y Arqueología ..... **FZ M¹**

SANTIAGO DE COMPOSTELA

Sant Climent
  Menorca *PM* .... 106 M 42
Sant Climent
  de Llobregat *B* .... 38 H 35
Sant Climent
  Sescebes *GI* .... 25 E 38
Sant Cristòfol *V* .... 74 O 28
Sant Cugat del Vallès *B* .. 38 H 36
Sant Domènec *V* .... 62 N 28
Sant Elm *Mallorca PM* .... 104 N 37
Sant Esperit
  (Monestir) *V* .... 62 M 28
Sant Esteve
  de la Sarga *L* .... 22 F 32
Sant Esteve
  de Palautordera *B* ..... 38 G 37
Sant Esteve d'En Bas *GI* . 24 F 37
Sant Esteve
  Sesrovires *B* .... 38 H 35
Sant Felip de Neri *A* .... 85 R 27
Sant Feliu *B* .... 38 H 36
Sant Feliu de Boada *GI* .. 25 G 39
Sant Feliu
  de Buixalleu *GI* .... 38 G 37
Sant Feliu de Codines *B* . 38 G 36
Sant Feliu de Guíxols /
  San Feliú de Guixols *GI* 39 G 39
Sant Feliu
  de Pallerols *GI* .... 24 F 37
Sant Feliu del Racó *B* ... 38 H 36
Sant Feliu Sasserra *B* ... 38 G 36
Sant Ferran
  Formentera PM .... 87 P 34
Sant Francesc *PM* .... 87 P 34
Sant Francesc
  de s'Estany *PM* .... 87 P 34
Sant Fruitós de Bages *B* . 38 G 35
Sant Genís *B* .... 39 H 38
Sant Gerard *V* .... 62 N 28
Sant Grau *GI* .... 39 G 38
Sant Gregori *GI* .... 24 G 38
Sant Gregori (Mont) *GI* .. 24 G 37
Sant Guim
  de Freixenet *L* .... 37 H 34
Sant Guim de la Plana *L* . 37 G 33
Sant Hilari Sacalm *GI* ... 24 G 37
Sant Hipòlit
  de Voltregà *B* .... 24 F 36
Sant Iscle de Vallalta *B* 38 H 37
Sant Isidre *V* .... 62 N 28
Sant Isidre d'Albatera *A* 85 R 27
Sant Jaume
  (Ermita de) *V* .... 74 P 28
Sant Jaume
  de Frontanyà *B* .... 24 F 36
Sant Jaume
  de Llierca *GI* .... 24 F 37
Sant Jaume
  dels Domenys *T* .... 37 I 34
Sant Jaume d'Enveja *T* ... 50 J 32
Sant Jeroni *B* .... 38 H 35
Sant Jeroni
  (Convent de) *V* .... 74 P 29
Sant Joan *PM* .... 105 N 39
Sant Joan
  (Banyos de) *PM* .... 105 N 39
Sant Joan d'Alacant *A* ... 86 Q 28
Sant Joan
  de Labritja *PM* .... 87 O 34
Sant Joan de l'Erm *L* .... 23 E 33
Sant Joan
  de les Abadesses *GI* ... 24 F 36
Sant Joan de Mollet *GI* .. 25 F 38
Sant Joan de Moró *CS* .... 62 L 29
Sant Joan
  de Penyagolosa *CS* ..... 62 L 28
Sant Joan
  de Vilatorrada *B* ...... 38 G 35
Sant Joan
  de Vinyafrescal *L* ..... 23 F 32
Sant Joan Fumat *L* .... 23 E 34
Sant Joan les Fonts *GI* .. 24 F 37
Sant Joaquim *CS* .... 49 J 29
Sant Jordi *A* .... 74 Q 29
Sant Jordi *Ibiza PM* ..... 87 P 34
Sant Jordi *Mallorca PM* .. 104 N 38
Sant Jordi /
  San Jorge *CS* .... 50 K 30
Sant Jordi (Golf de) *T* .. 51 J 32
Sant Jordi d'Alfama *T* ... 51 J 32
Sant Jordi Desvalls *GI* .. 25 F 38
Sant Josep *Ibiza PM* ..... 87 P 33
Sant Josep
  (Grutes de) *CS* .... 62 M 29
Sant Julià *GI* .... 24 F 37
Sant Julià
  de Cerdanyola *B* .... 24 F 35

Sant Julià
  de Vilatorta *B* .... 38 G 36
Sant Julià
  de Vilatorta *GI* .... 25 G 38
Sant Llorenç *Ibiza PM* ... 87 O 34
Sant Llorenç
  de la Muga *GI* .... 25 F 38
Sant Llorenç
  de Montgai *L* .... 36 G 32
Sant Llorenç
  de Morunys *L* .... 23 F 34
Sant Llorenç del Munt *B* . 38 H 36
Sant Llorenç del Munt
  (Parc natural de) *B* ... 38 G 35
Sant Llorenç
  des Cardassar *PM* ...... 105 N 39
Sant Llorenç
  d'Hortons *B* .... 38 H 35
Sant Llorenç Savall *B* ... 38 G 36
Sant Lluís *PM* .... 106 M 42
Sant Magí (Santuari) *T* .. 37 H 34
Sant Marçal (Ermita) *B* .. 38 G 37
Sant Martí (Cap de) *A* ... 75 P 30
Sant Martí d'Albars *B* ... 24 F 36
Sant Martí
  de Barcedana *L* .... 23 F 32
Sant Martí
  de Centelles *B* .... 38 G 36
Sant Martí
  de Llémena *GI* .... 24 F 37
Sant Martí de Ogassa *GI* . 24 F 36
Sant Martí de Riucorb *L* . 37 H 33
Sant Martí
  de Surroca *GI* .... 24 F 36
Sant Martí
  de Torroella *B* .... 38 G 36
Sant Martí de Tous *B* .... 37 H 34
Sant Martí Sacalm *GI* .... 24 F 37
Sant Martí Sapresa *GI* ... 24 G 37
Sant Martí Sarroca *B* .... 37 H 34
Sant Martí Sescorts *B* ... 24 F 36
Sant Martí
  Sesgueioles *B* .... 37 G 34
Sant Martí Sesserres *GI* . 25 F 38
Sant Martí Vell *GI* ...... 25 F 38
Sant Mateu *B* .... 25 G 38
Sant Mateu *Castelló CS* .. 50 K 30
Sant Mateu *Ibiza PM* ..... 87 O 34
Sant Mateu de Bages *B* ... 38 G 35
Sant Maurici *B* .... 24 F 35
Sant Maurici
  (Estany de) *L* .... 23 E 32
Sant Miquel
  de Salinas *A* .... 85 S 27
Sant Miquel *Ibiza PM* .... 87 O 34
Sant Miquel
  Mallorca PM .... 105 N 39
Sant Miquel (Ermita de)
  Castelló CS .... 63 L 30
Sant Miquel
  de Campmajor *GI* .... 24 F 38
Sant Miquel
  de Cladells *GI* .... 24 G 37
Sant Miquel de Fluvià *GI* 25 F 38
Sant Miquel
  de la Pobla *V* .... 61 L 26
Sant Miquel
  de la Pobla *CS* .... 49 K 29
Sant Miquel del Fai *B* ... 38 G 36
Sant Mori *GI* .... 25 F 38
Sant Nicolau *L* .... 22 E 32
Sant Pasqual
  (Ermita de) *A* .... 86 Q 28
Sant Pau *CS* .... 50 K 29
Sant Pau de Segúries *GI* . 24 F 37
Sant Pau d'Ordal *B* ...... 38 H 35
Sant Pere
  de Casserres *B* .... 24 G 37
Sant Pere de Ribes *B* .... 38 I 35
Sant Pere
  de Riudebitlles *B* ..... 37 H 35
Sant Pere de Rodes
  (Monestir de) *GI* ...... 25 F 39
Sant Pere de Torelló *B* .. 24 F 36
Sant Pere
  de Vilamajor *B* .... 38 G 37
Sant Pere Despuig *GI* .... 24 F 37
Sant Pere i Sant Pau *T* .. 51 I 33
Sant Pere Pescador *GI* ... 25 F 39
Sant Pere Sallavinera *B* . 37 G 34
Sant Pol de Mar *B* .... 38 H 37
Sant Ponç (Pantà de) *L* .. 37 G 34
Sant Privat d'En Bas *GI* . 24 F 37
Sant Quintí
  de Mediona *B* .... 37 H 34
Sant Quirze *B* .... 38 H 36
Sant Quirze
  de Besora *B* .... 24 F 36

Sant Quirze de Pedret *B* . 24 F 35
Sant Quirze Safaja *B* .... 38 G 36
Sant Rafael *A* .... 74 Q 29
Sant Rafael *A* .... 74 P 28
Sant Rafael *Ibiza PM* .... 87 P 34
Sant Rafael del Riu *CS* .. 50 K 31
Sant Ramon *L* .... 37 G 34
Sant Romà d'Abella *L* .... 23 F 33
Sant Sadurní
  de l'Heura *GI* .... 25 G 38
Sant Sadurní
  d'Osormort *B* .... 24 G 37
Sant Sadurní d'Anoia *B* .. 38 H 35
Sant Salvador *T* .... 37 I 34
Sant Salvador (Monestir)
  Mallorca PM .... 105 N 39
Sant Salvador
  (Monte) *GI* .... 25 F 39
Sant Salvador
  de Bianya *GI* .... 24 F 37
Sant Salvador
  de Guardiola *B* .... 37 G 35
Sant Salvador de Toló *L* . 23 F 33
Sant Sebastià
  (Cap de) *GI* .... 25 G 39
Sant Sebastià
  (Ermita de) *V* .... 74 P 27
Sant Sebastià
  de Montmajor *B* .... 38 H 36
Sant Tomàs *PM* .... 106 M 42
Sant Vicenç
  de Castellet *B* .... 38 G 35
Sant Vicenç
  de Montalt *B* .... 38 H 37
Sant Vicenç de Torelló *B* 24 F 36
Sant Vicenç
  dels Horts *B* .... 38 H 36
Sant Vicent *Castelló CS* . 62 L 28
Sant Vicent *Ibiza PM* .... 87 O 34
Sant Vicent
  (Ermita de) *V* .... 62 N 28

Sant Vicent
  (Ermita de) *A* .... 86 R 28
Sant Vicent
  del Raspeig *A* .... 86 Q 28
Santa (Cova) *PM* .... 87 P 33
Santa (La) *LO* .... 19 F 22
Santa (La)
  Lanzarote GC .... 122 C 3
Santa
  (Monasterio La) *MU* .... 85 S 25
Santa Afra *GI* .... 24 F 38
Santa Àgata
  Castelló CS .... 50 K 30
Santa Agnès *Ibiza PM* .... 87 O 34
Santa Agnès
  de Malanyanes *B* .... 38 H 37
Santa Agueda
  Menorca PM .... 106 L 42
Santa Agueda
  (Ermita de) *H* .... 91 T 10
Santa Amalia *BA* .... 68 O 11
Santa Ana *ZA* .... 29 G 10
Santa Ana *TO* .... 58 L 17
Santa Ana *MU* .... 85 S 26
Santa Ana *J* .... 94 T 18
Santa Ana *CC* .... 68 O 12
Santa Ana
  cerca de Albacete *AB* .. 72 P 24
Santa Ana
  cerca de Alcadozo *AB* .. 72 P 23
Santa Ana
  (Ermita de) *CC* .... 68 O 12
Santa Ana (Ermita de)
  cerca de Alfambra *TE* .. 48 K 26
Santa Ana (Ermita de)
  cerca de
  Rubielos de la Cérida *GU* 48 J 26
Santa Ana
  (Monasterio de) *MU* .... 85 Q 26
Santa Ana (Sierra) *MU* ... 85 Q 26

Santa Ana de Abajo *AB* ... 72 P 24
Santa Ana de Arriba *AB* .. 72 P 23
Santa Ana de Pusa *TO* .... 57 M 15
Santa Ana la Real *H* ..... 79 S 9
Santa Anastasia *Z* .... 20 F 26
Santa Anna (Pantà de) *L* . 36 G 31
Santa Bàrbara *AL* .... 96 T 24
Santa Bàrbara *O* .... 6 C 13
Santa Bàrbara *CC* .... 56 L 11
Santa Bàrbara *NA* .... 20 D 27
Santa Bàrbara
  (Alto de) *HU* .... 21 E 27
Santa Bàrbara
  (Ermita de) *GI* .... 24 G 37
Santa Bàrbara
  (Ermita de) *HU* .... 21 E 27
Santa Bàrbara
  (Ermita de) *CU* .... 47 L 22
Santa Bàrbara (Ermita de)
  cerca de Alcañiz *TE* ... 50 J 29
Santa Bàrbara (Ermita de)
  cerca de Calamocha *TE* . 48 J 25
Santa Bàrbara (Ermita de)
  de Camarena *TE* .... 61 L 26
Santa Bàrbara (Ermita de)
  cerca de Celadas *TE* ... 49 K 26
Santa Bàrbara (Ermita de)
  cerca de Perales
  del Alfambra *TE* .... 48 K 26
Santa Bàrbara (Ermita de)
  cerca de Teruel *TE* .... 48 K 26
Santa Bàrbara (Ermita de)
  cerca de
  Villalba Baja *TE* ...... 49 K 26
Santa Bàrbara
  (Monte) *GR* .... 95 T 21
Santa Bàrbara de Casa *H* . 78 S 8
Santa Brígida
  Gran Canaria GC .... 115 F 2

Santa Brígida
  (Ermita de) *CR* .... 70 P 17
Santa Casilda
  (Santuario de) *BU* ..... 18 E 19
Santa Catalina *C* .... 2 C 3
Santa Catalina *TO* .... 58 M 17
Santa Catalina *J* .... 82 S 18
Santa Catalina *SE* .... 92 T 12
Santa Catalina
  (Ermita de) *V* .... 61 M 26
Santa Cecilia *BU* .... 31 F 18
Santa Cecilia *SO* .... 33 F 22
Santa Cecilia
  (Ermita) *B* .... 38 H 35
Santa Cecilia
  de Voltregà *B* .... 38 G 36
Santa Cecilia del Alcor *P* 31 G 16
Santa Cilia *HU* .... 21 F 29
Santa Cilia de Jaca *HU* .. 21 E 27
Santa Clara *CR* .... 69 P 16
Santa Clara *CO* .... 69 Q 14
Santa Clara
  de Avedillo *ZA* .... 29 H 12
Santa Coloma *LO* .... 19 E 22
Santa Coloma
  de Farners *GI* .... 24 G 38
Santa Coloma
  de Queralt *T* .... 37 H 34
Santa Colomba
  de Curueño *LE* .... 16 D 13
Santa Colomba
  de la Carabias *ZA* ..... 30 F 13
Santa Colomba
  de las Monjas *ZA* ...... 29 G 12
Santa Colomba
  de Somoza *LE* .... 15 E 11
Santa Comba *C* .... 2 C 3
Santa Comba *LU* .... 4 D 7
Santa Comba
  de Bande *OR* .... 27 G 6
Santa Cova *B* .... 38 H 35

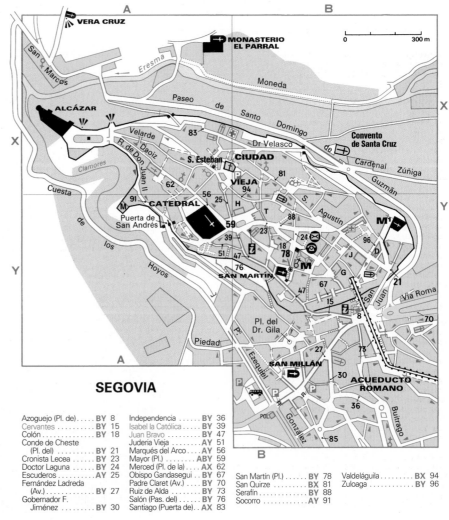

SEGOVIA

Azoguejo (Pl. de) ..... **BY** 8
Cervantes .... **BY** 15
Colón .... **BY** 18
Conde de Cheste
  (Pl. del) .... **BY** 21
Cronista Lecea .... **BY** 23
Doctor Laguna .... **BY** 24
Escuderos .... **AY** 25
Fernández Ladreda
  (Av.) .... **BY** 27
Gobernador F.
  Jiménez .... **BY** 30

Independencia .... **BY** 36
Isabel la Católica .... **BY** 39
Juan Bravo .... **BY** 47
Juderia Vieja .... **AY** 51
Marqués del Arco ...... **AY** 56
Mayor (Pl.) .... **ABY** 59
Merced (Pl. de la) .... **AX** 62
Obispo Gandasegui ..... **BY** 67
Padre Claret (Av.) .... **BY** 70
Ruiz de Alda .... **BY** 73
Salón (Pas. del) ...... **BY** 76
Santiago (Puerta de) .. **AX** 83

San Martín (Pl.) ...... **BY** 78
San Quirze .... **BX** 81
Serafín .... **BY** 88
Socorro .... **AY** 91

Valdeláguila .... **BX** 94
Zuloaga .... **BY** 96

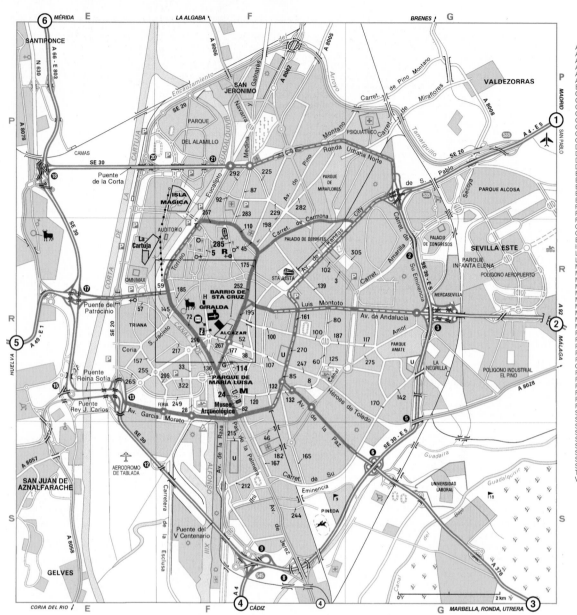

SEVILLA

Ada	FR 3
Alameda de Hércules	FR 5
Alcalde Juan Fernández	FR 8
América (Pl. de)	FR 24
Antonio Bienvenida	FR 28
Asunción	FR 33
Borbolla (Av. de)	FR 38
Capuchinos (Ronda)	FR 45
Cardenal Ilundain	FS 46
Carlos V (Av. de)	FR 52
Castilla	ER 57
Chapina (Puente)	FR 59
Ciudad Jardín (Av.)	FR 60
Cristóbal Colón (Pas. de)	FR 72
Cruz del Campo (Av.)	FR 80
Delicias (Pas. de las)	FR 82
Diego Martínez Barrio	FR 85
Doctor Fedriani	FP 87
Don Fabrique	FP 92
Eduardo Dato (Av.)	FR 100
Éfeso	FR 102
Enramadilla	FR 107
Eritaña (Av.)	FR 110
España (Pl. de)	FR 114
Federico Mayo Gayarre	GR 117
Felipe II	FR 120
Francisco Buendía	FR 125
Generalísimo (Puente del)	FR 136
General Merry	FR 132
El Greco (Av.)	FR 139
Isabel II o de Triana (Puente)	FR 145
López de Gomara	FR 157
Luis de Morales	FR 161
Manuel Fal Conde	FS 165
Manuel Siurot (Av.)	FS 167
Maqueda	GR 170
María Auxiliadora	FR 175
Maria Luisa (Av.)	FR 177
Marqués de Luca de Tena	FS 182
Marqués de Paradas (Av.)	FR 185
Marqués de Pickman	FR 187
Menéndez Pelayo	FR 195
Miraflores (Av.)	FR 198
Padre García Tejero (Av.)	FS 212
Páez de Rivera	FR 215
Pagés del Corro	FR 217
Pedro Gual Villalbí (Av.)	FP 225
Pío XII (Ronda)	FP 229
Quintillo (Camino)	FR 244
Ramón de Carranza (Av.)	FR 249
Ramón y Cajal (Av.)	FR 247
Recaredo	FR 252
República Argentina (Av.)	FR 255
Resolana	FR 257
Rubén Darío	ER 265
Sánchez Pizjuán (Av.)	FP 292
Santa Fé	FR 295
San Fernando	FR 267
San Francisco Javier (Av.)	FR 270
San Juan de la Cruz (Av.)	GR 275
San Juan de la Salle	FP 282
San Juan de Ribera	FP 283
San Luis	FR 285
San Telmo (Puente de)	FR 290
Tesalónica	GR 305
Virgen de Luján	FPR 322

Santa Cristina *CU*	47 K 23		
Santa Cristina (Ermita de) *GI*	39 G 38		
Santa Cristina d'Aro *GI*	25 G 39		
Santa Cristina de la Polvorosa *ZA*	29 F 12		
Santa Cristina de Lena *O*	5 C 12		
Santa Cristina de Valmadrigal *LE*	16 E 14		
Santa Croya de Tera *ZA*	29 G 12		
Santa Cruz *SG*	32 I 18		
Santa Cruz *BI*	6 C 20		
Santa Cruz *O*	5 B 12		
Santa Cruz *CO*	81 S 16		
Santa Cruz *MU*	85 R 26		
Santa Cruz cerca de A Coruña *C*	3 B 4		
Santa Cruz cerca de Espiñaredo *C*	3 B 6		
Santa Cruz (Ermita de) *TE*	49 K 27		
Santa Cruz (Sierra de) *CC*	68 O 12		
Santa Cruz de Abranes *ZA*	28 G 9		
Santa Cruz de Bezana *S*	7 B 18		
Santa Cruz de Boedo *P*	17 E 16		
Santa Cruz de Campezo *VI*	19 D 22		
Santa Cruz de Grío *Z*	34 H 25		
Santa Cruz de Juarros *BU*	18 F 19		
Santa Cruz de la Palma / La Palma *TF*	131 D 4		
Santa Cruz de la Salceda *BU*	32 H 19		
Santa Cruz de la Serós *HU*	21 E 27		
Santa Cruz de la Sierra *CC*	68 N 12		
Santa Cruz de la Zarza *TO*	59 M 20		
Santa Cruz de los Cañamos *CR*	71 Q 21		
Santa Cruz de Marchena *AL*	95 U 22		
Santa Cruz de Mieres *O*	5 C 12		
Santa Cruz de Moncayo *Z*	34 G 24		
Santa Cruz de Moya *CU*	61 M 26		
Santa Cruz de Mudela *CR*	70 Q 19		
Santa Cruz de Nogueras *TE*	48 I 26		
Santa Cruz de Paniagua *CC*	55 L 11		
Santa Cruz de Pinares *AV*	45 K 16		
Santa Cruz de Tenerife *TF*	125 J 2		
Santa Cruz de Yanguas *SO*	33 F 22		
Santa Cruz del Comercio *GR*	94 U 18		
Santa Cruz del Monte *P*	17 E 16		
Santa Cruz del Retamar *TO*	58 L 17		
Santa Cruz del Tozo *BU*	17 E 18		
Santa Cruz del Valle *AV*	57 L 15		
Santa Cruz del Valle Urbión *BU*	18 F 20		
Santa Elena *HU*	21 D 29		
Santa Elena *J*	82 Q 19		
Santa Elena (Ermita de) *TE*	61 L 26		
Santa Elena (Monasterio de) *HU*	21 E 29		
Santa Elena de Jamuz *LE*	15 F 12		
Santa Emilia *TO*	57 M 15		
Santa Engracia *Z*	34 G 26		
Santa Engracia *HU*	21 E 27		
Santa Engracia del Jubera *LO*	19 F 23		
Santa Eufemia *CO*	69 Q 15		
Santa Eufemia del Arroyo *VA*	30 G 14		
Santa Eufemia del Barco *ZA*	29 G 12		
Santa Eugenia *C*	12 E 3		
Santa Eugènia / Mallorca *PM*	104 N 38		
Santa Eulària des Riu / Santa Eulalia del Río *PM*	87 P 34		
Santa Eulalia *S*	7 C 16		
Santa Eulalia *TE*	48 K 26		
Santa Eulalia *ZA*	29 F 11		
Santa Eulalia *J*	82 R 19		
Santa Eulalia *Cabranes O*	6 B 13		
Santa Eulalia *Morcín O*	5 C 12		
Santa Eulalia (Ermita de) *H*	79 S 10		
Santa Eulalia Bajera *LO*	19 F 23		
Santa Eulalia de Bóveda *LU*	3 D 6		
Santa Eulalia de Cabrera *LE*	15 F 10		
Santa Eulàlia de Gállego *Z*	21 F 27		
Santa Eulalia de la Peña *HU*	21 F 28		
Santa Eulalia de Oscos *O*	4 C 8		
Santa Eulàlia de Puig-oriol *B*	24 F 36		
Santa Eulàlia de Riuprimer *B*	38 G 36		
Santa Eulàlia de Ronçana *B*	38 H 36		
Santa Eulalia de Tábara *ZA*	29 G 12		
Santa Eulalia del Río / Santa Eulària des Riu *PM*	87 P 34		
Santa Eulària des Riu / Santa Eulalia del Río *PM*	87 P 34		
Santa Euxea *LU*	13 D 7		
Santa Faç *A*	86 Q 28		
Santa Fe *L*	37 G 34		
Santa Fe *GR*	94 U 18		
Santa Fe (Pantà de) *B*	38 G 37		
Santa Fe de Mondújar *AL*	103 V 22		
Santa Filomena (Ermita de) *A*	85 R 27		
Santa Gadea *BU*	17 D 18		
Santa Gadea del Cid *BU*	18 D 20		
Santa Genoveva *SE*	92 T 12		
Santa Gertrudis *PM*	87 P 34		
Santa Iglesia *SE*	92 T 13		
Santa Inés *BU*	32 F 18		
Santa Inés *SA*	44 J 13		
Santa Inés *BA*	68 Q 13		
Santa Inés (Puerto de) *SO*	33 F 21		
Santa Isabel *Z*	35 H 27		
Santa Juliana *SE*	92 T 13		
Santa Lecina *HU*	36 G 30		
Santa Liestra y San Quílez *HU*	22 F 31		
Santa Linya *L*	36 G 32		
Santa Lucía *LO*	19 F 23		
Santa Lucía *PO*	12 E 4		
Santa Lucía (Ermita de) *TE*	48 K 25		
Santa Lucía de Valdueza *LE*	14 E 10		
Santa Magdalena *PM*	104 M 38		
Santa Magdalena (Ermita de) *T*	50 J 31		
Santa Magdalena de Pulpís *CS*	50 K 30		
Santa Margalida / Mallorca *PM*	105 M 39		
Santa Margarida *GI*	25 F 39		
Santa Margarida de Montbui *B*	37 H 34		
Santa Margarida i els Monjós *B*	37 I 35		
Santa Margarita *CA*	99 X 14		
Santa Margarita (Ermita de) *TE*	61 M 27		
Santa Margarita (Portillo de)	20 F 25		
Santa María *HU*	21 E 27		
Santa María *O*	5 B 12		
Santa María *CR*	71 P 21		
Santa María *BA*	67 P 10		
Santa María *P*	17 D 16		
Santa María cerca de Luciana *CR*	69 O 16		
Santa María (Ermita de) *SG*	31 I 17		
Santa María (Sierra de) *BA*	67 Q 9		
Santa María de Bellpuig *L*	36 G 32		

SEVILLA

Agua (Callejón del)	CY 4
Alemanes	BX 12
Alfaro (Pl. de)	CXY 15
Alianza (Pl.)	BX 19
Almirante Apodaca	CV 20
Almirante Lobo	BY 21
Álvarez Quintero	BX 22
Amador de los Ríos	CV 23
Antillano Campos	AX 26
Aposentadores	BV 29
Arco de la Judería	BY 30
Argote de Molina	BX 31
Banderas (Patio de las)	BXY 35
Capitán Vigueras	CY 42
Cardenal Spínola	AV 47
Castelar	AX 55
Chapina (Puente)	AV 59
Doña Elvira (Pl. de)	BX 95
Doña Guiomar	AX 97
Escuelas Pías	CV 112
Farmacéutico E. Murillo Herrera	AY 115
Feria	BV
Francisco Carrión Mejías	CX 126
Francos	BX
Fray Ceferino González	BX 127
García de Vinuesa	BX 130
General Polavieja	BX 135
Gloria	BXY 137
Gonzalo Bilbao	CV 138
Hospital de los Venerables	BX
Jesús de la Vera Cruz	AV 147
José Laguillo (Av.)	CV 302
José María Martínez Sánchez Arjona	AY 150
Julio César	AX 152
Júpiter	CX 153
Luis Montoto	CX 160
Marcelino Champagnat	AY 172
Marqués de Paradas (Av.)	AVX 185
Martín Villa	BX 190
Mateos Gago	BX 192
Mesón del Moro	BX 197
Murillo	AV 202
Museo (Pl. del)	AV 205
Navarros	CVX 207
O'Donnell	BV 210
Pascual de Gayangos	AV 220
Pastor Landero	AX 222
Pedro del Toro	AV 227
Pimienta o Susona	BCY 228
Ponce de León (Pl.)	CV 234
Puente y Pellón	BV 242
Puerta de Jerez	BY 243
República Argentina (Av.)	AX 255
Reyes Católicos	AX 260
Rodrigo Caro (Callejón de)	BX 261
Romero Morube	BX 264
Santander	BY 300
Santa Isabel (Pl. de)	CV 296
Santa María La Blanca	CX 297
Santa Marta (Pl. de)	BX 298
Santa Teresa	CX 299
San Gregorio	BY 272
San Juan de la Palma	BV 277
San Pedro (Pl.)	BV 286
San Sebastián (Pl.)	CY 287
Sierpes	BVX
Temprado	BY 304
Tetuán	BX
Tres Cruces (Pl. de las)	CX 306
Triunfo (Pl. del)	BX 307
Velázquez	BCX 310
Venerables (Pl. de los)	BX 312
Virgen de los Reyes (Pl. de la)	BX 324
Viriato	BV 329

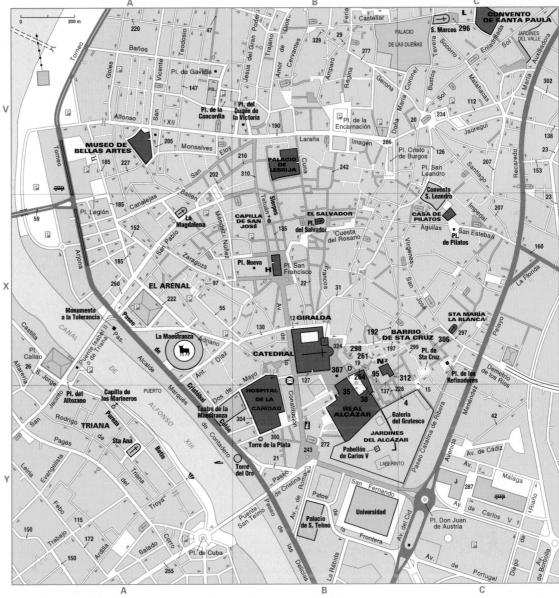

Santa María de Bendones O	5	B 12
Santa María de Besora B	24	F 36
Santa María de Cayón S	7	C 18
Santa María de Corcó B	24	F 37
Santa María de Guía Gran Canaria GC	114	D 1
Santa María de Huerta SO	33	I 23
Santa María de la Alameda M	45	K 17
Santa María de la Isla LE	15	E 12
Santa María de la Vega ZA	15	F 12
Santa María de las Hoyas SO	32	G 20
Santa María de las Lomas CC	56	L 13
Santa María de Llorell GI	39	G 38
Santa María de los Caballeros AV	44	K 13
Santa María de los Llanos CU	59	N 21
Santa María de Mave P	17	D 17
Santa María de Meià L	37	G 32
Santa María de Mercadillo BU	32	G 19
Santa María de Merlès B	24	F 35
Santa María de Mezonzo C	3	C 5
Santa María de Miralles B	37	H 34
Santa María de Nieva AL	96	T 24
Santa María de Ordás LE	15	D 12
Santa María de Palautordera B	38	G 37
Santa María de Redondo P	17	D 16
Santa María de Riaza SG	32	H 19
Santa María de Sando SA	43	J 11
Santa María de Siones BU	8	C 20
Santa María de Tentudía (Santuario de) BA	79	R 10
Santa María de Trassierra CO	81	S 15
Santa María de Valverde ZA	29	G 12
Santa María de Zújar (Ermita de) BA	68	P 12
Santa María del Águila AL	102	V 21
Santa María del Arroyo AV	44	K 15
Santa María del Berrocal AV	44	K 13
Santa María del Camí B	37	H 34
Santa María del Camí Mallorca PM	104	N 38
Santa María del Campo BU	17	F 18
Santa María del Campo Rus CU	60	N 22
Santa María del Cerro SG	46	I 18
Santa María del Cubillo AV	45	J 16
Santa María del Espino GU	47	J 23
Santa María del Invierno BU	18	E 19
Santa María del Mar O	5	B 11
Santa María del Monte de Cea LE	16	E 14
Santa María del Monte del Condado LE	16	D 13
Santa María del Páramo LE	15	E 12
Santa María del Prado SO	33	H 22
Santa María del Puerto O	5	C 11
Santa María del Río LE	16	E 14
Santa María del Tietar AV	57	L 16
Santa María del Val CU	47	K 23
Santa María d'Oló B	38	G 36
Santa María la Real de Nieva SG	45	I 16
Santa María La Real de Oseira (Monasterio) OR	13	E 6
Santa María-Magdalena A	85	Q 27
Santa María-Ribarredonda BU	18	E 20
Santa Marina O	5	C 12
Santa Marina LE	15	E 10
Santa Marina PO	12	D 4
Santa Marina LO	19	F 22
Santa Marina de Somoza LE	15	E 11
Santa Marina de Valdeón LE	6	C 15
Santa Marina del Rey LE	15	E 12
Santa Mariña C	2	C 3
Santa Mariña de Augas Santas OR	13	F 6
Santa Marta BA	67	Q 10
Santa Marta MA	100	W 14
Santa Marta de Magasca CC	56	N 11
Santa Marta de Ortigueira (Ría de) C	3	A 6
Santa Marta de Tera ZA	29	G 12
Santa Marta de Tormes SA	43	J 13
Santa Olaja BU	8	C 20
Santa Olaja LE	16	D 14
Santa Olaja de la Varga LE	16	D 14
Santa Olaja de la Vega P	16	E 15
Santa Olaja TO	57	L 16
Santa Olalla O	5	C 12
Santa Olalla (Sierra de) CC	55	L 9
Santa Olalla de Bureba BU	18	E 19
Santa Olalla de Yeltes SA	43	J 11
Santa Olalla del Cala H	79	S 11
Santa Oliva T	37	I 34
Santa Pau LE	24	F 37
Santa Paula TO	57	M 15
Santa Pelada (Ermita de la) CR	70	P 19
Santa Pellaia GI	25	G 38
Santa Perpètua T	37	H 34
Santa Perpètua B	38	H 36
Santa Pola A	86	R 28
Santa Pola (Cap de) A	86	R 28
Santa Pola de l'Est A	86	R 28
Santa Ponça PM	104	N 37
Santa Quiteria CR	69	O 16
Santa Quiteria TO	57	N 15
Santa Quiteria (Ermita de) TE	49	K 27
Santa Quiteria (Ermita de) GU	48	K 24
Santa Rita AB	71	P 21
Santa Rosa O	5	C 12
Santa Rosa (Casa de) AB	73	P 26
Santa Rosalía MU	85	S 27
Santa Rosalía MA	100	V 16
Santa Sabiña C	2	C 3
Santa Susanna B	38	H 38
Santa Tecla PO	26	G 3
Santa Teresa SA	44	J 13
Santa Teresa CA	98	W 11
Santa Teresa (Embalse de) SA	43	K 13
Santa Teresa (Ermita) MU	84	S 24
Santa Úrsula TF	124	G 2
Santaballa LU	3	C 6
Santacara NA	20	E 25
Santaella CO	93	T 15
Santalavilla LE	14	E 10
Santamera GU	47	I 21
Santander S	8	B 18
Santandria PM	106	M 41
Santanyí PM	105	N 39
Santaolalla GR	95	T 21
Santas (Las) O	13	E 5
Santas Martas LE	16	E 13
Santaya C	3	C 5
Sante O	4	B 9
Sante LU	4	B 8
Santed Z	48	I 25
Santed (Puerto de) Z	48	I 25
Santeles PO	13	D 4
Santelices BU	18	D 18

A B C D E F G H I J K L M N O P Q R S T U V W X Y Z

A B C D E F G H I J K L M N O P Q R S T U V W X Y Z

Santervás *SO* — 32 G 20
Santervás de Campos *VA* — 16 F 14
Santervás de la Vega *P* — 16 E 15
Santes Creus *T* — 37 G 33
Santes Creus (Monestir) *T* — 37 H 34
Santesteban / Doneztebe *NA* — 11 C 24
Santiago *J* — 82 S 17
Santiago *CC* — 54 N 8
Santiago (Ermita de) *CR* — 70 P 19
Santiago (Sierra de) *BA* — 67 O 9
Santiago de Alcántara *CC* — 54 N 8
Santiago de Calatrava *J* — 82 S 17
Santiago de Compostela *C* — 12 D 4
Santiago de la Espada *J* — 83 R 22
Santiago de la Puebla *SA* — 44 J 14
Santiago de la Requejada *ZA* — 15 F 10
Santiago de la Ribera *MU* — 85 S 27
Santiago de Mora *AB* — 73 Q 25
Santiago de Tormes *AV* — 44 L 13
Santiago del Arroyo *VA* — 31 H 16
Santiago del Campo *CC* — 55 N 10
Santiago del Collado *AV* — 44 K 13
Santiago del Monte *O* — 5 B 11
Santiago del Teide Tenerife *TF* — 126 C 3
Santiago Millas *LE* — 15 E 11
Santiagos (Los) *CR* — 70 P 17
Santianes cerca de Tineo *O* — 5 C 10
Santianes cerca de Pravia *O* — 5 B 11
Santianes cerca de Ribadesella *O* — 6 B 14
Santianes cerca de Santo Adriano *O* — 5 C 11
Santibáñez *S* — 7 C 18
Santibáñez *O* — 6 C 13
Santibáñez *LE* — 16 D 13
Santibáñez de Ayllón *SG* — 32 H 20
Santibáñez de Béjar *SA* — 43 K 13
Santibáñez de Ecla *P* — 17 D 16
Santibáñez de Esgueva *BU* — 32 G 18
Santibáñez de la Peña *P* — 17 D 15
Santibáñez de la Sierra *SA* — 43 K 12
Santibáñez de Montes *LE* — 15 E 11
Santibáñez de Porma *LE* — 16 E 13
Santibáñez de Resoba *P* — 17 D 16
Santibáñez de Rueda *LE* — 16 D 14
Santibáñez de Tera *ZA* — 29 G 12
Santibáñez de Valcorba *VA* — 31 H 16
Santibáñez de Vidriales *ZA* — 29 F 11
Santibáñez del Val *BU* — 32 G 19
Santibáñez el Alto *CC* — 55 L 10
Santibáñez el Bajo *CC* — 55 L 11
Santibáñez-Zarzaguda *BU* — 18 E 18
Santidad Gran Canaria *GC* — 115 E 2
Santigosa (Coll de) *GI* — 24 F 36
Santigoso *OR* — 14 E 9
Santillán *P* — 17 E 15
Santillana *AL* — 95 U 21
Santillana (Embalse de) *M* — 45 J 18
Santillana de Castilla *P* — 17 E 16
Santillana del Mar *S* — 7 B 17
Santimamiñe *BI* — 9 B 22
Santiorxo *LU* — 13 E 7
Santiponce *SE* — 91 T 11
Santiscal (El) *CA* — 92 V 12
Santisima Trinidad *NA* — 10 D 24
Santiso *C* — 13 D 5
Santisteban del Puerto *J* — 83 R 20
Santiurde de Reinosa *S* — 7 C 17
Santiurde de Toranzo *S* — 7 C 18
Santiuste *SO* — 32 H 21
Santiuste *GU* — 47 I 21
Santiuste de Pedraza *SG* — 45 I 18
Santiuste de San Juan Bautista *SG* — 45 I 16
Santiz *SA* — 29 I 12
Santo (Ermita del) *CC* — 68 O 12
Santo (Peñon del) *GR* — 101 V 18
Santo Adriano *O* — 5 C 11
Santo Domingo *M* — 46 K 19
Santo Domingo *CO* — 81 S 15
Santo Domingo *SE* — 92 T 13
Santo Domingo *BA* — 66 Q 8
Santo Domingo *Z* — 21 E 27
Santo Domingo (Ermita de) *CC* — 55 N 10
Santo Domingo (Puerto de) *BA* — 79 Q 10
Santo Domingo (Punta y Proís de) La Palma *TF* — 130 B 3
Santo Domingo de Huebra *SA* — 43 K 12
Santo Domingo de la Calzada *LO* — 18 E 21
Santo Domingo de las Posadas *AV* — 45 J 16
Santo Domingo de Moya *CU* — 61 M 25
Santo Domingo de Pirón *SG* — 45 I 18
Santo Domingo de Silos *BU* — 32 G 19
Santo Estevo (Embalse de) *LU* — 14 E 7
Santo Niño (Ermita del) *TO* — 58 M 19
Santo Tomé *LU* — 4 B 8
Santo Tomé *OR* — 13 F 5
Santo Tomé *J* — 83 R 20
Santo Tomé de Rozados *SA* — 43 J 12
Santo Tomé de Zabarcos *AV* — 44 J 15
Santo Tomé del Puerto *SG* — 46 I 19
Santo Toribio de Liébana *S* — 7 C 16
Santolea *TE* — 49 J 28
Santolea (Embalse de) *TE* — 49 J 29
Santomera *MU* — 85 R 26
Santoña *S* — 8 B 19
Santopétar *AL* — 96 T 23
Santopitar *MA* — 101 V 17
Santorcaz *M* — 46 K 20
Santoréns *HU* — 22 E 30
Santos (Ermita de los) *TE* — 50 J 30
Santos (Ermita de los) *CA* — 99 W 12
Santos (Los) *SA* — 43 K 12
Santos (Los) *V* — 61 L 26
Santos (Los) *CO* — 93 T 16
Santos (Sierra de los) *CO* — 80 R 13
Santos (Sierra de los) *BA* — 79 Q 11
Santos de la Humosa (Los) *M* — 46 K 20
Santos de la Piedra (Ermita de los) *TE* — 48 K 25
Santos de Maimona (Los) *BA* — 79 Q 10
Santoseco *O* — 5 B 11
Santotis *BU* — 18 D 19
Santotis *S* — 7 C 16
Santovenia *ZA* — 29 G 12
Santovenia *SG* — 45 J 16
Santovenia de la Valdoncina *LE* — 16 E 13
Santovenia de Oca *BU* — 18 E 19
Santovenia de Pisuerga *VA* — 31 G 15
Santovenia del Monte *LE* — 16 E 13
Santovenia *O* — 6 B 15
Santoyo *P* — 17 F 16
Santullán *S* — 8 B 20
Santurde de Rioja *LO* — 18 E 21
Santurdejo *LO* — 18 E 21
Santurio *O* — 6 B 13
Santurtzi *BI* — 8 B 20
Sanxenxo / Sangenjo *PO* — 12 E 3
Sanxián *PO* — 26 G 3
Sanzo *O* — 4 C 9
Sanzoles *ZA* — 30 H 13
Saornil de Voltoya *AV* — 45 J 16
Sapeira *L* — 22 F 32
Sar *C* — 12 D 4
Sarandón *C* — 13 D 4
Sarasa *NA* — 10 D 24
Saraso *BU* — 19 D 22
Saratxo *VI* — 8 C 20
Saravillo *HU* — 22 E 30
Sarceda *S* — 7 C 16
Sardas *HU* — 21 E 29
Sardina Gran Canaria *GC* — 117 F 4
Sardina (Punta de) Gran Canaria *GC* — 114 C 1
Sardinas *J* — 83 R 20
Sardinero *SE* — 80 S 13
Sardinero (El) *S* — 8 B 18
Sardineros (Los) *V* — 73 N 26
Sardinilla *J* — 82 R 17
Sardiñeiro de Abaixo *C* — 2 D 2
Sardón de Duero *VA* — 31 H 16
Sardón de los Frailes *SA* — 29 I 11
Sarga (Pico de la) *AB* — 83 Q 22
Sargadelos *LU* — 4 B 7
Sargentes de la Lora *BU* — 17 D 18
Sargilla (La) *AB* — 72 Q 23
Sariego *O* — 6 B 13
Sariegos *LE* — 16 E 13
Sariñena *HU* — 35 G 29
Saro *S* — 7 C 18
Sarón *S* — 7 C 18
Sarrablo (Puerto del) *HU* — 21 E 29
Sarracín *BU* — 18 F 18
Sarracín de Aliste *ZA* — 29 G 11
Sarral *T* — 37 H 33
Sarreaus *OR* — 13 F 7
Sarria *LU* — 14 D 7
Sarrià de Ter *GI* — 25 F 38
Sarriés / Sartze *NA* — 11 D 26
Sarrión *TE* — 61 L 27
Sarroca de Bellera *L* — 22 E 32
Sarroca de Lleida *L* — 36 H 31
Sarroqueta *L* — 22 E 32
Sarsa *HU* — 36 G 30
Sarsamarcuello *HU* — 21 F 27
Sartaguda *NA* — 19 E 23
Sartajada *TO* — 57 L 15
Sartze / Sarriés *NA* — 11 D 26
Sarvisé *HU* — 21 E 29
Sarzol *O* — 4 C 9
Sas de Penelas *OR* — 14 E 7
Sasa del Abadiado *HU* — 21 F 29
Sasal *HU* — 21 E 28
Sasamón *BU* — 17 E 17
Sascorz *BU* — 19 D 22
Sásdonigas *LU* — 4 B 7
Sástago *Z* — 35 I 28
Sastres *CR* — 69 O 16
Saturrarán *SS* — 10 C 22
Sau (Pantà de) *B* — 24 G 37
Sauca *GU* — 47 I 22
Saúca (Ermita de) *GU* — 47 K 21
Sauceda *C* — 43 L 10
Sauceda (La) *MA* — 99 W 13
Saucedilla *CC* — 56 M 12
Saucejo (El) *SE* — 92 U 14
Saucelle *SA* — 42 I 9
Sauceral (El) *TO* — 58 N 17
Sauces (Los) La Palma *TF* — 131 D 3
Sauco *AL* — 95 U 22
Saúgo (El) *SA* — 42 K 10
Sauquillo de Boñices *SO* — 33 H 22
Saus *GU* — 25 F 38
Sauvegarde (Pico de) *HU* — 22 D 31
Sauzal (El) Tenerife *TF* — 124 G 2
Savallà del Comtat *T* — 37 H 33
Savina (La) *PM* — 87 P 34
Saviñán *Z* — 34 H 25
Saviñao *LU* — 13 E 7
Sayago (Palazuelo de) *ZA* — 29 H 11
Sayalonga *MA* — 101 V 17
Sayatón *GU* — 47 K 21
Sazadón (Portillo de) *ZA* — 29 G 11
Seadur *OR* — 14 E 8
Seara *LU* — 14 E 8
Seara (A) *OR* — 13 F 5
Seares *O* — 4 B 8
Seavia *C* — 2 C 3
Sebo (Punta del) *H* — 90 U 9
Sebúlcor *SG* — 31 I 18
Seca (La) *SO* — 33 H 21
Seca (La) *VA* — 30 H 15
Seca (La) *LE* — 16 D 13
Secastilla *HU* — 22 F 30
Sedano *BU* — 18 D 18
Sedella *MA* — 101 V 17
Sediles *Z* — 34 H 25
Sedó *L* — 13 D 6
Sedes ... 3 B 5
Segóbriga (Ruinas romanas de) *CU* — 59 M 21
Segorbe *CS* — 62 M 28
Segovia *SG* — 45 J 17
Segoyuela de los Cornejos *SA* — 43 K 11
Segur de Calafell *T* — 37 I 34
Segura *T* — 37 H 33
Segura (Puerto de) *TE* — 49 J 27
Segura de la Sierra *J* — 83 R 22
Segura de Léon *BA* — 79 R 10
Segura de los Baños *TE* — 49 J 27
Segura de Toro *CC* — 56 L 12
Segurilla *TO* — 57 L 15
Seguro (El) *S* — 7 C 18
Seira *HU* — 22 E 31
Seixido *PO* — 13 E 4
Seixo *PO* — 12 E 3
Seixo (O) *PO* — 12 G 3
Seixón *LU* — 3 C 6
Sejas de Aliste *ZA* — 29 G 10
Sel de la Carrera *S* — 7 C 18
Sela *PO* — 13 F 4
Selas *GU* — 47 J 23
Selaya *S* — 7 C 18
Selgas *O* — 5 B 11
Selga *HU* — 36 G 30
Sella *A* — 74 Q 29
Selladores (Casa Forestal de) *J* — 82 Q 18
Sellent *V* — 74 O 28
Selorio *O* — 6 B 13
Selva Mallorca *PM* — 104 M 38
Selva de Mar (La) *GI* — 25 F 39
Selva del Camp (La) *T* — 37 I 33
Selvanera *L* — 37 G 33
Selviella *O* — 5 C 11
Semillas *GU* — 46 I 20
Sena *HU* — 35 G 29
Sena de Luna *LE* — 15 D 12
Senan *T* — 37 H 33
Sencelles *PM* — 104 N 38
Sendadiano *VI* — 18 D 21
Senegüe *HU* — 21 E 28
Senés *AL* — 96 U 22
Senés de Alcubierre *HU* — 35 G 28
Senet *L* — 22 E 32
Senet (Pantà de) *HU* — 22 E 32
Sénia *L* — 50 K 30
Sénia (Riu de la) *CS* — 50 K 31
Senija *A* — 74 P 30
Seno *TE* — 49 J 29
Senra *LE* — 15 D 11
Senterada *L* — 23 F 32
Sentfores *B* — 38 G 36
Sentiu de Sió (La) *L* — 37 G 32
Sentmenat *B* — 38 H 36
Senz *HU* — 22 E 31
Seña *B* — 8 B 19
Señales (Las) *LE* — 6 C 14
Señora *BA* — 66 Q 8
Señorío de Bertiz (Parque natural) *NA* — 11 C 25
Señuela *SO* — 33 H 22
Seo de Urgel / Seu d'Urgell (La) *L* — 23 E 34
Seoane cerca de Fonsagrada *LU* — 4 C 8
Seoane cerca de Monforte *LU* — 14 E 7
Seoane cerca del Puerto El Buey *LU* — 14 E 8
Sepulcro Hilario *SA* — 43 J 11
Sepúlveda *SG* — 32 I 18
Sequera de Fresno *SG* — 32 H 19
Sequera de Haza (La) *BU* — 31 H 18
Sequero (Ermita de) *CC* — 55 M 9
Sequeros *SA* — 43 K 11
Ser *C* — 2 C 3
Serandinas *O* — 4 B 9
Seranillo *CR* — 70 Q 18
Seráns *C* — 12 C 2
Serantes *M* — 58 L 17
Serantes *O* — 4 B 9
Serantes cerca de Ferrol *C* — 3 B 5
Serantes cerca de Melide *C* — 13 D 5
Serena *AL* — 96 U 24
Serena (La) *BA* — 68 P 13
Serín *O* — 5 B 12
Serinyà *GI* — 24 F 38
Serna (La) *P* — 17 E 16
Serna del Monte (La) *M* — 46 I 19
Serón *AL* — 95 T 22
Serón de Nágima *SO* — 33 H 23
Serones (Embalse de) *AV* — 45 J 16
Serós *L* — 36 H 31
Serpos *H* — 79 S 9
Serra *V* — 62 M 28
Serra d'Almos (La) *T* — 50 I 32
Serra de Daró *GI* — 25 F 39
Serra de Outes *C* — 12 D 3
Serra d'en Galceran *CS* — 62 L 29
Serra Perenxisa *V* — 62 N 28
Serracines *M* — 46 K 19
Serrada *VA* — 30 H 15
Serrada (La) *AV* — 44 K 15
Serradell *L* — 23 F 32
Serradero (Punta del) La Palma *TF* — 130 A 3
Serradiel *AB* — 73 O 25
Serradilla *CC* — 56 M 11
Serradilla del Arroyo *SA* — 43 K 10
Serradilla del Llano *SA* — 43 K 10
Serradúy *HU* — 22 F 31
Serramo *L* — 2 C 3
Serrana (Puerto de la) *CC* — 56 M 11
Serranía de Cuenca *CU* — 47 K 23
Serranía de Cuenca (Reserva nacional) *CU* — 60 L 23
Serranillo *SA* — 42 J 9
Serranillo *CR* — 71 P 20
Serranillos *AV* — 44 K 15
Serranillos (Collado de) *AV* — 44 L 15
Serranillos del Valle *M* — 58 L 18
Serranillos Playa *TO* — 57 L 15
Serrano *MU* — 85 R 26
Serrapio *PO* — 13 E 4
Serrejón *CC* — 56 M 12
Serrejón (Sierra de) *CC* — 56 M 12
Serrella (La) *A* — 74 P 29
Serres *C* — 2 D 2
Serreta *MU* — 96 T 24
Serué *HU* — 21 E 28
Serval *GR* — 94 T 17
Serveto *HU* — 22 E 30
Servoi *GI* — 28 F 7
Ses Illetes *PM* — 104 N 37
Ses Meravelles *PM* — 104 N 38
Ses Salines *PM* — 105 N 39
Ses Salines (Cap de) *PM* — 105 O 39
Sésamo *LE* — 14 D 10
Seseña *TO* — 58 L 18
Seseña Nuevo *TO* — 58 L 18
Sesga *V* — 61 L 26
Sesma *NA* — 19 E 23
Sesnández *ZA* — 29 G 11
Sestao *BI* — 8 C 21
Sestorraso *O* — 5 C 10
Sestrica *Z* — 34 H 25
Sesué *HU* — 22 E 31
Setcases *GI* — 24 E 36
Setefilla *SE* — 80 S 13
Setenil (Estación de) *CA* — 92 V 14
Setenil de las Bodegas *CA* — 92 V 14
Seteventos *LU* — 14 D 8
Setiles *GU* — 48 J 25
Seva *B* — 38 G 36
Sevares *O* — 6 B 14
Sever *CC* — 54 N 7
Sevilla *SE* — 91 T 12
Sevilla (Puerto de) *BA* — 67 P 10
Sevilla la Nueva *M* — 45 K 17
Sevilleja *J* — 82 R 18
Sevilleja de la Jara *TO* — 57 N 15
Sevillejas (Sierra de) *TO* — 57 N 15
Sexmiro *SA* — 42 J 9
Sexmo (El) *MA* — 100 V 16
Shangril-La *PM* — 106 M 42
Sía (Puerto de la) *S* — 8 C 19
Sidamón *L* — 36 H 32
Sienes *GU* — 47 I 22
Siero *O* — 5 B 12
Siero de la Reina *LE* — 16 D 15
Sierpe (La) *SA* — 43 K 12
Sierra *AB* — 73 Q 25
Sierra (Faramontanos de la) *ZA* — 15 F 10
Sierra (La) *HU* — 22 E 30
Sierra (La) *AB* — 83 Q 22
Sierra (La) *CA* — 91 V 12
Sierra (Pico de la) *BU* — 32 G 18
Sierra (Villarejo de la) *ZA* — 15 F 10
Sierra Boyera (Embalse de) *CO* — 80 R 14
Sierra Brava (Embalse de) *CC* — 68 O 13
Sierra de Andújar (Parque natural de la) *J* — 82 Q 17
Sierra de Aracena y Picos de Aroche (Parque natural de la) *H* — 79 R 9
Sierra de Baza (Parque natural de la) *GR* — 95 T 21
Sierra de Cobeza Llana *AB* — 84 Q 24
Sierra de España (Parque natural la) *MU* — 85 S 25
Sierra de Fuentes *CC* — 55 N 11
Sierra de Grazalema (Parque natural de la) *CA* — 99 W 13
Sierra de Hornachuelos (Parque natural de la) *CO* — 80 S 13
Sierra de Huétor (Parque natural) *GR* — 94 U 19
Sierra de las Nieves *SE* — 92 V 14
Sierra de Luna *Z* — 21 F 27
Sierra de Tejeda (Reserva nacional de) *MA* — 101 V 18
Sierra de Yeguas *MA* — 93 U 15
Sierra Mágina (Parque natural de la) *J* — 82 S 19
Sierra Mayor (Puerto) — 21 F 27
Sierra Nevada *AN* — 95 U 19
Sierra Nevada (Parque natural la) *GR* — 94 U 19
Sierra Nevada (Reserva nacional de) *GR* — 94 U 19
Sierra Norte de Sevilla (Parque natural de la) *SE* — 80 S 12
Sierro *AL* — 96 U 22
Sieso de Huesca *HU* — 21 F 29
Siesta *PM* — 87 P 34
Siete Aguas *V* — 61 N 27
Siete Iglesias de Trabancos *VA* — 30 H 14
Sieteiglesias *M* — 46 J 19
Sieteiglesias de Tormes *SA* — 44 J 13
Sietes *O* — 6 B 13
Sigena (Monasterio de) *HU* — 36 G 29
Sigeres *AV* — 44 J 15
Sigrás *C* — 3 C 4
Sigüeiro *C* — 3 D 4
Sigüenza *GU* — 47 I 22
Siguero *SG* — 46 I 19
Sigueruelo *SG* — 46 I 19
Sigüés *Z* — 20 E 26
Sigüeya *LE* — 14 E 10
Sil (Gargantas del) *OR* — 13 E 6
Sil (Río) *ESP* — 14 E 7
Silán *L* — 4 B 7
Silanes *BU* — 18 D 20
Sileras *CO* — 94 T 17
Siles *J* — 83 Q 22
Silillos *CO* — 80 S 14
Silillos (Embalse de) *H* — 79 T 9
Silió *S* — 7 C 17
Silladores *J* — 82 Q 18
Silla de Felipe II *M* — 45 K 17
Silla *V* — 74 N 28
Sillar Baja *GR* — 94 T 19
Silleda *PO* — 13 D 5

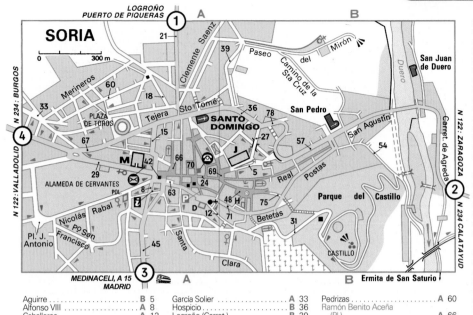

SORIA

LOGROÑO
PUERTO DE PIQUERAS
N 234 : BURGOS
N 122 : VALLADOLID
N 122 : ZARAGOZA
N 234 : CALATAYUD
MEDINACELI, A 15
MADRID
Ermita de San Saturio

Clemente Saenz — Paseo del Mirón — Camino de la Sta Cruz — San Juan de Duero — Merineros — PLAZA DE TOROS — Tejera — Sto Tomé — San Pedro — SANTO DOMINGO — San Agustín — Carret. de Agreda — Real — Postas — Parque del Castillo — CASTILLO — Nicolás Rabal — Po San Francisco — Pl. J. Antonio — Alameda de Cervantes — Santa Clara — Betetas

Aguirre . . . . B 5
Alfonso VIII . . . . A 8
Caballeros . . . . A 12
Campo . . . . A 15
Cardenal Frías . . . . A 18
Casas . . . . A 21
Collado . . . . A 24
Condes de Gómara . . . . B 27
Espolón (Pas. del) . . . . A 29
Fortún López . . . . B 31

García Solier . . . . A 33
Hospicio . . . . A 36
Logroño (Carret.) . . . . B 39
Mariano Granados
  (Pl.) . . . . A 42
Mariano Vicén (Av.) . . . . A 45
Mayor (Pl.) . . . . B 48
Nuestra Señora
  de Calatañazor . . . . B 54
Obispo Augustín . . . . B 57

Pedrizas . . . . A 60
Ramón Benito Aceña
  (Pl.) . . . . A 66
Ramón y Cajal (Pl.) . . . . A 63
San Benito . . . . A 67
San Blás y el Rosel (Pl.) . . . . . . A 69
San Clemente . . . . A 70
San Juan de Rabanera . . . . B 71
Sorovega . . . . B 75
Tirso de Molina . . . . B 78

Silleiro (Cabo) PO 12   F 3
Silleta CC 55   M 10
Silos (Los) H 78   S 9
Silos (Los) Tenerife TF 126   C 3
Sils GI 39   G 38
Silva C 2   C 4
Silva (La) LE 15   E 11
Silván LE 14   E 9
Silvón O 4   B 9
Silvosa C 12   D 3
Silvoso PO 12   E 4
Simancas VA 30   H 15
Simarro (El) CU 72   N 23
Simat de la Valldigna V . . . 74   O 29
Simón AL 96   T 23
Sín HU 22   E 30
Sinarcas V 61   M 26
Sineu PM 105   N 39
Singla MU 84   R 24
Singra TE 48   K 26
Sinlabajos AV 44   I 15
Sinués HU 21   E 28
Sió (El) (Riu) L 37   G 33
Sios LU 13   E 7
Sipán HU 21   F 29
Siresa HU 21   D 27
Siruela BA 69   P 14
Sisamo C 2   C 3
Sisamón Z 47   I 23
Sisante CU 72   N 23
Sisargas (Illas) C 2   B 3
Sisca (Masía de la) TE 49   J 28
Siscar MU 85   R 26
Sistallo LU 4   C 7
Sisterna O 14   D 10
Sistín OR 14   E 7
Sisto LU 3   B 6
Sit (Penya del) A 85   Q 27
Sitges B 38   I 35
Sitrama
  de Trasmonte ZA 29   F 12
Siurana GI 25   F 38
Siurana de Prades T 37   I 32
Sober LU 13   E 7
Sobradelo OR 14   F 8
Sobradiel Z 34   G 26
Sobradillo SA 42   J 9
Sobradillo (El)
  Tenerife TF 125   I 2
Sobradillo
  de Palomares ZA 29   H 12
Sobrado O 5   C 10
Sobrado LE 14   E 9
Sobrado LU 14   D 7
Sobrado OR 14   F 8
Sobrado dos Monxes C . . . 3   C 5

Sobredo LE 14   E 9
Sobrefoz O 6   C 14
Sobrelapeña S 7   C 16
Sobremunt B 24   F 36
Sobrón VI 18   D 20
Socorro (El) SE 92   T 12
Socorro (El) Tenerife TF . 124   H 2
Socorro (El) Tenerife TF . 127   H 3
Socovos AB 84   Q 24
Socuéllamos CR 71   O 21
Sodupe BI 8   C 20
Sofán C 2   C 4
Sofuentes Z 20   E 26
Soga (Punta de la)
  Gran Canaria GC 116   B 3
Sogo ZA 29   H 12
Sograndio O 5   B 12
Sojo VI 8   C 20
Sojuela LO 19   E 22
Sol MU 84   Q 24
Sol MA 94   V 18
Sol (Punta del)
  Tenerife TF 124   G 2
Sol (Valle del) M 45   K 17
Sol i Mar CS 62   L 30
Solán de Cabras CU 47   K 23
Solana CC 56   N 13
Solana (La) AB 72   P 23
Solana (La) CR 71   O 20
Solana (Serra de la) V 73   P 27
Solana de Ávila AV 43   L 13
Solana de los Barros BA . . 67   P 10
Solana de Rioalmar AV . . . 44   J 14
Solana del Pino CR 82   Q 17
Solana del Valle SE 80   S 12
Solanara BU 32   G 19
Solanas
  de Valdelucio BU 17   D 17
Solanazo CR 69   O 16
Solanell L 23   E 34
Solanilla AB 72   P 22
Solanillos
  del Extremo GU 47   J 21
Solares S 8   B 18
Solbeira OR 14   F 8
Solduengo BU 18   E 19
Solera J 82   S 19
Solera (El) L 36   I 32
Soliedra SO 33   H 22
Solipueyo HU 22   E 30
Solius GI 39   G 38
Solivella T 37   H 33
Sollana V 74   O 28
Sollavientos TE 49   K 28

Sollavientos
  (Puerto de) TE 49   K 27
Sóller PM 104   M 38
Sollube B 9   B 21
Sollube (Alto del) BI 9   B 21
Solórzano S 8   B 19
Solosancho AV 44   K 15
Solsía MU 85   Q 26
Solsona L 37   G 34
Solvito CO 94   T 17
Solyplayas
  Fuerteventura GC 111   I 1
Somaén SO 47   I 23
Somanés HU 21   E 27
Sombrera (La)
  Tenerife TF 129   G 4
Somiedo
  (Parque natural de) O . . 5   C 11
Somió O 6   B 13
Somo S 8   B 18
Somolinos GU 32   I 20
Somontín AL 96   T 22
Somosierra M 46   I 19
Somosierra
  (Puerto de) M 46   I 19
Somozas C 3   B 6
Somport (Puerto de) HU . . 21   D 28
Somport (Túnel de) HU . . . 21   D 28
Son L 23   E 33
Son LU 14   D 8
Son Bou PM 106   M 42
Son Carrió PM 105   N 39
Son Ferriol PM 104   N 38
Son Marroig PM 104   M 37
Son Moll PM 105   M 40
Son Moro PM 105   N 40
Son Olivaret PM 106   M 41
Son Sardina PM 104   N 37
Son Serra
  de Marina PM 105   M 39
Son Servera PM 105   N 40
Son Vida PM 104   N 37
Soncillo BU 18   D 18
Sondika BI 8   C 21
Soneja CS 62   M 28
Sonseca TO 64   N 17
Sonsoto SG 45   J 17
Sóo Lanzarote GC 123   D 3
Sopalmo AL 96   U 24
Sopeira HU 37   F 32
Sopelana BI 8   B 21
Soportújar GR 102   V 19
Sopuerta BI 8   C 20
Sor C 3   B 6
Sora B 24   F 36

Soraluze-Placencia
  de las Armas SS 10   C 22
Sorana de Torralba J 83   S 20
Sorbas AL 96   U 23
Sorbeda LE 15   D 10
Sorbeira LE 14   D 9
Sorbito (Estación El) SE . . 92   U 12
Sordillos BU 17   E 17
Sordo MU 85   Q 25
Sordo (El) H 91   U 10
Sorgain-Lastur NA 11   C 25
Soria (Embalse de)
  Gran Canaria GC 116   D 3
Soria (Parador) SO 33   G 22
Soriguera L 23   E 33
Sorihuela SA 43   K 12
Sorihuela
  del Guadalimar J 83   R 20
Sorita AB 49   J 29
Sorlada NA 19   E 23
Sorpe L 23   E 33
Sorre L 23   E 33
Sorriba LE 16   D 14
Sorribos de Alba LE 16   D 13
Sort L 23   E 33
Sorzano LO 19   E 22
Sos (Puerto de) Z 20   E 26
Sos del Rey Católico Z . . . 20   E 26
Soses L 36   H 31
Sot de Chera V 61   N 27
Sot de Ferrer CS 62   M 28
Sotalvo AV 44   K 15
Sotés LO 19   E 22
Sotiel Coronada H 78   T 9
Sotiello cerca de Gijón O . . 5   B 12
Sotiello cerca de Lena O . . 5   C 12
Sotillo SG 32   I 19
Sotillo (El) GU 47   J 22
Sotillo (Sierra de) CR 82   Q 19
Sotillo de la Adrada AV . . . 57   L 16
Sotillo de la Ribera BU . . . 31   G 18
Sotillo
  de las Palomas TO 57   L 15
Sotillo de Sanabria ZA . . . 14   F 9
Sotillo del Rincón SO 33   G 22
Sotillos LE 16   D 14
Soto SO 32   H 20
Soto (El) S 7   C 18
Soto (El) M 46   K 19
Soto de Cangas O 6   B 14
Soto de Caso O 6   C 14

Soto de Cerrato P 31   G 16
Soto de Dueñas O 6   B 14
Soto de la Marina S 7   B 18
Soto de la Vega LE 15   F 12
Soto de los Infantes O 5   B 11
Soto de Luiña O 5   B 11
Soto de Ribera O 5   C 12
Soto de Sajambre LE 6   C 14
Soto de Trevias O 5   B 10
Soto de Viñuelas M 46   K 18
Soto del Barco O 5   B 11
Soto del Real M 45   J 18
Soto en Cameros LO 19   F 22
Soto y Amío LE 15   D 12
Sotobañado
  y Priorato P 17   E 16
Sotoca CU 60   L 22
Sotoca de Tajo GU 47   J 22
Sotodosos GU 47   J 22
Sotogrande CA 99   X 14
Sotojusto PO 12   F 4
Sotón (Río) HU 21   F 28
Sotonera
  (Embalse de) HU 21   F 27
Sotonera (La) HU 21   F 28
Sotopalacios BU 18   E 18
Sotos CU 60   L 23
Sotos del Burgo SO 32   H 20
Sotosalbos SG 45   I 18
Sotoserrano SA 43   K 11
Sotovellanos BU 17   E 17
Sotragero BU 18   E 18
Sotres O 7   C 15
Sotresgudo BU 17   E 17
Sotrondio O 6   C 13
Sotuélamos AB 71   O 22
Sousas OR 28   G 7
Soutelo PO 13   E 5
Soutelo Verde OR 14   F 7
Souto cerca
  de Betanzos C 3   C 5
Souto Toques C 3   D 6
Soutochao OR 28   G 8
Soutolongo PO 13   E 5
Soutomaior PO 12   F 4
Soutopenedo OR 13   F 6
Su L 37   G 34
Suances S 7   B 17
Suano S 17   D 17
Suarbol LE 14   D 9
Suarna LU 4   C 8
Subijana VI 18   D 21
Subirats B 38   H 35
Subiza NA 11   D 24
Sucina MU 85   S 27
Sudanell L 36   H 31
Sueca V 74   O 29
Sueiro O 4   B 9
Suellacabras SO 33   G 23
Suelza (Punta) HU 22   E 30
Suera CS 62   M 28
Sueros de Cepeda LE 15   E 11
Suertes LE 14   D 9
Suevos
  cerca de Carnota C 2   D 2
Suevos
  cerca de La Coruña C . . 3   B 4
Suflí AL 96   T 22
Suido (Sierra del) PO 13   F 4
Sukarrieta B 8   B 21
Sumacàrcer V 74   O 28
Sumoas LU 4   A 7
Sunbilla NA 11   C 24
Sunyer L 36   H 31
Super Molina GI 24   F 35
Suquets L 36   G 31
Sureste
  (Parque regional del) M . 58   L 19
Surp L 23   E 33
Susana C 13   D 4
Susañe LE 15   D 10
Susinos del Páramo BU . . . 17   E 18
Suso
  (Monasterio de) LO 19   F 21
Suspiro del Moro
  (Puerto del) GR 94   U 19
Suterranya L 23   F 32

Tabar NA 11   D 25
Tábara ZA 29   G 12
Tabarca (Illa de) A 86   R 28
Tabayesco
  Lanzarote GC 121   F 3
Tabaza O 5   B 12
Tabeaio C 3   C 4
Tabeirós PO 13   E 4
Tabera de Abajo SA 43   I 11
Tabera de Arriba SA 43   I 11
Tabernanova C 2   C 2
Tabernas AL 96   U 23
Tabernas
  (Rambla de) AL 103   V 22
Tabernas de Isuela HU . . . 21   F 28
Taberno AL 96   T 23
Tablada M 45   J 17
Tablada
  de Villadiego BU 17   E 18
Tablada del Rudrón BU . . . 17   D 18
Tabladillo SG 45   I 16
Tabladillo LE 15   E 11
Tabladillo GU 47   K 21
Tablado (El)
  La Palma TF 130   C 3
Tablado
  (Puerto de) BA 79   R 9
Tablado de Riviella O 5   B 10
Tablas de Daimiel
  (Parque nacional) CR . . 70   O 19
Tablero (El)
  Gran Canaria GC 116   D 4
Tablillas
  (Embalse de) CR 70   Q 17
Tablones (Los) GR 102   V 19
Taboada C 3   B 5
Taboada LU 13   D 6
Taboada dos Freires LU . . 13   D 6
Taboadela OR 13   F 6
Taborno Tenerife TF 125   I 1
Tabuenca Z 34   G 25
Taburiente (Caldera de)
  La Palma TF 130   C 4
Tabuyo del Monte LE 15   F 11
Taca Fuerteventura GC . . 111   G 2
Taco Tenerife TF 125   I 2
Tacones TO 57   M 16
Tacoronte Tenerife TF . . . 124   H 2
Tafalla NA 20   E 24
Tafira Alta
  Gran Canaria GC 115   F 2
Tagamanent B 38   G 36
Taganana Tenerife TF . . . 125   J 1
Tagarabuena ZA 30   H 13
Tagle S 7   B 17
Tagoro O 4
Tahal AL 96   U 23
Tahiche Lanzarote GC . . . 123   E 4
Tahivilla CA 99   X 12
Taialà GI 25   F 38
Taibilla (Embalse de) AB . . 84   R 23
Taibique El Hierro TF . . . 109   D 3
Taja O 5   C 11
Tajahuerce SO 33   G 23
Tajera
  (Embalse de la) GU . . . 47   J 22
Tajo de la Encantada
  (Embalse) MA 100   V 15
Tajo de las Figuras
  (Cuevas del) CA 99   X 12
Tajo-Urtajo
  (Balcón del) M 58   L 19
Tajonar / Taxoare NA 11   D 25
Tajonera TO 59   M 20
Tajoneras (Las) CR 71   Q 20
Tajueco SO 33   H 21
Tajuya La Palma TF 132   C 3
Tala L 12   D 2
Tala (La) SA 44   K 13
Talaies (Les) CS 50   K 31
Talaies
  d'Alcalà (Les) CS 50   K 30
Talamanca B 38   G 35
Talamanca Ibiza PM 87   P 34
Talamanca de Jarama M . . 46   J 19
Talamantes Z 34   G 24
Talamillo del Tozo BU 17   E 18
Talarn L 23   F 32
Talarrubias BA 68   O 14
Talatí de Dalt PM 106   M 42
Talaván CC 55   M 11
Talaván
  (Embalse de) CC 55   M 11
Talave AB 84   Q 24
Talave (Embalse de) AB . . 84   Q 24

A B C D E F G H I J K L M N O P Q R S T U V W X Y Z

A B C D E F G H I J K L M N O P Q R S T U V W X Y Z

Talavera *L*	37	H 34	
Talavera *AL*	95	T 22	
Talavera de la Reina *TO*	57	M 15	
Talavera la Nueva *TO*	57	M 15	
Talavera la Real *BA*	67	P 9	
Talaveruela *CC*	56	L 13	
Talayón *CU*	61	L 25	
Talayón *MU*	97	T 25	
Talayuela *CC*	56	M 13	
Talayuelas *CU*	61	M 26	
Talayuelo *CU*	60	M 23	
Tales *CS*	62	M 29	
Táliga *BA*	66	Q 8	
Talisca Negra (Punta)			
La Gomera TF	118	A 2	
Tallada (La) *GI*	25	F 39	
Tallante *MU*	85	T 26	
Tállara *C*	12	D 3	
Tallón *HU*	21	D 29	
Talltendre *L*	23	E 35	
Talveila *SO*	32	G 21	
Tama *O*	7	C 16	
Tamadaba			
Gran Canaria GC	114	C 2	
Tamadaba (Pinar de)			
Gran Canaria GC	114	C 2	
Tamadite (Punta de)			
Tenerife TF	125	I 1	
Tamaduste *El Hierro TF*	109	E 2	
Tamaguelos *OR*	28	G 7	
Tamaimo *Tenerife TF*	128	C 4	
Tamajón *GU*	46	I 20	
Tamallancos *OR*	13	E 6	
Tamallanes *O*	5	C 10	
Tamame *ZA*	29	I 12	
Tamames *SA*	43	K 11	
Támara *P*	17	F 16	
Tamaraceite			
Gran Canaria GC	115	F 2	
Tamaral (El) *CR*	82	Q 18	

Tamarinda *PM*	106	M 41	
Tamarite de Litera *HU*	36	G 31	
Tamariu *GI*	25	G 39	
Tamariz de Campos *VA*	30	G 14	
Tamayo *V*	73	N 25	
Tambor			
(Monumento al) *TE*	49	I 29	
Tambre *C*	3	D 3	
Tameirón *OR*	28	F 8	
Támoga *LU*	3	C 7	
Tamurejo *BA*	69	P 15	
Tanes (Embalse de) *O*	6	C 13	
Tangel *A*	86	Q 28	
Taniñe *SO*	33	F 23	
Tanorio *PO*	12	E 4	
Tanque (El) *Tenerife TF*	126	C 3	
Tanque del Vidrio			
(Punta del) *Tenerife TF*	129	F 5	
Tañabuyes *BU*	18	F 19	
Tao *Lanzarote GC*	123	D 4	
Tapia (Paso) *NA*	11	D 26	
Tapia de Casariego *O*	4	B 9	
Tapioles *ZA*	30	G 13	
Tàpis *GI*	24	E 38	
Tapuelo (El) *TO*	57	L 16	
Tara *LE*	14	E 9	
Taracena *GU*	46	K 20	
Taradell *B*	38	G 36	
Taragoña *C*	12	D 3	
Taragudo *GU*	46	J 20	
Taraguilla *CA*	99	X 13	
Tarajalejo			
Fuerteventura GC	113	F 4	
Taramay *GR*	101	V 18	
Taramundi *O*	4	B 8	
Tarancón *CU*	59	L 20	
Tarancueña *SO*	32	H 20	
Taranes *O*	6	C 14	

TERUEL

Abadía	Z	2
Amantes	Y	3
Amantes (Pl. de los)	Z	4
Ambeles (Ronda de)	Z	5
Bretón (Pl.)	Z	6
Carlos Castel		
o del Torico (Pl.)	YZ	7
Catedral (Pl. de la)	Z	8
Chantria	Z	9
Comte Fortea	Y	10
Cristo Rey (Pl. de)	Z	12
Dámaso Torán		
(Ronda de)	Y	13
Fray Anselmo		
Polanco (Pl.)	Y	14
General Pizarro	Z	20
Joaquín Costa	Y	15
Miguel Ibáñez	Y	16
Óvalo (Pas.)	Z	18
Pérez Prado (Pl.)	Y	19
Ramón y Cajal	Z	22
Rubio	Y	23
Salvador	Z	24
San Francisco	Z	25
San Juan (Pl.)	Z	27
San Martín	Y	28
San Miguel	Y	29
Temprado	Y	30
Venerable F. de		
Aranda (Pl.)	Y	35
Yagüe de Salas	Y	37

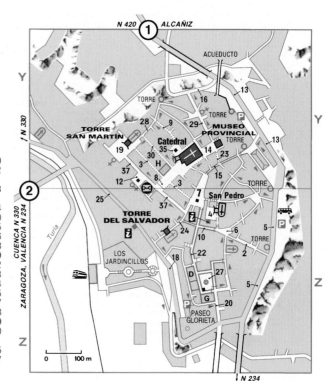

TARRAGONA

Àngels (Pl.)	DZ	2
Baixada de Misericòrdia	DZ	3
Baixada de Toro	DZ	5
Baixada Roser	DZ	8
Cavallers	DZ	9
Civaderia	DZ	10

Coques (Les)	DZ	12
Enginyer Cabestany	CZ	14
López Peláez	CZ	19
Mare de Déu del Claustre	DZ	22
Nova (Rambla)	CDZ	
Pau Casals (Av.)	CZ	27
Pla de la Seu	DZ	29
Pla de Palau	DZ	32
Ponç d'Icart	CZ	33

Portalet	DZ	34
Ramón i Cajal		
(Av.)	CZ	40
Roser (Portal del)	DZ	43
Sant Agustí	DZ	
Sant Antoni (Portal de)	DZ	46
Sant Joan (Pl.)	DZ	52
Unió	CZ	
William J. Bryant	DZ	55

Taranilla *LE*	16	D 15		Teba *MA*	100	V 15	
Taravilla *GU*	47	J 24		Tébar *CU*	60	N 23	
Taray (Laguna del) *TO*	59	N 20		Tebongo *O*	5	C 10	
Tarayuela *TE*	49	K 28		Tebra *PO*	12	F 3	
Tarazona *Z*	34	G 24		Tedín *C*	2	D 2	
Tarazona				Tefia *Fuerteventura GC*	111	H 2	
de Guareña *SA*	44	I 14		Tegueste *Tenerife TF*	124	H 2	
Tarazona				Teguise *Lanzarote GC*	123	E 4	
de la Mancha *AB*	72	O 24		Teià *B*	38	H 36	
Tàrbena *A*	74	P 29		Teide (Pico del)			
Tardáguila *SA*	44	I 13		*Tenerife TF*	127	E 3	
Tardajos *BU*	17	E 18		Teixeira (A) *OR*	14	E 7	
Tardajos de Duero *SO*	33	G 22		Teixeiro *LU*	4	C 7	
Tardelcuende *SO*	33	H 22		Teixeiro *C*	3	C 5	
Tardesillas *SO*	33	G 22		Teixeta (Coll de la) *T*	37	I 32	
Tardienta *HU*	35	G 28		Teja Chueca *CR*	69	O 16	
Tardobispo *ZA*	29	H 12		Tejada *BU*	32	G 19	
Tariego de Cerrato *P*	31	G 16		Tejada *H*	91	T 10	
Tarifa *CA*	99	X 13		Tejadillos *CU*	61	L 25	
Tariquejo *H*	90	T 8		Tejado *SO*	33	H 23	
Tarna *O*	6	C 14		Tejado (El) *SA*	44	K 13	
Tarna (Puerto de) *LE*	6	C 14		Tejados *LE*	15	E 11	
Taroda *SO*	33	H 22		Tejar (El) *CO*	93	U 16	
Tarragolla *MU*	84	S 23		Tejarejo *BA*	67	N 9	
Tarragona *T*	51	I 33		Tejares *SG*	31	H 18	
Tarrasa / Terrassa *B*	38	H 36		Tejares *SA*	43	J 12	
Tàrrega *L*	37	H 33		Tejares Abarca *V*	73	O 26	
Tarrés *L*	37	H 33		Tejeda			
Tarrío *C*	3	C 4		*Gran Canaria GC*	114	D 3	
Tarro (El) *BA*	67	O 9		Tejeda de Tiétar *CC*	56	L 12	
Tarroja de Segarra *L*	37	G 33		Tejeda y Segoyuela *SA*	43	K 11	
Tarrós (El) *L*	37	G 33		Tejeda de Ancares *LE*	14	D 9	
Tartanedo *GU*	48	J 24		Tejedo del Sil *LE*	15	D 10	
Tasarte				Tejera (La) *ZA*	28	G 9	
Gran Canaria GC	116	B 3		Tejerina *LE*	16	D 14	
Tauce (Boca de)				Tejerizas *SO*	33	H 22	
Tenerife TF	128	D 4		Tejina *Tenerife TF*	124	H 2	
Taüll *L*	22	E 32		Tejina *Tenerife TF*	128	C 4	
Taús *L*	23	F 33		Tejo *V*	61	N 27	
Tauste *Z*	34	G 26		Telde			
Tauste (Canal) *Z*	34	G 26		*Gran Canaria GC*	115	G 3	
Tavascan *L*	23	E 33		Tella *HU*	22	E 30	
Tavernes Blanques *V*	62	N 28		Telledo *O*	5	C 12	
Tavernes				Tello *AL*	84	S 23	
de la Valldigna *V*	74	O 29		Tembleque *TO*	58	M 19	
Tavèrnoles *B*	38	G 36		Temerón *CO*	93	T 16	
Tavertet *B*	24	G 37		Temijiraque (Punta de)			
Taxoare / Tajonar *NA*	11	D 25		*El Hierro TF*	109	E 2	
Tazacorte *La Palma TF*	130	B 5		Temiño *BU*	18	E 19	
Tazo *La Gomera TF*	118	B 1		Temple (El) *GR*	94	U 18	
Tazona *AB*	84	R 24		Temple (El) *HU*	35	G 27	
Tazones *O*	6	B 13		Tempul *CA*	99	W 12	
Tazones (Punta de) *O*	6	B 13		Ten-Bel *Tenerife TF*	128	E 5	
Tea *PO*	13	F 4		Tendeñera			
Teatinos (Los) *J*	83	R 20		(Sierra de) *HU*	21	D 29	
Teayo *C*	12	D 3		Tendilla *GU*	46	K 21	

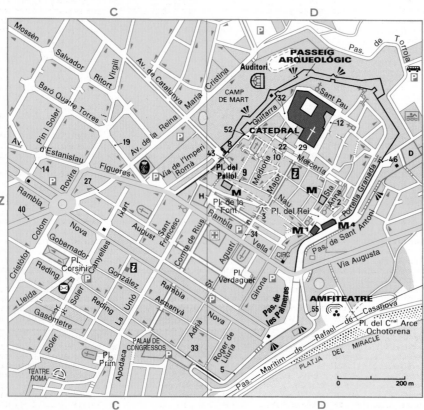

Tenebrón **SA** .... 43 K 10
Tenefé (Punta de)
  Gran Canaria **GC** .... 117 F 4
Teneguía (Volcán de)
  La Palma **TF** .... 132 C 7
Tenerife Sur (Aeropuerto)
  Tenerife **TF** .... 129 F 5
Teno (Punta de)
  Tenerife **TF** .... 126 A 3
Tenoya
  Gran Canaria **GC** .... 115 F 2
Tentudia **BA** .... 79 R 10
Teo **C** .... 12 D 4
Ter (El) (Riu) **GI** .... 24 F 36
Tera **ZA** .... 14 F 9
Tera **SO** .... 33 G 22
Tera (Espejo de) **SO** .... 33 G 22
Terenosa (La) **O** .... 6 C 15
Teresa **CS** .... 62 M 28
Teresa de Cofrentes **V** .... 73 O 26
Térmens **L** .... 36 G 32
Término (El) **SE** .... 92 T 14
Terminón **BU** .... 18 D 19
Teroleja **GU** .... 48 J 24
Teror
  Gran Canaria **GC** .... 115 E 2
Terque **AL** .... 102 V 22
Terrachán **OR** .... 27 G 5
Terrades **GI** .... 25 F 38
Terradets (Pantà del) **L** .... 23 F 32
Terradillos **SA** .... 44 J 13
Terradillos
  de Esgueva **BU** .... 31 G 18
Terradillos
  de los Templarios **P** .... 16 E 15
Terradillos
  de Sedano **BU** .... 17 E 18
Terrassa / Tarrasa **B** .... 38 H 36
Terrateig **V** .... 74 P 29
Terrazas **GU** .... 48 J 24
Terrazas **SO** .... 33 G 22
Terrazos **BU** .... 18 E 19
Terrente **GR** .... 94 T 19
Terreorgaz **CC** .... 55 N 11
Terrer **Z** .... 34 I 24
Terreras (Las) **MU** .... 84 S 24
Terrerazo **V** .... 61 N 26
Terriente **TE** .... 61 L 25
Terriente (Puerto) **TE** .... 61 L 25
Terril **SE** .... 92 U 14
Terrinches **CR** .... 71 Q 21
Terroba **LO** .... 19 F 22
Terrón (El) **H** .... 90 U 8
Tertanga **VI** .... 18 D 20
Teruel **TE** .... 48 K 26
Terzaga **GU** .... 48 J 24
Tesejerague
  Fuerteventura **GC** .... 113 F 4
Tesjuates
  Fuerteventura **GC** .... 111 H 3
Tesoro (Cueva del) **MA** .... 101 V 17
Testa (Sierra de la) **BU** .... 18 D 19
Tetas (El) **SA** .... 47 K 22
Tetas (Las)
  Gran Canaria **GC** .... 116 A 3
Tetica **AL** .... 96 U 22
Tetir *Fuerteventura* **GC** .... 111 H 2
Teulada **A** .... 75 P 30
Teulada **V** .... 62 N 27
Teverga
  (Desfiladero del) **O** .... 5 C 11
Texós **OR** .... 27 G 6
Teza **BU** .... 18 D 20
Tezanos **S** .... 7 C 18
Tharsis **H** .... 78 T 8
Tiagua *Lanzarote* **GC** .... 123 D 4
Tiana **B** .... 38 H 36
Tías *Lanzarote* **GC** .... 123 D 4
Tibi **A** .... 74 Q 28
Tibidabo **B** .... 38 H 36
Tices **AL** .... 95 U 21
Tiebas **NA** .... 11 D 25
Tiedra **VA** .... 30 H 14
Tielmes **M** .... 59 L 20
Tielve **O** .... 6 C 15
Tiemblo (El) **AV** .... 45 K 16
Tiena **GR** .... 94 U 18
Tienda **AB** .... 85 Q 25
Tiendas (Las) **BA** .... 67 P 10
Tienera Vieja (La) **CA** .... 99 W 13
Tierga **Z** .... 34 H 25
Tiermas **Z** .... 20 E 26
Tiermes **SO** .... 32 I 20
Tierra de Campos
  (Mirador de) **P** .... 31 F 16
Tierra del Trigo (La)
  Tenerife **TF** .... 126 C 3

Tierra Negra (Punta de)
  Lanzarote **GC** .... 123 F 4
Tierrantona **HU** .... 22 E 30
Tierz **HU** .... 21 F 28
Tierzo **GU** .... 48 J 24
Tiesa **CO** .... 80 S 13
Tietar del Caudillo **CC** .... 56 L 13
Tigaday *El Hierro* **TF** .... 108 C 2
Tigalate *La Palma* **TF** .... 132 D 6
Tiguerorte *La Palma* **TF** .... 132 D 6
Tijarafe *La Palma* **TF** .... 130 B 4
Tíjola **AL** .... 96 T 22
Tilos (Los) *La Palma* **TF** .... 131 D 3
Time (El)
  Fuerteventura **GC** .... 111 I 2
Time (El) *La Palma* **TF** .... 130 B 5
Tinadas **GU** .... 32 I 20
Tinajas **CU** .... 47 K 22
Tinajeros **AB** .... 72 O 24
Tinajo *Lanzarote* **GC** .... 122 C 3
Tinajones (Los) **J** .... 83 Q 21
Tindaya
  Fuerteventura **GC** .... 111 H 2
Tineo **O** .... 5 C 10
Tinieblas **BU** .... 18 F 19
Tinizara *La Palma* **TF** .... 130 B 4
Tiñor *El Hierro* **TF** .... 109 D 2
Tiñosa (Punta de la)
  Fuerteventura **GC** .... 111 J 2
Tiñosillos **AV** .... 44 J 15
Tiñoso (Cabo) **MU** .... 97 T 26
Tirajana (Embalse de)
  Gran Canaria **GC** .... 117 E 3
Tiraña **O** .... 6 C 13
Tirapu **NA** .... 20 E 24
Tirez (Laguna de) **TO** .... 59 N 19
Tirgo **LO** .... 18 E 21
Tiriez **AB** .... 72 P 23
Tírig **CS** .... 50 K 30
Tiros **ESP** .... 18 F 20
Tiros **BA** .... 68 P 14
Tiros (Sierra de) **BA** .... 68 P 13
Tirteafuera **CR** .... 70 P 17
Tirvia **L** .... 23 E 33
Tiscamanita
  Fuerteventura **GC** .... 113 G 3
Tiscar **J** .... 83 S 20
Tiscar (Puerto de) **J** .... 83 S 20
Titaguas **V** .... 61 M 26
Tito Bustillo
  (Cuevas de) **O** .... 6 B 14
Titulcia **M** .... 58 L 19
Tivenys **T** .... 50 J 31
Tivissa **T** .... 50 I 32
Tivoli World **MA** .... 100 W 16
Tixera (Punta de la)
  Tenerife **TF** .... 128 C 4
Toba **C** .... 2 D 2
Toba (La) **CU** .... 60 L 24
Toba (La) **GU** .... 46 I 21
Toba (La) **GR** .... 93 U 17
Toba de Valdivielso **BU** .... 18 D 19
Tobalina (La) .... 91 U 11
Tobar **BU** .... 17 E 18
Tobar (El) **CU** .... 47 K 23
Tobarra **AB** .... 72 Q 24
Tobaruela **J** .... 82 R 18
Tobed **Z** .... 34 H 25
Tobera **VI** .... 19 D 21
Tobes y Rahedo **BU** .... 18 E 19
Tobía **LO** .... 19 F 21
Tobillas **AB** .... 84 Q 23
Tobillos **GU** .... 47 J 23
Toboso (El) **TO** .... 59 N 21
Tocina **SE** .... 80 T 12
Tocinillos **BA** .... 79 R 10
Todolella (La) **CS** .... 49 K 29
Todosaires **J** .... 94 T 17
Toén **OR** .... 13 F 6
Toga **CS** .... 62 L 28
Tíoiriz **PO** .... 13 D 5
Toja (La) / A Toxa **PO** .... 12 E 3
Tojo (El) **S** .... 7 C 17
Tojos (Los) **S** .... 7 C 17
Tol **O** .... 4 B 9
Tola **ZA** .... 29 G 10
Tolbaños **AV** .... 45 J 16
Tolbaños de Arriba **BU** .... 18 F 20
Toldaos **LU** .... 14 D 8
Toledana (La) **CR** .... 70 O 17
Toledillo **SO** .... 33 G 22
Toledo **TO** .... 58 M 17
Tolibia de Abajo **LE** .... 16 D 13

Tolibia de Arriba **LE** .... 16 D 13
Tolilla **ZA** .... 29 G 11
Tolinas **O** .... 5 C 11
Tolivia **O** .... 6 C 13
Tollón (Laguna del) **CA** .... 91 V 11
Tollos **A** .... 74 P 29
Tolmo
  (Ensenada del) **CA** .... 99 X 13
Tolocirio **SG** .... 45 I 16
Toloriu **L** .... 23 E 34
Tolosa **SS** .... 10 C 23
Tolosa **AB** .... 73 O 25
Tolox **MA** .... 100 V 15
Tolva **HU** .... 22 F 31
Tomares **SE** .... 91 T 11
Tomas Maestre **MU** .... 85 S 27
Tombrio de Abajo **LE** .... 15 D 10
Tomelloso **GU** .... 46 K 21
Tomelloso **CR** .... 71 O 20
Tomillar (El) **SA** .... 44 J 13
Tomillosas
  (Sierra de) **BA** .... 68 Q 12
Tomiño **PO** .... 12 G 3
Tona **B** .... 38 G 36
Tondos **CU** .... 60 L 23
Tonín **LE** .... 6 C 12
Tonosas (Los) **AL** .... 96 T 23
Topas **SA** .... 43 I 13
Toques **C** .... 3 D 6
Tor **L** .... 37 G 34
Toral **L** .... 15 E 12
Toral
  de los Guzmanes **LE** .... 16 F 13
Toral de los Vados **LE** .... 14 E 9
Toranzo **S** .... 34 G 24
Torás **CS** .... 62 M 27
Torás Bejís
  (Estación de) **CS** .... 62 M 27
Torazo **O** .... 6 B 13
Torcal de Antequera
  (Parque Natural) **MA** .... 100 V 16
Torcas
  (Embalse de las) **Z** .... 34 I 26
Torcas (Las) **CU** .... 60 L 24
Torcón
  (Embalse del) **TO** .... 57 N 16
Tordehumos **VA** .... 30 G 14
Tordellego **GU** .... 48 J 24
Tordelpalo **GU** .... 48 J 24
Tordelrábano **GU** .... 47 I 21
Tordera **B** .... 39 G 38
Tordera (La) (Riu) **B** .... 38 G 37
Tordesillas **VA** .... 30 H 14
Tordesilos **GU** .... 48 J 25
Tordillos **SA** .... 44 J 13
Tordoia **C** .... 2 C 4
Tordómar **BU** .... 31 F 18
Tordueles **BU** .... 31 F 18
Torelló **B** .... 24 F 36
Toreno **LE** .... 15 D 10
Torerera (La) **H** .... 78 T 9
Torete **GU** .... 47 J 23
Torija **GU** .... 46 J 20
Toril **CC** .... 56 M 12
Toril **SE** .... 61 L 25
Toril (El) **SE** .... 92 T 13
Torina
  (Embalse de) **S** .... 7 C 18
Torío **LE** .... 6 C 13
Torla **HU** .... 21 E 29
Torlengua **SO** .... 33 H 23
Torme **BU** .... 18 D 19
Tormellas **AV** .... 44 L 13
Tormillo (El) **HU** .... 36 G 29
Tormo (El) **CS** .... 62 L 28
Tormón **TE** .... 61 L 25
Tornos **HU** .... 21 F 27
Tornabous **L** .... 37 G 33
Tornadijo **BU** .... 18 F 19
Tornadizo (El) **SA** .... 43 K 12
Tornadizos de Ávila **AV** .... 45 K 16
Tornafort **L** .... 23 E 33
Tornajo **MU** .... 84 S 24
Tornajuelos **GR** .... 83 S 21
Tornavacas **CC** .... 56 L 12
Tornavacas
  (Puerto de) **CC** .... 56 L 13
Torneiros **OR** .... 27 G 5
Torneiros **LU** .... 4 C 7

La Tornera **GU** .... 46 I 19
Torneros cerca
  de Castrocontrigo **LE** .... 15 F 11
Torneros
  cerca de León **LE** .... 16 E 13
Tornín **O** .... 6 C 14
Torno (El) **CR** .... 70 O 17
Torno (El) **CA** .... 99 W 12
Torno (El) **CC** .... 56 L 12
Tornos **TE** .... 48 J 25
Tornos (Alto de los) **S** .... 8 C 19
Toro **ZA** .... 30 H 13
Toro **OR** .... 14 F 7
Toro (El) **H** .... 78 S 9
Toro (El) *Castelló* **CS** .... 61 M 27
Toro (El) *Mallorca* **PM** .... 104 N 37
Toro (Mont) **PM** .... 106 M 42
Torongil **MA** .... 67 N 10
Toros de Guisando **AV** .... 45 K 16
Torote (Arroyo de) **ESP** .... 45 K 19
Torozo (Sierra del) **CR** .... 69 P 16
Torozo (Sierra del) **BA** .... 69 P 14
Torquemada **P** .... 31 F 17
Torralba **CU** .... 60 L 23
Torralba cerca
  de Mecinaceli **SO** .... 47 I 22
Torralba
  cerca de Soria **SO** .... 33 H 23
Torralba de Aragón **HU** .... 35 G 28
Torralba
  de Calatrava **CR** .... 70 O 18
Torralba de los Frailes **Z** .... 48 I 25
Torralba
  de los Sisones **TE** .... 48 J 25
Torralba de Oropesa **TO** .... 57 M 14
Torralba de Ribota **Z** .... 34 H 24
Torralba del Burgo **SO** .... 32 H 21
Torralba del Pinar **CS** .... 62 M 28
Torralba del Río **NA** .... 19 E 23
Torralbilla **Z** .... 48 I 25
Torraño **SO** .... 32 H 20
Torrano / Dorrao **NA** .... 10 D 23
Torre cerca de Villalba **LU** .... 3 C 6
Torre (Brazo de la) **SE** .... 91 U 11
Torre (La) **AV** .... 44 K 15
Torre (La) **MU** .... 85 R 25
Torre (La) **CA** .... 92 V 12
Torre (La) cerca
  de Losilla de Aras **V** .... 61 M 26
Torre (La) cerca
  de Utiel **V** .... 61 M 26
Torre (Rambla de la) **A** .... 86 Q 28
Torre Abraham
  (Embalse) **CR** .... 70 N 17
Torre Alháquime **CA** .... 92 V 14
Torre Alta **MU** .... 85 R 26
Torre Alta **V** .... 61 L 26
Torre Arboles **CO** .... 81 S 15
Torre Cardela **GR** .... 94 T 19
Torre Castiel **TE** .... 49 J 29
Torre Cerredo **LE** .... 6 C 15
Torre de Alcotas **TE** .... 61 M 27
Torre de Arcas **TE** .... 50 J 29
Torre de Babia **LE** .... 5 D 11
Torre
  de Benagalbón **MA** .... 101 V 17
Torre de Cabdella (La) **L** .... 23 E 32
Torre
  de Claramunt (La) **B** .... 37 H 34
Torre de Cullera (La) **V** .... 74 O 29
Torre de Don Miguel **CC** .... 55 L 10
Torre de Esgueva **VA** .... 31 G 17
Torre de Esteban
  Hambrán (La) **TO** .... 58 L 17
Torre de Fluvià (La) **L** .... 37 G 32
Torre
  de Fontaubella (La) **T** .... 51 I 32
Torre de Juan Abad **CR** .... 71 Q 20
Torre de la Higuera **H** .... 91 U 10
Torre de la Horadada **A** .... 85 S 27
Torre de la Reina **SE** .... 91 T 11
Torre de la Sal **CS** .... 63 L 30
Torre de la Vall **H** .... 74 O 29
Torre de las Arcas **TE** .... 49 J 27
Torre
  de les Maçanes (La) **A** .... 74 Q 28
Torre
  de l'Espanyol (La) **T** .... 36 I 31
Torre de Miguel
  Sesmero **BA** .... 67 Q 9
Torre de Oristà (La) **B** .... 38 G 36
Torre de Peña **NA** .... 20 E 26
Torre de Peñafiel **SG** .... 31 H 17
Torre de Pinet **A** .... 74 P 28

Torre
  de Santa María **CC** .... 68 O 11
Torre del Águila **SE** .... 92 U 12
Torre del Águila
  (Embalse de) **SE** .... 92 U 12
Torre del Bierzo **LE** .... 15 E 11
Torre del Burgo **GU** .... 46 J 20
Torre del Campo **J** .... 82 S 18
Torre del Compte **TE** .... 50 J 30
Torre del Mar **MA** .... 101 V 17
Torre del Oro **H** .... 91 U 9
Torre del Rei **CS** .... 63 L 30
Torre del Río Real **MA** .... 100 W 15
Torre del Valle (La) **ZA** .... 15 F 12
Torre
  d'en Besora (La) **CS** .... 50 L 29
Torre
  d'en Doménec (La) **CS** .... 62 L 30
Torre en Cameros **LO** .... 19 F 22
Torre Gorda **CA** .... 98 W 11
Torre la Cárcel **TE** .... 48 K 26
Torre la Ribera **HU** .... 22 E 31
Torre los Negros **TE** .... 48 J 26
Torre Pacheco **MU** .... 85 S 27
Torre Pedro **J** .... 84 Q 23
Torre-saura **PM** .... 106 M 41
Torre-serona **L** .... 36 G 31
Torre-solí Nou **PM** .... 106 M 42
Torre Tallada **J** .... 73 P 27
Torre Uchea **AB** .... 84 Q 25
Torre Val
  de San Pedro **SG** .... 45 I 18
Torreadrada **SG** .... 31 H 18
Torreagüera **MU** .... 85 S 26
Torrealba
  (Ermita de) **CC** .... 67 N 11
Torreandaluz **SO** .... 33 H 21
Torrearévalo **SO** .... 33 G 22
Torrebaja **V** .... 61 L 26
Torrebarrio **LE** .... 5 C 12
Torrebeleña **GU** .... 46 J 20
Torrebesses **L** .... 36 H 31
Torreblacos **SO** .... 32 G 21
Torreblanca **CS** .... 63 L 30
Torreblanca
  de los Caños **SE** .... 92 T 12
Torreblanca del Sol **MA** .... 100 W 16
Torreblascopedro **J** .... 82 S 19
Torrebuceit **CU** .... 60 M 22
Torrec **L** .... 37 G 33
Torrecaballeros **SG** .... 45 J 17
Torrecampo **CO** .... 81 Q 15
Torrecera **CA** .... 99 W 12
Torrechiva **CS** .... 62 L 28
Torrecica (La) **AB** .... 72 O 24
Torrecilla **CR** .... 70 P 18
Torrecilla **MA** .... 100 V 14
Torrecilla de Alcañiz **TE** .... 50 J 29
Torrecilla
  de la Abadesa **VA** .... 30 H 14
Torrecilla de la Jara **TO** .... 57 M 15
Torrecilla de la Orden **VA** .... 30 I 14
Torrecilla de la Torre **VA** .... 30 H 14
Torrecilla
  de los Ángeles **CC** .... 55 L 10
Torrecilla de Valmadrid **Z** .... 35 H 27
Torrecilla
  del Ducado **GU** .... 47 I 22
Torrecilla del Monte **BU** .... 32 F 18
Torrecilla del Pinar **SG** .... 31 H 17
Torrecilla del Pinar **GU** .... 47 J 23
Torrecilla
  del Rebolar **TE** .... 48 J 26
Torrecilla del Valle **VA** .... 30 H 14
Torrecilla
  en Cameros **LO** .... 19 F 22
Torrecillas **CO** .... 93 T 15
Torrecillas
  cerca de Badajoz **BA** .... 67 P 9
Torrecillas (Las)
  cerca de Mengaloril **BA** .... 68 P 12
Torrecillas
  de la Tiesa **CC** .... 56 N 12
Torreciertos **BU** .... 31 G 18
Torreciudad **HU** .... 22 F 30
Torrecuadrada
  de los Valles **GU** .... 47 J 22
Torrecuadrada
  de Molina **GU** .... 48 J 24
Torrecuadradilla **GU** .... 47 J 22
Torrecuadros **H** .... 91 U 10
Torredembarra **T** .... 37 I 34
Torredonjimeno **J** .... 82 S 18
Torrefarrera **L** .... 36 G 31
Torrefeta **L** .... 37 G 33
Torrefrades **ZA** .... 29 H 11

Torrefresneda **BA** .... 67 P 11
Torrefuente **CU** .... 61 L 25
Torregalindo **BU** .... 32 H 18
Torregamones **ZA** .... 29 H 11
Torregrossa **L** .... 36 H 32
Torrehermosa **Z** .... 33 I 23
Torreiglesias **SG** .... 45 I 17
Torrejón **CC** .... 66 N 8
Torrejón
  de la Calzada **M** .... 58 L 18
Torrejón de Velasco **M** .... 58 L 18
Torrejón del Rey **GU** .... 46 K 19
Torrejón el Rubio **CC** .... 56 M 11
Torrejón-Tajo
  (Embalse de) **CC** .... 56 M 12
Torrejón-Tiétar
  (Embalse de) **CC** .... 56 M 12
Torrejoncillo **CC** .... 55 M 10
Torrejoncillo del Rey **CU** .... 59 L 22
Torrelaguna **M** .... 46 J 19
Torrelameu **L** .... 36 G 32
Torrelapaja **Z** .... 33 H 24
Torrelara **BU** .... 18 F 19
Torrelavandeira **C** .... 3 C 5
Torrelavega **S** .... 7 B 17
Torrelavit **B** .... 37 H 35
Torrelengua **CU** .... 59 M 21
Torrelengua **SE** .... 92 U 12
Torrellano **A** .... 86 R 28
Torrelles **B** .... 34 G 24
Torrelles de Foix **B** .... 37 H 34
Torrelles de Llobregat **B** .... 38 H 35
Torrelobatón **VA** .... 30 H 14
Torrelodones **M** .... 45 K 18
Torremayor **BA** .... 67 P 10
Torremegía **BA** .... 67 P 10
Torremelgarejo **CA** .... 91 V 11
Torremendo **A** .... 85 S 27
Torremenga **CC** .... 56 L 12
Torremocha **CC** .... 67 N 11
Torremocha
  de Ayllón **SO** .... 32 H 20
Torremocha
  de Jadraque **GU** .... 46 I 21
Torremocha
  de Jarama **M** .... 46 J 19
Torremocha de Jiloca **TE** .... 48 K 26
Torremocha
  del Campo **GU** .... 47 J 22
Torremocha
  del Pinar **GU** .... 47 J 23
Torremochuela **GU** .... 48 J 24
Torremolinos **MA** .... 100 W 16
Torremontalbo **LO** .... 19 E 21
Torremormojón **P** .... 30 G 15
Torrenostra **CS** .... 63 L 30
Torrent **GI** .... 25 G 39
Torrent **V** .... 62 N 28
Torrente de Cinca **HU** .... 36 H 31
Torrenueva **CR** .... 71 Q 19
Torrenueva **GR** .... 101 V 19
Torrenueva **MA** .... 100 W 15
Torrepadre **BU** .... 31 F 18
Torreparedones **CO** .... 81 S 16
Torreperogil **J** .... 83 R 20
Torrequebradilla **J** .... 82 S 19
Torrequemada **CC** .... 67 N 11
Torres **NA** .... 11 D 25
Torres **J** .... 82 S 19
Torres (Las) **Z** .... 34 H 26
Torres (Las) **SA** .... 43 J 13
Torres Cabrera **CO** .... 81 S 15
Torres de Albánchez **J** .... 83 Q 21
Torres
  de Albarracín **TE** .... 48 K 25
Torres de Alcanadre **HU** .... 35 G 29
Torres de Aliste (Las) **ZA** .... 29 G 11
Torres de Barbués **HU** .... 35 G 28
Torres
  de Cotillas (Las) **MU** .... 85 R 26
Torres de la Alameda **M** .... 46 K 19
Torres de Montes **HU** .... 21 F 29
Torres de Segre **L** .... 36 H 31
Torres del Carrizal **ZA** .... 29 H 12
Torres del Obispo **HU** .... 22 F 31
Torres del Río **NA** .... 19 E 23
Torres-Torres **V** .... 62 M 28
Torresandino **BU** .... 31 G 18
Torresaviñán (La) **GU** .... 47 J 22
Torrescárcela **VA** .... 31 H 17
Torresmenudas **SA** .... 43 I 12
Torrestio **LE** .... 5 C 11
Torresuso **SO** .... 32 H 20
Torreta de l'Orri **L** .... 23 E 33
Torrevelilla **TE** .... 50 J 29

A B C D E F G H I J K L M N O P Q R S **T** U V W X Y Z

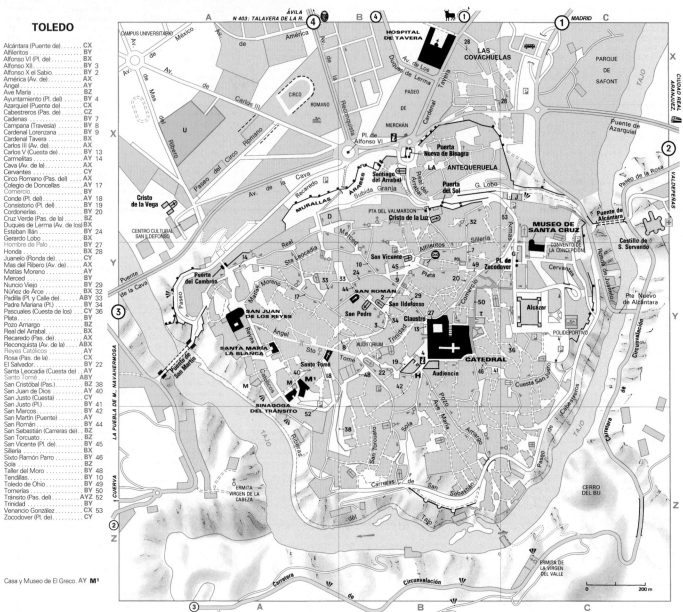

A B C D E F G H I J K L M N O P Q R S T U V W X Y Z

Trigueros H.......... 90 T 9
Trigueros
  del Valle VA....... 31 G 16
Trijueque GU........ 46 J 21
Trillo GU.............. 47 J 22
Trincheto (El) CR... 70 O 17
Trinidad (La) SE.... 92 T 13
Triollo P............... 17 D 15
Triongo O................6 B 14
Triquivijate
  Fuerteventura GC...... 111 H 3
Triste HU............. 21 E 27
Trobajo LE........... 16 E 13
Trobal (El) SE....... 91 U 12
Trobo
  cerca de Cospeito LU....3 C 7
Trobo (O)
  cerca de Fonsagrada LU..4 C 8
Tronceda C........... 13 D 5
Troncedo HU........ 22 F 30
Troncedo O..............5 B 11
Tronchón TE......... 49 K 28
Trubia O.................5 B 12
Truchas LE........... 15 F 10
Truchillas LE........ 15 F 10
Trucios-Turtzioz BI....8 C 20
Trujillanos BA....... 67 P 11
Trujillo CC........... 56 N 12
Tubilla del Agua BU.. 17 D 18
Tubilla del Lago BU.. 32 G 19
Tubilleja BU......... 18 D 18
Tuca L................. 22 D 32
Tuda (La) ZA........ 29 H 12
Tudanca S...............7 C 16
Tudela NA............ 20 F 25
Tudela GI............. 25 F 39
Tudela Agüeria O....5 C 12
Tudela de Duero VA.. 31 H 16
Tudela de Segre L... 37 G 33
Tudelilla LO.......... 19 F 23
Tudera ZA............ 29 H 11
Tuéjar V.............. 61 M 26
Tuela ZA.............. 14 F 9
Tuelas (Los) MU.... 85 S 25
Tuerto LE............. 15 E 11
Tuesta VI............. 18 D 20
Tufiones C..............2 C 2
Tui PO................. 12 F 4
Tuilla O.................6 C 13
Tuineje
  Fuerteventura GC.... 113 G 4
Tuiriz LU.............. 13 E 7
Tuiza O..................5 C 12
Tujena H.............. 91 T 10
Tulebras NA......... 34 G 24
Tumbalejo (El) H.... 91 T 10
Tumbo U................4 C 7
Tuna (Sa) GI......... 25 G 39
Túnez Tenerife TF.. 128 E 5
Tuña O...................5 C 10
Tuñón O.................5 C 12
Turbón HU........... 22 E 31
Turca GR............. 94 U 17
Turces C.............. 13 D 5
Turcia LE............. 15 E 12
Turégano SG........ 45 I 17
Turieno S...............7 C 16
Turienzo Castañero LE.. 15 E 10
Turillas AL........... 96 U 23
Turillas (Peñón de) AL.. 96 U 23
Turís V................ 74 N 27
Turleque TO......... 58 N 19
Turmell (El) CS...... 50 K 30
Turmiel GU.......... 47 I 23
Turó de l'Home B... 38 G 37
Turón O..................5 C 12
Turón GR............. 102 V 20
Turones SA........... 42 J 9
Turquillas (Las) SE.. 92 T 14
Turra de Alba SA.... 44 J 13
Turre AL.............. 96 U 24
Turrilla AB........... 84 R 23
Turrilla MU.......... 84 S 24
Turrillas AL.......... 96 U 23
Turro (El) GR........ 94 U 18
Turrubuelo SG...... 32 I 19
Turruncún LO....... 19 F 23
Tús AB................ 84 Q 22
Tús (Balneario de) AB.. 84 Q 22
Txindoki (Pico) SS.. 10 C 23

U

Úbeda A............... 85 Q 27
Úbeda J............... 82 R 19
Ubide BI................9 C 21
Ubierna BU.......... 18 E 18

Ubiña (Peña) LE......5 C 12
Ubrique CA.......... 99 V 13
Úcar NA............... 11 D 24
Uceda GU............ 46 J 19
Ucedo LE............. 15 E 11
Ucero SO............. 32 G 20
Uces (Las) SA....... 43 I 10
Ucieda S................7 C 17
Uclés CU............. 59 M 21
Udalla S................8 C 19
Udra (Cabo de) PO.. 12 E 3
Uga Lanzarote GC... 122 C 4
Ugao-Miraballes BI....8 C 21
Ugarteberri SS...... 10 C 23
Ugena TO............ 58 L 18
Uges C...................3 C 4
Ugíjar GR............ 102 V 20
Uharte / Huarte NA.. 11 D 25
Uharte-Arakil NA... 10 D 24
Uitzi NA............... 10 C 24
Uitzi (Alto) NA....... 10 C 24
Ujados GU........... 32 I 20
Ujo O.....................5 C 12
Ujué NA............... 20 E 25
Ulea MU.............. 85 R 26
Uleila del Campo AL.. 96 U 23
Uliibarri NA.......... 19 D 23
Ullà GI................. 25 F 39
Ulla (Río) C.......... 13 D 4
Ullastrell B........... 38 H 35
Ullastret GI.......... 25 F 39
Ulldecona T.......... 50 K 31
Ulldemolins T........ 37 I 32
Ullíbarri (Embalse de) VI.. 19 D 22
Ullíbarri-Arrazua VI.. 19 D 22
Ullíbarri-Gamboa VI.. 19 D 22
Ulloa (La) C............3 D 6
Ultramort GI......... 25 F 39
Ultzama NA.......... 11 C 24
Ulzurrun (Puerto de) NA.. 10 D 24
Umbralejo GU....... 46 I 20
Umbrete SE.......... 91 T 11
Umbría TE............ 49 K 28
Umbría MU.......... 84 S 24
Umbría GR........... 95 V 20
Umbría (La) H....... 79 S 10
Umbría
  (Sierra de la) GR.. 84 S 22
Umbría
  de Fresnedas CR.. 70 Q 19
Umbría
  de las Lomas MU.. 84 S 24
Umbría del Oso CU.. 60 L 25
Umbrías AV.......... 43 L 13
Umbrías MU......... 97 T 25
Umia PO.............. 13 E 4
Uncastillo Z.......... 20 E 26
Uncití NA............. 11 D 25
Undués de Lerda Z.. 20 E 26
Undués-Pintano Z... 20 E 26
Undurraga BI..........9 C 21
Ungilde ZA........... 28 F 10
Unión (La) MU...... 85 T 27
Unión
  de Campos (La) VA.. 30 F 14
Universales (Montes) TE.. 48 K 24
Unquera S...............7 B 16
Uña CU................ 60 L 24
Uña (La) LE............6 C 14
Uña de Quintana ZA.. 29 G 11
Urbanova A........... 86 R 28
Urbasa (Puerto de) NA.. 19 D 23
Urbel del Castillo BU.. 17 E 18
Urberuaga BI........ 10 C 22
Urbies O.................6 C 12
Urbión (Monte) SG.. 32 F 21
Urbión (Reserva
  nacional de) SG.... 33 G 21
Urbión (Sierra de) SO.. 33 G 21
Urcal AL.............. 96 T 24
Urculu AL............. 11 C 26
Urda TO............... 70 N 18
Urdaburu (Monte) SS.. 10 C 24
Urdaitz / Urdániz NA.. 11 D 25
Urdanta LO........... 18 F 21
Urdazubi / Urdax NA.. 11 C 25
Urdelar SS............ 10 C 24
Urdiales del Páramo LE.. 15 E 12
Urdian NA............ 19 D 23
Urdilde C............. 12 D 3
Urdués HU........... 21 D 27
Urduliz BI..............8 B 21
Ures GU............... 47 I 21

Ures de Medina SO.. 47 I 23
Urgell
  (Canal auxiliar d') L.. 37 G 32
Urgell (Canal d') L... 37 G 33
Urgón CR............. 70 Q 17
Uria (Sierra de) LU....4 C 9
Uribarri-Dibiña VI... 19 D 21
Urigoiti BI..............9 C 21
Uritz / Úriz NA....... 11 D 25
Uriz LU..................3 C 7
Úriz / Uritz NA....... 11 D 25
Urmella HU.......... 22 E 31
Urmi CS............... 50 K 31
Urnieta SS............ 10 C 24
Urones
  de Castroponce VA.. 16 F 14
Uroz NA............... 11 D 25
Urquiola (Puerto) BI.. 10 C 22
Urracal AL............ 96 T 22
Urraca-Miguel AV... 45 J 16
Urrea de Gaén TE... 49 I 28
Urrea de Jalón Z.... 34 H 26
Urrestieta-Avellaneda BI.. 8 C 20
Urrestilla SS......... 10 C 23
Urretxu SS............ 10 C 23
Urrexola SS........... 10 C 22
Urrez BU.............. 18 F 19
Urria GI............... 18 D 19
Urriello (Vega de) O....6 C 15
Urriés Z............... 20 E 26
Urrotz NA............. 11 C 24
Urroz-Villa NA....... 11 D 25
Urrutias (Los) MU.. 85 S 27
Urtasun NA........... 11 D 25
Urtx GI................ 24 E 35
Urtza GI............... 24 E 35
Urueña VA............ 30 G 14
Urueñas SG........... 32 I 18
Urueña (La) LE....... 16 D 13
Urús GI................ 24 E 35
Urz (La) LE........... 15 D 12
Urzainqui NA......... 11 D 27
Usagre BA............ 79 Q 11
Usana HU............. 22 E 30
Usanos GU........... 46 J 20
Useras CC............ 56 L 12
Usi NA................. 11 D 24
Uskartze / Uscarrés NA.. 11 D 26
Ustés NA.............. 11 D 26
Usón HU.............. 35 G 29
Usún NA............... 11 D 26
Usurbil SS............ 10 C 23
Utande GU........... 46 J 21
Utebo Z............... 35 G 27
Uterga NA............ 10 D 24
Utiel V................. 61 N 26
Utrera SE............. 92 U 12
Utrera BA............. 68 P 12
Utrilla SO............. 33 I 23
Utrillas TE............ 49 J 27
Utxesa (Pantà d') L.. 36 H 31
Uznayo S................7 C 16
Uzquiano BU......... 19 D 21
Uztárroz / Uztarroze NA.. 11 D 27
Uztarroze / Uztárroz NA.. 11 D 27

V

Vaca (La) H.......... 78 S 7
Vacar (El) CO........ 81 R 15
Vacarisses B.......... 38 H 35
Vadiello
  (Embalse de) HU.. 21 F 29
Vadillo SO............ 32 G 20
Vadillo
  de la Guareña ZA.. 30 I 13
Vadillo de la Sierra AV.. 44 K 14
Vadillos LO........... 19 F 22
Vado
  (Embalse de El) GU.. 46 I 20
Vado Baena A........ 82 S 17
Vado del Álamo MA.. 100 V 15
Vadocondes BU..... 32 H 19
Vadofresno CO...... 93 U 15
Vadollano
  (Estación de) J..... 82 R 19
Vados (Los) MA..... 101 V 17
Vados de Torralba J.. 82 S 19
Vajol (La) GI......... 25 E 38

Val C.....................3 B 5
Val
  (Embalse de El) Z.. 34 G 24
Val (Río) SO......... 34 G 24
Val de Castillo LE... 16 D 14
Val de la Sabina V... 61 L 26
Val de San García GU.. 47 J 22
Val de San Lorenzo LE.. 15 E 11
Val de San Martín Z.. 48 I 25
Val de San Román LE.. 15 E 11
Val de Santa María ZA.. 29 G 11
Val de Santo Domingo TO.. 58 L 17
Valacloche TE........ 61 L 26
Valadares C............2 D 3
Valadares PO........ 12 F 3
Valadouro LU..........4 B 7
Valareña Z............ 20 F 26
Valberzoso P......... 17 D 17
Valboa PO............ 13 D 4
Valbona TE........... 61 L 27
Valbonilla BU........ 17 F 17
Valbuena SA......... 43 K 12
Valbuena de Duero VA.. 31 H 17
Valbuena
  de Pisuerga P...... 17 F 17
Valbueno GU........ 46 K 20
Valbuxán OR......... 14 F 8
Valcabadillo P....... 16 E 15
Valcabado ZA........ 29 H 12
Valcabra
  (Rambla de) GR.... 95 T 21
Valcaliente CC....... 56 N 12
Valcarce (Moral de) LE.. 14 E 9
Valcárceres (Los) BU.. 17 E 18
Valcarlos / Luzaide NA.. 11 C 26
Valcavado LE........ 15 F 12
Valchillón CO........ 81 S 15
Valcotos M............ 45 J 18
Valcovero P........... 16 D 15
Valdajos TO.......... 59 L 20
Valdanzo SO......... 32 H 19
Valdanzuelo SO..... 32 H 19
Valdaracete M....... 59 L 20
Valdarachas GU..... 46 K 20
Valdastillas CC....... 56 L 12
Valdavida LE......... 16 E 14
Valde-Ucieza P...... 17 E 16
Valdeagorfa TE...... 50 J 29
Valdeajos BU........ 17 D 18
Valdealbín SO....... 32 G 20
Valdealcón LE....... 16 E 14
Valdealiso LE........ 16 E 14
Valdealvillo SO...... 32 H 21
Valdeande BU....... 32 G 19
Valdearcos VA....... 31 H 17
Valdearcos LE....... 16 E 13
Valdearenas GU..... 46 J 21
Valdeavellano GU... 46 J 21
Valdeavellano
  de Tera SO.......... 33 G 22
Valdeavellano
  de Ucero SO........ 32 G 20
Valdeavero M........ 46 K 20
Valdeaveruelo GU... 46 K 20
Valdeazogues CR.... 69 P 16
Valdeazores TO...... 57 N 15
Valdebótoa BA....... 67 P 9
Valdecaballeros BA.. 69 O 14
Valdecabras CU..... 60 L 23
Valdecabrillas CU... 60 L 22
Valdecañas CR....... 70 P 18
Valdecañas CU....... 60 L 23
Valdecañas (Centro
  Agronómico de) TO.. 56 L 14
Valdecañas
  (Embalse de) CC.... 56 M 13
Valdecañas de Tajo CC.. 56 M 13
Valdecarpinteros SA.. 43 K 10
Valdecarros SA...... 44 J 13
Valdecasa AV........ 44 K 14
Valdecazorla J....... 83 S 20
Valdecebro TE....... 49 K 26
Valdecevillo
  (Yacimientos de) LO.. 19 F 23
Valdecilla S............8 B 18
Valdecolmenas
  de Abajo CU........ 60 L 22
Valdecolmenas
  de Arriba CU........ 60 L 22
Valdeconcha GU..... 46 K 21
Valdeconejos TE..... 49 J 27
Valdecuenca TE...... 61 L 25

Valdecuenca
  (Puerto de) TE...... 61 L 25
Valdecuna O............5 C 12
Valdedíos O.............6 B 13
Valdedo O...............4 B 9
Valdefinjas ZA....... 30 H 13
Valdeflores SE....... 79 S 10
Valdefresno LE...... 16 E 13
Valdefuentes CC.... 67 O 11
Valdefuentes
  (Santuario de) CC.. 55 L 11
Valdefuentes
  de Sangusín SA.... 43 K 12
Valdefuentes
  del Páramo LE...... 15 F 12
Valdeganga AB...... 72 O 24
Valdeganga
  de Cuenca CU...... 60 M 23
Valdegeña SO........ 33 G 23
Valdegovía VI........ 18 D 20
Valdegrudas GU..... 46 J 20
Valdehermoso
  de la Fuente CU.... 60 N 23
Valdeherreros BA... 67 O 10
Valdehierro CR...... 70 O 17
Valdehijaderos SA... 43 K 12
Valdehorna Z........ 48 I 25
Valdehornillo BA.... 68 O 12
Valdehoyas TO...... 58 L 18
Valdehúncar CC..... 56 M 13
Valdeíñigos CC...... 56 M 12
Valdejimena
  (Ermita de) SA..... 44 K 13
Valdelacalzada BA.. 67 P 9
Valdelacasa CC...... 56 M 14
Valdelacasa de Tajo CC.. 56 M 14
Valdelafuente LE.... 16 E 13
Valdelageve SA...... 43 K 12
Valdelagrana CA.... 98 W 11
Valdelagua M........ 46 K 19
Valdelagua GU...... 47 J 21
Valdelagua del Cerro SO.. 33 G 23
Valdeláguila-
  El Robledal M....... 46 K 20
Valdelaguna M....... 59 L 19
Valdelamadera CR... 70 O 17
Valdelamusa H....... 78 S 9
Valdelarco M......... 79 S 9
Valdelatas M......... 46 K 17
Valdelcubo GU....... 33 I 21
Valdelinares TE...... 49 K 28
Valdelinares SO..... 32 G 20
Valdelinosa TE...... 48 J 25
Valdelobos
  (Cañada de) AB.... 71 O 22
Valdelosa SA......... 43 I 12
Valdeltormo TE...... 50 J 30
Valdelugueros LE.... 16 D 13
Valdemadera LO..... 33 G 23
Valdemaluque SO... 32 G 20
Valdemanco M....... 46 J 19
Valdemanco
  del Esteras CR...... 69 P 15
Valdemaqueda M.... 45 K 17
Valdemarías TO..... 57 M 16
Valdemarín
  (Casa Forestal de) J.. 83 R 21
Valdemeca CU....... 60 L 24
Valdemerilla ZA...... 29 F 10
Valdemierque SA.... 44 J 13
Valdemora LE........ 16 F 13
Valdemorales CC.... 68 O 11
Valdemorillo CU..... 60 L 24
Valdemorillo M....... 45 K 17
Valdemorillo
  de la Sierra CU..... 60 L 24
Valdemoro M......... 58 L 18
Valdemoro del Rey CU.. 59 L 22
Valdemoro Sierra CU.. 60 L 24
Valdenarros SO...... 32 H 21
Valdenebro SO....... 32 H 21
Valdenebro
  de los Valles VA.... 30 G 15
Valdenegrillos SO... 33 G 23
Valdenoceda BU..... 18 D 19
Valdenoguera SA.... 42 J 9
Valdeñuño
  Fernández GU...... 46 J 19
Valdeobispo CC..... 55 L 11
Valdeobispo
  (Embalse de) CC.... 55 L 11
Valdeolivas CU...... 47 K 22

Valdeolmos M........ 46 K 19
Valdepalacios TO.... 57 M 14
Valdepares O...........4 B 9
Valdepeñas CR...... 71 P 19
Valdepeñas de Jaén J.. 94 T 18
Valdepeñas
  de la Sierra GU..... 46 J 19
Valdeperales M...... 59 L 19
Valdeperdices ZA.... 29 H 12
Valdeperillo LO...... 33 F 23
Valdepiélago LE..... 16 D 13
Valdepiélagos M..... 46 J 19
Valdeprado S...........7 C 16
Valdeprado
  del Páramo LE...... 15 F 12
Valdeprado SO...... 33 G 23
Valdeprado del Río S.. 17 D 17
Valdeprados SG..... 45 J 17
Valderaduey CL...... 16 E 15
Valderas LE.......... 30 F 13
Valderías BU......... 17 D 18
Valderrábano P...... 17 E 16
Valderrama BU...... 18 D 20
Valderrebollo GU.... 47 J 21
Valderrepisa
  (Puerto) CR......... 81 Q 16
Valderrey LE......... 15 E 11
Valderrobres TE..... 50 J 30
Valderrodilla SO..... 33 H 21
Valderrodrigo SA.... 43 I 10
Valderrosas CC...... 55 L 11
Valderrubio GR...... 94 U 18
Valderrueda LE...... 16 D 15
Valdés MA............ 101 V 17
Valdesalor CC........ 55 N 10
Valdesamario LE.... 15 D 12
Valdesamario
  (Embalse Azud de) LE.. 15 D 11
Valdesaz GU......... 46 J 21
Valdescorriel ZA..... 30 F 13
Valdesimonte SG.... 31 I 18
Valdesoto O............6 B 13
Valdesotos GU....... 46 J 20
Valdespina P......... 17 F 16
Valdespina
  de Somoza LE...... 15 E 11
Valdestillas VA....... 30 H 15
Valdeteja
  (Collada de) LE..... 16 D 13
Valdeteja LE.......... 16 D 13
Valdeterrazo
  del Marqués BA.... 78 Q 8
Valdetorres BA....... 68 P 11
Valdetorres
  de Jarama M........ 46 J 19
Valdevacas
  de Montejo SG...... 32 H 19
Valdevacas y Guijar SG.. 45 I 18
Valdevaqueros
  (Ensenada de) CA.. 99 X 12
Valdeverdeja TO..... 57 M 14
Valdevimbre LE...... 16 E 13
Valdezate BU........ 31 H 18
Valdezcaray LO...... 18 F 21
Valdezufre H......... 79 S 10
Valdilecha M......... 59 L 20
Valdín OR............ 14 F 9
Valdivia BA........... 68 O 12
Valdomar LU...........3 C 6
Valdoré LE............ 16 D 14
Valdoro
  (Sierra de) CR...... 82 Q 17
Valdorros BU........ 18 F 18
Valdoviño C............3 B 5
Valdunciel SA........ 43 I 12
Valdunquillo VA...... 30 F 14
Valduvieco LE........ 16 E 14
Valeixe PO............ 13 F 5
València (Golf de) V.. 62 N 29
València d'Àneu L... 23 E 33
Valencia
  de Alcántara CC.... 54 N 8
Valencia
  de Don Juan LE.... 16 F 13
Valencia
  de las Torres BA... 79 Q 12
Valencia
  del Mombuey BA... 78 R 8
Valencia
  del Ventoso BA..... 79 R 10
Valencia
  de la Concepción SE.. 91 T 11

A
B
C
D
E
F
G
H
I
J
K
L
M
N
O
P
Q
R
S
T
U
V
W
X
Y
Z

A B C D E F G H I J K L M N O P Q R S T U V W X Y Z

VALÈNCIA

Alcade Reig . . . . **BV** 2
Ángel Guimerá . . . . **AU** 7
Burjassot (Av. de) . . . . **AU** 9
Campanar (Av.) . . . . **AU** 10
Cavanilles . . . . **BU** 14
Constitución (Av. de la) . . . . **BU** 15
Doctor Peset Aleixandre (Av.) **BU** 20
Doctor Tomás Sala (Av. del). **AV** 21
Fernando el Católico (G. Vía) **AU** 26
Filipinas . . . . **BV** 29
Gaspar Aguilar (Av. de) . . . . . **AV** 31
General Avilés (Av.) . . . . **AU** 32
General Urrutia . . . . **BV** 36
Giorgeta (Av.) . . . . **AV** 37
Guadalaviar . . . . **BU** 38
Hermanos Maristas (Av. de) . **BV** 42
Ingeniero Manuel Soto (Av.) . **CV** 43
José Soto Micó . . . . **AV** 46
Junta de Murs y Valls . . . . . . **BV** 44
Llano de la Zaidia . . . . **BU** 47
Maestro Rodrigo (Av.) . . . . . . **AU** 51
Mandingora (Av. de) . . . . **AV** 52
Manuel de Falla (Av.) . . . . **AU** 53
Menéndez Pidal (Av.) . . . . **AU** 58
Morenas (Camino) . . . . **CV** 60
Pechina (Paseo) . . . . **AU** 68
Pérez Galdós (Av. de) . . . . . . **AU** 69
Peris y Valero (Av. de) . . . . . . **BV** 71
Pianista Martínez Carrasco
(Av. del) . . . . **BV** 72
Plata (Av. de la) . . . . **BV** 76
Primado Reig (Av. del) . . . . . . **BU** 78
San José de Calasanz . . . . . . **AU** 82
San Vicente Mártir (Av.) . . . . . **AV** 84
Tirso de Molina (Av.) . . . . **AU** 92
9 de Octubre . . . . **AU** 99

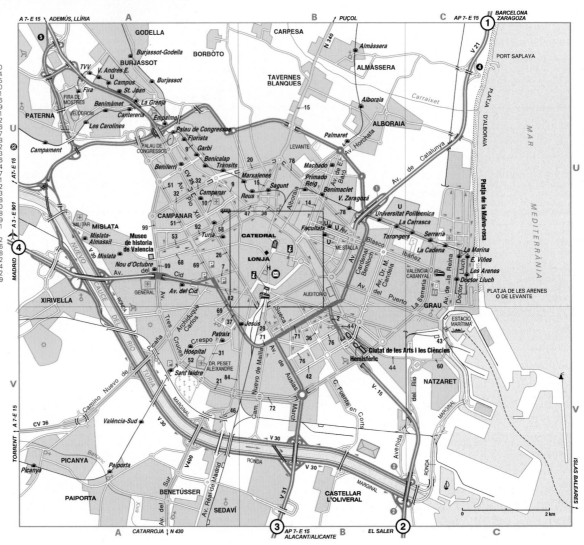

Valenoso *P*	17	E 16	Vall de Varradòs *L*	22	D 32	Valle de Lago *O*	5	C 11	Valles (Los)
Valentín *MU*	84	R 24	Vall d'Uixó (La) *CS*	62	M 29	Valle			Lanzarote *GC* 123 E 3
Valentins (Els) *T*	50	K 31	Vall Llebrera *L*	37	G 33	de las Casas (El) *LE*	16	D 14	Valles (Reserva
Valenzuela *CO*	81	S 17	Vall-Llobrega *GI*	25	G 39	Valle de los Caídos *M*	45	K 17	nacional de los) *HU* 21 D 27
Valenzuela			Valle de Matamoros *BA*	79	Q 9	Valles de Ortega			
de Calatrava *CR*	70	P 18	Valladares *SO*	33	I 22	Valle de S. Augustin (El) *O*	4	B 9	Fuerteventura *GC* 113 G 3
Valer *ZA*	29	G 11	Vallado *O*	5	C 10	Valle de Santa Ana *BA*	79	Q 9	Valles de Palenzuela *BU* 17 F 17
Valera *BA*	79	R 10	Valladolid *VA*	30	H 15	Valle de Santa Inés *GC*	111	G 3	Valles de Valdavia *P* 17 E 16
Valera de Abajo *CU*	60	M 23	Valladolises *MU*	85	S 26	Valle de Santullan *P*	17	D 16	Vallesa *TE* 44 I 14
Valeria *CU*	60	M 23	Vallanca *V*	61	L 25	Valle de Tabladillo *SG*	31	H 18	Vallesco *GC* 115 E 2
Valeriano *GR*	94	T 18	Vallarta de Bureba *BU*	18	E 20	Valle de Trapaga *BI*	8	C 20	Vallespinosa *T* 37 H 34
Valero *SA*	43	K 12	Vallat *CS*	62	L 28	Valle			Vallespinosa
Vales *OR*	13	E 6	Vallbona d'Anoia *B*	37	H 35	de Vegacervera *LE*	16	D 13	de Aguilar *P* 17 D 16
Valfarta *HU*	35	H 29	Vallbona			Valle Gran Rey (Barranco)			Vallfogona
Valfermoso			de les Monges *L*	37	H 33	La Gomera *TF*	118	B 2	de Balaguer *L* 36 G 32
de las Monjas *GU*	46	J 21	Vallcarca *B*	38	I 35	Valle Retortillo *P*	16	F 15	Vallfogona
Valfermoso			Vallcebre *B*	23	F 35	Vallebrón			de Ripolles *GI* 24 F 36
de Tajuña *GU*	46	K 21	Valldan (La) *B*	24	F 35	Fuerteventura *GC*	111	H 2	Vallfogona de Riucorb *T* 37 H 33
Valfonda			Valldemossa *PM*	104	M 37	Vallecas *M*	46	K 19	Vallgorguina *B* 38 H 37
de Santa Ana *HU*	35	G 28	Valldoreix *B*	38	H 36	Vallecillo *LE*	16	E 14	Vallgorguina
Valga *PO*	12	D 4	Valle *S*	8	C 19	Vallecillo (El) *TE*	61	L 25	de Cardona *L* 37 G 34
Valgañón *LO*	18	F 20	Valle (El) *LE*	15	E 10	Valledor (Sierra de) *O*	4	C 9	Vallibierna (Pico de) *HU* 22 E 31
Valgrande *O*	15	D 12	Valle (El) *CA*	99	X 12	Vallega *BU*	17	F 17	Vallirana *B* 38 H 35
Valhermoso *GU*	47	J 24	Valle-Brosque			Vallehermoso *TO*	57	M 16	Vallivana *CS* 50 K 30
Valientes (Los) *MU*	85	R 26	La Gomera *TF*	118	C 1	Vallehermoso			Vallmanya cerca
Valiñas *PO*	12	E 4	Valle de Abdalajís *MA*	100	V 15	La Gomera *TF*	118	C 1	de Cardona *L* 37 G 34
Valjunquera *TE*	50	J 30	Valle de Arán (Parador de)			Valleja *CA*	99	V 12	Vallmanya cerca
Vall Alto del Ter *GI*	24	F 37	Vielha *L*	22	D 32	Valleja de Riofrío *SA*	43	K 12	de Lérida *L* 36 H 31
Vall d'Alba *CS*	62	L 29	Valle de Arriba			Vallejimeno *BU*	32	F 20	Vallmoll *T* 37 I 33
La Vall d'Alcalà *A*	74	P 29	Vielha *L*	22	D 32	Vallejo *P*	17	D 17	Vallobal *O* 6 B 14
Vall d'Alcalà *A*	74	P 28	Valle de Arriba			Vallejo de Mena *BU*	8	C 20	Valloria *SO* 33 F 22
Vall d'Àngel			Tenerife *TF*	126	C 3	Vallejo de Orbó *P*	17	D 17	Vallromanes *B* 38 H 36
(Serra de la) *CS*	50	K 30	Valle de Cabuerniga *S*	7	C 17	Vallelado *SG*	31	H 16	Valls *T* 37 I 33
Vall de Almonacid *CS*	62	M 28	Valle de Cerrato *P*	31	G 16	Valleluengo *ZA*	29	F 11	Vallseca *SG* 45 I 17
Vall de Bianya (La) *GI*	24	F 37	Valle de Finolledo *LE*	14	D 9	Vallequillas *M*	58	L 19	Vallseco *LE* 15 D 10
Vall de Ebo *A*	74	P 29	Valle de Guerra			Valleruela			Valltorta
Tenerife *TF*	124	H 2	Valle de la Venta *CC*	55	L 9	de Pedraza *SG*	45	I 18	(Barranc de la) *CS* 50 K 30
Vall de Gallinera *A*	74	P 29	Valle de la Venta *CC*	55	L 9	Valleruela			Valluerca *VI* 18 D 20
La Vall de Laguar *A*	74	P 29	Valle de la Viuda (El) *CR*	69	O 16	de Sepúlveda *SG*	46	I 18	Vallunquera *BU* 17 F 17
Vall de Laguart *A*	74	P 29	Valles *S*	7	B 17	Valles *S*	7	B 17	Vallverd *L* 37 G 32
									Vallverd *T* 37 H 33
									Valmadrid *Z* 35 H 27
									Valmala *BU* 18 F 20
									Valmartino *LE* 16 D 14
									Valmayor *J* 81 Q 17
									Valmayor
									(Embalse de) *M* 45 K 17
									Valmojado *TO* 58 L 17
									Valmuel del Caudillo *TE* 49 I 29
									Valonga *HU* 36 G 30
									Válor *GR* 102 V 20
									Valoria de Aguilar *P* 17 D 17
									Valoria del Alcor *P* 30 G 15
									Valoria la Buena *VA* 31 G 16
									Valpalmas *Z* 21 F 27
									Valparaiso cerca
									de Cuelgamures *ZA* 29 I 12
									Valparaiso cerca
									de Mombuey *ZA* 29 G 11
									Valparaiso de Abajo *CU* 59 L 22
									Valparaiso de Arriba *CU* 59 L 22
									Valporquero
									de Rueda *LE* 16 D 14
									Valporquero de Torío *LE* 16 D 13
									Valrío *CC* 55 L 10
									Valronquillo *CR* 70 O 17
									Valsain *SG* 45 J 17
									Valsalabroso *SA* 43 I 10
									Valsalada *HU* 21 F 28
									Valsalobre *CU* 47 K 23
									Valsalobre *GU* 48 J 24
									Valseca *SG* 45 I 17
									Valseco *LE* 15 D 10
									Valsemana *LE* 16 D 12
									Valsequillo *CO* 80 Q 13
									Valsequillo de Gran Canaria
									Gran Canaria *GC* 115 G 4
									Valtablado del Río *GU* 47 J 22
									Valtajeros *SO* 33 G 23
									Valtiendas *SG* 31 H 18
									Valtierra *NA* 20 F 25
									Valtorres *Z* 34 I 24
									Valtueña *SO* 33 H 23
									Valuengo *BA* 79 R 9
									Valuengo
									(Embalse de) *BA* 79 R 10
									Valvaler *O* 4 C 9
									Valvenedizo *SO* 32 I 20
									Valverde *BU* 32 G 19
									Valverde *SO* 34 G 24
									Valverde *TE* 48 J 26
									Valverde *CR* 70 P 17
									Valverde *A* 86 R 28
									Valverde *LO* 34 G 24
									Valverde El Hierro *TF* 109 D 2
									Valverde de Alcalá *M* 46 K 20
									Valverde
									de Burguillos *BA* 79 R 10
									Valverde de Campos *VA* 30 G 14
									Valverde de Júcar *CU* 60 M 23
									Valverde de la Sierra *LE* 16 D 15
									Valverde de la Vera *CC* 56 L 13
									Valverde de la Virgen *LE* 15 E 12
									Valverde de Leganés *BA* 66 P 9
									Valverde de Llerena *BA* 80 R 12
									Valverde
									de los Arroyos *GU* 46 I 20
									Valverde de Mérida *BA* 67 P 11
									Valverde
									de Valdelacasa *SA* 43 K 12
									Valverde del Camino *H* 91 T 9
									Valverde
									del Fresno *CC* 55 L 9
									Valverde del Majano *SG* 45 J 17
									Valverdejo *CU* 60 N 23
									Valverde Enrique *LE* 16 F 14
									Valverdín *LE* 16 D 13
									Valverdón *SA* 43 I 12

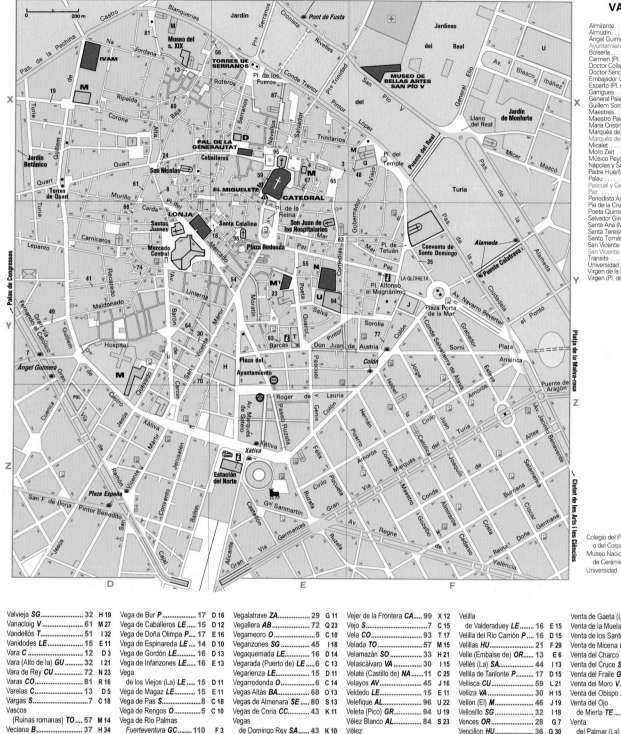

VALÈNCIA

Almirante . . . . EX 3
Almudín . . . . EX 4
Ángel Guimerá . . . . DY 7
Ayuntamiento (Pl. del) . . . . EY
Bolsería . . . . DX 8
Carmen (Pl. del) . . . . DX 13
Doctor Collado (Pl.) . . . . . . EY 18
Doctor Sanchís Bergón . . . DX 19
Embajador Vich . . . . EY 23
Esparto (Pl. del) . . . . DX 24
Garrigues . . . . DY 30
General Palanca . . . . FY 35
Guillem Sorolla . . . . DY 41
Maestres . . . . FX 48
Maestro Palau . . . . DY 49
María Cristina (Av.) . . . . . . EY 54
Marqués de Dos Aguas . . . EY 55
Marqués de Sotelo (Av.) . . . EZ
Micalet . . . . EX 59
Moro Zeit . . . . DX 61
Músico Peydró . . . . DY 64
Nápoles y Sicilia (Pl.) . . . . EX 65
Padre Huérfanos . . . . EX 66
Palau . . . . EX 67
Pascual y Genís . . . . EYZ
Paz . . . . EFY
Periodista Azzati . . . . DY 70
Pie de la Cruz . . . . DY 74
Poeta Quintana . . . . FY 77
Salvador Giner . . . . DX 81
Santa Ana (Muro) . . . . EX 87
Santa Teresa . . . . DY 88
Santo Tomás . . . . DX 89
San Vicente Ferrer (Pl.) . . . EY 83
San Vicente Mártir . . . . . . DY
Transits . . . . EY 93
Universidad . . . . EY 94
Virgen de la Paz (Pl.) . . . . EY 98
Virgen (Pl. de la) . . . . EX 95

Colegio del Patriarca
o del Corpus Christi . . EY N
Museo Nacional
de Cerámica . . . . EY M¹
Universidad . . . . EY U

Valvieja SG . . . . . . 32 H 19
Vanacloig V . . . . . . 61 M 27
Vandellós T . . . . . . 51 I 32
Vanidodes LE . . . . . 15 E 11
Vara C . . . . 12 D 3
Vara (Alto de la) GU . . 32 I 21
Vara de Rey CU . . . . 72 N 23
Varas CO . . . . 81 R 16
Varelas C . . . . 13 D 5
Vargas S . . . . 7 C 18
Vascos
(Ruinas romanas) TO . . 57 M 14
Veciana B . . . . 37 H 34
Vecilla (La) LE . . . . 16 D 13
Vecindario
Gran Canaria GC . . . 117 F 4
Vecinos SA . . . . . . 43 J 12
Vedat de Torrent (El) V . . 62 N 28
Vedra C . . . . 13 D 4
Vega S . . . . 7 C 18
Vega (Ermita de la) AV . . 44 K 13
Vega (La) S . . . . . . 7 C 16
Vega (La) BA . . . . . 66 O 8
Vega (La) cerca
de Ribadesella O . . . 6 B 14
Vega (La) cerca
de Tineo . . . . 5 C 11
Vega (La) Riosa O . . . 5 C 12
Vega (La) Sariego O . . 6 B 13
Vega
de Almanza (La) LE . . 16 D 14
Vega de Anzo O . . . . 5 B 11

Vega de Bur P . . . . . 17 D 16
Vega de Caballeros LE . . 15 D 12
Vega de Doña Olimpa P . . 17 E 16
Vega de Espinareda LE . . 14 D 10
Vega de Gordón LE . . 16 D 13
Vega de Infanzones LE . . 16 E 13
Vega
de los Viejos (La) LE . . 15 D 11
Vega de Magaz LE . . 16 E 13
Vega de Pas S . . . . . 8 C 18
Vega de Rengos O . . . 5 C 10
Vega de Río Palmas
Fuerteventura GC . . . 110 F 3
Vega de Ruiponce VA . . 16 F 14
Vega de San Mateo
Gran Canaria GC . . . 115 E 2
Vega de Santa María AV . . 45 J 16
Vega de Tera ZA . . . . 29 G 11
Vega de Tirados SA . . 54 I 12
Vega de Valcarce LE . . 14 E 9
Vega de Valdetronco VA . . 30 H 14
Vega de Villalobos ZA . . 30 G 13
Vega de Yeres LE . . . 14 E 9
Vega del Castillo ZA . . 15 F 10
Vega del Codorno CU . . 68 K 24
Vega del Rey O . . . . 5 C 12
Vega Esquivia TO . . . 70 N 18
Vegacerneja LE . . . . 6 C 14
Vegacervera LE . . . . 16 D 13
Vegadeo O . . . . . . 4 B 8
Vegafría SG . . . . . . 31 H 17
Vegalagar O . . . . . . 4 C 10

Vegalatrave ZA . . . . 29 G 11
Vegallera AB . . . . . 72 Q 23
Vegameoro O . . . . . 5 C 10
Veganzones SG . . . . 45 I 18
Vegaquemada LE . . . 16 D 14
Vegarada (Puerto de) LE . . 6 C 13
Vegarienza LE . . . . . 15 D 11
Vegarredonda O . . . . 6 C 14
Vegas Altás BA . . . . 68 O 13
Vegas de Almenara SE . . 80 S 13
Vegas de Coria CC . . 43 K 11
Vegas
de Domingo Rey SA . . 43 K 10
Vegas de Matute SG . . 45 J 17
Vegas de San Antonio
(Las) TO . . . . 57 M 15
Vegas del Condado LE . . 16 D 13
Veguellina de Órbigo LE . . 15 E 12
Veguilla S . . . . 8 C 19
Veguillas GU . . . . . 46 J 20
Veguillas (Las) SA . . . 43 J 12
Veguillas
de la Sierra TE . . . . 61 L 25
Veiga (A) cerca
de Celanova OR . . . 13 F 6
Veiga (A) cerca
de O Barco OR . . . . 14 E 9
Veiga (A) cerca
de Viana do Bolo OR . . 14 F 8
Veiga de Logares (A) LU . . 4 C 8

Vejer de la Frontera CA . . 99 X 12
Vejo S . . . . 7 C 15
Vela CO . . . . 93 T 17
Velada TO . . . . 57 M 15
Velamazán SO . . . . . 33 H 21
Velascálvaro VA . . . . 30 I 15
Velasco (Embalse de) OR . . 13 E 6
Velate (Castillo de) NA . . 11 C 25
Velayos AV . . . . . . 45 J 16
Veldedo LE . . . . . . 15 E 11
Velefique AL . . . . . . 96 U 22
Veleta (Pico) GR . . . . 94 U 19
Vélez Blanco AL . . . . 84 S 23
Vélez
de Benaudalla GR . . . 101 V 19
Vélez-Málaga MA . . . 101 V 17
Vélez-Málaga
(Punta de) MA . . . . 101 V 17
Vélez Rubio AL . . . . 84 T 23
Vélez VA . . . . 30 I 14
Velilla cerca de San Esteban
de Gormaz SO . . . . 32 H 20
Velilla
cerca de Soria SO . . . 33 G 22
Velilla (La) SG . . . . . 45 I 18
Velilla de Cinca HU . . 36 H 30
Velilla de Ebro Z . . . . 35 H 28
Velilla de Jiloca Z . . . 34 I 25
Velilla de la Reina LE . . 15 E 12
Velilla de los Ajos SO . . 33 H 23
Velilla de los Oteros LE . . 16 E 13
Velilla de Medinaceli SO . . 47 I 22
Velilla de San Antonio M . . 46 K 19

Velilla
de Valderaduey LE . . . 16 E 15
Velilla del Río Carrión P . . 16 D 15
Velillas HU . . . . . . 21 F 29
Vellés (La) SA . . . . . 44 I 13
Vellisca CU . . . . . . 59 L 21
Velliza VA . . . . 30 H 15
Vellón (El) M . . . . . . 46 J 19
Vellosillo SG . . . . . . 32 I 18
Vences OR . . . . 28 G 7
Vencillon HU . . . . . 36 G 30
Vendas da Barreira OR . . 28 G 8
Vendelaras de Abajo AB . . 72 P 23
Vendelaras de Arriba AB . . 72 P 23
Vendrell (El) T . . . . . 37 I 34
Venero CC . . . . 68 N 13
Veneros (Los) SE . . . 92 U 14
Venialbo ZA . . . . . . 30 H 13
Venta (La) CR . . . . . 70 O 18
Venta (La)
cerca de Almedinilla CO 94 T 17
Venta (La)
cerca de Baza GR . . . 95 T 21
Venta Cerezo CO . . . 81 R 17
Venta de Ballerías HU . . 35 G 29
Venta de Baños P . . . 16 E 12
Venta de Cañete SE . . 92 U 14
Venta de Cárdenas CR . . 82 Q 19
Venta de Culebrín BA . . 79 R 11
Venta de Don Quijote TO . . 59 N 21

Venta de Gaeta (La) V . . 73 O 27
Venta de la Muela J . . 83 R 21
Venta de los Santos J . . 83 Q 20
Venta de Micena GR . . 84 S 22
Venta del Charco CO . . 81 R 17
Venta del Cruce SE . . 91 U 11
Venta del Fraile GR . . 101 V 18
Venta del Moro V . . . 61 N 25
Venta del Obispo AV . . 44 K 14
Venta del Ojo
de Mierla TE . . . . . 48 J 25
Venta
del Palmar (La) SE . . 92 T 14
Venta del Peral (La) GR . . 95 T 22
Venta del Probe AL . . 103 V 23
Venta del Puerto CO . . 81 R 16
Venta del Tarugo GR . . 102 V 20
Venta Nueva O . . . . 5 C 10
Venta Pantalones J . . 82 T 17
Venta Quemada V . . . 61 N 27
Venta Quemada GR . . 96 T 22
Venta Santa Bárbara GR 93 U 17
Venta Valero CO . . . . 94 T 17
Ventalles (Les) T . . . . 50 K 31
Ventalló GI . . . . 25 F 39
Ventamillo
(Congosto de) HU . . 22 E 31
Ventamira V . . . . . . 61 N 27
Ventana (Puerto) LE . . 5 C 11
Ventaniella (Puerto de) O . . 6 C 14
Ventanilla P . . . . . . 17 D 16
Ventano del Diablo CU . . 60 L 23

A
B
C
D
E
F
G
H
I
J
K
L
M
N
O
P
Q
R
S
T
U
V
W
X
Y
Z

A B C D E F G H I J K L M N O P Q R S T U V W X Y Z

VALLADOLID

Arco de Ladrillo (Pas. del) .... BZ 2
Arzobispo Gandásegui ...... CY 3
Bailarín Vicente Escudero ... CY 5
Bajada de la Libertad .... BCY 6
Cadenas de San Gregorio ... CX 8
Cánovas del Castillo ...... BCY 9
Cardenal Mendoza .... CY 10
Chancillería .... CX 13
Claudio Moyano .... BY 14
Colegio de Santa Cruz (Pl.) . CY 40
Doctrinos .... BY 16
Duque de la Victoria ...... BY 17
España (Pl. de) .... BY 18
Fuente Dorada (Pl. de) ..... BY 20
Gondomar .... CX 21
Industrias .... CY 23
Jorge Guillén .... BXY 24
Maldonado .... CY 25
Marqués del Duero .... CXY 26
Miguel Iscar .... BY 29
Pasión .... BY 30
Portillo de Balboa .... CX 32
Santiago .... BY 41
Santuario .... CY 42
Sanz y Forés .... CXY 45
San Ildefonso .... BY 36
San Pablo (Pl. de) .... BX 37
Teresa Gil .... BY
Zorrilla (Pas. de) .... ABZ 47

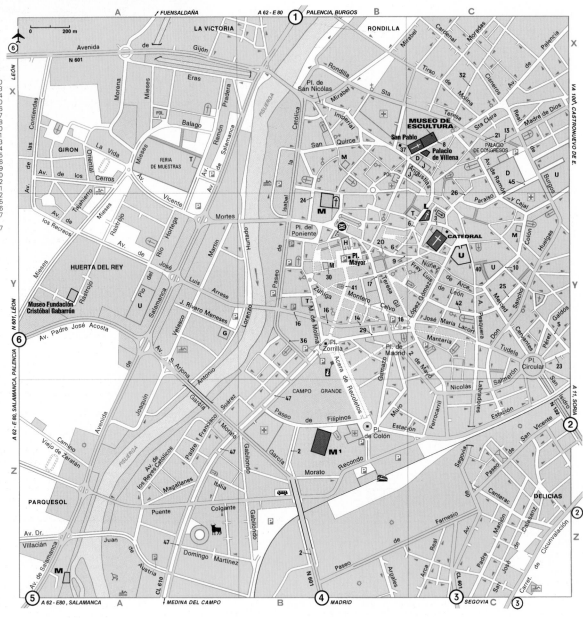

Ventas (Las) O ....5 C 11
Ventas Blancas LO ....19 E 23
Ventas con
  Peña Aguilera TO ....58 N 17
Ventas de Arriba H ......79 S 10
Ventas de Huelma GR ....94 U 18
Ventas de Muniesa TE ...49 I 27
Ventas
  de Retamosa (Las) TO .58 L 17
Ventas
  de San Julián (Las) TO .56 L 14
Ventas de Zafarraya GR .101 V 17
Ventas del Carrizal J .....58 M 17
Vente de las Ranas O ......6 B 13
Venterros
  de Balerma GR ....93 U 17
Ventilla (La) CR ....71 O 20
Ventilla (La) CO ....80 S 14
Ventillas CR ....81 Q 17
Ventín PO ....13 F 4
Ventolà GI ....24 F 36
Ventorrillo (El) S ....7 C 17
Ventorros
  de San José GR ......94 U 17
Ventosa PO ....13 D 6
Ventosa GU ....47 J 24
Ventosa
  cerca de Medinaceli SO 47 I 22
Ventosa cerca
  de Soria SO ....33 G 22
Ventosa (La) CU ....60 L 22

Ventosa de
  Fuentepinilla SO ....33 H 21
Ventosa de la Cuesta VA .30 H 15
Ventosa de Pisuerga P ...17 E 17
Ventosa
  de San Pedro SO .....33 F 23
Ventosa
  del Río Almar SA .....44 J 13
Ventosela OR ....13 F 5
Ventoses (Les) L ....37 G 33
Ventosilla SO ....33 G 22
Ventosilla J ....82 S 18
Ventosilla (La) TO ......58 M 17
Ventosilla y Tejadilla SG .46 I 18
Ventoso O ....4 C 8
Venturada M ....46 J 19
Veo CS ....62 M 28
Ver LU ....14 E 7
Verjaga J ....83 Q 21
Vera AL ....96 U 24
Vera BA ....69 P 14
Vera (La) CC ....56 L 13
Vera de Bidasoa /
  Bera NA ....11 C 24
Vera de Moncayo Z .....34 G 24
Veracruz HU ....22 E 31
Veral LU ....21 E 27
Verdegàs A ....86 Q 28
Verdelino de Huete CU .59 L 22

Verdeña P ....17 D 16
Verdes (Cueva de los)
  Lanzarote GC ....121 F 3
Verdiago LE ....16 D 14
Verdicio O ....5 B 12
Verdú L ....37 H 33
Verdugo Río PO ....12 E 4
Verea OR ....13 F 6
Veredas CR ....69 Q 16
Veredas H ....78 S 9
Veredón CO ....81 S 15
Vergaño P ....17 D 16
Verger (El) A ....74 P 30
Verges GI ....25 F 39
Vergós L ....37 H 33
Verín OR ....28 G 7
Veriña O ....5 B 12
Vertavillo P ....31 G 17
Vertientes (Las) GR ....96 T 22
Veruela
  (Monasterio de) Z ....34 G 24
Vescar (Sierra El) BA ...78 R 8
Vesgas (Las) BU ......18 E 19
Vespella T ....37 I 34
Vetaherrado SE ....91 U 12
Vezdemarbán ZA ....30 H 13
Viacamp HU ....22 E 31
Viados HU ....22 E 31
Viana NA ....19 E 22

Viana de Cega VA ....30 H 15
Viana de Duero SO ......33 H 22
Viana de Jadraque GU ...47 I 21
Viana de Mondéjar GU ..47 K 22
Viana do Bolo OR ......14 F 8
Viandar
  de la Vera CC ....56 L 13
Vianos AB ....72 Q 22
Viaña S ....7 C 17
Viaño Pequeño C ....3 C 4
Viar SE ....92 T 12
Viar (Canal del) SE .....80 S 12
Viariz LE ....14 E 9
Viáscón PO ....12 E 4
Viator AL ....103 V 22
Víboras J ....94 T 17
Vic B. ....38 G 36
Vic (Parador) B. ......24 G 37
Vicar AL ....102 V 22
Vicario
  (Embalse de El) CR ...70 O 18
Vicedo LU ....3 A 6
Vicente TO ....57 N 16
Vicentes (Los) A ......85 R 27
Vicfred L ....37 G 34
Vicién HU ....21 F 28
Vicinte LU ....3 C 6
Vico CA ....91 V 12
Vicolozano AV ....45 J 16
Vicorto AB ....84 Q 23
Victoria (La) CO ....81 S 15

Victoria de Acentejo (La)
  Tenerife TF ....124 G 2
Vid (La) BU ....32 H 19
Vid (La) LE ....16 D 13
Vid
  de Bureba (La) BU ...18 E 20
Vid III
  (Embalse de la) CC ..56 M 12
Vidanes LE ....16 D 14
Vidángoz / Bidankoze NA .11 D 26
Vidayanes ZA ....30 G 13
Vide cerca de Cenlle OR .13 F 5
Vide cerca
  de Maceda OR ......13 F 7
Vide de Alba ZA ....29 G 11
Videferre OR ....27 G 7
Videmala ZA ....29 H 11
Vidiago O ....7 B 16
Vidio (Cabo) O ....5 B 11
Vidola (La) SA ....43 I 10
Vidrà GI ....24 F 36
Vidreres GI ....39 G 38
Vidrieros P ....17 D 15
Vidrio (Sierra del) BA ..67 O 10
Vidural O ....5 B 10
Vieira (Alto de) OR .....13 F 6
Vieja (Cueva de la) AB .73 O 26
Vieja (Sierra) BA ......67 Q 10
Viejas CR ....71 O 20
Viejas (Sierra de) CC ..56 N 13
Viejo (El) TO ....59 N 20

Viejo (Pico) Tenerife TF ..128 D 4
Vielha L ....22 D 32
Vielha (Túnel de) L .....22 E 32
Viella O ....5 B 12
Viento MA ....100 V 16
Viento (Puerto del) MA ..92 V 14
Viento (Punta del)
  Tenerife TF ....124 G 2
Viento (Sierra del) SE ..80 R 12
Viergol BU ....8 C 20
Vierlas Z ....34 G 24
Viernoles S ....7 C 17
Viforcos LE ....15 E 11
Vigaña
  cerca de Grado O .....5 C 11
Vigaña cerca
  de Peña Manteca O ...5 C 11
Vignemale HU ....21 D 29
Vigo PO ....12 F 3
Vigo O ....3 C 5
Vigo (El) BU ....8 C 20
Vigo (Ría de) PO ....12 F 3
Viguera LO ....19 F 22
Vila L ....22 D 32
Vila de Bares C ....3 A 6
Vila de Cruces PO ......13 D 5
Vila Joiosa (La) /
  Villajoyosa A ....74 Q 29
Vila-real / Villarreal CS ..62 M 29
Vila-rodona T ....37 I 34
Vila-sacra GI ....25 F 39

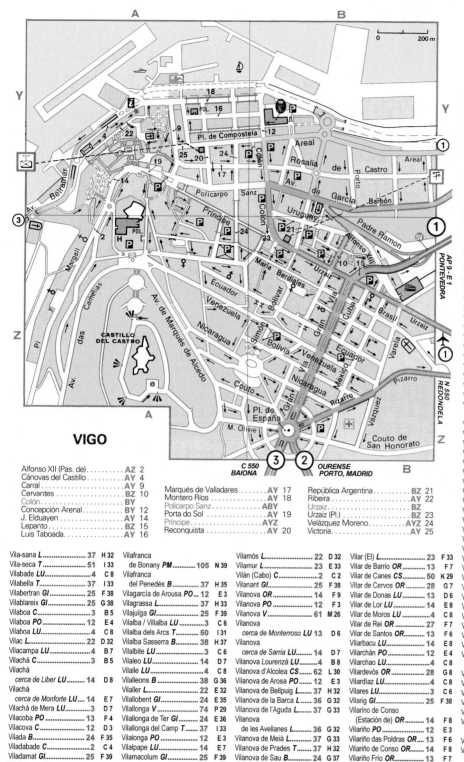

VIGO

Alfonso XII (Pas. de)	AZ 2
Cánovas del Castillo	AY 4
Carral	AY 9
Cervantes	BZ 10
Colón	BY
Concepción Arenal	BY 12
J. Elduayen	AY 14
Lepanto	BZ 15
Luis Taboada	AY 16

Marqués de Valladares	AY 17
Montero Ríos	AY 18
Policarpo Sanz	ABY
Porta do Sol	AY 19
Príncipe	AYZ
Reconquista	AY 20

República Argentina	BZ 21
Ribeira	AY 22
Urzaiz	BZ
Urzaiz (Pl.)	BZ 23
Velázquez Moreno	AYZ 24
Victoria	AY 25

Vila-sana L	37	H 32
Vila-seca T	51	I 33
Vilabade LU	4	C 8
Vilabella T	37	I 33
Vilabertran GI	25	F 38
Vilablareix GI	25	G 38
Vilaboa C	3	B 5
Vilaboa PO	12	E 4
Vilaboa LU	4	C 8
Vilac L	22	D 32
Vilacampa LU	4	B 7
Vilachá C	3	B 5
Vilachá		
cerca de Liber LU	14	D 8
Vilachá		
cerca de Monforte LU	14	E 7
Vilachá de Mera LU	3	D 7
Vilacoba PO	13	F 4
Vilacova C	12	D 3
Vilada B	24	F 35
Viladabade C	2	C 4
Viladamat GI	25	F 39
Viladasens GI	25	F 38
Viladavil C	3	D 5
Viladecans B	38	I 36
Viladecavalls B	38	H 35
Vilademuls GI	25	F 38
Viladequinta OR	14	E 9
Viladordis B	38	G 35
Viladrau GI	24	G 37
Vilaestrofe LU	4	B 7
Vilafamés CS	62	L 29
Vilafant GI	25	F 38
Vilaflor		
Tenerife TF	128	E 4
Vilaformán LU	4	B 8
Vilaframil LU	4	B 8
Vilafranca /		
Villafranca del Cid CS	49	K 29

Vilafranca		
de Bonany PM	105	N 39
Vilafranca		
del Penedès B	37	H 35
Vilagarcía de Arousa PO	12	E 3
Vilagrassa L	37	H 33
Vilajuïga GI	25	F 39
Vilalba / Villalba LU	3	C 6
Vilalba dels Arcs T	50	I 31
Vilalba Sasserra B	38	H 37
Vilalbite LU	3	C 6
Vilaleo LU	14	D 7
Vilalle LU	4	C 8
Vilalleons B	38	G 36
Vilaller L	22	E 32
Vilallobent GI	14	E 35
Vilallonga V	74	P 29
Vilallonga de Ter GI	24	E 36
Vilallonga del Camp T	37	I 33
Vilalonga PO	12	E 3
Vilalpape LU	14	E 7
Vilamacolum GI	25	F 39
Vilamaior LU	3	B 5
Vilamaior LU	14	D 7
Vilamaior OR	27	G 6
Vilamaior de Negral LU	3	D 6
Vilamajor B	38	G 37
Vilamalla GI	25	F 38
Vilamaniscle GI	25	E 39
Vilamarín OR	13	E 6
Vilamartín LU	4	B 8
Vilamartín		
de Valdeorras OR	14	E 8
Vilamarxant V	62	N 28
Vilameá OR	27	G 6
Vilameá LU	4	B 8
Vilameán PO	12	F 3
Vilamitjana L	23	F 32
Vilamor C	3	D 6

Vilamós L	22	D 32
Vilamur L	23	E 33
Vilán (Cabo) C	2	C 2
Vilanant GI	25	F 38
Vilanova OR	14	F 9
Vilanova PO	12	F 3
Vilanova V	61	M 26
Vilanova		
cerca de Monterroso LU	13	D 6
Vilanova		
cerca de Sarria LU	14	D 7
Vilanova d'Alcolea CS	62	L 30
Vilanova de Arosa PO	12	E 3
Vilanova de Bellpuig L	37	H 32
Vilanova de la Barca L	36	G 32
Vilanova de l'Aguda L	37	G 33
Vilanova		
de les Avellanes L	36	G 32
Vilanova de Meià L	37	G 33
Vilanova de Prades T	37	H 32
Vilanova de Sau B	24	G 37
Vilanova de Segrià L	36	G 31
Vilanova		
d'Escornalbou T	51	I 32
Vilanova i la Geltrú /		
Villanueva y Geltrú B	37	I 35
Vilaosende LU	4	B 8
Vilapedre		
cerca de Sarria LU	14	D 7
Vilapedre		
cerca de Villalba LU	3	B 7
Vilapene LU	4	C 7
Vilaplana T	37	I 33
Vilaquinte LU	13	E 6
Vilar OR	27	G 6
Vilar		
cerca de A Cañiza PO	13	F 5
Vilar		
cerca de Vigo PO	12	F 4

Vilar (El) L	23	F 33
Vilar de Barrio OR	13	F 7
Vilar de Canes CS	50	K 29
Vilar de Cervos OR	28	G 7
Vilar de Donas LU	13	D 6
Vilar de Lor LU	14	E 8
Vilar de Moros LU	4	C 8
Vilar de Rei OR	27	F 7
Vilar de Santos OR	13	F 6
Vilarbacu LU	14	E 8
Vilarchán PO	12	E 4
Vilarchao LU	4	C 8
Vilardevós OR	28	G 8
Vilardíaz LU	4	C 8
Vilares LU	3	C 7
Vilarig GI	25	F 38
Vilarino de Conso		
(Estación de) OR	14	F 8
Vilariño PO	12	E 3
Vilariño das Poldras OR	13	F 6
Vilariño de Conso OR	13	F 7
Vilariño Frío OR	13	F 7
Vilarmeao OR	14	F 8
Vilarmide LU	4	C 8
Vilarrube C	3	B 5
Vilarrubín OR	13	E 6
Vilarxoán LU	4	C 8
Vilasantar C	3	C 5
Vilaseco OR	14	F 8
Vilasobroso PO	13	F 4
Vilasouto		
(Embalse de) LU	14	D 7
Vilassar de Mar B	38	H 37
Vilaster LU	14	E 8
Vilatán LU	13	E 6
Vilatuxe PO	13	E 6
Vilaür GI	25	F 38
Vilaúxe LU	13	E 6
Vilavella OR	28	F 8
Vilavella (La) CS	62	M 29

Vilaverd T	37	H 33
Vilaxoán PO	12	E 3
Vilches J	82	R 19
Vildé SO	32	H 20
Vileiriz LU	14	D 7
Vilela C	2	C 4
Vilela PO	13	D 6
Vilela		
cerca de Ribadeo LU	4	B 8
Vilela		
cerca de Taboada LU	13	D 6
Vilella (La) T	36	I 32
La Vilella Baixa T	36	I 32
Vileña BU	18	E 20
Vileta (La) PM	104	N 37
Villa		
de Don Fadrique (La) TO	59	N 20
Villa de Ves AB	73	O 26
Villa del Campo CC	55	L 10
Villa del Prado M	58	L 17
Villa del Rey CC	55	N 9
Villa del Río CO	81	S 17
Villabalter LE	16	E 13
Villabáñez VA	31	H 16
Villabaruz de Campos VA	30	F 15
Villabáscones		
de Bezana BU	18	D 18
Villabasil BU	8	C 20
Villabasta P	17	E 16
Villabermudo P	17	E 16
Villablanca H	90	U 7
Villablino LE	15	D 11
Villabona SS	10	C 23
Villabona O	5	B 12
Villabrágima VA	30	G 14
Villabraz LE	16	F 13
Villabrázaro ZA	29	F 12
Villabre O	5	C 11
Villabuena SO	33	G 22
Villabuena LE	14	E 9
Villabuena de Álava VI	19	E 22
Villabuena		
del Puente ZA	30	H 13
Villacadima GU	32	I 20
Villacalbiel LE	16	E 13
Villacampo del Moral J	94	T 19
Villacañas TO	59	N 19
Villacarli HU	22	E 31
Villacarralón VA	16	F 14
Villacarriedo S	7	C 18
Villacarrillo J	83	R 20
Villacastín SG	45	J 16
Villace LE	16	E 13
Villacelama LE	16	E 13
Villacián BU	18	D 20
Villacibrán O	5	C 10
Villacid de Campos VA	30	F 14
Villacidaler P	16	F 15
Villacidayo LE	16	E 14
Villaciervitos SO	33	G 22
Villaciervos SO	33	G 22
Villacil LE	16	E 13
Villacintor LE	16	E 14
Villaco VA	31	G 17
Villaconancio P	31	G 17
Villaconejos M	58	L 19
Villaconejos		
de Trabaque CU	47	K 23
Villacorta SG	32	I 19
Villacorza GU	47	I 21
Villacreces VA	16	F 14
Villacuende P	17	E 15
Villada P	16	F 15
Villadangos		
del Páramo LE	15	E 12
Villadecanes LE	14	E 9
Villademor		
de la Vega LE	16	F 13
Villadepalos LE	14	E 9
Villadepán LE	15	D 11
Villadepera ZA	29	H 11
Villadesuso PO	12	F 3
Villadevelle O	4	B 8
Villadiego BU	17	E 17
Villadiego de Cea LE	16	E 15
Villadiezma P	17	E 16
Villadonga LU	4	C 7
Villadoz Z	48	I 26
Villaeles de Valdavia P	17	E 16
Villaescobedo BU	17	D 17
Villaescusa S	17	D 17
Villaescusa VA	31	H 16
Villaescusa de Haro CU	59	N 21
Villaescusa		
de Palositos GU	47	K 22
Villaescusa de Roa BU	31	G 17

Villaescusa		
del Butrón BU	18	D 19
Villaescusa		
la Sombría BU	18	E 19
Villaespasa BU	32	F 19
Villaesper VA	30	G 14
Villaestrigo LE	15	F 12
Villafáfila ZA	30	G 13
Villafalé LE	16	E 13
Villafañé LE	16	E 13
Villafeliche Z	48	I 25
Villafeliche (Puerto de) Z	48	I 25
Villafeliz		
de la Sobarriba LE	16	E 13
Villafer LE	16	F 13
Villaferrueña ZA	15	F 12
Villafiz LU	3	D 6
Villaflor AV	44	J 15
Villaflor ZA	29	H 12
Villaflores SA	44	I 14
Villaflores GU	46	K 20
Villafrades		
de Campos VA	30	F 15
Villafranca NA	20	F 24
Villafranca SG	32	I 18
Villafranca		
(Embalse de) CO	81	S 16
Villafranca		
de Córdoba CO	81	S 16
Villafranca de Duero VA	30	H 14
Villafranca de Ebro Z	35	H 28
Villafranca		
de la Sierra AV	44	K 14
Villafranca		
de los Barros BA	67	Q 10
Villafranca		
de los Caballeros TO	71	N 19
Villafranca del Bierzo LE	14	E 9
Villafranca		
del Campo TE	48	J 25
Villafranca del Castillo M	45	K 18
Villafranca del Cid /		
Vilafranca CS	49	K 29
Villafranca-Montes		
de Oca BU	18	E 20
Villafranco		
del Guadalhorce MA	100	V 15
Villafranco		
del Guadalquivir SE	91	U 11
Villafranco		
del Guadiana BA	67	P 9
Villafranqueza A	86	Q 28
Villafrechós VA	30	G 14
Villafría VI	19	E 22
Villafría		
cerca de Burgos BU	18	E 19
Villafría cerca		
de San Zardonil BU	18	D 20
Villafruel P	17	E 15
Villafruela BU	31	G 18
Villafuerte VI	31	G 17
Villafuertes BU	17	F 18
Villagalijo BU	18	E 20
Villagarcía LE	15	E 12
Villagarcía		
de Campos VA	30	G 14
Villagarcía		
de la Torre BA	79	R 12
Villagatón LE	15	E 11
Villagellegos LE	16	E 13
Villageriz ZA	15	F 12
Villagómez LE	18	F 18
Villagómez la Nueva VA	16	F 14
Villagonzalo BA	67	P 11
Villagonzalo		
de Coca SG	45	I 16
Villagonzalo		
de Tormes SA	44	J 13
Villagonzalo-		
Pedernales BU	18	F 18
Villagrufe O	5	C 10
Villagutiérrez BU	17	F 18
Villahán P	31	F 17
Villaharta CO	81	R 15
Villahermosa CR	71	P 21
Villahermosa		
del Campo TE	48	I 26
Villahermosa del Río CS	62	L 28
Villaherreros P	16	E 16
Villahizán de Treviño BU	17	E 17
Villahoz BU	31	F 18
Villajimena P	31	F 16
Villajoyosa /		
Vila Joiosa (La) A	74	Q 29
Villalaco P	17	F 17
Villalacre BU	8	C 19

A
B
C
D
E
F
G
H
I
J
K
L
M
N
O
P
Q
R
S
T
U
V
W
X
Y
Z

VITORIA-GASTEIZ

Angulema .... BZ 2
Becerro de Bengoa .... AZ 5
Cadena y Eleta .... AZ 8
Dato .... BZ
Diputación .... AZ 12
Escuelas .... BY 15
España (Pl. de) .... BZ 18
Gasteiz (Av. de) .... AYZ
Herrería .... AY 24
Independencia .... BZ 27
Machete (Pl. del) .... BZ 30
Madre Vedruna .... AZ 33
Nueva Fuera .... BY 34
Ortiz de Zárate .... BZ 36
Pascual de Andagoya (Pl. de) .... AY 39
Portal del Rey .... BZ 42
Postas .... BZ
Prado .... AZ 45
Santa María (Cantón de) .... BY 51
San Francisco .... BZ 48
Virgen Blanca (Pl. de la) .... BZ 55

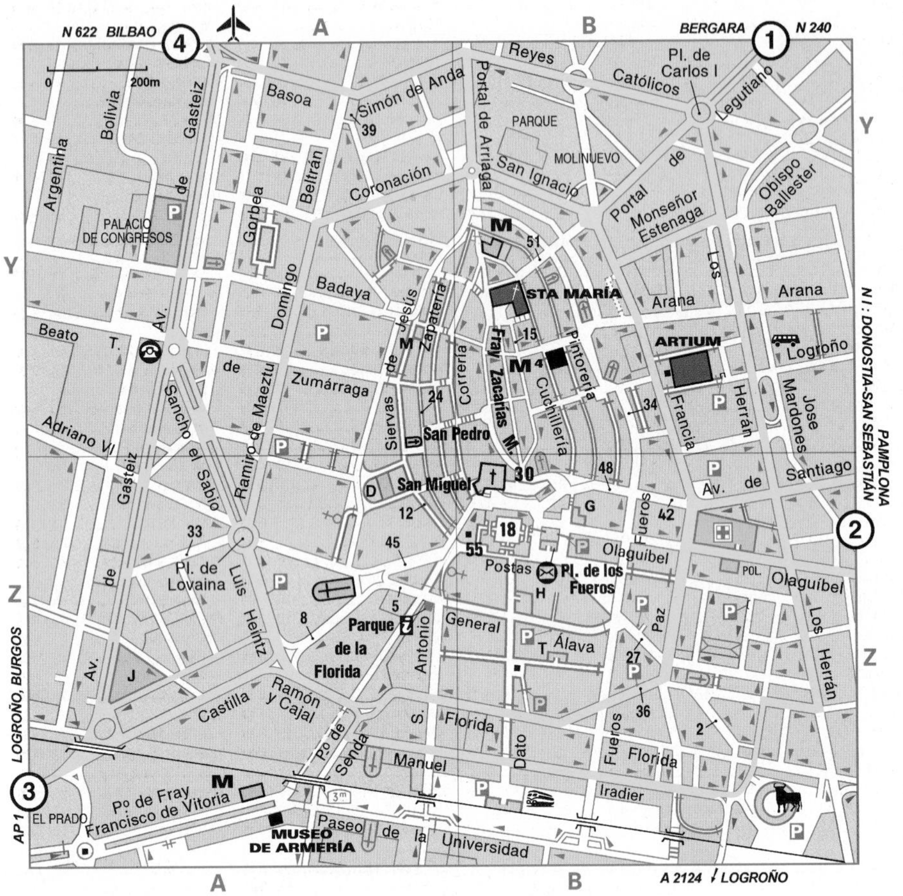

Museo "Fournier" de Naipes de Álava M4

Villalaín BU .... 18 D 19
Villalambrús BU .... 18 D 20
Villalán de Campos VA .... 30 F 14
Villalangua HU .... 21 E 27
Villalar O .... 5 C 10
Villalar de los Comuneros VA .... 30 H 14
Villalazán ZA .... 30 H 13
Villalba SO .... 33 H 22
Villalba / Vilalba LU .... 3 C 6
Villalba (Parador de) LU .... 3 C 6
Villalba Alta TE .... 49 K 27
Villalba Baja TE .... 48 K 26
Villalba Calatrava CR .... 70 Q 19
Villalba de Adaja VA .... 30 H 15
Villalba de Duero BU .... 32 G 18
Villalba de Guardo P .... 16 D 15
Villalba de la Lampreana ZA .... 29 G 13
Villalba de la Sierra CU .... 60 L 23
Villalba de Loma VA .... 16 F 14
Villalba de los Alcores VA .... 30 G 15
Villalba de los Barros BA .... 67 Q 10
Villalba de los Llanos SA .... 43 J 12
Villalba de los Morales TE .... 48 J 25
Villalba de Losa BU .... 18 D 20
Villalba de Perejiles Z .... 34 I 25
Villalba de Rioja LO .... 18 E 21
Villalba del Alcor H .... 91 T 10
Villalba del Rey CU .... 47 K 22
Villalbarba VA .... 30 H 14
Villalbilla BU .... 18 E 18
Villalbilla M .... 46 K 20
Villalbilla de Gumiel BU .... 32 G 19
Villalbilla de Villadiego BU .... 17 E 18
Villalbilla Sobresierra BU .... 18 E 19
Villalcampo ZA .... 29 H 11
Villalcampo (Embalse de) ZA .... 29 H 11
Villalcázar de Sirga P .... 17 F 16
Villalcón P .... 16 F 15
Villaldemiro BU .... 17 F 18
Villalebrín LE .... 16 E 15
Villalfeide LE .... 16 D 13
Villalgordo del Júcar AB .... 72 O 23
Villalgordo del Marquesado CU .... 60 M 22
Villalibre de la Jurisdicción LE .... 14 E 10
Villalís LE .... 15 F 11
Villallana O .... 5 C 12
Villallano P .... 17 D 17
Villalmanzo BU .... 32 F 18
Villalobar de Rioja LO .... 18 E 21
Villalobón P .... 31 F 16
Villalobos ZA .... 30 G 13
Villalobos J .... 94 T 18
Villalómez BU .... 18 E 20
Villalón CO .... 80 S 14
Villalón de Campos VA .... 30 F 14
Villalones MA .... 92 V 14
Villalonso ZA .... 30 H 14
Villalpando ZA .... 30 G 13
Villalpardo CU .... 61 N 25
Villalquite LE .... 16 E 14
Villalta BU .... 18 D 19
Villalube ZA .... 30 H 13
Villaluenga Z .... 34 H 24
Villaluenga de la Sagra TO .... 58 L 18
Villaluenga de la Vega P .... 16 E 15
Villaluenga del Rosario CA .... 99 V 13
Villalumbroso P .... 16 F 15
Villalval BU .... 18 E 19
Villálvaro SO .... 32 H 20
Villalverde ZA .... 15 F 11
Villalveto P .... 17 D 15
Villalvilla de Montejo SG .... 32 H 19
Villamalea AB .... 73 N 25
Villamalur CS .... 62 M 28
Villamandos LE .... 16 F 13
Villamanín LE .... 16 D 13
Villamanrique CR .... 71 Q 21
Villamanrique de la Condesa SE .... 91 U 11
Villamanrique de Tajo M .... 59 L 20
Villamanta M .... 58 L 17
Villamantilla M .... 45 K 17
Villamañán LE .... 16 F 13
Villamar LU .... 4 B 8
Villamarciel VA .... 30 H 15
Villamarco LE .... 16 E 14
Villamarín O .... 5 C 11
Villamartín BU .... 8 C 18
Villamartín A .... 85 S 27
Villamartín CA .... 92 V 13
Villamartín de Campos P .... 31 F 16
Villamartín de Don Sancho LE .... 16 E 14
Villamartín de Villadiego BU .... 17 D 17
Villamayor Z .... 35 G 27
Villamayor O .... 6 B 14
Villamayor O .... 5 C 11
Villamayor SA .... 43 J 12
Villamayor AV .... 44 J 14
Villamayor de Calatrava CR .... 70 P 17
Villamayor de Campos ZA .... 30 G 13
Villamayor de los Montes BU .... 32 F 18
Villamayor de Monjardín NA .... 19 E 23
Villamayor de Santiago CU .... 59 M 21
Villamayor de Treviño BU .... 17 E 17
Villamayor del Condado LE .... 16 E 13
Villamayor del Río BU .... 18 E 20
Villambrán de Cea P .... 16 E 15
Villambrosa VI .... 18 D 20
Villambroz P .... 16 E 15
Villameca LE .... 15 E 11
Villameca (Embalse de) LE .... 15 E 11
Villamediana P .... 31 F 16
Villamediana de Iregua LO .... 19 E 22
Villamedianilla BU .... 17 F 17
Villamején O .... 5 B 11
Villamejil LE .... 15 E 11
Villamejín O .... 5 C 11
Villamejor M .... 58 M 18
Villameriel P .... 17 E 16
Villamerriel LE .... 15 D 11
Villamesías CC .... 68 O 12
Villamiel CC .... 55 L 9
Villamiel de la Sierra BU .... 18 F 19
Villamiel de Toledo TO .... 58 M 17
Villaminaya TO .... 58 M 18
Villamizar LE .... 16 E 14
Villamol LE .... 16 E 14
Villamontán de la Valduerna LE .... 15 F 12
Villamor BU .... 18 D 19
Villamor de Cadozos ZA .... 29 I 11
Villamor de la Ladre ZA .... 29 H 11
Villamor de los Escuderos ZA .... 30 I 13
Villamoratiel de las Matas LE .... 16 E 14
Villamorco P .... 17 E 16
Villamorey O .... 6 C 13
Villamorisca LE .... 16 D 15
Villamoronta P .... 17 E 15
Villamudria BU .... 18 E 20
Villamuelas TO .... 58 M 18
Villamuera de la Cueza P .... 17 F 15
Villamuñío LE .... 16 E 14
Villamuriel de Campos VA .... 30 G 14
Villamuriel de Cerrato P .... 31 G 16
Villán de Tordesillas VA .... 30 H 15
Villanañe VI .... 18 D 20
Villanasur BU .... 18 E 20
Villanázar ZA .... 29 G 12
Villandás O .... 5 C 11
Villandiego BU .... 17 E 17
Villandín TO .... 59 L 20
Villaneceriel P .... 17 E 16
Villanova HU .... 22 E 31
Villanova LU .... 14 D 8
Villanova del Pedragal LU .... 14 D 9
Villanovilla HU .... 21 E 28
Villanúa HU .... 21 D 28
Villanubla VA .... 30 G 15
Villanueva cerca de Boal O .... 4 B 9
Villanueva cerca de Cangas O .... 6 B 14
Villanueva cerca de Luarca O .... 5 B 10
Villanueva cerca de Ribadedeva O .... 7 B 16
Villanueva cerca de Teverga O .... 5 C 11
Villanueva Santo Adriano O .... 5 C 11
Villanueva de Abajo P .... 17 D 15
Villanueva de Aézkoa / Hiriberri NA .... 11 D 26
Villanueva de Alcardete TO .... 59 M 20
Villanueva de Alcorón GU .... 47 J 23
Villanueva de Algaidas MA .... 93 U 16
Villanueva de Argaño BU .... 17 E 18
Villanueva de Argecilla GU .... 46 J 21
Villanueva de Arriba P .... 16 D 15
Villanueva de Ávila AV .... 44 K 15
Villanueva de Azoague ZA .... 29 G 12
Villanueva de Bogas TO .... 58 M 19
Villanueva de Cameros LO .... 19 F 22
Villanueva de Campeán ZA .... 29 H 12
Villanueva de Cañedo SA .... 43 I 12
Villanueva de Carazo BU .... 32 G 20
Villanueva de Carrizo LE .... 15 E 12
Villanueva de Cauche MA .... 100 V 16
Villanueva de Córdoba CO .... 81 R 16
Villanueva de Duero VA .... 30 H 15
Villanueva de Franco CR .... 71 P 19
Villanueva de Gállego Z .... 35 G 27
Villanueva de Gómez AV .... 44 J 15
Villanueva de Gormaz SO .... 32 H 20
Villanueva de Guadamajud CU .... 60 L 22
Villanueva de Gumiel BU .... 32 G 19
Villanueva de Henares P .... 17 D 17
Villanueva de Jamuz LE .... 15 F 12
Villanueva de Jiloca Z .... 48 I 25
Villanueva de la Cañada M .... 45 K 17
Villanueva de la Concepción MA .... 100 V 16
Villanueva de la Condesa VA .... 16 F 14
Villanueva de la Fuente CR .... 71 P 21
Villanueva de la Jara CU .... 60 N 24
Villanueva de la Nia S .... 17 D 17
Villanueva de la Peña S .... 7 C 17
Villanueva de la Reina J .... 82 R 18
Villanueva de la Serena BA .... 68 P 12
Villanueva de la Sierra ZA .... 14 F 8
Villanueva de la Sierra CC .... 55 L 10
Villanueva de la Tercia LE .... 16 D 12
Villanueva de la Torre GU .... 46 K 20
Villanueva de la Vera CC .... 56 L 13
Villanueva de las Cruces H .... 78 T 8
Villanueva de las Manzanas LE .... 16 E 13
Villanueva de las Peras ZA .... 29 G 12
Villanueva de las Torres GR .... 95 T 20
Villanueva de los Caballeros VA .... 30 G 14
Villanueva de los Castillejos H .... 90 T 8
Villanueva de los Escuderos CU .... 60 L 23
Villanueva de los Infantes VA .... 31 G 16
Villanueva de los Infantes CR .... 71 P 20
Villanueva de los Montes BU .... 18 D 19
Villanueva de los Nabos P .... 17 E 16
Villanueva de Mena BU .... 8 C 20
Villanueva de Mesia GR .... 94 U 17
Villanueva de Odra BU .... 17 E 17
Villanueva de Omaña LE .... 15 D 11
Villanueva de Oscos O .... 4 C 9
Villanueva de Perales M .... 45 K 17
Villanueva de Puerta BU .... 17 E 18
Villanueva de San Carlos CR .... 70 Q 18
Villanueva de San Juan SE .... 92 U 14
Villanueva de San Mancio VA .... 30 G 14
Villanueva de Sigena HU .... 36 G 29
Villanueva de Tapia MA .... 93 U 17
Villanueva de Valdueza LE .... 15 E 10
Villanueva de Valrojo ZA .... 29 G 11
Villanueva de Viver CS .... 62 L 28
Villanueva de Zamajón SO .... 33 H 23
Villanueva del Aceral AV .... 44 I 15
Villanueva del Arbol LE .... 16 E 13
Villanueva del Ariscal SE .... 91 T 11
Villanueva del Arzobispo J .... 83 R 20
Villanueva del Campillo AV .... 44 K 14
Villanueva del Campo ZA .... 30 G 13
Villanueva del Conde SA .... 43 K 11
Villanueva del Duque CO .... 81 Q 14
Villanueva del Fresno BA .... 78 Q 8
Villanueva del Huerva Z .... 34 H 26
Villanueva del Pardillo M .... 45 K 18
Villanueva del Rebolar de la Sierra TE .... 49 J 26
Villanueva del Rebollar P .... 16 F 15
Villanueva del Rey CO .... 80 R 14
Villanueva del Rey SE .... 92 T 14
Villanueva del Río SE .... 80 T 12
Villanueva del Río Segura MU .... 85 R 26
Villanueva del Río y Minas SE .... 80 T 12
Villanueva del Rosario MA .... 100 V 16
Villanueva del Trabuco MA .... 93 U 16
Villanueva Soportilla BU .... 18 D 20
Villanueva y Geltrú / Vilanova i la Geltrú B .... 37 I 35
Villanuevas (Los) TE .... 62 L 28
Villanuño de Valdavia P .... 17 E 16
Villaobispo LE .... 15 E 11
Villaornate y Castro LE .... 16 F 13
Villapaderne S .... 7 C 17
Villapadierna LE .... 16 D 14
Villapalacios AB .... 71 Q 22
Villapeceñil LE .... 16 E 14
Villapedre O .... 5 B 10
Villaprovedo P .... 17 E 16
Villaquejida LE .... 16 F 13
Villaquilambre LE .... 16 E 13
Villaquirán de la Puebla BU .... 17 F 17
Villaquirán de los Infantes BU .... 17 F 17
Villar (El) AB .... 72 O 24
Villar (El) CR .... 70 Q 17
Villar (El) H .... 79 S 9
Villar (Embalse de El) M .... 46 J 19
Villar (Santuario de la Virgen del) LO .... 33 F 23
Villar da Torre C .... 2 D 3

Villar de Acero LE 14 D 9
Villar de Argañán SA 42 J 9
Villar de Arnedo (El) LO 19 F 23
Villar de Cantos CU 60 N 22
Villar de Cañas CU 59 M 22
Villar de Chinchilla AB 73 P 25
Villar de Ciervo SA 42 J 9
Villar de Ciervos LE 15 E 11
Villar de Cobeta GU 47 J 23
Villar de Corneja AV 44 K 13
Villar de Cuevas J 82 S 18
Villar de Domingo García CU 60 L 23
Villar de Farfón ZA 29 G 11
Villar de Gallimazo SA 44 J 14
Villar de Golfer LE 15 E 11
Villar de la Encina CU 60 N 22
Villar de la Yegua SA 42 J 9
Villar de las Traviesas LE 15 D 10
Villar de los Navarros Z 48 I 26
Villar de Matacabras AV 44 I 14
Villar de Maya SO 33 F 22
Villar de Mazarife LE 15 E 12
Villar de Olalla CU 60 L 23
Villar de Olmos V 61 N 26
Villar de Peralonso SA 43 I 11
Villar de Plasencia CC 56 L 11
Villar de Pozo Rubio AB 72 O 24
Villar de Rena BA 68 O 12
Villar de Samaniego SA 43 I 10
Villar de Santiago (El) LE 15 D 11
Villar de Sobrepeña SG 31 I 18
Villar de Tejas V 61 N 26
Villar de Torre LO 18 E 21
Villar del Águila CU 60 M 22
Villar del Ala SO 33 G 22
Villar del Arzobispo V 61 M 27
Villar del Buey ZA 29 I 11
Villar del Campo SO 33 G 23
Villar del Cobo TE 48 K 24
Villar del Horno CU 60 L 22
Villar del Humo CU 61 M 25
Villar del Infantado CU 47 K 22
Villar del Maestre CU 60 L 22
Villar del Monte LE 15 F 11
Villar del Olmo M 46 K 20
Villar del Pedroso CC 57 M 14
Villar del Pozo CR 70 P 18
Villar del Rey BA 67 O 9
Villar del Río SO 33 F 22
Villar del Salz TE 48 J 25
Villar del Saz de Arcas CU 60 M 23
Villar del Saz de Navalón CU 60 L 22
Villaralbo ZA 29 H 12
Villaralto CO 81 Q 15
Villarcayo BU 18 D 19
Villardeciervos ZA 29 G 11
Villardefallaves ZA 30 G 14
Villardefrades VA 30 G 14
Villardiegua de la Ribera ZA 29 H 11
Villárdiga ZA 30 G 13
Villardompardo J 82 S 17
Villardondiego ZA 30 H 13
Villarejo AV 44 K 15
Villarejo LO 18 E 21
Villarejo AB 72 Q 23
Villarejo (El) TE 61 L 25
Villarejo de Fuentes CU 59 M 21
Villarejo de la Peñuela CU 60 L 22
Villarejo de Medina GU 47 J 22
Villarejo de Montalbán TO 57 M 16
Villarejo de Órbigo LE 15 E 12
Villarejo de Salvanés M 59 L 20
Villarejo del Espartal CU 60 L 22
Villarejo del Valle AV 57 L 15
Villarejo Periesteban CU 60 M 22
Villarejo Seco CU 60 M 22
Villarejo Sobrehuerta CU 60 L 22
Villarejos (Los) TO 57 M 15
Villarente LE 16 E 13
Villares AB 84 Q 23
Villares (Los) CR 71 P 21
Villares (Los) CO 93 T 17
Villares (Los) GR 94 T 20
Villares (Los) *cerca de Andújar* J 82 R 18
Villares (Los) *cerca de Jaén* J 82 S 18
Villares de Jadraque GU 46 I 20
Villares de la Reina SA 43 I 13
Villares de Órbigo LE 15 E 12
Villares de Yeltes SA 43 J 10
Villares del Saz CU 60 M 22
Villargarcía del Llano CU 72 O 24
Villargordo SA 43 I 11
Villargordo J 82 S 18
Villargordo SE 79 T 10
Villargordo del Cabriel V 61 N 25
Villargusán LE 5 D 12
Villarias BU 18 D 19
Villaricos AL 96 U 24
Villariezo BU 18 F 18
Villarín LE 15 E 12
Villarino LE 15 F 10
Villarino SA 29 I 10
Villarino de Cebal ZA 29 G 11
Villarino de Manzanas ZA 29 G 10
Villarino del Sil LE 15 D 10
Villarino Tras la Sierra ZA 29 G 10
Villarluengo TE 49 K 28
Villarluengo (Puerto de) TE 49 K 28
Villarmayor SA 43 I 12
Villarmentero de Campos P 17 F 16
Villarmentero de Esgueva VA 31 G 16
Villarmid C 2 C 2
Villarmuerto SA 43 I 10
Villarmún LE 16 E 13
Villarodrigo de Ordás LE 15 D 12
Villaronte LU 4 B 8
Villaroya (Puerto de) TE 49 K 28
Villaroya de los Pinares TE 49 K 27
Villarpedre O 4 C 9
Villarquemado TE 48 K 26
Villarrabé P 16 E 15
Villarrabines LE 16 F 13
Villarramiel P 30 F 15
Villarrasa H 91 T 10
Villarreal BA 66 P 8
Villarreal / Vila-real CS 62 M 29
Villarreal de Huerva Z 48 I 26
Villarreal de la Canal HU 21 E 27
Villarreal de San Carlos CC 56 M 11
Villarrín de Campos ZA 30 G 13
Villarroañe LE 16 E 13
Villarrobejo P 16 E 15
Villarrobledo AB 71 O 22
Villarrodrigo P 16 E 15
Villarrodrigo J 83 Q 22
Villarroquel LE 15 E 12
Villarroya LO 19 F 23
Villarroya de la Sierra Z 34 H 24
Villarroya del Campo Z 48 I 26
Villarrubia CO 81 S 15
Villarrubia de los Ojos CR 70 O 19
Villarrubia de Santiago TO 59 M 19
Villarrubín LE 14 E 8
Villarrubio CU 59 M 21
Villarta CU 61 N 25
Villarta de Escalona TO 57 L 16
Villarta de los Montes BA 69 O 15
Villarta de San Juan CR 71 O 19
Villarta-Quintana LO 18 E 20
Villartelín LU 14 D 8
Villartorey O 4 B 9
Villartoso SO 33 F 22
Villarué HU 22 E 31
Villarueva de la Torre GU 46 K 20
Villas de Turbón (Las) HU 22 E 31
Villas Viejas CU 59 M 21
Villasabariego LE 16 E 13
Villasabariego de Ucieza P 17 E 16
Villasana de Mena BU 8 C 20
Villasandino BU 17 E 17
Villasante de Montija BU 8 C 19
Villasar B 38 H 37
Villasarracino P 17 E 16
Villasayas SO 33 H 22
Villasbuenas SA 42 I 10
Villasbuenas de Gata CC 55 L 10
Villasdardo SA 43 I 11
Villaseca LO 18 E 21
Villaseca CU 60 L 23
Villaseca CO 81 S 14
Villaseca SG 31 I 18
Villaseca de Arciel SO 33 H 23
Villaseca de la Sagra TO 58 M 18
Villaseca de Laciana LE 15 D 11
Villaseca de Uceda GU 46 J 19
Villasecino LE 15 D 11
Villaseco ZA 29 H 12
Villaseco de los Gamitos SA 43 I 11
Villaseco de los Reyes SA 43 I 11
Villaselán LE 16 E 14
Villasequilla TO 58 M 18
Villasevil S 7 C 18
Villasexmir VA 30 H 14
Villasidro BU 17 E 17
Villasila P 17 E 16
Villasilos BU 17 F 17
Villasimpliz LE 16 D 13
Villasinde LE 14 E 9
Villaspesa TE 61 L 26
Villasrubias SA 42 K 10
Villastar TE 61 L 26
Villasur P 17 E 15
Villasur de Herreros BU 18 F 19
Villasuso S 7 C 17
Villatobas TO 59 M 20
Villatoro AV 44 K 14
Villatoro BU 18 E 18
Villatoya AB 73 O 25
Villatresmil O 5 B 10
Villatuerta NA 19 E 24
Villaturde P 17 E 15
Villaturiel LE 16 E 13
Villaumbrales P 31 F 16
Villaute BU 17 E 18
Villava NA 11 D 25
Villavaler O 5 B 11
Villavaliente AB 73 O 25
Villavaquerín VA 31 H 16
Villavedón BU 17 E 17
Villavelasco de Valderaduey LE 16 E 15
Villavelayo LO 18 F 21
Villavellid VA 30 G 14
Villavendimio ZA 30 H 13
Villavente LE 16 E 13
Villaventín BU 8 C 19
Villaverde M 46 K 18
Villaverde O 6 B 13
Villaverde LE 14 E 9
Villaverde *Fuerteventura* GC 111 I 2
Villaverde de Abajo LE 16 D 13
Villaverde de Arcayos LE 16 E 14
Villaverde de Guadalimar AB 83 Q 22
Villaverde de Guareña SA 44 I 13
Villaverde de Iscar SG 31 I 16
Villaverde de Medina VA 30 I 14
Villaverde de Montejo SG 32 H 19
Villaverde de Pontones S 8 B 18
Villaverde de Rioja LO 19 F 21
Villaverde de Sandoval LE 16 E 13
Villaverde de Trucios S 8 C 20
Villaverde del Ducado GU 47 I 22
Villaverde del Monte SO 33 G 21
Villaverde del Monte BU 17 F 18
Villaverde del Río SE 92 T 12
Villaverde la Chiquita LE 16 E 14
Villaverde-Mogina BU 17 F 17
Villaverde-Peñahorada BU 18 E 18
Villaverde y Pasaconsol CU 60 M 23
Villaveta BU 17 E 17
Villaveta NA 11 D 25
Villaveza de Valverde ZA 29 G 12
Villaveza del Agua ZA 29 G 12
Villavicencio de los Caballeros VA 30 F 14
Villaviciosa O 6 B 13
Villaviciosa AV 44 K 15
Villaviciosa de Córdoba CO 81 R 14
Villaviciosa de la Ribera LE 15 E 12
Villaviciosa de Odón M 45 K 18
Villaviciosa de Tajuña GU 47 J 21
Villavieja de Muñó BU 17 F 18
Villavieja de Yeltes SA 43 J 10
Villavieja del Cerro VA 30 H 14
Villavieja del Lozoya M 46 I 18
Villaviudas P 31 G 16
Villayón O 4 B 9
Villayuste LE 15 D 12
Villaza OR 28 G 7
Villazala LE 15 E 12
Villazanzo de Valderaduey LE 16 E 15
Villazón O 5 B 11
Villazopeque BU 17 F 17
Villegar S 7 C 18
Villegas BU 17 E 17
Villegas o Mardos AB 73 Q 25
Villeguillo SG 31 I 16
Villel TE 61 L 26
Villel de Mesa GU 47 I 24
Villela BU 17 D 17
Villelga P 16 F 15
Villena A 73 Q 27
Villeriás P 30 G 15
Villeza LE 16 F 14
Villiguer LE 16 E 13
Villimer LE 16 E 13
Villivañe LE 16 E 13
Villobas HU 21 E 29
Villodas VI 19 D 21
Villodre P 17 F 17
Villodrigo P 17 F 17
Villoldo P 17 F 16
Villomar LE 16 E 13
Villora CU 61 M 25
Villora (Cabeza de) CU 61 M 25
Villores CS 49 J 29
Villoria O 6 C 13
Villoria SA 44 J 13
Villoria de Boada SA 43 J 11
Villorquite de Herrera P 17 E 16
Villoruebo BU 18 F 19
Villoruela SA 44 I 13
Villoslada SG 45 J 16
Villoslada de Cameros LO 33 F 21
Villota del Duque P 17 E 16
Villota del Páramo P 16 E 15
Villotilla P 17 E 15
Villovela BU 31 G 18
Villoviado BU 32 G 18
Villovieco P 17 F 16
Villuercas CC 56 N 13
Viloalle LU 4 B 7
Vilobí d'Onyar GI 25 G 38
Vilopriu GI 25 F 38
Viloria NA 19 D 23
Viloria VA 31 H 16
Viloria de Rioja BU 18 E 20
Vilosell (El) L 37 H 32
Vilouriz C 3 D 6
Vilouzás C 3 C 5
Vilueña (La) Z 34 I 24
Vilvarejo (El) TE 48 J 26
Vilves L 37 G 33
Vilvestre SA 42 I 9
Vilviestre de los Nabos SO 33 G 22
Vilviestre de Muñó BU 17 F 18
Vilviestre del Pinar BU 32 G 20
Vilvís TO 58 L 17
Vimbodí T 37 H 33
Vimianzo C 2 C 2
Vinaceite TE 35 I 28
Vinaderos AV 44 I 15
Vinaixa L 37 H 32
Vinallop T 50 J 31
Vinaròs CS 50 K 31
Vincios PO 12 F 3
Vindel CU 47 K 22
Vinebre T 36 I 31
Viniegra de Abajo LO 18 F 21
Viniegra de Arriba LO 33 F 21
Vinseiro PO 13 D 4
Vinuesa SO 33 G 21
Vinyoles V 73 O 26
Vinyoles d'Orís B 24 F 36
Vinyols T 51 I 33
Viña C 3 C 5
Viña (La) GR 94 U 17
Viñales LE 15 E 10
Viñamala (Reserva nacional de) HU 21 D 29
Viñas ZA 29 G 10
Viñas (Las) J 82 R 18
Viñegra AV 44 J 14
Viñegra de Moraña AV 44 J 15
Viñón S 7 C 16
Viñón O 6 B 13
Viñuela MA 101 V 17
Viñuela (Embalse de la) MA 101 V 17
Viñuela (La) CR 69 P 17
Viñuela (La) SE 80 S 13
Viñuela de Sayago ZA 29 I 12
Viñuelas GU 46 J 19
Viñuelas (Castillo de) M 46 K 19
Vírgala Mayor VI 19 D 22
Virgen (Ermita de la) GU 47 J 22
Virgen Coronada (Ermita de la) BA 68 O 14
Virgen de Ara (Ermita) BA 80 R 12
Virgen de Fabana (Ermita de la) HU 21 F 29
Virgen de la Cabeza GR 95 T 21
Virgen de la Cabeza (Ermita de la) CR 71 Q 19
Virgen de la Cabeza (Ermita de la) AL 84 S 23
Virgen de la Cabeza (Santuario) J 82 R 17
Virgen de la Columna Z 35 H 27
Virgen de la Estrella (Santuario de la) TE 49 K 29
Virgen de la Montaña (La) CC 55 N 10
Virgen de la Muela TO 59 M 20
Virgen de la Peña (Ermita de la) TE 49 K 28
Virgen de la Peña (Ermita de la) H 78 T 8
Virgen de la Sierra (Ermita de la) CR 70 O 18
Virgen de la Sierra (Santuario de) Z 34 H 24
Virgen de la Vega CR 71 Q 20
Virgen de la Vega GU 47 J 22
Virgen de la Vega (Ermita de la) TE 50 J 30
Virgen de la Vega (La) TE 49 K 27
Virgen de Lagunas (Ermita de la) Z 34 H 26
Virgen de las Cruces CR 70 O 18
Virgen de las Viñas CR 71 O 21
Virgen de Lomos de Orios (La) LO 33 F 22
Virgen de los Ángeles (Ermita de la) TE 48 K 25

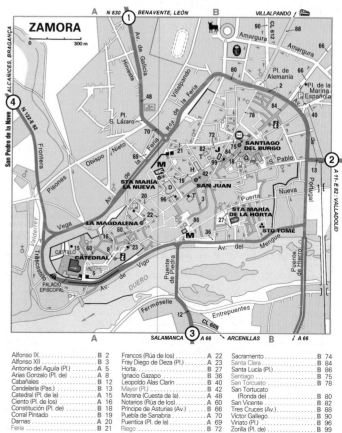

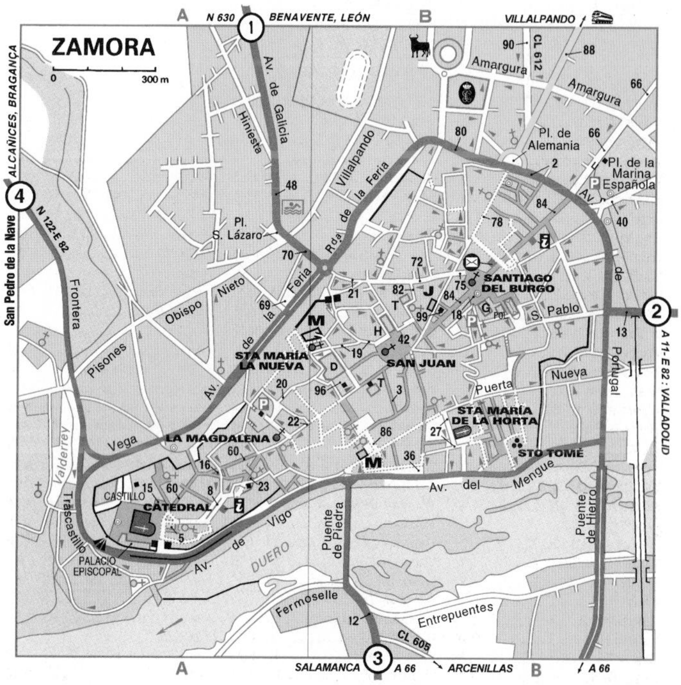
ZAMORA
300 m
N 630 BENAVENTE, LEÓN
VILLALPANDO
CL 612
A
B
Av. de Galicia
Hiniesta
Villalpando
Rda. de la Feria
Amargura
Pl. de Alemania
Pl. de la Marina Española
Pl. S. Lázaro
Obispo Nieto
Frontera
Pisones
SANTIAGO DEL BURGO
STA MARÍA LA NUEVA
SAN JUAN
LA MAGDALENA
STA MARÍA DE LA HORTA
STO TOMÉ
CATEDRAL
CASTILLO
PALACIO EPISCOPAL
Trascastillo
Valderrey
Vega
Av. de Vigo
DUERO
Puente de Piedra
Puente de Hierro
Puerta Nueva
Portugal
Av. del Mengue
Fermoselle
Entrepuentes
CL 605
N 122-E 82
ALCAÑICES, BRAGANÇA
San Pedro de la Nave
A 11-E 82 : VALLADOLID
SALAMANCA A 66
ARCENILLAS
A 66

Alfonso IX B 2
Alfonso XII B 3
Antonio del Aguila (Pl.) A 5
Arias Gonzalo (Pl. de) A 8
Cabañales B 12
Candelaría (Pas.) B 13
Catedral (Pl. de la) A 15
Ciento (Pl. de los) A 16
Constitución (Pl. de) B 18
Corral Pintado B 19
Damas A 20
Feria B 21
Francos (Rúa de los) A 22
Fray Diego de Deza (Pl.) A 23
Horta B 27
Ignacio Gazapo B 36
Leopoldo Alas Clarín B 40
Mayor (Pl.) B 42
Morana (Cuesta de la) A 48
Notarios (Rúa de los) A 60
Príncipe de Asturias (Av.) B 66
Puebla de Sanabria A 70
Puentica (Pl. de la) A 69
Riego B 72
Sacramento B 74
Santa Clara B 84
Santa Lucía (Pl.) B 86
Santiago B 75
San Torcuato B 78
San Tortucato (Ronda de) B 80
San Vicente B 82
Tres Cruces (Av.) B 88
Víctor Gallego B 90
Viriato (Pl.) B 96
Zorilla (Pl. de) B 99

A
B
C
D
E
F
G
H
I
J
K
L
M
N
O
P
Q
R
S
T
U
V
W
X
Y
Z

ZARAGOZA

Alfonso I . . . . YZ
Alfonso V . . . . Z 6
Candalija . . . . Z 10
Capitán Portolés . . . . Z 13
César Augusto (Av.) . . . . Z 15
Cinco de Marzo . . . . Z 18
Conde de Aranda . . . . Z
Coso . . . . Z
Don Jaime I . . . . YZ
Independencia
(Pas.) . . . . Z
Magdalena . . . . Z 42
Manifestación . . . . Y 43
Sancho y Gil . . . . Z 58
San Pedro Nolasco
(Pl. de) . . . . Z 63
San Vicente de Paul . . . . YZ
Teniente Coronel Valenzuela . . . . Z 67

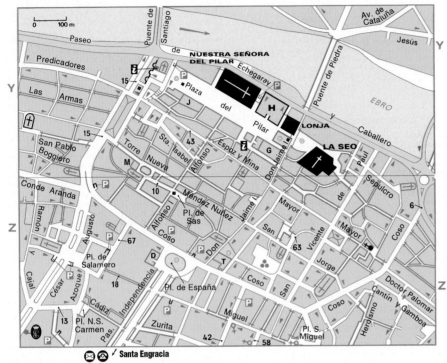

Virgen de los Santos *CR* ... **70** P 18
Virgen de Luna *CO* ... **81** R 15
Virgen de Montesinos
(Ermita de la) *GU* ... **47** J 23
Virgen de Nieves Tara
Mazas (Ermita) *TE* ... **49** J 29
Virgen de Suceso *BI* ... **8** C 20
Virgen del Buen Suceso
(Ermita de la) *TE* ... **49** K 28
Virgen del Buenlabrado
(Ermita de) *GU* ... **47** J 23
Virgen
del Camino *LE* ... **16** E 13
Virgen del Campo (Ermita de la)
cerca de Camarillas *TE* ... **48** K 27
Virgen del Castillo *CR* ... **69** P 15
Virgen del Castillo
(Ermita de la) *SG* ... **45** I 17
Virgen del Castillo
(Ermita de la) *TE* ... **48** K 26
Virgen del Molino
(Ermita de la) *TE* ... **48** K 26
Virgen del Pinar
(Ermita de la) *CU* ... **47** K 22
Virgen del Poral
(Ermita de la) *GU* ... **47** K 21
Virgen del Prado
(Ermita de la) *CC* ... **55** N 10
Virgen del Robledo
(Ermita de la) *SE* ... **80** S 13
Virgen del Rocío *SE* ... **92** T 12
Virgen del Rosario
(Ermita de la) *TE* ... **48** J 26
Virtudes (Las) *CR* ... **71** Q 19
Virtudes (Las) *A* ... **73** Q 27
Virtus *BU* ... **17** D 18
Visantoña *C* ... **3** C 5
Visaurin *HU* ... **21** D 28
Visiedo *TE* ... **48** J 26
Viso (El) *AB* ... **73** O 26
Viso (El) *CO* ... **81** Q 15
Viso (O) *C* ... **12** D 2
Viso
de San Juan (El) *TO* ... **58** L 18
Viso del Alcor (El) *SE* ... **92** T 12
Viso
del Marqués *CR* ... **82** Q 19
Vista Alegre *C* ... **3** B 5
Vistabella *Z* ... **34** I 26

Vistabella
del Maestrat *CS* ... **49** L 29
Vistahermosa *CA* ... **98** W 11
Vistalegre *TO* ... **57** M 15
Vita *AV* ... **44** J 14
Vitigudino *SA* ... **43** I 10
Vitoria-Gasteiz *VI* ... **19** D 21
Viu *HU* ... **22** E 31
Viu de Llevata *L* ... **22** E 32
Viuda (Rambla de la) *CS* ... **62** L 29
Vivar
de Fuentidueña *SG* ... **31** H 17
Vivar del Cid *BU* ... **18** E 18
Vivares *BA* ... **68** O 11
Vivedro *O* ... **4** B 9
Viveiro *LU* ... **4** B 7
Viveiró Sierra
del Xistral *LU* ... **3** B 7
Viveiró (Ría de) *LU* ... **4** A 7
Vivel del Río Martín *TE* ... **49** J 27
Vivero *TE* ... **69** P 15
Viveros *AB* ... **71** P 22
Vives (Los) *A* ... **85** R 27
Vivinera *ZA* ... **29** G 11
Vizcaina (La)
La Gomera *TF* ... **118** B 2
Vizcainos *BU* ... **32** F 20
Vizcalmón *J* ... **94** T 17
Vizcodillo *ZA* ... **15** F 10
Vizmanos *SO* ... **33** F 22
Víznar *GR* ... **94** U 19
Vorcel *SE* ... **92** U 12
Vozmediano *SO* ... **34** G 24
Voznuevo *LE* ... **16** D 14
Vulpellac *GI* ... **25** G 39

W
Wamba *VA* ... **30** G 15
Warner Bros *M* ... **58** L 19

X
Xàbia / Jávea *A* ... **75** P 30
Xallas *C* ... **2** D 2
Xaló *A* ... **74** P 29

Xanceda *C* ... **3** C 5
Xara (La) *A* ... **74** P 30
Xares *OR* ... **14** F 9
Xarrié *A* ... **70** O 18
Xàtiva *V* ... **74** P 28
Xaviña *C* ... **2** C 2
Xendive *OR* ... **27** G 5
Xeraco *V* ... **74** O 29
Xeresa *V* ... **74** O 29
Xermade *LU* ... **3** B 6
Xermar *LU* ... **4** C 7
Xerta *T* ... **50** J 31
Xesta cerca de Lalin *PO* ... **13** E 5
Xesta cerca de Lama *PO* ... **13** E 4
Xesta (Porto da) *LU* ... **4** C 5
Xestal *C* ... **3** C 5
Xestosa *OR* ... **13** F 6
Xestoso *C* ... **3** C 6
Xeve *PO* ... **12** E 4
Xiá *LU* ... **3** C 6
Xilxes / Chilches *CS* ... **62** M 29
Xinzo de Limia *OR* ... **13** F 6
Xironda *OR* ... **27** G 7
Xistral (Sierra del) *LU* ... **4** B 7
Xiva de Morella *CS* ... **50** K 29
Xivana (La) *V* ... **74** O 29
Xivert (Castell de) *CS* ... **50** L 30
Xixona *A* ... **74** Q 28
Xodos *CS* ... **62** L 29
Xove *LU* ... **4** A 7
Xuances *LU* ... **4** A 7
Xubia *C* ... **3** B 5
Xunqueira de Ambía *OR* ... **13** F 6
Xunqueira
de Espadañedo *OR* ... **13** F 7
Xuño *C* ... **12** E 2
Xustás *LU* ... **4** C 7
Xuvencos *LU* ... **13** E 7

Y
Yaco Tenerife *TF* ... **129** F 5
Yaiza Lanzarote *GC* ... **122** B 4
Yanguas *SO* ... **33** F 22
Yanguas de Eresma *SG* ... **45** I 17
Yaso *HU* ... **21** F 29

Yátor *GR* ... **102** V 20
Yátova *V* ... **73** N 27
Ye *GC* ... **121** F 3
Yébenes (Los) *TO* ... **58** N 18
Yebes *GU* ... **46** K 20
Yebra *GU* ... **46** K 21
Yebra de Basa *HU* ... **21** E 29
Yechar *MU* ... **85** R 25
Yecla *MU* ... **73** Q 26
Yecla de Yeltes *SA* ... **43** J 10
Yécora *V* ... **19** E 22
Yedra (La) *J* ... **82** R 19
Yegen *GR* ... **102** V 20
Yegua *AL* ... **103** V 23
Yeguas
(Embalse de) *CO* ... **81** R 17
Yeguas (Las) *TO* ... **58** L 17
Yeguas (Las) *MA* ... **93** U 15
Yegüerizos (Los) *J* ... **83** R 21
Yela *GU* ... **47** J 21
Yélamos de Abajo *GU* ... **47** K 21
Yélamos de Arriba *GU* ... **47** K 21
Yelbes *BA* ... **68** P 11
Yeles *TO* ... **58** L 18
Yeles
(Estación de) *TO* ... **58** L 18
Yelmo *J* ... **83** R 21
Yelo *SO* ... **47** I 22
Yelves (Sierra de) *BA* ... **68** P 11
Yémeda *CU* ... **60** M 24
Yémeda *CU* ... **60** M 24
Yepes *TO* ... **58** M 19
Yéqueda *HU* ... **21** F 28
Yera *S* ... **8** C 18
Yermo *C* ... **7** C 17
Yernes *O* ... **5** C 11
Yerri *NA* ... **10** D 24
Yesa *NA* ... **20** E 26
Yesa (Embalse de) *Z* ... **20** E 26
Yesa (La) *V* ... **61** M 27
Yesares (Los) *AB* ... **72** O 24
Yésero *HU* ... **21** E 29
Yesos (Los) *AL* ... **96** U 23
Yesos (Los) *GR* ... **102** V 20
Yeste *AB* ... **84** Q 23
Yetas de Abajo *AB* ... **84** R 23
Yezosa *CR* ... **70** P 19
Yudego *BU* ... **17** E 17
Yugueros *LE* ... **16** D 14

Yuncler *TO* ... **58** L 18
Yuncillos *TO* ... **58** L 18
Yuncos *TO* ... **58** L 18
Yunquera *MA* ... **100** V 15
Yunquera (La) *AB* ... **72** P 23
Yunquera
de Henares *GU* ... **46** J 20
Yunta (La) *GU* ... **48** J 24
Yuso *LE* ... **6** C 15
Yuso
(Monasterio de) *LO* ... **18** F 21
Yuste
(Monasterio de) *CC* ... **56** L 12

Z
Zabalza cerca
de Lumbier *NA* ... **11** D 26
Zabalza cerca
de Pamplona *NA* ... **10** D 24
Zael *BU* ... **31** F 18
Zafara *ZA* ... **29** H 11
Zafarraya *GR* ... **101** V 17
Zafra *BA* ... **79** Q 10
Zafra (La) *A* ... **73** P 27
Zafra de Záncara *CU* ... **59** M 22
Zafrilla *CU* ... **61** L 25
Zafrón *SA* ... **43** I 11
Zagra *GR* ... **94** U 17
Zagrilla *CO* ... **81** T 17
Zahara (Embalse de) *CA* ... **92** V 13
Zahara (Ensenada de) *CA* ... **99** X 12
Zahara de la Sierra *CA* ... **92** V 13
Zahara de los Atunes *CA* ... **99** X 12
Zahariche *SE* ... **92** T 13
Zahinos *BA* ... **78** R 9
Zahora *CA* ... **98** X 11
Zahora (La) *GR* ... **94** U 18
Zaida (La) *Z* ... **35** I 28
Zaidín *HU* ... **36** H 30
Zaitegui *VI* ... **19** D 21
Zajarrón Bajo *BA* ... **67** O 9
Zalamea de la Serena *BA* ... **68** Q 13
Zalamea la Real *H* ... **79** S 10
Zalamillas *LE* ... **16** F 13
Zaldíbar *BI* ... **10** C 22
Zaldibia *SS* ... **10** C 23
Zalduendo *BU* ... **18** E 19
Zalduondo *VI* ... **19** D 22
Zalea *MA* ... **100** V 15
Zamajón *SO* ... **33** H 22
Zamarra *SA* ... **43** K 10
Zamarramala *SG* ... **45** J 17
Zamarrón *GR* ... **95** T 20
Zamayón *SA* ... **43** I 12
Zambra *CO* ... **93** T 16
Zambrana *VI* ... **18** E 21
Zamora (Mirador de)
Gran Canaria *GC* ... **115** E 2
Zamoranos *CO* ... **94** T 17
Zamores
(Embalse de) *CC* ... **54** N 8
Zamudio *BI* ... **8** C 21
Zancarrón de Soto
(Cueva del) *H* ... **91** T 9
Zandio *NA* ... **11** D 25
Zangallón (El) *BA* ... **67** O 9
Zángano (Puerto del) *BA* ... **67** O 9
Zangoza / Sangüesa *NA* ... **20** E 26
Zanzabornín *O* ... **5** B 12
Zaorejas *GU* ... **47** J 23
Zapardiel
de la Cañada *AV* ... **44** K 13
Zapardiel de la Ribera *AV* ... **44** K 14
Zapateras (Las) *BA* ... **67** P 11
Zapateros *AB* ... **72** Q 22
Zapillo (El) *AL* ... **103** V 22
Zapillo (El) *SE* ... **92** T 13
Zárabes *SO* ... **33** H 23
Zaragoza *Z* ... **35** H 27
Zarapicos *SA* ... **43** I 12
Zaratán *NA* ... **30** H 15
Zaratomo *BI* ... **8** C 21
Zarautz *SS* ... **10** C 23
Zarcilla de Ramos *MU* ... **84** S 24
Zarcita La Gomera *TF* ... **119** C 2
Zarra *V* ... **73** O 26
Zarracatín *SE* ... **92** U 12
Zarratón *LO* ... **18** E 21
Zarza (La) *AV* ... **43** L 13
Zarza (La) *VA* ... **30** I 15
Zarza (La) *AB* ... **72** P 23
Zarza (La)
cerca de
Alcantarilla *MU* ... **85** S 25

Zarza Capilla *BA* ... **69** P 14
Zarza de Alange *BA* ... **67** P 11
Zarza de Granadilla *CC* ... **56** L 11
Zarza de Montánchez *CC* ... **68** O 11
Zarza
de Pumareda (La) *SA* ... **28** I 10
Zarza de Tajo *CU* ... **59** L 20
Zarza la Mayor *CC* ... **55** M 9
Zarzal *TO* ... **57** N 16
Zarzalejo *M* ... **45** K 17
Zarzosa *LO* ... **19** F 22
Zarzosa
de Riopisuerga *BU* ... **17** E 17
Zarzoso
(Sierra del) *BA* ... **78** Q 9
Zarzuela *CU* ... **60** L 23
Zarzuela (La) *M* ... **45** K 18
Zarzuela (La) *CA* ... **99** X 12
Zarzuela de Jadraque *GU* ... **46** I 20
Zarzuela del Monte *SG* ... **45** J 16
Zarzuela del Pinar *SG* ... **31** I 17
Zas *C* ... **2** C 3
Zayas de Báscones *SO* ... **32** G 20
Zayas de Torre *SO* ... **32** G 20
Zayuelas *SO* ... **32** G 20
Zazuar *BU* ... **32** G 19
Zeanuri *BI* ... **9** C 21
Zeberio *BI* ... **9** C 21
Zegama *SS* ... **19** D 23
Zegrí (Puerto del) *GR* ... **94** T 19
Zenia (La) *A* ... **85** S 27
Zerain *SS* ... **10** C 23
Zestoa *SS* ... **10** C 23
Ziga *NA* ... **11** C 25
Zigoitia *VI* ... **19** D 21
Zilbeti *NA* ... **11** D 25
Ziordia *NA* ... **19** D 23
Ziorraga *VI* ... **9** C 21
Zizur Mayor *NA* ... **11** D 24
Zizur Menor *NA* ... **11** D 24
Zizurkil *SS* ... **10** C 23
Zocueza *J* ... **82** R 18
Zollo-Elexalde *BI* ... **8** C 21
Zoma (La) *TE* ... **49** J 28
Zomas (Las) *CU* ... **60** M 23
Zorelle *OR* ... **13** F 7
Zorita *SA* ... **43** I 12
Zorita *CC* ... **68** O 12
Zorita
(Embalse de) *GU* ... **46** K 21
Zorita de la Frontera *SA* ... **44** I 14
Zorita de la Loma *VA* ... **16** F 14
Zorita de los Canes *GU* ... **59** L 21
Zorita de los Molinos *AV* ... **45** J 15
Zorraquín *LO* ... **18** F 20
Zorrillas (Las) *BA* ... **79** R 11
Zotes del Páramo *LE* ... **15** F 12
Zuazo *VI* ... **19** D 22
Zub Isabal *BI* ... **9** C 21
Zubia (La) *GR* ... **94** U 19
Zubia (La) *MA* ... **101** V 17
Zubiaur *BI* ... **9** C 21
Zubielqui *NA* ... **19** D 23
Zubiete *NA* ... **10** C 24
Zubiri *NA* ... **11** D 25
Zucaina *CS* ... **62** L 28
Zudaire *NA* ... **19** D 23
Zuera *Z* ... **35** G 27
Zufre *H* ... **79** S 10
Zugarramurdi *NA* ... **11** C 25
Zuhatzu-Kuartango *VI* ... **18** D 21
Zuheros *CO* ... **93** T 17
Zuia *VI* ... **19** D 21
Zujaira *GR* ... **94** U 18
Zújar *GR* ... **95** T 21
Zújar *CC* ... **68** Q 14
Zújar
(Embalse del) *BA* ... **68** P 13
Zulema *AB* ... **73** O 25
Zulueta *NA* ... **11** D 25
Zumaia *SS* ... **10** C 23
Zumarraga *SS* ... **10** C 23
Zumelzu *VI* ... **19** D 21
Zumeta *J* ... **83** R 22
Zunega *MU* ... **84** S 24
Zunzarren *NA* ... **11** D 25
Zuñeda *BU* ... **18** E 20
Zúñiga *NA* ... **19** D 23
Zurbarán *BA* ... **68** O 12
Zurbitu *BU* ... **19** D 21
Zureda *O* ... **5** C 12
Zurgena *AL* ... **96** T 23
Zurita *HU* ... **36** G 31
Zuriza *HU* ... **11** D 27
Zurucuáin *NA* ... **10** D 24
Zuzones *BU* ... **32** H 19

A

À-da-Velha 16........ 13 F 5
A de Barros 18........ 41 J 7
A-do-Pinto 02........ 78 S 7
A dos Cunhados 11...... 64 O 2
A. dos Ferreiros 01.... 40 K 4
A Ver-o-mar 13........ 26 H 3
Abaças 17........ 27 I 6
Abade de Neiva 03...... 26 H 4
Abadia
  (Nossa Senhora d') 03..27 G 5
Abambres 04........ 28 H 8
Abela 15........ 77 S 4
Abitureiras 14........ 53 O 3
Abiúl 10........ 53 M 4
Aboadela 13........ 27 I 6
Aboboreira 14........ 53 N 5
Aboim 03........ 27 H 5
Aboim da Nóbrega 03.... 27 G 4
Aboim das Choças 16...... 26 G 4
Aborim 03........ 26 H 4
Abrã 14........ 53 N 3
Abragão 13........ 27 I 5
Abrantes 14........ 53 N 5
Abreiro 04........ 28 H 8
Abrigada 11........ 64 O 2
Abrilongo
  (Ribeira de)........ 66 O 8
Abrunheira 06........ 53 L 3
Abrunhosa-a-Velha 18.... 41 K 7
Abuxanas 14........ 52 O 3
Achada 11........ 64 P 1
Achada 20........ 107 J 20
Achada do Gamo 02...... 78 T 7
Achadas da Cruz 31...... 88 A Y
Achadinha 20........ 107 J 20
Achete 14........ 53 O 3
Acoreira 04........ 42 I 8

Adão 09........ 42 K 8
Adaúfe 03........ 27 H 4
Ade 09........ 42 K 9
Adiça (Serra da) 02...... 78 S 7
Adorigo 18........ 27 I 7
Adoufe 17........ 27 H 6
Adraga 11........ 64 P 1
Adrão 11........ 27 G 5
Afife 16........ 26 G 3
Afonsim 17........ 27 H 6
Agadão 01........ 41 K 5
Agroal 14........ 53 M 4
Agrochão 04........ 28 G 8
Água de Madeiros 10.... 52 M 2
Água de Pau 20........ 107 J 19
Água de Pau
  (Serra de) 20........ 107 J 19
Água de Peixes 02...... 77 R 6
Água de Pena 31........ 88 B Y
Água do Alto 20........ 107 J 19
Água Longa 13........ 26 I 4
Água Negra 02........ 78 S 7
Água Retorta 20........ 107 J 20
Água Travessa 14........ 65 O 5
Aguada de Baixo 01...... 40 K 4
Aguada de Cima 01...... 40 K 4
Agualva 20........ 107 G 14
Agualva-Cacém 11...... 64 P 2
Águas Belas 09........ 42 K 8
Águas Belas 14........ 53 M 5
Águas Boas 18........ 41 J 7
Águas de Moura 15...... 65 Q 3
Águas dos Fusos 08...... 89 U 6
Águas Frias 08........ 89 U 5
Águas Frias 17........ 28 G 7
Águas Réves-e-
  Castro 17........ 28 H 7
Águas Santas 13........ 26 I 4
Açuçadoura 13........ 26 H 3

Aguda 10........ 53 M 5
Águeda 01........ 40 K 4
Águeda (Rio) 01........ 40 K 4
Aguiã 16........ 26 G 4
Aguiar 07........ 77 Q 6
Aguiar (Ribeira de) 09...42 K 9
Aguiar da Beira 09...... 41 J 7
Aguiar de Sousa 13...... 26 I 4
Agueira
  (Barragem da)........ 41 K 5
Agulha (Ponta da) 20...107 J 18
Airães 13........ 27 I 5
Aire (Serra de) 14........ 53 N 4
Ajuda (Ponta da) 20.... 107 J 20
Alagoa 12........ 54 N 7
Alamo........ 78 Q 7
Alandroal 07........ 66 P 7
Alares 05........ 54 M 8
Albarnaz (Ponta da) 20...107 E 2
Albergaria 10........ 52 M 3
Albergaria-a-Nova 01.... 40 J 4
Albergaria-a-Velha 01.... 40 J 4
Albergaria dos Doze 10...53 M 4
Albergaria
  dos Fusos 02........ 77 R 6
Albernoa 02........ 77 S 6
Albufeira 08........ 89 U 5
Albufeira (Lagoa de) 15...64 Q 2
Alburitel 14........ 53 N 4
Alcabideche 11........ 64 P 1
Alcácer do Sal 15........ 77 Q 4
Alcáçovas 07........ 77 Q 5
Alcáçovas
  (Estação de) 07........ 77 Q 5
Alcáçovas
  (Ribeira das)........ 65 Q 5
Alcafozes 05........ 54 M 8
Alcaide 05........ 54 L 7

Alcains 05........ 54 M 7
Alcanede 14........ 52 N 3
Alcanena 14........ 53 N 3
Alcanhões 14........ 53 O 4
Alcantarilha 08........ 89 U 4
Alcaravela 14........ 53 N 5
Alcaraviça 07........ 66 P 7
Alcaria 05........ 54 L 7
Alcaria perto
  de Boliqueime 08....... 89 U 5
Alcaria perto
  de Odeleite 08........ 90 T 7
Alcaria Alta 08........ 89 T 6
Alcaria de Javazes 02.... 90 T 7
Alcaria do Cume 08...... 89 U 6
Alcaria Longa 02........ 77 T 6
Alcaria Ruiva 02........ 77 S 6
Alcarias 08........ 90 U 7
Alcarrache (R.)........ 78 R 7
Alcobaça 10........ 52 N 3
Alcobertas 14........ 52 N 3
Alcochete 15........ 64 P 3
Alcoentre 11........ 64 O 3
Alcofra 14........ 41 K 5
Alcongosta 05........ 54 L 7
Alcorochel 14........ 53 N 4
Alcoutim 08........ 90 T 7
Alcôvo das Várzeas 06...41 L 6
Aldeia da Mata 12........ 66 O 6
Aldeia da Ponte 09...... 42 K 9
Aldeia da Ribeira 09...... 42 K 9
Aldeia da Ribeira 14...... 52 N 3
Aldeia da Serra 07...... 66 P 7
Aldeia da Serra 02...... 54 M 4
Aldeia da Serra perto
  de São Gregório 07...... 65 P 6
Aldeia da Tor 08........ 89 U 5

Aldeia das Amoreiras 02...77 T 4
Aldeia das Dez 06........ 41 L 6
Aldeia de Ana de Avis 10...53 M 5
Aldeia de Eiras 14........ 53 N 5
Aldeia de Irmãos 15...... 64 Q 2
Aldeia de Joanes 05...... 54 L 7
Aldeia de João Pires 05...54 L 8
Aldeia de Nacomba 18...41 J 7
Aldeia
  de Santa Margarida 05..54 L 8
Aldeia de São Francisco
  de Assis 05........ 54 L 6
Aldeia do Bispo 05...... 54 L 8
Aldeia do Bispo 09...... 42 K 9
Aldeia do Carvalho 05....41 L 7
Aldeia do Corvo 02...... 77 T 6
Aldeia do Mato 14...... 53 N 5
Aldeia do Neves 02...... 77 T 6
Aldeia do Ronquenho 02...77 S 5
Aldeia dos Delbas 02....77 S 5
Aldeia dos Fernandes 02...77 T 5
Aldeia dos Francos 10....52 O 2
Aldeia
  dos Grandaços 02...... 77 T 5
Aldeia dos Neves 02...... 77 T 5
Aldeia dos Palheiros 02...77 T 5
Aldeia
  dos Pescadores 10...... 52 N 2
Aldeia dos Ruins 02...... 77 R 5
Aldeia Gavinha 11........ 64 O 2
Aldeia Nova 02........ 77 S 5
Aldeia Nova 04........ 29 H 11
Aldeia Nova 90........ 90 U 7
Aldeia Nova
  perto de Almeida 09...... 42 J 9
Aldeia Nova perto
  de Trancoso 09........ 41 J 7
Aldeia Velha 09........ 42 K 9
Aldeia Velha 13........ 65 O 5
Aldeia Viçosa 09........ 42 K 8
Aldeias 02........ 78 R 6
Aldeias 09........ 41 K 7
Aldeias 18........ 41 I 6
Aldeias de Montoito 07....66 Q 7
Alegrete 12........ 54 M 8
Alenquer 11........ 64 O 2
Alenquer (Ribeira de) 11...64 O 2
Alentisca 12........ 66 P 8
Alfafar 06........ 53 L 4
Alfaião 04........ 28 G 9
Alfaiates 09........ 42 K 9
Alfambra 08........ 88 U 3
Alfândega da Fé 04........ 28 H 9
Alfarela de Jales 17...... 27 H 7
Alfarelos 06........ 53 L 4
Alfarim 15........ 64 Q 2
Alfeizerão 10........ 52 N 2
Alferce 08........ 89 U 4
Alferrarede 14........ 53 N 5
Alfrivida 05........ 54 M 7
Alfundão 02........ 77 R 6
Alfusqueiro 40........ 40 K 4
Algaça 06........ 40 L 5
Algar do Carvão 20...... 107 G 14
Algar Seco 08........ 89 U 4
Algarvia 20........ 107 J 20
Alge (Ribeira de) 10...... 53 M 4
Algeriz 17........ 28 H 7
Algeruz 15........ 64 Q 3
Algibre (Ribeira de) 08....89 U 5
Algodor 02........ 77 S 6
Algodres 09........ 42 J 8
Algoso 04........ 28 H 10
Algoz 08........ 89 U 5
Alguber 11........ 52 O 2
Algueirão-
  Mem Martins 11........ 64 P 1
Alhadas 06........ 40 L 3
Alhais 18........ 41 J 6
Alhandra 11........ 64 P 2
Alhões 18........ 41 J 5
Alhos Vedros 15........ 64 Q 2
Alijó 17........ 27 I 7
Aljezur 08........ 88 U 3
Aljubarrota 10........ 52 N 3
Aljustrel 02........ 77 S 5
Almaça 18........ 53 K 5
Almaceda 05........ 54 L 7
Almada 15........ 64 P 2
Almada de Ouro 08...... 90 U 7
Almadafe
  (Ribeira do)........ 66 P 6
Almádena 08........ 88 U 3
Almagreira 10........ 53 M 4
Almagreira Azores 20....107 M 20
Almalaguês 06........ 53 L 4
Almancil 08........ 89 U 5

Almargem do Bispo 11...64 P 2
Almargens 08........ 89 U 6
Almeida 09........ 42 J 9
Almeirim 02........ 77 S 5
Almeirim 07........ 65 Q 6
Almeirim 14........ 65 O 4
Almendra 09........ 42 I 8
Almodôvar 02........ 89 T 5
Almofala 09........ 42 J 9
Almofala 10........ 52 N 2
Almofala 18........ 41 J 6
Almograve 02........ 76 T 3
Almonda 11........ 53 N 4
Almoster 10........ 53 M 4
Almoster 14........ 64 O 3
Almourol (Castelo de) 14...53 N 4
Almuro (Ribeira do) 12...66 P 7
Alpalhão 12........ 54 N 7
Alpedrinha 05........ 54 L 7
Alpedriz 10........ 52 N 3
Alpendres
  de Lagares 02........ 78 S 7
Alpiarça 14........ 65 O 4
Aportel 08........ 89 U 6
Alportel (Ribeira de) 08...89 U 6
Alpreade (Ribeira de) 05...54 M 7
Alqueidão 06........ 53 L 3
Alqueidão da Serra 10....53 N 3
Alqueidão do Arrimal 10...52 N 3
Alqueva 07........ 78 R 7
Alqueva
  (Barragem de)........ 78 R 7
Alte 08........ 89 U 5
Alter do Chão 12........ 66 O 7
Alter Pedroso 12........ 66 O 7
Alto Cávado
  (Barragem de) 17........ 27 G 6
Alto Ceira
  (Barragem de) 06........ 54 L 6
Alto Fica 08........ 89 U 5
Alto Rabagão
  (Barragem de) 17........ 27 G 6
Altura 08........ 90 U 7
Alturas do Barroso 17....27 G 6
Alva 18........ 41 J 6
Alva (Rio)........ 41 L 5
Alvacar (Ribeira de) 02....77 T 6
Alvações do Corgo 17....27 I 6
Alvados 10........ 53 N 3
Alvaiade 05........ 54 M 6
Alvaiázere 10........ 53 M 4
Alvalade 15........ 77 S 4
Alvão (Serra de) 17...... 27 H 6
Alvarães 16........ 26 H 3
Alvarelhos 17........ 28 G 7
Alvarenga 01........ 41 J 5
Alvares 02........ 77 T 6
Alvares 06........ 53 L 5
Álvaro 05........ 53 M 6
Alvarrão 02........ 78 R 7
Alvarrões 12........ 54 N 7
Alvega 14........ 53 N 5
Alvelos (Serra de) 05....54 M 6
Alvendre 09........ 42 K 8
Alverca da Beira 09...... 42 J 8
Alverca do Ribatejo 11...64 P 2
Alves 02........ 78 T 7
Alviela 14........ 53 N 4
Alviobeira 14........ 53 M 4
Alvite 02........ 77 R 6
Alvite 08........ 41 J 6
Alvito 02........ 77 R 6
Alvito (Barragem de) 02...77 R 6
Alvito da Beira 05...... 54 M 6
Alvoco da Serra 09...... 41 L 6
Alvoco das Várzeas 06...41 L 6
Alvor 08........ 88 U 4
Alvorge 10........ 53 M 4
Alvorninha 10........ 52 N 2
Amadora 11........ 64 P 2
Amarante 13........ 27 I 5
Amarela (Serra) 27...... 27 G 5
Amareleja 02........ 78 R 8
Amares 03........ 27 H 4
Ameada 07........ 78 R 8
Amedo 04........ 28 I 8
Ameixial 08........ 89 T 6
Amêndoa 14........ 53 N 5
Amendoeira 02........ 77 S 6
Amendoeira 08........ 89 U 6
Amiães de Baixo 14...... 53 N 3
Amiães de Cima 14...... 53 N 3
Amieira 07........ 78 R 7
Amieira 10........ 54 M 4
Amieira Cova 12........ 53 N 6
Amieira do Tejo 12...... 54 N 7
Amieiro 06........ 40 L 4

AVEIRO

Antónia Rodrigues (R.)........ Y 3
Apresentação (Largo da)....... Y 4
Belém do Pará............. Y 6
Capitão Sousa Pizarro (R.).... Z 9
Clube dos Galitos (R.)........ Y 10
Coimbra (R.)............... Y 12

Comb. da Grande Guerra (R.)...Z 13
Dr Lourenço Peixinho (Av.).....Y
Eça de Queiroz (R.)......... Z 15
Eng. Pereira da Silva (R.)...... Y 17
Gustavo F. P.-Basto (R.)...... Z 18
Humberto Delgado (Pr.)...... Y 21
Jorge de Lencastre (R.)....... Y 22
José Estevão (R.).......... Y 24
José Rabumba (R.)......... Y 27

Luís de Magalhães (R. do C.)...Y 28
Marquês de Pombal
  (Pr.)............. Z 31
República (Pr. da)........... Y 34
Santa Joana (R.)........... Z 37
Santo António (Largo de)..... Z 39
Viana do Castelo (R.)........ Y 42
5 de Outubro (Av.)........... Y 44
14 de Julho (Pr.)............ Y

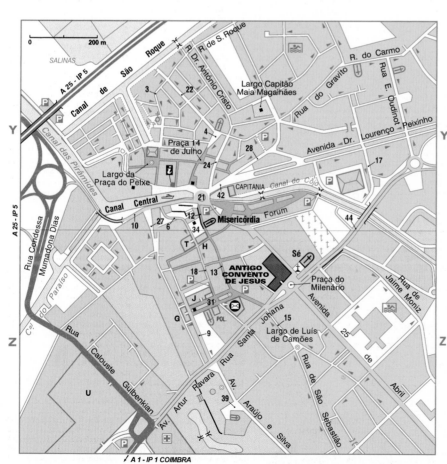

A B C D E F G H I J K L M N O P Q R S T U V W X Y Z

A
B
C
D
E
F
G
H
I
J
K
L
M
N
O
P
Q
R
S
T
U
V
W
X
Y
Z

Amieiro 17 ... 28 I7
Amonde 16 ... 26 G3
Amor 10 ... 52 M3
Amora 15 ... 64 Q2
Amoreira 08 ... 89 T6
Amoreira 09 ... 42 K8
Amoreira 10 ... 52 N2
Amoreira 14 ... 53 N5
Amoreira (Aqueduto da) 12 ... 66 P4
Amoreira da Gândara 01 ... 40 K4
Amoreiras 07 ... 77 S4
Amoreirinha 12 ... 66 P8
Amorim 13 ... 26 H3
Amorosa 16 ... 26 H3
Anadia 01 ... 40 K4
Anção 06 ... 40 L4
Ancas 01 ... 40 K4
Âncora 16 ... 26 G3
Andam 10 ... 52 N3
Andorinha 06 ... 40 L4
Andrães 17 ... 27 I6
Andreus 14 ... 53 N5
Anelhe 17 ... 27 G7
Angeja 01 ... 40 J4
Angra do Heroísmo 20 ... 107 H14
Angueira 04 ... 29 H10
Angueira (Rio) ... 29 H10
Anhões 16 ... 12 G4
Anissó 03 ... 27 H5
Anjos 41 ... 107 L20
Anobra 06 ... 53 L4
Anreade 18 ... 41 I6
Ansiães 04 ... 28 I8
Ansião 10 ... 53 M4
Antanhol 06 ... 53 L4
Antas perto de Fornos de Algodres 18 ... 41 K7
Antas perto de Penedono 18 ... 42 J7
Apostiça 15 ... 64 Q2
Apúlia 03 ... 26 H3
Arada 01 ... 40 J4
Arada (Serra da) 41 ... 41 J5
Aradas 01 ... 40 K4
Arade (Barragem de) 08 ... 89 U4
Arades (Ribeira de) 05 ... 55 M9
Aranhas 05 ... 54 L6
Aravil (Ribeira do) 05 ... 54 M8
Arazede 06 ... 40 L4
Arca 18 ... 41 K5
Arcas 04 ... 28 H8
Arcas 18 ... 41 J6
Arco da Calheta 31 ... 88 AY
Arco de Baulhe 03 ... 27 H6
Arco de São Jorge 31 ... 88 BY
Arcos 07 ... 66 P7
Arcos 17 ... 27 G6
Arcos 18 ... 41 I7
Arcos de Valdevez 16 ... 27 G4
Arcossó 17 ... 27 H7
Arcozelo 09 ... 41 K7
Arcozelo das Maias 18 ... 41 J5
Arcozelos 18 ... 41 J7
Arda 01 ... 41 J5
Ardãos 17 ... 27 G7
Ardila 78 ... R7
Arega 10 ... 53 M6
Areia 12 ... 53 N6
Areia de Baixo 14 ... 53 N5
Areias 14 ... 53 M4
Areias de Vilar 03 ... 26 H4
Arelho 10 ... 52 N2
Areosa 16 ... 26 G3
Arez 12 ... 54 N6
Arga (Serra de) 16 ... 26 G3
Arganil 06 ... 41 L5
Arganil 14 ... 53 M6
Argemil 17 ... 27 H7
Argomil 09 ... 42 K8
Argozelo 04 ... 28 H10
Aricera 18 ... 41 I7
Arieiro 31 ... 64 Q2
Arieiro Pico 15 ... 88 BY
Ariz 18 ... 41 J7
Armação de Pêra 08 ... 89 U4
Armada 17 ... 27 G6
Armadouro 06 ... 54 L6
Armamar 18 ... 41 I6
Armil 17 ... 27 H5
Armona 08 ... 89 U6
Armona (Ilha de) 08 ... 89 U6
Arnas 18 ... 27
Arneiro 12 ... 54 N6
Arneiro 14 ... 53 M4
Arneiro das Milhariças 14 ... 53 N3

Arnel (Ponta do) 20 ... 107 J20
Arnoso 03 ... 26 H4
Arões 01 ... 41 J5
Arões 03 ... 27 H5
Arosa 03 ... 27 H5
Arouca 01 ... 41 J5
Arrabal 10 ... 53 M3
Arrábida (Parque Natural da) 15 ... 65 Q3
Arrábida (Serra da) 15 ... 64 Q2
Arraiolos 07 ... 65 P6
Arranhó 11 ... 64 P2
Arreciadas 14 ... 53 N5
Arrentela 15 ... 64 Q2
Arrepiado 14 ... 53 N4
Arrifana 01 ... 40 J4
Arrifana 06 ... 41 L5
Arrifana 08 ... 88 U3
Arrifana 09 ... 41 K8
Arrifes 20 ... 107 J18
Arronches 07 ... 66 O8
Arrouquelas 14 ... 64 O3
Arruda dos Pisões 14 ... 52 O3
Arruda dos Vinhos 11 ... 64 P2
Arunca 14 ... 53 M4
Árvore 13 ... 26 H3
Arzila 06 ... 53 L4
Assafarge 06 ... 53 L4
Assafora 11 ... 64 P1
Asseca 14 ... 52 O3
Asseca (Ribeira de) ... 66 P7
Asseiceira perto de Rio Maior 14 ... 52 O3
Asseiceira perto de Tomar 14 ... 53 N4
Assentiz 14 ... 53 N4
Assentiz perto de Rio Maior 14 ... 64 O3
Assumar 12 ... 66 O7
Assureira 17 ... 27 G6
Atalaia 05 ... 54 M7
Atalaia 07 ... 77 Q6
Atalaia 09 ... 42 K8
Atalaia 11 ... 64 O2
Atalaia 12 ... 54 N6
Atalaia 14 ... 53 N4
Atalaia 15 ... 64 P3
Atalaia (Monte) 08 ... 88 U3
Atalaia (Monte) 15 ... 76 R4
Atalaia (Ponta da) perto de Aljezur 08 ... 88 U3
Atalaia do Campo 05 ... 54 L7
Atei 17 ... 27 H6
Atenor 04 ... 29 H10
Atouguia da Baleia 10 ... 52 N2
Avanca 01 ... 40 J4
Avantos 04 ... 28 H8
Ave ... 27 H5
Aveiras de Baixo 11 ... 64 O3
Aveiras de Cima 11 ... 64 O3
Aveiro 01 ... 40 K4
Aveiro (Ria de) 01 ... 40 J3
Avelanoso 04 ... 29 H10
Avelar 10 ... 53 M4
Avelãs da Ribeira 09 ... 42 J8
Avelãs de Caminho 01 ... 40 K4
Avelãs de Cima 01 ... 40 K4
Aveleda 04 ... 28 G9
Aveledas 17 ... 28 G7
Aveloso 09 ... 42 J8
Avenal 10 ... 52 N2
Aves 13 ... 26 H4
Avessadas 13 ... 27 I5
Avidagos 04 ... 28 H8
Avidos 03 ... 26 H4
Avintes 13 ... 26 I4
Avis 11 ... 65 O6
Avô 06 ... 41 L6
Azambuja 11 ... 64 O3
Azambuja (Ribeira da) 07 ... 65 Q6
Azambuja (Vala da) 05 ... 65 O3
Azambujeira 14 ... 65 O3
Azaruja 07 ... 66 P6
Azeitada 14 ... 65 O3
Azenha 06 ... 53 L3
Azenhas do Mar 11 ... 64 P1
Azere 06 ... 41 K5
Azervadinha 14 ... 65 P4
Azevedo 04 ... 26 G3
Azevel 07 ... 66 Q7
Azevo 09 ... 42 J8
Azias 16 ... 27 G4
Azibo 04 ... 28 H9
Azibo (Barragem de) 04 ... 28 H9
Azinhaga 14 ... 53 N4

Azinhal 02 ... 77 S6
Azinhal 08 ... 90 U7
Azinheira 14 ... 52 O3
Azinheira dos Barros 15 ... 77 R4
Azinheiro 08 ... 89 U6
Azinhoso 04 ... 28 H9
Azoia 10 ... 53 M3
Azóia 15 ... 64 Q2
Azóia de Baixo 14 ... 53 O3
Azóia de Cima 14 ... 53 N3
Azul (Lagoa) 20 ... 107 J18
Azurara 13 ... 26 H3

B

Babe 04 ... 28 G10
Baçal 04 ... 28 G9
Bacalhoa (Quinta da) 15 ... 65 Q3
Badamalos 09 ... 42 K9
Bagueixe 04 ... 28 H9
Baião 03 ... 27 I5
Bairrada 05 ... 53 M6
Bairro 14 ... 53 N4
Baixa da Banheira 15 ... 64 Q2
Baixo ou da Cal (Ilhéu de) 32 ... 89 CX
Balancho 07 ... 66 Q7
Balazar 13 ... 26 H4
Baldos 18 ... 41 J7
Baleal 10 ... 52 N1
Baleizão 07 ... 77 R6
Balsa 17 ... 27 H7
Balsemão 04 ... 28 H9
Balugães 03 ... 26 H4
Balurco 08 ... 90 T7
Balurcos 08 ... 90 T7
Bandeiras 20 ... 107 H10
Bando dos Santos 14 ... 53 N6
Baraçal 09 ... 42 J8
Barão de São João 08 ... 88 U3
Barão de São Miguel 08 ... 88 U3
Barbacena 12 ... 66 P8
Barbaido 05 ... 54 M7
Barca (Ponta da) 20 ... 107 F11
Barca de Alva 09 ... 42 I9
Barcarena 11 ... 64 P2
Barcel 04 ... 28 H8
Barcelinhos 03 ... 26 H4
Barcelos 03 ... 26 H4
Barco 05 ... 54 L7
Barcos 18 ... 41 I7
Barcouço 01 ... 40 L4
Bardeiras 07 ... 65 P6
Barosa 10 ... 52 M3
Barqueiro 03 ... 53 M4
Barquinhas 03 ... 26 H3
Barra de Mira 06 ... 40 K3
Barracão 10 ... 53 M3
Barrada 07 ... 66 Q7
Barrada 08 ... 89 T6
Barrada 14 ... 53 N5
Barrancão 15 ... 65 Q4
Barranco 02 ... 89 T6
Barranco Velho 08 ... 89 U6
Barrancos 02 ... 78 R9
Barreira 09 ... 42 J8
Barreira 10 ... 53 M3
Barreiras 12 ... 65 O5
Barreiro 10 ... 53 M4
Barreiro 15 ... 64 Q2
Barreiros 12 ... 53 M3
Barreiros 18 ... 41 J6
Barreta (Ilha da) 08 ... 90 V6
Barril 11 ... 64 O1
Bário 16 ... 26 G4
Barró 18 ... 27 I6
Barro Branco 07 ... 66 P7
Barroca 05 ... 54 L6
Barrocal 07 ... 66 Q7
Barrocal do Douro 04 ... 29 H11
Barrocaria 14 ... 53 N4
Barroças e Taias 16 ... 12 F4
Barroças 14 ... 65 P3
Barrosa 20 ... 107 J19
Barroselas 03 ... 26 H3
Barrosinha 15 ... 77 Q4
Barroso (Serra do) 17 ... 27 G6
Barrossas 13 ... 27 I5
Barulho 12 ... 66 O8
Batalha 10 ... 53 N3
Batocas 09 ... 42 K9
Bebedouro 06 ... 40 L3
Beberriqueira 14 ... 53 N4
Beça (Rio) 17 ... 27 H6
Beça 18 ... 41 K6
Beijós 18 ... 41 K6
Beirã 17 ... 54 N7
Beira São Jorge 20 ... 107 G11

Beja 02 ... 77 R6
Belas 11 ... 64 P2
Belazaima 01 ... 40 K4
Belém 11 ... 64 P2
Beliche 08 ... 90 U7
Beliche (Barragem de) 08 ... 90 U7
Belide 06 ... 53 L4
Belinho 03 ... 26 H3
Belmeque 07 ... 78 R7
Belmonte 05 ... 42 K7
Belo 02 ... 77 T6
Belver 12 ... 54 N6
Belver (Barragem de) 12 ... 53 N6
Bemposta 02 ... 29 I10
Bemposta 05 ... 54 M7
Bemposta 14 ... 53 N5
Bemposta (Barragem de) 04 ... 29 I10
Benafim 08 ... 89 U5
Benavente 14 ... 64 P3
Benavila 12 ... 66 O6
Bencatel 07 ... 66 P7
Bendada 09 ... 42 K8
Benedita 10 ... 52 N3
Benespera 09 ... 42 K8
Benfeita 06 ... 41 L6
Benfica do Ribatejo 14 ... 65 O3
Benquerença 05 ... 54 L8
Benquerenças 05 ... 54 M7
Bens 02 ... 78 T7
Bensafrim 08 ... 88 U3
Beringel 02 ... 77 R6
Berlenga 10 ... 52 N1
Berselga 14 ... 53 N4
Besteiros 04 ... 28 I8
Besteiros 08 ... 89 U6
Bicada 02 ... 77 T6
Bicas 14 ... 53 N5
Bico 02 ... 40 J4
Bico 16 ... 26 G4
Bicos 02 ... 77 S4
Bigas 18 ... 41 J6
Bigorne 18 ... 41 I6
Bigorne (Serra de) 18 ... 41 J6
Bilhó 17 ... 27 H6
Biscoitos 02 ... 107 G14
Bismula 09 ... 42 K9
Bizarril 09 ... 42 J8
Boa Aldeia 18 ... 41 K5
Boa Ventura 31 ... 88 BY
Boa Viagem 06 ... 40 L3
Boa Vista 10 ... 53 M3
Boa Vista (Miradouro da) 18 ... 27 I6
Boalhosa 16 ... 26 G4
Boavista do Paiol 15 ... 76 S3
Boavista dos Pinheiros 02 ... 76 T4
Bobadela 06 ... 41 K6
Bobadela 18 ... 27 G7
Bobadela perto de Águas Frias 17 ... 28 G8
Boca do Inferno 11 ... 64 P1
Boco 01 ... 40 K4
Bodiosa 18 ... 41 J6
Boelhe 13 ... 27 I5
Bogalhal 09 ... 42 J8
Bogas de Baixo 05 ... 54 L6
Bogas de Cima 05 ... 54 L6
Boialvo 01 ... 40 K4
Boiças 14 ... 52 O3
Boivão 16 ... 12 F4
Boleiros 14 ... 53 N4
Bolfiar 01 ... 40 K4
Boliqueime 08 ... 89 U5
Bom Jesus do Monte 03 ... 27 H4
Bombarral 10 ... 52 O2
Bombel 14 ... 65 P4
Bombel (Estação de) 07 ... 65 P4
Borba 07 ... 66 P7
Borba da Montanha 03 ... 27 H6
Borbela 17 ... 27 I6
Bordeira 08 ... 88 U3
Bornes 02 ... 28 H9
Borralha 01 ... 40 K4
Borralha 17 ... 27 H6
Borralhal 17 ... 27 H7
Botão 06 ... 40 L4
Boticas 17 ... 27 G7
Bouça 04 ... 28 H8
Bouça (Barragem da) ... 53 M5
Bouças 15 ... 76 R4
Boucequedim 01 ... 41 J5
Bouceiro 10 ... N3

Bouçoães 17 ... 28 G8
Bouro 03 ... 27 H5
Boxinos 05 ... 54 L6
Bracial 15 ... 76 S3
Braga 03 ... 26 H4
Bragadas 17 ... 27 H6
Bragado 17 ... 27 H7
Bragança 04 ... 28 G9
Branca 14 ... 65 P4
Bravães 16 ... 26 G4
Bravo 05 ... 53 M5
Bravura (Barragem da) 08 ... 88 U3
Brejão 02 ... 76 T3
Brejeira (Serra da) 02 ... 88 T4
Brejo 15 ... 77 R4
Brenha 06 ... 40 L3
Brenhas 02 ... 78 R7
Bretanha 20 ... 107 J18
Bretanha (Ponta da) 20 ... 107 J18
Brinches 02 ... 78 R7
Brinço 02 ... 78 R7
Briteiros 03 ... 27 H5
Britelo 16 ... 27 G5
Britiande 18 ... 41 I6
Brito 03 ... 27 H5
Brogueira 14 ... 53 N4
Brotas 07 ... 65 P5
Bruço 02 ... 28 I9
Brufe 03 ... 27 G5
Brunheda 03 ... 28 I7
Brunheira 15 ... 77 R4
Brunheiras 02 ... 76 S3
Brunhós 06 ... 53 L3
Brunhosinho 04 ... 29 H10
Brunhoso 04 ... 28 H9
Buarcos 06 ... 40 L3
Buarcos (Monte) 06 ... 40 L3
Buçaco 01 ... 40 K4
Bucelas 11 ... 64 P2
Bucos 03 ... 27 H5
Budens 08 ... 88 U3
Bugio 15 ... 64 Q2
Bugios 05 ... 54 M6
Bunheira 08 ... 88 T3
Bunheiro 01 ... 40 J4
Burga 04 ... 28 H8
Burgau 08 ... 88 U3
Burgo 01 ... 41 J5
Burinhosa 10 ... 52 M3
Bustelo 17 ... 28 G7
Bustelo 18 ... 41 I5
Bustos 01 ... 40 K4

C

Cabaços 10 ... 53 M4
Cabaços 16 ... 26 G4
Cabaços 18 ... 41 I7
Cabana Maior 16 ... 27 G4
Cabanas 08 ... 90 U7
Cabanas 18 ... 41 K6
Cabanas de Torres 11 ... 64 O2
Cabanões 18 ... 41 K6
Cabeça 09 ... 41 L6
Cabeça Alta 09 ... 41 K7
Cabeça Boa 04 ... 28 I8
Cabeça da Velha 09 ... 41 K6
Cabeça das Pombas 10 ... 53 N3
Cabeça de Carneiro 07 ... 66 Q7
Cabeça do Velho 09 ... 41 K7
Cabeça Gorda 02 ... 77 S6
Cabeças 10 ... 65 P5
Cabeças 18 ... 53 M5
Cabeceiras de Basto 03 ... 27 H6
Cabeço 06 ... 40 K3
Cabeço Alto 05 ... 55 M8
Cabeço Alto 17 ... 27 G6
Cabeço da Neve 18 ... 41 K5
Cabeço de Vide 12 ... 66 O7
Cabeçudo 05 ... 53 M5
Cabouco 20 ... 107 J19
Cabração 16 ... 26 G4
Cabras (Ribeira das) ... 42 K8
Cabreira 06 ... 53 L5
Cabreira (Serra da) 03 ... 27 H5
Cabreira (Monte) 17 ... 27 H7
Cabrela 07 ... 65 Q4
Cabril 06 ... 54 L6
Cabril 17 ... 27 G5
Cabril 18 ... 41 J5
Cabril (Barragem do) ... 53 M5
Caçarelhos 04 ... 29 H10
Caçarilhe 03 ... 27 H5

Cacela Velha 08 ... 90 U7
Cachão 04 ... 28 H8
Cachopo 08 ... 89 U6
Cachorro 20 ... 107 H10
Cacia 01 ... 40 J4
Cacilhas 15 ... 64 P2
Cadafais 11 ... 64 O2
Cadafaz 06 ... 53 L5
Cadafaz 12 ... 53 N6
Cadaval 11 ... 64 O2
Cadima 06 ... 40 L4
Cadraço 18 ... 41 K5
Caeirinha 15 ... 65 Q5
Caeiro 02 ... 88 T4
Cafede 05 ... 54 M7
Caia (Barragem do) 12 ... 66 P8
Caia e São Pedro 12 ... 66 P8
Caiada 02 ... 77 T6
Caíde de Rei 13 ... 27 I5
Caima 01 ... 40 J4
Caixeiro 12 ... 66 P7
Caldas da Cavaca 09 ... 41 J7
Caldas da Felgueira 18 ... 41 K6
Caldas da Rainha 10 ... 52 N2
Caldas das Taipas 03 ... 27 H4
Caldas de Aregos 18 ... 41 I5
Caldas de Manteigas 09 ... 41 K7
Caldas de Monchique 08 ... 88 U4
Caldas de Vizela 03 ... 27 H5
Calde 18 ... 41 J6
Caldeira Faial 20 ... 107 H9
Caldeira São Miguel 20 ... 107 J20
Caldeira Terceira 20 ... 107 G14
Caldeirão 20 ... 107 D2
Caldeirão (Serra do) ... 89 T5
Caldeiras 20 ... 107 J19
Caldelas 03 ... 27 G4
Calhariz 15 ... 64 Q2
Calheiros 16 ... 26 G4
Calheta 31 ... 88 AY
Calheta de Nesquim 20 ... 107 H11
Calhetas 20 ... 107 J19
Caloura 20 ... 107 J19
Calvão 01 ... 40 K3
Calvão 17 ... 27 G7
Calvaria de Cima 10 ... 52 N3
Calvelhe 04 ... 28 H9
Calvos 03 ... 27 H5
Camacha 31 ... 88 BY
Camacha 32 ... 89 CX
Camachos 02 ... 76 T4
Câmara de Lobos 31 ... 88 BZ
Cambas 05 ... 54 L6
Cambra 18 ... 41 J5
Cambres 18 ... 27 I6
Caminha 16 ... 26 G3
Campanário 31 ... 88 AY
Campelo 10 ... 53 L5
Campelos 11 ... 64 O2
Campilhas (Barragem de) 15 ... 76 S4
Campilhas (Ribeira de) ... 77 S4
Campinho 07 ... 78 Q7
Campo 18 ... 41 J6
Campo perto de Roriz 13 ... 27 H4
Campo perto de Valongo 13 ... 26 I4
Campo de Besteiros 18 ... 41 K5
Campo de Cima 32 ... 89 CX
Campo de Víboras 04 ... 29 H10
Campo do Gerês 03 ... 27 G5
Campo Maior 12 ... 66 O8
Campo Redondo 02 ... 76 S4
Campos 16 ... 26 G3
Campos 17 ... 27 H6
Camposa 13 ... 26 I4
Canadelo 13 ... 27 I6
Canal-Caveira (Estação) 15 ... 77 R4
Canas de Santa Maria 18 ... 41 K5
Canas de Senhorim 18 ... 41 K6
Canaveses 17 ... 28 H7
Canaviais 07 ... 65 Q6
Candal 06 ... 53 L5
Candal 10 ... 53 M4
Candal 18 ... 28 H7
Candeeiros (Serra dos) 10 ... 53 N3
Candelária 20 ... 107 J18
Candelária 20 ... 107 H10
Candemil 13 ... 27 I6
Candemil 16 ... 26 G3
Candosa 06 ... 41 K6
Caneças 11 ... 64 P2

BRAGA

Abade Loureira (R.)	Y	3
Biscainhos (R. dos)	Y	4
Caetano Brandão (R.)	Z	6
Capelistas (R. dos)	Y	7
Carmo (R. do)	Y	9
Central (Av.)	Y	10
Chãos (R. dos)	Y	12
Conde de Agrolongo (Pr.)	Y	13
Dom Afonso Henriques (R.)	Z	15
Dom Diogo de Sousa (R.)	YZ	16
Dom Gonç. Pereira (R.)	Z	18
Dom Paio Mendes (R.)	Z	19
Dr Gonçalo Sampaio (R.)	Z	21
Franc. Sanches (R.)	Z	22
General Norton de Matos (Av.)	Y	24
Nespereira (Av.)	Y	25
São João do Souto (Pr.)	Z	27
São Marcos (R.)	YZ	28
São Martinho (R.)	Y	30
São Tiago (Largo de)	Z	31
Souto (R. do)	YZ	33

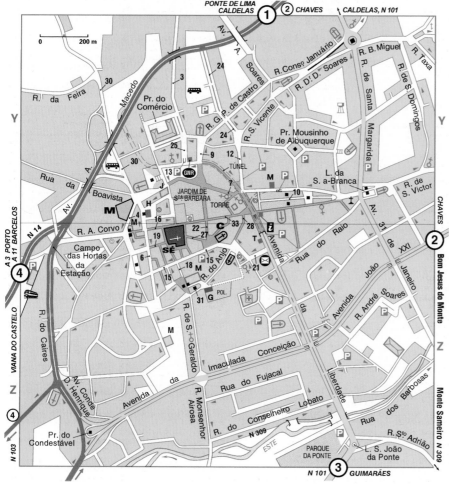

A
B
C
D
E
F
G
H
I
J
K
L
M
N
O
P
Q
R
S
T
U
V
W
X
Y
Z

Canedo 01...............40 I 4
Canedo de Basto 03.........27 H 6
Caneiro 14..............53 N 4
Canelas 01..............41 J 5
Canha 15...............65 P 4
Canha (Ribeira de) 65 P 4
Canhestros 02............77 R 5
Caniçada 03.............27 H 5
Caniçada (Barragem de) 03.........27 H 5
Caniçal 31..............88 B Y
Caniceira 06............40 K 3
Caniço 31..............88 B Z
Canidelo 13.............26 I 4
Cano 12................66 P 6
Cantanhede 06...........40 K 4
Cantanhede (Dunas de) 06.........40 K 3
Canto 10...............53 M 3
Caparica 15.............64 Q 2
Caparrosa 18............41 K 5
Capela 12..............66 O 7
Capela 13..............27 I 4
Capela 14..............53 N 6
Capelas 20............107 J 18
Capelinhos 20..........107 H 8
Capelins 07............66 Q 7
Capelo 20.............107 H 9
Capeludos 17...........27 H 7
Capinha 05.............54 L 7
Caramulinho 18..........41 K 5
Caramulo 18............41 K 5
Caramulo (Serra de) 18...41 K 5
Caranguejeira 10........53 M 3

Carapacho 20..........107 F 12
Carapeços 03............26 H 4
Carapetosa 05...........54 M 7
Carapinha (Serra da) 08...89 T 4
Carapinheira 06.........40 L 4
Carapito 09.............41 J 7
Caratão 06.............53 L 5
Caravelas 04............28 H 8
Caravelas (Rio de) 06....53 L 4
Carção 04..............28 H 10
Carcavelos 11...........64 P 1
Cardanha 04............28 I 8
Cardigos 14............53 M 5
Cardosa 05.............54 M 6
Caria 05...............54 L 7
Caria 18...............41 J 7
Caria (Ribeira de) 05....42 L 7
Carlão 17..............28 I 7
Carmões 11.............64 O 2
Carnaxide 11...........64 P 2
Carnicães 09...........42 J 8
Carneiro 13............27 I 6
Carnide 14.............53 M 3
Carnide (Rio de) 53 M 3
Carnota 11.............64 O 2
Carquejo 01............40 L 4
Cárquere 18............41 I 6
Carragosa 04...........28 G 9
Carralcova 04...........27 G 4
Carrapatas 04...........28 H 9
Carrapateira 08.........88 U 3
Carrapatelo 07..........66 Q 7
Carrapatelo (Barragem de) 13...41 I 5

Carrapichana 09.........41 K 7
Carrascais 15...........77 R 5
Carrascal 14............54 N 6
Carrazeda de Ansiães 04...28 I 8
Carrazede 14............53 N 4
Carrazedo 04............28 G 9
Carrazedo de Montenegro 17...28 H 7
Carreço 16.............26 G 3
Carregado 01............64 O 3
Carregal 18............41 J 7
Carregal do Sal 18......41 K 6
Carregosa 01............40 J 4
Carregueira 14..........53 N 4
Carregueiros 14.........53 N 4
Carreiras 12............54 N 7
Carreiras (Ribeira de) 02...89 T 6
Carriço 10.............53 M 3
Carril 18..............41 I 5
Carroqueiro 05..........54 L 8
Carros 02..............77 T 6
Cartaxo 14.............64 O 3
Carva 18...............27 H 7
Carvalha 18............41 J 6
Carvalhais 04...........28 H 8
Carvalhais 06...........53 L 3
Carvalhais 17...........27 G 6
Carvalhais 18...........41 J 5
Carvalhais (Rio de) 04...28 H 8
Carvalhal 04............53 L 5
Carvalhal 14............53 N 3

Carvalhal 15...........76 R 3
Carvalhal perto de Belmonte 05...42 L 8
Carvalhal perto de Castro Daire 18...41 J 6
Carvalhal perto de Guarda 09...42 K 8
Carvalhal perto de Méda 09...42 J 8
Carvalhal perto de Sertã 05...53 M 5
Carvalhal perto de Viseu 18...41 J 6
Carvalhal de Vermilhas 18...41 K 5
Carvalhal do Estanho 18...41 J 5
Carvalhal Redondo 18....41 K 6
Carvalhelhos 17.........27 G 6
Carvalho 03............27 H 5
Carvalho de Egas 04....28 I 8
Carvalhos 13...........40 I 4
Carvalhosa 04..........28 I 9
Carvão 20.............107 J 18
Carvas 17.............27 H 7
Carvela 17.............28 G 7
Carviçais 04............28 I 9
Carvide 10.............52 M 3
Carvoeiro perto de Mafra 11...64 P 1
Carvoeiro perto de Torres Vedras 11...64 O 2
Carvoeiro 08...........89 U 4

Carvoeiro 14...........54 N 6
Carvoeiro (Cabo) 08....89 U 4
Carvoeiro (Cabo) 10....52 N 1
Casa Branca 07.........65 Q 5
Casa Branca 12.........66 P 6
Casa Branca 15.........76 R 3
Casa Branca 15.........77 R 4
Casa Nova 15...........76 S 4
Casais 08..............88 U 4
Casais 14..............53 N 4
Casais do Chafariz 10...52 O 2
Casal Comba 01.........40 K 4
Casal de Cinza 09.......42 K 8
Casal de Ermio 06.......53 L 5
Casal dos Bernardos 14...53 M 4
Casal Novo 06..........53 L 5
Casal Novo 10..........53 M 3
Casal Velho 10.........52 N 2
Casalinho 14...........65 O 4
Casas 08..............89 U 5
Casas de Fonte Cova 10...53 M 3
Casas Louras 14........53 N 5
Casas Novas 12.........66 P 8
Cascais 11.............64 P 1
Cascalho 14............65 P 3
Casebres 15............65 Q 4
Casegas 05.............54 L 6
Casével 02.............77 S 5
Casével 14.............53 N 4
Castainço 18...........41 J 7
Castanheira 04.........28 H 10
Castanheira 09.........42 K 8
Castanheira 17.........27 G 6
Castanheira perto de Trancoso 09...42 J 7
Castanheira de Pêra 10...53 L 5
Castanheira do Ribatejo 11...64 P 3
Castanheira do Vouga 01...40 K 4
Castanheiro 06.........40 L 3
Castanheiro do Sul 18...41 I 7
Castedo 04.............28 I 8
Castedo 17.............27 I 7
Castelção 04............42 J 8
Castelãos 04...........28 H 9
Casteleiro 09..........42 L 8
Castelejo 05............54 L 7
Castelhanas 10.........53 M 3
Castelhanos 08.........89 T 6
Castelo 05.............53 M 5
Castelo 14.............53 N 5
Castelo 18.............41 I 7
Castelo (Pico do) 32....89 D X
Castelo (Ponta do) 08...89 U 5
Castelo (Ponta do) 20...107 M 20
Castelo Bom 09.........42 K 9
Castelo Branco 04.......28 I 9
Castelo Branco 05.......54 M 7
Castelo Branco 20......107 H 9
Castelo de Bode (Barragem do) 14...53 N 5
Castelo de Maia 13......26 I 4
Castelo de Paiva 01.....41 I 5
Castelo de Vide 14......54 N 7
Castelo do Neiva 16.....26 H 3
Castelo Melhor 09.......42 I 8
Castelo Mendo 09.......42 K 9
Castelo Novo 05........54 L 7
Castelo Rodrigo 09......42 J 9
Castelões 01...........40 J 4
Castrelos 04............28 G 9
Castro Daire 18.........41 J 6
Castro Marim 08........90 U 7
Castro Verde 02........77 S 5
Castro Verde-Almodôvar (Estação) 02...77 S 5
Castro Vicente 04.......28 H 9
Catalão 07.............65 Q 4
Cativelos 09...........41 K 6
Catrão 05..............54 L 7
Cava 05...............54 M 5
Cavadoude 09...........42 K 8
Cavaleiro 02...........76 T 3
Cavalinhos 10..........53 M 3
Caveira (Ponta da) 20...107 E 2
Cavernães 14...........41 J 6
Cavês 03..............27 H 6
Caxarias 14............53 M 4
Caxias 11..............64 P 2
Cebolais de Baixo 05....54 M 7
Cebolais de Cima 05.....54 M 7
Cedães 04.............28 H 8
Cedillo (Barragem de) ...54 N 7

Carvoeiro 14...........54 N 6
Carvoeiro (Cabo) 08....89 U 4
Carvoeiro (Cabo) 10....52 N 1
Casa Branca 07.........65 Q 5
Casa Branca 12.........66 P 6
Casa Branca 15.........76 R 3
Casa Branca 15.........77 R 4
Casa Nova 15...........76 S 4
Casais 08..............88 U 4
Casais 14..............53 N 4
Casais do Chafariz 10...52 O 2
Casal Comba 01.........40 K 4
Casal de Cinza 09.......42 K 8
Casal de Ermio 06.......53 L 5
Casal dos Bernardos 14...53 M 4
Casal Novo 06..........53 L 5
Casal Novo 10..........53 M 3
Casal Velho 10.........52 N 2
Casalinho 14...........65 O 4
Casas 08..............89 U 5
Casas de Fonte Cova 10...53 M 3
Casas Louras 14........53 N 5
Casas Novas 12.........66 P 8
Cascais 11.............64 P 1
Cascalho 14............65 P 3
Casebres 15............65 Q 4
Casegas 05.............54 L 6
Casével 02.............77 S 5
Casével 14.............53 N 4
Castainço 18...........41 J 7
Castanheira 04.........28 H 10
Castanheira 09.........42 K 8
Castanheira 17.........27 G 6
Castanheira perto de Trancoso 09...42 J 7
Castanheira de Pêra 10...53 L 5
Castanheira do Ribatejo 11...64 P 3
Castanheira do Vouga 01...40 K 4
Castanheiro 06.........40 L 3
Castanheiro do Sul 18...41 I 7
Castedo 04.............28 I 8
Castedo 17.............27 I 7

Cedovim 09............42 I 8
Cedrim 01.............40 J 4
Cedros 20............107 H 9
Cegonhas Novas 05......54 M 8
Ceira 06..............53 L 4
Ceira (Rio) 53 L 4
Ceivães 16............13 F 4
Cela 10...............52 N 2
Celas 04..............28 G 9
Celavisa 06............53 L 5
Celeiro 03.............27 H 5
Celeirós 03............26 H 4
Celeirós 17............27 I 7
Celorico da Beira 09....42 K 7
Celorico de Basto 03....27 H 6
Centum Cellas 05.......42 K 8
Cepães 03.............27 H 5
Cepelos 01............40 J 4
Cepões 18.............41 J 6
Cepos 06..............53 L 6
Cerca (Ribeira da) 08....88 U 3
Cercal 06..............53 M 5
Cercal 10.............53 M 5
Cercal 11.............64 O 2
Cercal 15.............76 S 3
Cercal (Serra do) 02....76 S 3
Cercio 04.............29 H 11
Cerdal 16.............12 G 4
Cerdeira 06............41 L 6
Cerdeira 09............42 K 8
Cerdeirinhas 03........27 H 5
Cerejais 04............28 I 9
Cernache 06...........53 L 4
Cernache de Bonjardim 05...53 M 5
Cerro perto de Alte 08...89 U 5
Cerro perto de Loulé 08...89 U 5
Cerro da Vila 08........89 U 5
Cervos 07.............78 Q 7
Cerva 17..............27 H 6
Cervães 03............26 H 4
Cervos 17.............27 G 6
Cete 13...............27 I 4
Cetóbriga (Ruínas Romanas de) 15...64 Q 3
Cevadais 12............66 O 8
Chã 17................27 I 7
Chacim 03.............27 H 6
Chacim 04.............28 H 9
Chamusca 14...........53 N 4
Chança 12.............66 O 6
Chança (Estação de) 12...66 O 6
Chança (Rio) 78 S 7
Chancelaria 14.........53 N 4
Chão da Parada 10......52 N 2
Chão da Vã 05..........54 M 7
Chão da Velha 12.......54 N 6
Chão das Servas 14.....54 M 6
Chão de Codes 14.......53 N 5
Chão de Couce 10.......53 M 4
Chão de Lopes 14.......53 N 5
Chãos 14..............53 M 4
Charneca 02...........78 S 7
Chãs 09...............42 J 8
Chãs (Monte) 18........41 J 5
Chãs de Tavares 18.....41 K 7
Chavães 18............41 I 7
Chaves 17.............28 G 7
Cheleiros 11...........64 P 2
Choça Queimada 08.....90 U 7
Chorente 03...........26 H 4
Chosendo 18...........41 J 7
Chouto 14.............65 O 4
Ciborro 07............65 P 5
Cicouro 04............29 H 11
Cid Almeida 02.........78 R 7
Cidadelhe 09...........42 J 8
Cidadelhe 16..........27 G 5
Ciladas 07............66 P 8
Cima (Ilhéu de) 32......89 D X
Cimadas Fundeiras 05...53 M 6
Cimbres 18............41 I 6
Cinco Vilas 09.........42 J 9
Cinfães 18............41 I 5
Cintrão (Ponta do) 20...107 J 19
Cisterna 04...........28 G 8
Clarines 18............90 T 7
Clérigo (Ponta do) 31...88 B Y
Côa (R.) ....42 L 8
Cobres (Ribeira de) 02...77 T 5
Codaval 14............27 H 7
Codeçais 18...........28 I 8
Codeçoso 03...........27 H 5
Codessoso 17..........27 H 6
Coelheira 18..........41 J 5

COIMBRA

Ameias (Largo)................. Z 2
Antero de Quental (R.) .... V 3
Borges Carneiro (R.) .... Z 10
Colégio Novo (R. do) .... Y 12
Comércio (P. do)............. Z
Coutinhos (R.)............... Y 15
Dr João Jacinto (R.).......... Y 18
Fernandes Tomás (R.)........ Z 25
Fernão de Magalhães (Av.)... Y
Ferreira Borges (R.) .... Z 27
Guilherme Moreira (R.) ...... Z 31
José Falcão (R.) .... Z 35
Manutenção Militar (R.) ..... Y 37
Portagem (Largo da) .... Z 42
Quebra-Costas (Escadas do) ... Z 44
Saragoça (R. de) .... Y 50
Sobre Ribas (R. de) .... Z 52
Sofia (R. de) .... Y
Visconde da Luz
(R.) .... Y 54
8 de Maio (Pr.) .... Y 56

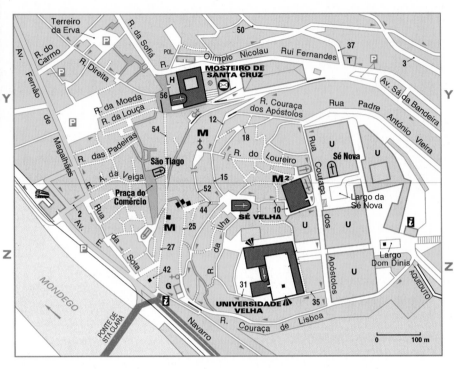

Mosteiro de Santa Cruz .... Y

Coelhoso 04 .... 28 H 10
Coentral 10 .... 53 L 5
Cogula 09 .... 42 J 8
Coimbra 06 .... 40 L 4
Coimbrão 06 .... 52 M 3
Coina 15 .... 64 Q 2
Coito 04 .... 90 T 7
Coja 06 .... 41 L 6
Coja (Ribeira de) ...... 41 J 7
Colar de Perdizes 15 ... 65 P 3
Colares 11 .... 64 P 1
Colcorinho
(Monte) .... 41 L 6
Colmeal 02 .... 42 K 8
Colmeal 06 .... 53 L 5
Colmeias 10 .... 53 M 3
Colorada 02 .... 78 R 9
Colos 02 .... 77 S 4
Comeira 10 .... 52 M 3
Comenda 12 .... 54 N 6
Comporta 15 .... 64 Q 3
Concavada 14 .... 53 N 5
Conceição 07 .... 77 S 5
Conceição perto
de Faro 08 .... 89 U 6
Conceição perto
de Tavira 08 .... 90 U 7
Condeixa-a-Nova 06 .. 53 L 4
Condeixa-a-Velha 06 .. 53 L 4
Congro
(Lagoa do) 20 .... 107 J 19
Conímbriga 06 .... 53 L 4
Conlelas 04 .... 28 G 9
Cónqueiros 05 .... 54 M 6
Consolação 10 .... 52 O 1
Constância 14 .... 53 N 4
Constantim 29 .... 29 H 11
Constantim 17 .... 27 I 6
Contenda 12 .... 66 O 8
Contendas
(Ponta das) 20 ... 107 H 14
Contensas de Baixo 18 .. 41 K 6
Corchas
(Portela das) 08 .. 88 T 4
Cordinhã 06 .... 40 K 4
Corgas 05 .... 54 M 6

Corgas
(Barragem de) 05......... 54 M 6
Corgo 03 .... 27 H 6
Coriscada 09 .... 42 J 8
Coroa 04 .... 28 G 8
Coroa (Serra da) 04 .. 28 G 8
Corona (Ribeira de) 15... 77 S 4
Coronado 13 .... 26 I 4
Correias 14 .... 53 N 3
Correlha 14 .... 26 G 4
Corroios 15 .... 64 Q 2
Corte 18 .... 41 K 5
Corte Brique 02 ...... 77 T 4
Corte da Velha 02 .... 77 S 6
Corte de São Tomé 08 .. 90 T 7
Corte do Gago 08 ..... 90 U 7
Corte Figueira 02 ..... 89 U 7
Corte Gafo de Baixo 02 .. 77 S 6
Corte Gafo de Cima 02 .. 77 S 6
Corte João Marques 08 .. 89 T 6
Corte Pequena 02 ..... 78 S 7
Corte Pequena 77 ..... 77 S 6
Corte Pinto 02 .... 78 S 7
Corte Serranos 08 .... 89 T 6
Corte Sines 02 .... 78 S 7
Corte Tabelião 08 .... 90 U 7
Corte Vicente Eanes 02 .. 77 S 5
Corte Zorrinha 02 .... 77 T 5
Cortegaça 01 .... 40 J 4
Cortegaça 18 .... 41 K 5
Cortelha 08 .... 90 U 7
Cortes 02 .... 78 R 8
Cortes 05 .... 41 L 7
Cortes 10 .... 53 M 3
Cortes de Baixo 02 ... 77 R 6
Cortes Pereiras 08 ... 90 T 7
Cortiçada 09 .... 41 J 7
Cortiçadas do Lavre 07 .. 65 P 4
Cortiço da Serra 09 .. 41 K 7
Cortiços 04 .... 28 H 8
Coruche 14 .... 65 P 4
Corujeira 06 .... 40 K 4
Corujeira 18 .... 41 J 6
Corujos 08 .... 90 U 7
Corva 15 .... 64 Q 2

Corval 07 .... 66 Q 7
Corveira 18 .... 41 K 5
Corvo (Ilha do) 20 ... 107 D 2
Costa de Caparica 15 .. 64 Q 2
Costa de Lavos 06 ... 52 L 3
Costa
de Santo André 15 .. 76 R 3
Costa Nova 01 ...... 40 K 3
Costa Nova (Ria da) 01.. 40 K 3
Costa Verde 02 ..... 28 H 9
Cota 18 .... 41 J 6
Cotelo 18 .... 41 I 6
Cótimos 09 .... 42 J 8
Couço 14 .... 65 P 5
Coudelaria de Alter 12 .. 66 O 6
Coura 16 .... 26 G 4
Coura (Rio) .... 26 G 3
Courelas 07 .... 78 R 7
Courelas do Vale 07 .. 65 Q 4
Cousso 13 .... 26 I 4
Couto 13 .... 26 I 4
Couto de Esteves 01 .. 41 J 5
Couto de Mosteiro 18 .. 41 K 5
Cova da Iria 14 .... 53 M 4
Cova da Piedade 15 .. 64 Q 2
Covão de Lobo 01 ... 40 K 4
Covão do Feto 14 ... 53 N 4
Covão dos Mendes 10 .. 53 M 3
Covas 16 .... 26 G 3
Covas de Barroso 17 .. 27 H 6
Covas do Douro 17 .. 27 I 7
Covas do Monte 18 .. 41 J 5
Covas do Rio 18 .... 41 J 5
Covelães 18 .... 27 G 6
Covelas 03 .... 27 H 5
Covelo 06 .... 41 L 5
Covelo 13 .... 26 I 4
Covelo de Gerês 17 .. 27 G 6
Covilhã 05 .... 41 L 7
Covinhos (Ponta dos) 10 .. 52 N 2
Covoada 20 .... 107 J 18
Covões 06 .... 40 K 4
Coz 10 .... 52 N 3
Crasto 16 .... 26 G 4

Crato 12 .... 66 O 7
Crestuma 13 .... 40 I 4
Crestuma
(Barragem de) 13... 40 I 4
Crias 03 .... 26 H 3
Cristelo 03 .... 26 H 3
Cristo (Convento de) 14.. 53 N 4
Criz 18 .... 41 K 5
Cruz da Légua 10 .. 52 N 3
Cruz (Ponta do) 31 . 88 B Y
Cruz de João Mendes 15 .. 76 R 4
Cruzamento
de Pegões 15....... 65 P 4
Cruzes 18 .... 41 J 5
Cuba 02 .... 77 R 6
Cubalhão 16 ...... 13 F 5
Cuine (Sierra do) 20 .. 107 G 14
Cujó 01 .... 41 J 6
Culatra (Ilha da) 08 .. 90 V 6
Cumeada 05 ...... 53 M 5
Cumeada 08 ...... 89 U 4
Cumeira 10 .... 52 N 3
Cumiada 05 .... 78 Q 7
Cumieira 06 ...... 53 M 4
Cumieira 17 ...... 27 I 6
Cunha 16 .... 26 G 4
Cunha 18 .... 41 J 7
Cunha Baixa 18 ... 41 K 6
Cunheira 12 ...... 66 O 6
Curalha 17 .... 27 G 7
Curia 01 .... 40 K 4
Curral da Velha
(Ribeira do) 02 .... 77 T 6
Curral das Freiras 31 .. 88 B Y
Curros 17 .... 28 H 7
Curros (Rio) 17 ... 28 H 7
Curvos 03 .... 26 H 3
Custóias 09 ...... 42 I 8

Dadim 17 .... 28 G 8
Dão 18 .... 41 J 7
Dardavaz 18 ..... 41 K 5
Darque 16 .... 26 G 3
Dáspera 05 ...... 54 M 6
Decermilo 18 .... 41 J 7

Degebe .... 66 Q 6
Degolados 12 ..... 66 O 8
Degracias 06 ..... 53 L 4
Deilão 04 .... 28 G 10
Delães 03 .... 26 H 4
Deocriste 16 ..... 26 G 3
Derreada Cimeira 10 .. 53 M 5
Destriz 18 .... 41 K 5
Divor (Barragem do) 07 .. 65 P 6
Divor (Ribeira de) .. 65 P 4
Dogueno 02 ...... 89 T 6
Dois Portos 11 ... 64 O 2
Domingos da Vinha 12 .. 53 N 6
Dominguizo 05 ... 54 L 7
Dona Maria 02 ... 78 R 7
Donai 04 .... 28 G 10
Donelas 09 ...... 41 J 7
Dornelas 09 ..... 41 J 7
Dornelas do Zêzere 06 .. 54 L 6
Dornes 14 .... 53 M 5
Douro 29 .... 29 H 11
Duas Igrejas 04 .. 29 H 10
Dunas de Ovar 01 .. 40 J 3
Durão 04 .... 42 I 9

E

Edral 04 .... 28 G 8
Edrosa 04 .... 28 G 9
Edroso 04 .... 28 H 9
Ega 06 .... 53 L 4
Eira de Calva 06 .. 53 L 5
Eirado 09 .... 41 J 7
Eiras 06 .... 40 L 4
Eiras Maiores 04 .. 28 G 9
Eirinha 02 ...... 77 T 6
Eirinhas 02 ..... 78 R 7
Eirogo 03 .... 26 H 4
Eixo 01 .... 40 K 4
Elvas 12 .... 66 P 8
Encarnação 11 ... 64 O 1
Encumeada
(Boca da) 31 ..... 88 A Y
Entradas 02 ..... 77 S 5
Entre Ambososrios .. 27 G 5
Entre-os-Rios 13 .. 41 I 5
Entroncamento 14 .. 53 N 4
Envendos 14 ..... 54 N 6
Enxabarda 05 .... 54 L 7
Enxara do Bispo 11 .. 64 P 2
Enxoé 02 .... 78 S 7
Enxoé
(Barragem do) 02.... 78 S 7
Enxofre (Furna do) 20 .. 107 F 12
Enxofre (Furnas do) 20 .. 107 G 14
Erada 05 .... 41 L 7
Ereira 14 .... 64 O 3
Erges (Rio) ...... 55 M 9
Ermelo 16 .... 27 G 5
Ermelo 17 .... 27 H 6
Ermesinde 13 .... 26 I 4
Ermida 04 .... 53 M 6
Ermida 06 .... 40 K 3
Ermida 16 .... 27 G 5
Ermida
(Barragem da) 06... 53 L 5
Ermidas-Aldeia 15 .. 77 S 4
Ermidas-Sado 15 .. 77 R 4
Erra 14 .... 65 P 4
Erra <
(Ribeira da) ..... 65 O 4
Ervas Tenras 09 .. 42 J 8
Ervedal 06 ...... 41 K 6
Ervedal 12 ...... 66 O 6
Ervededo 17 ..... 27 G 7
Ervedeira 12 .... 65 O 5
Ervedosa 04 ..... 28 G 8
Ervedosa do Douro 18 .. 27 I 7
Ervideira 10 ..... 52 M 3
Ervidel 02 ...... 77 S 5
Ervões 17 .... 28 H 7
Escalhão 09 ..... 42 J 9
Escalos de Baixo 05 .. 54 M 7
Escalos de Cima 05 .. 54 M 7
Escalos do Meio 10 .. 53 M 5
Escancinhas 08 .. 89 U 5
Escarigo 08 ..... 52 L 8
Escarigo 09 ..... 42 J 9
Escariz 03 ...... 40 J 4
Escariz 03 ...... 41 J 4
Escariz 17 ...... 27 H 6
Escaroupim 14 .. 65 O 3
Escudeiros 03 ... 26 H 4
Escuro (Monte) 20 .. 107 J 19
Escurquela 18 ... 41 I 7
Escusa perto
de Castelo de Vide 12 .. 54 N 7

Escusa perto
de Ponte de Sor 12.. 53 N 6
Esfrega 05 ...... 54 M 6
Esmoriz 01 ...... 40 J 4
Espadanedo 04 .. 28 H 9
Espargal 08 ..... 89 U 5
Especiosa 04 .... 29 H 10
Esperança 12 ... 66 O 8
Esperança (Pico da) 20 .. 107 H 11
Espiche 08 ...... 88 U 3
Espichel (Cabo) 15 .. 64 Q 2
Espinhaço de Cão
(Serra do) 08 .... 88 U 3
Espinhal 06 ..... 53 L 4
Espinheira 07 .... 66 Q 6
Espinheiro 14 ... 53 N 3
Espinho 01 ...... 40 I 4
Espinho perto
de Caramulo 18 ... 41 K 5
Espinho perto
de Mangualde 18 ... 41 K 6
Espinho perto
de Mortágua 18 ... 41 K 5
Espinho (Alto do) 27 .. 27 I 6
Espinhosela 04 .. 28 G 9
Espinhoso 04 ... 28 G 8
Espírito Santo 02 . 78 T 7
Espite 14 .... 53 M 4
Espiunca 01 ..... 41 J 5
Esporões 03 ..... 26 H 4
Esposende 03 .... 26 H 3
Estação de Ourique 02 .. 77 S 5
Estação de Viana 07 .. 77 Q 5
Estanqueiro 14 .. 65 P 3
Estarreja 01 ..... 40 J 4
Este 03 .... 27 H 4
Este (Rio) .... 26 H 4
Esteiro 06 ...... 54 L 6
Estela 13 .... 26 H 3
Estelas 10 ...... 52 N 1
Estevais perto
de Cardanha 04 .. 28 I 8
Estevais perto de Est.
de Freixo 04 ..... 28 I 9
Esteveira 14 .... 53 N 5
Esteves 05 ...... 54 M 6
Estibeira 02 ..... 76 T 3
Estói 08 .... 89 U 6
Estômbar 08 .... 89 U 4
Estorãos 03 ..... 27 H 5
Estorãos 16 ..... 26 G 4
Estoril 11 .... 64 P 1
Estorninhos 08 .. 90 U 7
Estreito 05 ..... 54 M 6
Estreito da Calheta 31 .. 88 A Y
Estreito de Câmara
de Lobos 31 ..... 88 B Y
Estrela (Parque Natural
da Serra da) ..... 41 K 7
Estrela (Serra da) 09 .. 41 L 6
Estremoz 07 .... 66 P 7
Eucisia 04 ...... 28 I 8
Évora 05 .... 65 Q 6
Évora de Alcobaça 10 .. 52 N 3
Évoramonte 07 .. 66 P 6
Extremo 16 ..... 26 G 4

F

Facha 16 .... 26 G 4
Facho 05 .... 54 N 2
Fadagosa 12 .... 54 N 7
Fadagosa 14 .... 53 N 6
Fadagosa
(Termas da) 14.... 53 N 6
Fafe 03 .... 27 H 5
Fagilde
(Barragem de) 18.. 41 K 6
Faia 03 .... 27 H 6
Faial 31 .... 88 B Y
Faial (Canal do) 20 .. 107 H 10
Faial (Ilha do) 20 .. 107 H 9
Faial (Ponta do) 20 .. 107 J 20
Faial da Terra 20 .. 107 J 20
Fail 18 .... 41 K 6
Failde 04 .... 28 G 9
Faiões 17 .... 28 G 7
Fajã da Ovelha 31 .. 88 A Y
Fajã de Cima 20 .. 107 J 19
Fajã dos Cubres 20 .. 107 H 12
Fajã Grande 20 .. 107 E 2
Fajão 06 .... 54 L 6
Fajãzinha 20 .... 107 E 2

ÉVORA

Álvaro Velho (Largo)	BZ	3
Aviz (R. de)	BY	4
Bombeiros Voluntários de Évora (Av.)	CZ	6
Caraça (Trav. da)	BZ	7
Cenáculo (R. do)	BY	9
Combatentes da Grande Guerra (Av. dos)	BZ	10
Conde de Vila-Flor (Largo)	BY	12
Diogo Cão (R.)	BZ	13
Freiria de Baixo (R. da)	BY	15
Giraldo (Pr. do)	BZ	
João de Deus (R.)	AY	16
José Elias Garcia (R.)	AY	18
Lagar dos Dízimos (R. do)	BZ	19
Luís de Camões (Largo)	AY	21
Marquês de Marialva (Largo)	BY	22
Menino Jesus (R. do)	BY	24
Misericórdia (Largo)	BZ	25
Penedos (Largo dos)	AY	28
República (R. da)	BZ	
Santa Clara (R. de)	AZ	30
São Manços (R. de)	BZ	31
São Miguel (Largo de)	BY	32
Senhor da Pobreza (Largo)	CZ	33
Torta (Trav.)	AZ	34
Vasco da Gama (R.)	BY	36
1_ de Maio (Pr.)	BZ	
5 de Outubro (R.)	BYZ	37

Museu de Évora	BY	M¹
Paço dos Duques de Cadaval	BY	P

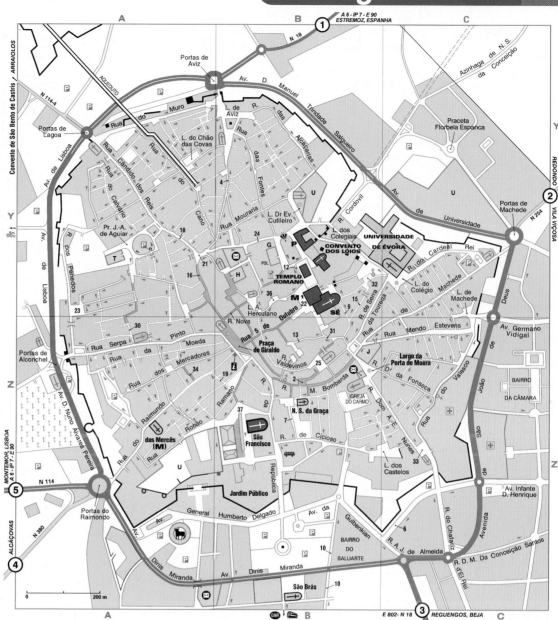

Fajões 01	40	J 4	Fenais da Ajuda 20	107	J 20	Fiães 01	40	J 4	Flamengos 20	107	H 10	Fornalhas Novas 02	77	S 4	Foupana (Ribeira da) 08	89	T 6
Falca 10	52	N 2	Fenais da Luz 20	107	J 19	Fiães 09	42	J 7	Flor da Rosa 12	66	O 7	Fornalhas Velhas 02	77	S 4	Foz 14	65	O 5
Falcoeiras 07	66	Q 7	Fermelã 01	40	J 4	Fiães 16	13	F 5	Flores (Ilha das) 20	107	E 2	Fornelos 03	27	H 5	Foz de Alge 10	53	M 5
Famalicão 09	42	K 7	Fermentelos 01	40	K 4	Fiães 17	28	G 8	Fogo (Lagoa do) 20	107	J 19	Fornelos 16	26	G 4	Foz de Arouce 06	53	L 5
Famalicão 12	52	N 2	Fermil 03	27	H 6	Fiães do Rio 17	27	G 6	Fóia 08	89	U 4	Fornelos 18	41	I 5	Foz de Odeleite 08	90	T 7
Fanhais 10	52	N 2	Fernandilho 08	89	U 6	Fialho 02	89	T 6	Fóios 09	41	L 9	Fornilhos 02	78	R 8	Foz do Arelho 10	52	N 2
Fanhões 11	64	P 2	Fernão Ferro 15	64	Q 2	Figueira 04	28	I 9	Folgado 07	66	P 7	Forninhos 09	41	J 7	Foz do Arroio 08	88	T 4
Fão 03	26	H 3	Fernão Joanes 09	42	K 7	Figueira 08	88	U 3	Folgosa 18	27	I 6	Forno Telheiro 09	42	J 7	Foz do Douro 13	26	I 3
Faria 03	26	H 4	Ferradosa 04	28	I 9	Figueira 12	66	O 8	Folgosinho 09	41	K 7	Fornos 04	28	I 9	Foz do Farelo 08	88	T 4
Farilhões 10	52	N 1	Ferragudo 08	88	U 4	Figueira 18	41	I 6	Folhadela 17	27	I 6	Fornos de Algodres 09	41	K 7	Foz do Lisandro 11	64	P 1
Farminhão 18	41	K 5	Ferral 17	27	G 6	Figueira perto de Portimão 08	88	U 4	Folques 18	41	L 5	Fornos do Pinhal 17	28	H 8	Foz do Sabor 04	28	I 8
Faro 08	89	U 6	Ferraria (Ponta da) 20	107	J 18				Fontainhas 13	26	H 4	Foros da Adúa 07	65	Q 5	Foz Giraldo 05	54	L 6
Faro (Ilha de) 08	89	V 6	Ferrarias 07	78	Q 8	Figueira (Ribeira da) 02	77	R 5	Fontainhas 15	76	R 3	Foros da Caiada 02	77	S 4	Fradelos 03	26	H 4
Faro (Monte do) 16	12	F 4	Ferreira 04	28	H 9	Figueira da Foz 06	53	L 3	Fontão Fundeiro 10	53	M 5	Foros da Fonte de Pau 14	65	P 4	Fradizela 04	28	H 8
Faro do Alentejo 02	77	R 6	Ferreira 13	27	I 4	Figueira			Fonte Arcada 18	41	J 7	Foros da Fonte Seca 07	66	Q 7	Fraga Negra 03	27	G 5
Farropa 05	54	M 7	Ferreira 16	26	G 4	de Castelo Rodrigo 09	42	J 9	Fonte da Aldeia 04	29	H 10	Foros			Fragosela 18	41	K 6
Fataunços 18	41	J 5	Ferreira (Rio) 13	26	I 4	Figueira de Lorvão 06	40	L 4	Fonte da Telha 15	64	Q 2	da Salgueirinha 14	65	P 4	Fragoso 03	26	H 3
Fatela 05	54	L 7	Ferreira de Aves 18	41	J 7	Figueira			Fonte Ladrão 06	29	H 10	Foros			Fráguas 14	52	N 3
Fátima 14	53	N 4	Ferreira do Alentejo 02	77	R 5	dos Cavaleiros 02	77	R 5	Fonte Limpa 06	53	L 5	das Malhadinhas 14	65	P 3	Fráguas 18	41	J 6
Favacal 06	53	M 4	Ferreira do Zêzere 14	53	M 5	Figueira e Barros 12	66	O 6	Fonte Longa 04	28	I 8	Foros dos Pombas 06	66	Q 6	Franca 04	28	G 9
Favaios 17	27	I 7	Ferreiras 08	89	U 5	Figueiras 02	77	S 5	Fonte Santa 05	54	M 7	Foros de Benfica 14	65	O 4	Franco 04	28	H 7
Fazamões 18	41	I 6	Ferreirim perto de Lamego 18	41	I 6	Figueiras 14	53	O 4	Fonte Serne (Barragem) 15	77	S 4	Foros de Casa Nova 15	77	S 4	Franqueada 08	89	U 5
Fazenda 12	65	O 6				Figueiredo 05	53	M 6				Foros de Vale de Figueira 07	65	P 5	Franzilhal 17	28	I 7
Fazendas de Almeirim 14	65	O 4	Ferreirim perto de Penedono 18	41	J 7	Figueiredo 18	41	J 7	Fontelas 17	27	I 6				Fratel 05	54	N 6
Febres 06	40	K 4	Ferreirós do Dão 18	41	K 5	Figueiredo de Alva 18	41	J 6	Fontes 14	53	N 5	Foros do Arrão 12	65	O 5	Fratel (Barragem de)	54	N 6
Feira 18	41	J 5	Ferrel 10	52	N 2	Figueirinha 08	89	U 6	Fontes da Matosa 08	89	U 4	Foros do Baldio 07	65	Q 4	Frazão 13	26	I 4
Feiteira 08	89	U 6	Ferro 05	41	L 7	Figueiró 18	41	K 6	Fontinha 02	76	T 3	Foros do Biscainho 14	65	P 4	Freamunde 13	27	I 4
Felgar 04	28	I 9	Ferro (Ilhéu de) 32	89	C X	Figueiró (Ribeira de) 12	54	N 6	Fontinha 10	66	P 7	Foros do Cortiço 07	65	P 5	Frechas 04	28	H 8
Felgueira 01	40	K 4	Fervença 03	27	H 5	Figueiró da Granja 09	41	K 7	Fontoura 16	26	G 4	Foros do Freixo 07	66	P 7	Freches 09	42	J 7
Felgueiras 04	28	I 8	Fervença 10	52	N 3	Figueiró da Serra 09	41	K 7	Forcalhos 09	42	K 9	Foros do Mocho 07	65	O 5	Fregil (Barragem de) 18	41	I 5
Felgueiras 04	28	H 9	Fervidelas 17	27	G 6	Figueiró do Campo 06	53	L 4	Forjães 03	26	H 3	Foros do Queimado 07	65	Q 6	Freineda 03	42	K 9
Felgueiras 18	41	H 5	Feteira 08	89	U 6	Figueiró dos Vinhos 10	53	M 5	Formigais 14	53	M 4	Forte da Graça 12	66	P 8	Freiria 11	64	O 2
Felgueiras 18	41	I 6	Feteiras 20	107	J 18	Fiolhoso 17	27	H 7	Formosa (Ria) 08	90	V 6	Fortes 08	90	T 7	Freiria 17	27	H 7
									Fortios 12	66	O 7	Freixeda 04	28	H 8

FUNCHAL

Alfândega (R. da)	**BZ** 3	Bettencourt (R. do)	**CY** 9
Aljube (R. do)	**BZ** 4	Brigadeiro Oudinot (R.)	**CY** 10
Aranhas (R. dos)	**ABZ** 6	Carmo (Pr. do)	**CY** 20
Autonomia (Pr. da)	**CZ** 7	Carne Azeda (R. da)	**BY** 12
		Carvalho Araújo (R.)	**AZ** 15
		Casa da Luz (R.)	**CZ** 16
		Chafariz (Largo do)	**CZ** 19

Conceição (R. da)	**CY** 22	Imperatriz D. Amélia (R. da)	**AZ** 36
Conselheiro Aires Ornelas (R.)	**CY** 24	Ivens (R.)	**BZ** 37
Conselheiro José Silvestre Ribeiro (R.)	**BZ** 25	João Tavira (R.)	**BZ** 39
Dr Fernão de Ornelas (R.)	**CZ** 28	Latino Ceolho (R.)	**CZ** 40
Encarnação (Calç da)	**BY** 30	Lazareto (Caminho do)	**DZ** 42
Hospital Velho (R. do)	**CYZ** 34	Maravilhas (R. das)	**AZ** 46
		Marquês do Funchal (R.)	**BY** 49

Miguel Carvalho (R.)	**CY** 51	Santa Clara (Calç.)	**BY** 67
Mouraria (R. da)	**BY** 52	São Francisco (R. de)	**BZ** 69
Phelps (Largo do)	**CY** 58	Saúde (Calç.)	**BY** 72
Ponte de S. Lázaro (R.)	**AZ** 60	Til (R. do)	**BY** 73
Pretas (R. das)	**BY** 61	Visconde do Anadia (R.)	**CYZ** 78
Ribeirinho (R.)	**CY** 63	Zarco (Av.)	**BZ** 81
Sabão (R. do)	**CZ** 66		

Freixeda 17	27 H7	**G**		Gavieira 16	27 G5	Gondemaria 14	53 M4	Granjal 18	41 J7	Igreja Nova do Sobral 14	53 M5
Freixeda do Torrão 09	42 J8			Gebelim 14	28 H9	Gondiães 03	27 H6	Grau 10	52 M3	Igrejinha 07	65 P6
Freixedas 09	42 J8	Gaeiras 10	52 N2	Geira 03	27 G5	Gondomar 15	26 I4	Grijó 04	28 H9	Ilha (Ponta da) 20	107 H11
Freixedelo 04	28 G9	Gafanha da Boa Hora 01	40 K3	Gema (Ribeira da) 02	77 S4	Gondomil 16	12 F4	Grijó 13	40 I4	Ilhas 07	65 P6
Freixial 07	66 P7	Gafanha		Genísio 04	29 H10	Gondoriz 16	27 G4	Grijó de Parada 04	28 G9	Ílhavo 01	40 K3
Freixial do Campo 05	54 M7	da Encarnação 01	40 K3	Geraldes 16	52 O1	Gontifelos 03	26 H4	Grocinas 06	53 M4	Ilhéus (Ponta dos) 20	107 E2
Freixianda 14	53 M4	Gafanha da Nazaré 01	40 K3	Geraz do Lima 16	26 G3	Gorda (Serra) 20	107 J18	Guadalupe 07	65 Q5	Infantado 14	65 P3
Freixiel 04	28 I8	Gafanha do Carmo 01	40 K3	Gerês 03	27 G5	Gordo (Monte) 11	64 P2	Guadalupe 20	107 F11	Inferno (Poço do) 09	41 K7
Freixiosa 04	29 H11	Gafanhoeira 07	65 P5	Gerês (Serra do) 03	27 G5	Gorjão 14	65 O5	Guadiana	66 Q8	Inguias 05	42 L8
Freixiosa 18	41 K6	Gáfete 12	54 N6	Germil 16	27 G5	Gorjoes 08	89 U6	Guadramil 04	29 G10	Insalde 16	26 G4
Freixo 09	42 K8	Gagos 09	42 K8	Gestaçó 13	27 I6	Gosende 18	41 I6	Guarda 09	42 K8	Isna 05	54 M6
Freixo 16	26 H4	Gaia 09	42 K8	Gesteira 06	53 L4	Gostei 04	28 G9	Guarda do Norte 10	53 M3	Isna (Ribeira da) 05	54 M5
Freixo 18	41 K5	Gaiate 06	53 L5	Gestosa 04	28 G8	Gouvães da Serra 17	27 H5	Guardeiras 03	26 I4	Izeda 04	28 H9
Freixo		Gala 06	53 L3	Gestoso 18	41 J5	Gouveia 04	28 I9	Guedelhas 02	89 T6	
de Espada a Cinta 04	42 I9	Galafura 17	27 I6	Gia 11	41 I5	Gouveia 11	64 P1	Guerreiro 02	77 S6	**J**
Freixo de Numão 09	42 I8	Galera (Ponta da) 20	107 J19	Gibraltar 11	64 O2	Gouveia perto		Guerreiros do Rio 08	90 T7	
Frende 13	27 I6	Galizes 06	41 L6	Giesteira 01	40 K4	de Freixedas 09	42 K8	Guia 08	89 U5	Janeiro de Baixo 06	54 L6
Fresulfe 04	28 G9	Galveias 12	65 O6	Giesteiras 05	54 M6	Gouveia perto de Seia 09	41 K7	Guia 10	53 M3	Janeiro de Cima 05	54 L6
Fridão 13	27 I5	Gamil 03	26 H4	Giestoso 16	13 F5	Gouvinhas 17	27 I7	Guide (Rio de) 04	28 H8	Jardim do Mar 31	88 AY
Friestas 16	12 F4	Gândara 10	53 M3	Gilvrazino 08	89 U7	Gove 13	27 I5	Guilhabreu 13	26 I4	Jardo 09	42 K8
Friões 17	28 G9	Gândara de Espariz 06	41 L5	Gimonde 04	28 G9	Graça 10	53 M5	Guilheiro 09	42 J7	Jarmelo 09	42 K8
Friúmes 06	41 L5	Gandarela 03	27 H5	Ginetes 20	107 J18	Gracinas (Ilha da) 20	107 F11	Guilheta 03	27 H3	Javali 08	89 U6
Fronhas		Gandra 13	26 I4	Giões 08	89 T6	Gradil 11	64 P2	Guilhofrei 03	27 H5	Jazente 13	27 I5
(Barragem de) 06	41 L5	Gandra perto de Ponte		Giraldos 02	77 S5	Gradiz 09	41 J7	Guimarães 03	27 H5	João Antão 09	42 K8
Fronteira 12	66 O7	de Lima 16	26 G4	Girão (Cabo) 31	88 AZ	Gralhas (Serra da) 01	40 J4	Guisande 01	40 J4	João Bom 20	107 J18
Frossos 01	40 K4	Garajau (Ponta do) 31	88 BZ	Glória (R.)	66	Gralheira (Serra da) 01	40 J4	Guiso 02	78 S7	João Serra 02	77 S6
Funchal 31	88 BZ	Garça (Ponta da) 20	107 J19	Glória do Ribatejo 14	65 O4	Gralhos 04	28 H9			Jolda 16	26 G4
Funcheira 02	77 S4	Garcia 08	89 U6	Godeal 07	65 P5	Graminhais		**H**		Jou 17	28 H7
Funcho		Garcia 10	52 M3	Godelim (R.)	78	(Planalto dos) 20	107 J20			Jovim 16	26 I4
(Barragem do) 08	89 U4	Gardete 14	54 N6	Godinhanços 03	26 G4	Grande (Ribeira) 12	66 O6	Homem (Portela do) 03	27 G5	Juizo 09	42 J8
Fundada 05	53 M5	Gardunha (Serra da) 05	54 L7	Góis 03	53 L5	Grande 20	107 O6	Homem (R.) 03	27 G5	Junca 09	42 J9
Fundão 05	54 L7	Garfe 03	27 H5	Golegã 14	53 N4	Grândola 15	77 R4	Horta 09	42 I8	Juncais 09	41 K7
Fungalvaz 14	53 N4	Garvão 02	77 S4	Golfeiras 04	28 H8	Grândola (Ribeira de) 15	77 R4	Horta 20	107 H10	Juncal 06	54 N6
Furadouro 01	40 J3	Gatão 02	89 T6	Gomes Aires 02	77 S5	Grândola (Serra de) 15	77 R4	Horta da Vilariça 04	28 I8	Juncal 10	52 N3
Furadouro 06	53 L4	Gateira 09	42 J8	Gonça 03	27 H5	Granho 14	65 O4	Hortas 08	90 U7	Juncal do Campo 05	54 M7
Furnas 20	107 J20	Gatões 06	40 L3	Gonçalo 09	42 K7	Granho Novo 14	65 P3	Hortinhas 07	66 Q7	Junceda 03	27 G5
Furnas (Lagoa das) 20	107 J20	Gaula 31	88 BY	Gonçalo 09	42 K8	Granja 04	29 H10			Junceira 14	53 N5
Furnas do Enxofre 20	107 G14	Gave 16	13 F5	Gonçalo Bocas 09	42 K8	Granja 07	78	**I**		Jungeiros 02	77 S5
Furnazinhas 08	90 T7	Gavião 03	26 H4	Gondar 03	27 H4	Granja 13	40 I4			Junqueira 01	41 J5
Furtado 12	53 N6	Gavião 05	54 M6	Gondar 13	27 I5	Granja 17	27 I7	Idanha (Barragem da) 05	54 M8	Junqueira 04	28 H10
Fuzeta 08	89 U6	Gavião 02	65 O5	Gondarém 16	26 G3	Granja do Ulmeiro 06	53 L4	Idanha-a-Nova 05	54 M8	Junqueira 08	90 U7
		Gavião 05	54 M6	Gondelim 16	26 G4	Granja Nova 18	41 I6	Idanha-a-Velha 05	54 M8	Junqueira 13	26 H3
		Gaviãozinho 05	54 M6	Gondelim 16	26 H4			Ifanes 04	29 H11	Juromenha 07	66 P8
								Igreja Nova 11	64 P2	

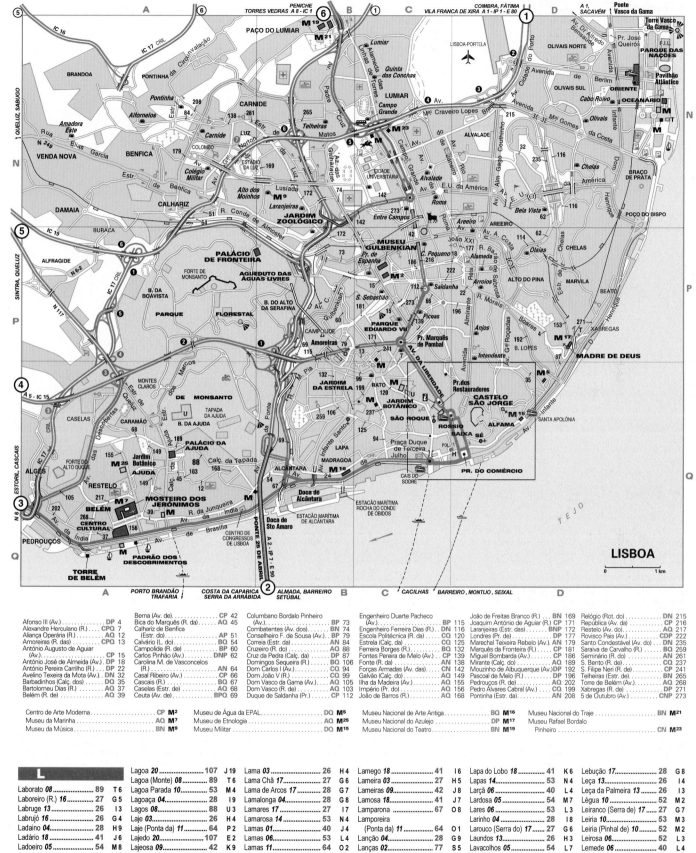

LISBOA

0 ____ 1 km

Afonso III (Av.) . . . . DP 4
Alexandre Herculano (R.) . . . . CPQ 7
Aliança Operária (R.) . . . . AQ 12
Amoreiras (R. das) . . . . CPQ 13
António Augusto de Aguiar
(Av.) . . . . CP 15
António José de Almeida (Av.) . DP 18
António Pereira Carrilho (R.) . . DP 22
Avelino Teixeira da Mota (Av.) . DN 32
Barbadinhos (Calç. dos) . . . . . DQ 35
Bartolomeu Dias (R.) . . . . AQ 37
Belém (R. de) . . . . AQ 39

Berna (Av. de) . . . . CP 42
Bica do Marquês (R. da) . . . . AQ 45
Calhariz de Benfica
(Estr. de) . . . . AP 51
Calvário (L. do) . . . . BQ 54
Campolide (R. de) . . . . BP 60
Carlos Pinhão (Av.) . . . . DNP 62
Carolina M. de Vasconcelos
(R.) . . . . AN 64
Casal Ribeiro (Av.) . . . . CP 66
Cascais (R.) . . . . AQ 67
Caselas (Estr. de) . . . . AQ 68
Ceuta (Av. de) . . . . BPQ 69

Columbano Bordalo Pinheiro
(Av.) . . . . BP 73
Combatentes (Av. dos) . . . . . . BN 74
Conselheiro F. de Sousa (Av.) . BP 79
Correia (Estr. da) . . . . AN 84
Cruzeiro (R. do) . . . . AQ 88
Cruz da Pedra (Calç. da) . . . . DP 87
Domingos Sequeira (R.) . . . . BQ 106
Dom Carlos I (Av.) . . . . BQ 94
Dom João V (R.) . . . . CQ 99
Dom Vasco da Gama (Av.) . . . AQ 155
Dom Vasco (R. de) . . . . AQ 103
Duque de Saldanha (Pr.) . . . . CP 112

Engenheiro Duarte Pacheco
(Av.) . . . . BP 115
Engenheiro Ferreira Dias (R.) . DN 116
Escola Politécnica (R. da) . . . CQ 120
Estrela (Calç. da) . . . . CQ 125
Ferreira Borges (R.) . . . . BQ 132
Fontes Pereira de Melo (Av.) . . CP 139
Fonte (R. da) . . . . AN 138
Forças Armadas (Av. das) . . . . CN 142
Galvão (Calç. do) . . . . AQ 149
Ilha da Madeira (Av.) . . . . AQ 155
Império (Pr. do) . . . . AQ 156
João de Barros (R.) . . . . AQ 168

João de Freitas Branco (R.) . . BN 169
Joaquim António de Aguiar (R.) CP 171
Laranjeiras (Estr. das) . . . . . . BNP 172
Londres (Pr. de) . . . . CP 177
Marechal Teixeira Rebelo (Av.) . AN 179
Marquês da Fronteira (R.) . . . . CP 181
Miguel Bombarda (Av.) . . . . . . CP 186
Mirante (Calç. do) . . . . AQ 189
Mouzinho de Albuquerque (Av.)DP 192
Pascoal de Melo (R.) . . . . DP 196
Pedro Álvares Cabral (Av.) . . . CQ 199
Pedrouços (R. de) . . . . AQ 202
Pontinha (Estr. da) . . . . AN 208

Relógio (Rot. do) . . . . DN 215
República (Av. da) . . . . CP 216
Restelo (Av. do) . . . . AQ 217
Rovisco Pais (Av.) . . . . CDP 222
Santa Condestável (Av. do) . . . DN 235
Saraiva de Carvalho (R.) . . . . . BQ 259
Seminário (R. do) . . . . AN 261
S. Bento (R. de) . . . . CQ 237
S. Filipe Neri (R. de) . . . . CQ 241
Telheiras (Estr. de) . . . . BN 265
Torre de Belém (Av.) . . . . AQ 268
Xabregas (R. de) . . . . DP 271
5 de Outubro (Av.) . . . . CNP 273

Centro de Arte Moderna . . . . CP M2
Museu da Marinha . . . . AQ M7
Museu da Música . . . . BN M9

Museu de Água da EPAL . . . . DQ M5
Museu de Etnologia . . . . AQ M25
Museu Militar . . . . DQ M15

Museu Nacional de Arte Antiga . . . . BQ M16
Museu Nacional do Azulejo . . . . DP M17
Museu Nacional do Teatro . . . . BN M19

Museu Nacional do Traje . . . . BN M21
Museu Rafael Bordalo
Pinheiro . . . . CN M23

L

Laborato 08 . . . . 89 T 6	Lagoa (Monte) 08 . . . . . . 89 T 6	Lama 03 . . . . 26 H 4	Lamego 18 . . . . 41 I 6	Lapa do Lobo 18 . . . . . . 41 K 6	Lebução 17 . . . . 28 G 8
Laboreiro (R.) 16 . . . 27 G 5	Lagoaça 04 . . . . 28 I 9	Lama Chã 17 . . . . 27 G 6	Lameira 03 . . . . 27 H 5	Lapas 14 . . . . 53 N 4	Leça 13 . . . . 26 I 4
Labruge 13 . . . . 26 I 3	Lagos 08 . . . . 88 U 3	Lama de Arcos 17 . . . . . 28 G 7	Lameiras 09 . . . . 42 J 8	Larça 08 . . . . 40 L 4	Leça da Palmeira 13 . . 26 I 3
Labrujó 16 . . . . 26 G 4	Laje 03 . . . . 26 H 4	Lamalonga 04 . . . . 28 G 8	Lamosa 18 . . . . 41 J 7	Lardosa 05 . . . . 53 M 7	Légua 10 . . . . 52 M 2
Ladaino 04 . . . . 28 H 9	Laje (Ponta da) 11 . . . . 64 P 2	Lamares 17 . . . . 27 I 7	Lamparona 67 O 8	Lares 06 . . . . 53 L 3	Leiranco (Serra de) 17 . 27 G 7
Ladário 18 . . . . 41 J 6	Lajedo 20 . . . . 107 E 2	Lamarosa 14 . . . . 53 N 4	Lamporeira	Larinho 04 . . . . 28 I 8	Leiria 10 . . . . 53 M 3
Ladoeiro 05 . . . . 54 M 8	Lajeosa 18 . . . . 42 K 9	Lamas 01 . . . . 40 J 4	(Ponta da) 11 . . . . 64 O 1	Larouco (Serra de) 17 . 26 G 6	Leiria (Pinhal de) 10 . . 52 M 2
Lagarelhos 17 . . . . . 28 G 7	Lajeosa 18 . . . . 41 K 6	Lamas 06 . . . . 53 L 4	Lançã 04 . . . . 28 G 9	Laundos 13 . . . . 26 H 3	Leirosa 06 . . . . 52 L 3
Lagares 06 . . . . 41 K 6	Lajeosa do Mondego 09 . 42 K 7	Lamas 11 . . . . 64 O 2	Lavacolhos 05 . . . . 54 L 7	Lemede 06 . . . . 40 L 4	Lena 14 . . . . 53 N 3
Lagares 16 . . . . 24 I 4	Lajes 08 . . . . 89 U 6	Lamas de Ferreira 18 . . 41 J 6	Lacovo 10 . . . . 28 G 9	Lavos 06 . . . . 52 L 3	Lentiscais 05 . . . . 54 M 7
Lagarinhos 09 . . . . . . 41 K 6	Lajes 09 . . . . 41 K 6	Lamas de Mouro 16 . . . 13 F 5	Landal 10 . . . . 52 O 2	Lavra 13 . . . . 26 I 3	Lentiscais 08 . . . . 89 U 5
Lagartera 10 . . . . 53 M 4	Lajes Flores 20 . . . . . 107 E 2	Lamas de Olo 17 . . . . . 27 H 6	Landeira 07 . . . . 65 Q 4	Lavradas 18 . . . . 41 J 5	Leomil 09 . . . . 42 K 9
Lagarto (Portela do) 16 . 13 F 5	Lajes Terceira 20 . . . . 107 G 14	Lamas de Orelhão 04 . . 28 H 8	Landeira 16 . . . . 26 G 3	Lavradio 15 . . . . 64 P 2	Leomil 18 . . . . 41 J 7
Lagoa 04 . . . . 28 H 9	Lajes do Pico 20 . . . . 107 H 11	Lamas de Podence 04 . . 28 H 9	Lanhelas 16 . . . . 13 F 5	Lavre 07 . . . . 65 P 4	Leomil (Serra de) 18 . . 41 J 7
Lagoa 08 . . . . 89 U 4	Lalim 18 . . . . 41 I 6	Lamas do Vouga 01 . . . 40 K 4	Lanheses 16 . . . . 26 G 3	Lapa 14 . . . . 64 O 3	Lavre (Estação de) 14 . . 65 P 4	Leonte
Lagoa 20 . . . . 107 J 19	Lamagal 09 . . . . 42 J 8		Lapa (Serra da) 18 . . . . 41 J 7	Lavre (Ribeira de)	(Portela de) 03 . . 27 G 5
				Lebre 02 . . . . 78 S 7	

A B C D E F G H I J K L M N O P Q R S T U V W X Y Z

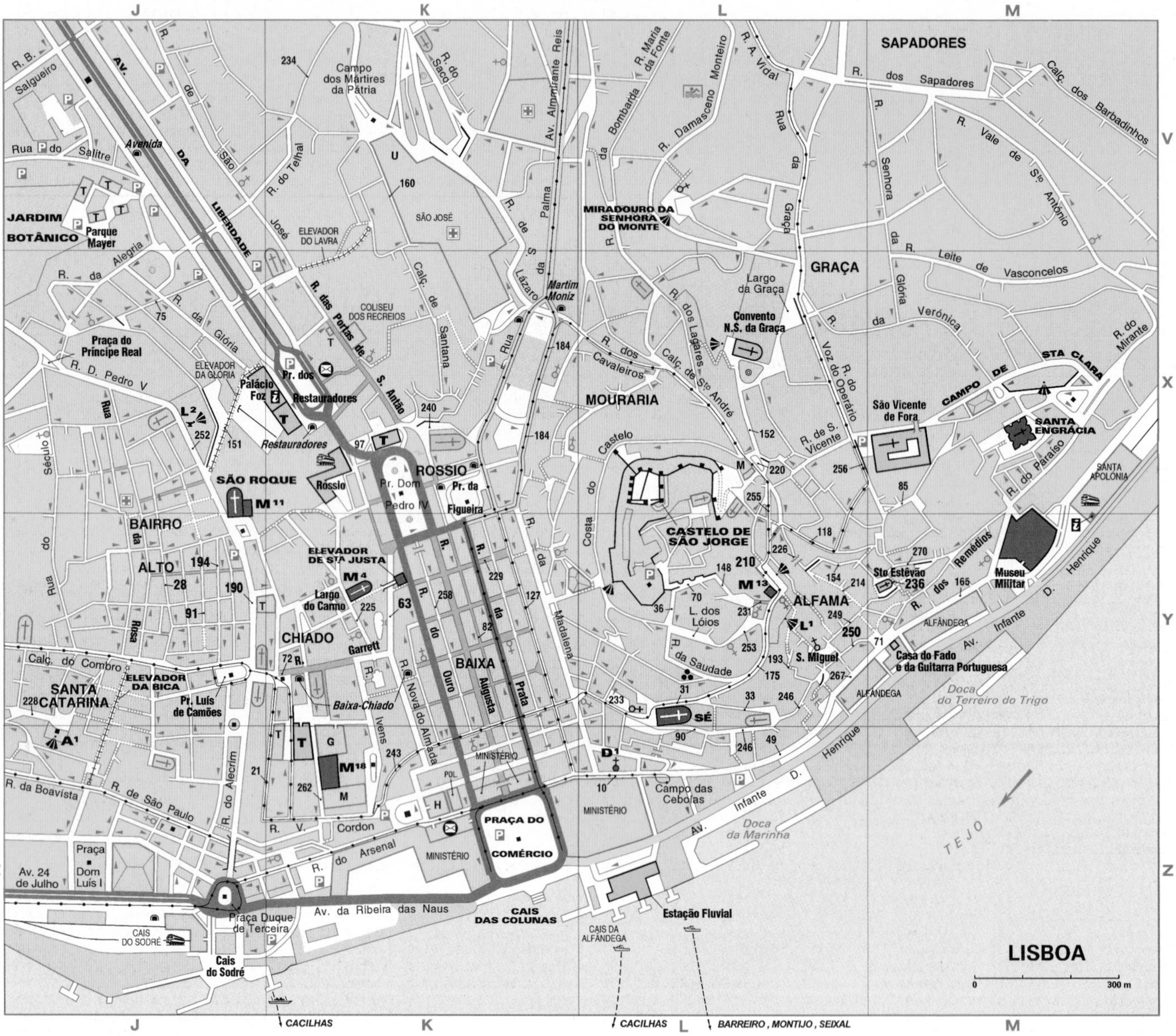

LISBOA

TEJO

Maia Santa Maria 20 .... 107 M 20
Maiorca 06 .... 53 L 3
Maiorga 10 .... 52 N 3
Mairos 17 .... 28 G 7
Malarranha 07 .... 65 P 6
Malcata 09 .... 42 L 8
Malcata (Serra de) .... 42 L 9
Malhada 12 .... 66 P 8
Malhada 18 .... 41 J 6
Malhada Alta 07 .... 66 P 7
Malhada Sorda 09 .... 42 K 9
Malhadal 05 .... 53 M 6
Malhadas 04 .... 29 H 11
Malhão 08 .... 89 U 6
Malhão (Serra do) .... 89 T 5
Malhou 14 .... 53 N 3
Malpartida 09 .... 42 J 9
Malpensado 02 .... 76 S 3
Malpica do Tejo 05 .... 54 M 7
Malpique 02 .... 78 R 7
Malta 09 .... 42 J 8
Malveira perto de Estoril 11 .... 64 P 1
Malveira perto de Mafra 11 .... 64 P 2
Mamarrosa 01 .... 40 K 4
Mamodeiro 01 .... 40 K 4
Mamouros 18 .... 41 J 6
Manadas 20 .... 107 H 11
Mancelos 13 .... 27 I 5
Mancoca 02 .... 77 S 5
Mangualde 18 .... 41 K 6
Manhouce 18 .... 41 J 5
Manigoto 09 .... 42 J 8
Manique do Intendente 11 .... 64 O 3
Mansores 01 .... 40 J 4
Manteigas 09 .... 41 K 7
Manuel Galo 02 .... 77 T 6
Maqueda 14 .... 52 N 3
Mar 03 .... 26 H 3
Maranhão 12 .... 65 O 6
Maranhão (Barragem de) 12 .... 65 O 6
Marão (Serra do) 13 .... 27 I 6
Marateca 15 .... 65 Q 4
Marateca (Ribeira de) .... 65 Q 4
Marchil 08 .... 89 U 6
Marco 12 .... 66 O 8
Marco de Canaveses 13 .... 27 I 5
Margalha 12 .... 54 N 6
Maria Vinagre 08 .... 88 T 3
Marialva 09 .... 42 J 8
Marianos 14 .... 65 O 4
Marinha das Ondas 06 .... 53 L 3
Marinha Grande 10 .... 52 M 3
Marinhais 14 .... 65 O 3
Marinhas 03 .... 26 H 3
Marmelar 02 .... 78 R 7
Marmeleira 14 .... 64 O 3
Marmeleira 18 .... 41 K 5
Marmeleiro 05 .... 54 M 5
Marmeleiro 09 .... 42 K 8
Marmelete 08 .... 88 U 3
Marmelos 04 .... 28 H 8
Marofa 09 .... 42 J 8
Maroto 02 .... 77 R 5
Maroufenha 02 .... 76 T 3
Marrancos 03 .... 26 G 4
Marrazes 10 .... 53 M 3
Martianas 05 .... 54 L 8
Martim 03 .... 26 H 4
Martim Branco 05 .... 54 M 7
Martim Longo 08 .... 89 T 6
Martinchel 14 .... 53 N 5
Martingança 10 .... 52 M 3
Mártires 07 .... 66 P 7
Marvão 14 .... 54 N 7
Marvila 10 .... 53 M 5
Marzagão 04 .... 28 I 8
Mascarenhas 04 .... 28 H 8
Massueime 09 .... 42 J 8
Mata 05 .... 54 M 7
Mata 14 .... 53 N 4
Mata da Rainha 05 .... 54 L 8
Mata de Lobos 09 .... 42 J 9
Mata Mourisca 10 .... 53 M 3
Matacães 11 .... 64 O 2
Matança 09 .... 41 J 7
Matela 04 .... 28 H 10
Mateus 17 .... 27 I 6
Mato 16 .... 26 H 4
Mato de Miranda 14 .... 53 N 4
Matoeira 10 .... 52 N 2
Matos 02 .... 77 R 6

Matosinhos 13 .... 26 I 3
Maxiais 05 .... 54 M 7
Maxial 05 .... 54 L 6
Maxial 11 .... 64 O 2
Maxieira 14 .... 53 N 6
Mazes 18 .... 41 I 6
Mazouco 04 .... 42 I 9
Meadela 16 .... 26 G 3
Mealhada 01 .... 40 K 4
Meca 11 .... 64 O 2
Mêda 09 .... 42 J 8
Medelim 05 .... 54 L 8
Medrões 17 .... 27 I 6
Meia Praia 08 .... 88 U 4
Meimão 05 .... 42 L 8
Meimoa 05 .... 42 L 8
Meimoa (Barragem de) 05 .... 42 L 8
Meimoa (Ribeira da) .... 54 L 7
Meinedo 13 .... 27 I 5
Meirinhos 04 .... 28 I 9
Meixedo 04 .... 28 G 9
Meixedo 17 .... 27 G 6
Meixide 17 .... 27 G 7
Meixões de Cima 03 .... 27 G 5
Meixomil 13 .... 26 I 4
Melgaço 06 .... 13 F 5
Melhe 04 .... 28 G 9
Melides 15 .... 76 R 3
Melres 13 .... 40 I 4
Melriça 05 .... 53 M 5
Memória 10 .... 52 M 4
Mendiga 10 .... 52 N 3
Mendro (Serra de) .... 77 R 6
Mente (R.) .... 28 G 8
Mentiras 07 .... 78 R 8
Mentrestido 16 .... 26 G 3
Mercês (Barragem das) 02 .... 78 R 8
Mértola 08 .... 89 T 7
Merufe 16 .... 13 F 4
Mesão Frio 03 .... 27 H 5
Mesão Frio 17 .... 27 I 6
Mesquita 09 .... 41 K 7
Mesquitela 09 .... 41 K 7
Messangil 02 .... 78 S 7
Messejana 02 .... 77 S 5
Messines 08 .... 89 U 5
Mestras 02 .... 89 T 5
Mexilhoeira Grande 08 .... 88 U 4
Mezio 13 .... 27 G 5
Mezio 18 .... 41 J 6
Midões 06 .... 41 K 6
Milagres 10 .... 53 M 3
Milhão 04 .... 28 G 10
Milharadas 02 .... 77 T 4
Milharado 11 .... 64 P 2
Milhazes 03 .... 26 H 4
Minho 05 .... 53 N 5
Milreu (Ruinas de) 08 .... 89 U 6
Mina da Caveira 15 .... 77 R 4
Mina da Juliana 02 .... 77 S 5
Mina de São Domingos 02 .... 78 S 7
Mina de São João do Deserto 02 .... 77 S 5
Mina do Bugalho 07 .... 66 P 8
Mina do Lousal 05 .... 77 R 4
Minas do Carris 03 .... 27 G 5
Minde 14 .... 53 N 3
Mindelo 13 .... 26 I 3
Minheu 17 .... 27 H 6
Minhocal 09 .... 42 J 7
Minhões 08 .... 89 U 5
Mira 06 .... 40 K 3
Mira (Rio) .... 89 T 5
Mira de Aire 10 .... 53 N 3
Miradezes 04 .... 28 H 8
Miragaia 11 .... 64 O 2
Miramar 03 .... 40 I 4
Miranda 16 .... 26 G 4
Miranda (Barragem de) 04 .... 29 H 11
Miranda do Corvo 06 .... 53 L 5
Miranda do Douro 04 .... 29 H 11
Mirandela 04 .... 28 H 8
Miróbriga (Ruinas Romanas de) 15 .... 76 R 3
Miuzela 09 .... 42 K 8
Miravela 14 .... 53 O 3
Modivas 13 .... 26 I 3
Mões 18 .... 41 J 6
Mofreita 04 .... 28 G 9
Mogadouro 04 .... 28 H 9
Mogadouro 10 .... 53 M 4

Mogadouro (Serra de) .... 28 I 9
Mogo de Ansiães 04 .... 28 I 8
Mogofores 01 .... 40 K 4
Moimenta 04 .... 28 G 9
Moimenta da Beira 18 .... 41 J 7
Moimenta da Serra 09 .... 41 K 7
Moimenta de Maceira Dão 18 .... 41 K 6
Moinhola 07 .... 65 Q 4
Moinhos Velhos 10 .... 53 N 3
Moita 15 .... 64 Q 3
Moita perto de Castanheira de Pêra 03 .... 53 M 5
Moita perto de Marinha Grande 10 .... 52 M 3
Moita da Roda 10 .... 53 M 3
Moita do Boi 10 .... 53 M 3
Moita dos Ferreiros 11 .... 52 O 2
Moitas Venda 14 .... 53 N 4
Moitinhas 02 .... 88 T 4
Moldes 01 .... 41 J 5
Moledo 18 .... 41 J 6
Moledo do Minho 16 .... 26 G 3
Molelos 18 .... 41 K 5
Molianos 10 .... 52 N 3
Mombeja 02 .... 77 R 5
Monção 16 .... 12 F 4
Moncarapacho 08 .... 89 U 6
Monchique 08 .... 88 U 4
Monchique (Serra de) 08 .... 88 U 4
Mondego 04 .... 41 K 7
Mondego (Cabo) 06 .... 40 L 3
Mondim da Beira 18 .... 41 I 6
Mondim de Basto 17 .... 27 H 6
Monfebres 17 .... 28 H 7
Monforte 12 .... 66 O 7
Monforte da Beira 05 .... 54 M 8
Monfortinho 05 .... 55 L 9
Monfurado 07 .... 65 Q 5
Moninho 06 .... 54 L 6
Monsanto 05 .... 54 L 8
Monsanto 14 .... 53 N 3
Monsanto (Monte) 05 .... 54 L 8
Monsaraz 07 .... 66 Q 7
Monsul 03 .... 27 H 5
Montalvão 12 .... 54 N 7
Montalvo 14 .... 53 N 5
Montargil 12 .... 65 O 5
Montargil (Barragem de) 12 .... 65 O 5
Monte 01 .... 40 J 4
Monte 03 .... 27 H 5
Monte 31 .... 88 B Y
Monte Alto 08 .... 89 U 5
Monte Brasil 20 .... 107 H 14
Monte Carvalho 12 .... 66 O 7
Monte Claro 02 .... 54 N 6
Monte Córdova 13 .... 26 I 4
Monte da Estrada 02 .... 76 S 4
Monte da Foz 14 .... 64 P 3
Monte da Guia 20 .... 107 H 10
Monte da Laje 02 .... 78 S 7
Monte da Pedra 12 .... 54 N 6
Monte da Rocha (Barragem de) 02 .... 77 S 5
Monte das Flores 07 .... 65 Q 6
Monte das Piçarras 07 .... 65 Q 4
Monte de Aldeia 07 .... 78 R 8
Monte de Baixo Grande 08 .... 90 U 7
Monte de Goula 05 .... 54 M 6
Monte de São Gens de Cidaï 13 .... 26 I 4
Monte do Outeiro 07 .... 66 Q 7
Monte do Trigo 07 .... 78 Q 6
Monte dos Corvos 02 .... 78 T 7
Monte Fernandes 02 .... 77 T 7
Monte Fidalgo 05 .... 54 M 7
Monte Gordo 05 .... 54 M 7
Monte Gordo 08 .... 90 U 7
Monte Grande 02 .... 77 S 5
Monte Grande 08 .... 89 U 6
Monte Juntos 07 .... 66 Q 7
Monte Margarida 09 .... 42 K 8
Monte Novo 15 .... 65 Q 4
Monte Novo (Barragem do) 07 .... 66 Q 6
Monte Real 10 .... 52 M 3
Monte Redondo 10 .... 53 M 3
Monte Redondo 14 .... 64 O 2
Monte Velho 02 .... 78 R 7
Monte Viegas 02 .... 77 S 6
Montechoro 08 .... 89 U 5
Monteiras 18 .... 41 J 6

Monteiros 17 .... 27 H 6
Montejunto (Serra de) 11 .... 64 O 2
Montelavar 11 .... 64 P 1
Montemor-o-Novo 07 .... 65 Q 5
Montemor-o-Velho 06 .... 40 L 3
Montemuro 18 .... 41 J 5
Montemuro (Serra de) 18 .... 41 J 5
Montes 14 .... 53 N 5
Montes da Senhora 05 .... 54 M 6
Montes de Cima 08 .... 88 U 4
Montes Novos 08 .... 89 U 6
Montesinho 04 .... 28 G 9
Montesinho (Parque Natural de) 04 .... 28 G 9
Montesinho (Serra de) 04 .... 28 G 9
Montevil 15 .... 65 Q 4
Montijo 15 .... 64 P 3
Montinho 12 .... 66 O 8
Montinho da Dourada 12 .... 66 O 6
Montoito 07 .... 66 Q 7
Montouto 04 .... 28 G 9
Mora 04 .... 29 H 10
Mora 07 .... 65 P 5
Morais 07 .... 28 H 9
Moreanes 02 .... 78 T 7
Moreira 16 .... 26 H 4
Moreira de Rei 09 .... 42 J 8
Moreira do Castelo 03 .... 27 H 5
Moreira do Rei 03 .... 27 H 5
Moreiras 17 .... 28 H 7
Morgade 17 .... 27 G 6
Morgadinho 02 .... 89 T 5
Morgavel (Barragem de) 15 .... 76 S 3
Mortágua 18 .... 41 K 5
Mós 09 .... 42 I 8
Mós 18 .... 41 J 5
Mós perto de Bragança 04 .... 28 G 9
Mós perto de Torre de Moncorvo 04 .... 28 I 9
Mós de Celas 04 .... 28 G 9
Mós (Ribeira de) 04 .... 42 I 9
Moscavide 11 .... 64 P 2
Mosteiro 02 .... 77 S 6
Mosteiro 05 .... 53 M 6
Mosteiro 09 .... 41 J 7
Mosteiro 10 .... 53 M 5
Mosteiro 12 .... 66 O 8
Mosteiros 20 .... 107 J 18
Motrinos 07 .... 66 Q 7
Mouçós 17 .... 27 I 6
Moura 02 .... 78 R 7
Mourão 04 .... 28 I 8
Mourão 07 .... 78 Q 7
Mourão (Albufeira de) 07 .... 78 Q 8
Mouraz 18 .... 41 K 5
Moure perto de Barcelos 03 .... 26 H 4
Moure perto de Vila Verde 03 .... 26 H 4
Mourilhe 17 .... 27 G 6
Mouriscas 14 .... 53 N 5
Mouriz 13 .... 27 I 4
Mouro 16 .... 13 F 4
Mouronho 06 .... 41 L 5
Moutedo 01 .... 40 K 4
Moz de Celas 04 .... 28 G 9
Mozelos 18 .... 41 J 6
Mu 02 .... 89 T 5
Muda 15 .... 76 S 3
Muge 14 .... 65 O 3
Muge (Ribeira de) 14 .... 65 O 4
Mundão 18 .... 41 J 6
Muradal (Serra do) 05 .... 54 M 6
Murça 02 .... 42 I 8
Murça 17 .... 28 H 7
Múrias 04 .... 28 H 8
Muro 13 .... 26 I 4
Murtede 06 .... 40 K 4
Murteirinha 05 .... 54 M 6
Murtigão (Barragem de) .... 78 R 8
Murtosa 01 .... 40 J 4
Musgos 07 .... 78 R 7
Muxagata 09 .... 42 I 8

N

Nabais 09 .... 41 K 7
Nabão .... 53 M 4
Nabo 04 .... 28 I 8
Nadadouro 10 .... 52 N 2
Nagosa 18 .... 41 I 7
Nagozelo do Douro 18 .... 28 I 7
Namorados 02 .... 77 T 6

Nantes 17 .... 28 G 7
Nariz 01 .... 40 K 4
Navais 13 .... 26 H 3
Nave 09 .... 42 K 9
Nave 12 .... 66 O 8
Nave de Haver 09 .... 42 K 9
Nave Redonda 02 .... 89 T 4
Nave Redonda 09 .... 42 J 9
Nazaré 10 .... 52 N 2
Negrões 17 .... 27 G 6
Neiva 16 .... 26 H 3
Nelas 18 .... 41 K 6
Nesperal 05 .... 53 M 5
Nespereira 03 .... 27 H 5
Neves (Serra das) 02 .... 77 S 4
Nevolgide 03 .... 26 H 4
Nine 03 .... 26 H 4
Ninho do Açor 05 .... 54 M 7
Nisa 12 .... 54 N 7
Nisa (Ribeira de) 12 .... 54 N 7
Noéme 09 .... 42 K 8
Nogueira 04 .... 28 G 9
Nogueira 13 .... 26 I 4
Nogueira (Serra de) 04 .... 28 H 9
Nogueira da Montanha 17 .... 28 H 7
Nogueira do Cima 01 .... 40 J 4
Nogueira do Cravo 06 .... 41 K 6
Nora 07 .... 66 P 7
Nordeste 20 .... 107 J 20
Nordestinho 20 .... 107 J 20
Norte Grande 20 .... 107 G 11
Norte Pequeno 20 .... 107 H 11
Nossa Senhora da Boa Fé 07 .... 65 Q 5
Nossa Senhora da Graça 17 .... 27 H 6
Nossa Senhora da Graça do Divor 07 .... 65 Q 6
Nossa Senhora da Penha 12 .... 54 N 7
Nossa Senhora da Penha 15 .... 77 R 4
Nossa Senhora da Pineda 16 .... 27 G 5
Nossa Senhora da Serra 04 .... 28 G 9
Nossa Senhora da Taude 01 .... 40 J 4
Nossa Senhora da Torega 07 .... 65 Q 5
Nossa Senhora das Neves 02 .... 77 R 6
Nossa Senhora de Ares 07 .... 77 Q 6
Nossa Senhora de Machede 07 .... 66 Q 6
Nossa Senhora do Assunção 13 .... 26 H 4
Nossa Senhora do Cabo 15 .... 64 Q 2
Nossa Senhora dos Remédios 11 .... 41 I 6
Noura 14 .... 28 H 7
Nova da Baronia (Ribeira) .... 77 R 5
Nozelos 02 .... 28 I 8
Nozelos 17 .... 28 G 8
Numão 09 .... 42 I 8
Nunes 04 .... 28 G 9

O

O Sítio 10 .... 52 N 2
Óbidos 10 .... 52 N 2
Óbidos (Lagoa de) 10 .... 52 N 2
Ocreza 14 .... 54 M 6
Odearce (Ribeira de) 02 .... 77 R 6
Odeceixe 08 .... 88 T 3
Odeleite 08 .... 90 T 7
Odeleite (Ribeira de) 08 .... 89 U 6
Odelouca (Ribeira de) 08 .... 89 U 4
Odemira 02 .... 76 T 4
Odiáxere 08 .... 88 U 4
Odivelas 02 .... 77 R 5
Odivelas 11 .... 64 P 2
Odivelas (Barragem de) 02 .... 77 R 5
Odivelas (Ribeira de) .... 77 R 5
Oeiras 11 .... 64 P 2
Oeiras (Ribeira de) 02 .... 77 T 6
Ofir 03 .... 26 H 3
Oiã 01 .... 40 K 4
Olalhas 14 .... 53 N 5
Oldrões 13 .... 27 I 5

Oledo 05 .... 54 M 8
Oleiros 01 .... 40 J 4
Oleiros 02 .... 88 T 3
Oleiros 05 .... 54 M 6
Olhalvo 11 .... 64 O 2
Olhão 08 .... 89 U 6
Olho Marinho 10 .... 52 O 2
Olivais 10 .... 53 M 3
Olivais 11 .... 64 P 2
Olival 14 .... 53 M 4
Oliveira 03 .... 26 H 4
Oliveira de Azeméis 01 .... 40 J 4
Oliveira de Barreiros 18 .... 41 K 6
Oliveira de Frades 18 .... 41 J 5
Oliveira do Bairro 01 .... 40 K 4
Oliveira do Conde 18 .... 41 K 6
Oliveira do Douro 18 .... 41 I 5
Oliveira do Hospital 06 .... 41 K 6
Oliveira do Mondego 06 .... 41 L 5
Oliveirinha 01 .... 40 K 4
Olmos 04 .... 28 H 9
Olo 03 .... 27 H 6
Onor (R.) 04 .... 28 G 10
Orada 02 .... 78 R 7
Orada 07 .... 66 P 7
Orada (Convento da) 07 .... 66 Q 7
Orbacém 16 .... 26 G 3
Orca 05 .... 54 L 7
Ordem 02 .... 78 R 6
Oriola 07 .... 77 R 6
Oriz 03 .... 27 G 4
Orjais 05 .... 41 K 7
Ortiga 14 .... 53 N 5
Ortigosa 10 .... 53 M 3
Orvalho 05 .... 54 L 6
Ossa (Serra de) 07 .... 66 P 6
Ota 11 .... 64 O 3
Ota (Ribeira de) 11 .... 64 O 2
Ouca 11 .... 40 K 4
Ouguela 12 .... 66 O 8
Oura 17 .... 27 H 7
Oural 03 .... 26 G 4
Ourém 14 .... 53 N 4
Ourentã 06 .... 40 K 4
Ourique 02 .... 77 T 5
Ourondo 05 .... 54 L 6
Ourozinho 18 .... 42 J 7
Outão 15 .... 64 Q 3
Outeiro 04 .... 28 G 10
Outeiro 07 .... 66 Q 7
Outeiro 10 .... 53 M 4
Outeiro 16 .... 26 G 3
Outeiro 17 .... 27 G 6
Outeiro Alvo 06 .... 13 F 5
Outeiro da Cabeça 11 .... 64 O 2
Outeiro da Cortiçada 14 .... 52 O 3
Outeiro de Gatos 09 .... 42 J 8
Outeiro Seco 17 .... 28 G 7
Outiz 03 .... 26 H 4
Ouzilhão 04 .... 28 G 9
Ovadas 18 .... 41 I 6
Ovar 01 .... 40 J 4
Ovar (Canal de) .... 40 J 3
Ovelha 17 .... 27 I 5

P

Paço 04 .... 28 G 9
Paço de Arcos 11 .... 64 P 2
Paço de Sousa 13 .... 27 I 4
Paços de Ferreira 13 .... 27 I 4
Paços de Gaiolo 13 .... 27 I 5
Paços Novos 14 .... 65 O 4
Paços Velhos 14 .... 65 O 4
Padeiro 14 .... 65 P 4
Paderne 08 .... 89 U 5
Paderne 16 .... 13 F 5
Padim de Graça 03 .... 26 H 4
Padornelo 16 .... 26 G 4
Padrão 02 .... 77 S 6
Padrão 05 .... 54 N 6
Padrão de Moreira 13 .... 26 I 4
Padrela 17 .... 28 H 7
Padrela (Serra da) 17 .... 27 H 7
Padroso 12 .... 27 G 6
Pai Penela 09 .... 42 J 8
Pai Torto 04 .... 28 H 8
Paiágua 05 .... 54 M 6
Paialvo 14 .... 53 N 4
Paião 06 .... 53 L 3
Pailobo 09 .... 42 K 9
Paio Mendes 14 .... 53 M 5
Paio Pires 15 .... 64 Q 2
Paiva .... 41 J 6
Paivó 18 .... 41 J 8
Pala 18 .... 41 K 5

A B C D E F G H I J K L M N O P Q R S T U V W X Y Z

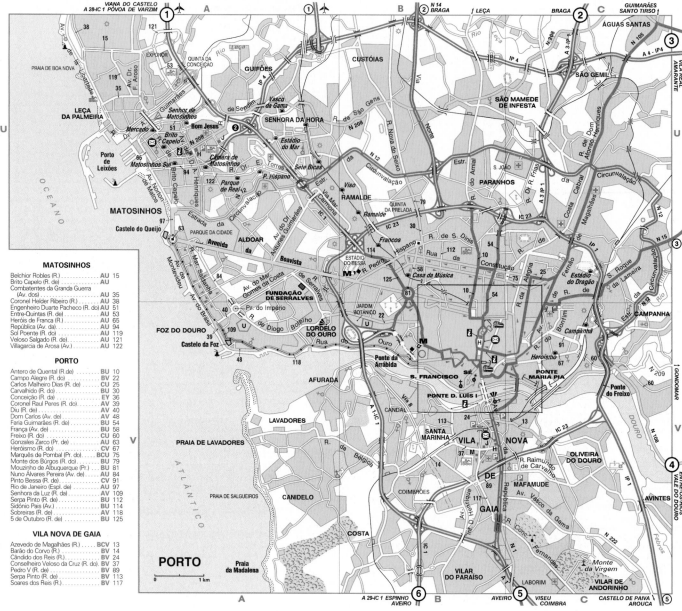

PORTO

0   1 km

MATOSINHOS

Belchior Robles (R.) .... AU 15
Brito Capelo (R. de) .... AU
Combatentes da Granda Guerra (Av. dos) .... AU 35
Coronel Helder Ribeiro (R.) .... AU 38
Engenheiro Duarte Pacheco (R. do) AU 51
Entre-Quintas (R. de) .... AU 53
Heróis de Franca (R.) .... AU 65
República (Av. da) .... AU 94
Sol Poente (R. do) .... AU 119
Veloso Salgado (R. de) .... AU 121
Villagarcia de Arosa (Av.) .... AU 122

PORTO

Antero de Quental (R. de) .... BU 10
Campo Alegre (R. do) .... BV 22
Carlos Malheiro Dias (R. de) .... CU 25
Carvalhido (R. do) .... BU 30
Conceição (R. da) .... EY 36
Coronel Raul Peres (R. do) .... AV 39
Diu (R. de) .... AV 40
Dom Carlos (Av. de) .... AV 48
Faria Guimarães (R. de) .... BU 54
França (Av. de) .... BU 58
Freixo (R. do) .... CU 60
Gonzales Zarco (Pr. de) .... AU 63
Heroísmo (R. do) .... CV 67
Marquês de Pombal (Pr. do) .... BCU 75
Monte dos Búrgos (R. do) .... BU 79
Mouzinho de Albuquerque (Pr.) .... BU 81
Nuno Álvares Pereira (Av. de) .... AU 84
Pinto Bessa (R. de) .... CV 91
Rio de Janeiro (Espl. de) .... AV 97
Senhora da Luz (R. da) .... AV 109
Serpa Pinto (R. de) .... BU 112
Sidónio Pais (Av.) .... BU 114
Sobreiras (R. de) .... AV 118
5 de Outubro (R. de) .... BU 125

VILA NOVA DE GAIA

Azevedo de Magalhães (R.) .... BCV 13
Barão do Corvo (R.) .... BV 14
Cândido dos Reis (R.) .... BV 24
Conselheiro Veloso da Cruz (R. do) .... BV 37
Pedro V (R. de) .... BV 89
Serpa Pinto (R. de) .... BV 113
Soares dos Reis (R.) .... BV 117

Palaçoulo 04 .... 29 H 10
Palhaça 01 .... 40 K 4
Palhais 05 .... 53 M 5
Palhais 09 .... 41 J 7
Palhais 15 .... 64 Q 2
Palheirinhos 08 .... 89 U 6
Palheiros 06 .... 40 K 4
Palheiros 17 .... 28 H 7
Palma 15 .... 65 Q 4
Palmaz 01 .... 40 J 4
Palme 03 .... 26 H 3
Palmeira 03 .... 26 H 4
Palmela 15 .... 64 Q 3
Palvarinho 05 .... 54 M 7
Pampilhosa 01 .... 40 K 4
Pampilhosa da Serra 06 .... 54 L 6
Panasqueira 02 .... 77 R 5
Panoias 02 .... 77 S 5
Panoias de Cima 09 .... 42 K 8
Panque 03 .... 26 H 4
Papoa 10 .... 52 N 1
Parada 04 .... 28 G 9
Parada 09 .... 42 K 8
Parada 18 .... 41 K 5
Parada de Bouro 03 .... 27 H 5
Parada de Cunhos 17 .... 42 I 6
Parada de Ester 18 .... 41 J 5
Parada de Gonta 18 .... 41 K 5
Parada de Monteiros 17 .... 27 H 6
Parada de Pinhão 17 .... 27 H 6
Paradança 17 .... 27 H 6

Paradela 01 .... 40 J 4
Paradela 16 .... 27 G 5
Paradela 18 .... 41 I 7
Paradela perto de Chaves 17 .... 28 G 7
Paradela perto de Miranda do Douro 04 .... 29 H 11
Paradela perto de Mogadouro 04 .... 28 H 9
Paradela (Barragem de) 17 .... 27 G 6
Paradinha 04 .... 28 G 10
Paradinha 18 .... 41 I 7
Paradinha Nova 04 .... 28 H 10
Paraíso 01 .... 41 I 5
Paramos 01 .... 40 J 4
Paranho 18 .... 41 K 5
Paranhos 01 .... 41 K 6
Parceiros 10 .... 53 M 3
Parceiros de São João 14 .... 53 N 4
Parchal 08 .... 88 U 4
Pardais 01 .... 66 P 7
Pardelhas 01 .... 40 K 4
Pardelhas 17 .... 28 H 6
Pardilhó 04 .... 40 K 4
Pardornelos 17 .... 27 G 6
Paredes 04 .... 28 G 9
Paredes 13 .... 27 I 5

Paredes da Beira 18 .... 41 I 7
Paredes de Coura 16 .... 26 G 4
Paredes de Viadores 13 .... 27 I 5
Pargo (Ponta do) 31 .... 88 A Y
Parizes 01 .... 89 U 6
Parra 12 .... 66 O 8
Partida 05 .... 54 L 7
Passos 04 .... 28 H 8
Patacão 08 .... 89 U 6
Pataias 10 .... 52 M 3
Pataias Gare 10 .... 52 M 3
Paúl 05 .... 54 L 7
Paul 11 .... 42 O 2
Paúl 14 .... 53 N 3
Paúl do Mar 31 .... 88 A Y
Pavia 12 .... 65 P 5
Pavia (Rio) 18 .... 41 K 5
Pé da Serra 12 .... 54 N 7
Pé da Serra 14 .... 53 N 3
Pechão 08 .... 89 U 6
Pedome 17 .... 28 G 8
Pedorido 01 .... 40 I 4
Pedra do Ouro 10 .... 52 M 2
Pedra Furada 03 .... 26 H 4
Pedrada 16 .... 27 G 5
Pedraído 03 .... 27 H 5
Pedralva 08 .... 88 U 3
Pedrario 17 .... 27 G 7
Pedras Brancas 05 .... 27 S 5
Pedras de El Rei 08 .... 89 U 7
Pedras Negras 10 .... 52 M 2

Pedras Salgadas 17 .... 27 H 7
Pedreira 14 .... 53 N 4
Pedreira 20 .... 107 J 20
Pedreira 10 .... 52 N 3
Pedrógão 02 .... 78 R 7
Pedrógão 06 .... 54 L 8
Pedrógão 07 .... 65 P 5
Pedrógão 10 .... 52 M 3
Pedrógão 14 .... 53 N 4
Pedrógão Grande 06 .... 54 M 5
Pedrógão Pequeno 05 .... 53 M 5
Pega 09 .... 42 K 8
Pega (Ribeira da) .... 42 K 8
Pegarinhos 17 .... 28 H 7
Pego 14 .... 53 N 5
Pego do Altar (Barragem de) 15 .... 65 Q 4
Pegões-Estação 15 .... 65 P 4
Pelados 08 .... 89 U 6
Pelariga 10 .... 53 M 4
Pelmã 10 .... 53 M 4
Pena 08 .... 89 U 5
Pena (Parque da) 11 .... 64 P 1
Pena Lobo 09 .... 42 K 7
Pena Róia 04 .... 28 H 10
Penabeice 17 .... 28 H 6
Penacova 06 .... 41 L 5
Penafiel 13 .... 27 I 5
Penalva 02 .... 78 S 8
Penalva de Alva 06 .... 41 L 6
Penalva do Castelo 18 .... 41 J 6

Penamacor 05 .... 54 L 8
Peneda (Serra da) 16 .... 27 G 4
Peneda-Gerês (Parque nacional a ...) .... 27 G 5
Penedo Gordo 02 .... 77 S 6
Penedono 18 .... 42 J 7
Penela 06 .... 53 L 4
Penela da Beira 18 .... 42 I 7
Penha 03 .... 27 H 5
Penha 12 .... 66 O 7
Penha de Aguia 09 .... 42 J 8
Penha Garcia 05 .... 55 L 8
Penhas da Saúde 05 .... 41 L 7
Penhas Juntas 04 .... 28 G 8
Penhascoso 14 .... 53 N 5
Peniche 10 .... 52 N 1
Penida (Barragem da) 03 .... 26 H 4
Penilhos 02 .... 77 T 6
Peninha 11 .... 64 P 1
Pensalvos 17 .... 27 H 7
Penso 16 .... 13 F 5
Pepim 18 .... 41 J 6
Pêra 08 .... 89 U 4
Pêra Velha 18 .... 41 J 7
Peraboa 05 .... 41 L 7
Perafita 13 .... 26 I 3
Perais 05 .... 54 M 7
Peral 05 .... 54 M 6
Peral 08 .... 89 U 6

Peral 11 .... 52 O 2
Peralva 08 .... 89 U 6
Peramanca (Ribeira de) 07 .... 65 Q 5
Perdigão 05 .... 54 M 6
Peredo 04 .... 28 H 9
Peredo da Bemposta 04 .... 28 I 10
Peredo dos Castelhanos 04 .... 42 I 8
Pereira 06 .... 40 L 4
Pereira 08 .... 88 U 4
Pereira 17 .... 27 G 6
Pereiras 02 .... 77 T 4
Pereira 08 .... 90 T 7
Pereira 18 .... 41 J 5
Pereiro perto de Mação 14 .... 53 N 5
Pereiro perto de Tomar 14 .... 53 M 4
Pereiro de Palhacana 11 .... 64 O 2
Perelhal 03 .... 26 H 3
Perna Seca 08 .... 89 T 5
Pernes 14 .... 53 N 3
Pêro Moniz 11 .... 64 O 3
Pêro Negro 08 .... 88 U 3
Pêro Pinheiro 11 .... 64 P 2
Pêro Soares 09 .... 42 K 8

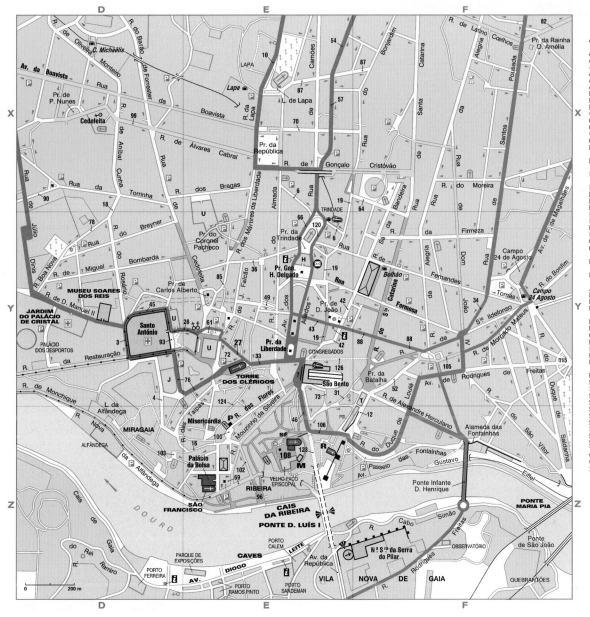

A B C D E F G H I J K L M N O P Q R S T U V W X Y Z

Póvoa do Concelho 09 .... 42 J 8
Póvoa e Meadas 12 .... 54 N 7
Povoação 20 .... 107 J 20
Povolide 18 .... 41 K 6
Pracana
 (Barragem de) .... 54 N 6
Prado 03 .... 26 H 4
Prado Gatão 04 .... 29 H 10
Prados perto de Celorico
 da Beira 09 .... 42 K 7
Prados perto
 de Freixedas 09 .... 42 J 8
Pragança 11 .... 64 O 2
Praia 20 .... 107 M 20
Praia 20 .... 107 F 12
Praia Azul 11 .... 64 O 1
Praia da Aguda 13 .... 40 I 4
Praia da Alagoa 08 .... 90 U 7
Praia da Areia Branca 11 .. 52 O 1
Praia da Árvore 13 .... 26 I 3
Praia da Barra 01 .... 40 K 3
Praia da Bordeira 08 .... 88 U 3
Praia da Calada 11 .... 64 O 1
Praia da Carreagem 08 .. 88 T 3
Praia da Cordama 08 .... 88 U 3
Praia da Falesia 08 .... 89 U 5
Praia da Galé 08 .... 89 U 5
Praia da Ilha 15 .... 76 S 3
Praia da Ilha de Faro 08 .. 90 V 6
Praia da Ilha
 de Tavira 08 .... 90 U 7
Praia da Manta Rota 08 .. 90 U 7
Praia da Oura 08 .... 89 U 5
Praia da Rocha 08 .... 88 U 4
Praia da Tocha 06 .... 40 L 3
Praia da Vagueira 01 .... 40 K 3
Praia da Vieira 10 .... 52 M 3
Praia da Vitória 10 .... 107 G 14
Praia das Maçãs 11 .... 64 P 1
Praia de Agudela 13 .... 26 I 3
Praia de Areinho 01 .... 40 K 4
Praia de Boa Nova 13 .... 26 I 3
Praia de Cabadelo 16 .... 26 G 3
Praia de Cabanas 08 .... 90 U 7
Praia de Caparica 15 .... 64 Q 2
Praia de Cascais 11 .... 64 Q 1
Praia de Comporta 15 .... 64 Q 3
Praia de Cortegaça 01 .... 40 K 3
Praia de Dona Ana 08 .... 88 U 4
Praia de Ericeira 11 .... 64 P 1
Praia de Esmoriz 01 .... 40 K 3
Praia de Espinho 01 .... 40 J 3
Praia de Faro 08 .... 89 U 6
Praia de Furadouro 01 .... 40 K 3
Praia de Fuseta 08 .... 89 U 6
Praia de Labruge 13 .... 26 I 3
Praia de Lavadores 13 .... 26 I 4
Praia de Leirosa 06 .... 52 L 3
Praia de Magoito 11 .... 64 P 1
Praia de Maria Luisa 08 .. 89 U 5
Praia de Melides 16 .... 76 R 3
Praia de Mira 06 .... 40 K 3
Praia
 de Monte Branco 01 .... 40 J 3
Praia
 de Monte Clérigo 02 .... 88 T 3
Praia de Morgavel 15 .... 76 S 3
Praia de Odeceixe 08 .... 88 T 3
Praia de Porto Covo 15 .. 76 S 3
Praia de Quiaios 08 .... 40 L 3
Praia de Ribeiro 11 .... 64 O 1
Praia de Samarra 11 .... 64 P 1
Praia de Santa Cruz 11 .. 64 O 1
Praia de Santo André 15 .. 76 R 3
Praia
 de São Lourenço 11 .... 64 O 1
Praia
 de São Sebastião 11 .... 64 P 1
Praia de São Torpes 15 .. 76 S 3
Praia de Suave Mar 03 .... 26 H 4
Praia do Castelejo 08 .... 88 U 3
Praia do Guincho 11 .... 64 Q 1
Praia do Martinhal 08 .... 88 U 3
Praia do Norte 20 .... 107 H 9
Praia do Porto Novo 11 .. 64 P 1
Praia do Rei Cortiço 10 .. 52 N 2
Praia do Ribatejo 14 .... 53 N 4
Praia do Salgado 10 .... 52 N 2
Praia dos Mouranitos 08 .. 88 U 3
Praia dos
 Tres Irmãos 08 .... 88 U 4
Praia Grande 11 .... 64 P 1
Praia Nova 10 .... 52 N 2
Praia Velha 10 .... 52 M 2
Praias de Albufeira 08 .... 89 U 5
Prainha 20 .... 107 H 11
Prazeres 12 .... 66 P 7

Prazeres 31 .... 88 A Y
Préstimo 01 .... 40 K 4
Proença-a-Nova 05 .... 54 M 6
Proença-a-Velha 05 .... 54 L 8
Prova 09 .... 42 J 7
Provença 15 .... 76 S 3
Provesende 17 .... 27 I 7
Pussos 10 .... 53 M 4

Q
Quadrazais 09 .... 42 L 9
Quarteira 08 .... 89 U 5
Quartos 08 .... 89 U 5
Quatrim do Sul 08 .... 89 U 6
Quebradas 11 .... 64 O 3
Queimada
 (Ponta da) 20 .... 107 H 11
Queimadela 03 .... 27 H 5
Queimado
 (Ponta do) 43 .... 107 G 13
Queirã 18 .... 41 J 5
Queiriga 18 .... 41 J 6
Queiriz 09 .... 41 J 7
Quelfes 08 .... 89 U 6
Queluz 11 .... 64 P 2
Querença 08 .... 89 U 6
Quiaios 06 .... 40 L 3
Quiaios (Dunas de) 06 .... 40 L 3
Quintã 01 .... 40 K 3
Quintã 02 .... 89 T 6
Quinta da Corona 15 .... 77 S 4
Quintã
 de Pêro Martins 09 .... 42 J 8
Quinta
 de Santa Maria 07 .... 77 R 5
Quinta do Anjo 15 .... 64 Q 3
Quinta do Lago 08 .... 89 U 5
Quinta do Pinheiro 12 .... 66 O 6
Quinta Nova 09 .... 42 J 8
Quintanilha 04 .... 28 G 10
Quintãs 01 .... 40 K 4
Quintas da Torre 05 .... 54 L 8
Quintas do Norte 01 .... 40 J 3
Quintela de Azurara 18 .. 41 K 6
Quintela
 de Lampacas 04 .... 28 H 9
Quintos 02 .... 77 S 6
Quirás 04 .... 28 G 8

R
Rã 07 .... 65 Q 5
Rabaça 06 .... 66 O 8
Rabaçal 06 .... 53 L 4
Rabaçal 09 .... 42 J 8
Rabaçal (Rio) .... 28 G 8
Rabal 04 .... 28 G 9
Rabo de Peixe 20 .... 107 J 19
Raia (Ribeira da) .... 65 P 5
Raimonda 13 .... 27 I 5
Rainha (Cabeço) 05 .... 54 M 6
Raiva 01 .... 41 I 4
Raiva (Barragem de) 06 .. 41 L 5
Ramalhais 10 .... 53 M 4
Ramalhal 11 .... 64 O 2
Raminho 20 .... 107 G 14
Ramo Alto 07 .... 66 Q 7
Ranhados 09 .... 42 J 8
Raposa 14 .... 65 O 4
Raposeira 08 .... 88 U 3
Rapoula do Côa 09 .... 42 K 8
Rãs 13 .... 27 I 5
Rãs 18 .... 41 J 7
Raso (Cabo) 11 .... 64 P 1
Rates 13 .... 26 H 3
Real 01 .... 41 I 5
Rebolia 06 .... 53 L 4
Rebolosa 09 .... 42 K 9
Rebordainhos 04 .... 28 H 9
Rebordãos 04 .... 28 G 9
Rebordelo 01 .... 40 J 4
Rebordelo 04 .... 28 G 8
Rebordelo 13 .... 27 H 6
Rebordões 13 .... 26 H 4
Rebordões 16 .... 26 G 4
Reboreda 16 .... 26 G 3
Reboredo
 (Serra do) .... 42 I 9
Recarei 13 .... 26 I 4
Redinha 10 .... 53 L 4
Redondelo 17 .... 27 G 7
Redondo 07 .... 66 Q 7
Réfega 04 .... 28 G 10
Refoios do Lima 16 .... 26 G 4
Regadas 03 .... 27 H 5
Regadas 13 .... 27 H 5
Rego 03 .... 27 H 5
Rego (Monte) 07 .... 66 P 8

Rego da Barca 04 .... 28 I 8
Rego da Murta 10 .... 53 M 4
Regueira de Pontes 10 .... 53 M 3
Reguenga 13 .... 26 I 4
Reguengo 07 .... 65 Q 5
Reguengo 12 .... 66 O 7
Reguengo do Fetal 10 .... 53 N 3
Reguengo Grande 11 .... 52 O 2
Reguengos
 de Monsaraz 07 .... 78 Q 7
Reigada 09 .... 42 J 9
Reigoso 17 .... 27 G 6
Relíquias 02 .... 77 S 4
Reliquias 07 .... 66 P 7
Relva 20 .... 107 J 18
Relva da Louça 05 .... 53 M 6
Relvas 06 .... 54 L 6
Remal 31 .... 88 A Y
Remédios 10 .... 52 N 1
Remédios 20 .... 107 J 18
Remelhe 03 .... 26 H 4
Remondes 04 .... 28 H 9
Rendo 09 .... 42 K 8
Rendufe 03 .... 27 H 4
Requeixo 01 .... 40 K 4
Reriz 18 .... 41 J 6
Resende 18 .... 41 I 6
Retaxo 05 .... 54 M 7
Retiro 12 .... 66 P 8
Retorta 02 .... 78 S 7
Revel 17 .... 27 H 7
Reveladas 12 .... 66 N 7
Rexaldia 14 .... 53 N 4
Ria Formosa
 (Parque Natural da) 08 .. 90 V 6
Riachos 14 .... 53 N 4
Riba d'Ave 03 .... 26 H 4
Riba de Mouro 16 .... 13 F 5
Ribadouro 13 .... 41 I 5
Ribafeita 18 .... 41 J 6
Ribafria 10 .... 52 O 2
Ribalonga 04 .... 28 I 7
Ribalonga 17 .... 27 H 7
Ribamar perto
 de Ericeira 11 .... 64 O 1
Ribamar perto
 de Lourinhã 11 .... 64 O 1
Ribamondego 09 .... 41 K 7
Ribeira 01 .... 40 J 4
Ribeira 06 .... 53 L 5
Ribeira (Ponta da) 20 .... 107 J 20
Ribeira Brava 31 .... 88 A Y
Ribeira Cha 20 .... 107 J 19
Ribeira da Janela 31 .... 88 A Y
Ribeira de Fraguas 01 .... 40 J 4
Ribeira de Pena 17 .... 27 H 6
Ribeira dos Carinhos 09 .. 42 K 8
Ribeira Grande 20 .... 107 J 19
Ribeira Quente 20 .... 107 J 20
Ribeira Seca 20 .... 107 J 19
Ribeira Seca 20 .... 107 H 12
Ribeiradio 18 .... 41 J 5
Ribeirão 03 .... 26 H 4
Ribeiras 20 .... 107 H 11
Ribeirinha 04 .... 28 H 8
Ribeirinha 20 .... 107 J 19
Ribeirinha 20 .... 107 G 14
Ribeiro Frio 31 .... 88 B Y
Ribolhos 18 .... 41 J 6
Rio de Couros 14 .... 53 M 4
Rio de Mel 09 .... 42 J 7
Rio de Moinhos 02 .... 77 S 5
Rio de Moinhos 07 .... 66 P 7
Rio de Moinhos 14 .... 53 N 5
Rio de Moinhos 18 .... 41 J 6
Rio de Moinhos 15 .... 77 R 5
Rio de Mouro 11 .... 64 P 1
Rio de Onor 04 .... 28 G 10
Rio Douro 03 .... 27 H 4
Rio Frio 04 .... 28 G 10
Rio Frio 15 .... 64 P 3
Rio Frio 16 .... 26 G 4
Rio Maior 14 .... 52 N 3
Rio Mau 03 .... 26 H 3
Rio Mau 13 .... 26 H 3
Rio Milheiro 18 .... 41 K 5
Rio Seco 08 .... 90 U 7
Rio Torto 09 .... 41 K 7
Rio Torto 17 .... 28 H 8
Rio Vide 06 .... 53 L 5
Riodades 18 .... 41 I 7
Roca (Cabo da) 11 .... 64 P 1
Rocamondo 09 .... 42 K 8
Rocas do Vouga 01 .... 40 J 4
Rocha
 dos Bordões 20 .... 107 E 2

Rochoso 09 .... 42 K 8
Roda Grande 14 .... 53 N 4
Rogil 08 .... 88 T 3
Rogodeiro 04 .... 28 H 8
Rojão 18 .... 41 K 5
Rolão 02 .... 77 S 6
Roliça 10 .... 52 O 2
Romã 11 .... 64 O 2
Romariges 16 .... 26 G 4
Romariz 01 .... 40 J 4
Romãs 18 .... 41 J 7
Romeu 04 .... 28 H 9
Roncão 02 .... 78 T 7
Ronfe 03 .... 27 H 4
Roriz 03 .... 26 H 4
Roriz 13 .... 27 H 4
Roriz 17 .... 41 J 6
Rosais 20 .... 107 G 11
Rosais (Ponta dos) 20 .... 107 G 11
Rosário 02 .... 77 T 5
Rosário 07 .... 66 Q 7
Rossão 18 .... 41 J 6
Rossas 01 .... 41 J 5
Rossas 03 .... 27 H 5
Rossio
 ao Sul do Tejo 14 .... 53 N 5
Rouças 17 .... 27 G 5
Roxo
 (Barragem do) 02 .... 77 S 5
Roxo (Ribeira do) .... 77 S 4
Rua 18 .... 41 J 7
Rubiães 16 .... 26 G 4
Ruivães 03 .... 27 G 5
Ruivo 02 .... 77 R 5
Ruivo (Pico) 31 .... 88 B Y
Ruivo do Paúl 31 .... 88 A Y
Runa 11 .... 64 O 2
Ruvina 09 .... 42 K 8

S
Sá 17 .... 28 G 7
Sabacheira 14 .... 53 M 4
Sabóia 02 .... 77 T 4
Sabor 17 .... 28 G 9
Sabrosa 17 .... 27 I 7
Sabroso 17 .... 27 H 7
Sabugal 09 .... 42 K 8
Sabugal
 (Barragem do) 09 .... 42 K 8
Sabugo 11 .... 64 P 2
Sabugosa 18 .... 41 K 5
Sabugueiro 07 .... 65 P 5
Sabugueiro 09 .... 41 K 7
Sacavém 11 .... 64 P 2
Sado (R.) 15 .... 77 S 4
Sado Morgavel
 (Canal do) 15 .... 77 S 4
Safara 02 .... 78 R 8
Safira 07 .... 65 Q 5
Safurdão 09 .... 42 K 8
Sago 16 .... 12 F 4
Sagres 08 .... 88 U 3
Sagres (Ponta de) 08 .... 88 V 3
Salamonde 03 .... 27 G 5
Salavessa 12 .... 54 N 7
Saldanha 04 .... 28 H 10
Saldonha 04 .... 28 H 9
Salema 08 .... 88 U 3
Salgueirais 09 .... 41 K 7
Salgueiro 01 .... 41 J 6
Salgueiro 09 .... 28 I 9
Salgueiro 05 .... 42 L 8
Salgueiro 10 .... 53 N 3
Salgueiro do Campo 05 .. 54 M 7
Salgueiros 02 .... 78 T 7
Salgueiros 17 .... 28 H 8
Salir 08 .... 89 U 5
Salir do Porto 10 .... 52 N 2
Salreu 01 .... 40 J 4
Salsas 04 .... 28 H 9
Salselas 04 .... 28 H 9
Salto 02 .... 77 S 6
Salto 17 .... 27 H 6
Salto de Cavalo 20 .... 107 J 20
Salvada 02 .... 77 S 6
Salvador 02 .... 54 L 8
Salvador 05 .... 65 O 4
Salvador do Monte 13 .. 27 I 5
Salvaterra de Magos 14 .. 64 O 3
Salvaterra
 do Extremo 05 .... 55 M 9
Salzedas 18 .... 41 I 6
Samardã 17 .... 27 H 6
Sambade 04 .... 28 H 9

Sambado 05 .... 53 M 5
Sameice 09 .... 41 K 6
Sameiro 09 .... 41 K 7
Sameiro (Monte) 03 .... 27 H 4
Samil 04 .... 28 G 9
Samões 04 .... 28 I 8
Samora Correia 14 .... 64 P 3
Samouco 15 .... 64 P 2
Samouqueira 08 .... 88 T 3
Sampaio perto
 de Mogadouro 04 .... 28 H 9
Sampaio perto
 de Vila Flor 04 .... 28 I 8
Sampriz 16 .... 27 G 4
Samuel 06 .... 53 L 3
San Julião 12 .... 66 O 8
San Martinho 05 .... 54 M 7
San Martinho
 do Peso 04 .... 28 H 10
San Pedro do Corval 07 .. 66 Q 7
San Salvador 12 .... 54 N 7
Sande 03 .... 27 H 4
Sande 13 .... 27 I 5
Sandim 04 .... 28 G 8
Sandim 13 .... 27 H 4
Sandomil 09 .... 41 K 6
Sanfins 17 .... 28 G 8
Sanfins do Douro 17 .... 27 I 7
Sangalhos 01 .... 40 K 4
Sanguedo 01 .... 40 J 4
Sanguinhal 10 .... 52 O 2
Sanhoane 04 .... 28 H 10
Sanjurge 17 .... 27 G 7
Santa Antão 20 .... 107 H 12
Santa Bárbara 02 .... 88 T 4
Santa Bárbara 20 .... 107 M 20
Santa Bárbara 20 .... 107 G 13
Santa Bárbara
 São Miguel 20 .... 107 J 18
Santa Bárbara
 de Nexe 08 .... 89 U 6
Santa Bárbara
 de Padrões 02 .... 77 T 6
Santa Catarina 10 .... 52 N 2
Santa Catarina 15 .... 65 Q 4
Santa Catarina da Fonte
 do Bispo 08 .... 89 U 6
Santa Catarina
 da Serra 10 .... 53 M 3
Santa Cita 14 .... 53 N 4
Santa Clara 06 .... 40 L 4
Santa Clara
 (Barragem de) 02 .... 77 T 4
Santa Clara-a-Nova 02 .. 89 T 5
Santa Clara-a-Velha 02 .. 77 T 4
Santa Clara
 do Louredo 02 .... 77 S 6
Santa Comba 09 .... 42 J 8
Santa Comba 13 .... 26 I 4
Santa Comba 16 .... 26 G 4
Santa Comba Dão 18 .... 41 K 5
Santa Comba
 de Rosas 04 .... 28 G 9
Santa Comba
 de Vilariça 04 .... 28 H 8
Santa Combinha 04 .... 28 H 9
Santa Cristina 18 .... 41 K 5
Santa Cruz 15 .... 89 T 6
Santa Cruz 31 .... 88 B Y
Santa Cruz
 da Graciosa 20 .... 107 F 11
Santa Cruz da Trapa 18 .. 41 J 5
Santa Cruz
 das Flores 20 .... 107 E 2
Santa Cruz do Douro 13 .. 27 I 5
Santa Eufémia 09 .... 42 J 8
Santa Eugénia 17 .... 28 H 7
Santa Eulália 03 .... 26 H 4
Santa Eulália 09 .... 41 K 6
Santa Eulália 11 .... 64 P 2
Santa Eulália 12 .... 66 P 8
Santa Iria 02 .... 78 S 7
Santa Iria da Azóia 11 .. 64 P 2
Santa Justa 07 .... 66 P 6
Santa Justa 14 .... 65 O 5
Santa Leocádia 13 .... 27 I 5
Santa Leocádia 18 .... 27 I 7
Santa Luzia 02 .... 77 S 4
Santa Luzia 02 .... 78 R 7
Santa Luzia 16 .... 26 G 3
Santa Luzia 20 .... 107 H 10

Santa Luzia
 (Barragem de) 06 .... 54 L 6
Santa Luzia
 (Basílica) 16 .... 26 G 3
Santa Luzia
 (Forte de) 12 .... 66 P 8
Santa Luzia (Monte) 02 .. 78 S 7
Santa Margarida
 da Coutada 14 .... 53 N 5
Santa Margarida
 da Serra 15 .... 76 R 4
Santa Margarida
 do Sádão 02 .... 77 R 4
Santa Maria 03 .... 26 H 4
Santa Maria 18 .... 41 I 6
 (Barragem de) 09 .... 42 J 9
Santa Maria
 (Cabo de) 08 .... 90 V 6
Santa Maria
 (Ilha de) 20 .... 107 L 20
Santa Maria de Aguiar (Antigo
 Convento de) 09 .... 42 J 9
Santa Maria
 de Émeres 17 .... 28 H 7
Santa Maria
 Madalena 03 .... 27 H 4
Santa Marina
 (Couto de) 05 .... 54 M 8
Santa Marinha 09 .... 41 K 7
Santa Marinha 16 .... 13 F 4
Santa Marinha
 do Zêzere 17 .... 27 I 6
Santa Marta 08 .... 90 T 7
Santa Marta
 da Montanha 17 .... 27 H 6
Santa Marta
 de Penaguião 17 .... 27 I 6
Santa Marta
 de Portuzelo 16 .... 26 G 3
Santa Quitéria 13 .... 27 H 5
Santa Sofia 07 .... 65 Q 5
Santa Susana 07 .... 65 Q 4
Santa Susana 15 .... 65 Q 4
Santa Valha 17 .... 28 G 8
Santa Vitória .... 77 S 5
Santa Vitória
 do Ameixial 07 .... 66 P 6
Santalha 04 .... 28 G 8
Santana 06 .... 40 L 3
Santana 07 .... 77 R 6
Santana 15 .... 64 Q 2
Santana 31 .... 88 B Y
Santana da Serra 02 .... 77 T 5
Santana de Cambas 02 .. 78 T 7
Santana do Campo 07 .... 65 P 5
Santar 18 .... 41 K 6
Santarém 14 .... 65 O 3
Santiago 02 .... 78 T 7
Santiago 09 .... 41 K 6
Santiago 12 .... 66 O 7
Santiago 17 .... 28 I 6
Santiago da Guarda 10 .. 53 M 4
Santiago de Besteiros 18 .. 41 K 5
Santiago
 de Cassurrães 18 .... 41 K 6
Santiago de Litém 10 .... 53 M 4
Santiago de Ribeira
 de Alhariz 17 .... 28 H 7
Santiago do Cacém 15 .. 76 R 3
Santiago do Escoural 07 .. 65 Q 5
Santiago dos Velhos 11 .. 64 P 2
Santiago Maior 07 .... 66 Q 7
Santiais 10 .... 53 M 4
Santo Aleixo 12 .... 66 P 7
Santo Aleixo
 da Restauração 02 .... 78 R 8
Santo Amador 02 .... 78 R 8
Santo Amaro 09 .... 42 I 8
Santo Amaro 12 .... 66 P 7
Santo Amaro
 São Jorge 20 .... 107 G 11
Santo André
 de Oeiras 11 .... 64 P 2
Santo André 15 .... 76 R 3
Santo André 17 .... 27 G 7
Santo André
 (Lagoa de) 15 .... 76 R 3
Santo André
 das Tojeiras 05 .... 54 M 6
Santo Antão do Tojal 11 .. 64 P 2
Santo António 31 .... 88 B Z
Santo António 20 .... 107 J 18
Santo António 20 .... 107 G 11

SANTARÉM

Alex Herculano (R.) . . . . **A** 3
Alf. de Santarém (R.) . . . . **B** 4
Braamcamp Freire (R.) . . . . **B** 6
Cândido dos Reis (Largo) . . . . . . **A** 7

Capelo Ivens (R.) . . . . **AB** 9
G. de Azevedo (R.) . . . . **A** 10
João Afonso (R.) . . . . **A** 12
Miguel Bombarda (R.) . . . . **B** 13
Piedade (Largo da) . . . . **A** 15
São Martinho (R. de) . . . . **B** 16
Serpa Pinto (R.) . . . . **AB**

Teixeira Guedes (R.) . . . . **A** 18
Tenente Valadim (R.) . . . . **B** 19
Vasco da Gama (R.) . . . . **A** 21
Zeferino Brandão (R.) . . . . **A** 22
1_ de Dezembro (R.) . . . . **B** 24
5 de Outubro (Av.) . . . . **B** 25
31 de Janeiro (R.) . . . . **A** 27

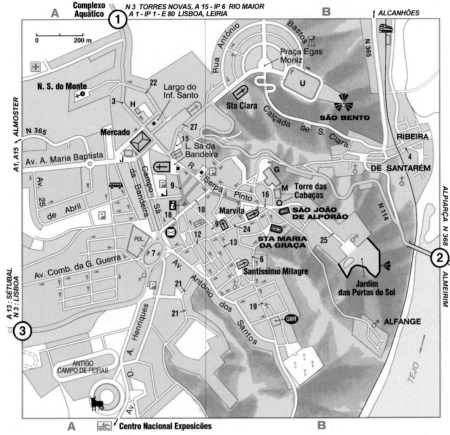

São Lourenço
(Baia do) **20**.............**107** M 20
São Lourenço
(Ponta de) **31**.............**88** C Y
São Lourenço
de Mamporcão **07**.......**66** P 7
São Lourenço
de Ribapinhão **17**......**27** I 7
São Lourenço
do Bairro **01**..............**40** K 4
São Luís **02**...............**76** S 4
São Macário **18**..........**41** J 5
São Mamede
perto de Batalha **10**....**53** N 3
São Mamede
perto de Óbidos **10**....**52** O 2
São Mamede (Pico) **12**...**66** O 7
São Mamede
(Serra de) **12**..........**66** O 7
São Mamede
de Ribatua **17**...........**28** I 7
São Mamede
do Sado **15**..............**77** R 4
São Manços **07**.........**66** Q 6
São Marcos **08**.........**89** U 7
São Marcos
da Abóbada **07**.........**65** Q 6
São Marcos
da Ataboeira **02**.........**77** S 6
São Marcos
da Serra **08**.............**89** T 4
São Marcos
do Campo **07**...........**78** Q 7
São Martinho **31**........**88** B Z
São Martinho
(Alto de) **10**..............**52** N 2
São Martinho
(Rio de) ....**65** Q 4
São Martinho
da Cortiça **06**..........**41** L 5
São Martinho
das Amoreiras **02**.......**77** T 4
São Martinho
das Chãs **18**............**41** I 7
São Martinho
de Angueira **04**.........**29** H 10
São Martinho
de Antas **17**............**27** I 7
São Martinho
de Mouros **18**..........**41** I 6
São Martinho
do Porto **10**.............**52** N 2
São Mateus **20**.........**107** H 14
São Mateus **20**.........**107** H 10
São Matias **02**..........**77** R 6
São Matias **18**...........**41** I 7
São Matias **02**..........**65** Q 5
São Miguel **11**...........**89** U 6
São Miguel (Ilha de) **20**...**107** J 18
São Miguel de Acha **05**...**54** L 8
São Miguel
de Machede **07**.........**66** Q 6
São Miguel
de Poiares **06**...........**41** L 5
São Miguel
de Vila Boa **18**.........**41** J 6
São Miguel do Mato **01**...**40** J 4
São Miguel
do Outeiro **18**..........**41** K 5
São Miguel
do Pinheiro **02**..........**77** T 6
São Miguel
do Rio Torto **14**........**53** N 5
São Paio **04**.............**41** K 7
São Paio
da Farinha Podre **06**.....**41** L 5
São Paulo de Frades **06**...**40** L 4
São Pedro **04**............**28** H 8
São Pedro **07**............**78** R 6
São Pedro **17**............**27** G 6
São Pedro
da Cadeira **11**...........**64** O 1
São Pedro da Cova **13**....**26** I 4
São Pedro da Torre **16**....**12** G 4
São Pedro
das Cabeças **02**........**77** S 5
São Pedro de Açor **06**....**54** L 6
São Pedro
de Agostém **17**.........**27** G 6
São Pedro de Alva **06**....**41** L 5
São Pedro
de Balsemão **18**.........**41** I 6
São Pedro de Moel **10**...**52** M 2
São Pedro
de Rio Seco **09**..........**42** K 9
São Pedro
de Serracenos **04**.......**28** G 9
São Pedro de Solis **02**....**89** T 6

São Pedro de Veiga
de Lila **17**...............**28** H 8
São Pedro do Esteval **05**...**54** N 6
São Pedro do Sul **18**....**41** J 5
São Pedro Fins **13**.......**26** I 4
São Pedro Velho
Santa Luzia **08**.........**89** U 7
São Pedro Velho
(Monte) **18**.............**41** J 5
São Romão **09**..........**41** K 6
São Romão
perto de
Montemor-o-Novo **07**...**65** Q 5
São Romão perto
de Vila Viçosa **07**.......**66** P 8
São Romão do Sado **15**...**77** R 4
São Roque **31**...........**88** B Y
São Roque **20**..........**107** J 19
São Roque do Pico **20**...**107** H 11
São Salvador **04**.........**28** H 8
São Saturnino **12**........**66** O 7
São Sebastião **06**.......**53** L 4
São Sebastião **20**.......**107** H 14
São Sebastião
da Giesteira **07**.........**65** Q 5
São Sebastião
dos Carros **02**..........**77** T 6
São Simão de Litém **10**...**53** M 4
São Teotónio **02**.........**76** T 3
São Tomé do Castelo **17**...**27** H 6
São Torcato **03**..........**27** H 5
São Torcato **14**..........**65** P 4
São Vicente **13**..........**27** I 5
São Vicente **17**..........**28** G 8
São Vicente **31**..........**88** A Y
São Vicente
(Cabo de) **08**............**88** U 3
São Vicente da Beira **05**...**54** L 7
São Vicente da Chã **17**...**27** G 6
São Vicente
de Ferreira **20**.........**107** J 19
São Vicente
de Lafões **18**............**41** J 5
São Vicente
de Pereira Juza **01**......**40** J 4
São Vicente do Paúl **14**...**53** N 4
São Vicente
do Pigeiro **07**...........**66** Q 7
São Vicente
e Ventosa **12**...........**66** P 8
Sapataria **11**............**64** P 2
Sapelos **17**.............**27** G 7
Sapiãos **17**.............**27** G 7
Sapos **02**...............**78** T 7
Sapos **02**...............**77** T 6
Sardão **04**..............**28** I 9
Sardão (Cabo) **02**........**76** T 3
Sardeiras de Baixo **05**....**54** M 6
Sardoal **14**..............**53** N 5
Sarilhos Grandes **15**.....**64** P 3
Sarnadas **08**...........**89** U 5
Sarnadas de Ródão **05**...**54** M 7
Sarnadas
de São Simão **05**.......**54** M 6
Sarraquinhos **17**.........**27** G 7
Sarzeda **18**.............**41** J 7
Sarzedas **04**............**54** M 6
Sarzedela **10**...........**53** M 4
Sarzedo **05**.............**41** K 7
Sarzedo **18**.............**41** I 7
Sátão **18**................**41** J 6
Sazes da Beira **09**.......**41** K 6
Seara Velha **17**..........**27** G 7
Sebadelhe **09**...........**42** I 8
Sebadelhe da Serra **09**...**42** J 7
Sebal **06**................**53** L 4
Secarias **06**.............**41** L 5
Seco (R.) **09**............**42** J 9
Seda **12**................**66** O 6
Seda (Ribeira de) **12**.....**66** O 6
Sedielos **17**.............**27** I 6
Segirei **17**..............**28** G 8
Segões **18**..............**41** J 6
Segura **05**..............**54** M 9
Seia **09**.................**41** K 6
Seia (Rio) ....**41** K 6
Seiça **14**................**53** M 4
Seiça **17**................**27** H 6
Seixal **15**...............**64** O 2
Seixal **31**...............**88** A Y
Seixas **04**..............**28** G 8
Seixas **09**..............**42** I 8
Seixas **16**..............**26** G 3
Seixe (Ribeira de) **08**....**88** T 3
Seixo Amarelo **09**.......**42** K 7

Santo António **20**.........**107** H 10
Santo António
da Serra **31**.............**88** B Y
Santo António
das Areias **12**...........**54** N 8
Santo António
de Alcôrrego **12**........**65** O 6
Santo António
de Baldio **07**............**66** Q 7
Santo António
de Monforte **17**.........**28** G 7
Santo António
de Outeiro **02**...........**78** R 7
Santo António Velho **02**...**78** S 7
Santo Espírito **20**.......**107** M 20
Santo Estêvão **03**.......**27** H 5
Santo Estêvão **07**.......**66** P 7
Santo Estêvão **08**.......**89** U 6
Santo Estêvão **09**.......**42** L 8
Santo Estêvão **14**.......**65** P 3
Santo Estêvão **17**.......**28** G 7
Santo Estêvão
(Ribeira de) **07**.........**65** P 3
Santo Estêvão
das Galés **11**...........**64** P 2
Santo Ildefonso **12**......**66** P 8
Santo Isidoro **11**.........**64** P 1
Santo Isidro
de Pegões **15**...........**65** P 4
Santo Tirso **13**..........**26** H 4
Santos perto
de Alcanena **14**.........**53** N 3
Santos
perto de Mação **14**......**53** N 6
Santos Evos **18**.........**41** K 6
Santulhão **08**...........**28** H 10
São Barnabé **02**.........**89** T 5
São Bartolomeu **02**......**89** T 6
São Bartolomeu **14**......**53** N 6
São Bartolomeu
perto de Bragança **04**...**28** G 9

São Bartolomeu
perto de Outeiro **04**.....**28** H 10
São Bartolomeu
da Serra **15**.............**76** R 4
São Bartolomeu
de Messines **08**.........**89** U 5
São Bartolomeu
do Outeiro **07**...........**77** Q 6
São Bartolomeu
dos Galegos **11**.........**52** O 2
São Bento **10**............**53** N 3
São Bento **16**............**26** G 4
São Bento
(Pousada de) **03**.........**27** H 5
São Bento de Castris
(Convento) **07**...........**65** Q 6
São Bento
do Ameixial **07**.........**66** P 7
São Bento do Cortiço **07**...**66** P 7
São Bernardino **14**.......**52** O 1
São Brás **02**.............**78** S 7
São Brás
São Miguel **20**.........**107** J 19
São Brás de Alportel **08**...**89** U 6
São Brás
do Regedouro **07**........**65** Q 5
São Brissos **02**..........**77** R 6
São Brissos **07**..........**65** Q 5
São Cipriano **18**.........**41** K 6
São Cosme **03**...........**26** H 4
São Cristóvão **07**........**65** Q 5
São Cristóvão
(Ribeira de) ....**65** Q 4
São Domingos **14**.......**53** N 5
São Domingos **15**.......**77** S 4
São Domingos
(Ribeira de) **15**.........**77** S 4
São Domingos
da Ordem **07**...........**66** Q 6
São Domingos
de Ana Loura **07**........**66** P 7

São Domingos
de Rana **11**.............**64** P 1
São Domingos
de Facundo **14**..........**53** N 5
São Félix **18**.............**41** J 5
São Félix
da Marinha **13**...........**40** I 4
São Francisco
da Serra **15**.............**76** R 4
São Frutuoso
de Montélios **03**.........**26** H 4
São Gemil **18**............**41** K 6
São Gens **07**............**66** P 7
São Geraldo **07**.........**65** Q 5
São Gonçalo **04**.........**28** H 9
São Gonçalo **31**.........**88** B Z
São Gonçalo
(Pousada de) **13**........**27** I 6
São Gregório **07**.........**65** P 6
São Gregório **16**.........**13** F 5
São Gregório
da Fanadia **10**...........**52** N 2
São Jacinto **01**..........**40** K 3
São Jerónimo
(Pousada de) **18**........**41** K 5
São Joanico **04**..........**29** H 10
São Joaninho perto
de Castro Daire **18**......**41** J 6
São Joaninho perto
de Santa Comba Dão **18**...**41** K 5
São João **15**.............**64** Q 2
São João **20**............**107** H 10
São João
(Ribeira de) **12**.........**54** N 7
São João
da Boa Vista **06**.........**41** K 5
São João da Corveira **17**...**28** H 7
São João da Madeira **01**...**40** J 4
São João
da Pesqueira **18**........**28** I 7
São João da Ribeira **14**...**52** O 3
São João da Serra **18**....**41** J 5

São João da Tahla **11**....**64** P 2
São João da Venda **08**....**89** U 6
São João
das Lampas **11**..........**64** P 1
São João de Areias **18**...**41** K 5
São João de Loure **01**....**40** K 4
São João
de Negrilhos **02**.........**77** S 5
São João
de Tarouca **18**..........**41** J 6
São João de Ver **01**......**40** J 4
São João do Campo **06**...**40** L 4
São João do Monte
perto de Caramulo **18**...**41** K 5
São João do Monte
perto de Nelas **18**.......**41** K 6
São João do Peso **05**....**53** M 5
São João
dos Caldeireiros **02**.....**77** T 6
São João
dos Montes **11**.........**64** P 2
São Jomil **04**.............**28** G 8
São Jorge **01**............**40** J 4
São Jorge **10**............**53** N 3
São Jorge **16**............**27** G 4
São Jorge **31**............**88** B Y
São Jorge
(Canal de) **20**.........**107** H 11
São Jorge (Ilha de) **20**...**107** G 11
São Jorge (Ponta de) **31**...**88** B Y
São Jorge da Beira **05**...**54** L 6
São José
da Lamarosa **14**.........**65** O 4
São José das Matas **14**...**54** N 6
São Julião
de Palácios **04**..........**28** G 10
São Julião do Tojal **11**....**64** P 2
São Leonardo **07**........**78** Q 8
São Lourenço **08**.........**89** U 5
São Lourenço **17**.........**28** G 7

A B C D E F G H I J K L M N O P Q R S T U V W X Y Z

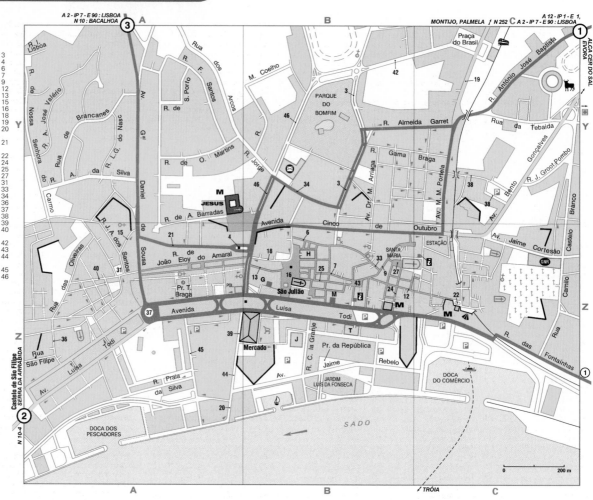

SETÚBAL

Alexandre Herculano
(Av. de) .... BY 3
Almirante Reis (P. do) .... AZ 4
Almocreves (R. dos) ...... BZ 6
Álvaro Castelões (R.) ..... BZ 7
António Girão (R.) .... BZ 9
Arronches Junqueiro (R.) ... BZ 12
Augusto Cardoso (R. de) ... BZ 13
Bela Vista (Travessa da) ... AZ 15
Bocage (Pr. do) .... BZ 16
Bocage (R. do) .... BZ 18
Ciprestes (Estrada dos) ... CY 19
Clube Naval (R.) .... AZ 20
Combatentes da Grande Guerra
(Av. dos) .... AZ 21
Defensores da República
(Largo dos) .... CZ 22
Dr António J. Granjo (R.) ... BZ 24
Dr Paula Borba (R.) ...... BZ 25
Exército (Pr. do) .... BZ 27
Machado dos Santos (Pr.) .. BZ 31
Major Afonso Pala (R. do) .. BZ 33
Mariano de Carvalho (Av.) .. BY 34
Marquês da Costa (R.) .... AZ 36
Marquês de Pombal (Pr.) .. AZ 37
Mirante (R. do) .... CY 38
Ocidental do Mercado (R.).. AZ 39
Paulino de Oliveira (R. de) .. AZ 40
República de Guiné-Bissau
(Av.) .... BY 42
Santo António (Largo do) ... BZ 43
Tenente Valadim (R.) ..... AZ 44
Trabalhadores do Mar
(R. Dos) .... AZ 45
22 de Dezembro (Av.) ..... BY 46

Seixo da Beira 06 41	K 6	Serdedelo 16 26	G 4	Silvares 03 27	H 5	Sol Posto 15 76	S 4
Seixo de Ansiães 04 28	I 8	Sernada 01 40	J 4	Silvares 05 54	L 6	Solveira 17 27	G 6
Seixo de Gatões 06 40	L 3	Sernadas 18 41	K 5	Silvares 13 27	I 5	Somouqueira 08 88	U 3
Seixo de Manhoses 04 28	I 8	Sernancelhe 18 41	J 7	Silveira 11 64	O 1	Sonim 17 28	G 8
Seixo do Côa 09 42	K 8	Seroa 13 26	I 4	Silveirona 07 66	P 7	Sopo 16 26	G 3
Selho 03 27	H 4	Serpa 02 78	S 7	Silveiros 03 26	H 4	Sor (Ribeira de) 54	N 6
Selmes 02 77	R 6	Serpins 06 53	L 5	Silves 08 89	U 4	Sorraia 65	P 4
Semblana 02 77	T 6	Serra 14 53	N 5	Sintra 15 76	S 3	Sortelha 09 42	K 8
Semide 06 53	L 4	Serra d'El-Rei 10 52	N 2	Sintra (Serra de) 11 64	P 1	Sortelhão 09 42	K 8
Semideiro 14 53	O 5	Serra de Água 31 88	A Y	Sosa 01 40	K 4	Sortes 04 28	G 9
Sendas 04 28	H 9	Serra de Bornes 04 28	H 8	Sintra (Serra de) 11 27	P 1	Soudes 08 90	T 7
Sendim 04 29	H 10	Serra de Dentro 32 89	D X	Sistelo 16 27	G 4	Soure 06 53	L 4
Sendim 13 27	I 7	Serra		Sítio das Éguas 08 89	U 5	Souro Pires 09 42	J 8
Sendim 17 27	G 6	de Santo António 14 53	N 3	Sizandro 11 64	O 1	Sousa 13 27	I 5
Sendim da Ribeira 04 28	I 9	Serra do Bouro 10 52	N 2	Soajo 16 27	G 5	Sousel 12 66	P 6
Sendim da Serra 04 28	I 9	Serra do Mouro 10 53	M 4	Soajo (Serra do) 16 27	G 5	Sousel (Ribeira de) 66	O 6
Senhora da Ajuda 12 66	P 8	Serrado (Eira do) 31 88	B Y	Soalhães 13 27	I 5	Souselas 06 40	L 4
Senhora da Cola 02 77	T 5	Serras de Aire e Candeeiros		Soalheira 07 54	L 7	Souselo 18 41	I 5
Senhora		(Parque Natural das) 53	N 3	Soalheiras 05 54	M 8	Soutelinho 17 27	H 6
da Conceição 15 77	R 4	Serrazola		Sobradelo da Goma 03 27	H 5	Soutelinho da Raia 17 27	G 7
Senhora da Graça		(Ribeira de) 12 66	O 6	Sobradinho 08 89	U 5	Soutelo 01 40	J 4
de Padrões 02 77	T 6	Serreta 20 107	G 13	Sobrado 13 26	I 4	Soutelo 03 26	H 4
Senhora da Laje 01 41	J 5	Serrinha 12 66	O 8	Sobrainho dos Gaios 05 54	M 6	Soutelo 04 28	H 9
Senhora da Mó 01 41	J 5	Serrinha (Monte) 15 65	Q 4	Sobral 05 53	M 5	Soutelo perto	
Senhora da Orada 05 54	L 7	Serro Ventoso 10 52	N 3	Sobral 18 41	K 5	de Chaves17 27	G 7
Senhora da Póvoa 05 42	L 8	Sertã 05 53	M 5	Sobral da Abelheira 11 64	P 1	Soutelo perto	
Senhora da Ribeira 04 28	I 8	Sertã (Ribeira da) 54	M 6	Sobral da Adiça 02 78	R 8	de Vila Real17 27	I 6
Senhora da Rocha 08 89	U 4	Serves 11 64	P 2	Sobral da Lagoa 10 52	N 2	Soutelo de Aguiar 17 27	H 6
Senhora de Mércules 05 ... 54	M 7	Serzedelo 03 27	H 5	Sobral da Serra 09 42	K 8	Soutelo do Douro 18 28	I 7
Senhora		Sesimbra 15 64	Q 2	Sobral de Casegas 05 54	L 6	Soutelo Mourisco 04 28	G 9
de Monte Alto 06 41	L 5	Sesmarias 15 77	R 4	Sobral		Soutilha 04 28	G 8
Senhora do Almurtão 05 ... 54	M 8	Sete 02 77	T 6	de Monte Agraço 11 64	O 2	Souto 01 40	J 4
Senhora		Sete Cidades 20 107	J 18	Sobral do Campo 05 54	L 6	Souto 16 26	G 4
do Bom Sucesso 05 55	L 8	Sete Cidades		Sobral Fernando 05 54	M 6	Souto 09 42	K 9
Senhora do Desterro 09 41	K 6	(Caldeira das) 20 107	J 18	Sobral Pichorro 09 41	J 7	Souto 14 53	N 5
Senhora do Monte 20 107	J 20	Setil 14 65	O 3	Sobral Valado 06 54	L 6	Souto 16 26	G 4
Senhora do Nazo 05 29	H 10	Setúbal 15 65	Q 3	Sobreira 13 26	I 4	Souto 14 53	N 5
Senhora do Rosário 12 66	O 8	Setúbal (Baia de) 65	Q 3	Sobreira Formosa 05 54	M 6	Souto da Carpalhosa 10 53	M 3
Senhorim 18 41	K 6	Sever do Vouga 01 40	J 4	Sobreiro 01 40	J 4	Souto da Casa 05 54	L 7
Senouras 09 42	K 9	Sezelhe 17 27	G 6	Sobreiro de Cima 04 28	G 8	Souto da Velha 04 28	I 9
Sentieiras 14 53	N 5	Sezulfe 04 28	H 8	Sobreposta 03 27	H 5	Souto de Aguiar	
Sentinela 08 90	U 7	Sezures 18 41	J 7	Sobrosa 02 78	R 8	da Beira 09 41	J 7
Sepins 06 40	K 4	Sicó (Serra de) 06 53	M 4	Sobrosa 13 27	I 4	Souto de Escarão 17 27	I 7
Serapicos 04 28	H 9	Silva 04 29	H 10	Soeima 18 28	H 9	Souto Maior 17 27	I 7
Serapicos SETÚBAL 28	H 7	Silvalde 01 40	J 3	Soeira 04 28	G 9	Suções 04 28	H 8

Sul 18 41	J 5		Teixoso 05 41	L 7
Sul (Rio) 41	J 5		Teja (Ribeira de) 09 42	J 8
Sume 12 54	O 6		Tejo 54	M 7
		T	Telhada 06 53	L 3
			Telhadela 01 40	J 4
Taberna Seca 05 54	M 7		Telhado 05 54	L 7
Taboeira 01 40	K 4		Telheiro 03 76	T 4
Taboeiras 06 40	K 3		Telheiro 07 66	Q 7
Tábua 06 40	K 5		Telões 17 27	H 6
Tabuaço 18 41	I 7		Tendais 18 41	I 5
Tabuadelo 03 27	H 5		Tenencia 08 90	T 7
Tabuado 13 27	I 5		Tentúgal 06 40	L 4
Tadim 03 26	H 4		Tera (Ribeira de) 07 66	P 6
Taião 15 12	G 4		Terceira (Ilha) 20 107	G 14
Taipadas 15 65	P 4		Terena 07 66	Q 7
Talabita 02 78	R 7		Terges (Ribeira de) 77	S 6
Talefe 11 64	O 1		Termas 18 41	J 5
Talhadas 01 40	K 4		Termas de Alcafache 18 ... 41	K 6
Talhas 04 28	H 9		Termas	
Tâmega (R.) 28	G 7		de Monfortinho 05 55	M 9
Tancos 14 53	N 4		Terras de Bouro 03 27	G 5
Tanganhal 15 77	R 4		Terreiro das Bruxas 09 ... 42	L 8
Tanganheira 15 76	S 3		Terrenho 09 42	J 7
Tangil 16 13	F 4		Terrugem 11 64	P 1
Tapada 14 65	O 4		Terrugem 12 66	P 7
Tapada Grande			Tinalhas 05 54	M 7
(Barragem da) 02 78	S 7		Tinhela 17 28	G 8
Tapéus 06 53	L 4		Tinhela (Rio) 17 27	H 7
Tarouca 18 41	I 6		Tinhela de Baixo 17 27	H 7
Tarouquela 18 41	I 5		Tó 04 28	I 10
Taveiro 06 40	L 4		Tocha 06 40	L 3
Tavila 05 54	M 6		Tojal 07 65	Q 5
Tavira 08 89	U 7		Tojal (Estação de) 07 65	Q 5
Tavira (Ilha de) 08 89	U 6		Toledo 11 64	O 2
Távora 16 26	G 3		Tolosa 12 54	N 6
Távora 18 41	I 7		Tomadias 09 42	J 8
Távora (Rio) 42	J 7		Tomar 14 53	N 4
Tazem 17 27	H 6		Tonda 18 41	K 5
Tedo (R.) 18 41	I 7		Tondela 18 41	K 5
Teira 14 52	N 3		Topo 20 107	H 12
Teixeira 04 29	H 10		Topo (Ponta do) 20 107	H 12
Teixeira 06 54	L 6		Topo (Serra do) 20 107	H 12
Teixeira 13 27	I 6		Torgal (Ribeira do) 02 76	T 4
Teixelo 17 27	I 6		Torgueda 17 27	I 6
Teixeiro 18 41	J 6		Tornada 10 52	N 2

Torrados 13 .... 27 H5
Torrais (Ponta) 20 ...... 107 D2
Torrão 12 .... 54 N6
Torrão 15 .... 77 R5
Torrão do Lameiro 01 ...... 40 J4
Torre 05 .... 55 M9
Torre 09 .... 42 K8
Torre 15 .... 76 Q3
Torre 16 .... 26 G3
Torre (Monte) 09 ...... 41 L7
Torre da Gadanha 07 ...... 65 Q5
Torre das Vargens 12 ...... 65 O6
Torre de Aspa 08 ...... 88 U3
Torre de Bolsa 12 ...... 66 P8
Torre de Coelheiros 07 ...... 77 Q6
Torre de Dom Chama 04 ... 28 H8
Torre de Moncorvo 04 ...... 28 I8
Torre de Pinhão 17 ...... 27 H7
Torre de Vale
  de Todos 10 ...... 53 M4
Torre do Terrenho 09 ...... 42 J7
Torre Vã 02 ...... 77 S4
Torredeita 18 ...... 41 K5
Torreira 01 ...... 40 J3
Torres 09 ...... 42 J8
Torres Novas 14 ...... 53 N4
Torres Vedras 11 ...... 64 O2
Torrinheiras 27 H6
Torroal 15 ...... 76 R3
Torrozelas 06 ...... 53 L6
Torrozelo 09 ...... 41 K6
Torto (Rio) 05 ...... 54 L8
Torto (Rio) 17 ...... 28 H7
Torto (Rio) 27 I7
Tortosendo 05 ...... 41 L7
Touca 05 ...... 54 L6
Touça 09 ...... 42 I8
Touguinha 13 ...... 26 H3
Toulica (Barragem) 05 ...... 54 M8
Toulões 05 ...... 55 M8
Tourém 17 ...... 27 G6
Tourigo 18 ...... 41 K5
Touril 02 ...... 76 T3
Touro 18 ...... 41 J6
Tourões (Ribeira de) 09 ...... 42 K9
Toutalga 78 ...... 78 R7
Toutosa 13 ...... 27 I5
Touvedo 16 ...... 27 G4
Trafaria 15 ...... 64 P2
Trafeiras 02 ...... 77 S6
Tramaga 12 ...... 65 O5
Tramagal 14 ...... 53 N5
Trancoso 09 ...... 42 J7
Travanca 13 ...... 27 I5
Travanca perto
  de Mogadouro 04 ...... 29 H10
Travanca perto
  de Vinhais 04 ...... 28 G9
Travanca de Lagos 06 ...... 41 K6
Travanca de Tavares 18 ...... 41 K7
Travanca
  do Mondego 06 ...... 41 L5
Travancas 17 ...... 28 G8
Travassô 01 ...... 40 K4
Travassôs 03 ...... 27 H5
Travassos perto de Póvoa
  de Lanhoso 03 ...... 27 H5
Travessa 02 ...... 78 R8
Treixedo 18 ...... 41 K5
Tremês 14 ...... 53 N3
Tresminas 17 ...... 27 H7
Tresouras 13 ...... 27 I6
Trevim (Alto de) 53 L5
Trevões 18 ...... 42 I7
Trezói 18 ...... 40 K5
Trigaches 02 ...... 77 R6
Trigais 05 ...... 41 L6
Trigo (Monte) 20 ...... 107 G11
Trindade 05 ...... 77 S6
Trindade 04 ...... 28 H8
Trinta 09 ...... 42 K7
Tripeiro 05 ...... 54 M7
Tristão (Ponta do) 31 ...... 88 AY
Trofa 01 ...... 40 K4
Trofa 13 ...... 26 H4
Tróia 09 ...... 42 Q3
Tróia (Península de) 15 ...... 65 Q3
Tronco 17 ...... 28 G8
Troporiz 16 ...... 12 F4
Troviscais 02 ...... 76 T3
Troviscal 01 ...... 40 K4
Troviscal 05 ...... 53 M5
Tua 04 ...... 28 I7
Tua (Rio) 28 H8
Tuella (R.) 28 G8
Tuído-Gandra 16 ...... 12 F4
Tuizelo 04 ...... 28 G8

Tunes 08 ...... 89 U5
Turcifal 11 ...... 64 O2
Turquel 10 ...... 52 N3

U
Ulme 14 ...... 53 O4
Umbrias de Camacho 08 ... 90 U7
Unhais da Serra 05 ...... 41 L7
Unhais-o-Velho 06 ...... 54 L6
Unhos 11 ...... 64 P2
Urqueira 14 ...... 53 M4
Urra 12 ...... 66 O7
Urrós perto
  de Brunhozinho 04 ...... 29 H10
Urros perto
  de Ligares 04 ...... 42 I8
Urso (Pinhal do) 10 ...... 52 M3
Urza 02 ...... 77 T5
Urzelina 20 ...... 107 H11
Uva 04 ...... 29 H10

V
Vacariça 01 ...... 40 K4
Vagos 01 ...... 40 K3
Vaiamonte 12 ...... 66 O7
Vairão 13 ...... 26 H4
Valada 14 ...... 65 O3
Valadares 13 ...... 26 I4
Valada 02 ...... 78 S7
Valadas 05 ...... 53 N5
Valado dos Frades 10 ...... 52 N2
Valbom 05 ...... 54 M7
Valbom 09 ...... 42 J8
Valbom 10 ...... 53 M5
Valdigem 18 ...... 27 I6
Valdreu 03 ...... 27 G5
Valdrez 04 ...... 28 H9
Valdujo 09 ...... 42 J8
Vale 16 ...... 27 G4
Vale Alto 14 ...... 53 N4
Vale Beijinha 02 ...... 76 S3
Vale Benfeito 04 ...... 28 I8
Vale Covo 02 ...... 78 S7
Vale Covo 10 ...... 52 O2
Vale da Madre 04 ...... 28 H9
Vale da Mó 01 ...... 40 K4
Vale da Mua 05 ...... 54 M6
Vale da Mula 09 ...... 42 J9
Vale da Pinta 14 ...... 64 O3
Vale da Rosa 08 ...... 89 U6
Vale da Senhora
  da Póvoa 05 ...... 42 L8
Vale da Telha 08 ...... 88 U3
Vale da Torre 05 ...... 54 L7
Vale da Ursa 05 ...... 54 M6
Vale da Vinha 12 ...... 54 N6
Vale das Fontes 04 ...... 28 G8
Vale das Mós 14 ...... 53 N5
Vale de Açor 02 ...... 77 S6
Vale de Açor 12 ...... 65 O6
Vale de Açor 14 ...... 53 N5
Vale de Afonsinho 09 ...... 42 J8
Vale de Anta 17 ...... 27 G7
Vale de Asnes 04 ...... 28 H8
Vale de Azares 09 ...... 42 K7
Vale
  de Bispo Fundeiro 12 ...... 65 O6
Vale de Cambra 01 ...... 40 J4
Vale de Cavalos 13 ...... 53 O3
Vale de Cavalos 14 ...... 53 O4
Vale de Cobrão
  (Ribeira de) 65 P3
Vale de Couço 04 ...... 28 H8
Vale de Ebros 08 ...... 90 U7
Vale de Espinho 09 ...... 42 L9
Vale de Estrela 09 ...... 42 K8
Vale de Ferro 02 ...... 76 S4
Vale de Figueira 14 ...... 53 O4
Vale de Figueira 18 ...... 42 I7
Vale de Frades 04 ...... 29 H10
Vale de Gaio
  (Barragem de) 15 ...... 77 R5
Vale de Gaviões 12 ...... 54 N6
Vale de Gouvinhas 04 ...... 28 H8
Vale de Guiso 02 ...... 77 R4
Vale de Ílhavo 01 ...... 40 K4
Vale de Janeiro 04 ...... 28 G8
Vale de Maceiras 18 ...... 42 I7
Vale de Madeira 09 ...... 42 J8
Vale de Moinhos 04 ...... 28 H9
Vale de Moura 07 ...... 65 Q6
Vale de Nogueira 04 ...... 28 H8
Vale de Ossos 15 ...... 77 R4

Vale de Paio 12 ...... 65 O6
Vale de Pereiros 09 ...... 42 J8
Vale de Prazeres 05 ...... 54 L7
Vale de Rocins 02 ...... 77 S6
Vale de Salgueiro 04 ...... 28 H8
Vale de Santarém 14 ...... 65 O3
Vale de Santiago 02 ...... 77 S4
Vale de Telhas 04 ...... 28 H8
Vale de Torno 04 ...... 28 I8
Vale de Vaide 06 ...... 53 L5
Vale de Vargo 02 ...... 78 S7
Vale de Vilão 12 ...... 65 O5
Vale de Zebro 15 ...... 77 S5
Vale do Arco 12 ...... 53 N6
Vale do Côa (Parque
  arqueológica de) 09 ...... 42 I8
Vale do Coelheiro 05 ...... 54 M6
Vale do Homem 05 ...... 54 M6
Vale do Judeu 08 ...... 89 U5
Vale do Lobo 08 ...... 89 U5
Vale do Paraíso 11 ...... 64 O3
Vale do Pereiro 07 ...... 66 P6
Vale do Peso 12 ...... 54 N7
Vale do Rio 10 ...... 53 M5
Vale do Seixo 09 ...... 42 J8
Vale dos Reis 15 ...... 65 Q4
Vale Feitoso 05 ...... 55 L9
Vale Figueira 08 ...... 89 U5
Vale Flor 09 ...... 42 J8
Vale Formoso 02 ...... 78 R8
Vale Frechoso 04 ...... 28 H8
Vale Furado 10 ...... 52 M2
Vale Pereiro 04 ...... 28 H9
Vale Verde 04 ...... 28 H8
Vale Verde 09 ...... 42 J9
Vale Vinagre 15 ...... 77 S4
Válega 01 ...... 40 J4
Valeira
  (Barragem de) 04 ...... 28 I7
Valença do Douro 18 ...... 27 I7
Valença do Minho 16 ...... 12 F4
Vales 02 ...... 77 S4
Vales 04 ...... 28 H9
Vales 05 ...... 54 M6
Vales 08 ...... 89 U6
Vales perto de Aljezur 08 ... 88 U3
Vales Mortos 02 ...... 78 S7
Valezim 09 ...... 41 K6
Valhascos 14 ...... 53 N5
Valhelhas 09 ...... 41 K7
Valongo 12 ...... 66 O6
Valongo 13 ...... 26 I4
Valongo de Mihais 17 ...... 28 H7
Valongo do Vouga 01 ...... 40 K4
Valongo dos Azeites 18 ...... 42 I7
Valoura 17 ...... 27 H7
Valpaços 17 ...... 28 H8
Valugas 17 ...... 27 H7
Valverde 04 ...... 28 I9
Valverde 05 ...... 54 L7
Valverde 07 ...... 65 Q5
Valverde 09 ...... 41 J7
Valverde 14 ...... 52 N3
Valverde (Ribeira de) 07 ...... 65 Q5
Vaqueiro 17 ...... 27 H6
Vaqueiros 08 ...... 89 T6
Vara (Pico da) 20 ...... 107 J20
Varadouro 20 ...... 107 H9
Varge 04 ...... 28 G9
Vargem 12 ...... 66 O7
Vargens 02 ...... 89 T6
Variz 04 ...... 28 H10
Várzea 14 ...... 53 O3
Várzea 16 ...... 27 G5
Várzea 20 ...... 107 J18
Várzea Cova 03 ...... 27 H5
Várzea da Ovelha 13 ...... 27 I5
Várzea de Serra 18 ...... 41 J6
Várzea de Trevões 18 ...... 41 I7
Várzea
  dos Cavaleiros 05 ...... 53 M5
Varzeia 06 ...... 40 K4
Vascão (Ribeira do) 89 T6
Vasconha 18 ...... 41 J5
Vascoveiro 09 ...... 42 J8
Vassal 17 ...... 28 H7
Vau 10 ...... 52 N2
Veiga de lila 17 ...... 28 H8
Veiros 01 ...... 40 J4
Veiros 07 ...... 66 P7
Vela (Lagoa da) 06 ...... 40 L3
Velada 12 ...... 54 N6
Velão (Alto de) 17 ...... 27 H6
Velas 20 ...... 107 G11
Velosa 09 ...... 42 K8

Venade 16 ...... 26 G3
Venda 07 ...... 66 Q7
Venda do Cepo 09 ...... 42 J7
Venda do Pinheiro 11 ...... 64 P2
Venda do Preto 10 ...... 53 M4
Venda Nova 17 ...... 27 G6
Venda Nova
  perto de Mação 14 ...... 54 N6
Venda Nova
  perto de Tomar 14 ...... 53 N4
Venda Nova
  (Barragem de) 17 ...... 27 G6
Vendas Novas 07 ...... 65 P4
Vendinha 07 ...... 66 Q7
Ventosa 03 ...... 27 H5
Ventosa perto
  de Alenquer 11 ...... 64 O2
Ventosa perto
  de Torres Vedras 11 ...... 64 O2
Ventosa do Bairro 01 ...... 40 K4
Vera Cruz 07 ...... 78 R6
Verdelhos 05 ...... 41 K7
Vergeira 15 ...... 76 S4
Verigo 14 ...... 53 M4
Vermelha 11 ...... 52 O2
Vermelhos 08 ...... 89 T5
Vermiosa 09 ...... 42 J9
Vermoil 10 ...... 53 M4
Vermoim 03 ...... 26 H4
Verride 06 ...... 53 L3
Vez (R.) 16 ...... 27 G5
Viade de Baixo 17 ...... 27 G6
Vialonga 11 ...... 64 P2
Vidais 10 ...... 52 N2
Vide 09 ...... 41 L6
Videmonte 09 ...... 42 K7
Vidigal 02 ...... 54 M6
Vidigal 15 ...... 65 P4
Vidigueira 02 ...... 77 R6
Vidual 06 ...... 54 L6
Viegas 02 ...... 78 S7
Vieira de Leiria 10 ...... 52 M3
Vieira do Minho 03 ...... 27 H5
Vieirinhos 10 ...... 53 L3
Vigia 02 ...... 77 T4
Vigia (Barragem da) 07 ...... 66 Q7
Vila Alva 07 ...... 77 R6
Vila Azeda 02 ...... 77 R6
Vila Baleira 32 ...... 89 DX
Vila Boa
  de Ousilhão 04 ...... 28 G8
Vila Boa do Bispo 13 ...... 27 I5
Vila Boim 12 ...... 66 P8
Vila Chã 03 ...... 26 H3
Vila Chã 09 ...... 41 K7
Vila Chã 10 ...... 53 M4
Vila Chã 13 ...... 26 I3
Vila Chã 16 ...... 27 G5
Vila Chã 17 ...... 27 I7
Vila Chã de Braciosa 04 ...... 29 H10
Vila Chã de Ourique 14 ...... 65 O3
Vila Chão 13 ...... 27 I5
Vila Cortês da Serra 09 ...... 41 K7
Vila Cova a Coelheira 18 ...... 41 J6
Vila Cova de Alva 06 ...... 41 L6
Vila Cova do Covelo 09 ...... 41 J7
Vila da Ponte 17 ...... 27 G6
Vila da Ponte 18 ...... 41 J7
Vila de Ala 04 ...... 28 I10
Vila de Cucujães 01 ...... 40 J4
Vila de Frades 02 ...... 77 R6
Vila de Punhe 16 ...... 26 H3
Vila de Rei 05 ...... 53 M4
Vila do Bispo 08 ...... 88 U3
Vila do Conde 13 ...... 26 H3
Vila do Conde 17 ...... 27 H7
Vila do Porto 20 ...... 107 M20
Vila do Touro 09 ...... 42 K8
Vila Facaia 10 ...... 53 M5
Vila Fernando 09 ...... 42 K8
Vila Fernando 12 ...... 66 P8
Vila Flor 04 ...... 28 I8
Vila Flor 12 ...... 54 N6
Vila Franca 16 ...... 27 G6
Vila Franca
  das Naves 09 ...... 42 J8
Vila Franca de Xira 11 ...... 64 P3

Vila Franca
  do Campo 20 ...... 107 J19
Vila Franca
  do Rosário 11 ...... 64 P2
Vila Fresca
  de Azeitão 15 ...... 64 Q3
Vila Garcia perto
  de Guarda 09 ...... 42 K8
Vila Garcia perto
  de Trancoso 09 ...... 42 J8
Vila Longa 18 ...... 41 J7
Vila Meã 13 ...... 27 I5
Vila Moinhos (Sobral) 18 ... 41 K5
Vila Moreira 14 ...... 53 N3
Vila Nogueira
  de Azeitão 15 ...... 64 Q2
Vila Nova 06 ...... 53 L5
Vila Nova 08 ...... 90 U7
Vila Nova 13 ...... 26 H3
Vila Nova 14 ...... 53 N5
Vila Nova 18 ...... 41 J5
Vila Nova da Barca 06 ...... 53 L3
Vila Nova da Baronia 02 ...... 77 R5
Vila Nova da Rainha 11 ...... 64 O3
Vila Nova da Anços 06 ...... 53 L4
Vila Nova de Cacela 08 ...... 90 U7
Vila Nova
  de Cerveira 16 ...... 26 G3
Vila Nova de Corvo 49 .... 107 D2
Vila Nova
  de Famalicão 03 ...... 26 H4
Vila Nova
  de Foz Côa 09 ...... 42 I8
Vila Nova de Gaia 13 ...... 26 I4
Vila Nova
  de Milfontes 02 ...... 76 S3
Vila Nova
  de Monsarros 01 ...... 40 K4
Vila Nova de Paiva 18 ...... 41 J6
Vila Nova de Poiares 06 ...... 41 L5
Vila Nova
  de Santo André 15 ...... 76 R3
Vila Nova
  de São Bento 02 ...... 78 S7
Vila Nova
  de São Pedro 11 ...... 64 O3
Vila Nova de Tazem 09 ...... 41 K6
Vila Nova do Ceira 06 ...... 41 L5
Vila Nune 03 ...... 27 H6
Vila Pouca da Beira 06 ...... 41 L6
Vila Pouca de Aguiar 17 ...... 27 H7
Vila Praia de Âncora 16 ...... 26 G3
Vila Real 17 ...... 27 I6
Vila Real
  de Santo António 08 ...... 90 U7
Vila Ruiva 02 ...... 77 R6
Vila Ruiva 18 ...... 41 K6
Vila Seca 03 ...... 26 H3
Vila Seca 06 ...... 53 L4
Vila Seca 14 ...... 53 I7
Vila Velha de Ródão 05 ...... 54 N6
Vila Verde 03 ...... 26 H4
Vila Verde 13 ...... 26 I3
Vila Verde 16 ...... 26 G3
Vila Verde 06 ...... 53 L4
Vila Verde da Raia 17 ...... 28 G7
Vila Verde de Ficalho 02 ...... 78 S8
Vila Verde
  dos Francos 11 ...... 64 O2
Vila Verdinho 04 ...... 28 H8
Vila Viçosa 07 ...... 66 P7
Vilamoura 08 ...... 89 U5
Vilar 03 ...... 27 G5
Vilar 11 ...... 64 O2
Vilar 18 ...... 41 J6
Vilar (Barragem de) 18 ...... 41 J7
Vilar Barroco 05 ...... 54 M6
Vilar Chão 04 ...... 28 H9
Vilar da Lomba 04 ...... 28 G8
Vilar da Veiga 03 ...... 27 G5
Vilar de Amargo 09 ...... 42 J8
Vilar de Arca 18 ...... 41 I5
Vilar de Boi 05 ...... 54 N6
Vilar de Cunhas 03 ...... 27 H6
Vilar de Ferreiros 17 ...... 27 H6
Vilar de Ledra 04 ...... 28 H8
Vilar de Maçada 17 ...... 27 I7
Vilar de Mouros 16 ...... 26 G3
Vilar de Murteda 16 ...... 26 G3
Vilar de Ossos 04 ...... 28 H8
Vilar de Paraíso 13 ...... 26 I4
Vilar de Perdizes 17 ...... 27 G7
Vilar de Peregrinos 04 ...... 28 G8
Vilar de Pinheiro 13 ...... 26 I4
Vilar do Monte 04 ...... 28 H9
Vilar do Rei 04 ...... 28 I9
Vilar do Ruivo 05 ...... 53 M5

Vilar dos Prazeres 14 ...... 53 N4
Vilar Formoso 09 ...... 42 K9
Vilar Maior 09 ...... 42 K9
Vilar Seco 04 ...... 29 H10
Vilar Seco de Lomba 04 ...... 28 G8
Vilar Torpim 09 ...... 42 J9
Vilarandelo 17 ...... 28 H8
Vilarelho (Serra de) 17 ...... 27 H7
Vilarelho da Raia 17 ...... 28 G7
Vilarelhos 04 ...... 28 H8
Vilares 04 ...... 28 H8
Vilares 09 ...... 42 J8
Vilares 18 ...... 27 H7
Vilariça (Ribeira de) 28 I8
Vilarinha 08 ...... 88 U3
Vilarinho 04 ...... 28 G9
Vilarinho 06 ...... 53 L5
Vilarinho 13 ...... 26 H3
Vilarinho 17 ...... 27 G6
Vilarinho 18 ...... 41 J5
Vilarinho
  da Castanheira 04 ...... 28 I8
Vilarinho
  das Azenhas 04 ...... 28 H8
Vilarinho
  das Cambas 03 ...... 26 H4
Vilarinho das Furnas
  (Barragem) 03 ...... 27 G5
Vilarinho
  de Agrochão 04 ...... 28 G8
Vilarinho de Cotas 17 ...... 27 I7
Vilarinho
  de Samardã 17 ...... 27 H6
Vilarinho
  de São Luís 01 ...... 40 J4
Vilarinho
  de São Romão 17 ...... 27 I7
Vilarinho do Bairro 01 ...... 40 K4
Vilarinho
  dos Galegos 04 ...... 28 I10
Vilarinho Seco 17 ...... 27 G6
Vilarouco 18 ...... 42 I7
Vilas Boas 04 ...... 28 H8
Vilas do Pedro 10 ...... 53 M5
Vilas Ruivas 05 ...... 54 N6
Vilela do Tâmega 17 ...... 27 G7
Vilela Seca 17 ...... 28 G7
Vilharinhos 08 ...... 89 U6
Vimeiro 10 ...... 52 N2
Vimeiro 11 ...... 64 O2
Vimieiro 07 ...... 66 P6
Vimioso 04 ...... 29 H10
Vinha da Rainha 06 ...... 53 L3
Vinhais 04 ...... 28 G8
Vinhas 04 ...... 28 H9
Vinte e Dois
  (Barragem dos) 15 ...... 64 Q3
Virtudes 11 ...... 64 O3
Viseu 18 ...... 41 K6
Viseus 02 ...... 77 T6
Viso (Nossa
  Senhora do) 03 ...... 27 H5
Vista Alegre 01 ...... 40 K3
Viuvas 02 ...... 89 T6
Viveiro 17 ...... 27 G6
Volta do Vale 14 ...... 65 P4
Vouga
  (Rio) 41 J6
Vouguinha 18 ...... 41 J6
Vouzela 18 ...... 41 J5
Vreia de Bornes 17 ...... 27 H7
Vreia de Jales 17 ...... 27 H7

X
Xarrama 66 Q6
Xartinho 14 ...... 52 N3
Xerez de Baixo 07 ...... 78 Q7
Xévora 67 O8

Z
Zambujal 06 ...... 53 L4
Zambujal 08 ...... 89 T7
Zambujal 15 ...... 65 Q3
Zambujal de Cima 15 ...... 64 Q2
Zambujeira do Mar 02 ...... 76 T3
Zambujeiras 02 ...... 76 S4
Zambujeiro 07 ...... 66 Q7
Zava 04 ...... 28 I9
Zavial 08 ...... 88 U3
Zebreira 05 ...... 54 M8
Zebro (Ribeira do) 78 R7
Zedes 04 ...... 28 I8
Zêzere (Rio) 42 K7
Zêzere
  (Vale Glaciário do) 09 ...... 41 K7
Zibreira 14 ...... 53 N4
Zimão 17 ...... 27 H7
Zoio 04 ...... 28 G9

A B C D E F G H I J K L M N O P Q R S T U V W X Y Z

Media mensual de temperaturas — **Média mensal de temperaturas** — **Températures (Moyenne mensuelle)** — **Average daily temperature** — **Temperaturen (Monatlicher Durchschnitt)** — **Temperaturen (Maandgemiddelde)**
- 16 máx. diária / máx. diária em vermelho / max. quotidien / maximum / maximale Tagestemperatur / maximum
- 8 mín. diária / mín. diária em preto / min. quotidien / minimum / minimale Tagestemperatur / minimum

Temperatura media del mar — **Temperatura média da água do mar** — **Température moyenne de l'eau de mer** — **Average sea temperature** — **Durchschnittliche Meerestemperatur** — **Gemiddelde temperatuur zeewater** · 14

Media mensual de precipitaciones — **Média mensal de precipitações** — **Précipitations (Moyenne mensuelle)** — **Average monthly rainfall** — **Niederschlagsmengen (Monatlicher Durchschnitt)** — **Gemiddelde maandelijkse neerslag**
- 0-20 mm · 20-50 mm · 50-100 mm · + 100 mm

Average daily temperature (máx. / mín.)

City	1	2	3	4	5	6	7	8	9	10	11	12
Alacant/Alicante — max	16	18	20	22	25	29	32	32	30	25	21	17
Alacant/Alicante — min	6	6	8	10	13	17	19	20	18	14	10	7
Albacete — max	9	12	16	19	22	28	33	32	27	20	14	10
Albacete — min	-1	-1	2	5	8	12	15	16	13	7	3	0
Almería — max	16	16	18	20	22	26	29	29	27	23	19	17
Almería — min	8	8	10	12	15	18	21	22	20	16	12	9
Andorra la Vella — max	6	7	12	14	17	23	26	24	22	16	10	6
Andorra la Vella — min	-1	-1	2	4	6	10	12	12	10	6	2	-1
Badajoz — max	13	15	18	21	24	30	34	33	29	23	17	13
Badajoz — min	4	5	8	9	12	16	18	18	16	12	8	5
Barcelona — max	13	14	16	18	21	25	28	28	25	21	16	13
Barcelona — min	6	7	9	11	14	18	21	21	19	15	11	7
Bilbao — max	12	13	17	17	20	23	25	25	23	21	16	13
Bilbao — min	5	5	7	7	9	13	14	14	13	11	8	6
Bragança — max	8	10	14	16	20	24	28	28	24	18	12	8
Bragança — min	1	1	3	5	8	11	13	13	11	8	4	1
Burgos — max	6	8	12	15	18	22	26	25	22	16	10	6
Burgos — min	-1	0	2	4	7	10	12	12	10	7	3	0
Cádiz — max	15	16	18	21	23	27	29	30	27	23	19	16
Cádiz — min	8	9	11	12	14	18	20	20	19	16	12	9
Castelo Branco — max	11	13	16	19	23	28	32	31	27	21	15	12
Castelo Branco — min	5	5	7	9	12	16	18	18	16	12	8	5
Córdoba — max	14	16	19	23	26	32	36	36	31	24	19	14
Córdoba — min	4	5	8	10	13	17	20	20	17	13	8	5
A Coruña — max	13	13	15	16	18	20	22	23	22	19	16	13
A Coruña — min	7	7	8	9	11	14	16	16	15	12	9	7
Cuenca — max	8	10	13	16	20	25	30	29	25	18	13	9
Cuenca — min	-2	-2	1	4	7	11	14	14	11	6	2	-1
Donostia-San Sebastián — max	10	11	14	15	17	20	21	22	21	18	13	10
Donostia-San Sebastián — min	5	5	8	9	11	14	15	16	15	12	8	6
Faro — max	15	16	18	20	23	26	29	29	26	23	19	16
Faro — min	9	9	11	12	14	17	19	19	18	16	12	9
Funchal (Madeira) — max	19	19	20	21	22	24	25	25	24	22	20	20
Funchal (Madeira) — min	13	13	14	14	15	17	19	19	19	16	14	14
Gijón — max	13	13	15	16	18	20	22	23	22	19	16	13
Gijón — min	7	7	8	9	11	14	16	16	15	12	9	7
Granada — max	12	14	18	20	24	30	34	34	29	22	17	12
Granada — min	1	2	5	7	9	14	17	17	14	9	4	2
León — max	7	9	13	16	19	24	28	28	23	17	12	7
León — min	-1	-1	2	4	6	10	12	12	10	6	2	0
Lisboa — max	14	16	18	20	22	26	28	28	26	22	18	15
Lisboa — min	8	8	10	11	13	16	17	17	17	14	11	8
Lleida — max	9	13	18	21	25	29	32	32	28	21	15	10
Lleida — min	1	1	5	8	11	15	18	18	15	10	4	2
Madrid — max	9	11	15	18	21	27	31	30	25	19	13	9
Madrid — min	2	2	5	7	10	14	17	17	14	9	5	2
Mar Menor — max	15	16	18	23	25	29	30	30	27	24	20	17
Mar Menor — min	5	5	8	9	13	17	20	20	18	14	10	6
Palma (Baleares) — max	14	15	17	19	22	26	29	29	27	23	18	15
Palma (Baleares) — min	6	6	8	10	13	17	19	20	18	14	10	8
Pamplona — max	9	10	14	16	20	24	27	27	24	19	13	9
Pamplona — min	1	1	4	6	9	12	13	14	12	8	4	2
Peniche — max	14	14	16	17	18	20	20	21	20	20	17	15
Peniche — min	9	9	10	12	13	15	16	16	16	14	12	9
Ponta Delgada (Açores) — max	17	17	17	18	20	22	25	26	25	22	20	18
Ponta Delgada (Açores) — min	11	11	11	11	13	15	17	18	17	16	14	12
Porto — max	14	15	17	18	20	22	23	23	23	21	17	14
Porto — min	6	6	8	9	11	13	15	15	14	12	9	8
Puerto de Navacerrada — max	2	3	5	7	12	17	22	21	17	11	6	3
Puerto de Navacerrada — min	-4	-4	-1	0	3	7	11	10	8	3	0	-3
Salamanca — max	8	10	14	17	20	25	30	30	25	19	13	8
Salamanca — min	-1	0	2	4	7	11	13	13	11	6	2	0
Santa Cruz de T. (Canarias) — max	20	21	22	23	24	26	28	29	28	26	24	21
Santa Cruz de T. (Canarias) — min	14	14	15	16	17	18	20	21	21	20	19	17
Santander — max	12	12	15	15	17	20	22	22	21	18	15	12
Santander — min	7	7	8	9	11	14	16	16	15	12	9	7
Santiago de Compostela — max	11	12	15	16	18	22	24	24	22	19	14	12
Santiago de Compostela — min	4	4	6	6	8	11	13	13	12	10	7	5
Sevilla — max	15	17	20	23	26	32	36	36	32	26	20	15
Sevilla — min	6	6	9	11	13	17	20	20	18	14	10	7
Sines — max	15	15	16	16	19	21	21	21	21	20	17	16
Sines — min	9	10	10	11	13	15	16	16	16	14	12	10
Tarifa — max	16	17	18	20	22	24	27	27	26	23	20	18
Tarifa — min	10	11	12	13	15	17	20	20	19	17	14	11
Tarragona — max	13	14	16	17	20	24	26	26	25	21	16	14
Tarragona — min	5	6	8	10	13	17	20	20	18	14	9	6
Toledo — max	10	13	16	19	23	29	33	32	28	20	14	10
Toledo — min	2	2	5	8	11	16	19	19	16	11	5	2
València — max	15	16	18	20	23	27	29	29	27	23	18	16
València — min	5	6	8	10	13	17	20	17	13	9	6	
Valladolid — max	7	10	14	17	20	25	29	28	24	18	12	8
Valladolid — min	-2	0	3	5	8	11	14	14	11	6	2	1
Vigo — max	14	14	16	18	19	22	24	24	23	20	17	14
Vigo — min	7	7	9	10	12	15	17	17	16	13	10	8
Zaragoza — max	10	12	17	19	23	27	31	30	26	20	14	10
Zaragoza — min	2	3	6	8	11	15	17	17	15	10	6	4

Average sea temperature

City	1	2	3	4	5	6	7	8	9	10	11	12
Alacant/Alicante	14	13	14	15	16	20	22	25	23	21	17	15
Almería	15	14	15	15	17	19	21	23	22	20	17	15
Barcelona	12	12	13	14	16	20	23	23	22	19	16	14
Cádiz	14	14	15	15	16	18	20	21	20	20	17	15
A Coruña	12	12	12	13	13	15	18	18	17	14	13	
Donostia-San Sebastián	11	11	12	13	13	17	19	19	18	16	14	12
Faro	18	17	17	18	18	20	21	22	23	22	21	19
Funchal (Madeira)	12	12	12	13	13	15	18	19	19	17	14	13
Madrid	14	13	14	15	17	20	22	24	23	21	17	15
Mar Menor	13	13	15	15	17	21	23	25	23	21	18	15
Pamplona	14	14	14	15	16	16	16	17	16	15	14	
Ponta Delgada (Açores)	12	12	14	15	15	16	16	16	16	14	13	
Santa Cruz de T. (Canarias)	19	18	18	18	19	20	21	22	23	22	21	20
Santander	12	11	12	12	13	16	19	21	19	17	14	13
Sines	14	14	14	15	16	16	16	16	17	16	15	14
Tarragona	13	12	13	13	13	14	16	18	19	16	15	14
València	14	13	14	15	16	19	22	24	23	20	17	14
Vigo	13	13	13	13	14	16	18	18	19	18	15	14

Kaarten

Wegen

Autosnelweg - Serviceplaatsen
Gescheiden rijbanen van het type autosnelweg
Aansluitingen: volledig, gedeeltelijk
Afritnummers
Internationale of nationale verbindingsweg
Interregionale verbindingsweg
Verharde weg - onverharde weg
Weg in slechte staat
Landbouwweg - Pad
Autosnelweg in aanleg - Weg in aanleg
(indien bekend: datum openstelling)

Breedte van de wegen

Gescheiden rijbanen
4 rijstroken - 2 brede rijstroken
2 rijstroken - 1 rijstrook

Afstanden (totaal en gedeeltelijk)

gedeelte met tol op autosnelwegen
tolvrij gedeelte op autosnelwegen

op andere wegen

Wegnummers - Bewegwijzering

E 54   **A 96**   Europaweg - Autosnelweg
N IV   **N 301**   Radiale nationale weg - Nationale weg
C 437   SE 138   Andere wegen

Hindernissen

Steile helling (pijlen in de richting van de helling)

Pas - Hoogte
Moeilijk of gevaarlijk traject
Wegovergangen:
gelijkvloers - overheen - onderdoor
Verboden weg - Beperkt opengestelde weg
Tol - Weg met eenrichtingsverkeer
Wad
Sneeuw : vermoedelijke sluitingsperiode

Vervoer

Spoorweg - Reizigersstation
Vervoer van auto's:
per boot
per veerpont (maximum draagvermogen in t.)
Veerpont voor voetgangers
Luchthaven - Vliegveld

Verblijf - Administratie

Plaats met een plattegrond in DE MICHELIN GIDS

Parador (Spanje) - Pousada (Portugal)
(hotel dat door de staat wordt beheerd)
Hoofdplaats van administratief gebied
Administratieve grenzen
Staatsgrens

Sport - Recreatie

Arena voor stierengevechten - Golfterrein
Berghut
Jachthaven - Strand
Kabelbaan, stoeltjeslift
Kabelspoor - Tandradbaan

Bezienswaardigheden

Kerkelijk gebouw - Kasteel - Ruïne
Grot - Megaliet
Andere bezienswaardigheden
Panorama - Uitzichtpunt
Schilderachtig traject

Diverse tekens

Kerkelijk gebouw - Kasteel - Ruïne
Grot - Megaliet
Kabelvrachtvervoer
Telecommunicatietoren of -mast
Industrie - Elektriciteitscentrale
Raffinaderij - Olie- of gasput
Mijn - Steengroeve
Vuurtoren - Stuwdam
Nationaal park - Jachtreservaat

Plattegronden

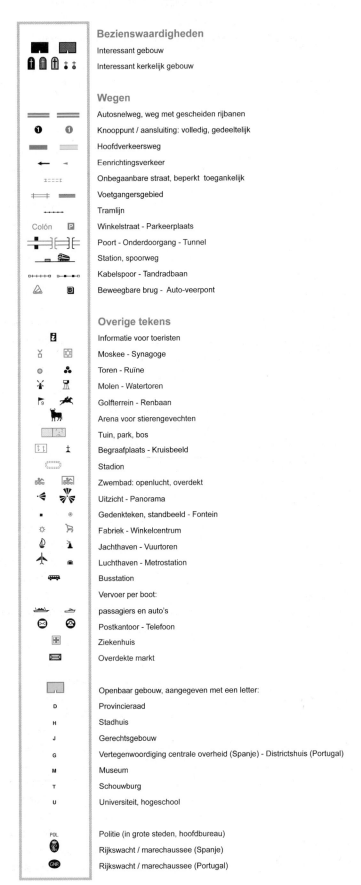

Bezienswaardigheden

Interessant gebouw

Interessant kerkelijk gebouw

Wegen

Autosnelweg, weg met gescheiden rijbanen

Knooppunt / aansluiting: volledig, gedeeltelijk

Hoofdverkeersweg

Eenrichtingsverkeer

Onbegaanbare straat, beperkt toegankelijk

Voetgangersgebied

Tramlijn

Colón   P   Winkelstraat - Parkeerplaats

Poort - Onderdoorgang - Tunnel

Station, spoorweg

Kabelspoor - Tandradbaan

Beweegbare brug - Auto-veerpont

Overige tekens

Informatie voor toeristen

Moskee - Synagoge

Toren - Ruïne

Molen - Watertoren

Golfterrein - Renbaan

Arena voor stierengevechten

Tuin, park, bos

Begraafplaats - Kruisbeeld

Stadion

Zwembad: openlucht, overdekt

Uitzicht - Panorama

Gedenkteken, standbeeld - Fontein

Fabriek - Winkelcentrum

Jachthaven - Vuurtoren

Luchthaven - Metrostation

Busstation

Vervoer per boot:

passagiers en auto's

Postkantoor - Telefoon

Ziekenhuis

Overdekte markt

Openbaar gebouw, aangegeven met een letter:

D   Provincieraad

H   Stadhuis

J   Gerechtsgebouw

G   Vertegenwoordiging centrale overheid (Spanje) - Districtshuis (Portugal)

M   Museum

T   Schouwburg

U   Universiteit, hogeschool

POL.   Politie (in grote steden, hoofdbureau)

Rijkswacht / marechaussee (Spanje)

GNR   Rijkswacht / marechaussee (Portugal)

Kartographie

Sehenswürdigkeiten

Sehenswertes Gebäude

Sehenswerter Sakralbau

Verkehrswege

Autobahn, Straße mit getrennten Fahrbahnen

Nummerierte Voll- bzw. Teilanschlussstellen

Hauptverkehrsstraße

Einbahnstraße

Straße mit Verkehrsbeschränkungen oder nicht befahrbar

Fußgängerstraße

Straßenbahn

Colón   P   Einkaufsstraße - Parkplatz

Tor - Gewölbedurchgang - Tunnel

Bahnhof - Bahnlinie

Standseilbahn - Seilbahn, Seilschwebebahn

Bewegliche Brücke - Autofähre

Sonstige Zeichen

Informationsstelle

Moschee - Synagoge

Turm - Ruine

Windmühle - Wasserturm

Golfplatz - Pferderennbahn

Stierkampfarena

Garten, Park, Wäldchen

Friedhof - Bildstock

Stadion

Freibad - Hallenbad

Aussicht - Rundblick

Denkmal - Brunnen

Fabrik - Einkaufszentrum

Yachthafen - Leuchtturm

Flughafen - U-Bahnstation

Autobusbahnhof

Schiffsverbindungen:

Autofähre - Personenfähre

Hauptpostamt (postlagernde Sendungen) - Telefon

Krankenhaus

Markthalle

Öffentliches Gebäude, durch einen Buchstaben gekennzeichnet :

D   Landesregierung

H   Rathaus

J   Gerichtsgebäude

G   Vertretung der Zentralregierung (Spanien) - Bezirksverwaltung (Portugal)

M   Museum

T   Theater

U   Universität, Hochschule

POL   Polizei (in größeren Städten Polizeipräsidium)

Guardia Civil (Spanien)

GNR   Gendarmerie (Portugal)

Stadtpläne

Sehenswürdigkeiten

Sehenswertes Gebäude

Sehenswerter Sakralbau

Verkehrswege

Autobahn, Straße mit getrennten Fahrbahnen

Nummerierte Voll- bzw. Teilanschlussstellen

Hauptverkehrsstraße

Einbahnstraße

Straße mit Verkehrsbeschränkungen oder nicht befahrbar

Fußgängerstraße

Straßenbahn

Colón   P   Einkaufsstraße - Parkplatz

Tor - Gewölbedurchgang - Tunnel

Bahnhof - Bahnlinie

Standseilbahn - Seilbahn, Seilschwebebahn

Bewegliche Brücke - Autofähre

Sonstige Zeichen

Informationsstelle

Moschee - Synagoge

Turm - Ruine

Windmühle - Wasserturm

Golfplatz - Pferderennbahn

Stierkampfarena

Garten, Park, Wäldchen

Friedhof - Bildstock

Stadion

Freibad - Hallenbad

Aussicht - Rundblick

Denkmal - Brunnen

Fabrik - Einkaufszentrum

Yachthafen - Leuchtturm

Flughafen - U-Bahnstation

Autobusbahnhof

Schiffsverbindungen:

Autofähre - Personenfähre

Hauptpostamt (postlagernde Sendungen) - Telefon

Krankenhaus

Markthalle

Öffentliches Gebäude, durch einen Buchstaben gekennzeichnet :

D   Landesregierung

H   Rathaus

J   Gerichtsgebäude

G   Vertretung der Zentralregierung (Spanien) - Bezirksverwaltung (Portugal)

M   Museum

T   Theater

U   Universität, Hochschule

POL   Polizei (in größeren Städten Polizeipräsidium)

Guardia Civil (Spanien)

GNR   Gendarmerie (Portugal)

Mapping

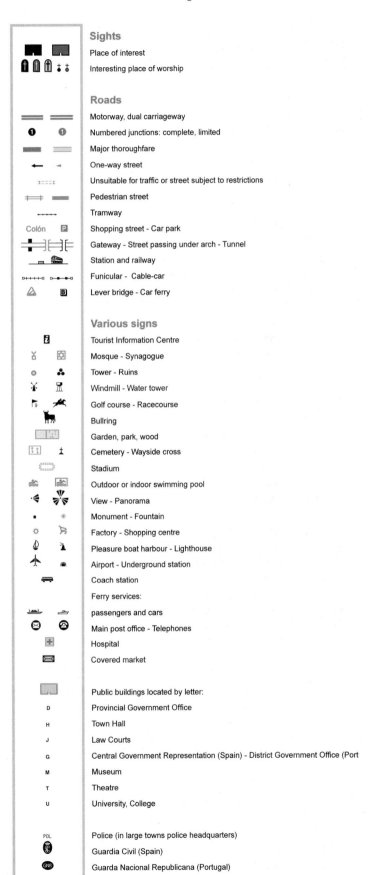

Roads
Motorway - Service areas
Dual carriageway with motorway characteristics
Interchanges: complete, limited
Interchange numbers
International and national road network
Interregional and less congested road
Road surfaced - unsurfaced
Road in bad condition
Rough track - Footpath
Motorway / Road under construction
(when available: with scheduled opening date)

Road widths
Dual carriageway
4 lanes - 2 wide lanes
2 lanes - 1 lane

Distances (total and intermediate)
Toll roads on motorway
Toll-free section on motorway

on road

Numbering - Signs
European route - Motorway
National radial - National road
Other roads

Obstacles
Steep hill (ascent in direction of the arrow)

Pass - Altitude
Difficult or dangerous section of road
Level crossing:
railway passing, under road, over road
Prohibited road - Road subject to restrictions
Toll barrier - One way road
Ford
Snowbound, impassable road during the period shown

Transportation
Railway - Passenger station
Transportation of vehicles:
by boat
by ferry (load limit in tons)
Passenger ferry
Airport - Airfield

Accommodation-Administration
Town plan featured in THE MICHELIN GUIDE

Parador (Spain) - Pousada (Portugal)
(hotel run by the state)
Administrative district seat
Administrative boundaries
National boundary

Sport & Recreation Facilities
Bullring - Golf course
Mountain refuge hut
Pleasure boat harbour - Beach
Cable car, chairlift
Funicular - Rack railway

Sights
Religious building - Historic house, castle - Ruins
Cave - Prehistoric monument
Other places of interest
Panoramic view - Viewpoint
Scenic route

Other signs
Religious building - Castle - Ruins
Cave - Prehistoric monument
Industrial cable way
Telecommunications tower or mast
Industrial activity - Power station
Refinery - Oil or gas well
Mine - Quarry
Lighthouse - Dam
National park - Game reserve

Town plans

Sights
Place of interest
Interesting place of worship

Roads
Motorway, dual carriageway
Numbered junctions: complete, limited
Major thoroughfare
One-way street
Unsuitable for traffic or street subject to restrictions
Pedestrian street
Tramway
Shopping street - Car park
Gateway - Street passing under arch - Tunnel
Station and railway
Funicular - Cable-car
Lever bridge - Car ferry

Various signs
Tourist Information Centre
Mosque - Synagogue
Tower - Ruins
Windmill - Water tower
Golf course - Racecourse
Bullring
Garden, park, wood
Cemetery - Wayside cross
Stadium
Outdoor or indoor swimming pool
View - Panorama
Monument - Fountain
Factory - Shopping centre
Pleasure boat harbour - Lighthouse
Airport - Underground station
Coach station
Ferry services:
passengers and cars
Main post office - Telephones
Hospital
Covered market

Public buildings located by letter:
Provincial Government Office
Town Hall
Law Courts
Central Government Representation (Spain) - District Government Office (Port
Museum
Theatre
University, College

Police (in large towns police headquarters)
Guardia Civil (Spain)
Guarda Nacional Republicana (Portugal)

Cartographie

LA SAFOR

Routes

Autoroute - Aires de service
Double chaussée de type autoroutier
Échangeurs : complet - partiels
Numéros d'échangeurs
Route de liaison internationale ou nationale
Route de liaison interrégionale ou de dégagement
Route revêtue - non revêtue
Route en mauvais état
Chemin d'exploitation - Sentier
Autoroute - Route en construction
(le cas échéant : date de mise en service prévue)

Largeur des routes

Chaussées séparées
4 voies - 2 voies larges
2 voies - 2 voies étroites

Distances (totalisées et partielles)

Section à péage sur autoroute
Section libre sur autoroute

sur route

Numérotation - Signalisation

E 54   **A 96**
N IV   **N 301**
C 437   SE 138

Route européenne - Autoroute
Route nationale radiale - Route nationale
Autres routes

Obstacles

7-12%   +12%
Forte déclivité (flèches dans le sens de la montée)

793   (304)
Col - Altitude
Parcours difficile ou dangereux
Passages de la route :
à niveau - supérieur - inférieur
Route interdite - Route réglementée
Barrière de péage - Route à sens unique
Gué
12-5
Enneigement : période probable de fermeture

Transports

Voie ferrée - Station voyageurs
Transport des autos :
par bateau
par bac (charge maximum en tonnes)
Bac pour piétons
Aéroport - Aérodrome

Hébergement - Administration

Localité possédant un plan dans le Guide MICHELIN

Parador (Espagne) - Pousada (Portugal)
(établissement hôtelier géré par l'état)
Capitale de division administrative
Limites administratives
Frontière

Sports - Loisirs

Arènes (plaza de toros) - Golf
Refuge de montagne
Port de plaisance - Plage
Téléphérique, télésiège
Funiculaire - Voie à crémaillère

Curiosités

Édifice religieux - Château - Ruine
Grotte - Monument mégalithique
Autres curiosités
Panorama - Point de vue
Parcours pittoresque

Signes divers

Édifice religieux - Château - Ruines
Grotte - Monument mégalithique
Transporteur industriel aérien
Tour ou pylône de télécommunications
Industries - Centrale électrique
Raffinerie - Puits de pétrole ou de gaz
Mine - Carrière
Phare - Barrage
Parc national - Réserve de chasse

Plans de ville

Curiosités

Bâtiment intéressant
Édifice religieux intéressant

Voirie

Autoroute, route à chaussées séparées
Échangeurs numérotés : complet, partiel
Grande voie de circulation
Sens unique
Rue réglementée ou impraticable
Rue piétonne
Tramway
Colón   Rue commerçante - Parking
Porte - Passage sous voûte - Tunnel
Gare et voie ferrée
Funiculaire - Téléphérique, télécabine
Pont mobile - Bac pour autos

Signes divers

Information touristique
Mosquée - Synagogue
Tour - Ruines
Moulin à vent - Château d'eau
Golf - Hippodrome
Arènes
Jardin, parc, bois
Cimetière - Calvaire
Stade
Piscine de plein air, couverte
Vue - Panorama
Monument - Fontaine
Usine - Centre commercial
Port de plaisance - Phare
Aéroport - Station de métro
Gare routière
Transport par bateau :
passagers et voitures
Bureau de poste - Téléphone
Hôpital
Marché couvert

Bâtiment public repéré par une lettre :

D   Conseil provincial
H   Hôtel de ville
J   Palais de justice
G   Délégation du gouvernement (Espagne) - Gouvernement du district (Portugal)
M   Musée
T   Théâtre
U   Université, grande école

POL.   Police (commissariat central)
Gendarmerie (Espagne)
GNR   Gendarmerie (Portugal)

Cartografia

Estradas
Auto-estrada - Área de serviço
Estrada com 2 faixas de rodagem do tipo auto-estrada
Nós: completo - parciais
Número de nós
Estrada de ligação internacional o nacional
Estrada de ligação interregional ou alternativo
Estrada asfaltada - não asfaltada
Estrada em mau estado
Caminho para exploração - Atalho
Auto-estrada - Estrada em construção
(eventualmente: data prevista estrada transitável)

Largura das estradas
Faixas de rodagem separadas
com 4 vias - com 2 vias largas
com 2 vias - com 1 via

Distâncias (totais e parciais)
Em secção com portagem em auto-estrada
Em secção sem portagem em auto-estrada

em estrada

Numeração - Sinalização
Estrada Europeia - Auto-estrada
Estrada nacional radial - Estrada nacional
Outras estradas

Obstacles
Forte declive (flechas no sentido da subida)

Passagem de montanha - Altitude
Percurso difícil ou perigoso
sagens da estrada:
de nível - superior - inferior
Estrada proibida - Estrada com circulação regulamentada
Portagem - Estrada de sentido único
Vau
Nevadas: período provável de encerramento

Transportes
Via férrea - Estação de passageiros
Transporte de automóveis:
por barco
por barcaça (carga máxima em toneladas)
Barcaça para peões
Aeroporto - Aeródromo

Alojamento - Administração
Localidade cuja planta se encontra na publicação «O GUIA MICHELIN»

Parador (Espanha) - Pousada (Portugal)
(Estabelecimentos geridos pelo Estado) Capital de divisão administrativa
Limites administrativos
Fronteira

Desportos - Ocio
Praça de touros - Golfe
Refúgio de montanha
Porto de recreio - Praia
Teleférico
Telecabine - Vias de cremalheira

Curiosidades
Edifício religioso - Castelo - Ruínas
Gruta - Monumento megalítico
Outras curiosidades
Panorama - Vista
Percuso pitoresco

Signos diversos
Edifício religioso - Castelo - Ruínas
Gruta - Monumento megalítico
Transportador industrial aéreo
Torre ou posto de telecomunicação
Indústrias - Central eléctrica
Refinaria - Petróleo ou gás natural
Mina - Pedreira
Farol - Barragem
Parque nacional - Reserva de caça

Plantas das cidades

Curiosidades
Edifício interessante
Edifício religioso interessante

Estradas
Auto-estrada, estrada com faixas de rodagem separadas
Nós numerados: completo, parcial
Grande via de circulação
Sentido único
Rua impraticável, regulamentada
Via reservada aos peões
Eléctrico
Colón   Rua comercial - Parking
Porta - Passagem sob arco - Túnel
Estação e via férrea
Funicular - Teleférico, telecabine
Ponte móvel - Barcaça para automóveis

Signos diversos
Informação turística
Mesquita - Sinagoga
Torre - Ruínas
Moínho de Vento - Castelo de Água
Golfe - Hipódromo
Praça de touros
Jardim, parque, bosque
Cemitério - Calvário
Estádio
Piscina ao ar livre, coberta
Vista - Panorama
Monumento - Fonte
Fábrica - Centro Comercial
Porto desportivo - Farol
Aeroporto - Estação de metro
Estação de autocarros
Transporte de automóveis:
passageiros e automóveis
Estação de correios - Telefône
Hospital
Mercado coberto

Edifício indicado por letra:
D   Conselho provincial
H   Câmara municipal
J   Palacio de justiça
G   Delegação do Governo (Espanha) - Governo civil (Portugal)
M   Museu
T   Teatro
U   Universidade, Grande Escola

POL   Polícia (esquadra central)
⬤   Guardia Civil (Espanha)
GNR   Guarda Nacional Republicana (Portugal)

Cartografía

LA SAFOR

Carreteras

Autopista - Áreas de servicio
Autovía
Enlaces : completo, parciales
Números de los accesos
Carretera de comunicación internacional o nacional
Carretera de comunicación interregional o alternativo
Carretera asfaltada - sin asfaltar
Carretera en mal estado
Camino agrícola - Sendero
Autopista, carretera en construcción
(en su caso: fecha prevista de entrada en servicio)

Ancho de las carreteras

Calzadas separadas
Cuatro carriles - Dos carriles anchos
Dos carriles - Un carril

Distancias (totales y parciales)

14 **24** 10
14 10
Tramo de peaje en autopista
Tramo libre en autopista

14 **24** 10
24
en carretera

Numeración - Señalización

E 54   A 96
N IV   N 301
C 437   SE 138

Carretera europea - Autopista
Carretera nacional radial - Carretera nacional
Otras carreteras

Obstáculos

7-12%   +12%
Pendiente Pronunciada (las flechas indican el sentido del ascenso)

793   (304)
Puerto - Altitud
Recorrido difícil o peligroso
Pasos de la carretera:
a nivel, superior, inferior
Tramo prohibido - Carretera restringida
Barrera de peaje - Carretera de sentido único
Vado
12-5
Nevada: Período probable de cierre

Transportes

Línea férrea - Estación de viajeros
Transporte de coches:
por barco
15
por barcaza (carga máxima en toneladas)
Barcaza para el paso de peatones
Aeropuerto - Aeródromo

Alojamiento - Administración

2 1
Localidad con plano en LA GUÍA MICHELIN

P   D
Parador (España) - Pousada (Portugal)
(establecimiento hotelero administrado por el Estado)
Capital de división administrativa
Limites administrativos
Frontera

Deportes - Ocio

Plaza de toros - Golf
Refugio de montaña
Puerto deportivo - Playa
Teleférico, telesilla
Funicular - Línea de cremallera

Curiosidades

Edificio religioso - Castillo - Ruina
Cueva - Monumento megalítico
Otras curiosidades
Vista panorámica - Vista parcial
Recorrido pintoresco

Signos diversos

Edificio religioso - Castillo - Ruinas
Cueva - Monumento megalítico
Transportador industrial aéreo
Torreta o poste de telecomunicación
Industrias - Central eléctrica
Refinería - Pozos de petróleo o de gas
Mina - Cantera
Faro - Presa
Parque nacional - Reserva de caza

Planos de ciudades

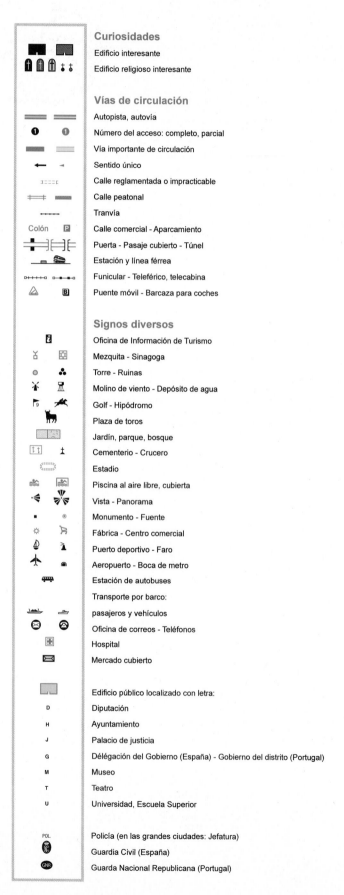

Curiosidades

Edificio interesante
Edificio religioso interesante

Vías de circulación

Autopista, autovía
Número del acceso: completo, parcial
Vía importante de circulación
Sentido único
Calle reglamentada o impracticable
Calle peatonal
Tranvía
Colón   P
Calle comercial - Aparcamiento
Puerta - Pasaje cubierto - Túnel
Estación y línea férrea
Funicular - Teleférico, telecabina
Puente móvil - Barcaza para coches

Signos diversos

Oficina de Información de Turismo
Mezquita - Sinagoga
Torre - Ruinas
Molino de viento - Depósito de agua
Golf - Hipódromo
Plaza de toros
Jardín, parque, bosque
Cementerio - Crucero
Estadio
Piscina al aire libre, cubierta
Vista - Panorama
Monumento - Fuente
Fábrica - Centro comercial
Puerto deportivo - Faro
Aeropuerto - Boca de metro
Estación de autobuses
Transporte por barco:
pasajeros y vehículos
Oficina de correos - Teléfonos
Hospital
Mercado cubierto

Edificio público localizado con letra:
D   Diputación
H   Ayuntamiento
J   Palacio de justicia
G   Délégación del Gobierno (España) - Gobierno del distrito (Portugal)
M   Museo
T   Teatro
U   Universidad, Escuela Superior

POL.   Policía (en las grandes ciudades: Jefatura)
Guardia Civil (España)
GNR   Guarda Nacional Republicana (Portugal)